JN192094

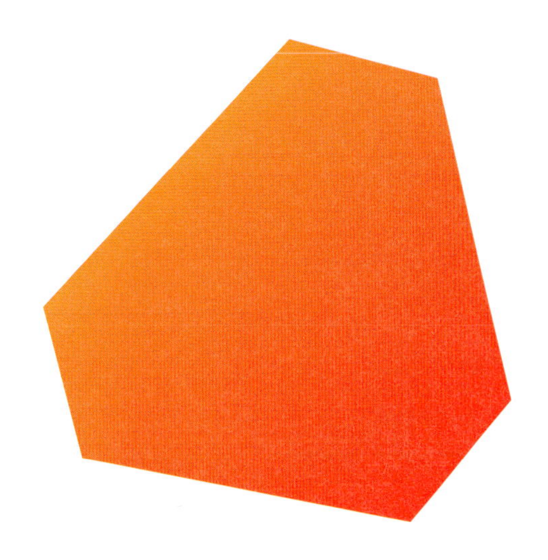

AutoCAD パーフェクトガイド

AutoCAD/AutoCAD LT
2022/2021/2020 対応

芳賀百合 著

Perfect Guide

AutoCAD
Revised 2nd edition
Yuri Haga

技術評論社

◎サンプルファイルのダウンロードについて

本書の解説に使用している

・サンプルファイル(.dwg)

を、下記のページよりダウンロードできます。ダウンロード時は圧縮ファイルの状態なので、展開してから使用してください。

https://gihyo.jp/book/2021/978-4-297-12355-0/support

◎無償体験版のダウンロードについて

オートデスクでは30日間無償で利用できる「AutoCAD(業種別ツールセットを含まない)」の体験版を用意しています。無償体験版のダウンロードは、下記のページよりダウンロードできます。

・Autodesk AutoCAD 2022バージョン
https://www.autodesk.co.jp/products/autocad/free-trial

【免責】
本書に記載された内容は、情報の提供のみを目的としています。したがって、本書を用いた運用は、必ずお客様自身の責任と判断によって行ってください。これらの情報の運用の結果、いかなる障害が発生しても、技術評論社および著者はいかなる責任も負いません。
本書記載の情報は、特に断りのない限り、2021年9月現在のものを掲載しております。OSやソフトウェアはバージョンアップされる場合があり、本書での説明とは機能内容や画面図などが異なってしまうこともあり得ます。あらかじめご了承ください。
なお、本書はAutodesk AutoCAD 2022バージョンとWindows 10を使用して操作方法を解説しています。

以上の注意事項をご承諾いただいた上で、本書をご利用願います。これらの注意事項に関わる理由に基づく、返金、返本を含む、あらゆる対処を、技術評論社および著者は行いません。あらかじめ、ご承知おきください。

はじめに

「AutoCADは難しい」という評価をよく聞きます。筆者も10年以上AutoCADを教えていますが、「どのように教えればわかりやすく、そして、早く覚えてもらえるのか」を、いつも考えています。

なぜ難しいかというと、「1つのボタンで図形が描けない」からです。水平な線を描こうと思っても「水平線」というボタンはなく、「線分」「直交モード」の2つの機能を組み合わせる必要があります。これは、初心者にとっては難しいことかもしれません。しかし、ある程度熟練されてくると、「モニターとキーボード／マウス」が、まるで「紙とペン」のように感じられる瞬間がやってきます。複雑に思える操作性が、実は「図面を描く」ことに集中できるように考えられたものであることがわかります。少なくとも筆者にはそう思えるのです。

この書籍では、「自分の描きたい図形はどの機能を使えばよいのか？」の手助けになるように、「線分コマンドについて」「直交モードについて」といった、個々の機能説明は極力省き、「何をしたいのか」「何の機能を必要とするのか」を紹介しています。そして、AutoCADを操作する際に必要な考え方を補足するため、「○○を理解する」というSECTIONを設けました。本書をきっかけに、みなさんがAutoCADでさまざまな図面作成ができるよう応援しています。

芳賀 百合

CONTENS【目次】

CHPTER 02 図形の修正

CHPTER 03

注釈

CHPTER 04 画層とプロパティ

CHPTER 05

ブロックと参照

CHPTER 06 印刷とレイアウト

CHPTER 07 ファイル管理

CHPTER 08 設定

CHPTER 09 活用

CHAPTER

▼

00

THE PERFECT GUIDE FOR AUTOCAD

AutoCADの基本

AutoCADの作図の基本を知る

用紙サイズや縮尺を設定する、線に太さを与える、文字のフォントを指定するなど、図面作成には様々な規則がありますが、それに相応するAutoCADの基本的な作図の考え方を最初に学ぶ必要があります。

対象物は実寸で作図する

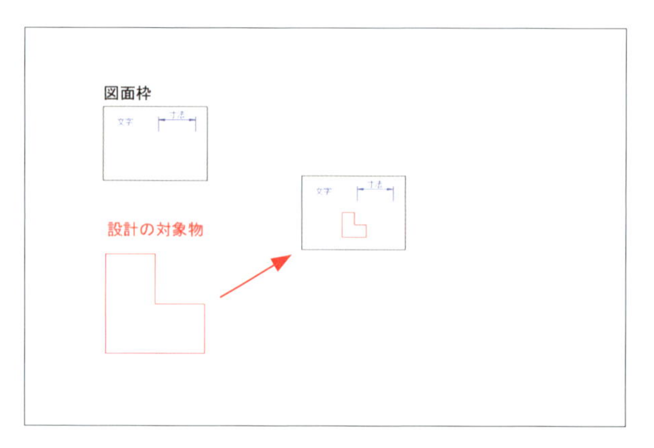

図面には多くの場合縮尺が設定されており、設計の対象物を大きくしたり小さくしたりして、図面枠内に収まるように作図をします。
たとえば1:100の図面なら、設計の対象物を1/100倍にして作図します。

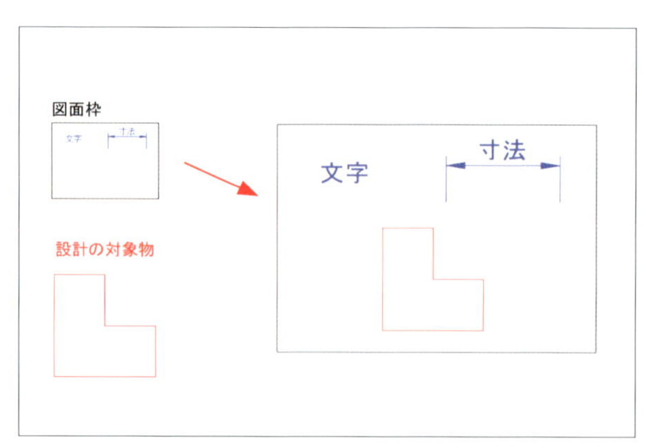

AutoCADの場合、設計の対象物はそのままの大きさ、実寸で作図を行います。その代わり、図面枠や文字・寸法に縮尺の逆数をかけます。たとえば、1:100の図面なら、用紙枠や文字・寸法を100倍にします。つまり、100倍大きな図面が作図されていることになります。

CHECK

縮尺の設定については、P.172を参照してください。

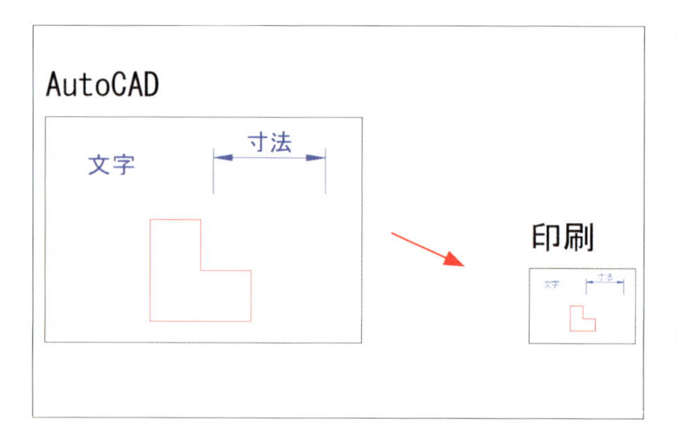

そして印刷をする時に、縮尺を設定します。たとえば、1:100の図面なら、1/100倍して印刷を行います。

CHECK

印刷の設定については、P.314を参照してください。

モデル／レイアウトタブの役割を理解する

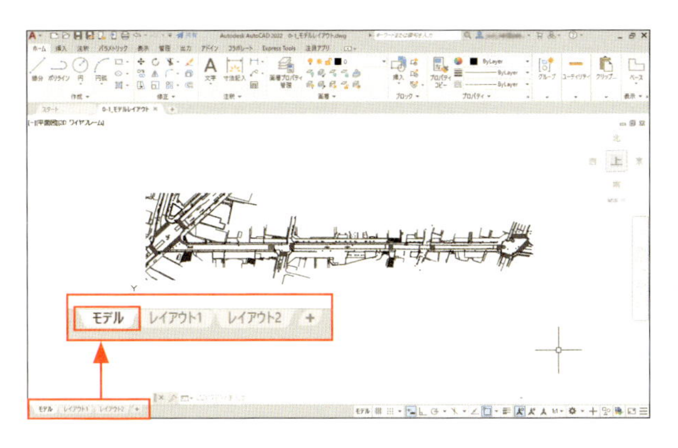

AutoCADには、モデルタブ／レイアウトタブがあり、それぞれ役割が違います。

モデルタブは1つのファイルに1つだけ存在し、設計の対象物を作図する場所です。領域は無限に広がっています。それに対し、レイアウトタブは複数作成することが可能です。モデルタブに作図した対象物に縮尺を与えて、図面枠内に配置します。

図面を完成させるには、以下の2つの方法があります。
・モデルタブのみを使用
・モデルタブとレイアウトタブを使用

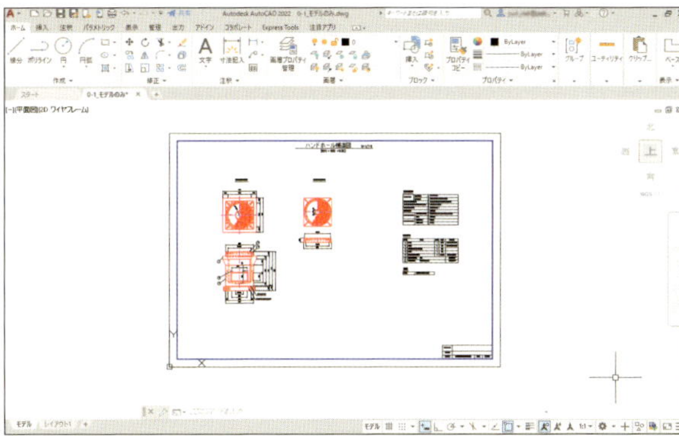

モデルタブのみを使用

設計の対象物に加え、図面枠もモデルタブに作図します。また、図面枠は縮尺によって大きさを変更します。

CHECK

図面枠の縮尺の設定については、P.172を参照してください。

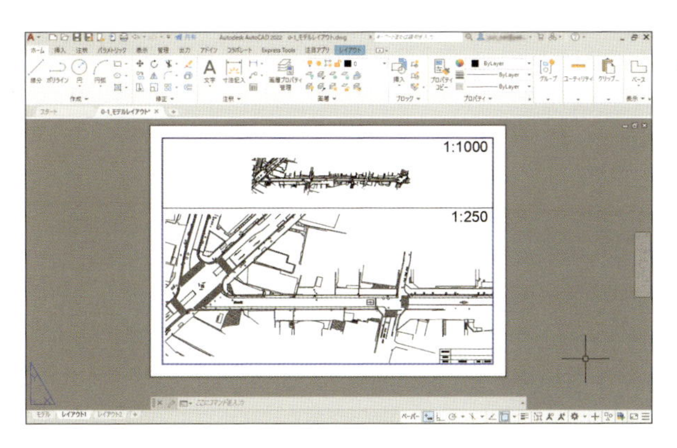

モデルタブとレイアウトタブを使用

1つの図面に縮尺が2つ以上ある、対象物の一部のみを表示したい、などの場合は、モデルタブに作図されている対象物に縮尺を設定して、レイアウトタブで表示します。また、図面枠はレイアウトタブに実寸で作図をします。

▶ 図形の色／線種／太さは画層で設定する

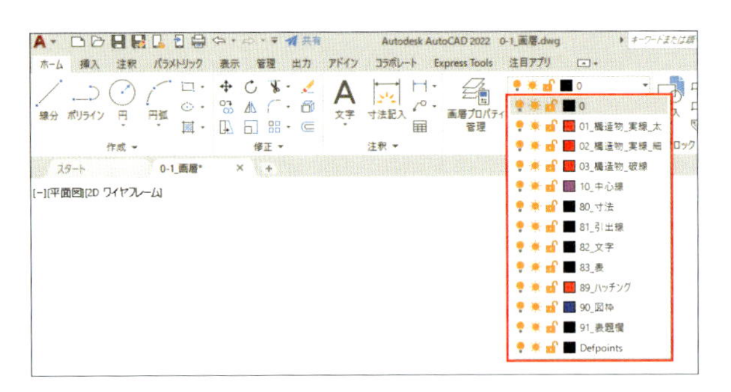

AutoCADでは、設計の対象物の計画線や中心線、文字／寸法などを管理しやすくするために、画層が用意されています。

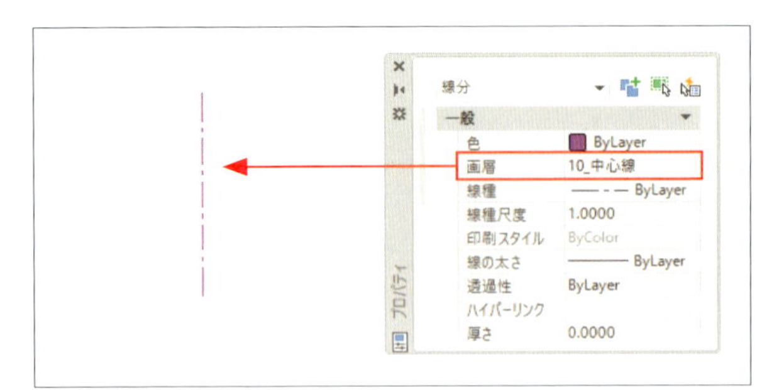

すべての図形は、必ずいずれかの画層に所属しています。

CHECK

画層については、P.230を参照してください。

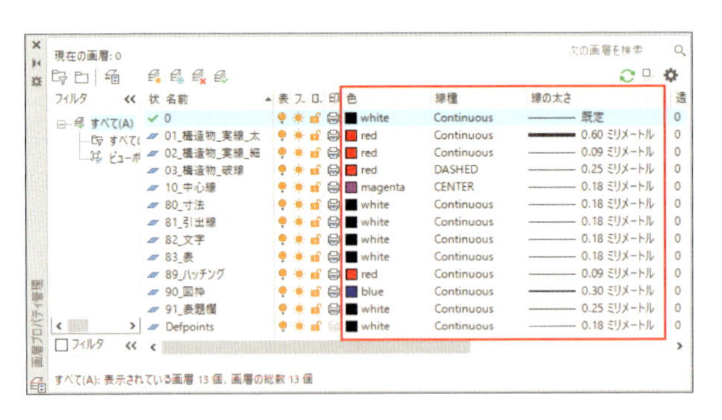

画層には色／線種／太さなどが設定されています。

CHECK

色と線種については、P.256、P.258を参照してください。

図形は所属する画層を変更すると、色／線種／太さが変更されます。

CHECK

必要な場合は、個別の図形ごとに色／線種／太さを変更することも可能です。

CHECK

線の太さを画面に反映したい場合は、P.266を参照してください。

注釈はスタイルでコントロールする

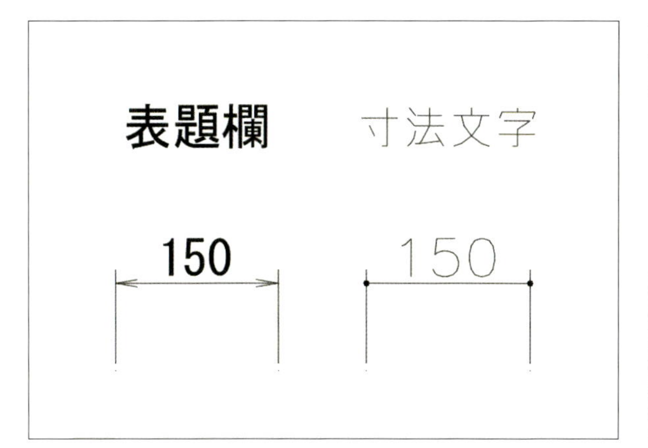

文字のフォントや、寸法／引出線の矢印の種類など、注釈の詳細な設定は、「文字スタイル」、「寸法スタイル」、「マルチ引出線スタイル」に保存します。

CHECK

文字、寸法、マルチ引出線については、P.173、P.198、P.216 を参照してください。

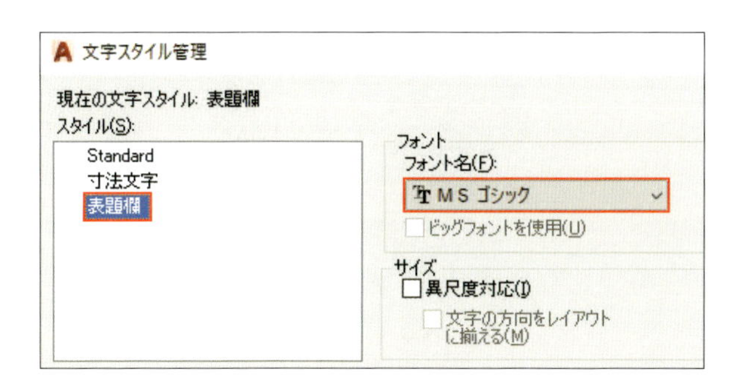

たとえば、文字のフォントを「MS ゴシック」に変更したい場合は、「MS ゴシック」が設定されている文字スタイルを用意します。

「文字スタイル」を切り替えることによって、「MS ゴシック」にフォントを変更することができます。

CHECK

文字、寸法、マルチ引出線のスタイルの作成については、P.194、P.211、P.218 を参照してください。

ユーザーインターフェースを理解する

ここでは、AutoCADの画面各部の名称や各機能について紹介します。バージョンによってステータスバーのアイコンの種類やコマンドウィンドウなどが多少違うので注意してください。

AutoCADの画面名称と機能

AutoCADの画面の配色は、標準では黒に近いグレーに設定されています。本書では見やすさを考慮して配色を変更して解説しています。また、グリッド表示も基本的にオフにしています。本書と同じ環境にする場合は、P.385「モデルタブの背景色を変更する」、P.391「リボンの色を変更する」、P.424「テンプレートを作成する」を参考に設定を変更してください。なお、本書ではAutoCADの画面を使って解説します。基本的な構成は、AutoCAD LTの画面と変わりありません。

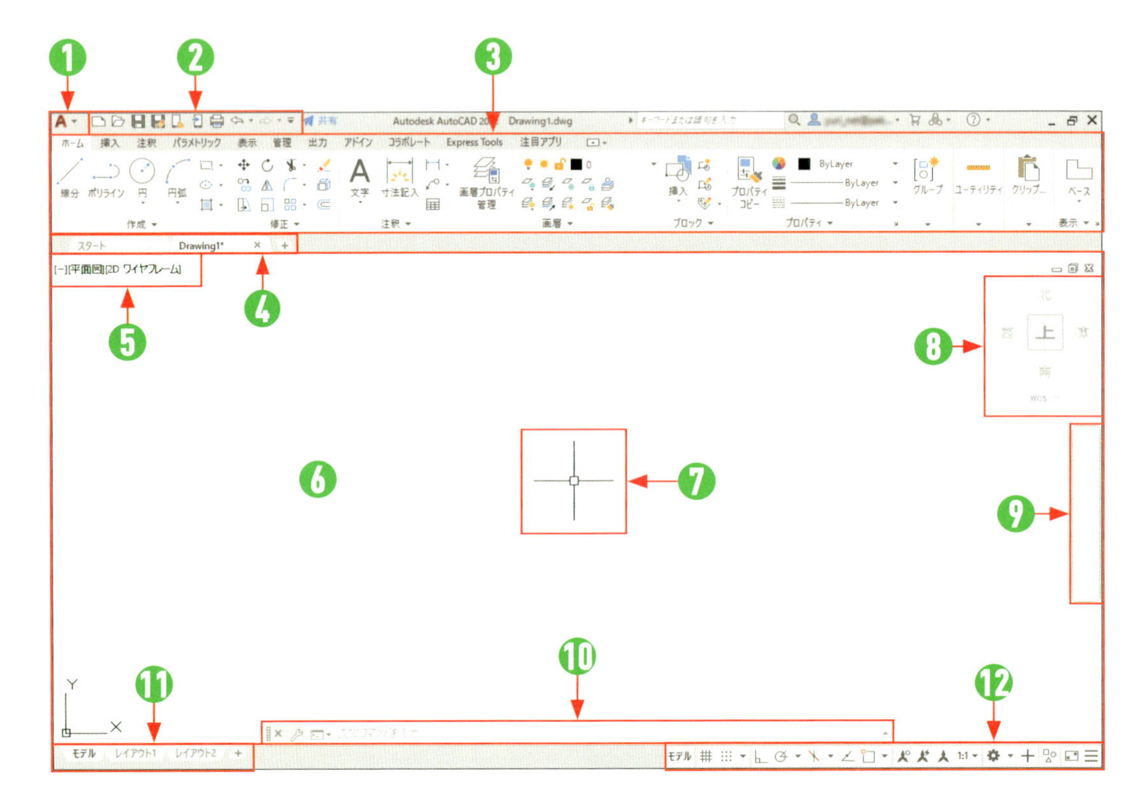

❶	アプリケーションメニュー	❼	クロスヘアカーソル
❷	クイックアクセスツールバー	❽	ViewCube
❸	リボン	❾	ナビゲーションバー
❹	ファイルタブ	❿	コマンドウィンドウ
❺	ビューコントロール	⓫	モデル／レイアウトタブ
❻	作図領域	⓬	ステータスバー

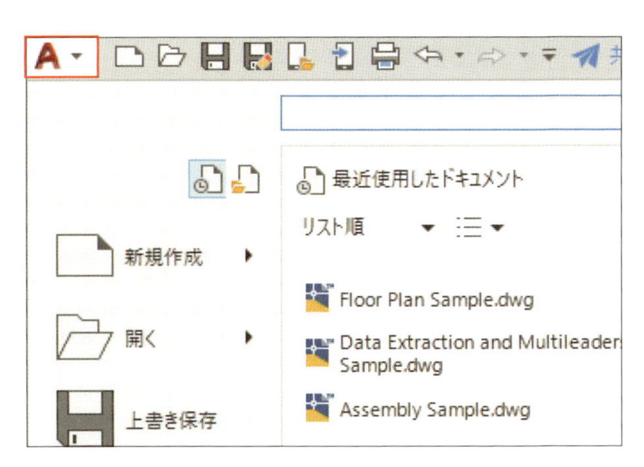

❶ アプリケーションメニュー

[アプリケーションメニュー]からはファイルの新規作成／開く／保存／印刷などに関する操作を行うことができます。

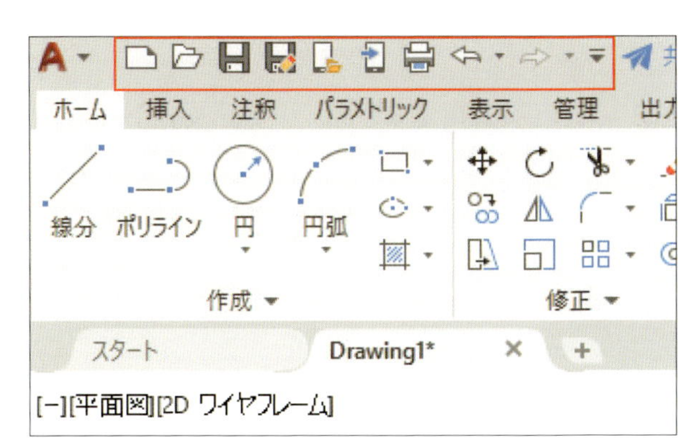

❷ クイックアクセスツールバー

[クイックアクセスツールバー]には、[クイック新規作成]、[開く]、[上書き保存]、[名前を付けて保存]、「Webおよびモバイルから開く」、「Webおよびモバイルに保存」、[印刷]、[元に戻す]、[やり直し]など、よく使う機能がボタンで表示されています。クイックアクセスツールバーに表示するボタンは をクリックするとカスタマイズできます。

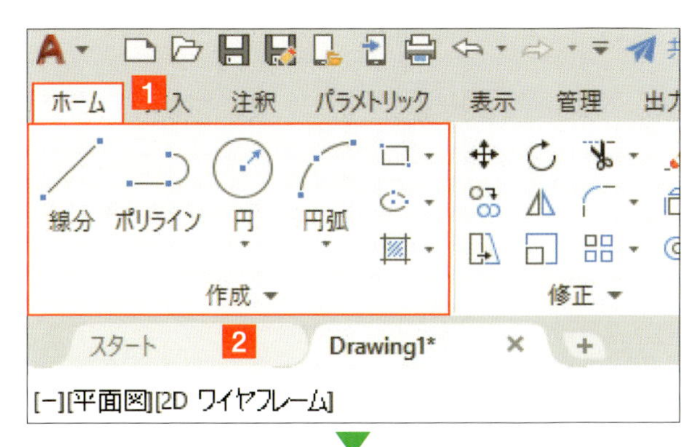

❸ リボン

[リボン]は[リボン]タブ1と[リボンパネル]2で構成されます。リボンの背景色は変更することができます(P.391参照)。

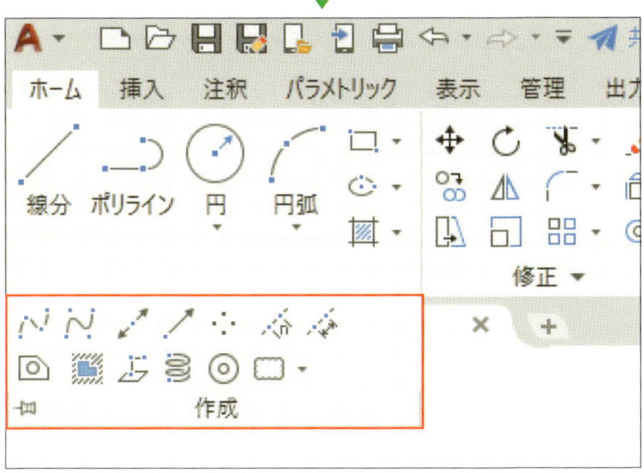

[リボンパネル]下部のパネル名横に「▼」マークが表示されている場合には、これをクリックすると(ここでは[作成 ▼]をクリック)、パネルが展開されます。

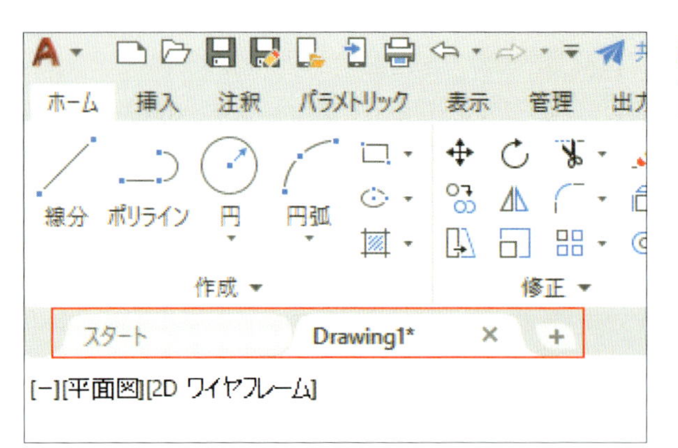

❹ ファイルタブ

AutoCADで開いているファイル名が表示され、クリックしてファイルを切り替えることができます。

❺ ビューコントロール

作図領域を分割するほか、視点操作の変更で使用します。AutoCADのみの機能です。

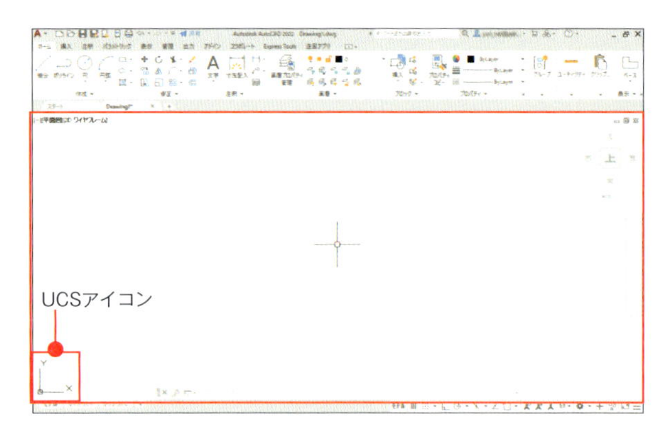

❻ 作図領域

図形などを作図、編集する領域が無限に広がり、現在の座標系を示すUCSアイコンが表示されます。背景色は変更することができます(P.385の「モデルタブの背景色を変更する」参照)。

CHECK

UCS を使用すると、原点の位置と方向を変えることができます。詳しくは、P.053、376 を参照してください。

❼ クロスヘアカーソル

マウスカーソルです。点を指示する1、図形を選択する2など、操作の内容によって形状が変化します。

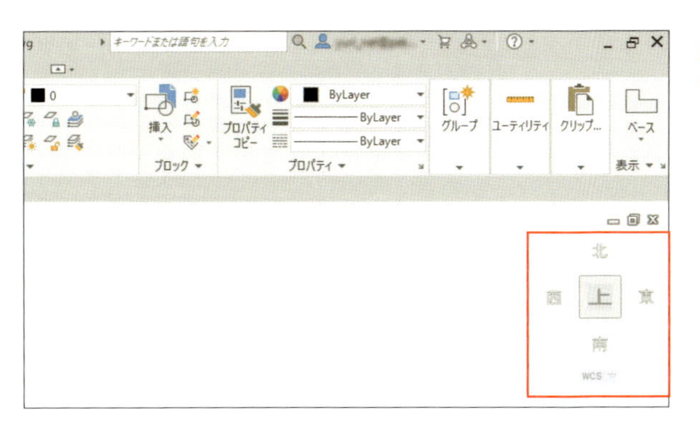

⑧ ViewCube

エッジやコーナー、面をクリックして始点操作を変更します。AutoCADのみの機能です。

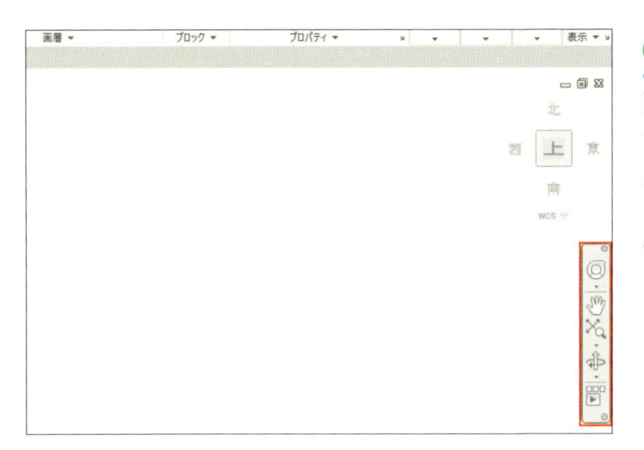

⑨ ナビゲーションバー

画面操作に関するオペレーションを実行します。［表示］タブ→［ビューポートツール］パネルの［ナビゲーションバー］をクリックすると、ナビゲーションバーの表示のオンオフを切り替えることができます。

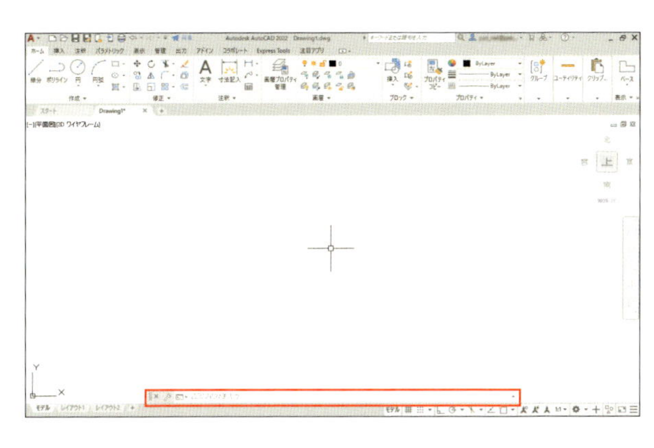

⑩ コマンドウィンドウ

［コマンドウィンドウ］は、操作手順のメッセージや入力の履歴などを表示します。

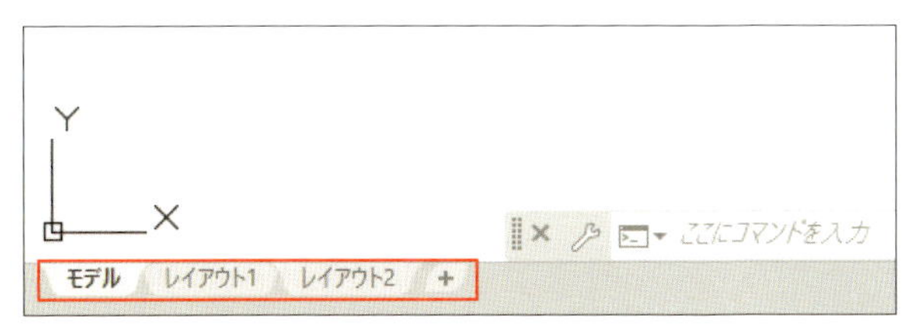

⑪ モデル／レイアウトタブ

AutoCADでは、1つのファイルに1つの［モデル］タブと複数の［レイアウト］タブがあります。［モデル］タブでは作図を、［レイアウト］タブでは印刷の設定を行います。

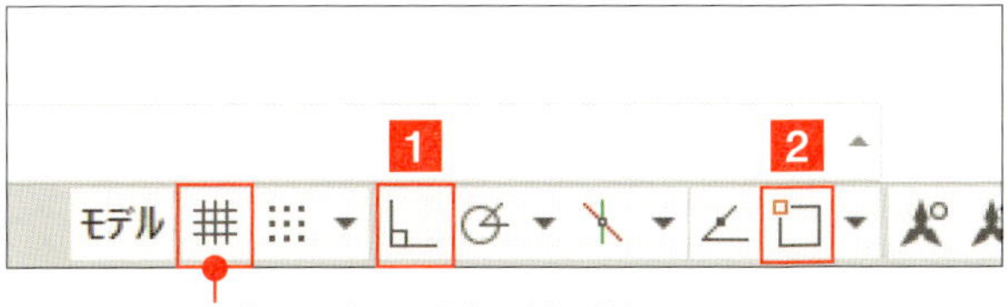

クリックでグリッド表示／非表示を切り替え

⑫ ステータスバー

直交モード1、オブジェクトスナップ2など、作図に必要なツールのオン／オフや設定を行います。作図グリッドの表示／非表示もここで行えます（P.424参照）。

03 起動とファイル操作を確認する

AutoCADの起動方法や、ファイルを開く、閉じる、新規作成、保存など、基本的なファイル操作を解説します。これらのファイル操作はクイックアクセスツールバーを使うと手軽に行えます。

サンプルファイル 0-3.dwg

ファイルを作成して保存する

1 AutoCADを起動する

デスクトップのショートカット（ここではAutoCAD）をダブルクリックします。ショートカットがない場合は、画面左下の［スタート］をクリックしてアプリ一覧から［AutoCAD 2022］フォルダ→［AutoCAD 2022］をクリックします。

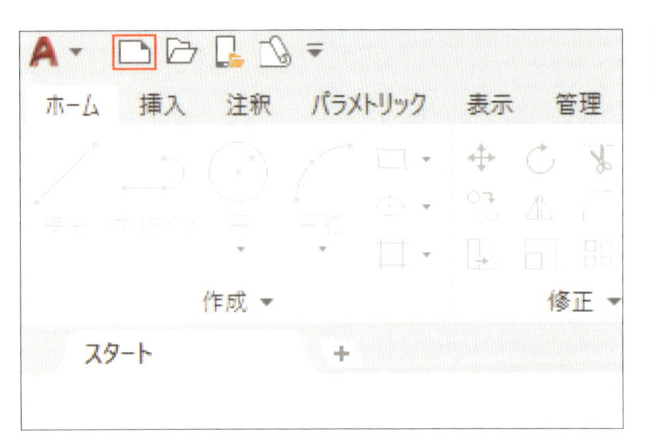

2 クイック新規作成を選択する

［クイックアクセスツールバー］の［クイック新規作成］をクリックします。［テンプレートを選択］ダイアログが表示されます。

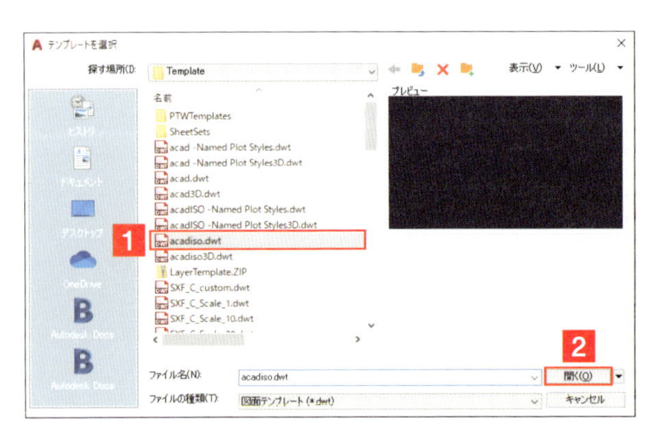

3 テンプレートファイルを選択する

テンプレートファイル（P.348参照）として［acadiso.dwt］（AutoCAD LTでは［acadltiso.dwt］）をクリックして選択し1、［開く］をクリックします2。

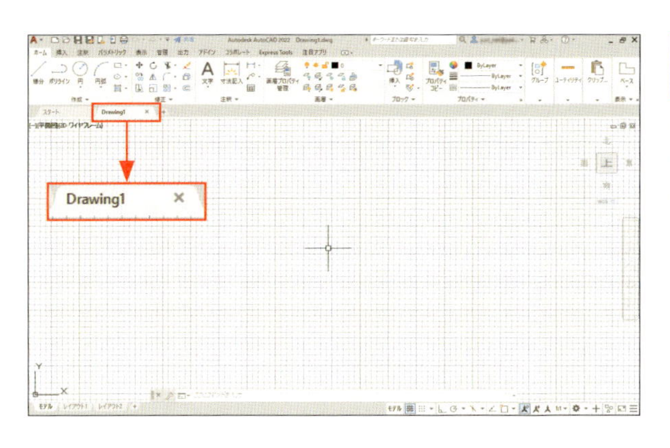

4 ファイルが新規作成される

［ファイル］タブに仮のファイル名（ここでは［Drawing1］）が表示され、新規にファイルが作成されたことが確認できます。

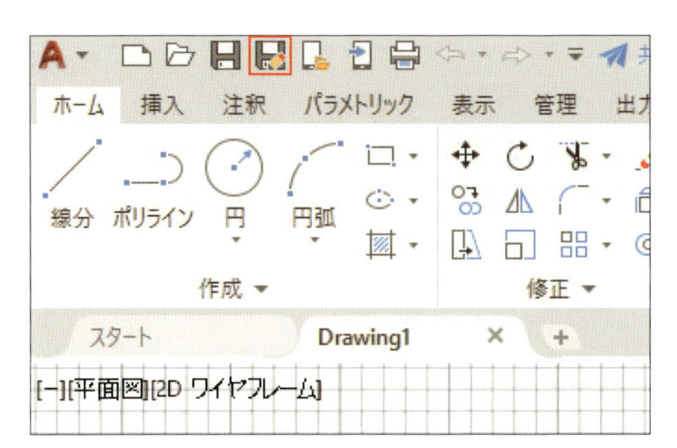

5 ファイルに名前を付けて保存する

［クイックアクセスツールバー］の［名前を付けて保存］をクリックします。［図面に名前を付けて保存］ダイアログが表示されます。

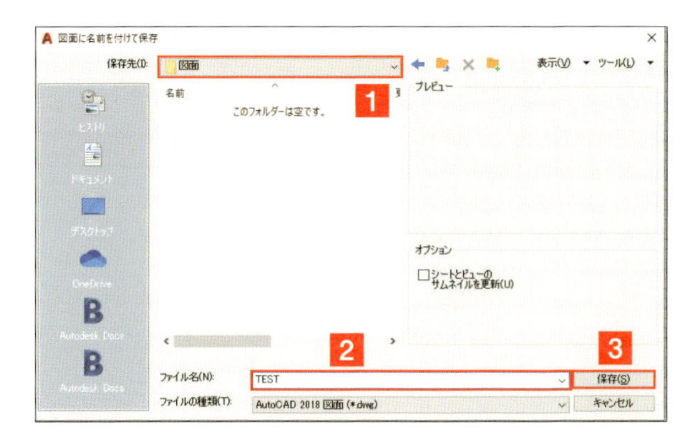

6 フォルダとファイル名を入力する

［保存先］から、ファイルを保存するフォルダを選択します1。［ファイル名］にファイル名を入力し2、［保存］をクリックします3。

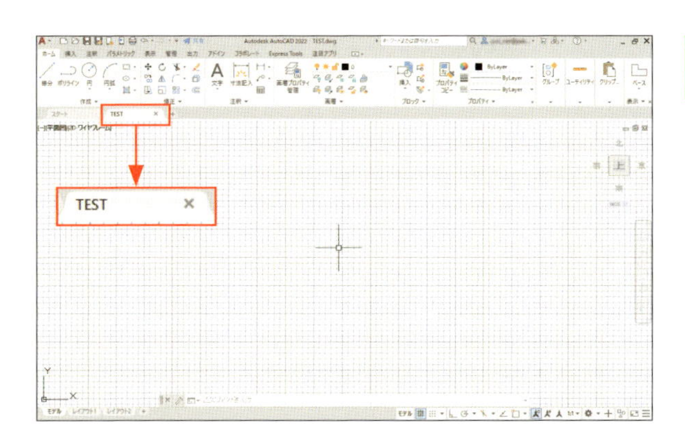

7 ファイルが保存される

ファイルが保存されます。［ファイル］タブには入力したファイル名（ここでは［TEST］）が表示されています。

ファイルを開いて上書き保存する

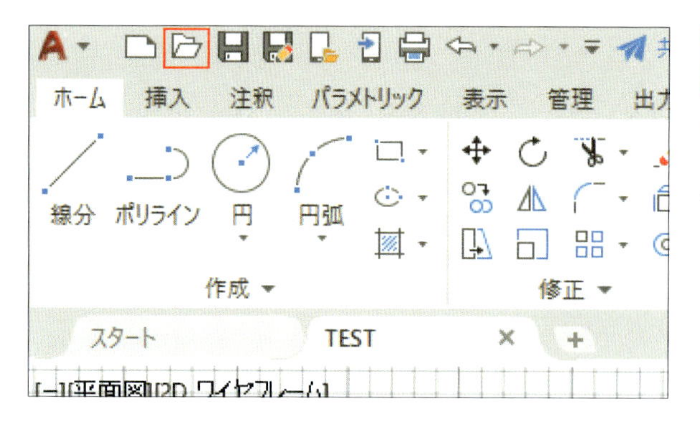

1 ファイルを開く

[クイックアクセスツールバー] の [開く] をクリックします。[ファイルを選択] ダイアログが表示されます。

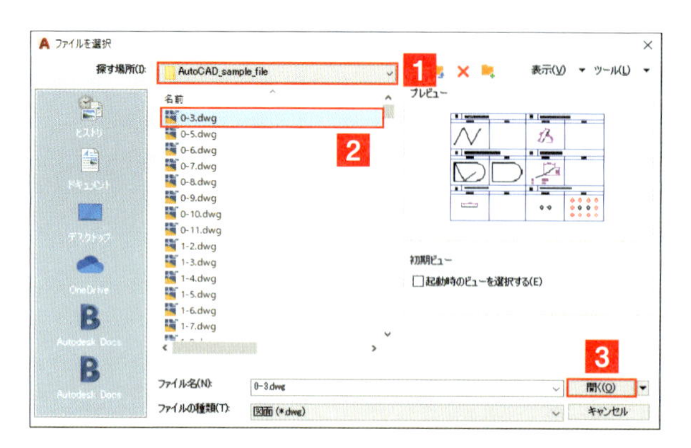

2 ファイルを選択する

[探す場所] から、ファイルが保存されているフォルダを選択します1。[名前] からファイル名（ここでは [0-3.dwg]）をクリックし2、[開く] をクリックします3。

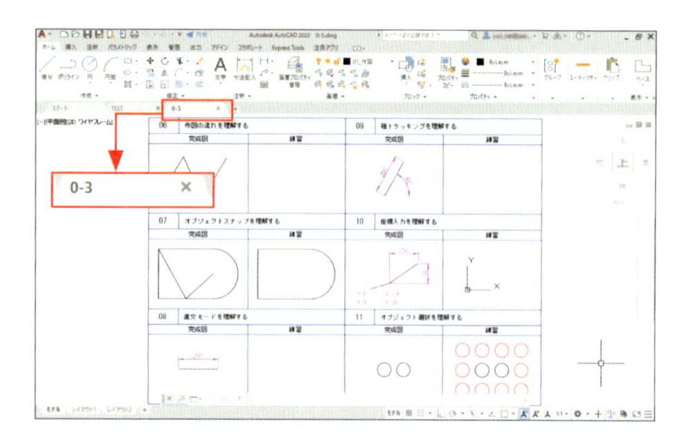

3 ファイルが開く

選択したファイルが開き、[ファイル] タブには選択したファイル名（ここでは [0-3]）が表示されていることが確認できます。

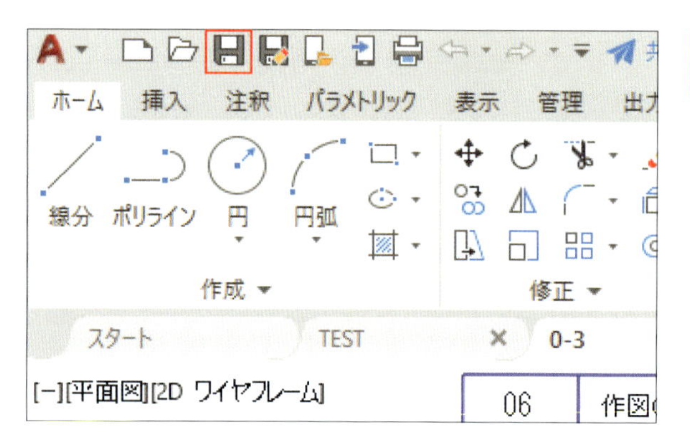

4 ファイルを上書き保存する

[クイックアクセスツールバー] の [上書き保存] をクリックします。

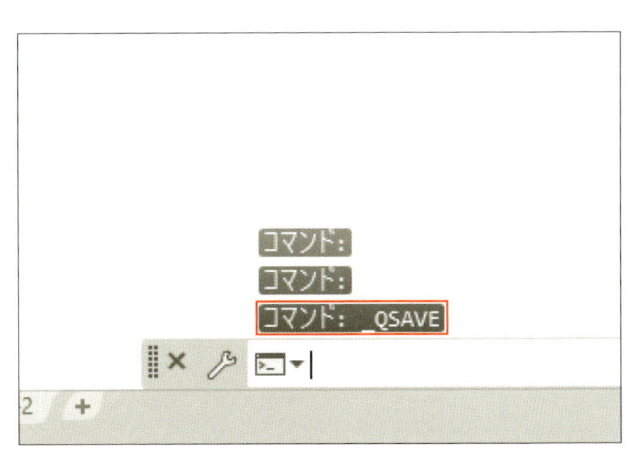

5 ファイルが上書き保存される

上書き保存されると、[コマンドウィンドウ] に「QSAVE」と履歴が表示されます。履歴が表示されない場合はP.388の「コマンドウィンドウの履歴を表示する」を参照してください。

ファイルを操作して終了する

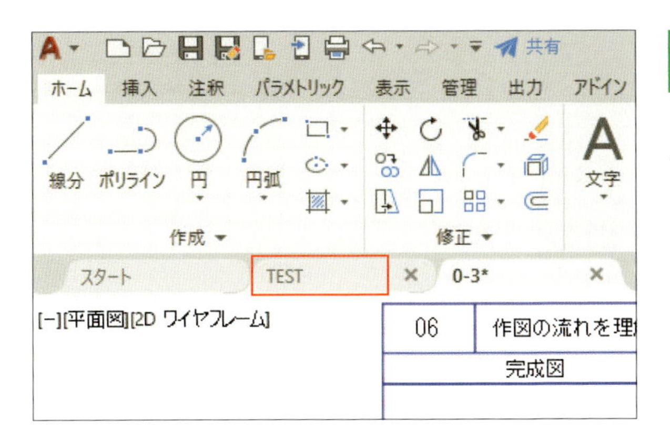

1 ファイルを切り替える

[ファイル] タブから、切り替える [ファイル] タブ（ここでは [TEST]）をクリックします。

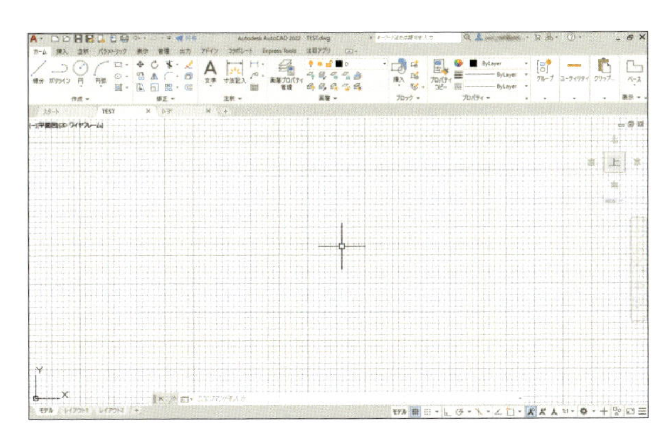

2 ファイルが切り替わる

クリックしたファイルに切り替わります。

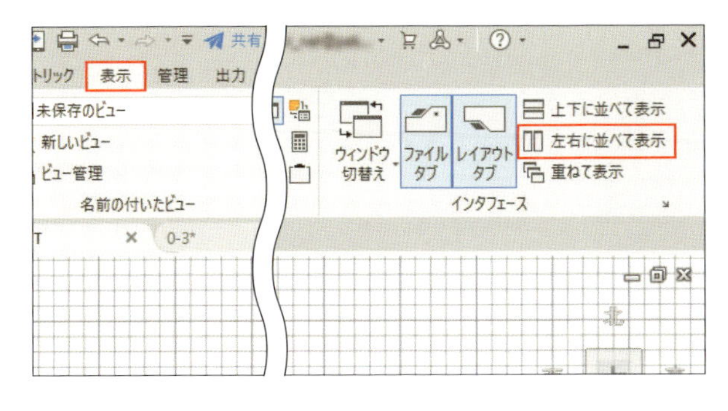

3 ファイルを並べて表示する

リボンの [表示] タブ→ [インタフェース] パネルの [左右に並べて表示] をクリックします。

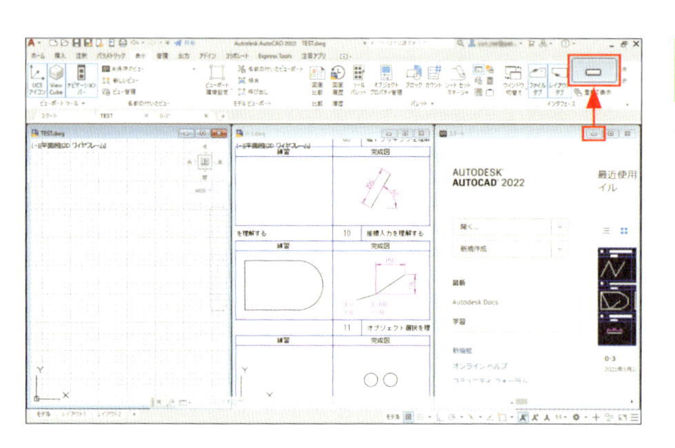

4 ［スタート］タブを最小化する

ファイルが並んで表示されます。［スタート］の［最小化］をクリックします。

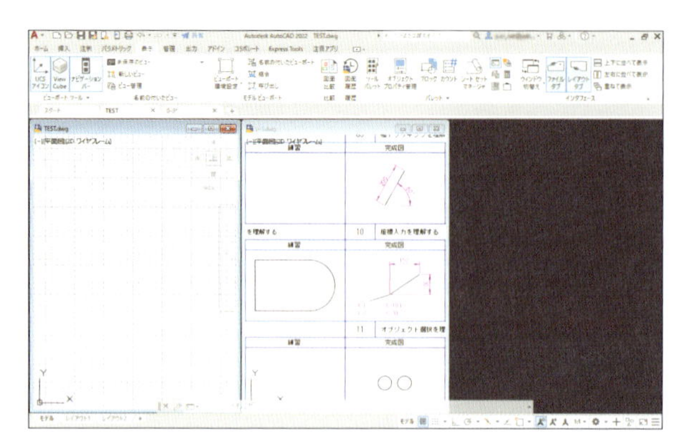

5 ［スタート］タブが最小化される

［スタート］タブが最小化されます。

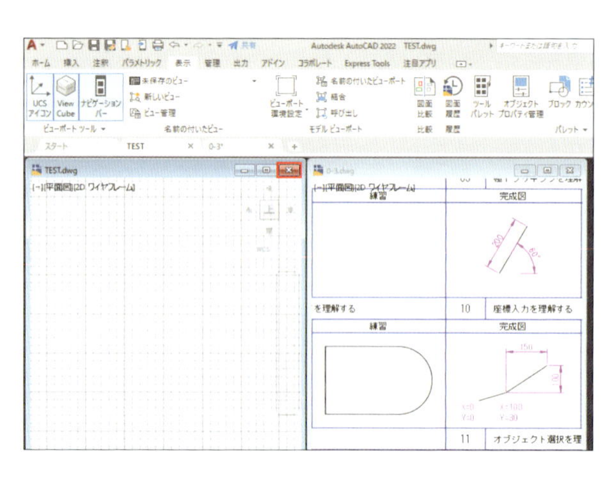

6 並べて表示したファイルを閉じる

閉じたいファイル（ここでは［TEST］）の［閉じる］をクリックします。「変更を保存しますか？」とダイアログが表示された場合は、［はい］または［いいえ］を選択してください。

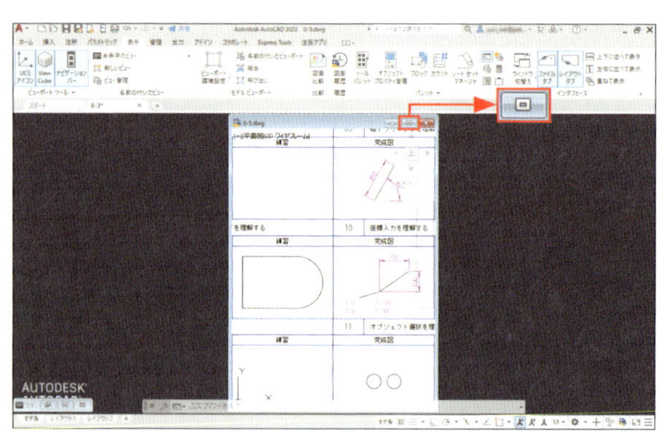

7 ファイルを最大化する

最大化したいファイル（ここでは［0-3］）の［最大化］をクリックします。

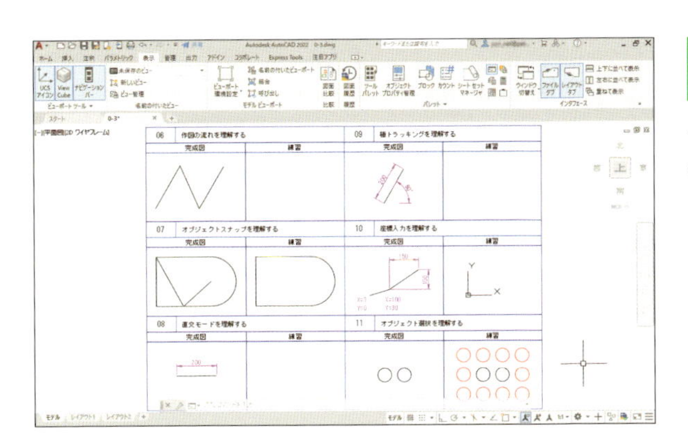

8 ファイルが最大化される

ファイルが最大化され、画面いっぱいに表示されます。

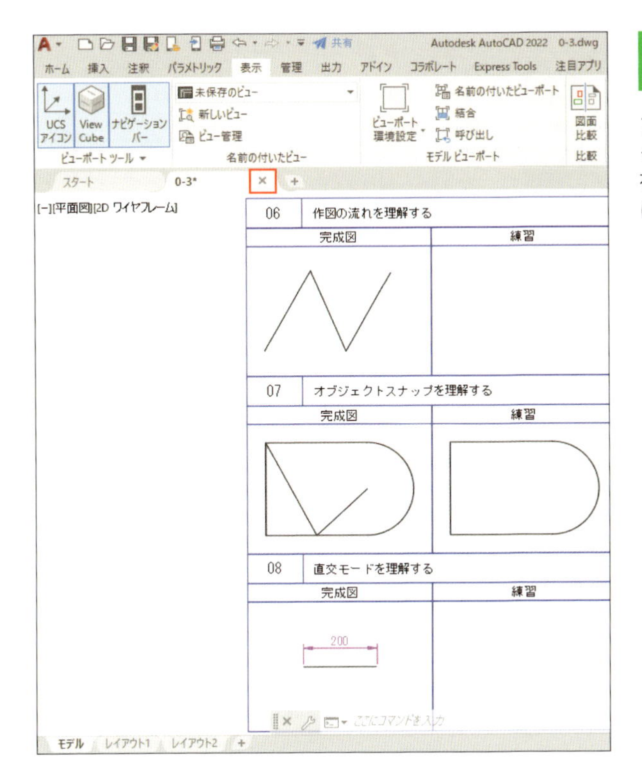

9 最大化したファイルを閉じる

ファイルが最大化されている場合は、［ファイル］タブの［閉じる］をクリックします。「変更を保存しますか？」とダイアログが表示された場合は、［はい］または［いいえ］を選択してください。

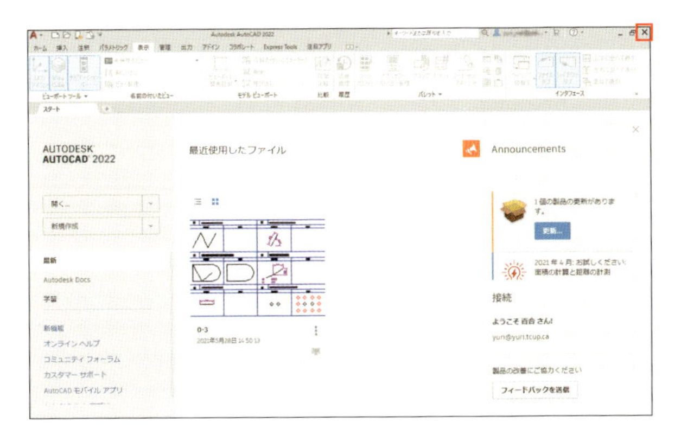

10 AutoCADを終了する

ウィンドウ右上の［閉じる］をクリックします。

作図の準備を知る

図面作成は、対象物を線で書くのみではありません。図面ファイルの用意、縮尺や作図ルールの確認など、様々な準備が必要となります。

図面ファイルを用意する

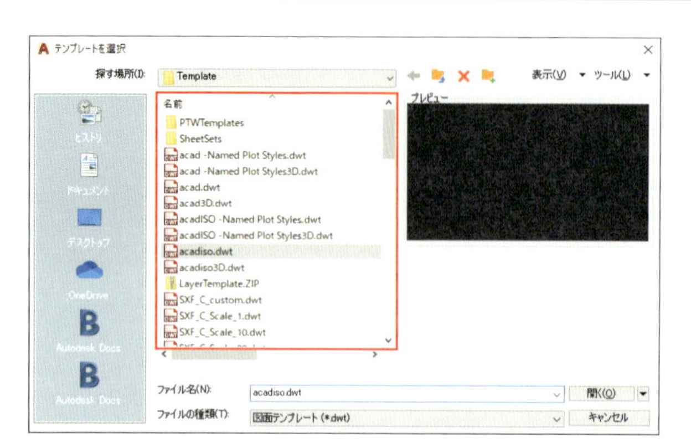

作図を始めるには、既存の図面ファイルを開く、または、新規に図面ファイルを作成する必要があります。

新規に図面ファイルを作成する場合は、テンプレートファイルを選択します。画層や線種などが設定されている、社内で共有されているテンプレートがある場合は、それを使用してください。ない場合は、テンプレートファイルを作成することをお勧めします。

CHECK

テンプレートの作成については、P.424 を参照してください。

縮尺を確認する

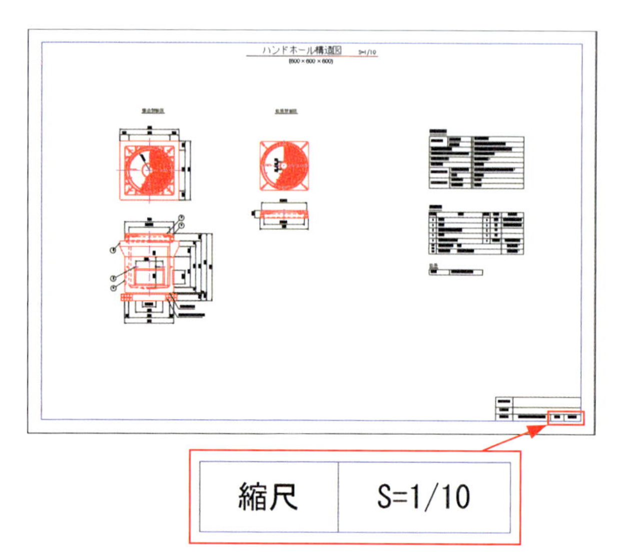

以下の項目は、縮尺を設定する必要があるので、作図前に確認をしてください。

- 文字の大きさ
- 寸法の大きさ
- マルチ引出線の大きさ
- ハッチングの尺度
- 線種尺度
- 用紙／図面枠の大きさ

CHECK

図面の縮尺については、P.172 を参照してください。

作図のルールを確認する

作図のルールを確認し、図面に必要な画層やスタイルなどがない場合は、他図面から DesignCenter（P.233 参照）で読み込むとよいでしょう。

画層

どの画層で何を作成すれば良いのか？といった、画層のルールを確認します。たとえば、構造物の外形線は「外形線」画層、構造物の中心線は「中心線」画層に作成する、などのルールです。

文字／寸法／マルチ引出線スタイル

文字のフォント、寸法の矢印の大きさなどを確認し、スタイルが登録されているか、どのスタイルを使用するのかを確認します。

印刷の線の太さや色の設定

印刷の色や太さは印刷スタイル（P.314 参照）を設定します。社内で共有されている印刷スタイルがあるのかを確認します。

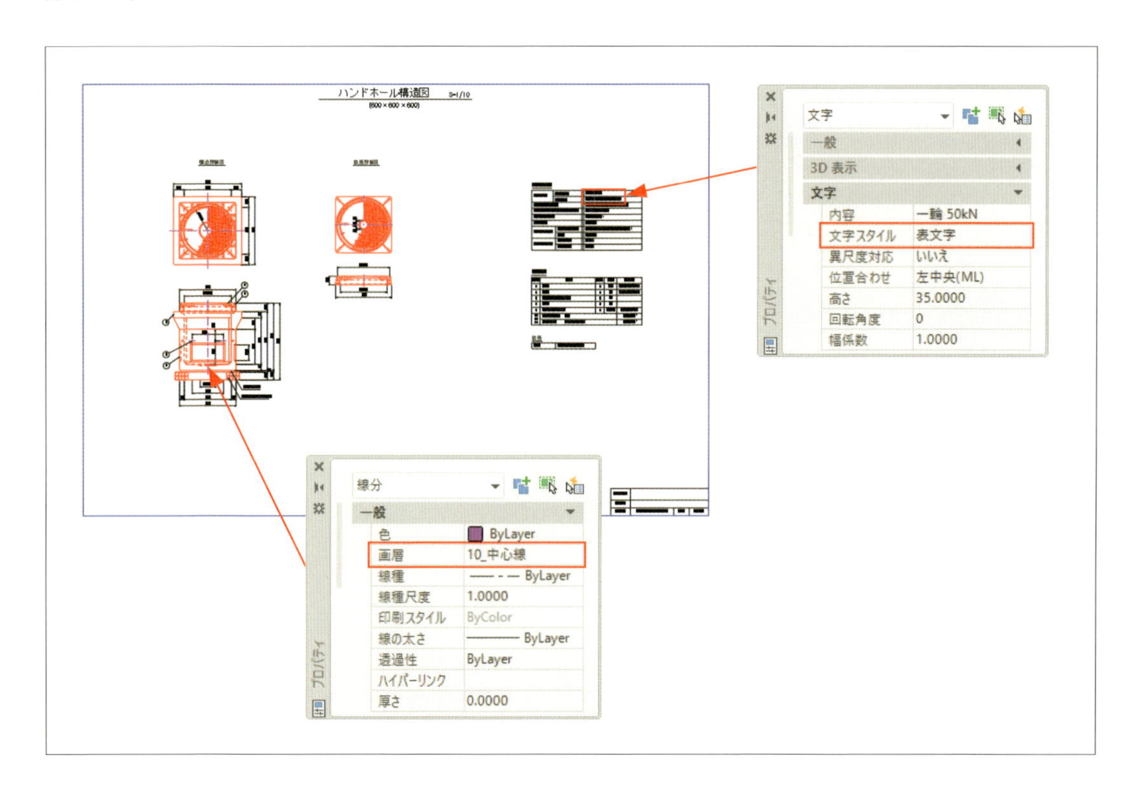

画面の表示操作を確認する

画面の拡大や縮小、移動などの表示操作を解説します。主にマウスのホイールボタン(中央ボタン)を活用するので、ホイールボタンが回しやすい、クリックしやすいマウスを利用するとよいでしょう。

サンプルファイル 0-5.dwg

画面を拡大/縮小、移動/ズームする ～ホイールボタン操作

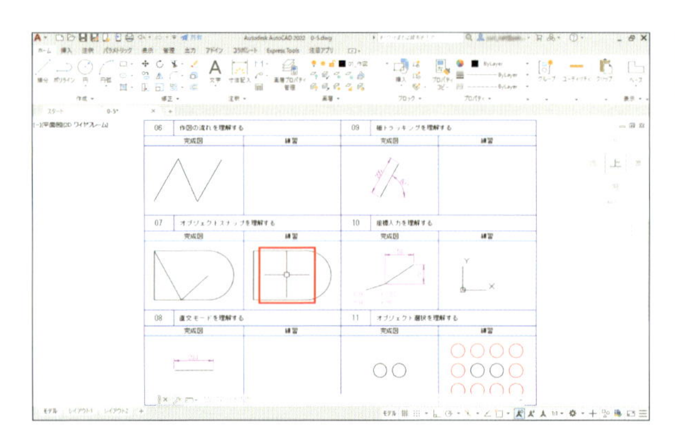

1 ホイールボタンで画面を拡大する

拡大の中心にマウスカーソルを合わせ、ホイールボタンを上方向に回します。

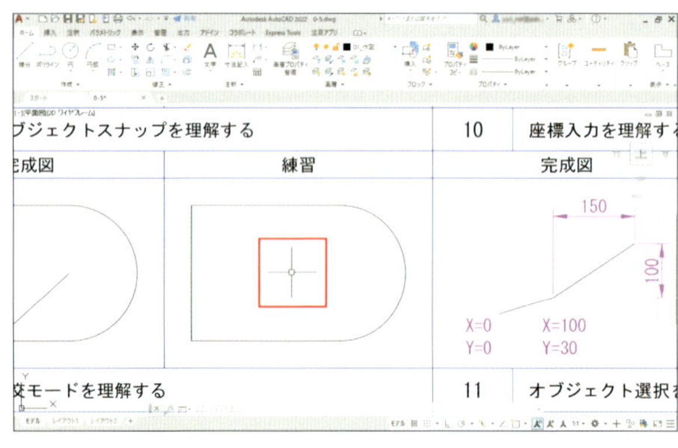

2 画面が拡大される

マウスカーソルを中心に画面が拡大されます。

3 ホイールボタンで画面を縮小する

縮小の中心にマウスカーソルを合わせ、ホイールボタンを下方向に回します。

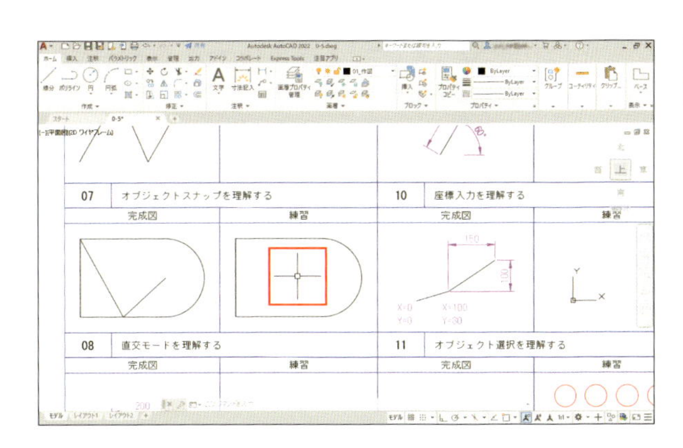

4 画面を縮小される

マウスカーソルを中心に画面が縮小されます。

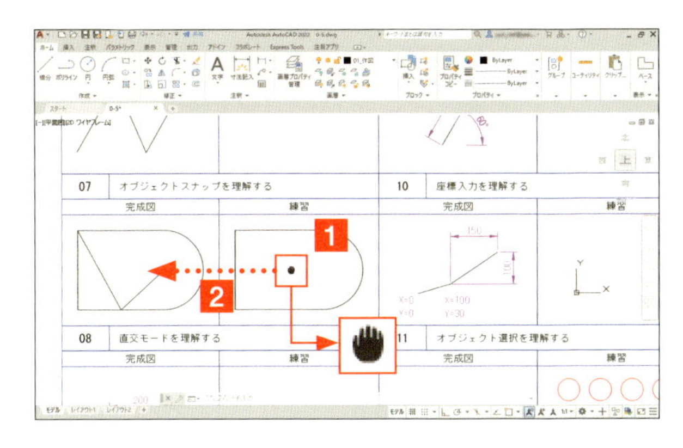

5 ホイールボタンで画面を移動する

ホイールボタンを押したままの状態にすると、マウスカーソルの形状がマークになります1。そのままマウスを移動します2。

CHECK

ホイールボタンで画面移動ができない場合は、ナビゲーションバーの［画面移動］を使用してください（P.032 参照）。

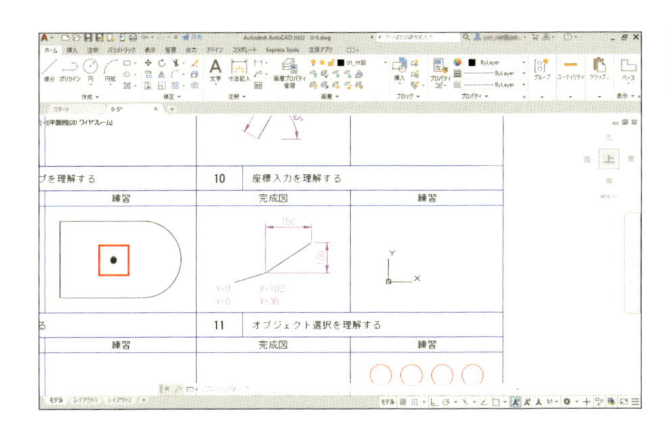

6 画面が移動する

画面が移動します。

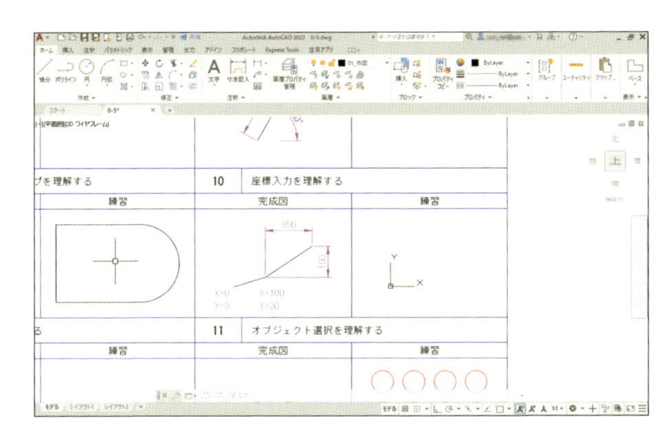

7 ホイールボタンでオブジェクト範囲ズームを実行する

ホイールボタンをダブルクリックします。

CHECK

オブジェクト範囲ズームは、作図されているすべての図形を表示する場合に行います。

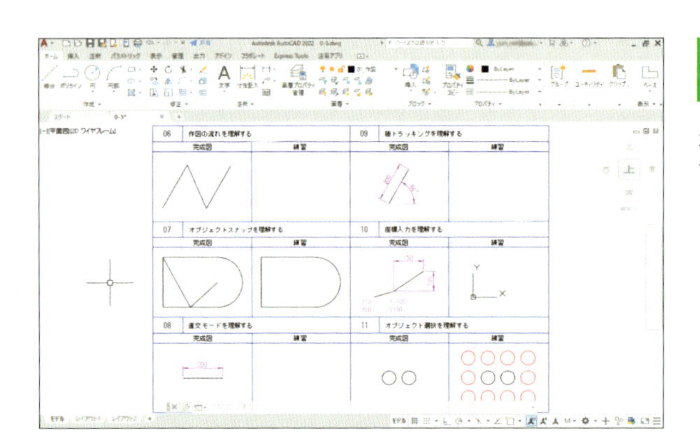

8 オブジェクト範囲が表示される

オブジェクト範囲ズームが実行され、作図されているすべての図形が画面に表示されます。

画面を移動／ズームする ～ナビゲーションバー

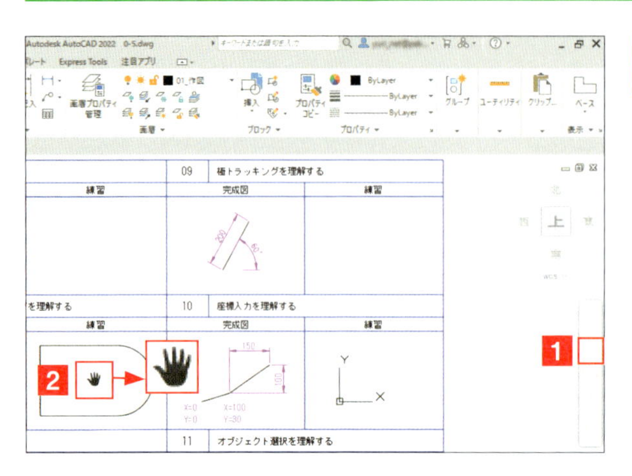

1 ナビゲーションバーで画面を移動する

[ナビゲーションバー] の [画面移動] をクリックします1。マウスカーソルの形状が✋になります2。マウスの左ボタンを押してマウスを移動すると、画面が移動します。

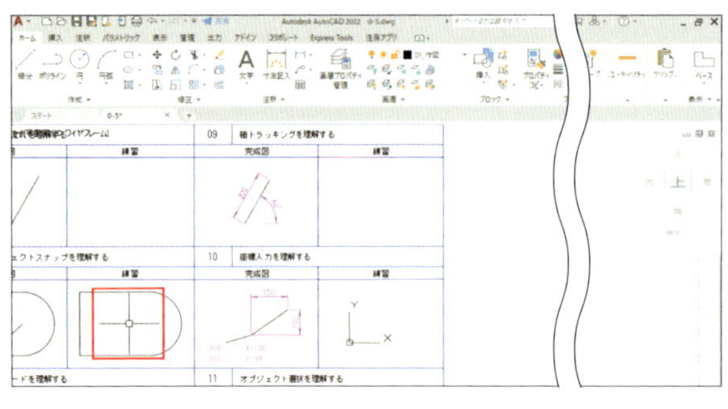

2 画面の移動を終了する

キーボードのEscキーを押すと、画面の移動が終了し、マウスカーソルが元の形状に戻ります。

3 窓ズームを実行する

[ナビゲーションバー] のズームツールの▼をクリックし1、[窓ズーム] を選択します2。

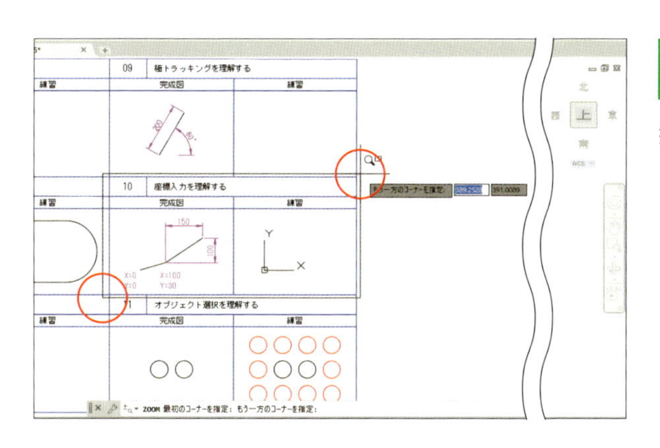

4 窓ズームの範囲を2点指示する

拡大したい範囲を 2 点クリックします。

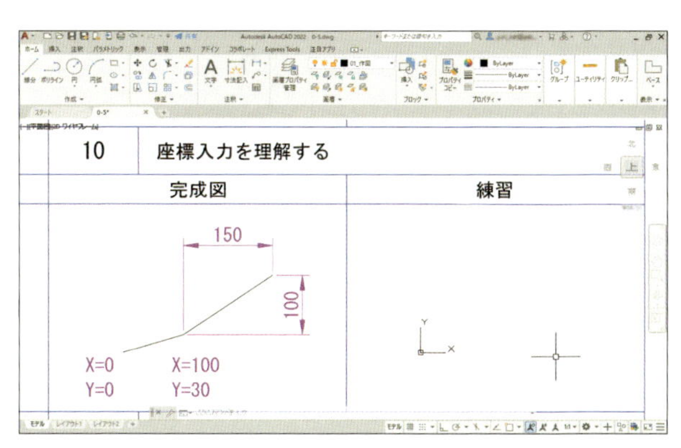

5 窓ズームの範囲が表示される

指示した 2 点の範囲が拡大されます。

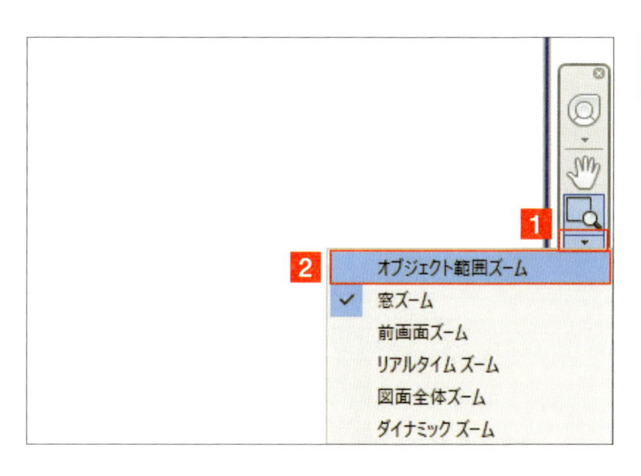

6 ナビゲーションバーでオブジェクト範囲ズームを実行する

[ナビゲーションバー] のズームツールの▼をクリックし1、[オブジェクト範囲ズーム] を選択します2。

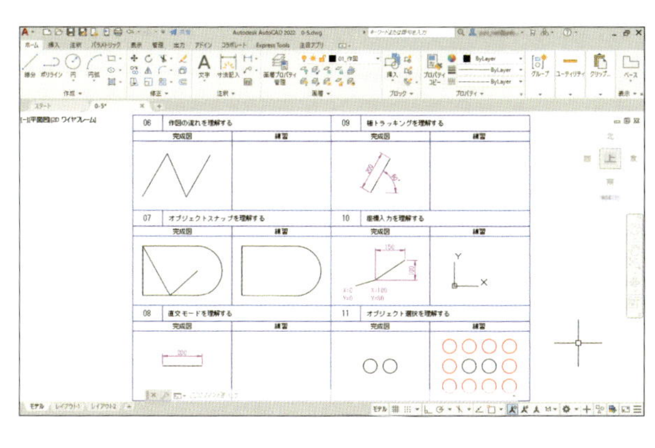

7 オブジェクト範囲が表示される

オブジェクト範囲ズームが実行され、作図されているすべての図形が画面に表示されます。

06 作図の流れを理解する

ユーザーがAutoCADに与える操作命令のことを、「コマンド」と呼びます。コマンドを実行するとプロンプトメッセージが表示されるので、ユーザーはそれに従って操作を行います。

サンプルファイル 0-6.dwg

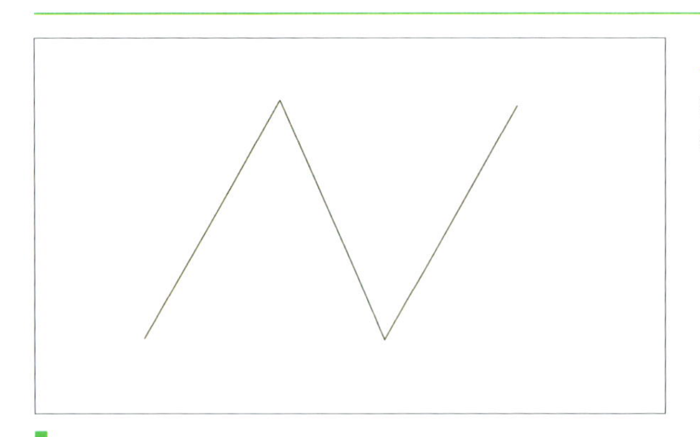

完成図

線分コマンドを実行し、任意点をクリックして、線分を3本作図します。

[線分]コマンドを実行する

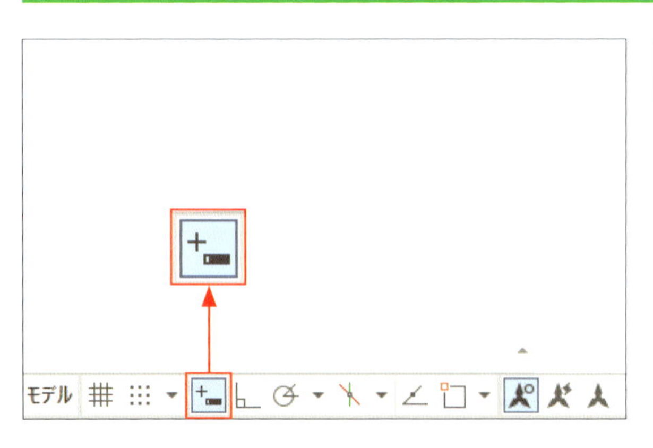

1 [ダイナミック入力]をオンにする

ステータスバーの[ダイナミック入力]をクリックして、オンにします(オンにするとアイコンが青く表示されます)。ダイナミック入力のボタンが表示されていない場合は、P.392の「ステータスバーのボタンを表示する」を参照してください。

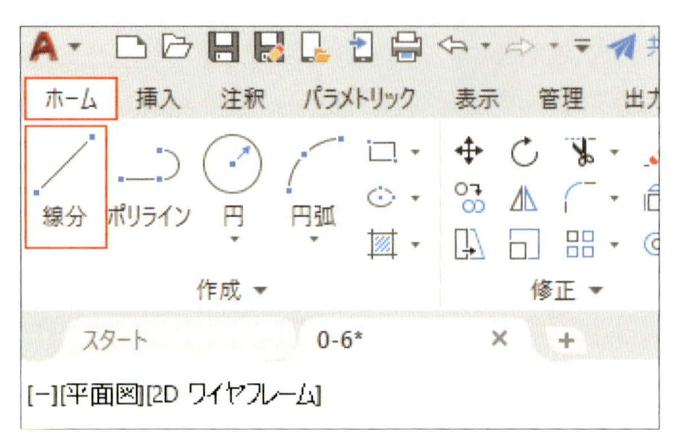

2 リボンから[線分]コマンドを実行する

[ホーム]タブ→[作成]パネルの[線分]をクリックします。

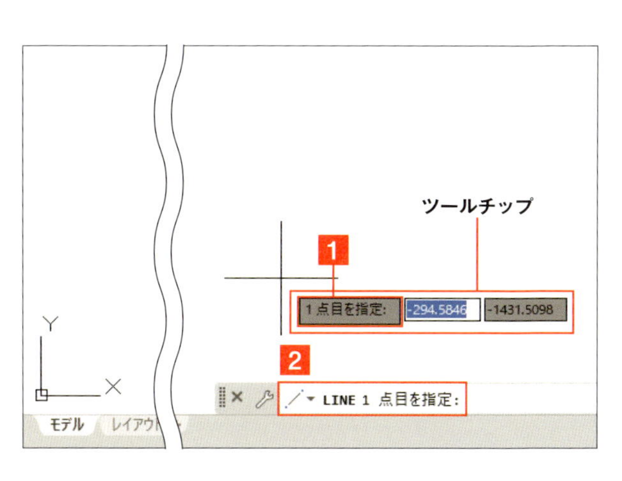

3 [線分] コマンドが実行される

[線分] コマンドが実行され、マウスカーソルの近くのツールチップと1、画面下のコマンドウィンドウにプロンプトメッセージが表示されます2。[線分] コマンドの場合は、「1 点目を指定」と表示されます。

CHECK

[ダイナミック入力] がオンになっていないと、マウスカーソルの近くのツールチップは表示されません。

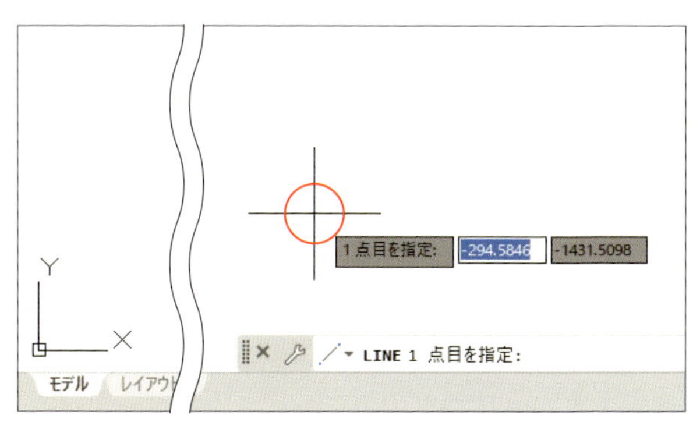

4 1点目を指定する

任意点をクリックし、1 点目を指定します。

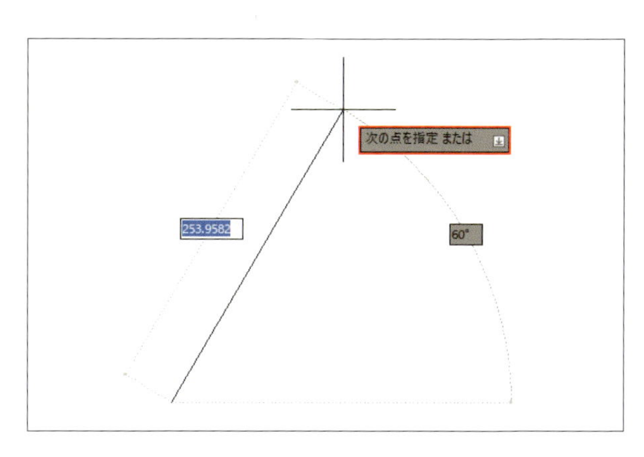

5 1点目が指定される

1 点目が指定されると、「次の点を指定 または」とメッセージが表示されます。

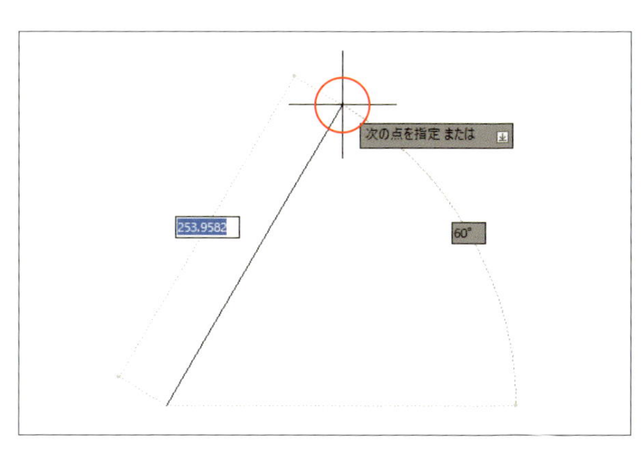

6 2点目を指定する

1 点目と同様に、任意点をクリックし、2 点目を指定します。

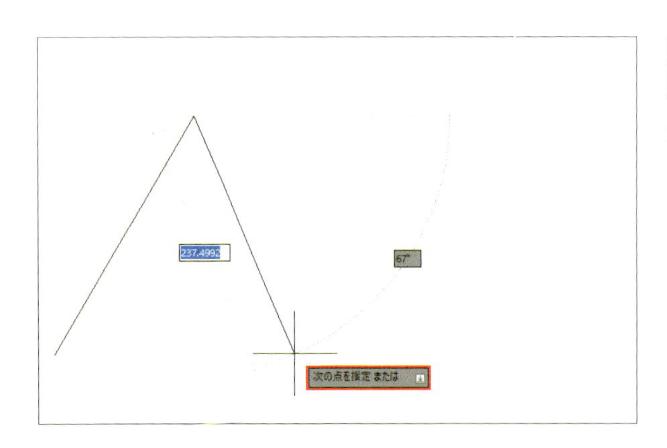

7 2点目が指定される

2点目が指定されると、「次の点を指定 または」と1点目の指定後と同じメッセージが表示されます。

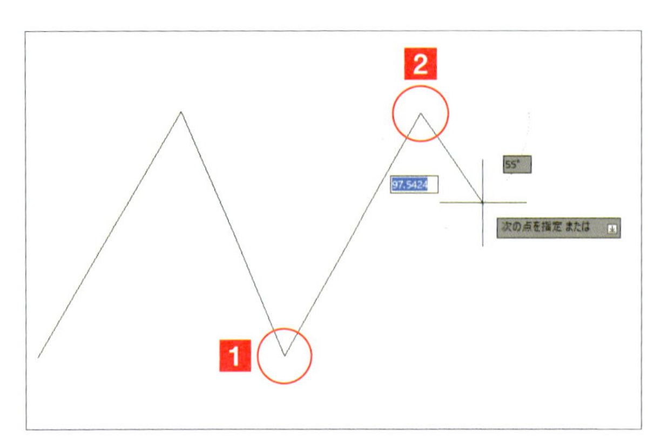

8 3点目、4点目を指定する

2点目と同様に、任意点をクリックし、3点目1、4点目2を指定します。

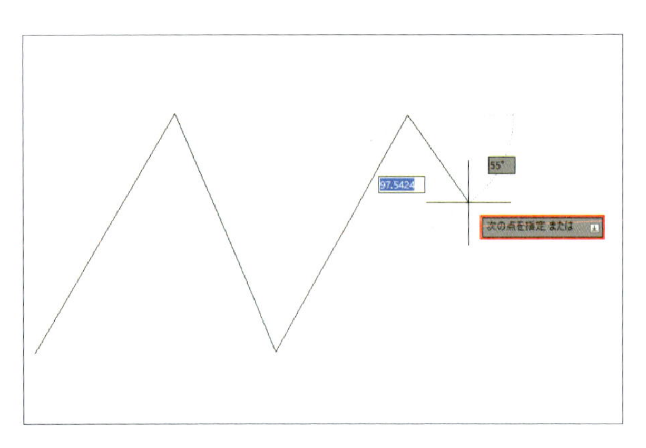

9 [線分]コマンドを終了する

「次の点を指定 または」とメッセージが表示されていますが、ここでは次の点は指定しません。メッセージに表示されている操作を行わない場合は、Enterキーを押して、操作を確定します。

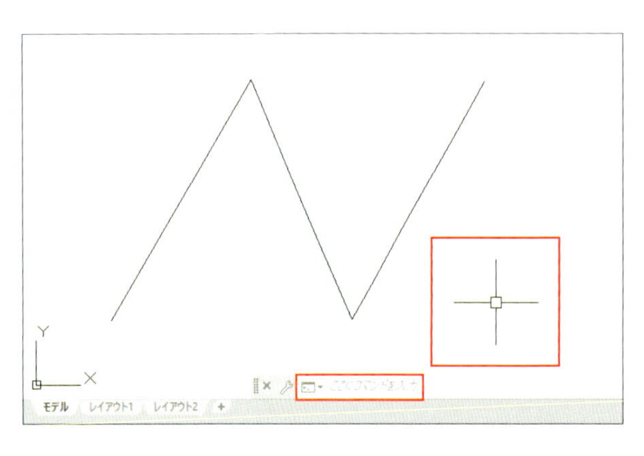

10 [線分]コマンドが終了した

[線分] コマンドが終了し、マウスカーソル近くに表示されるツールチップと画面下のコマンドウィンドウからメッセージが消えます。

ショートカットキーで[線分]コマンドを実行する

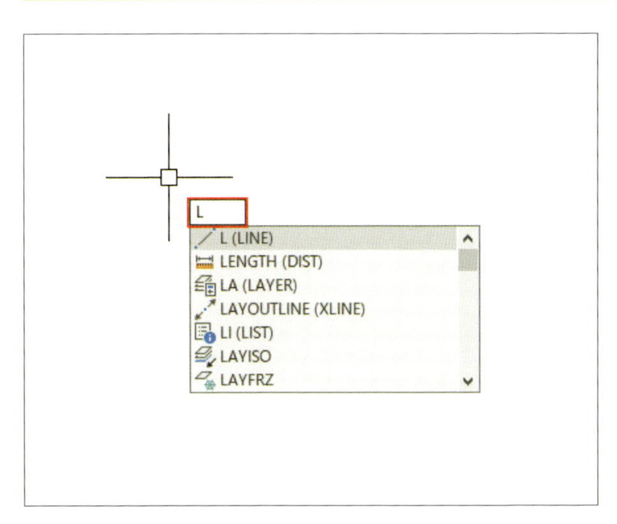

1 ショートカットキーで[線分]コマンドを実行する

コマンドは、キーボードでコマンド名を直接入力することでも実行できます。しかし、効率的に操作を行うには、コマンドのショートカットキーを利用します。[線分] コマンドの場合は、キーボードで「L」と入力し（小文字でも可）、Enterキーを押します。

CHECK

コマンドのショートカットキーのことを、AutoCAD では「エイリアス」と呼びます。

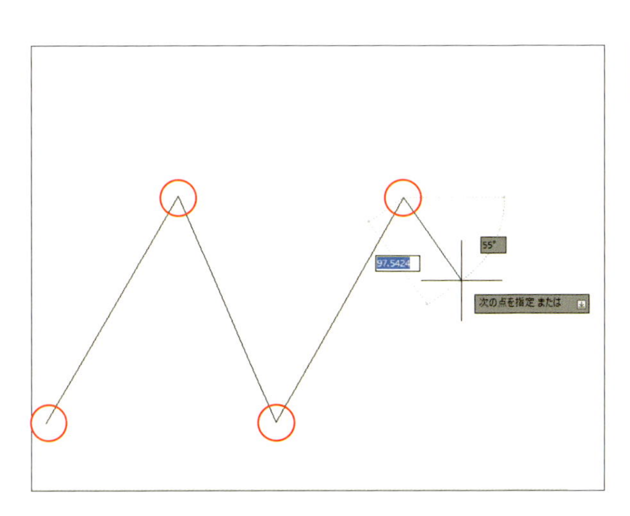

2 1点目〜4点目を指定する

任意点をクリックし、1点目〜4点目を指定します。

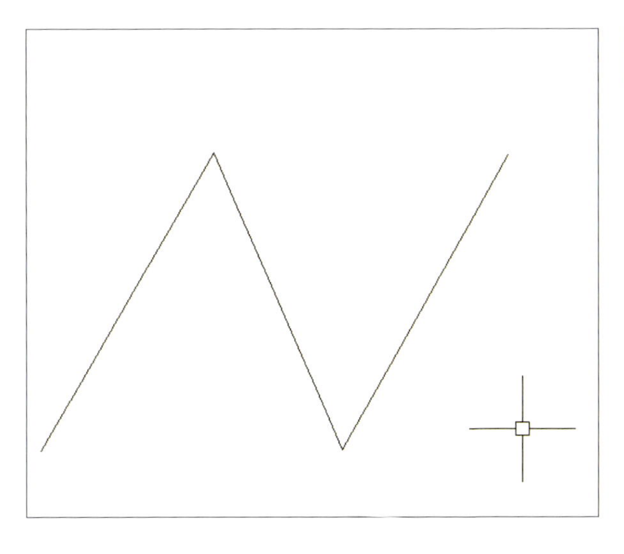

3 [線分]コマンドを終了する

Enterキーを押して操作を確定し、[線分] コマンドを終了します。

コマンドオプションで［線分］コマンドを実行する

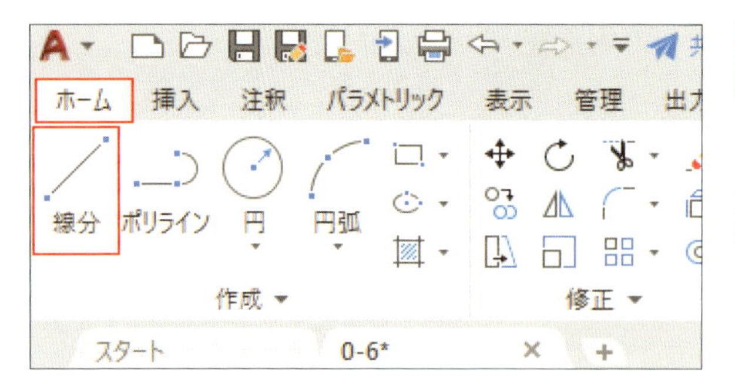

1 ［線分］コマンドを実行する

ここからは、コマンドオプションについて解説します。まずは、［ホーム］タブ→［作成］パネルの［線分］をクリックし、［線分］コマンドを実行します。

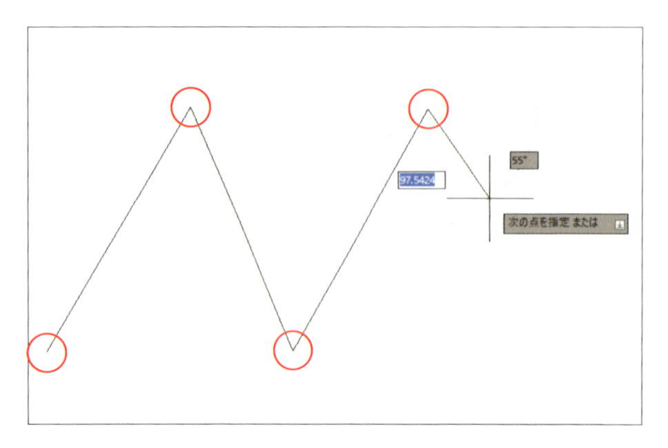

2 1点目～4点目を指定する

任意点をクリックし、1点目～4点目を指定します。

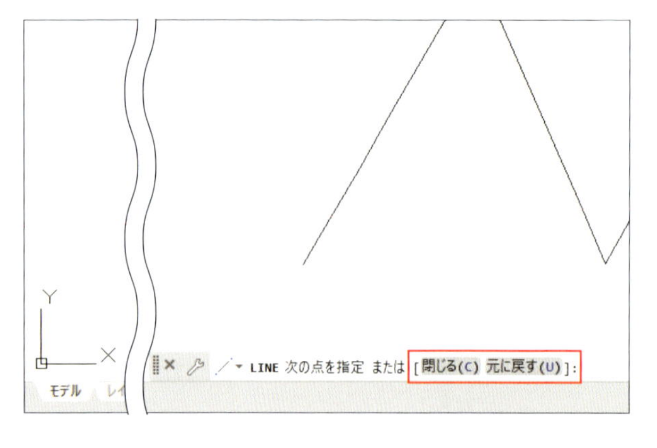

3 オプションを確認する

メッセージに表示されているオプションを確認します。コマンドウィンドウの「または」以降に表示されている「閉じる（C）元に戻す（U）」がオプションです。

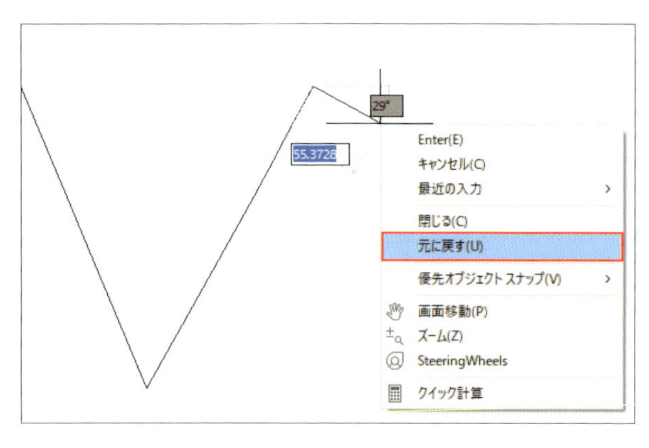

4 ［元に戻す］オプションを選択する

作図領域で右クリックし、メニューから［元に戻す（U）］を選択します。

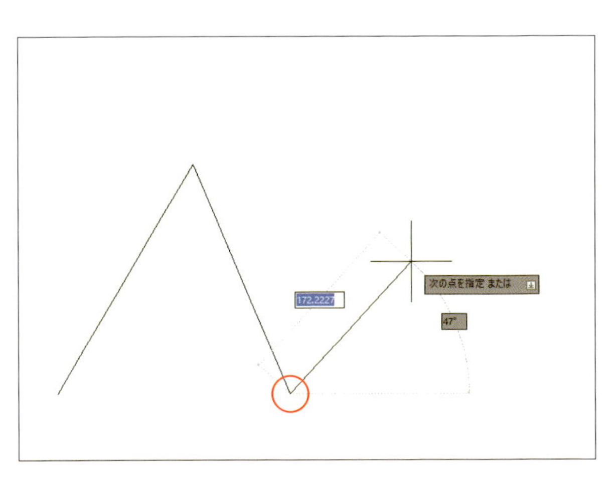

5 [元に戻す]オプションが選択される

[元に戻す] オプションが選択されると、4点目がキャンセルとなり、3点目まで指定された状態に戻ります。

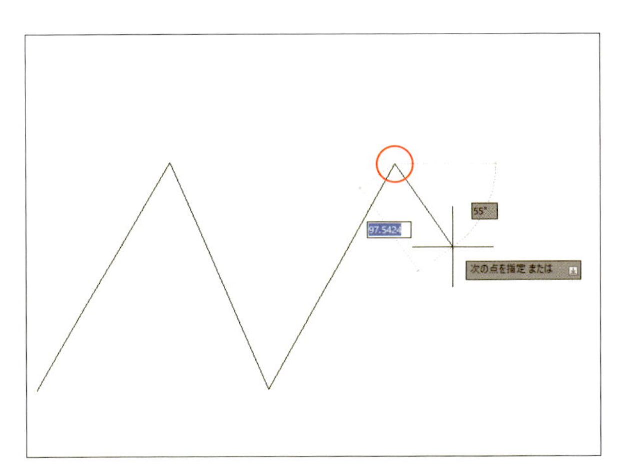

6 4点目を指定する

任意点をクリックし、再び4点目を指定します。

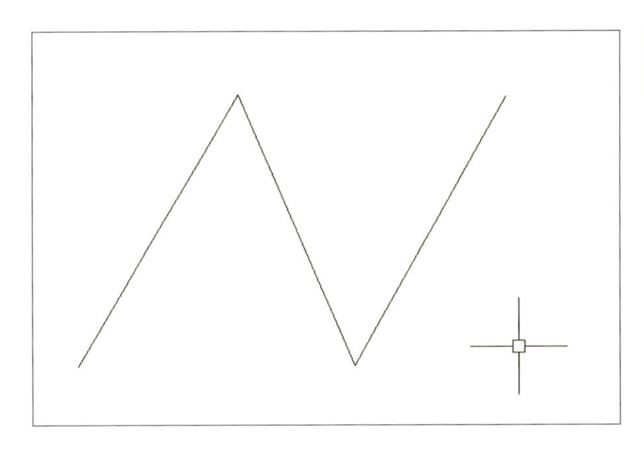

7 [線分]コマンドを終了する

Enterキーを押して操作を確定し、[線分] コマンドを終了します。

POINT

コマンドオプションについて

コマンドにはさまざまなコマンドオプションが用意されており、コマンドオプションが利用できる場合には、コマンドウィンドウの [ ] (角かっこ) にその種類が表示されます。コマンドオプションを選択するには、右クリックメニューのほか、ショートカットキーを入力してEnterキーを押す方法があります。ショートカットキーは、コマンドウィンドウのオプションの末尾に表示されています ([線分] コマンドの [元に戻す] オプションなら「U」)。

07 オブジェクトスナップを理解する

オブジェクトスナップは、図形上の正確な点を指定する機能です。線分の端点や中点、円や円弧の中心点などを指定することができます。よく使うものはオブジェクトスナップを設定しておきましょう。

サンプルファイル 0-7.dwg

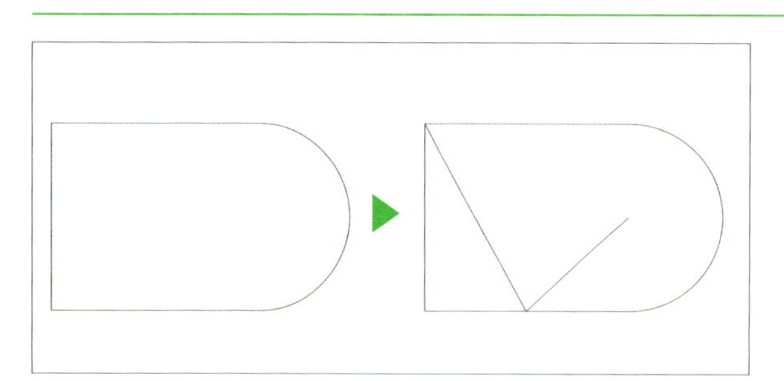

完成図

オブジェクトスナップの端点、中点、中心を設定し、線分を2本作図します。

オブジェクトスナップを設定する

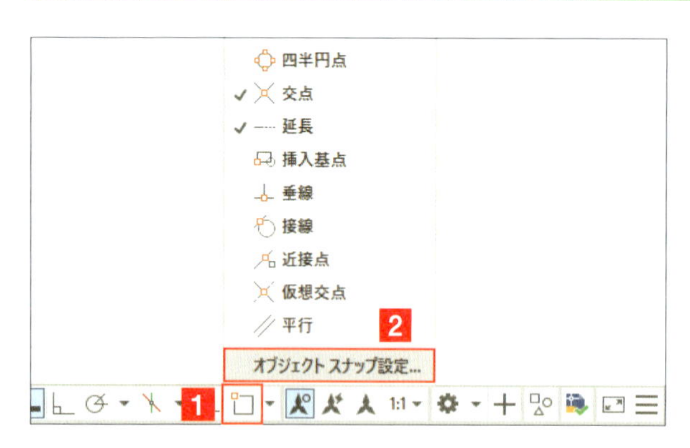

1 オブジェクトスナップを設定する

ステータスバーの［オブジェクトスナップ］を右クリックし1、［オブジェクトスナップ設定］2を選択します。［作図補助設定］ダイアログが表示されます。

作図補助設定
スナップとグリッド　極トラッキング　オブジェクト スナップ　3D オブジェクト スナップ　ダイナミック入力　クイッ
□オブジェクト スナップ オン(O) (F3)　□オブジェクト スナップ トラッキング オン(K) (F11)
オブジェクト スナップ モード
□端点(E)　□延長(X)　すべて選択
□中点(M)　□挿入基点(S)　すべてクリア
□中心(C)　□垂線(P)
□図心(G)　□接線(N)
□点(D)　□近接点(R)
□四半円点(Q)　□仮想交点(A)
□交点(I)　□平行(L)
オブジェクト スナップ点からトラッキングするには、コマンド実行中に点にカーソルを重ねて少し待ってください。カーソルを動かすとトラッキング ベクトルが表示されます。トラッキングを終了するには、もう一度、点の上にカーソルを重ねて少し待ちます。
オプション(T)...　OK　キャンセル　ヘルプ(H)

2 設定されているオブジェクトスナップをすべて解除する

［すべてクリア］をクリックし、設定されているオブジェクトスナップをすべて解除します。

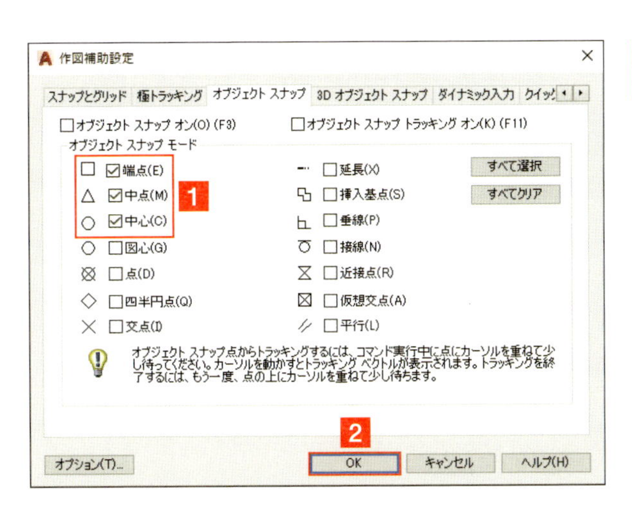

3 利用するオブジェクトスナップを選択する

[端点]、[中点]、[中心] にチェックを入れ1、[OK] をクリックします2。ここで設定した項目は「定常オブジェクトスナップ」と呼ばれ、オブジェクトスナップをオンにすると、常に機能します。

オブジェクトスナップで線分を作図する

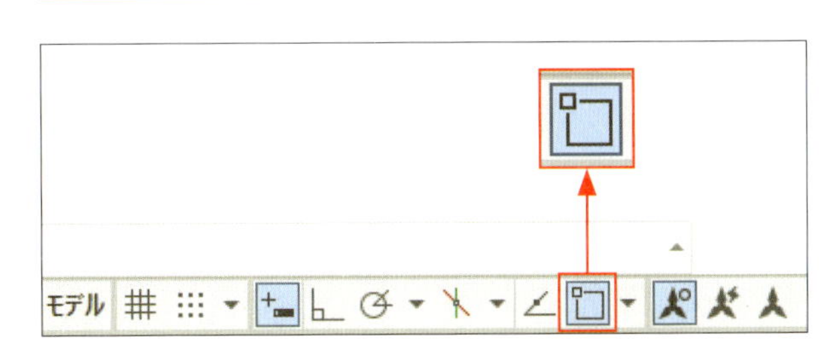

1 オブジェクトスナップをオンにする

ステータスバーの [オブジェクトスナップ] をクリックして、オンにします（オンにするとアイコンが青く表示されます）。

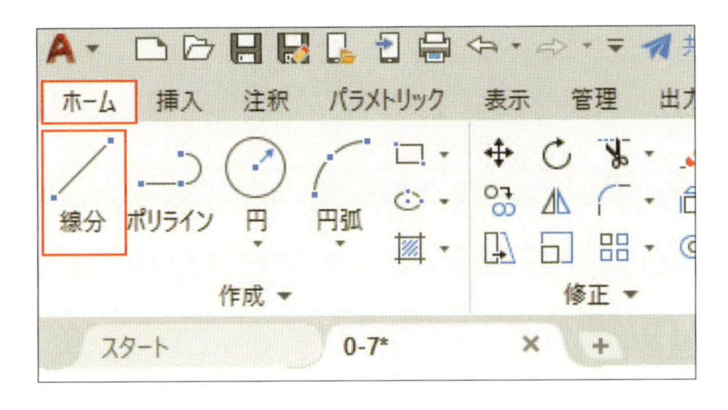

2 [線分] コマンドを実行する

[ホーム] タブ→ [作成] パネルの [線分] をクリックし、[線分] コマンドを実行します。

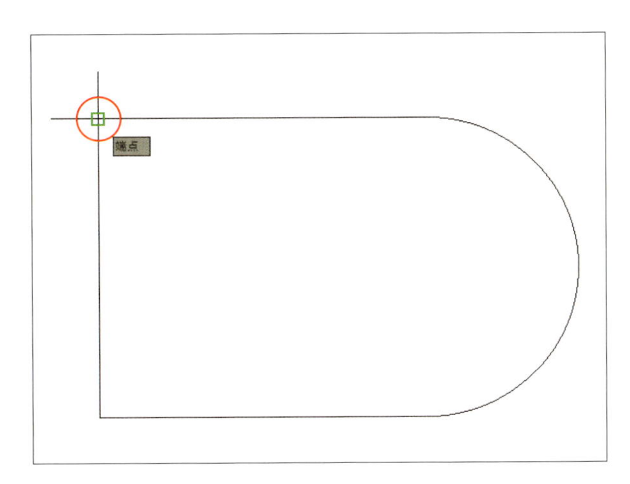

3 端点を指定する

垂直な線分の上端点にマウスカーソルを近付け、端点に四角のマークが表示されたらクリックします。

CHECK

四角のマークが表示されないときは、[オブジェクトスナップ] がオンになっているかどうか確認し、オンになっていない場合はクリックしてオンにしてください。

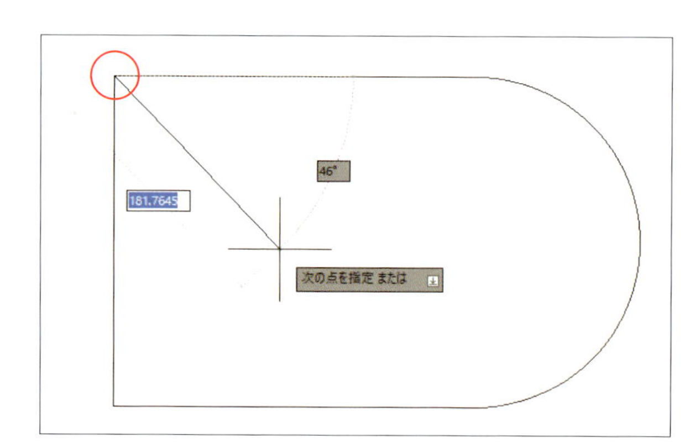

4 端点が指定される

線分の１点目として端点が指定されます。

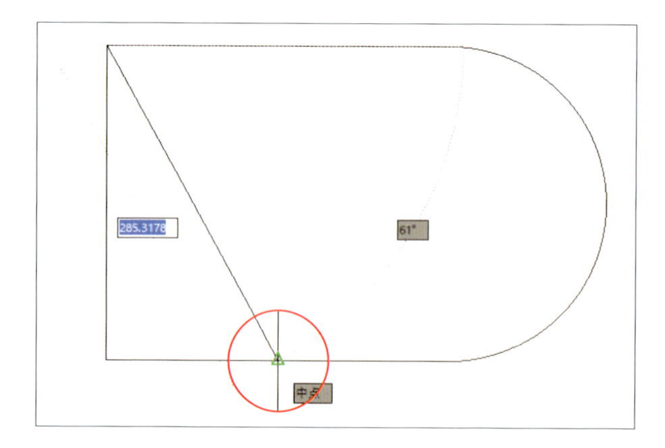

5 中点を指定する

水平な線分の中点にマウスカーソルを近付け、中点に三角のマークが表示されたらクリックします。

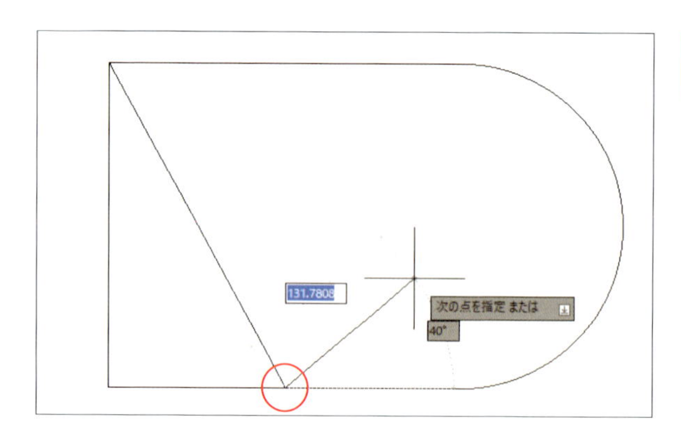

6 中点が指定される

線分の２点目として中点が指定されます。

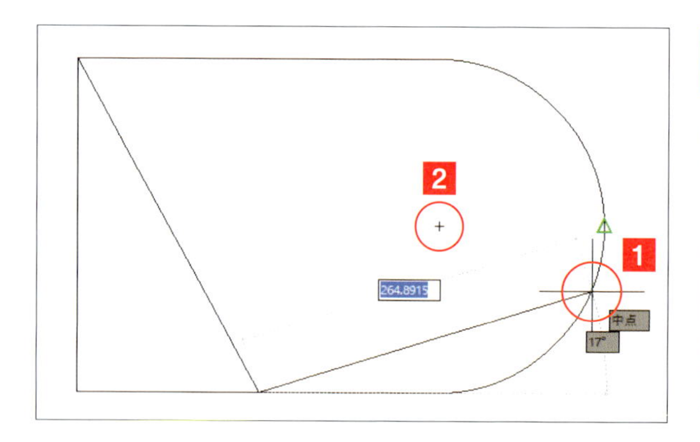

7 中心を表示する

円弧にマウスカーソルを近付け1、円弧の中心点に十字のマークを表示させます2。

CHECK

円や円弧の中心点は、図形にマウスカーソルを近付けることにより反応します。

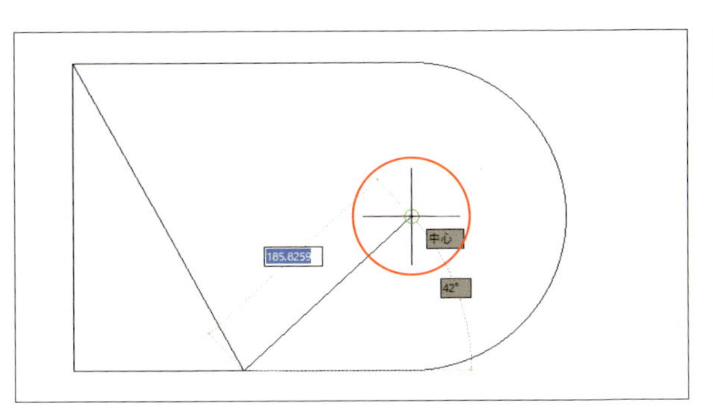

8 中心を指定する

円弧の中心にマウスカーソルを近付け、中心に◯のマークが表示されたらクリックします。

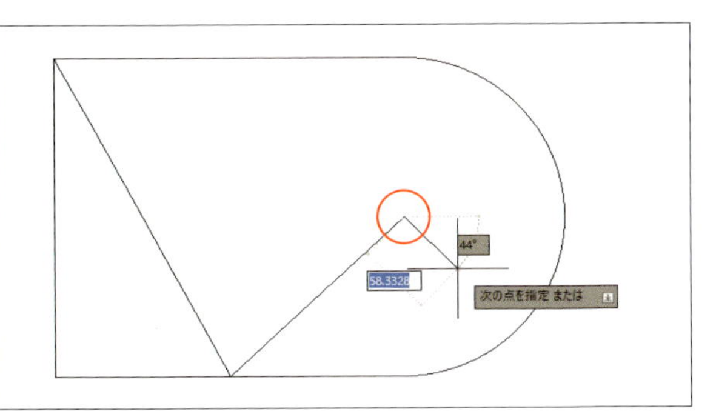

9 中心が指定される

線分の 3 点目として円弧の中心が指定されます。

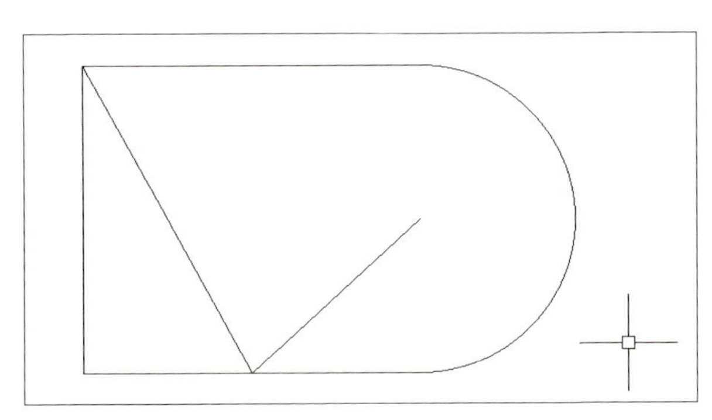

10 [線分]コマンドを終了する

Enterキーを押して操作を確定し、[線分] コマンドを終了します。

POINT

優先オブジェクトスナップを活用する

オブジェクトスナップのうち、利用する頻度の低いものは、指定したオブジェクトスナップのみが一時的に利用できる「優先オブジェクトスナップ」を活用すると効率的です。コマンド実行中に、Shiftキーを押しながら右クリックし、表示されたメニューからオブジェクトスナップを選択します。

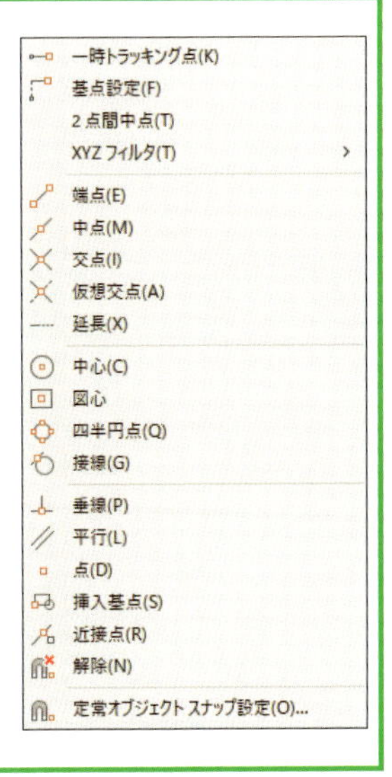

オブジェクトスナップの種類

端点

線分や円弧の両端点

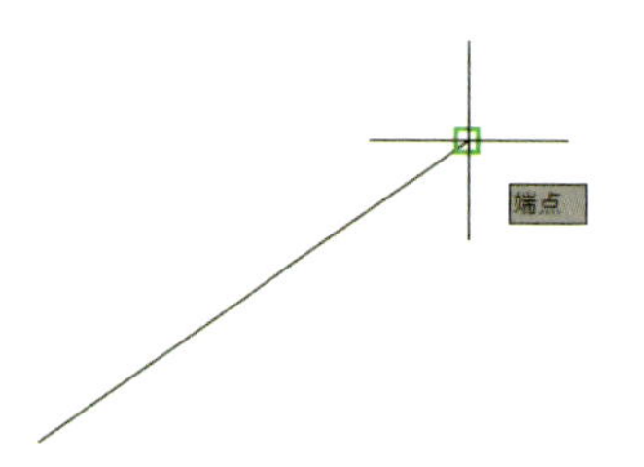

中点

線分や円弧の中間点

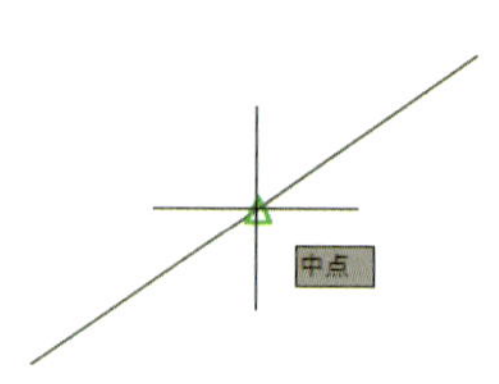

中心

円や円弧の中心点

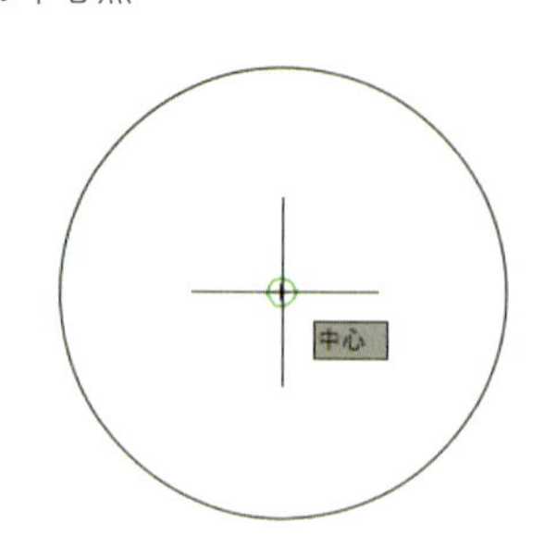

図芯

長方形などの閉じたポリライン図形の重心（2016バージョンから）

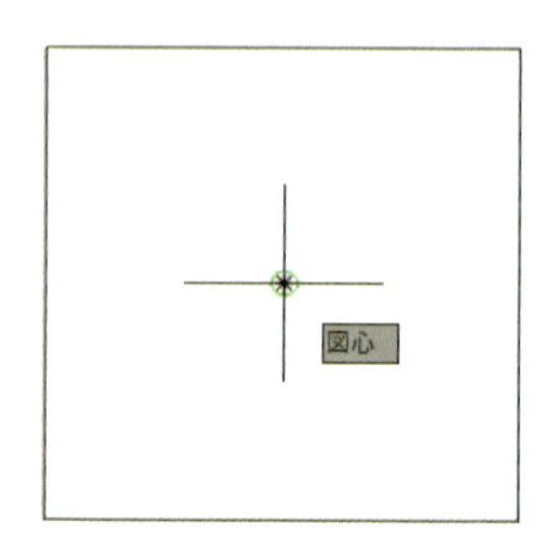

点

点図形の点

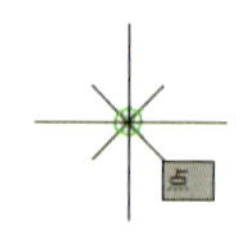

四半円点

円、円弧上の 0°、90°、180°、270° の点

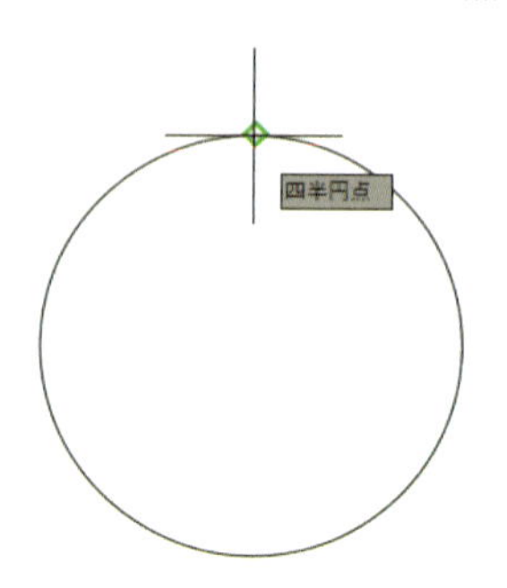

交点

線分や円弧の交差点

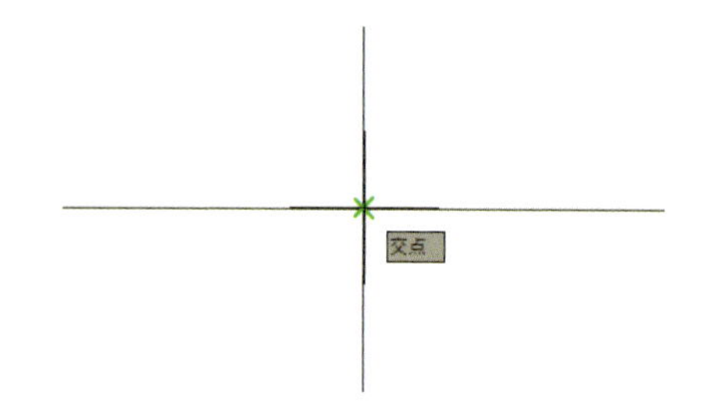

延長

線分や円弧の延長点

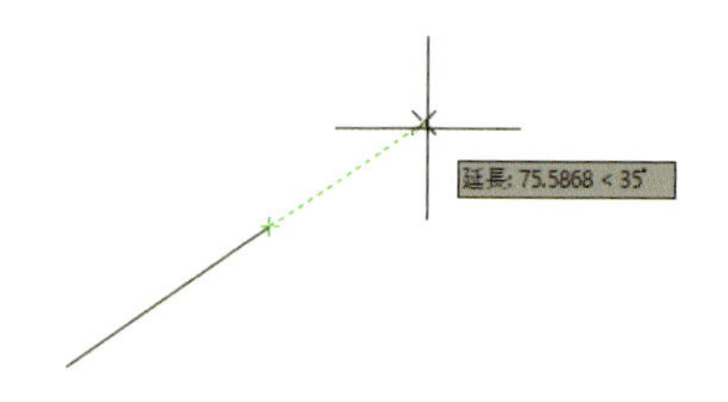

挿入基点

文字やブロックの挿入基点

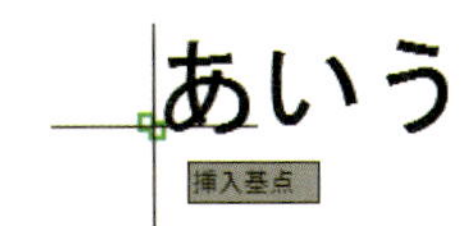

垂線

ある点から線分や円、円弧への垂直点

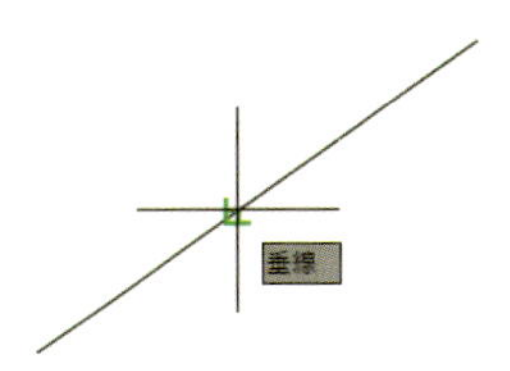

接線

ある点から円や円弧に接する点

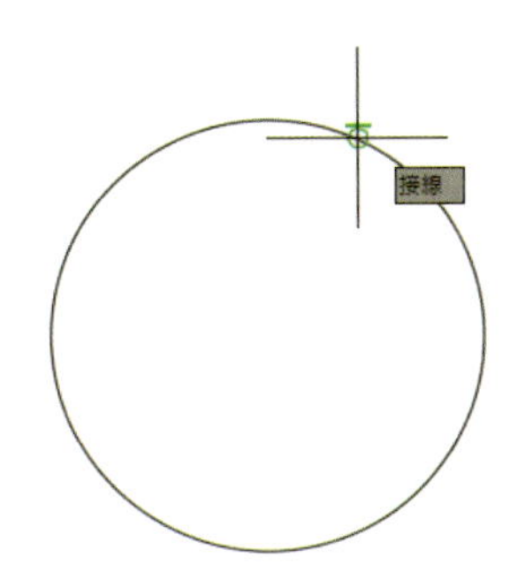

近接点

図形上の任意点

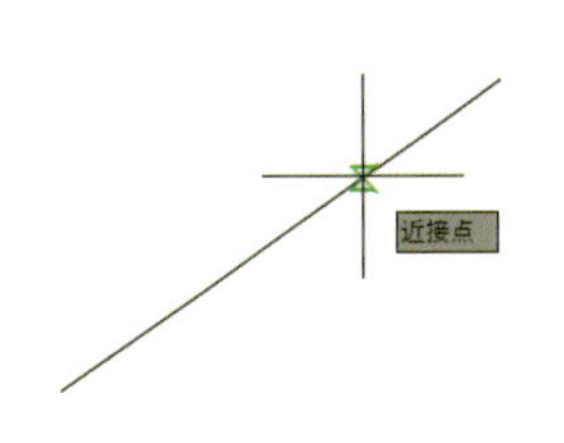

仮想交点

図形の延長上の交点

片方の線分上にマウスカーソルを置いて[Tab]キーを押し1、もう片方の線分上をクリックする2。

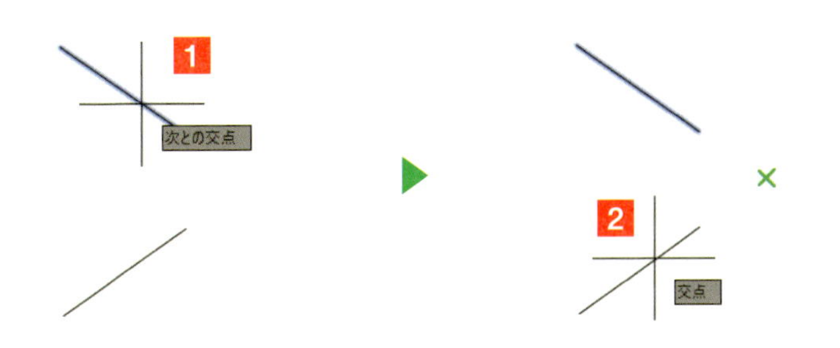

平行

ほかの線分との並行な点

任意点をクリックしたあと、参照する線分にマウスカーソルを近付けて1、任意点からマウスカーソルを平行方向に動かすと位置合わせパスが表示される2。

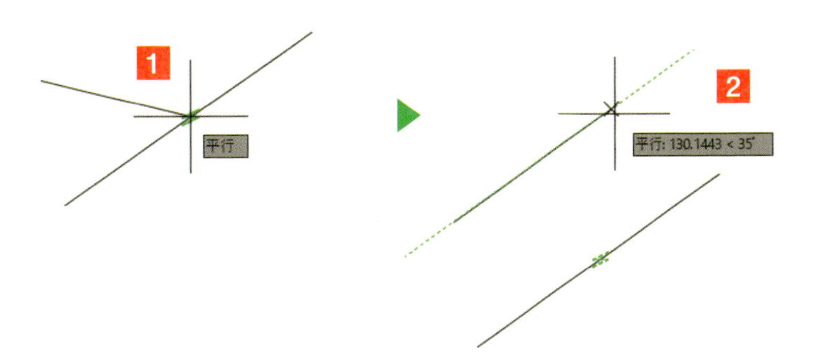

直交モードを理解する

「直接距離入力」は、マウスカーソルで方向を指定し、長さを入力する作図方法です。このとき、直交モードを利用することで、XY軸方向(水平垂直方向)を正確に指定することができます。

サンプルファイル 0-8.dwg

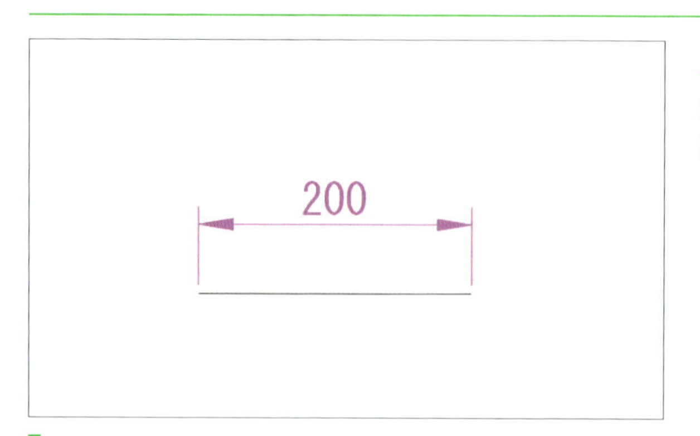

完成図

直交モードを利用し、水平で長さ200の線分を作図します。

直交モードで線分を作図する

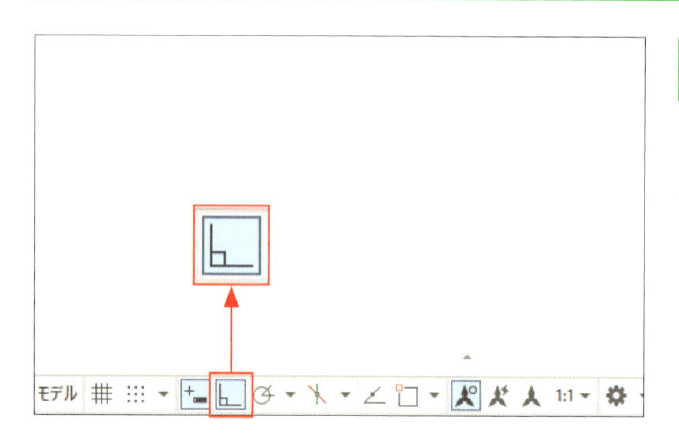

1 直交モードをオンにする

ステータスバーの［直交モード］をクリックして、オンにします（オンにするとアイコンが青く表示されます）。

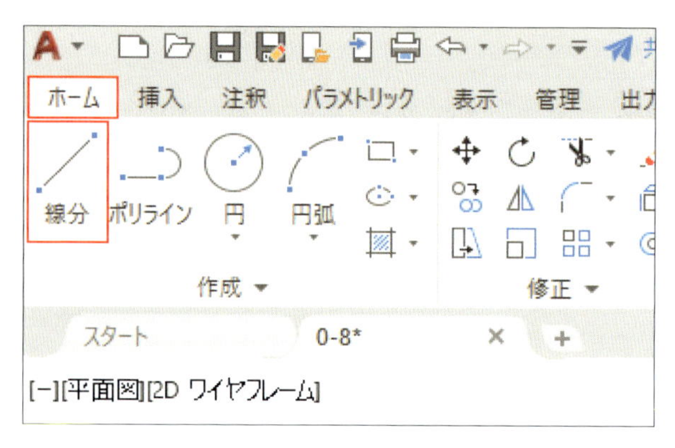

2 ［線分］コマンドを実行する

［ホーム］タブ→［作成］パネルの［線分］をクリックし、［線分］コマンドを実行します。

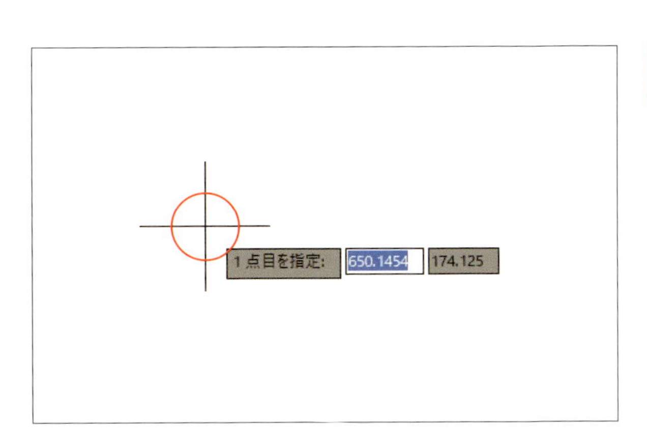

3 1点目向を指定する

任意点をクリックして、1 点目を指定します。

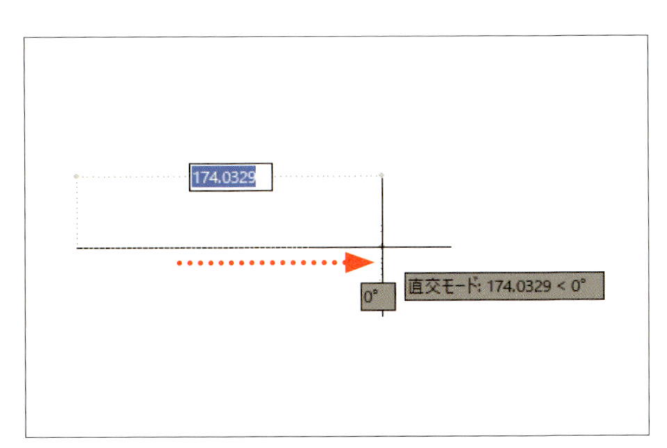

4 方向を指定する

マウスカーソルを作図したい水平方向に移動します。

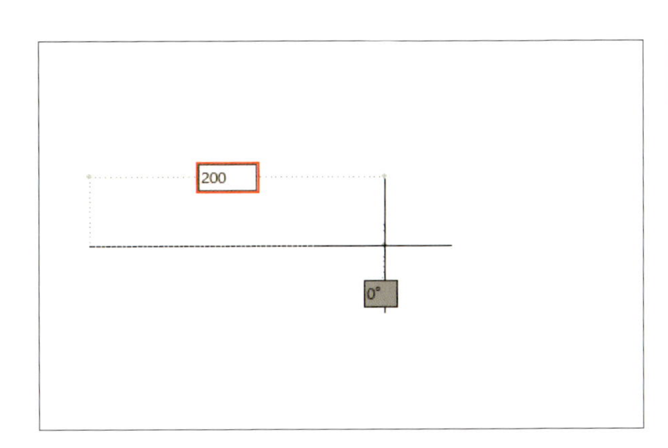

5 長さを指定する

「200」と入力し、Enterキーを押します。

6 線分が作図される

水平方向に 200 の長さの線分が作図されます。Enterキーを押して操作を確定し、[線分] コマンドを終了します。

極トラッキングを理解する

極トラッキングをオンにすると、設定した角度に「位置合わせパス」と呼ばれる補助線が表示されます。そのため、「直接距離入力」の方向指定に利用することができます。

サンプルファイル 0-9.dwg

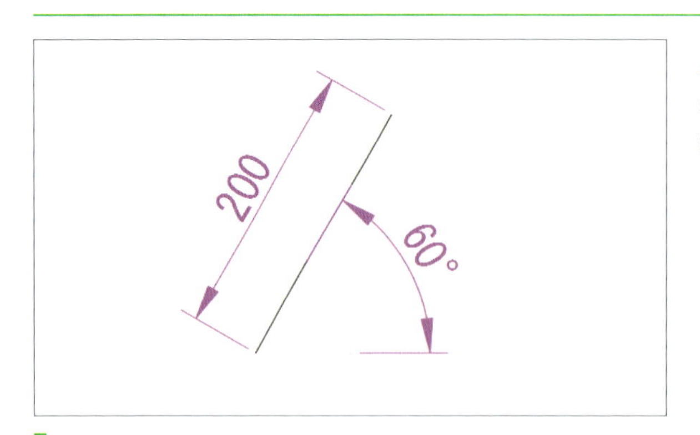

完成図

極トラッキングを利用し、60°方向に長さ200の線分を作図します。

極トラッキングで線分を作図する

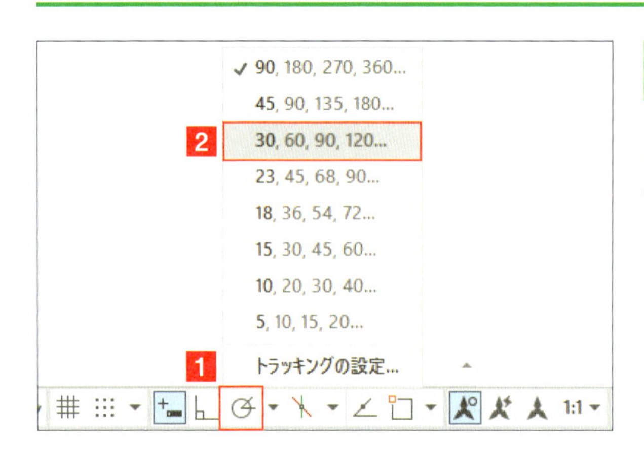

1 極トラッキングを設定する

ステータスバーの［極トラッキング］を右クリックし1、設定したい角度（ここでは［30, 60,90,120…］）を選択します2。

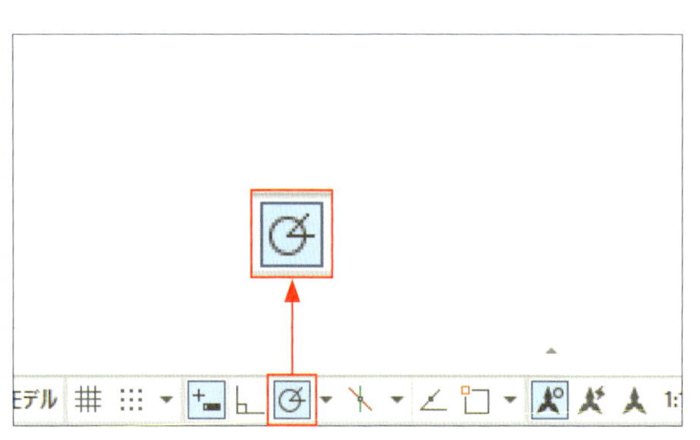

2 極トラッキングをオンにする

ステータスバーの［極トラッキング］をクリックして、オンにします（オンにするとアイコンが青く表示されます）。

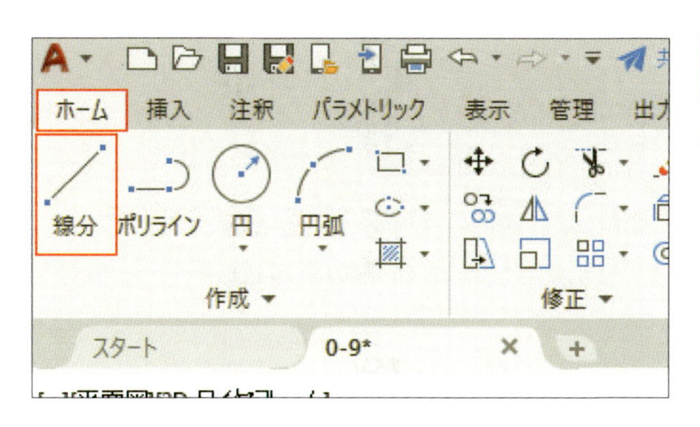

3 ［線分］コマンドを実行する

［ホーム］タブ→［作成］パネルの［線分］をクリックし、［線分］コマンドを実行します。

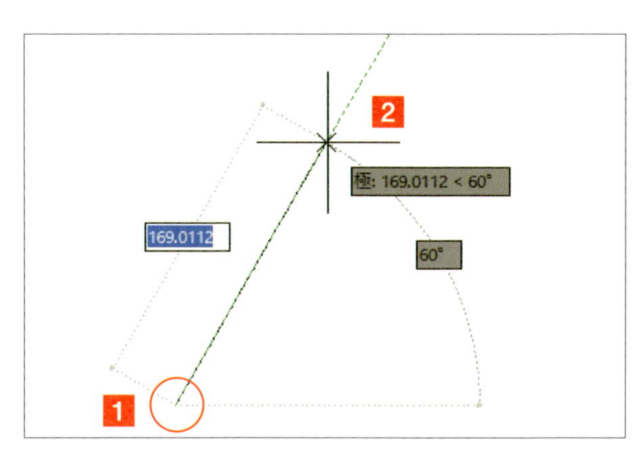

4 1点目と方向を指定する

任意点をクリックして、1点目を指定します1。次に、作図したい60°方向にマウスカーソルを移動し、位置合わせパスを表示します2。

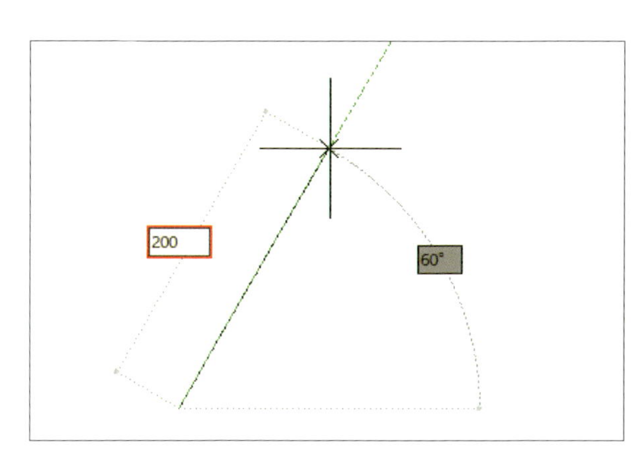

5 長さを指定する

「200」と入力し、Enterキーを押します。

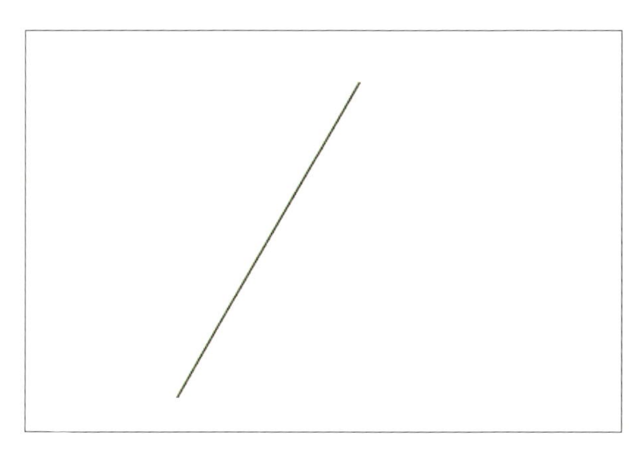

6 線分が作図される

60°方向に200の長さの線分が作図されます。Enterキーを押して操作を確定し、［線分］コマンドを終了します。

座標入力を理解する

点を指定するには、作図領域をクリックするほかに、座標を入力する方法があります。原点からのXY軸の距離を指定する「絶対座標入力」と、直前の点からのXY軸の距離を指定する「相対座標入力」があります。

サンプルファイル 0-10.dwg

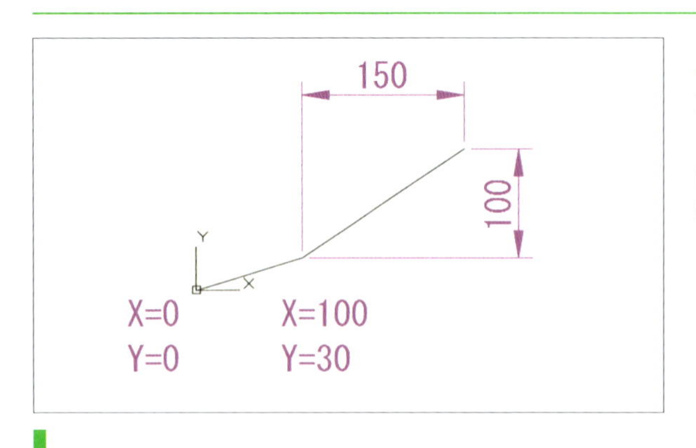

完成図

X=0、Y=0の原点から、X=100、Y=30の位置まで絶対座標で線分を作図します。次に、X軸方向に150、Y軸方向に100の位置まで相対座標で線分を作図します。

絶対座標入力でXY座標を指定する

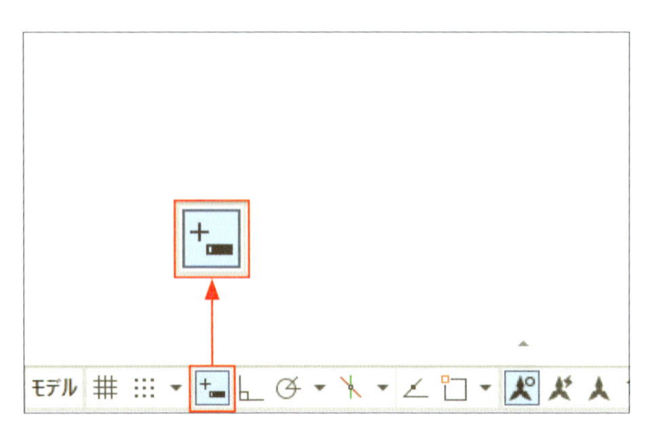

1 ［ダイナミック入力］を確認する

ステータスバーの［ダイナミック入力］がオンになっているのを確認します。オンになっていない場合は、クリックしてオンにしてください。

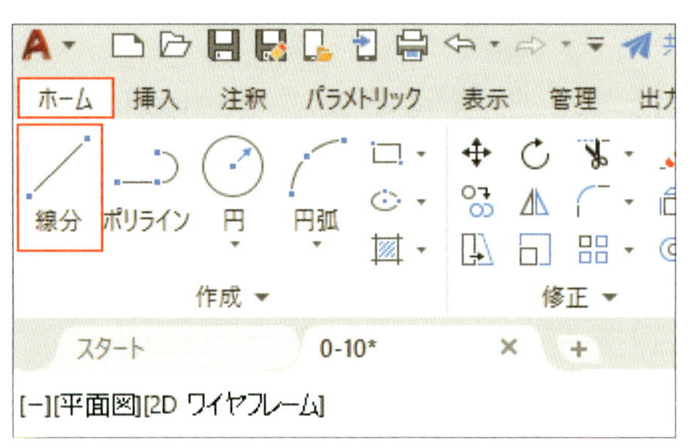

2 ［線分］コマンドを実行する

［ホーム］タブ→［作成］パネルの［線分］をクリックし、［線分］コマンドを実行します。

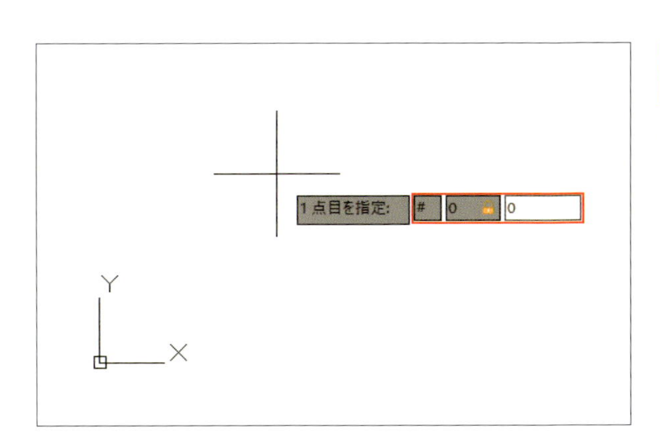

3 絶対座標で原点を指定する

「#0,0」と入力し、Enterキーを押します。

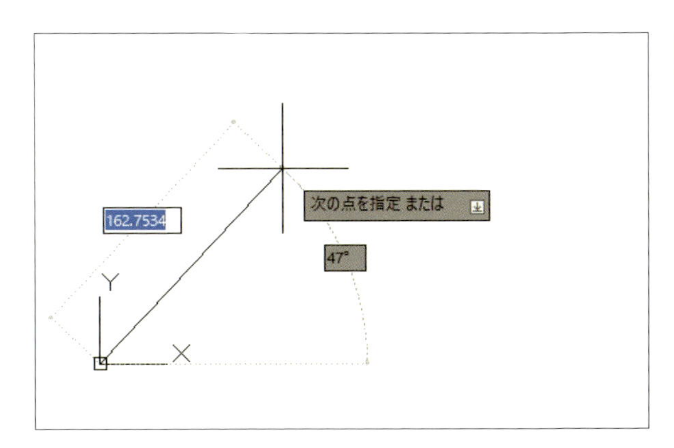

4 原点が指定される

1 点目が指定され、UCS アイコンの原点から線分のプレビューが表示されます。

CHECK

X=0、Y=0 の原点には、既定の設定では UCS アイコンが表示されます（P.376 参照）。

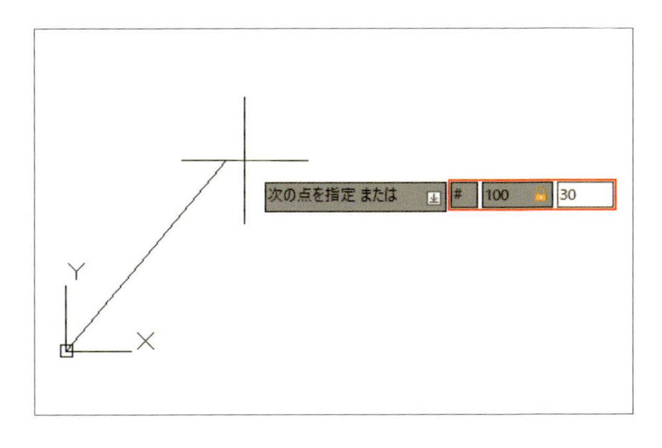

5 絶対座標で XY 座標を指定する

「#100,30」と入力し、Enterキーを押します。

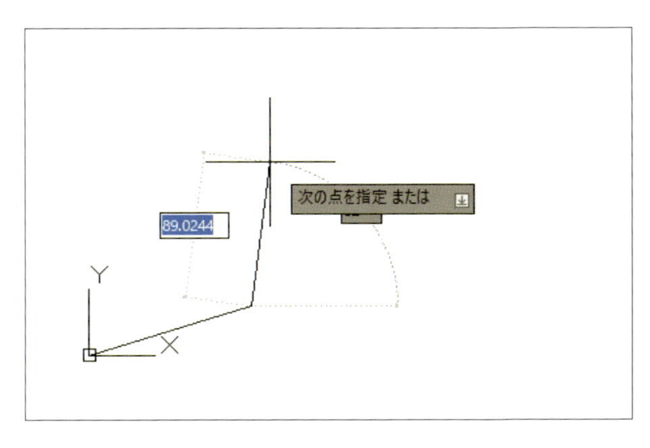

6 XY 座標が指定される

X 座標が 100、Y 座標が 30 の位置まで線分が作図されます。

相対座標入力でXY座標を指定する

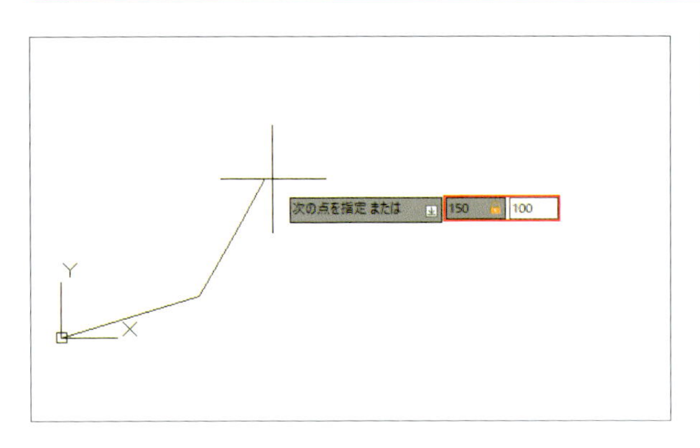

1 相対座標でXYの距離を入力する

続いて「150,100」と入力し、Enterキーを押します。

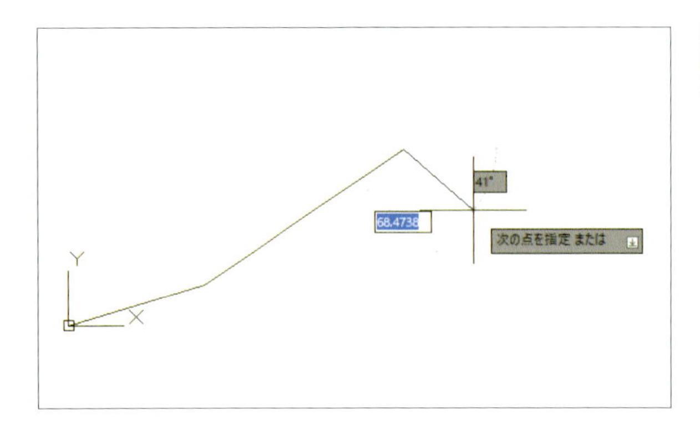

2 XYの距離が指定される

X軸方向(水平方向)に150、Y軸方向(垂直方向)に100の位置まで線分が作図されます。

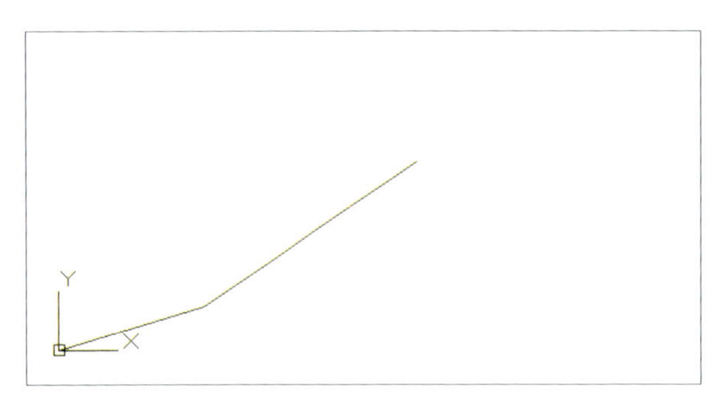

3 [線分]コマンドを終了する

Enterキーを押して操作を確定し、[線分]コマンドを終了します。

POINT

キー入力の操作について

絶対座標入力と相対座標入力の「,(カンマ)」は,キー、絶対座標入力の「#」はShiftキーを押しながら3キー、極座標入力の「<(小なり)」はShiftキーを押しながら,キーを押します。また、数値入力や座標入力はすべて半角で行ってください。

POINT

相対座標入力時の注意点

相対座標のX軸方向とY軸方向には+方向と-方向があります。UCSアイコンの方向が+方向となるので、注意しながら距離を入力してください。

座標入力の種類を知る

座標入力には３つの方法があります。

絶対座標入力	原点からのX軸方向の距離、Y軸方向の距離を入力して点を指定する方法です。座標で穴の位置が指定されているときや測量座標を入力するときなど、原点からの座標が指定されている場合に利用します。
相対座標入力	直前の点からのX軸方向の距離、Y軸方向の距離を入力して点を指定する方法です。勾配指定の線分や長方形を作図する場合などに利用します。
極座標入力	直前の点からの長さと角度を指定して点を指示する方法です。距離と方位角が与えられた測量結果を作図する場合などに利用します。

座標入力とダイナミック入力の関係を知る

座標入力はダイナミック入力がオンとオフの場合で入力方法が違います。以下の表を参考にしてください。

	ダイナミック入力 オン	ダイナミック入力 オフ
絶対座標	#X,Y	X,Y
相対座標	X,Y	@X,Y
極座標	距離<角度	@距離<角度

POINT

UCS と WCS について

座標系には、基本となる「ワールド座標系（WCS）」と、ユーザーが設定できる「ユーザ座標系（UCS）」があります。座標系は UCS アイコンで確認することができます。詳細は P.376「UCS を理解する」を参照してください。

ワールド座標系（WCS）

はじめから図面に設定されている、基本となる座標系

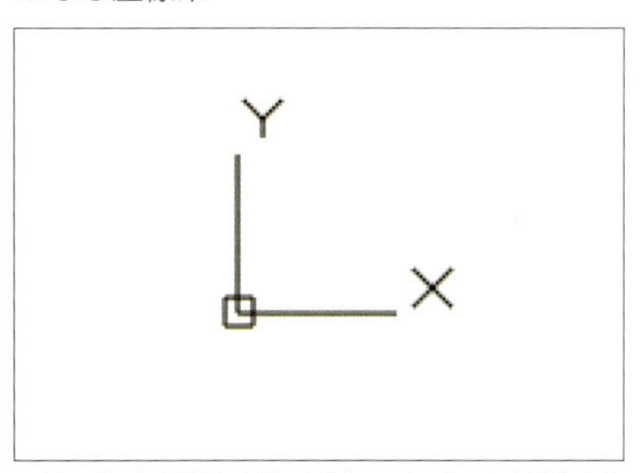

▲ワールド座標系では、UCSアイコンのXY軸の交点に□が表示されている。

ユーザ座標系（UCS）

原点位置や XY 軸方向をユーザーが設定できる、自由な座標系

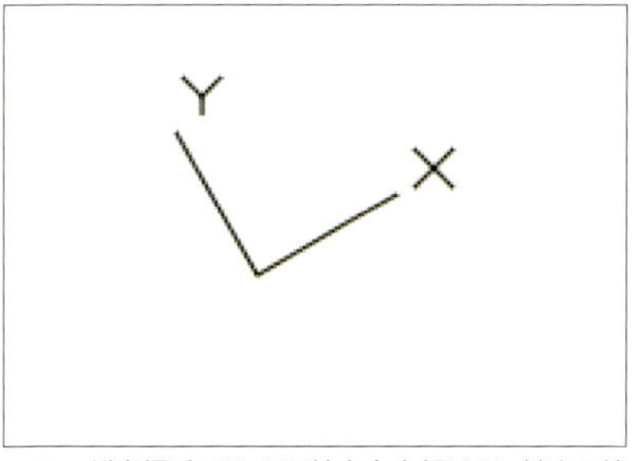

▲ユーザ座標系では、XY軸方向を傾けて、斜めの線や長方形などの作図に利用できる。

SECTION 11 オブジェクト選択を理解する

オブジェクト(図形)を選択するには、クリックで1つずつ選択する方法と、まとめて選択する方法があります。「窓選択」、「交差選択」、「選択の除外」を使い分けると、効率的に図形を選択できます。

サンプルファイル 0-11.dwg

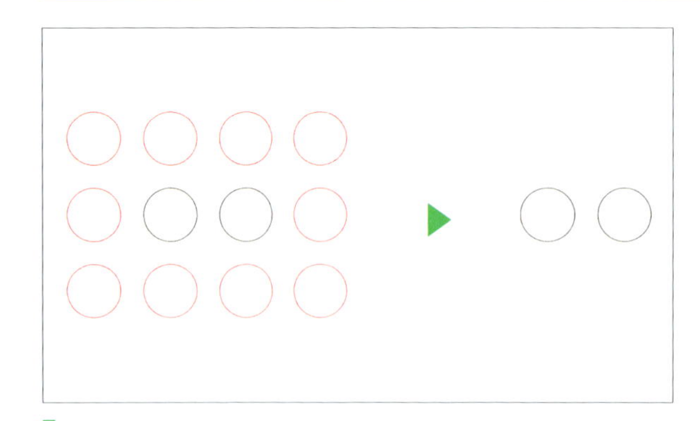

完成図

オブジェクト(図形)を直接選択、窓選択、交差選択し、赤い円を削除します。

[削除]コマンドを実行する

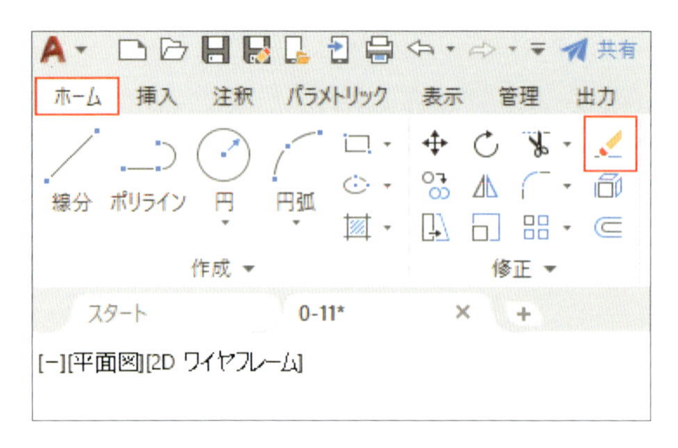

1 [削除]コマンドを実行する

[ホーム]タブ→[修正]パネルの[削除]をクリックし、[削除] コマンドを実行します。

2 [削除]コマンドが実行される

[削除] コマンドが実行され、「オブジェクトを選択」とメッセージが表示されます。

オブジェクトを選択する

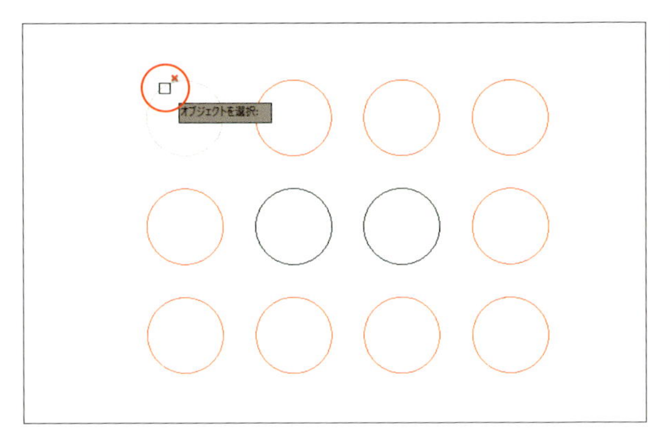

1 クリックしてオブジェクトを選択する

左上の円をクリックして選択します。

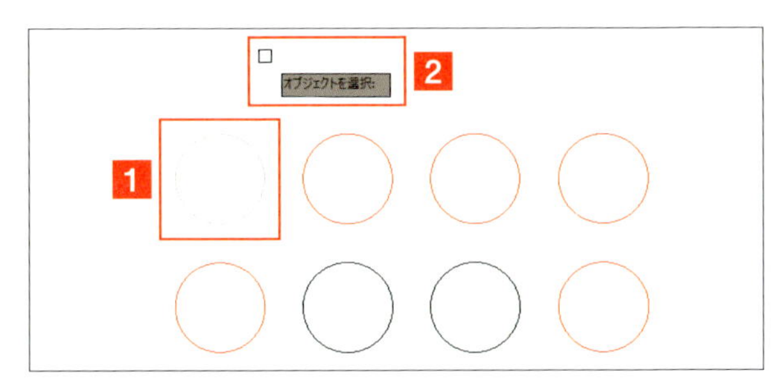

2 オブジェクトが選択される

選択された円がハイライト表示され1、引き続き「オブジェクトを選択」のメッセージが表示されていることが確認できます2。

窓選択を行う

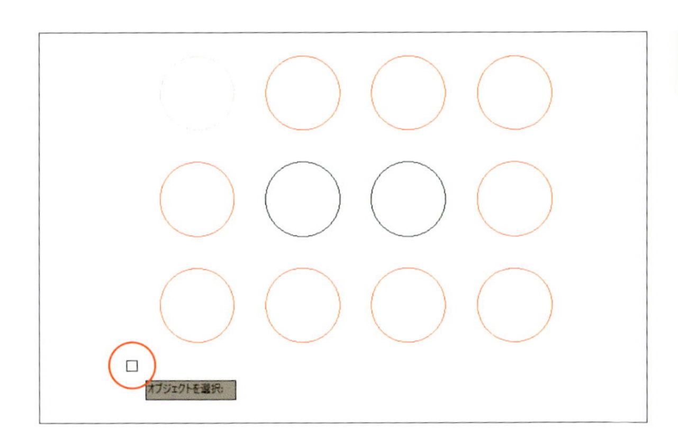

1 窓選択を開始する

オブジェクトが作図されていない左下をクリックします。

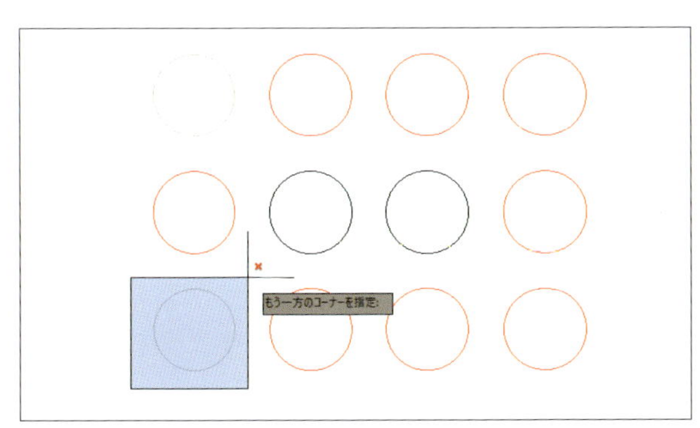

2 窓選択が開始される

窓選択が開始され、カーソルを移動すると青い矩形範囲が表示されます。

CHECK

左から右に囲むと窓選択が開始されます。

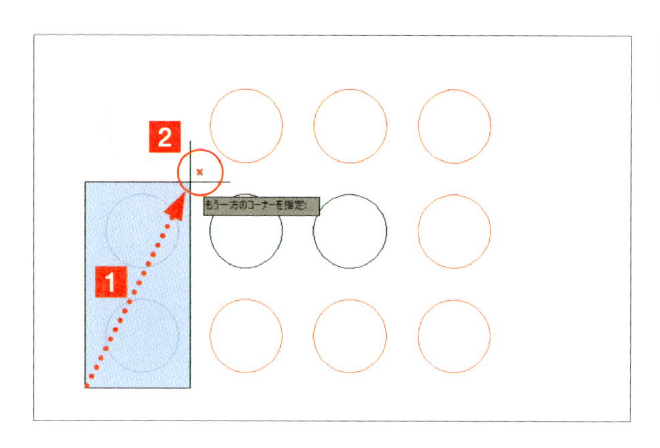

3 窓選択を終了する

2つの円が完全に囲まれるようにカーソルを移動したら1、オブジェクトが作図されていない位置でクリックします2。

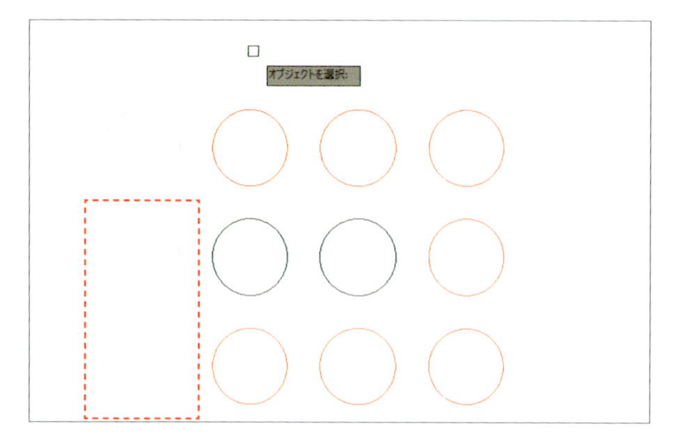

4 窓選択が終了する

矩形範囲内に完全に入っていた円が2つ選択され、ハイライト表示されます。

CHECK

窓選択は、矩形範囲に完全に入っているオブジェクトが選択されます。

▶ 交差選択を行う

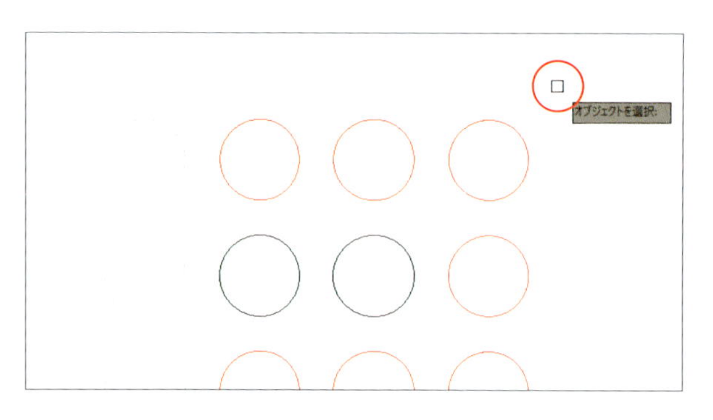

1 交差選択を開始する

引き続き、オブジェクトが作図されていない右上をクリックします。

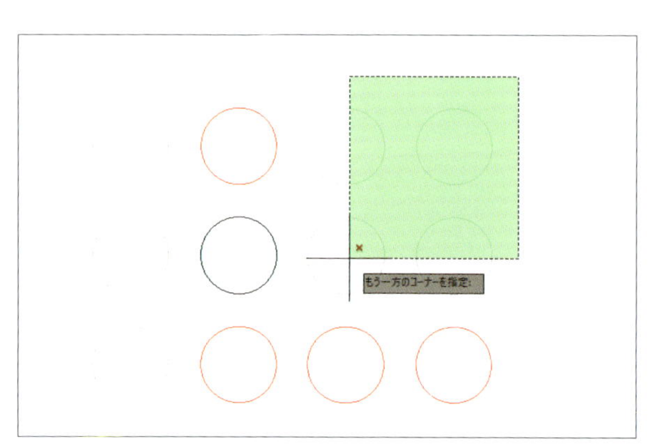

2 交差選択が開始される

交差選択が開始され、カーソルを移動すると緑の矩形範囲が表示されます。

CHECK

右から左に囲むと交差選択が開始されます。

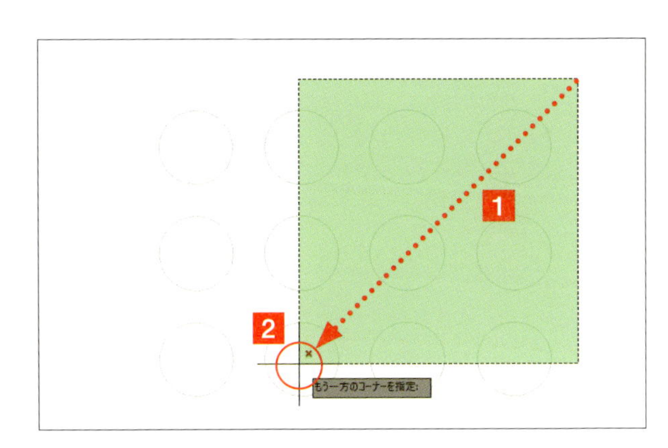

3 交差選択を終了する

9 つの円の一部が矩形範囲に入るようにカーソルを移動したら1、オブジェクトが作図されていない位置（円の内側）をクリックします2。

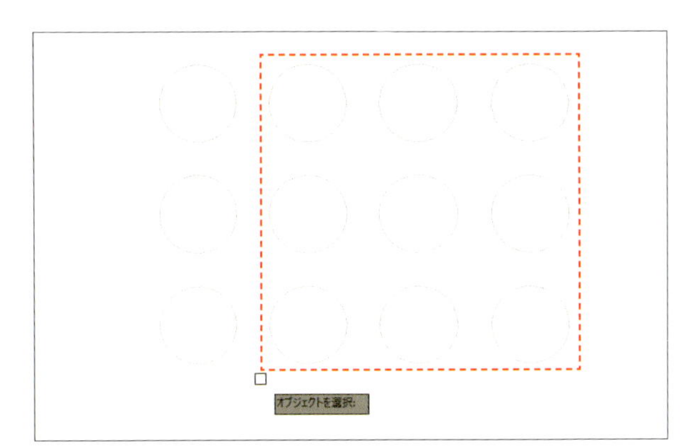

4 交差選択が終了する

矩形範囲内に一部入っていた円が 9 つ選択され、ハイライト表示されます。

CHECK

交差選択は、矩形範囲に一部でも入っているオブジェクトが選択されます。

選択の除外を行う

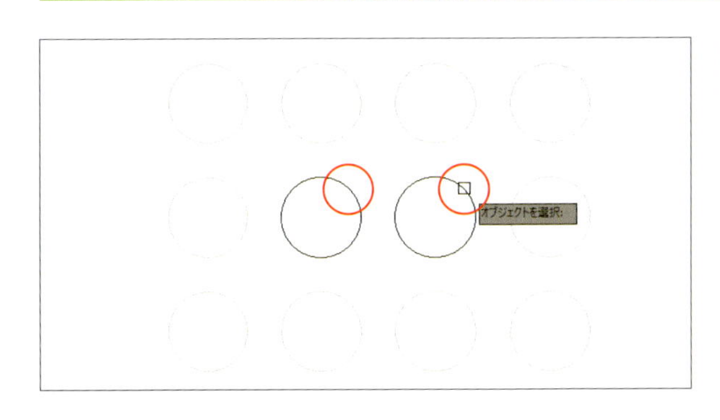

1 選択の除外をする

引き続き、Shiftキーを押しながら、中央の円 2 つをクリックして選択します。

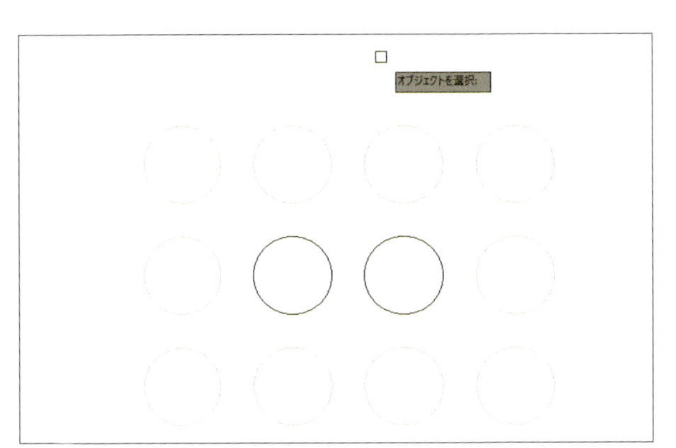

2 選択が除外される

2 つの円の選択が除外され、ハイライト表示が解除されます。

CHECK

Shiftキーを押しながら窓選択、交差選択を行うと、複数のオブジェクトの選択解除を行うことができます。

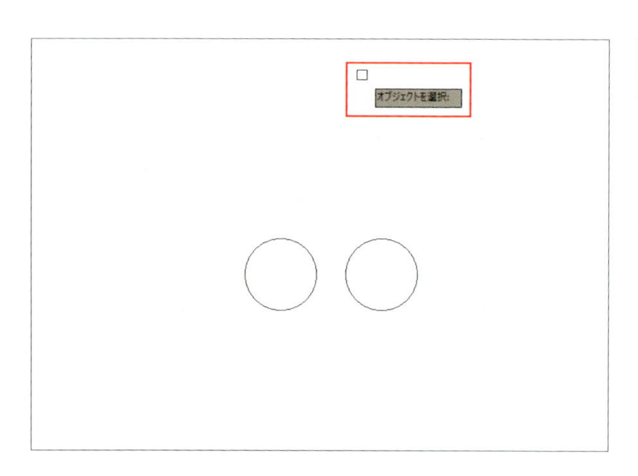

3 [削除]コマンドを終了する

「オブジェクトを選択」とメッセージが表示されていますが、これ以上選択は行いません。Enterキーを押して操作を確定し、[削除] コマンドを終了します。

投げ縄選択(窓)を行う

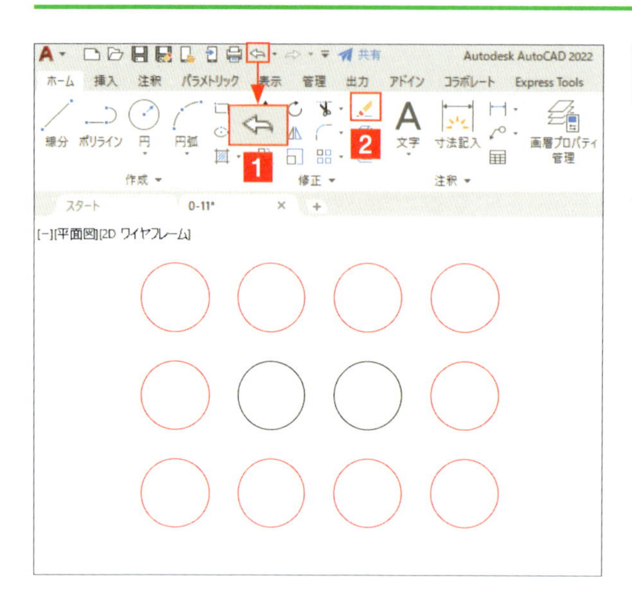

1 [元に戻す]と[削除]コマンドを実行する

[クイックアクセスツールバー] の [元に戻す] をクリックし、削除した図形を元に戻します1。次に、[ホーム] タブ→ [修正] パネルの [削除] をクリックし、[削除] コマンドを実行します2。

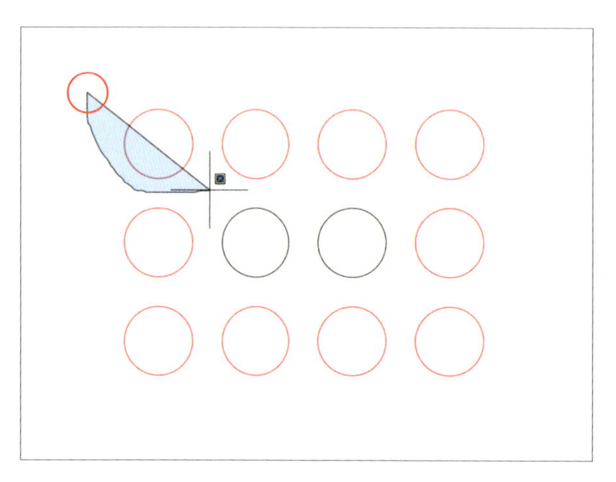

2 投げ縄選択(窓)を開始する

オブジェクトが作図されていない左側から、マウスをドラッグします。投げ縄選択の窓が開始され、ドラッグの範囲が青く表示されます。

CHECK

範囲が緑で表示される交差になっている場合は、spaceキーを押してモードを切り替えてください。

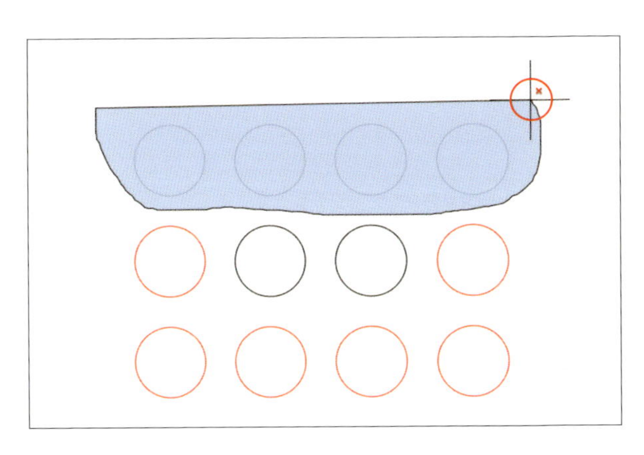

3 投げ縄選択（窓）を終了する

4つの円が完全に範囲に入るようにドラッグしたら、マウスを離します。

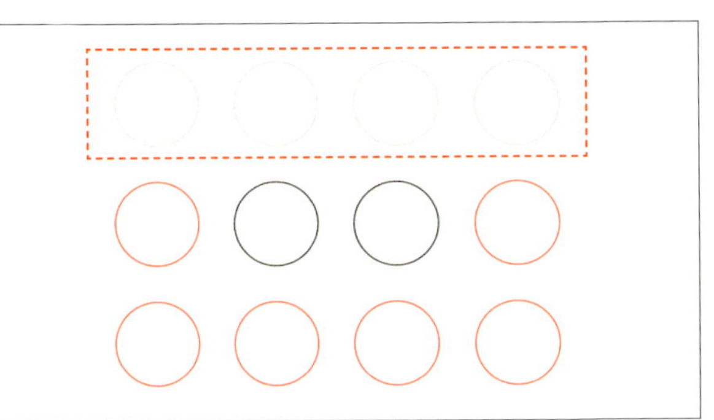

4 投げ縄選択（窓）が終了する

範囲内に完全に入っていた円が4つ選択され、ハイライト表示されます。

投げ縄選択（交差）を行う

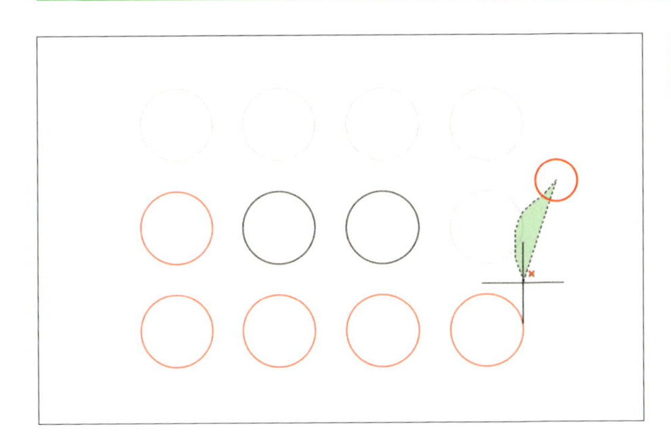

1 投げ縄選択（交差）を開始する

オブジェクトが作図されていない右側から、マウスをドラッグします。投げ縄選択の交差が開始され、ドラッグの範囲が緑で表示されます。

CHECK

範囲が青で表示される窓になっている場合は、space キーを押してモードを切り替えてください。

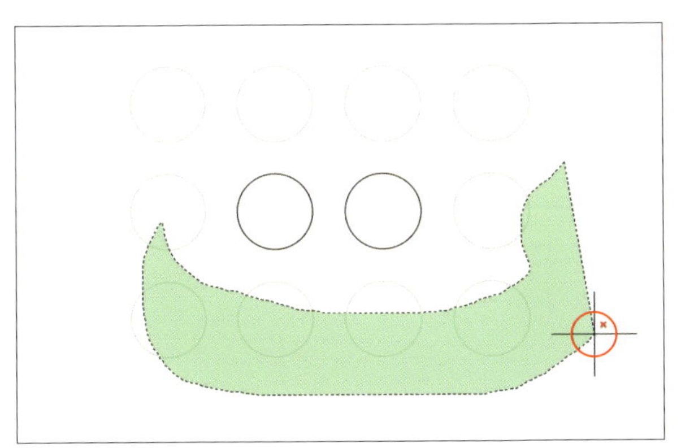

2 投げ縄選択（交差）を終了する

6つの円の一部が範囲に入るようにドラッグしたら、マウスを離します。

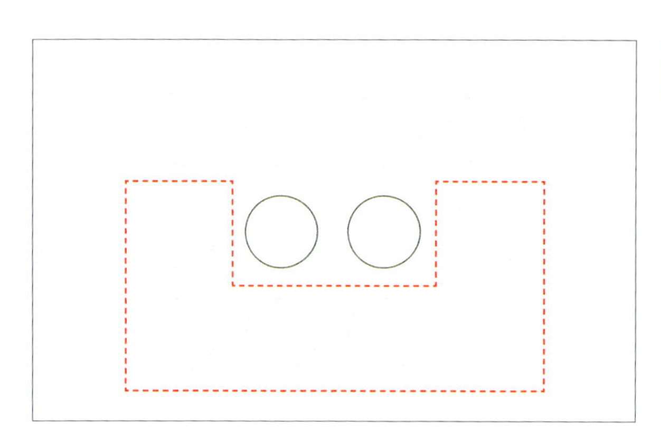

3 投げ縄選択（交差）が終了する

範囲内に一部でも入っていた円が6つ選択され、ハイライト表示されます。

4 ［削除］コマンドを終了する

Enterキーを押して操作を確定し、［削除］コマンドを終了します。

そのほかのオブジェクト選択を知る

窓選択、交差選択以外にも「ポリゴン窓選択」や「ポリゴン交差選択」などの方法でオブジェクトを選択することが可能です。「オブジェクトを選択」とメッセージが表示されたときに次の表のオプションキーをキーボードで入力すると（小文字でも可）、さまざまな図形選択オプションを利用することができます。

図形選択オプション	オプションキー	機能
ポリゴン窓	WP	多角形に囲まれた窓選択です(P.108参照)。
ポリゴン交差	CP	多角形に囲まれた交差選択です(P.109参照)。
フェンス	F	フェンス線分と交わるオブジェクトを選択します(P.110参照)。
直前	P	直前に選択したオブジェクトを再度選択します。
最後	L	最後に作成されたオブジェクトを選択します。
すべて	ALL	選択可能なすべてのオブジェクトを選択します(P.111参照)。

CHAPTER

▼

01

図形の作成

01 点／距離／角度の指定方法を理解する

図形を作成するためにはコマンドを実行し、メッセージに従って操作を行います。ここでは、作図で必要となる点の指定、距離の指定、角度の指定方法について解説します。

指定方法はキーボード入力とクリック操作が基本

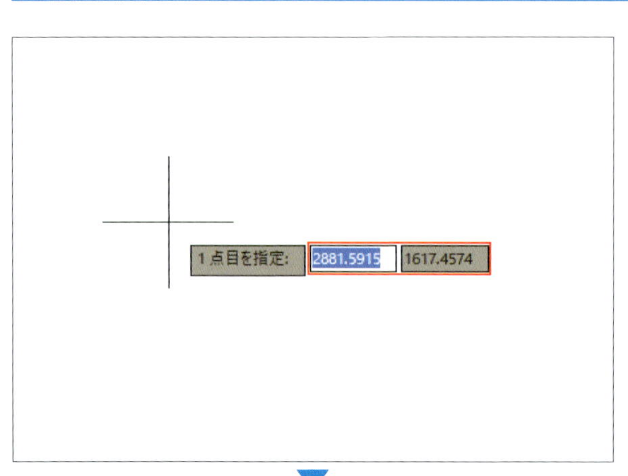

点の指定

点を指定する場合、座標を入力するツールチップが表示され、次の方法で指定します。
①キーボードで座標を入力（P.050 参照）
②直接距離入力（P.046、048 参照）
③オブジェクトスナップなどでクリック（P.040 参照）

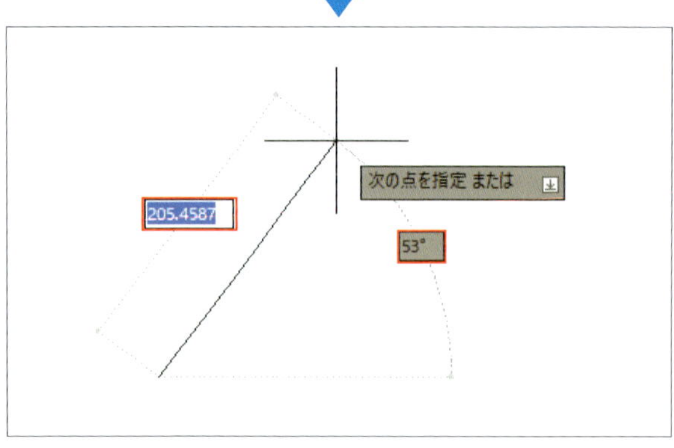

2 点目以降を指示するとき、場合によっては、距離と角度を入力するツールチップが表示されます。

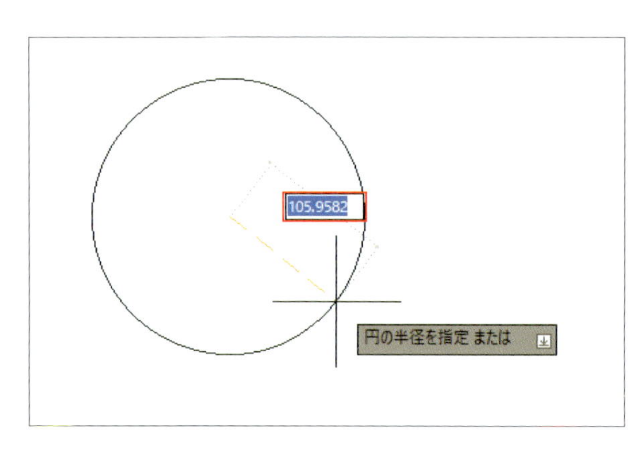

距離の指定

円の半径などを入力する場合、距離を入力するツールチップが表示されます。距離を指定するには、次の方法があります。
①キーボードで距離を入力
②オブジェクトスナップなどでクリック（1 点目からの距離が指定されます）

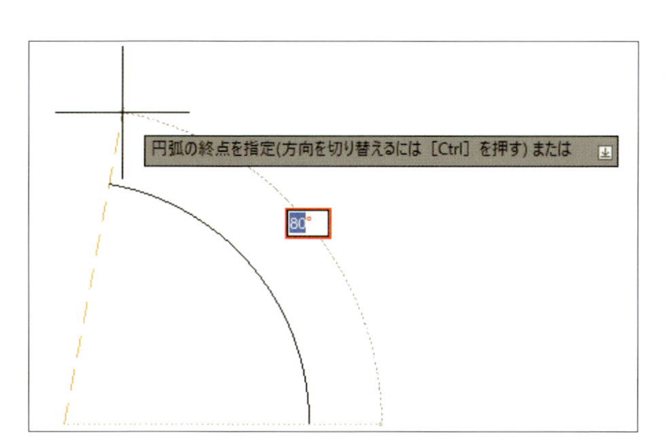

角度の指定

円弧などを作図する場合、角度を入力するツールチップが表示されます。角度を入力するには、次の方法があります。
①キーボードで角度を入力
②オブジェクトスナップなどでクリック
（東方向からの角度が指定されます）

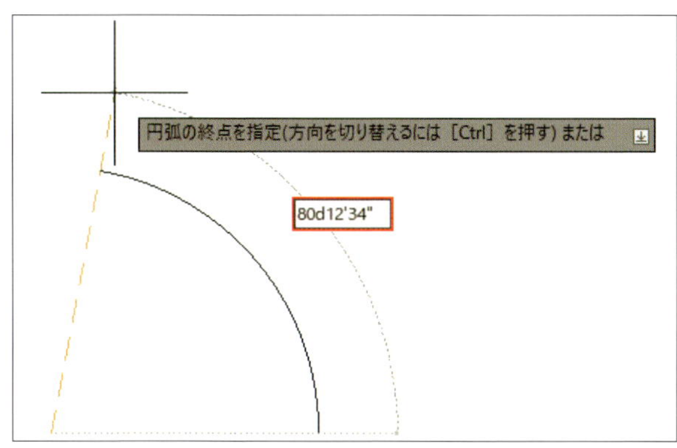

角度を度分秒で入力するには、度を「d」、分を「'（シングルクォーテーション）」、秒を「"（ダブルクォーテーション）」で入力します。

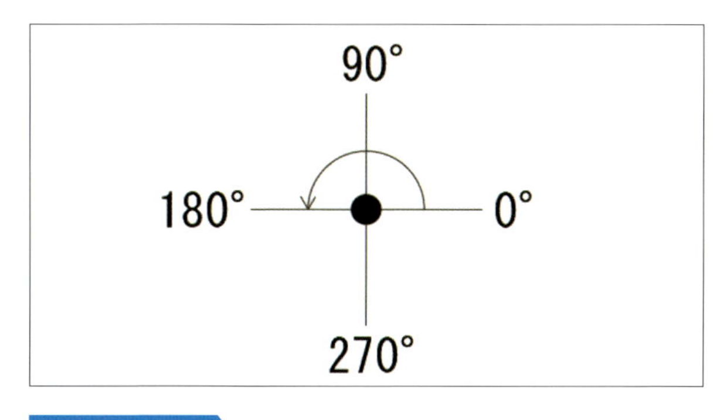

角度は東が0°、反時計回りに角度がプラスになるように設定されています。

POINT

角度の基準を変更する

角度の基準を変更する必要がある場合には、アプリケーションメニューから［図面ユーティリティ］→［単位設定］を選択し、［単位管理］ダイアログを表示して、［時計回り］にチェックを入れ1、［角度の方向］から角度の基準を設定してください2。これは、ファイルごとに保存される設定です。

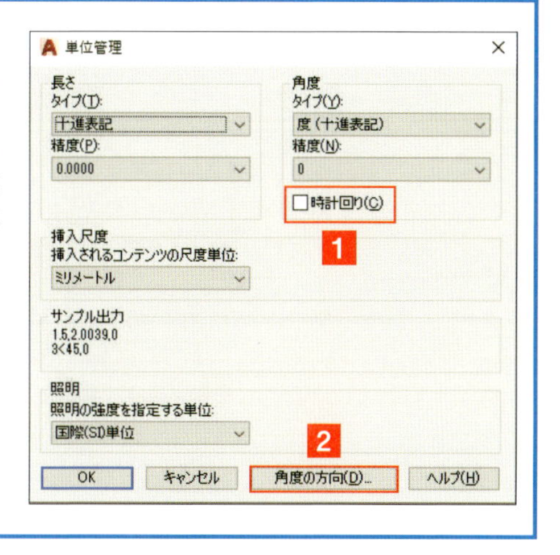

水平垂直に線分を作図する

始点と終点を指定して線分を作成します。水平方向(X軸方向)、垂直方向(Y軸方向)に線分を作図するには、直交モードを利用します(P.046参照)。XY軸方向を変更するには、UCSを利用してください(P.376参照)。

サンプルファイル 1-2.dwg　コマンド LINE　ショートカットキー L

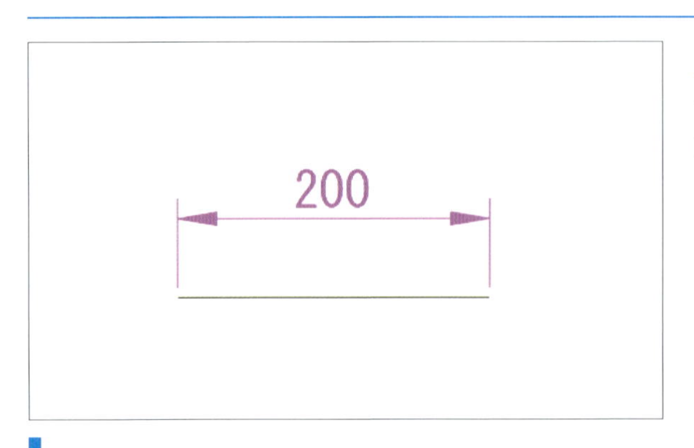

完成図

直交モードを利用し、水平で長さ200の線分を作図します。

直交モードで線分を作図する

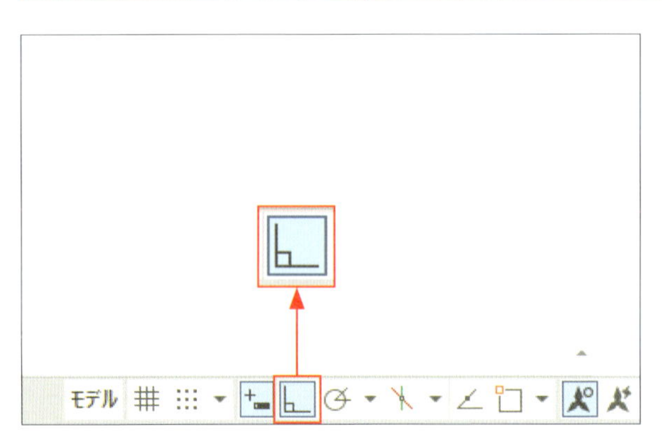

1 直交モードをオンにし、[線分]コマンドを実行する

ステータスバーの［直交モード］をクリックしてオンにし、［ホーム］タブ→［作成］パネルの［線分］をクリックして、［線分］コマンドを実行します。

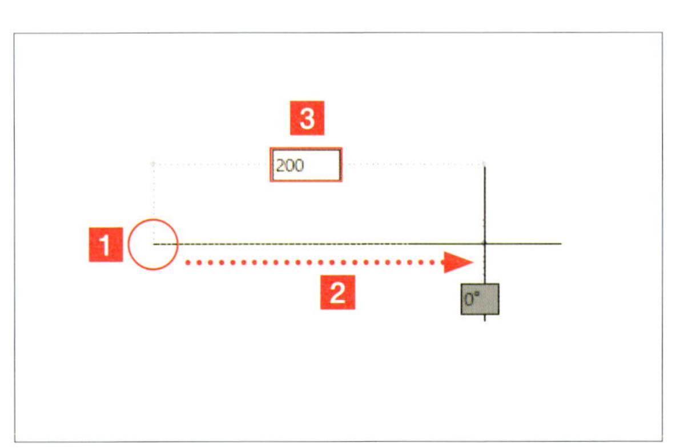

2 1点目、2点目を指定する

1点目は任意点をクリックします1。2点目は直接距離入力をします。水平方向にマウスカーソルを動かし2、「200」と入力して3、Enterキーを押します。最後にEnterキーでコマンドを終了します。水平で長さ200の線分が作図されます。

角度指定で線分を作図する ～極座標入力

ここでは極座標入力を利用し、始点と終点を指定して線分を作成します。終点の指定で極座標入力(P.053参照)を使うことにより、度分秒などの細かい単位で角度を指定した線分を作図することが可能です。

サンプルファイル 1-3.dwg　コマンド LINE　ショートカットキー L

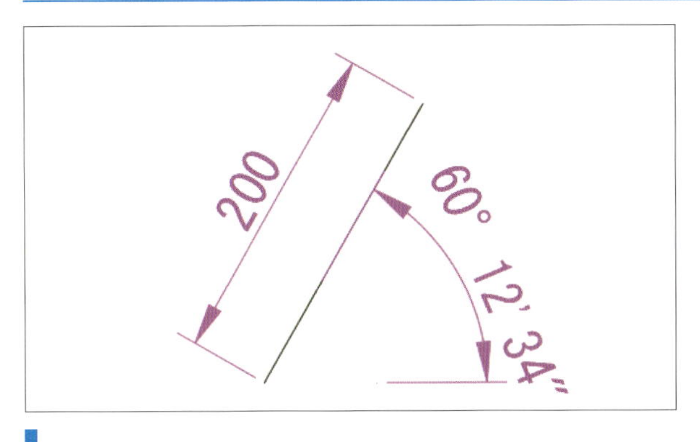

完成図

極座標入力を利用し、60° 12分34秒の角度で長さ200の線分を作図します。

極座標入力で線分を作図する

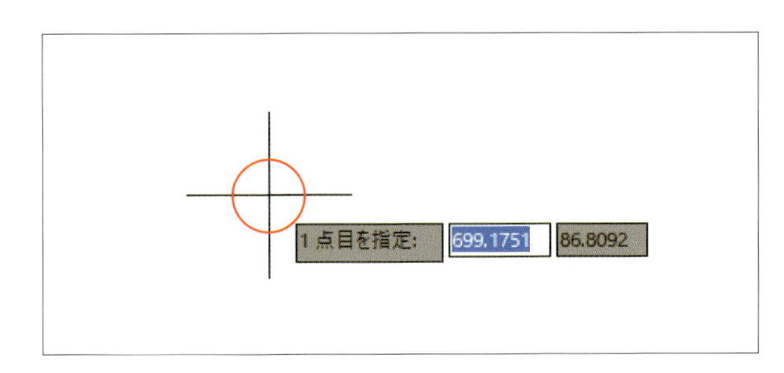

1 [線分]コマンドを実行し、1点目を指定する

[ホーム]タブ→[作成]パネルの[線分]をクリックして、[線分]コマンドを実行します。1点目は任意点をクリックします。

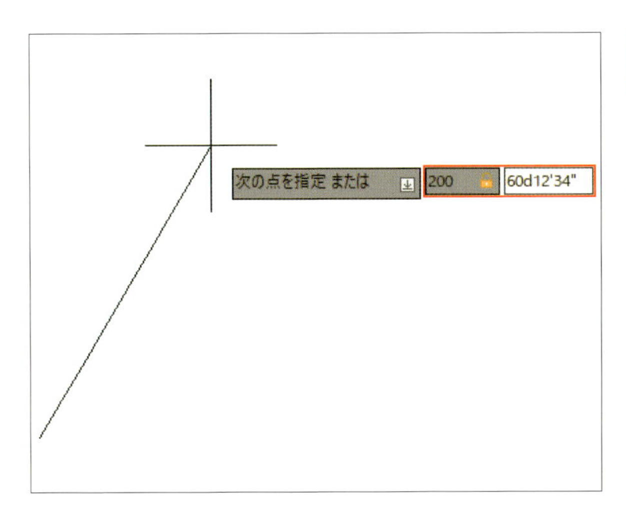

2 2点目を指定する

2点目は極座標を入力します。「200<60d12' 34"」と入力し、Enterキーを押します。最後にEnterキーでコマンドを終了します。60°12分34秒の角度で長さ200の線分が作図されます。

CHECK

極座標は「長さ<角度」と入力します。「<(小なり)」はShiftキーを押しながら,キーを、「'」はShiftキーを押しながら7キーを、「"」はShiftキーを押しながら2キーを押します。

04 角度指定で線分を作図する ～極トラッキング

ここでは極トラッキング(P.048参照)を利用し、始点と終点を指定して線分を作成します。終点の指定で極トラッキングを利用した直接距離入力を使うことにより、角度を指定した線分を効率よく作図することができます。

サンプルファイル 1-4.dwg　コマンド LINE　ショートカットキー L

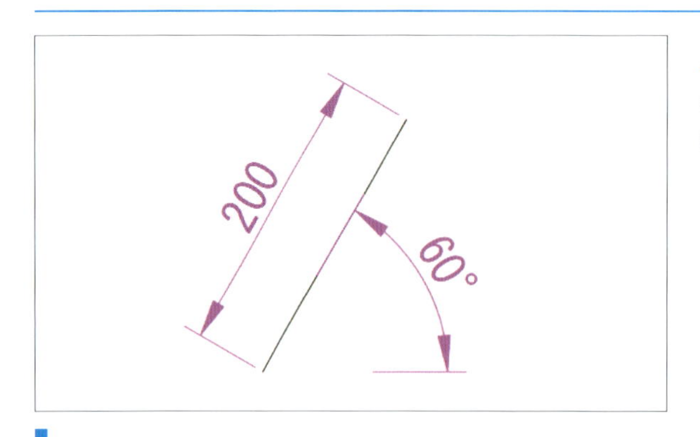

完成図

極トラッキングを利用し、60°方向に長さ200の線分を作図します。

極トラッキングで線分を作図する

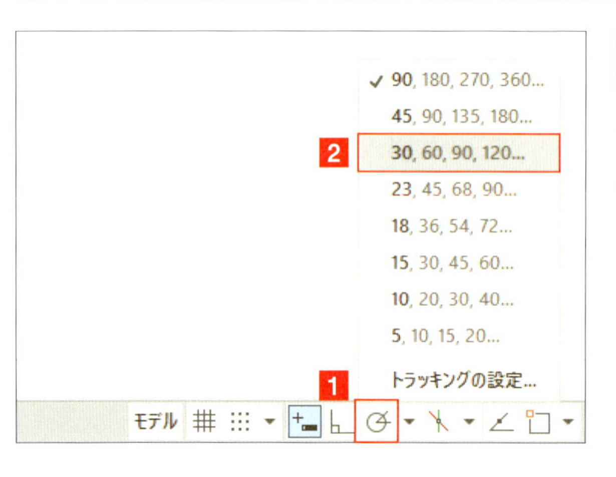

1 極トラッキングを設定する

ステータスバーの［極トラッキング］を右クリックし1、設定したい角度（ここでは［30, 60,90,120…］）を選択します2。

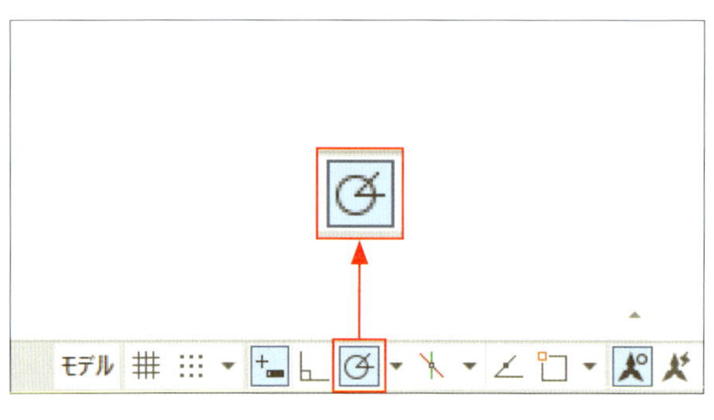

2 極トラッキングのオンを確認する

ステータスバーの［極トラッキング］がオンになっているかを確認します。オンになってない場合は、クリックしてオンにします。

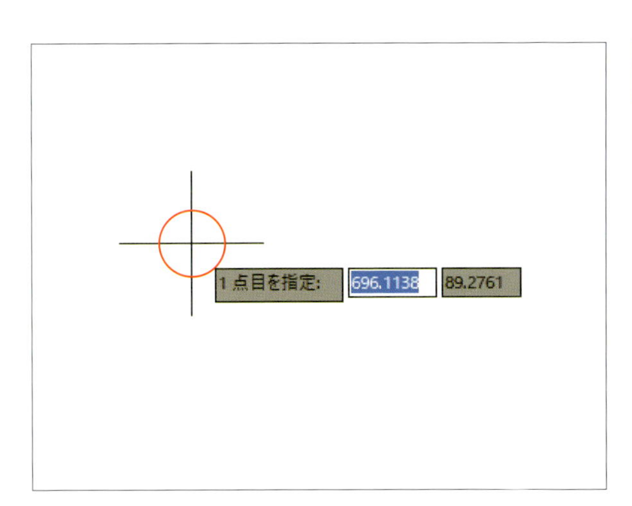

3 [線分]コマンドを実行し、1点目を指定する

[ホーム] タブ→[作成] パネルの [線分] をクリックして、[線分] コマンドを実行します。1 点目は任意点をクリックします。

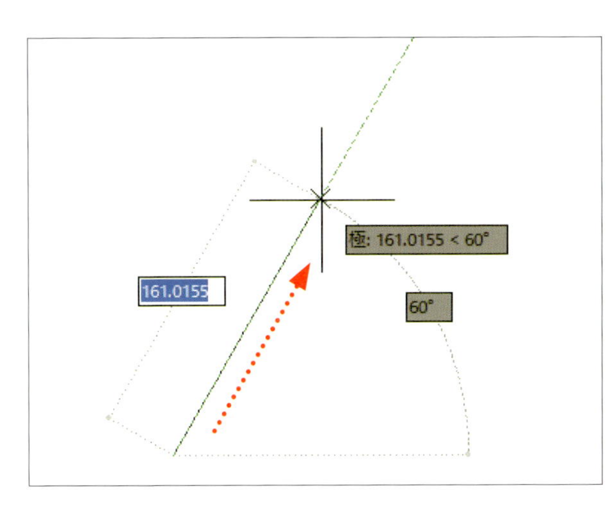

4 方向を指定する

2 点目は直接距離入力を行います。まず、マウスカーソルを作図したい 60° 方向に移動し、位置合わせパスを表示します。

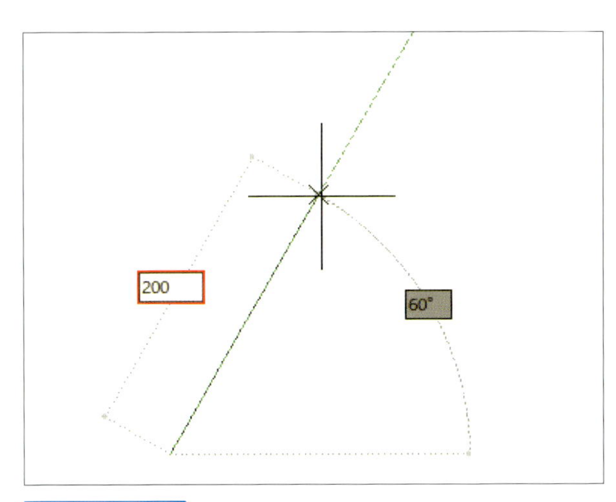

5 長さを指定する

「200」と入力し、Enterキーを押します。最後にEnterキーでコマンドを終了します。60° 方向に長さ 200 の線分が作図されます。

POINT

ほかの極トラッキングの角度を指定する

事前に用意されている極トラッキングの角度以外を指定するには、[極トラッキング] を右クリックし、[トラッキングの設定] を選択して、[極トラッキング] タブの [角度の増分] に角度を入力してください。

勾配指定で線分を作図する～屋根勾配

屋根勾配を指定するには、[線分]コマンドの2点目の入力に相対座標を使用します(P.053参照)。

サンプルファイル 1-5.dwg　コマンド LINE　ショートカットキー L

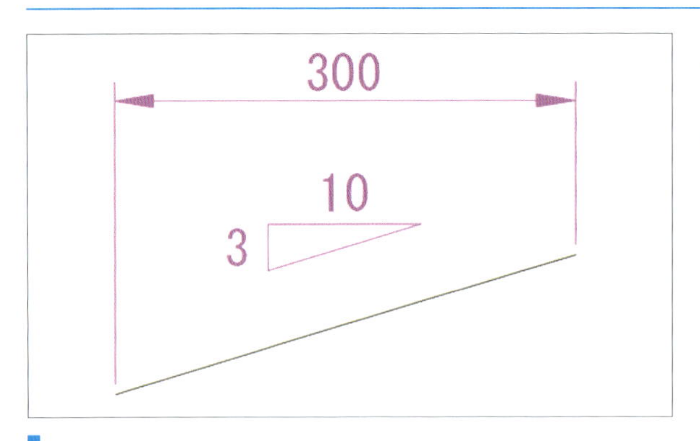

完成図

水平の長さが300の3寸勾配(3／10の屋根勾配)の線分を作図します。Xの距離が300なので、Yの距離は30×3=90となります。長さを調整するには、作図後に[トリム](P.128参照)や[延長](P.130参照)のコマンドを利用します。

屋根勾配で線分を作図する

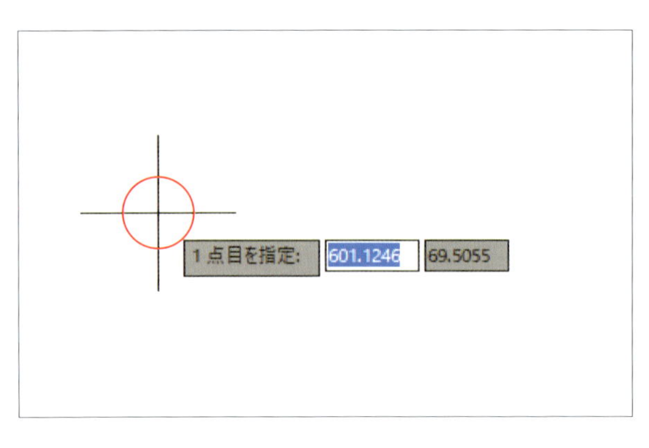

1 [線分]コマンドを実行し、1点目を指定する

[ホーム]タブ→[作成]パネルの[線分]をクリックして、[線分]コマンドを実行します。1点目は任意点をクリックします。

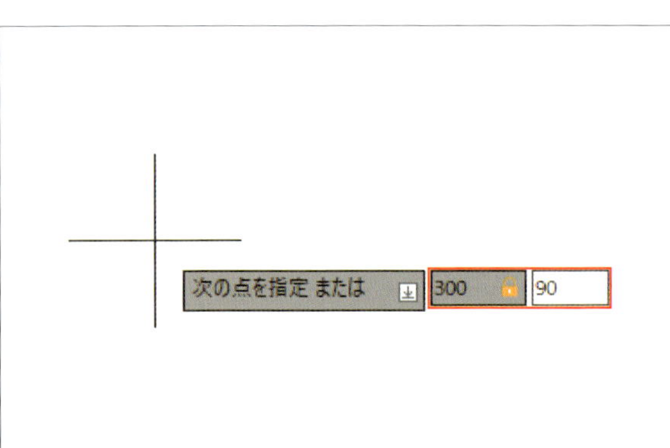

2 2点目を指定する

2点目は相対座標を入力します。「300,90」と入力し、Enterキーを押します。最後にEnterキーでコマンドを終了します。水平の長さが300の3寸勾配の線分が作図されます。

勾配指定で線分を作図する ～1:○勾配

1:○勾配を指定するには、[線分]コマンドの2点目の入力に相対座標を使用します（P.053参照）。

サンプルファイル 1-6.dwg　コマンド LINE　ショートカットキー L

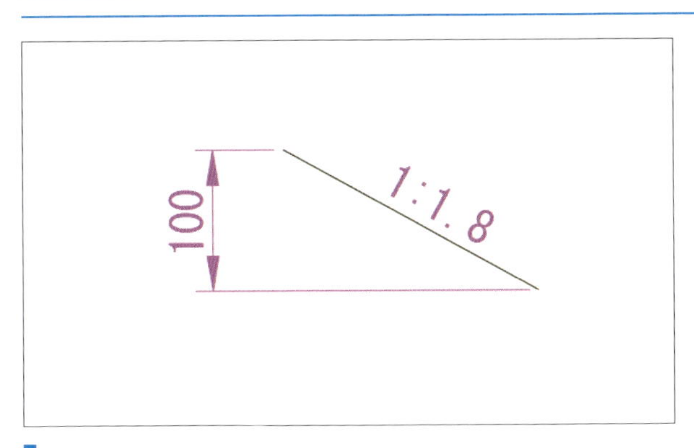

完成図

垂直の長さが100の1:1.8勾配の線分を作図します。Yの距離が100なので、Xの距離は100×1.8=180となります。長さを調整するには、作図後に[トリム]（P.128参照）や[延長]（P.130参照）のコマンドを利用します。

1:○勾配で線分を作図する

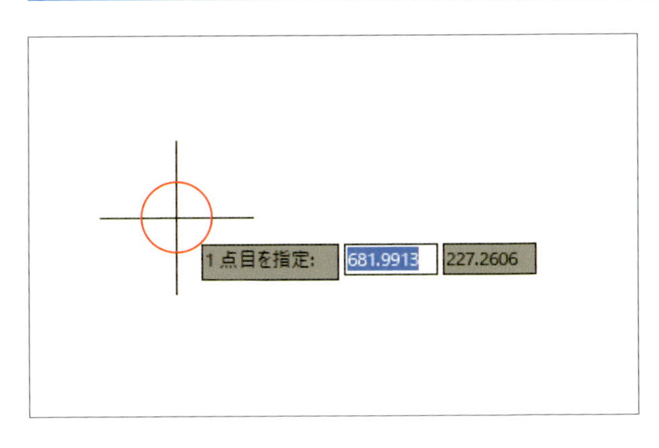

1 [線分]コマンドを実行し、1点目を指定する

[ホーム]タブ→[作成]パネルの[線分]をクリックして、[線分]コマンドを実行します。1点目は任意点をクリックします。

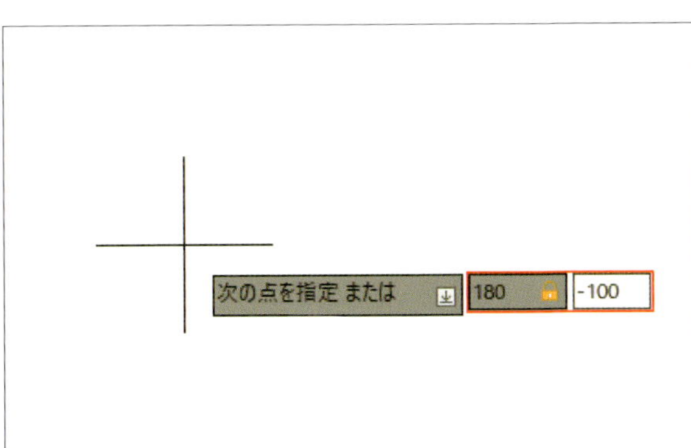

2 2点目を指定する

2点目は相対座標を入力します。「180,-100」と入力し、Enterキーを押します。最後にEnterキーでコマンドを終了します。垂直の長さが100の1:1.8勾配の線分が作図されます。

勾配指定で線分を作図する ～○％勾配

○%勾配を指定するには、[線分]コマンドの2点目の入力に相対座標を使用します（P.053参照）。

サンプルファイル 1-7.dwg　コマンド LINE　ショートカットキー L

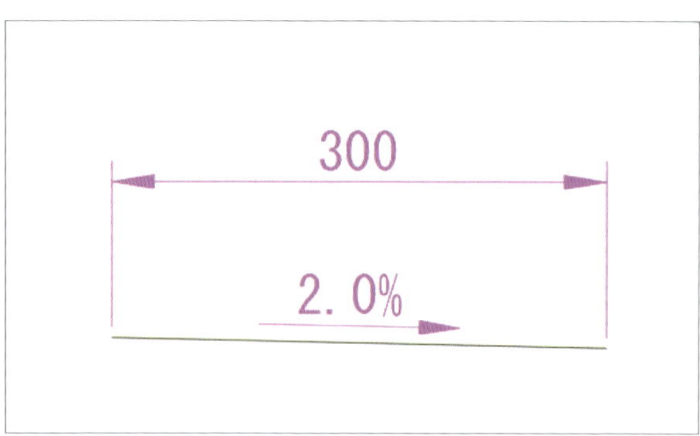

完成図

水平の長さが300の2%勾配の線分を作図します。Xの距離が300なので、Yの距離は300×0.02=6となります。長さを調整するには、作図後に[トリム]（P.128参照）や[延長]（P.130参照）のコマンドを利用します。

○％勾配で線分を作図する

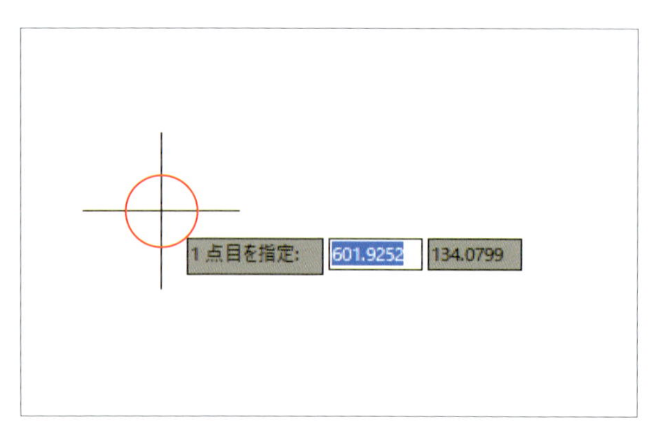

1 [線分]コマンドを実行し、1点目を指定する

[ホーム] タブ→ [作成] パネルの [線分] をクリックして、[線分] コマンドを実行します。1 点目は任意点をクリックします。

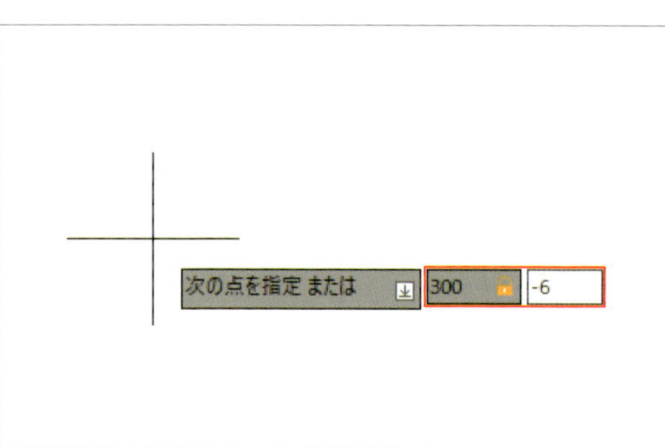

2 2点目を指定する

2 点目は相対座標を入力します。「300,-6」と入力し、Enterキーを押します。最後にEnterキーでコマンドを終了します。水平の長さが 300 の 2% 勾配の線分が作図されます。

線と円弧のポリラインを作図する

ポリラインは線分と円弧からなる連続線です。連続した線の長さや囲まれた面積を計測することができます。線分と円弧を1つのポリラインにする場合は、P.148の「線分や円弧をポリラインにする」を参照してください。

サンプルファイル 1-8.dwg　コマンド PLINE　ショートカットキー PL

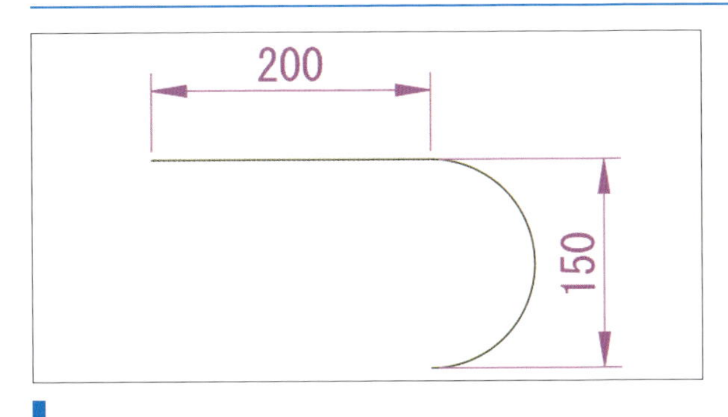

完成図

長さ200の水平な線と、それに接する直径150の円弧を含んだポリラインを作図します。

［ポリライン］コマンドを利用する

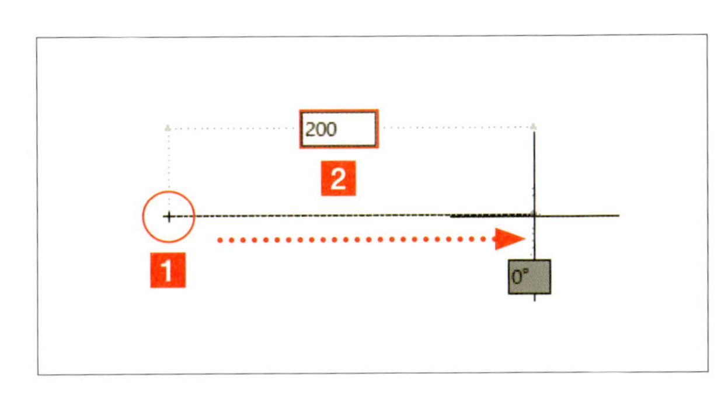

1 ［ポリライン］コマンドを実行し、水平線を作図する

［ホーム］タブ→［作成］パネルの［ポリライン］をクリックし、［ポリライン］コマンドを実行します。1点目は任意点をクリックし1、2点目は直交モードをオンにして、水平に200を入力し2、Enterキーを押します。長さ200の水平なポリラインが作図されます。

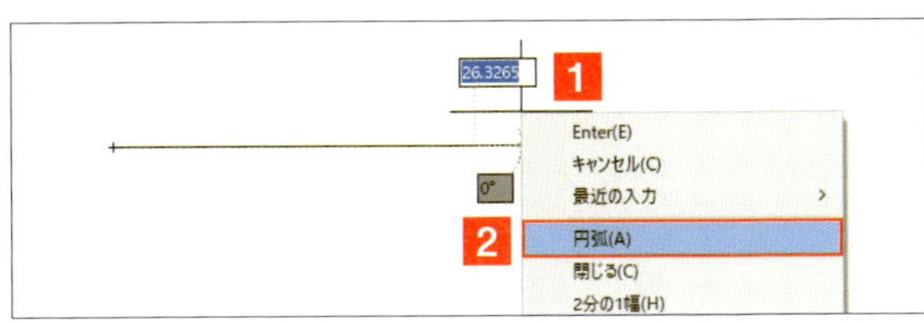

2 ［円弧］オプションを指定する

そのまま右クリックし1、メニューから［円弧］オプションを選択します2。

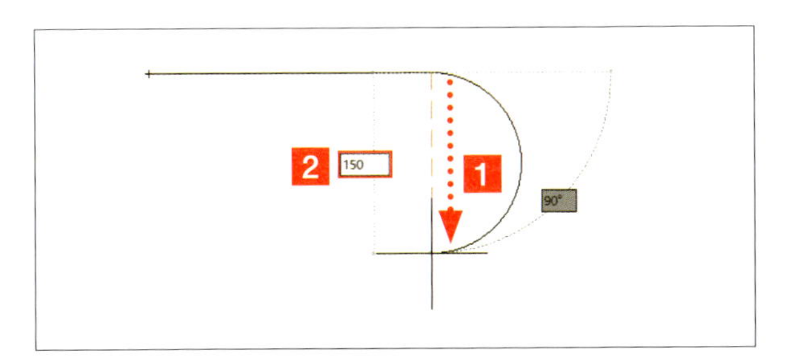

3 円弧を作図する

3点目は垂直の位置にマウスカーソルを移動し1、150を入力します2。直径150の円弧のポリラインが作図されます。Enterキーでコマンドを終了します。

09 中心点と半径指示で円を作図する

ここでは[中心、半径]コマンドを利用し、中心点と半径を指定して円を作図します。半径の指定は、キーボードで値を入力するほか、円周の通過点をクリックして指定することも可能です。

サンプルファイル 1-9.dwg　コマンド CIRCLE　ショートカットキー C

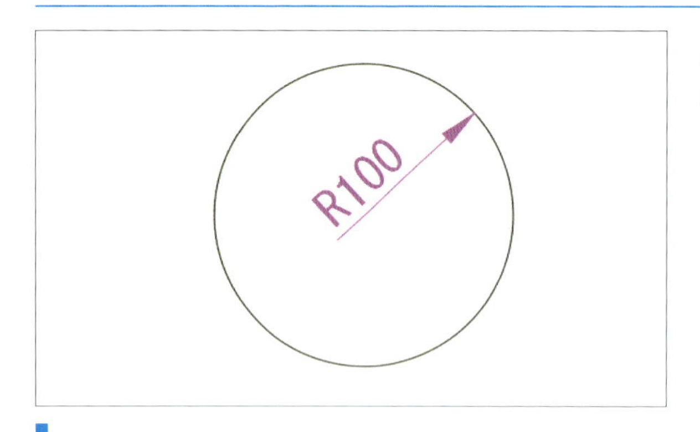

完成図

中心点を指定し、半径100の円を作図します。

任意点で[中心、半径]コマンドを利用する

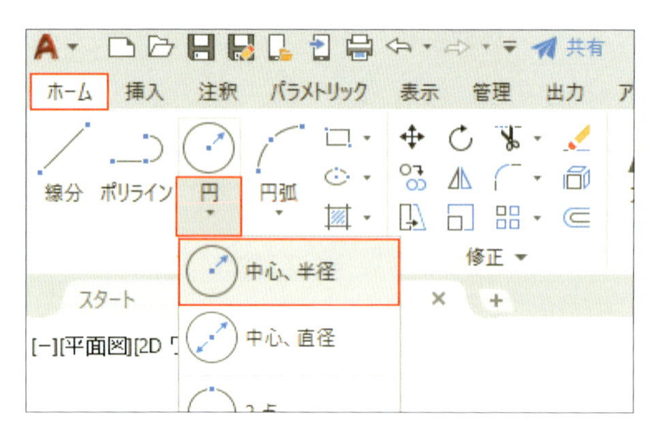

1 [中心、半径]コマンドを実行する

[ホーム]タブ→[作成]パネルの[円▼]→[中心、半径]をクリックします。

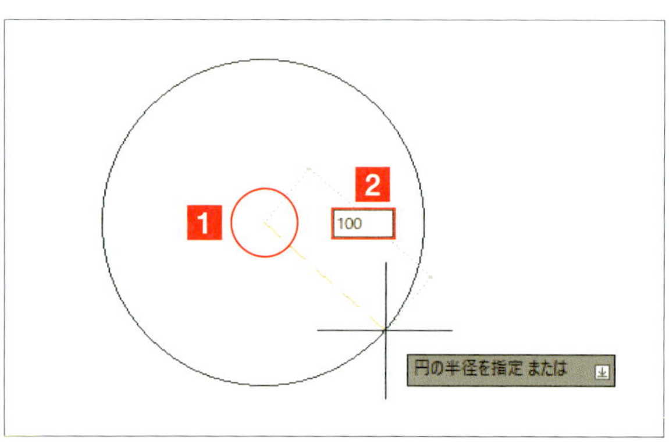

2 中心点と半径を指定する

中心点として任意点をクリックし1、半径に「100」を入力して2、Enterキーを押します。半径100の円が作図されます。

中心点と直径指示で円を作図する

ここでは[中心、直径]コマンドを利用し、中心点と直径を指定して円を作図します。直径の指定は、キーボードで値を入力するほか、円周の通過点をクリックして指定することも可能です。

サンプルファイル 1-10.dwg　コマンド CIRCLE　ショートカットキー C

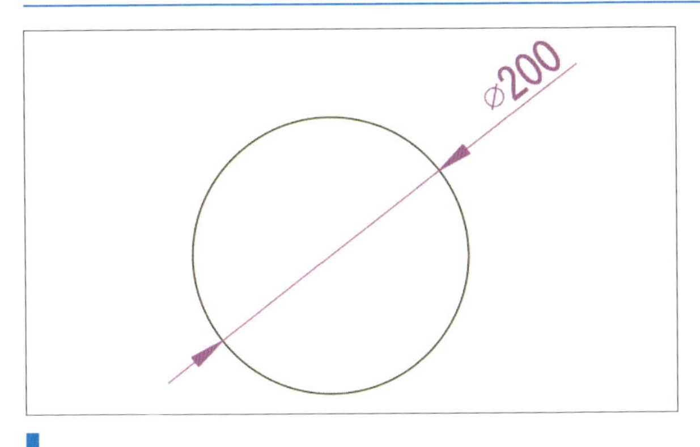

完成図

中心点を指定し、直径200の円を作図します。

任意点で[中心、直径]コマンドを利用する

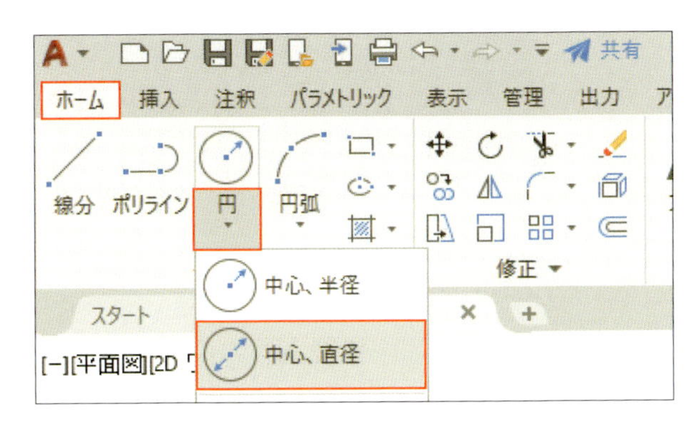

1 [中心、直径]コマンドを実行する

[ホーム] タブ→ [作成] パネルの [円▼] → [中心、直径] をクリックします。

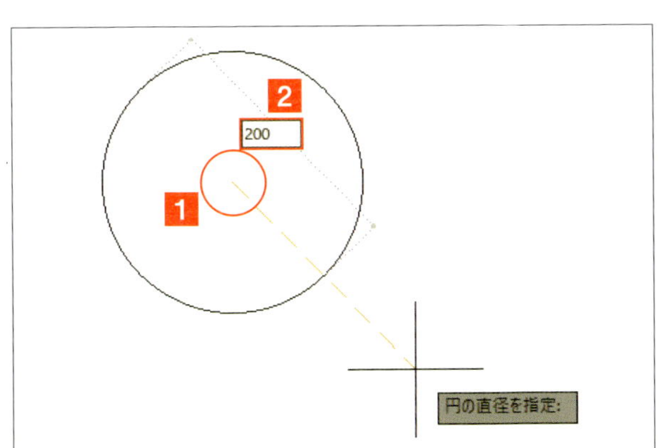

2 中心点と直径を指定する

中心点として任意点をクリックし1、直径に「200」を入力して2、Enterキーを押します。直径 200 の円が作図されます。

中心点の座標指定で円を作図する

ここでは、絶対座標入力を利用して中心点を指定し、円を作図します。測量座標など、決まった座標の位置に円を作図できるのが特徴です。原点の位置やXY軸の方向はUCSで変更することが可能です。

サンプルファイル 1-11.dwg　コマンド CIRCLE　ショートカットキー C

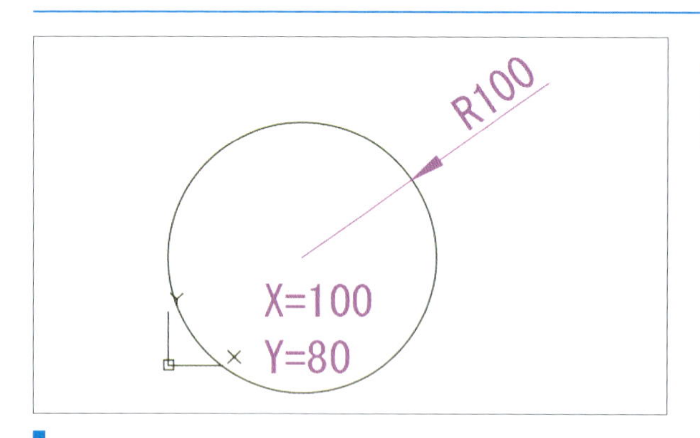

完成図

X=100、Y=80の中心点を指示し、半径100の円を作図します。

絶対座標入力で[中心、半径]コマンドを利用する

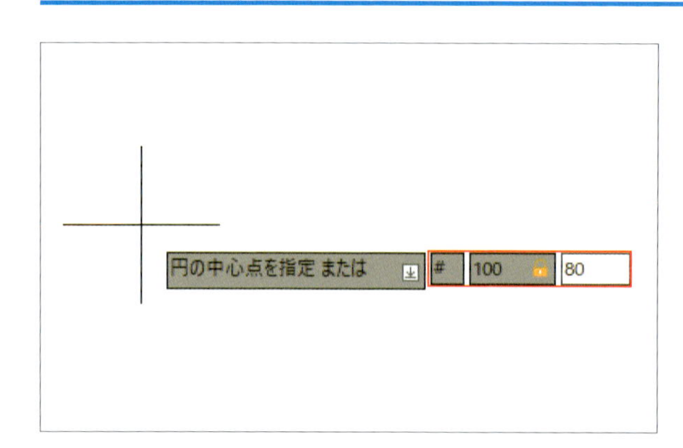

1 [中心、半径]コマンドを実行し、中心点を指定する

[ホーム] タブ→ [作成] パネルの [円▼] → [中心、半径] をクリックします。中心点は絶対座標入力をします。「#100,80」と入力し、Enterキーを押します。

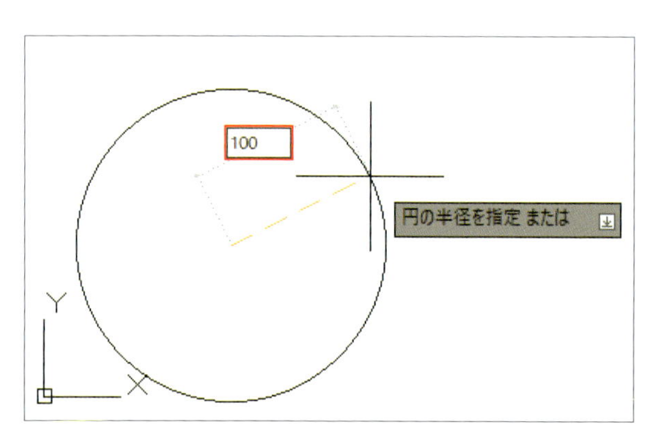

2 半径を指定する

「100」と入力し、Enterキーを押します。X=100、Y=80 の中心点を指示し、半径 100 の円が作図されます。

1/4円弧を作図する

ここでは、平面図のドアなどに利用する、1/4の円弧を作図します。円弧は反時計回りに作図されるので、1点目の位置に注意をしてください。円弧は円をトリムして作図することも可能です。

サンプルファイル 1-12.dwg　コマンド ARC　ショートカットキー A

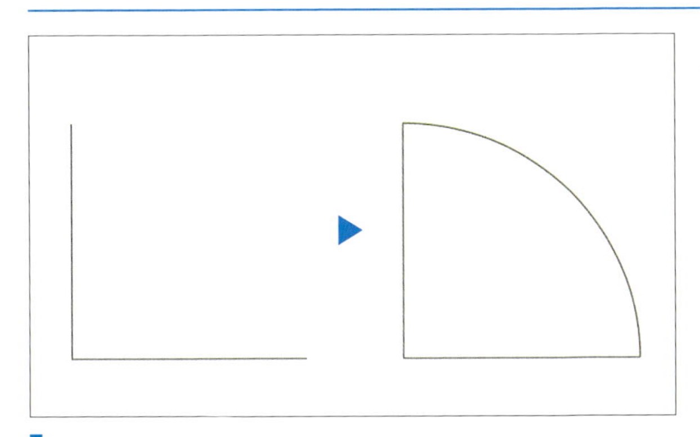

完成図

始点、中心点、終点を端点のオブジェクトスナップで指定し、1/4の円弧を作図します。

[始点、中心、終点]コマンドを利用する

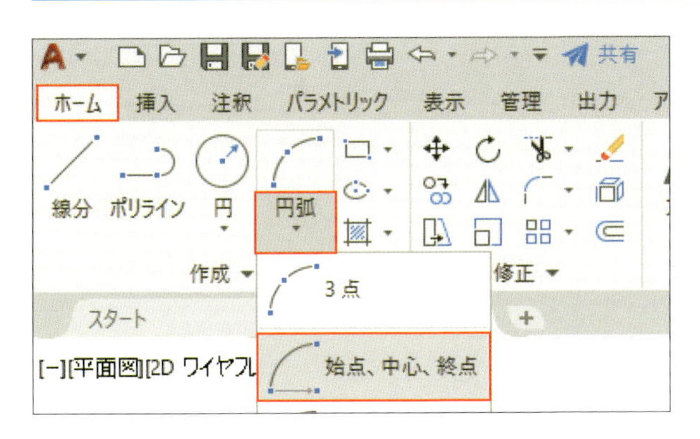

1 [始点、中心、終点]コマンドを実行する

[ホーム] タブ→ [作成] パネルの [円弧▼] → [始点、中心、終点] をクリックします。

CHECK

ショートカットキーから実行した場合は、メッセージを確認しながら、オプションを選択する必要があります。

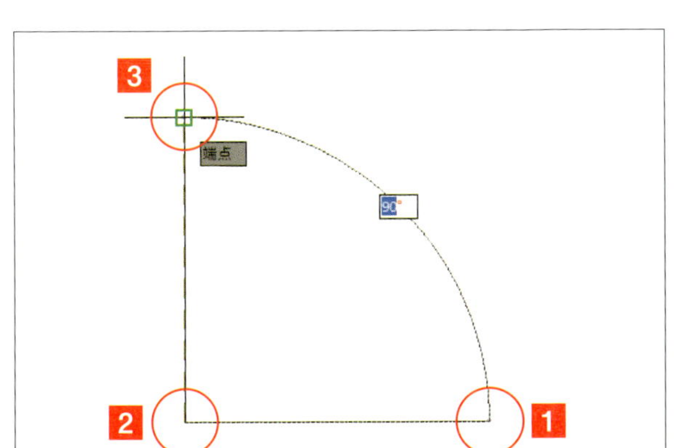

2 始点、中心点、終点を指定する

オブジェクトスナップの端点を使用し、反時計回りに作図されるように始点1、中心2、終点3の順にクリックします。1/4 の円弧が作図されます。

半円を作図する

ここでは、長円形の穴などに使用される、半円を作図します。円弧は半時計回りに作図されるので、1点目の位置に注意をしてください。円弧は円をトリムして作図することも可能です。

サンプルファイル 1-13.dwg　コマンド ARC　ショートカットキー A

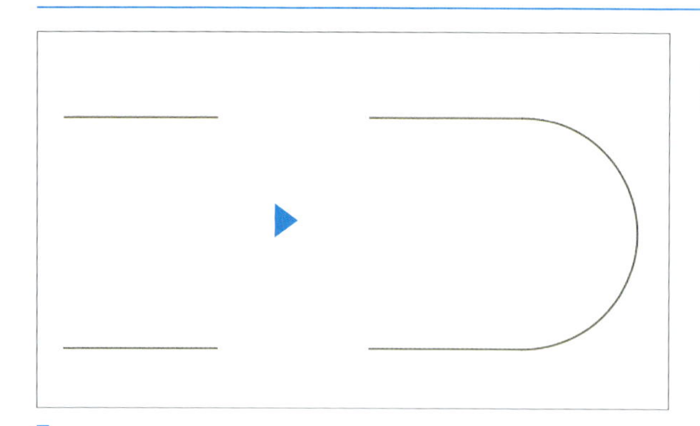

完成図

始点、終点、接線方向を端点のオブジェクトスナップと直交モードで指定し、半円を作図します。

[始点、終点、方向]コマンドを利用する

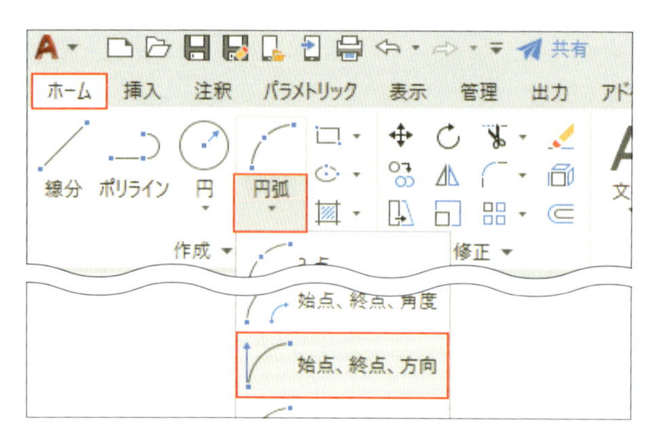

1 [始点、終点、方向]コマンドを実行する

[ホーム]タブ→[作成]パネルの[円弧▼]→[始点、終点、方向]をクリックします。

CHECK

ショートカットキーから実行した場合は、メッセージを確認しながら、オプションを選択する必要があります。

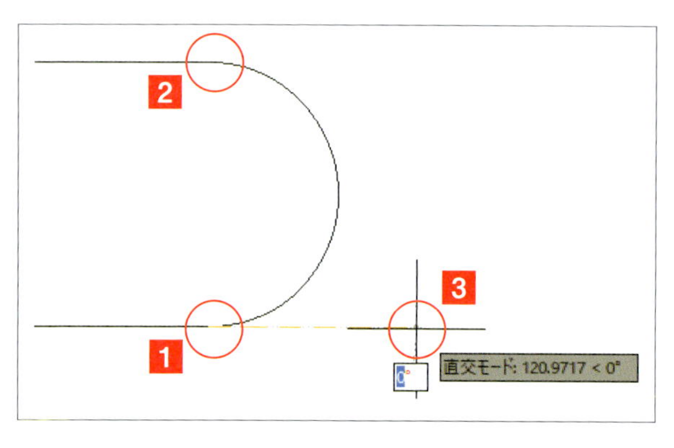

2 始点、終点、方向を指定する

オブジェクトスナップの端点を使用し、始点1、終点2をクリックします。方向の指定は、直交モードをオンにし（P.046 参照）、マウスカーソルを水平方向に移動してクリックします3。半円が作図されます。

縦横の長さ指定で長方形を作図する

ここでは、対角の2点を指定して長方形を作図します。作図には縦横の長さを指定するために、2点目で相対座標を利用します(P.053参照)。作図された長方形はポリライン図形です。

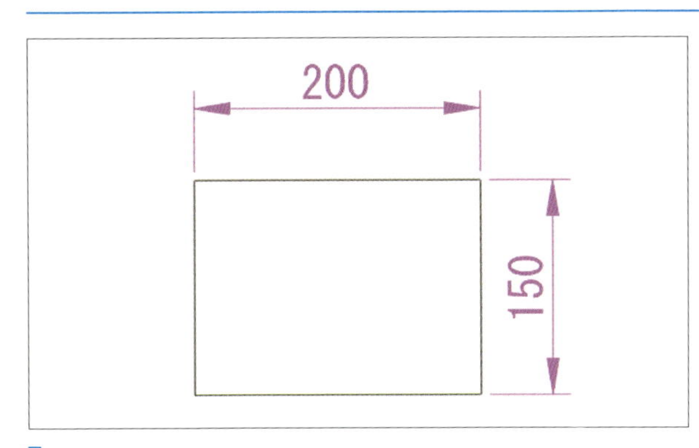

完成図

相対座標を利用し、横200、縦150の長方形を作図します。

[長方形]コマンドを利用する

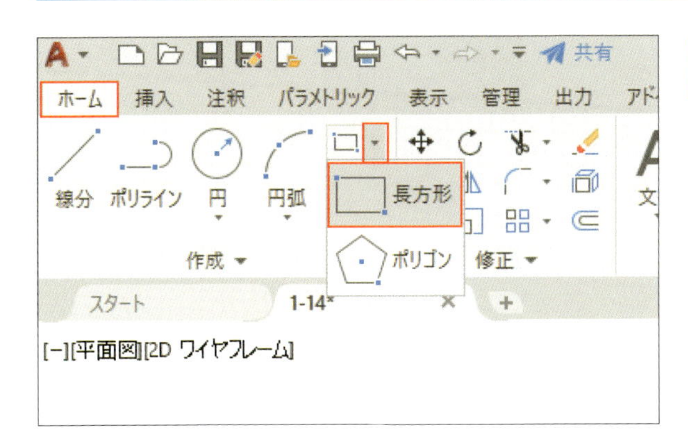

1 [長方形]コマンドを実行する

[ホーム]タブ→[作成]パネルの[▼]→[長方形]をクリックします。

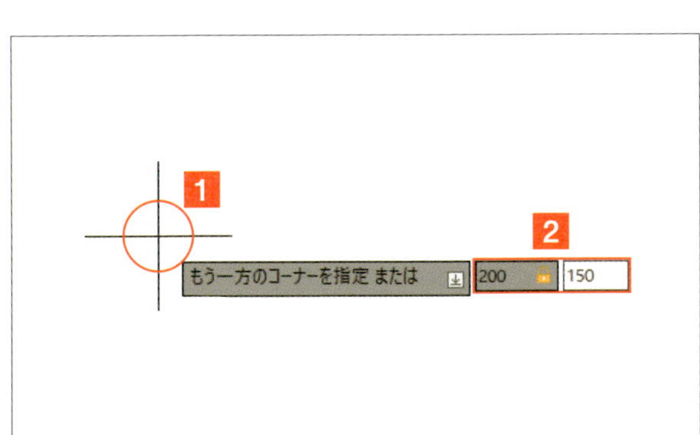

2 1点目、2点目を指定する

1点目は任意点をクリックします1。2点目は相対座標を入力します。「200,150」と入力し2、Enterキーを押します。横200、縦150の長方形が作図されます。

15 斜め方向の長方形を作図する

斜めになっている長方形を作図するには、ユーザ座標系(UCS)を利用して、XY軸を傾けます。最後にワールド座標系(WCS)に戻しましょう。

サンプルファイル 1-15.dwg　コマンド RECTANG　ショートカットキー REC

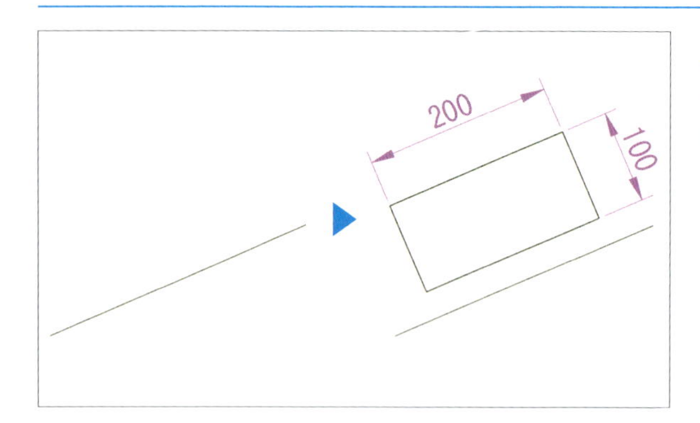

完成図

既存の線分の傾きで横200、縦100の長方形を作図します。

[オブジェクト]コマンドでXY軸を傾ける

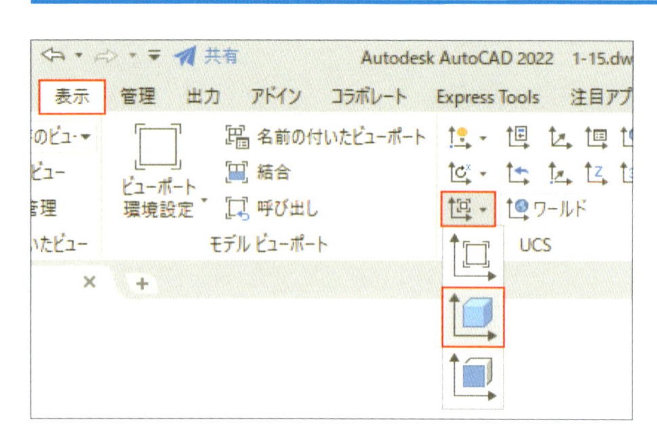

1 [オブジェクト]コマンドを実行する

[表示] タブ→ [UCS] パネルの [▼] → [オブジェクト] をクリックします。

CHECK

UCSパネルの表示方法はP.377の「[UCS]パネルで設定／管理する」を参照してください。

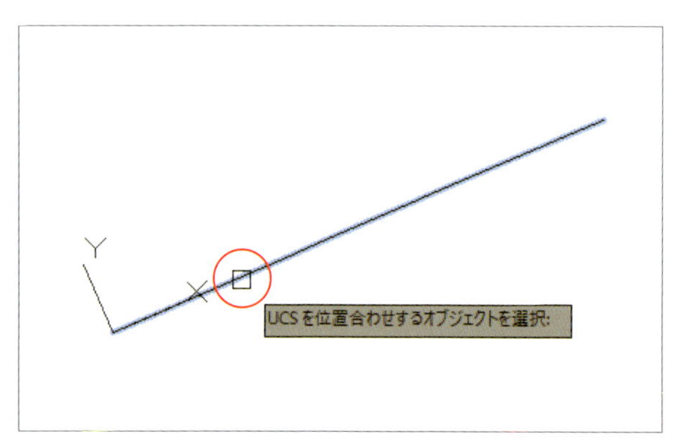

2 X軸にするオブジェクトを選択する

コマンドウィンドウに「UCSを位置合わせするオブジェクトを選択」と表示されます。線分の左側をクリックします。

CHECK

このとき、右側をクリックすると座標系の向きが反対になるので注意してください。

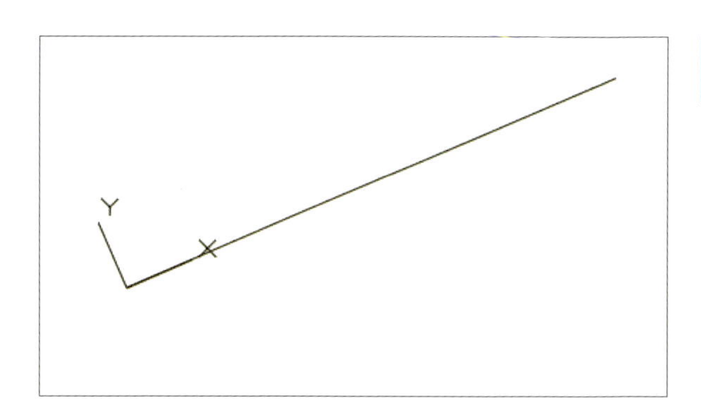

3 XY軸が傾く

ユーザ座標系（UCS）に変更され、X軸が選択した線分の向きになります。

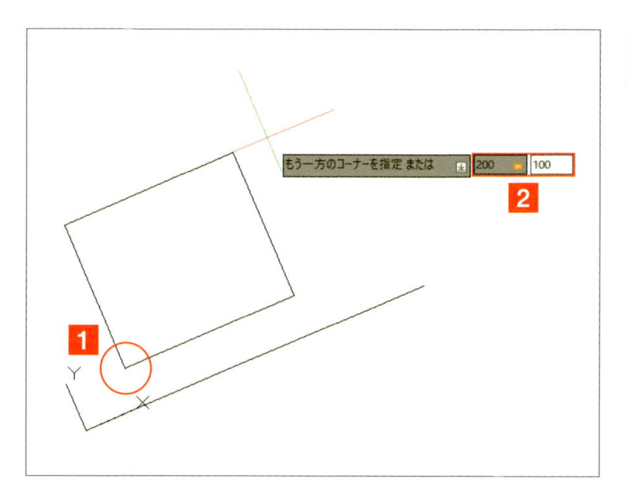

4 ［長方形］コマンドを実行し、1点目、2点目を指定する

［ホーム］タブ→［作成］パネルの［▼］→［長方形］をクリックして［長方形］コマンドを実行し、1点目は任意点をクリックします1。2点目は相対座標を入力します。「200,100」と入力し2、Enterキーを押します。既存の線分の傾きで横200、縦100の長方形が作図されます。

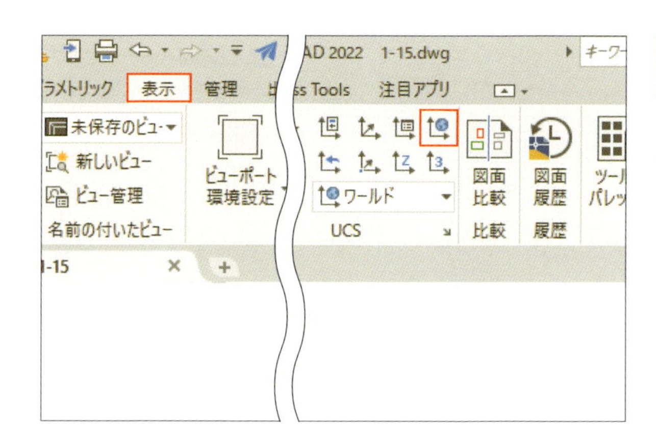

5 ［ワールド］コマンドを実行する

［表示］タブ→［UCS］パネルの［ワールド］をクリックします。

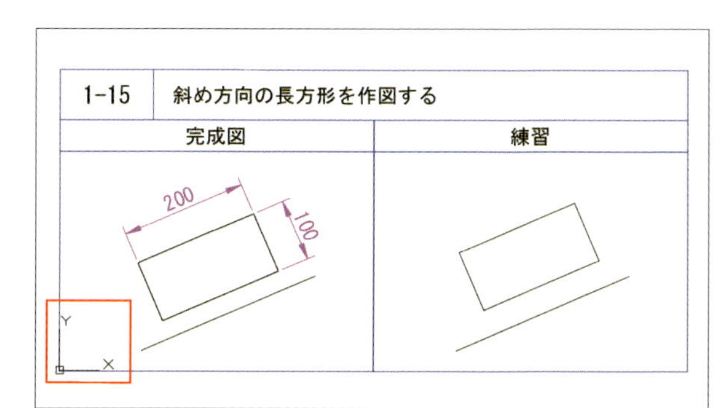

6 ワールド座標に戻る

ユーザ座標系（UCS）からワールド座標系（WCS）に戻ります。

円に内接した多角形を作図する

[ポリゴン]コマンドは、正多角形を作図します。ここでは、円の中心点と半径を指定し、その円に内接した正多角形を作図します。作成された正多角形はポリライン図形です。

サンプルファイル 1-16.dwg　コマンド POLYGON　ショートカットキー POL

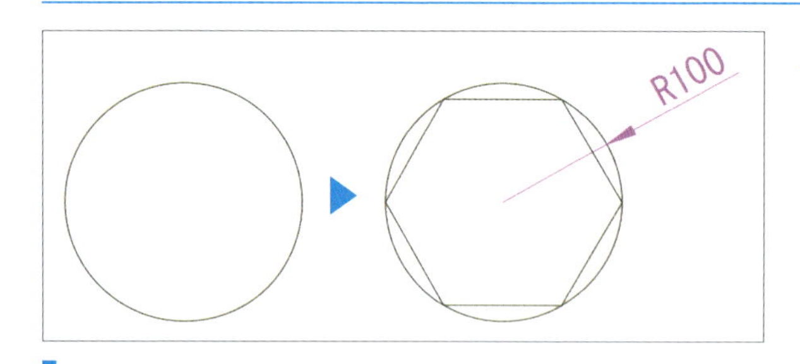

完成図

半径100の円に内接した正六角形を作図します。

[ポリゴン]コマンドで[内接]を利用する

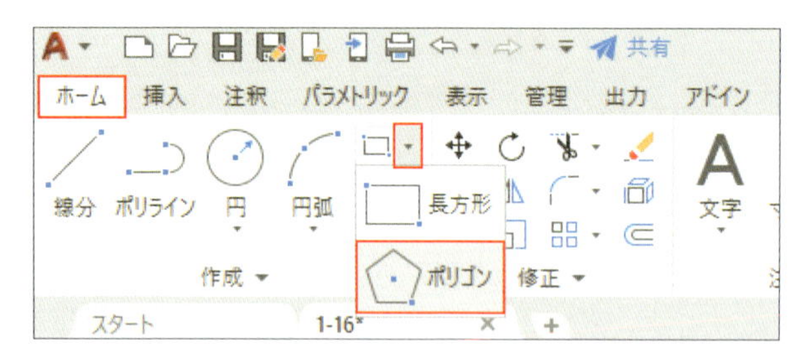

1 [ポリゴン]コマンドを実行し、エッジの数を入力する

[ホーム]タブ→[作成]パネルの[▼]→[ポリゴン]をクリックし、エッジの数に「6」を入力し、Enterキーを押します。

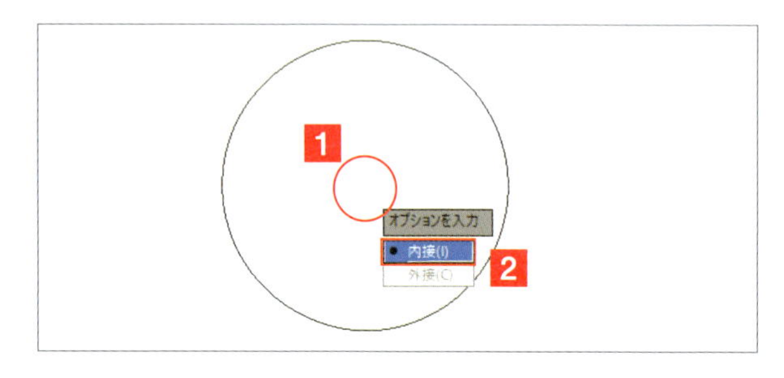

2 中心点、[内接]オプションを指定する

オブジェクトスナップで既存の円弧の中心をクリックし1、「オプションを入力」のプロンプトで[内接]をクリックして2、[内接]オプションを指定します。

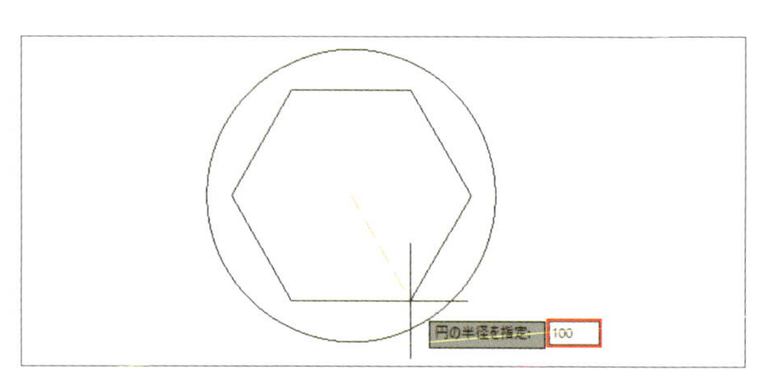

3 半径を指定する

「100」を入力し、Enterキーを押します。半径100の円に内接した正六角形が作図されます。

17 1辺の長さ指定で多角形を作図する

前ページで解説したとおり、[ポリゴン]コマンドは、正多角形を作図します。ここでは、一辺の長さを指定して正多角形を作図します。作図された正多角形はポリライン図形です。

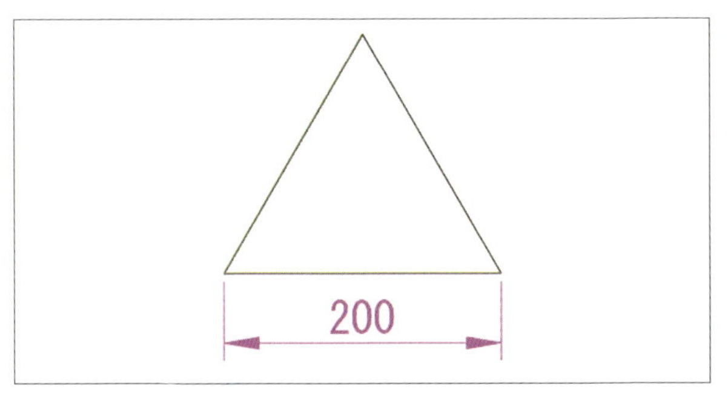

完成図

一辺が200の正三角形を作図します。

[ポリゴン]コマンドで[エッジ]を利用する

1 [ポリゴン]コマンドを実行し、エッジの数を入力する

[ホーム] タブ→ [作成] パネルの [▼] → [ポリゴン] をクリックし、エッジの数に「3」を入力し、Enterキーを押します。

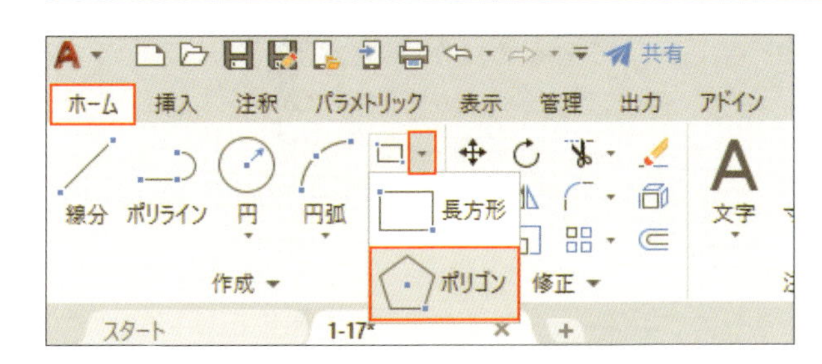

2 [エッジ]オプションを指定する

続けて作図領域で右クリックし、メニューから[エッジ] を指定します。

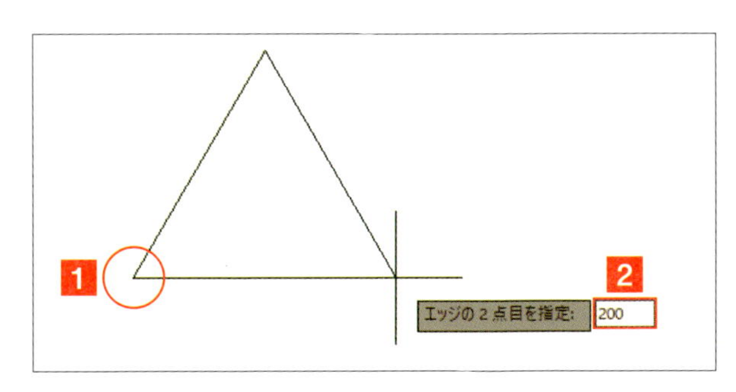

3 1点目、2点目を指定する

1 点目は任意点をクリックし1、2 点目は直交モードをオンにし、水平に 200 の位置を指定します2。一辺が 200 の正三角形が作図されます。

中心点と軸の長さ指定で楕円を作図する

ここでは、中心点と軸の長さを指定して楕円を作図します。楕円は[トリム]コマンドなどを利用して楕円弧にすることが可能です。ただし、ポリライン図形にすることはできません。

サンプルファイル 1-18.dwg　コマンド ELLIPSE　ショートカットキー EL

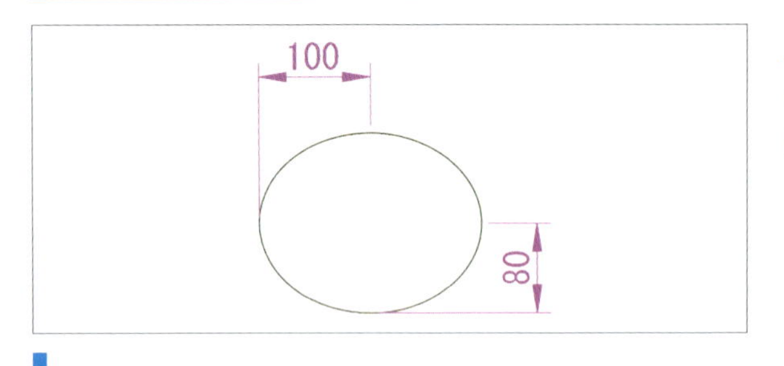

完成図

中心からの軸の長さが横100、縦80の楕円を作図します。

[中心記入]コマンドを利用する

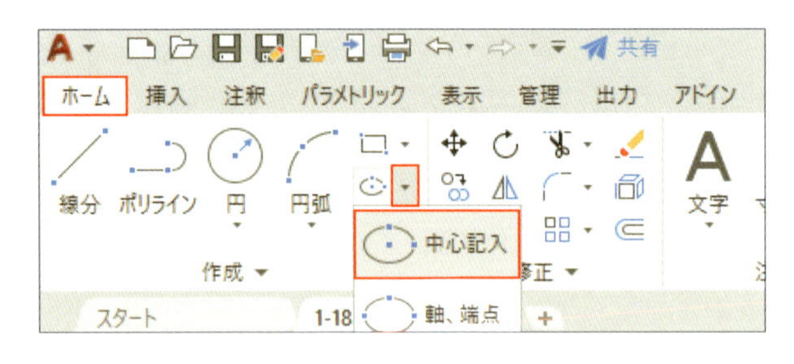

1 [中心記入]コマンドを実行する

[ホーム] タブ→ [作成] パネルの [▼] → [中心記入] をクリックします。

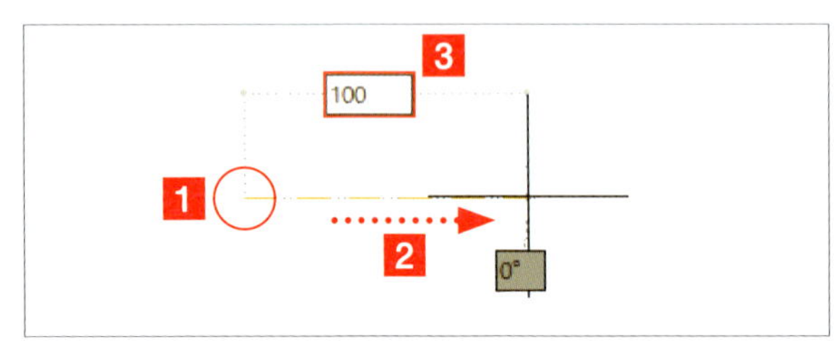

2 中心点と軸の端点を指定する

中心点は任意点をクリックします1。軸の端点は直交モードをオンにし、マウスカーソルを右へ移動して2、水平の位置に「100」を入力し3、Enterキーを押します。

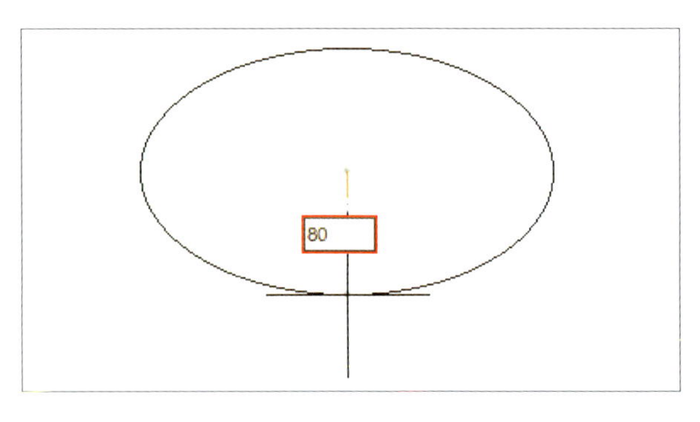

3 もう一方の軸の距離を指定する

「80」と入力し、Enterキーを押します。中心からの軸の長さが横 100、縦 80 の楕円が作図されます。

19 水平垂直の無限線を作図する

[構築線]コマンドは無限の長さの線を作図します。主に補助線として利用することが多い図形で、[トリム]コマンドなどを利用して線分にすることが可能です。ここでは、水平垂直の無限線を作図します。

サンプルファイル 1-19.dwg　コマンド XLINE　ショートカットキー XL

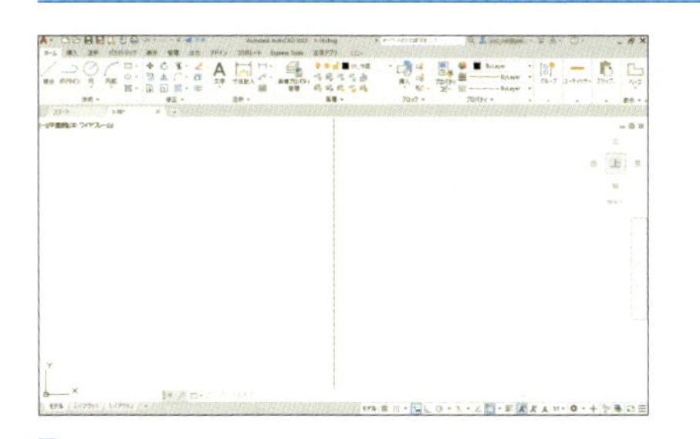

完成図

無限の長さの垂直線を作図します。

▶ [構築線]コマンドで[垂直]を利用する

1 [構築線]コマンドを実行する

[ホーム]タブ→[作成]パネルの[作成 ▼]→[構築線]をクリックします。

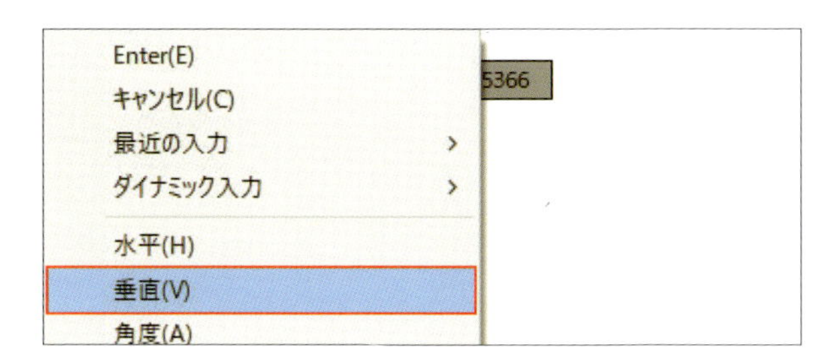

2 [垂直]オプションを指定する

続けて作図領域で右クリックし、メニューから[垂直]を指定します。

3 通過点を指定する

任意点をクリックすると、無限の長さの垂直線が作図されます。Enterキーを押してコマンドを終了します。

任意の線分に垂直な無限線を作図する

[構築線]コマンドは無限の長さの線を作図します。ここでは、その[構築線]コマンドを利用して、既存の線分に対して垂直な無限の長さの線を作図します。

サンプルファイル 1-20.dwg コマンド XLINE ショートカットキー XL

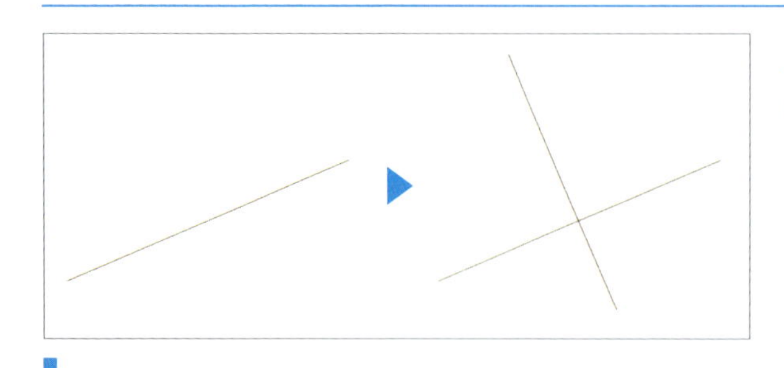

完成図

既存の線分に垂直となる、無限の長さの線を作図します。作図後は［トリム］コマンドなどを利用し、線分として使用することができます。

[構築線]コマンドで[角度]／[参照]を利用する

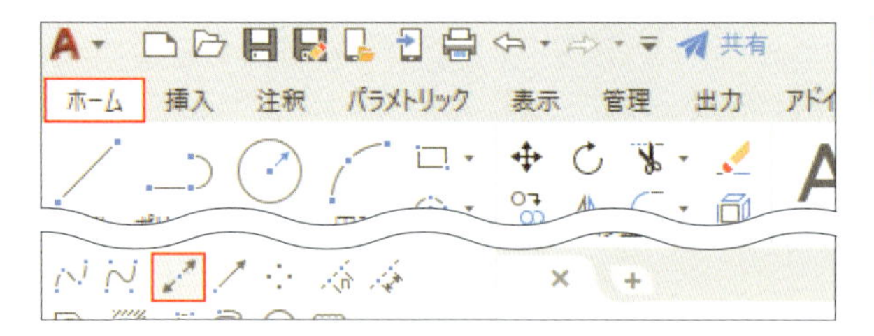

1 [構築線]コマンドを実行する

［ホーム］タブ→［作成］パネルの［作成 ▼］→［構築線］をクリックします。

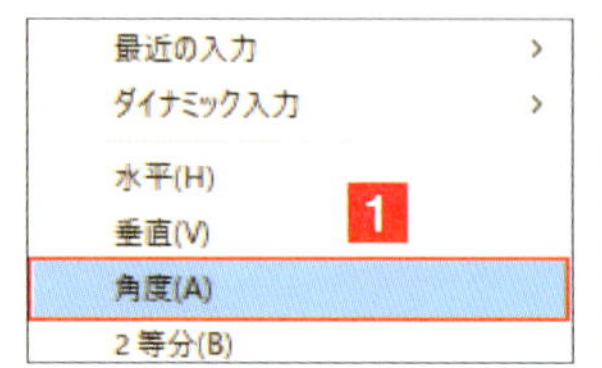

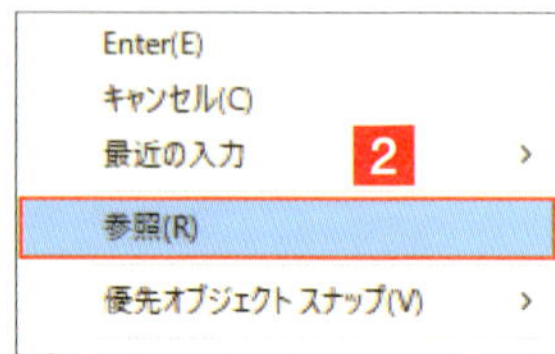

2 [角度]と[参照]オプションを指定する

続けて作図領域で右クリックし、メニューから［角度］を指定します1。もう一度右クリックし、メニューから［参照］を指定します2。

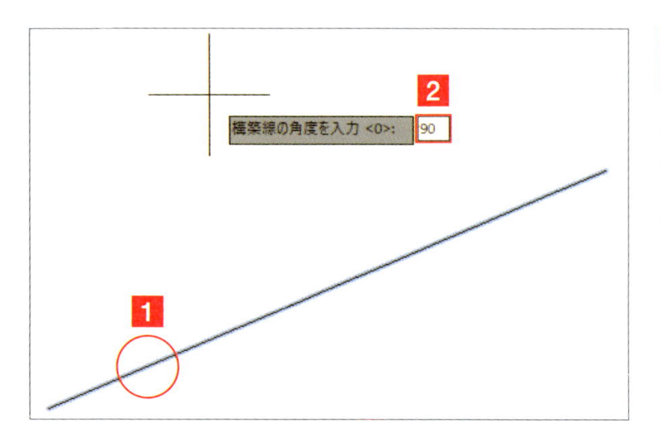

3 線分、角度、通過点を指定する

参照する線分をクリックし1、角度に「90」を入力してEnterキーを押します2。クリックすると、既存の線分に垂直となる、無限線が作図されます。Enterキーを押してコマンドを終了します。

21 角の2等分線を作図する

ここでは、前ページで解説した[構築線]コマンドを利用して、既存の2線分の角度を2等分する無限の長さの線分を作図します。

サンプルファイル 1-21.dwg　コマンド XLINE　ショートカットキー XL

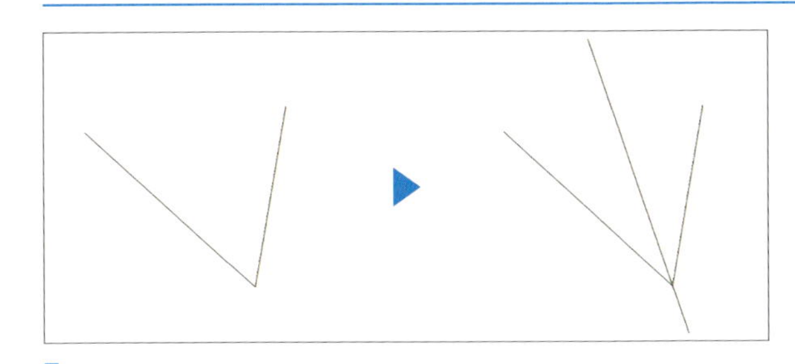

完成図

既存の2線分の角度を2分割する、無限の長さの線を作図します。作図後は[トリム]コマンドなどを利用し、線分として使用することができます。

[構築線]コマンドで[2等分]を利用する

1 [構築線]コマンドを実行する

[ホーム] タブ→ [作成] パネルの [作成 ▼] → [構築線] をクリックします。

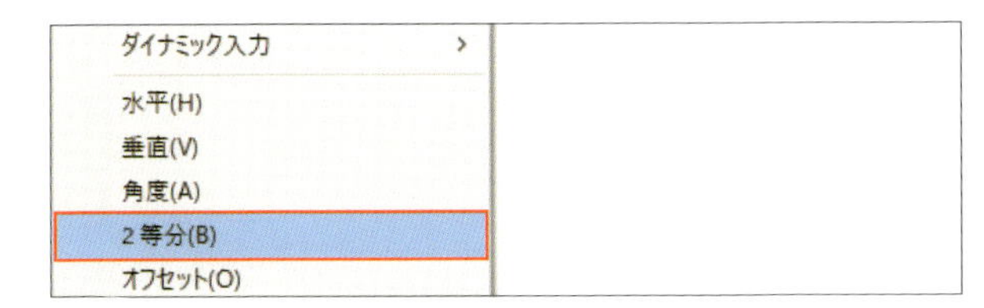

2 [2等分]を指定する

続けて作図領域で右クリックし、メニューから [2等分] を指定します。

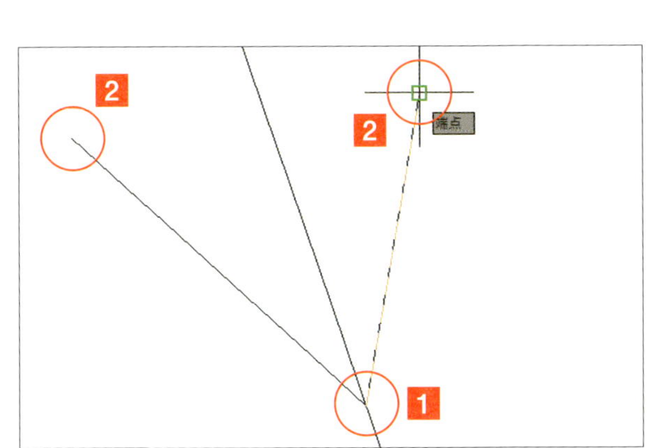

3 頂点と通過点を2点指定する

頂点として線分の交点をクリックし1、角度を構成する2点をオブジェクトスナップでクリックします2。線分の角度を2分割する、無限線が作図されます。Enterキーを押してコマンドを終了します。

ハッチングを作図する

ここでは、指定された範囲内を平行線や特定の模様で埋める、ハッチングを作図します。特定範囲の強調や断面、材料を表す場合に利用します。

サンプルファイル 1-22.dwg　コマンド HATCH　ショートカットキー H

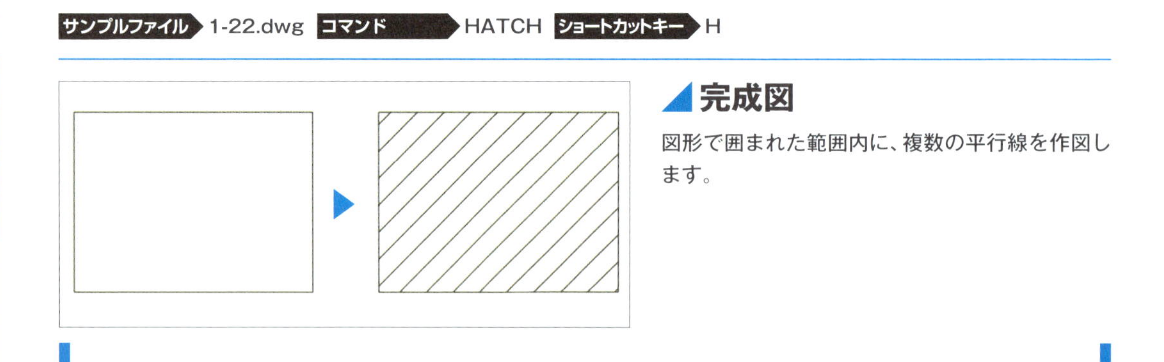

完成図

図形で囲まれた範囲内に、複数の平行線を作図します。

[ハッチング]コマンドを利用する

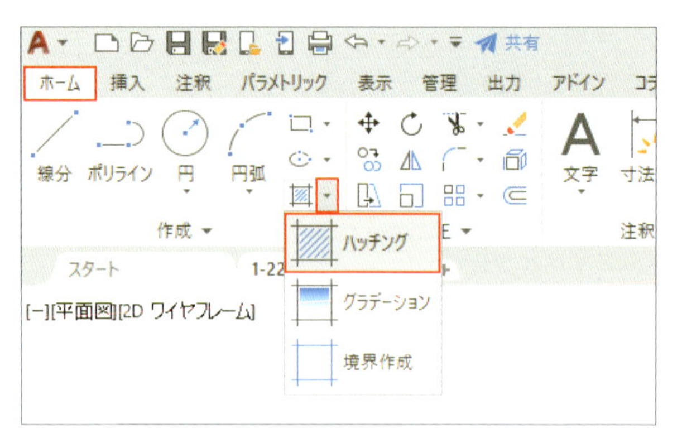

1 [ハッチング]コマンドを実行する

[ホーム] タブ→ [作成] パネルの [▼] → [ハッチング] をクリックします。ハッチング作成のリボンタブが表示されます。

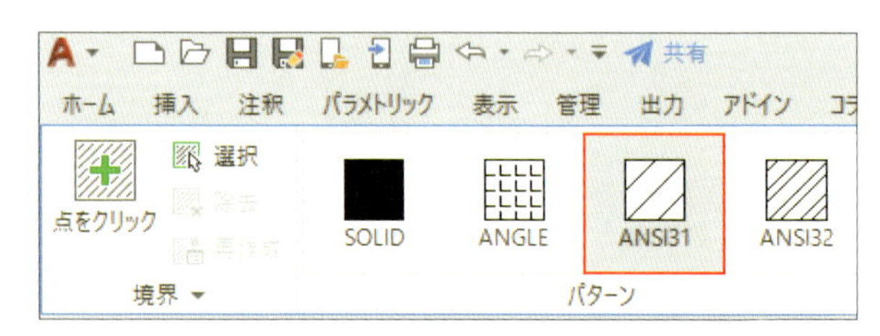

2 タイプを指定する

[パターン] パネルから [ANSI31] を選択します。

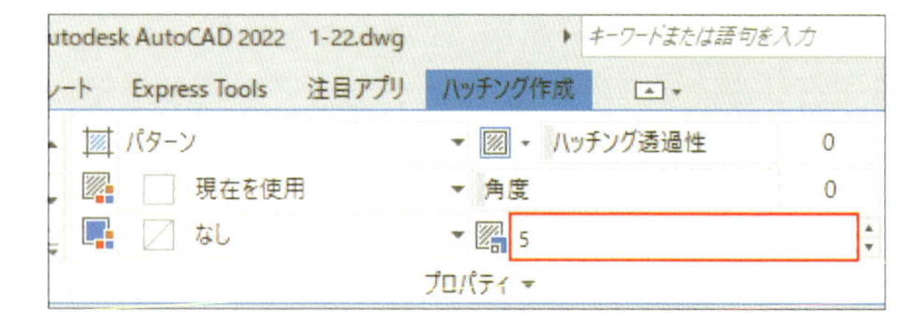

3 尺度を指定する

[プロパティ] パネルの [ハッチングパターンの尺度] に「5」を入力します。

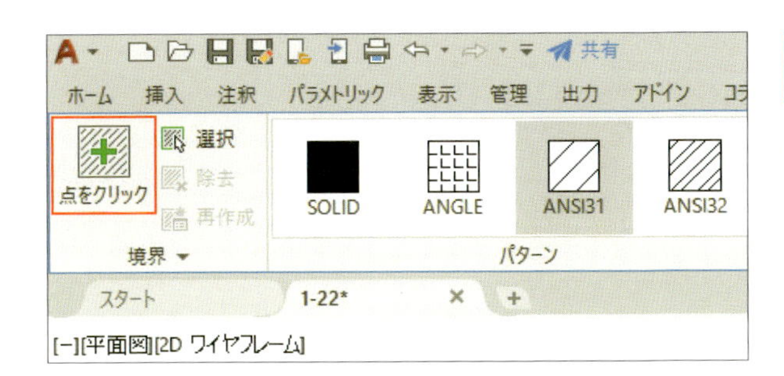

4 [点をクリック]を指定する

[境界] パネルの [点をクリック] をクリックします。

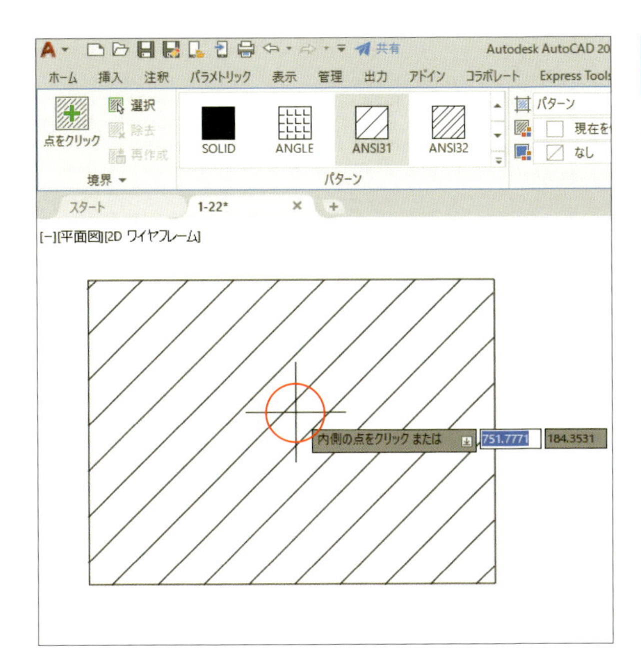

5 範囲をクリックで指定する

図形の内側をクリックします。

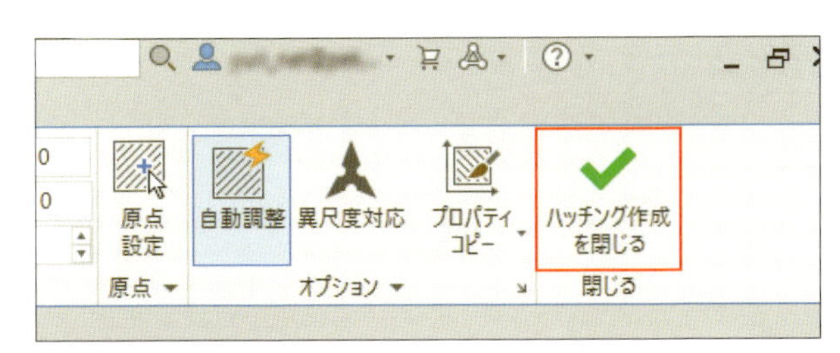

6 ハッチングを終了する

[閉じる] パネルの [ハッチング作成を閉じる] をクリックします。図形で囲まれた範囲内に、複数の平行線が作図されます。

POINT

ハッチングの範囲について

ハッチングの範囲がクリックで指定するのが困難な場合は、次の操作を行ってください。

❶ ハッチングの範囲をポリラインで作図します
❷ ハッチングを実行します
❸ [境界] パネルの [選択] をクリックします
❹ ❶で作図したポリラインを指定します
❺ ハッチングを終了します

この操作で、作図したポリラインの内側にハッチングを作図することができます。

塗りつぶしを作図する

ここでは、ハッチングのタイプを塗りつぶしにして作図します。文字やほかの図形と重なる場合は、P.163の「すべてのハッチング図形を背面へ移動する」を参照してください。

サンプルファイル 1-23.dwg　コマンド HATCH　ショートカットキー H

完成図

図形で囲まれた範囲内を塗りつぶします。

[ハッチング] コマンドで [塗り潰し] を利用する

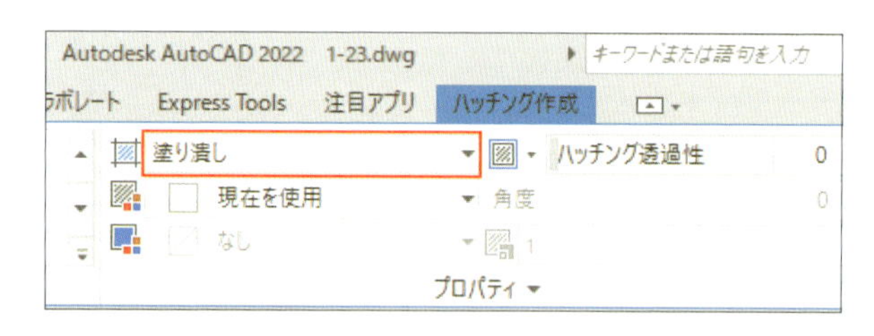

1 [ハッチング] コマンドを実行し、[塗り潰し] を指定する

P.086 の手順1を参考に [ハッチング] コマンドを実行し、[プロパティ] パネルの [ハッチングのタイプ] から [塗り潰し] を指定します。

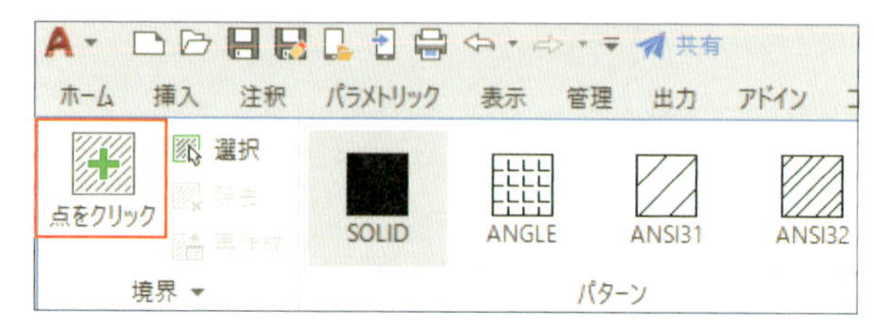

2 [点をクリック] を指定する

[境界] パネルの [点をクリック] をクリックします。

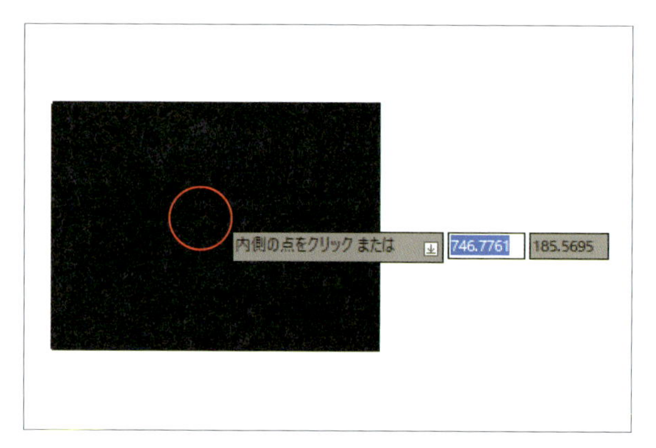

3 範囲をクリックで指定する

図形の内側をクリックすると、図形で囲まれた範囲内に、塗りつぶしが作図されます。[閉じる] パネルの [ハッチング作成を閉じる] をクリックしてコマンドを終了します。

グラデーションを作図する

ここでは、ハッチングのタイプをグラデーションにして作図します。文字やほかの図形と重なる場合は、P.163の「すべてのハッチング図形を背面へ移動する」を参照してください。

サンプルファイル 1-24.dwg　コマンド HATCH　ショートカットキー H

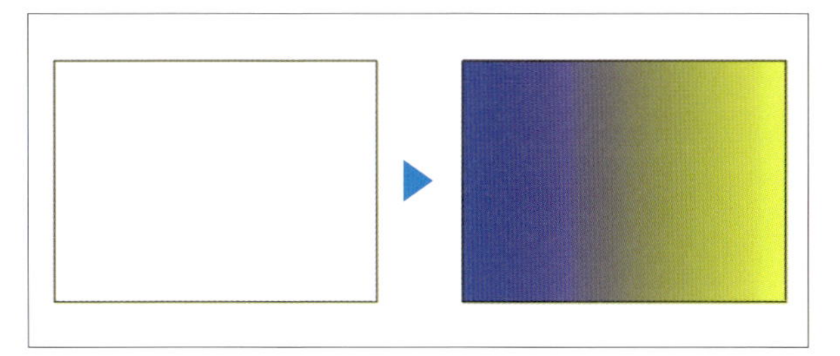

完成図

図形で囲まれた範囲内をグラデーションで塗ります。

[ハッチング]コマンドで[グラデーション]を利用する

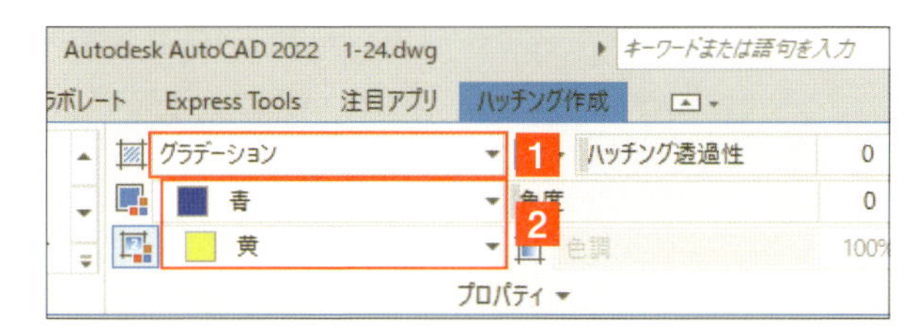

1 [ハッチング]コマンドを実行し、[グラデーション]を指定する

P.086の手順1参考に［ハッチング］コマンドを実行し、［プロパティ］パネルの［ハッチングのタイプ］から［グラデーション］を指定して1、色を指定します2。

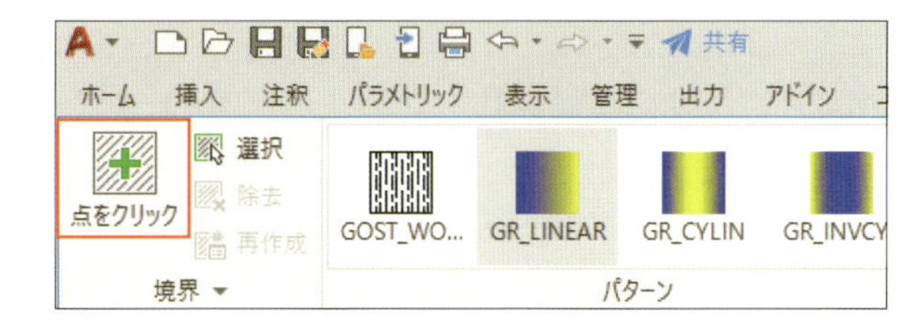

2 [点をクリック]を指定する

［境界］パネルの［点をクリック］をクリックします。

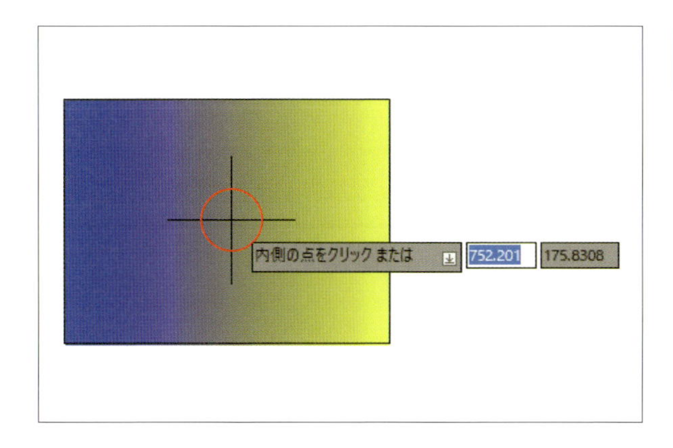

3 範囲をクリックで指定する

図形の内側をクリックすると、図形で囲まれた範囲内に、グラデーションが作図されます。［閉じる］パネルの［ハッチング作成を閉じる］をクリックしてコマンドを終了します。

ハッチングの間隔を距離で指定する

ここでは、指定された範囲内を複数の平行線で埋め、さらにその平行線の間隔を指定してハッチングを作図します。タイル割などに利用することができます。

サンプルファイル 1-25.dwg　コマンド HATCH　ショートカットキー H

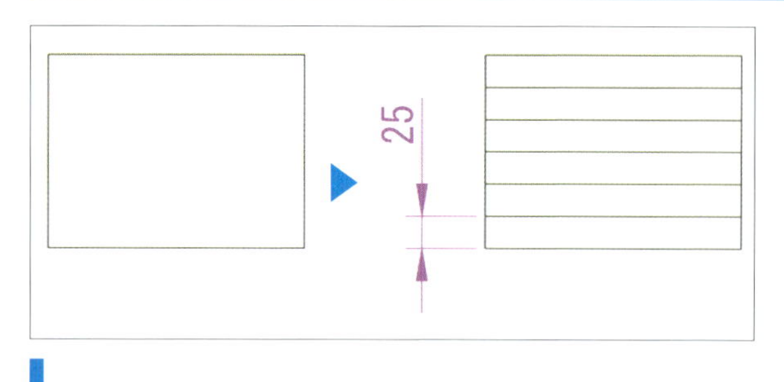

完成図

図形で囲まれた範囲内に、複数の平行線を25の間隔で作図します。

［ハッチング］コマンドで［点をクリック］を利用する

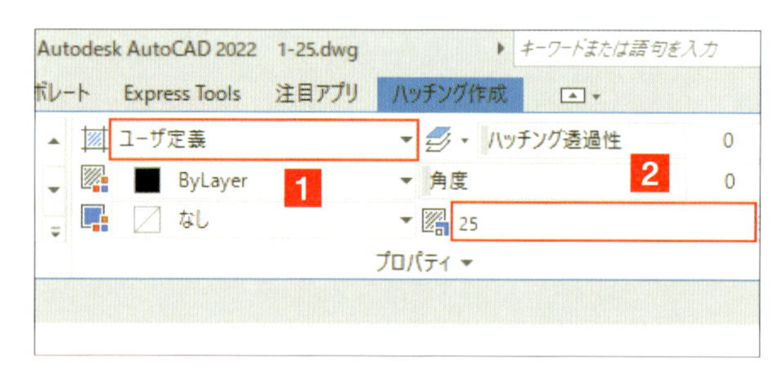

1 ［ハッチング］コマンドを実行し、［ユーザ定義］を指定する

P.086の手順1を参考に［ハッチング］コマンドを実行し、［プロパティ］パネルの［ハッチングのタイプ］から［ユーザ定義］を指定して1、［ハッチング間隔］に「25」を入力します2。

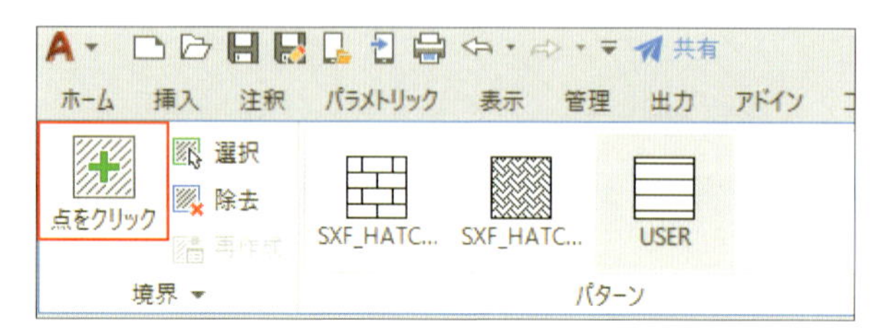

2 ［点をクリック］を指定する

［境界］パネルの［点をクリック］をクリックします。

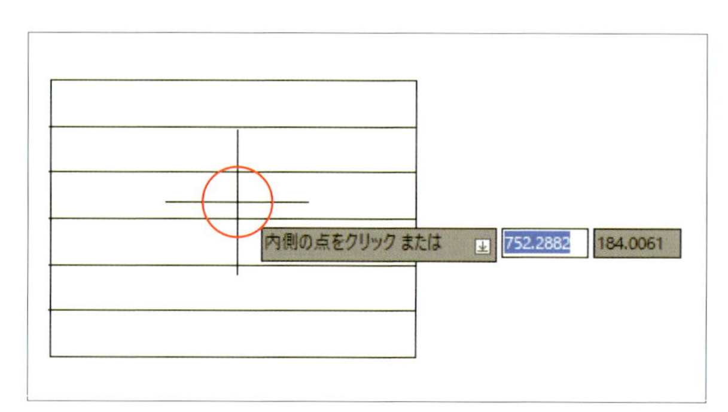

3 範囲をクリックで指定する

図形の内側をクリックすると、図形で囲まれた範囲内に、複数の平行線が25の間隔で作図されます。［閉じる］パネルの［ハッチング作成を閉じる］をクリックしてコマンドを終了します。

ハッチングの作図原点を指定する

原点を指定してハッチングを作図することで、格子柄などのハッチングの始点をコントロールすることができます。タイル割などに利用することができます。

サンプルファイル 1-26.dwg　コマンド HATCH　ショートカットキー H

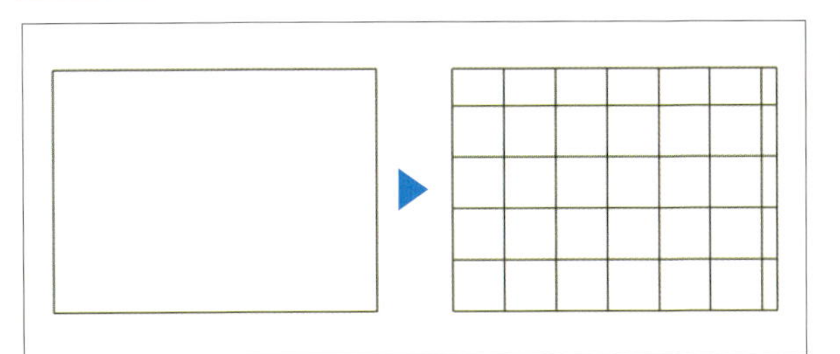

完成図

図形で囲まれた範囲内に、格子柄を作図します。このとき、格子柄の始点を長方形の左下点とします。

[ハッチング]コマンドで[原点設定]を利用する

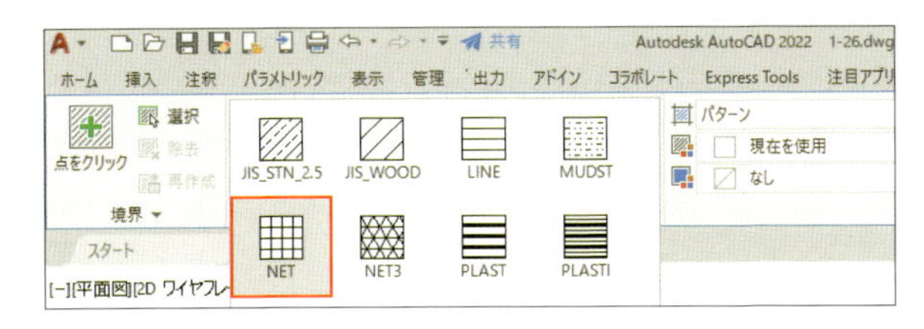

1 [ハッチング]コマンドを実行し、パターンを指定する

P.086の手順1を参考に［ハッチング］コマンドを実行し、［パターン］パネルから［NET］を選択します。

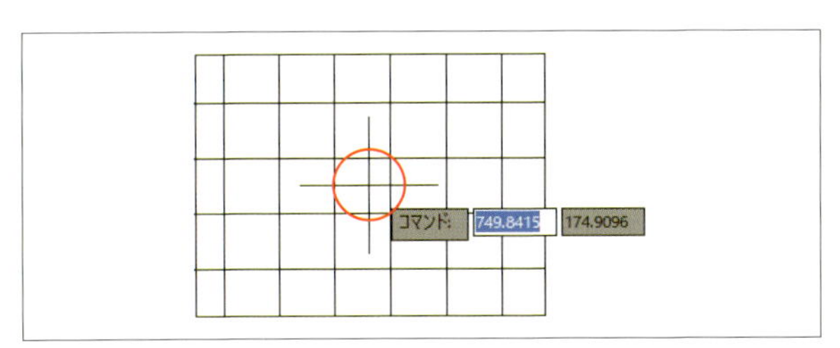

2 尺度と範囲を指定する

［プロパティ］パネルの［ハッチングパターンの尺度］に「10」を入力し、［境界］パネルの［点をクリック］をクリックして、図形の内側をクリックします。

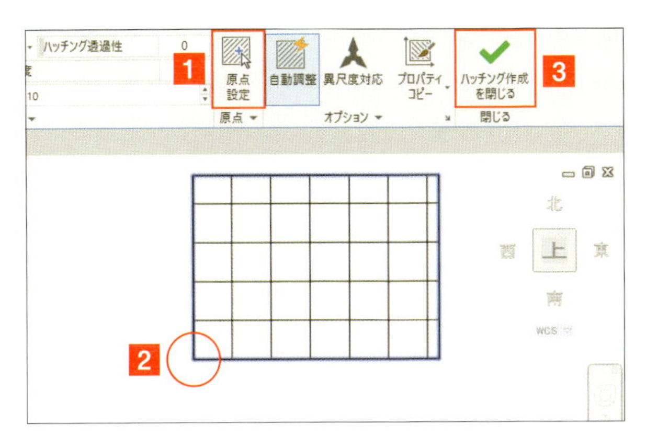

3 原点を指定する

［原点］パネルの［原点設定］をクリックし1、長方形の左下点をクリックします2。格子柄の始点が指定できます。［閉じる］パネルの［ハッチング作成を閉じる］をクリックしてコマンドを終了します3。

27 境界をポリラインで作図する

[境界作成]コマンドは、図形で囲まれている領域内をクリックし、ポリラインでその境界を作図します。作図したポリラインはプロパティパレットで面積を確認することができます。

サンプルファイル 1-27.dwg　コマンド BOUNDARY　ショートカットキー BO

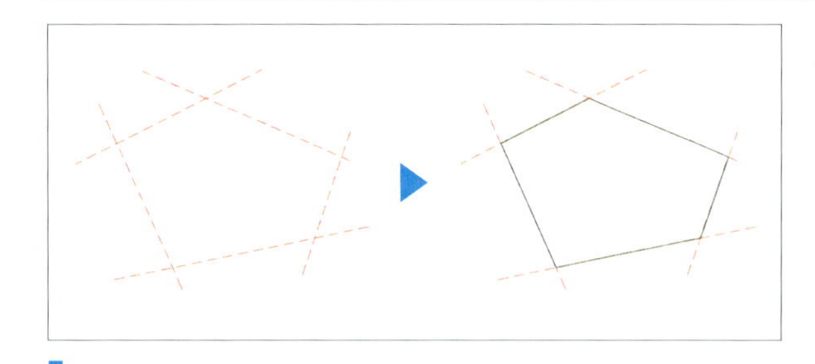

完成図

既存の線分で囲まれた領域にポリラインを作図します。

[境界作成]コマンドで[ポリライン]を利用する

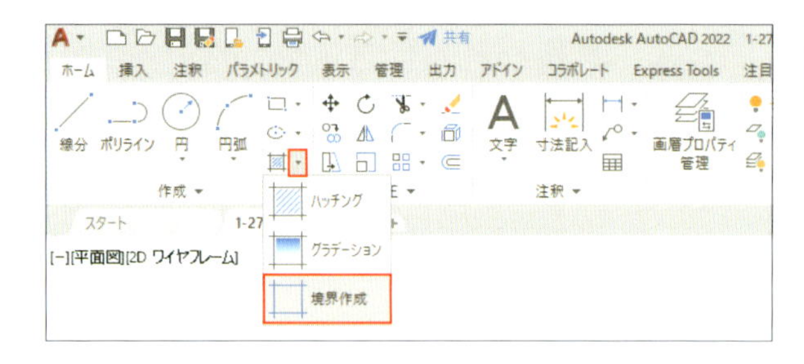

1 [境界作成]コマンドを実行する

[ホーム]タブ→[作成]パネルの[▼]→[境界作成]をクリックします。[境界作成]ダイアログが表示されます。

2 [ポリライン]と[点をクリック]を選択する

[オブジェクトタイプ]で[ポリライン]を選択し1、[点をクリック]をクリックします2。

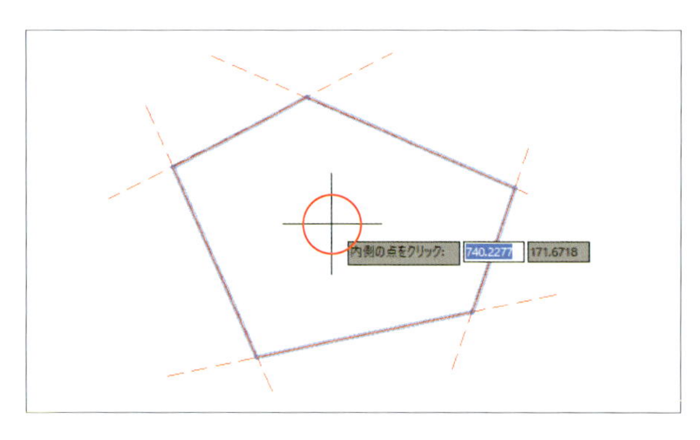

3 領域内を指定する

線分で囲まれた領域内をクリックし、Enterキーを押します。領域にポリラインが作図されます。

28 境界をリージョンで作図する

[境界作成]コマンドは、図形で囲まれている領域内をクリックし、リージョン(面)でその境界を作図します。リージョンについてはP.100の「リージョンを作成する」を参照してください。

サンプルファイル 1-28.dwg　コマンド BOUNDARY　ショートカットキー BO

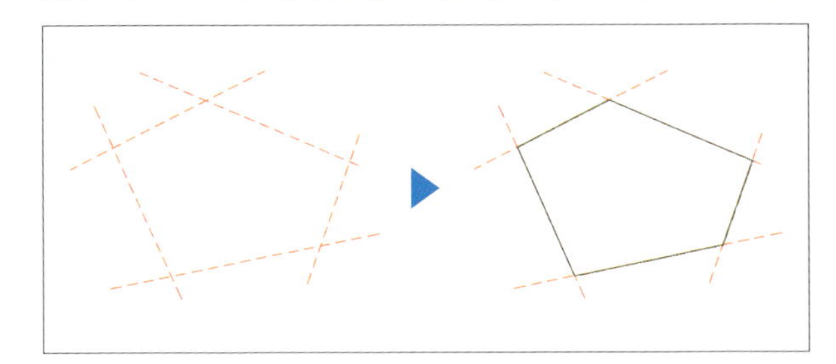

完成図

既存の線分で囲まれた領域にリージョンを作図します。

[境界作成]コマンドで[リージョン]を利用する

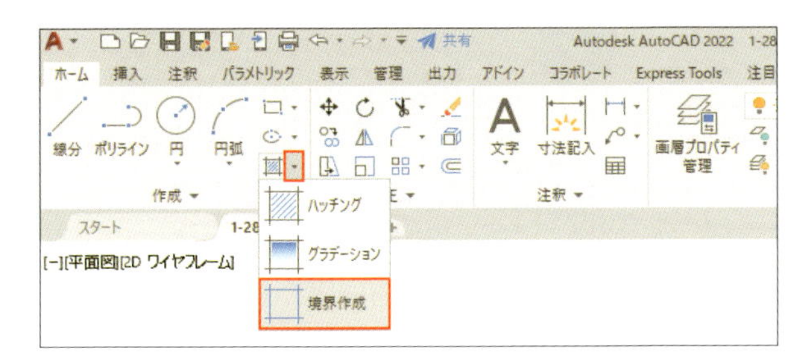

1 [境界作成]コマンドを実行する

[ホーム] タブ→ [作成] パネルの [▼] → [境界作成] をクリックします。[境界作成] ダイアログが表示されます。

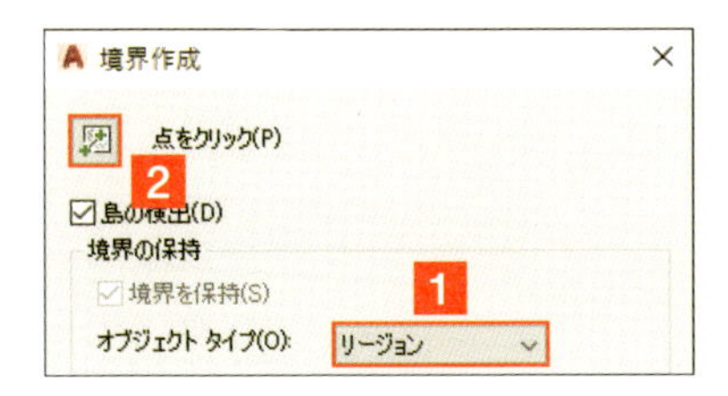

2 [リージョン]と[点をクリック]を選択する

[オブジェクトタイプ] で [リージョン] を選択し1、[点をクリック] をクリックします2。

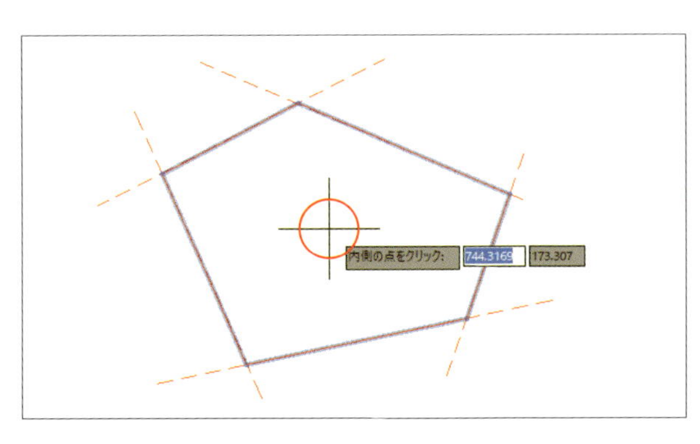

3 領域内を指定する

線分で囲まれた領域内をクリックし、Enterキーを押します。領域にリージョンが作図されます。

図形を指定して境界を作図する

[境界作成]コマンドの境界セットを利用すると、指定した図形のみで囲まれている領域にポリラインで境界を作図することが可能です。作図したポリラインはプロパティパレット(P.267参照)で面積を確認することができます。

サンプルファイル 1-29.dwg コマンド BOUNDARY ショートカットキー BO

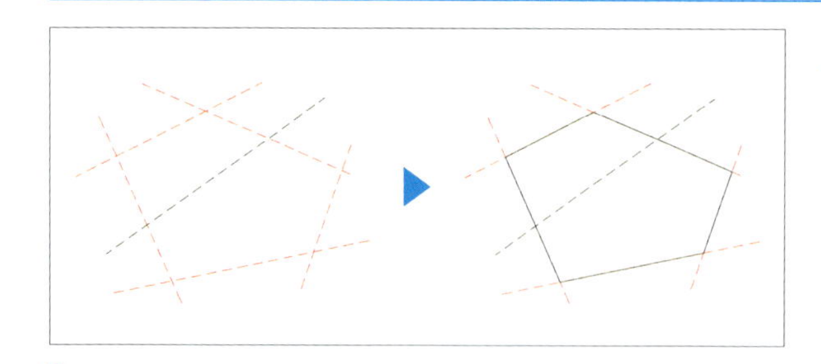

完成図

指定した線分のみで囲まれた領域にポリラインを作図します。

[境界作成]コマンドで[新規境界セット作成]を利用する

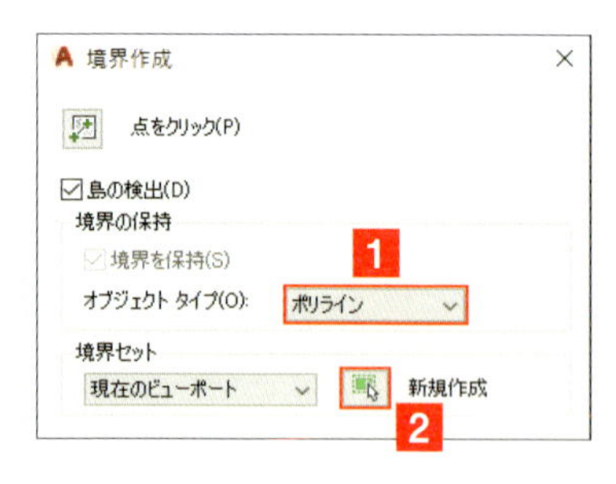

1 [境界作成]コマンドを実行し、[新規境界セット作成]を選択する

[ホーム]タブ→[作成]パネルの[▼]→[境界作成]をクリックします。[境界作成]ダイアログの[オブジェクトタイプ]で[ポリライン]を選択し1、[新規境界セット作成]をクリックします2。

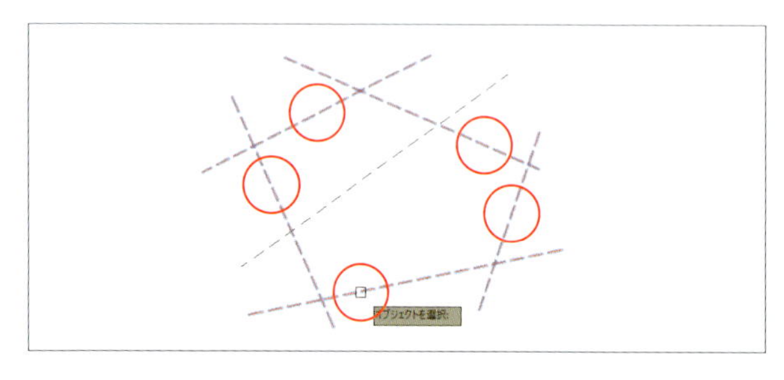

2 領域に関係する図形を選択する

赤の線分をクリックしてすべて選択し、Enterキーを押します。[境界作成]ダイアログに戻ります。

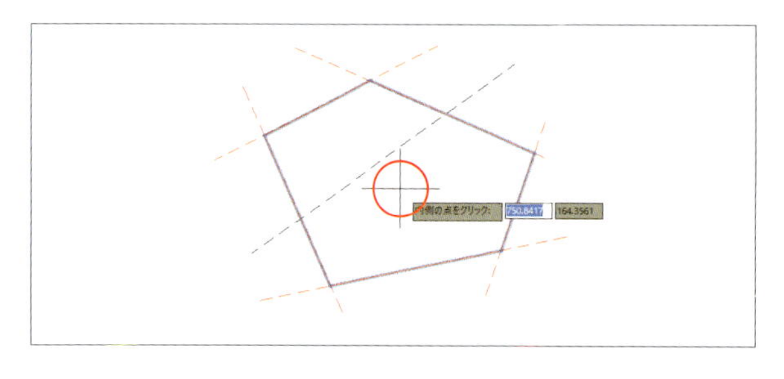

3 領域を指定する

[点をクリック]を選択し、線分で囲まれた領域内をクリックします。Enterキーを押すと、領域にポリラインを作図することができます。

点を作図する

作図した点はオブジェクトスナップの[点]で指定することができます。点が表示されない場合は、[ホーム]タブ→[ユーティリティ]パネルの[ユーティリティ ▼]→[点スタイル管理]で点の形を変更してください。

サンプルファイル 1-30.dwg　コマンド POINT　ショートカットキー PO

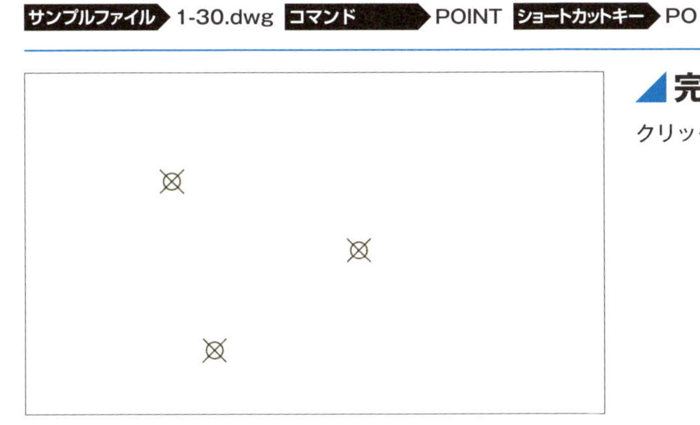

完成図

クリックした位置に点を作図します。

[複数点]コマンドを利用する

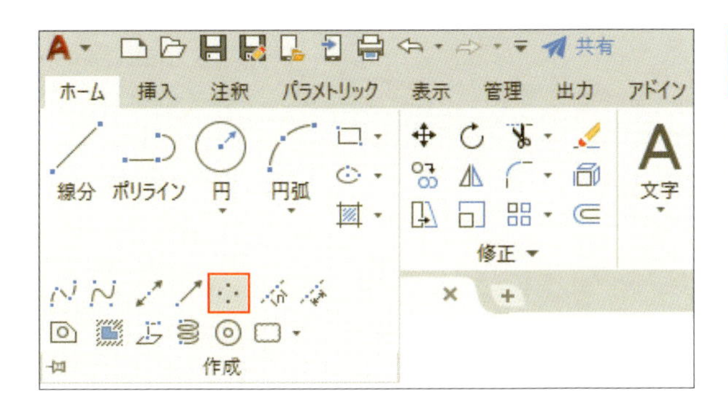

1 [複数点]コマンドを実行する

[ホーム] タブ→ [作成] パネルの [作成 ▼] → [複数点] をクリックします。

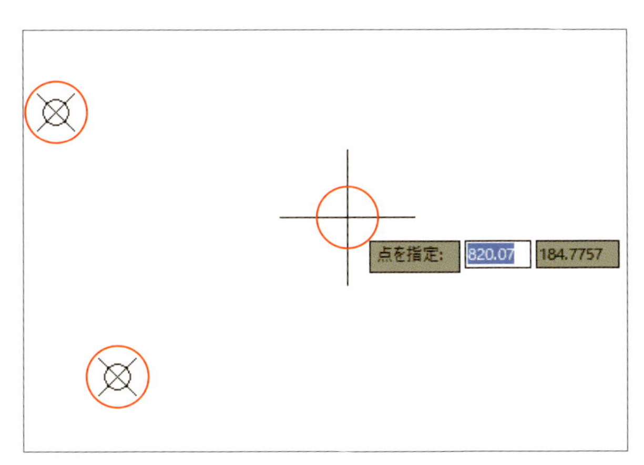

2 クリックして点を指定する

任意点をクリックして指定すると、点が作図されます。最後にEscキーを押してコマンドを終了します。

CHECK

ショートカットキーで [点] を実行すると、複数点ではなく、1点ずつの作図となります。複数点を作図するには、コマンドを繰り返してください。

等間隔に点を作図する

ここでは、図形を等分割する点を作図します。作図した点はオブジェクトスナップの[点]コマンドで指定することができます。

サンプルファイル 1-31.dwg コマンド DIVIDE ショートカットキー DIV

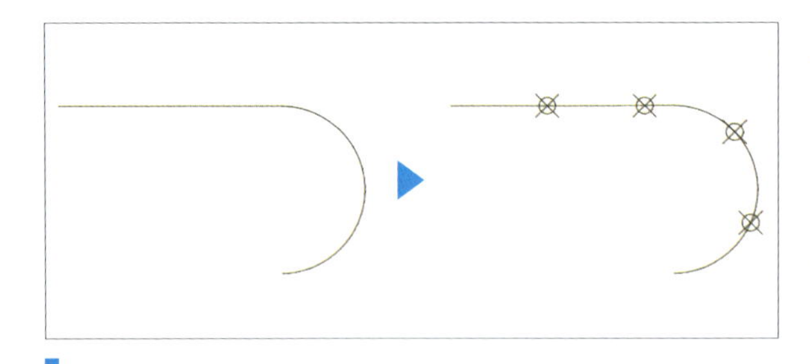

完成図

ポリラインの長さを5分割した位置に点を作図します。点が表示されない場合は、[ホーム]タブ→[ユーティリティ]パネルの[ユーティリティ ▼]→[点スタイル管理]で点の形を変更してください。

[ディバイダ]コマンドを利用する

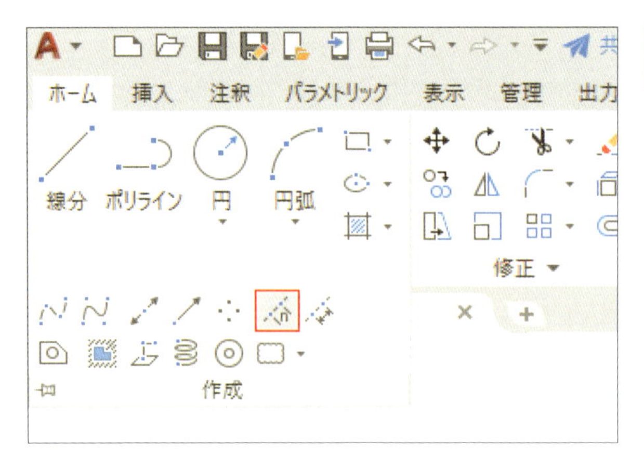

1 [ディバイダ]コマンドを実行する

[ホーム] タブ→ [作成] パネルの [作成 ▼] → [ディバイダ] をクリックします。

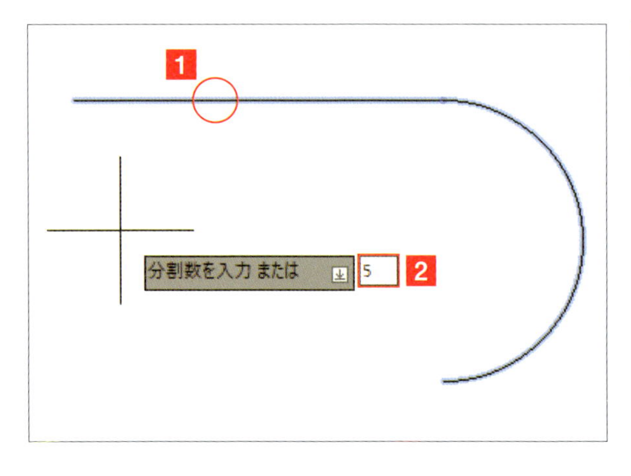

2 図形と分割数を指定する

ポリラインを選択し1、分割数に「5」と入力して、Enterキーを押します2。ポリラインを5分割する点が作図されます。

32 等間隔にブロックを配置する

ここでは、図形を等分割する位置に、すでに作成されているブロックを配置します。ブロックについてはP.274の「ブロックを理解する」を参照してください。

サンプルファイル 1-32.dwg　コマンド DIVIDE　ショートカットキー DIV

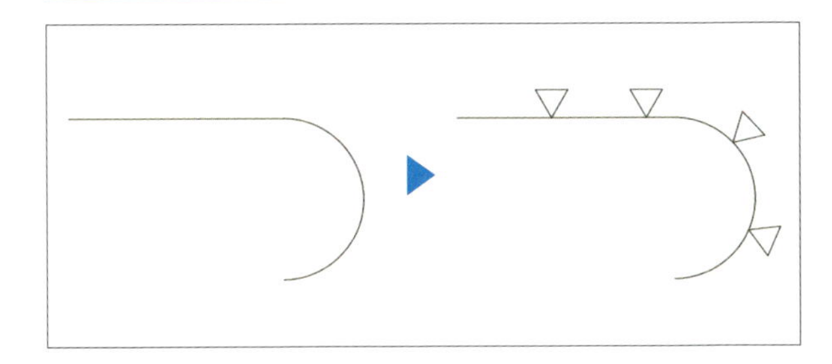

完成図

ポリラインの長さを5分割した位置に、この図面に登録されているブロック「test」を配置します。

[ディバイダ]コマンドで[ブロック]を利用する

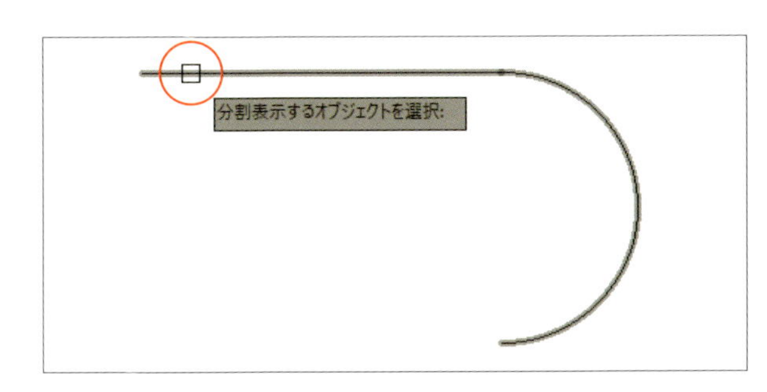

1 [ディバイダ]コマンドを実行し、図形を選択する

[ホーム]タブ→[作成]パネルの[作成 ▼]→[ディバイダ] をクリックし、ポリラインを選択します。

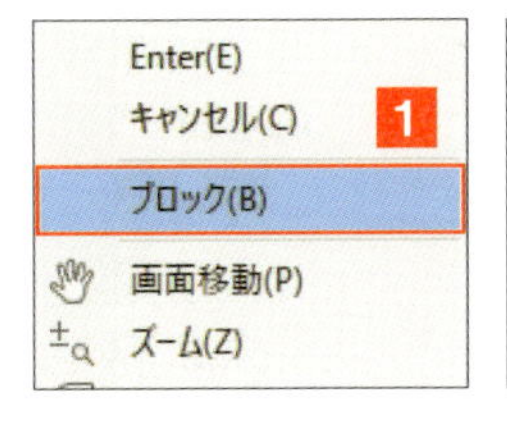

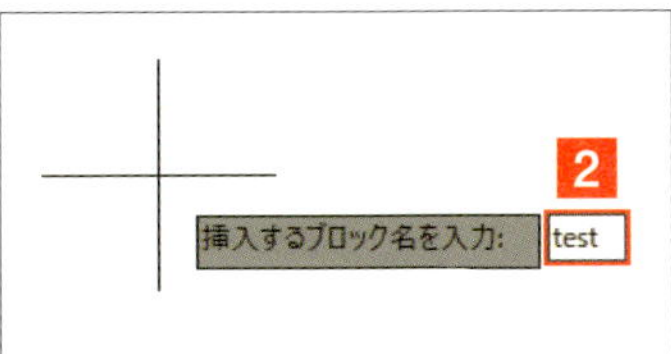

2 [ブロック]オプションとブロック名を指定する

作図領域で右クリックし、メニューから［ブロック］を指定し1、ブロック名に「test」と入力して2、Enterキーを押します。

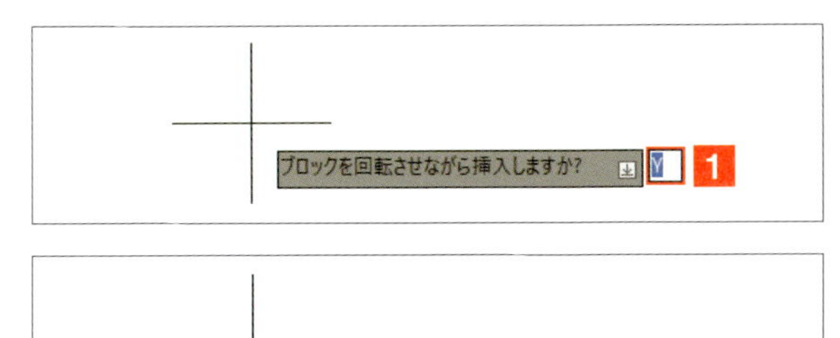

3 回転と分割数を指定する

「ブロックを回転させながら挿入しますか？」は「Y」（Yes の意味）が入力されているので、そのままEnterキーを押します1。分割数に「5」と入力し2、Enterキーを押すと、ブロックが配置されます。

33 等距離に点を作図する

ここでは、図形を任意の長さで分割する点を作図します。点が表示されない場合は、[ホーム]タブ→[ユーティリティ]パネルの[ユーティリティ ▼]→[点スタイル管理]で点の形を変更してください。

サンプルファイル 1-33.dwg コマンド MEASURE ショートカットキー ME

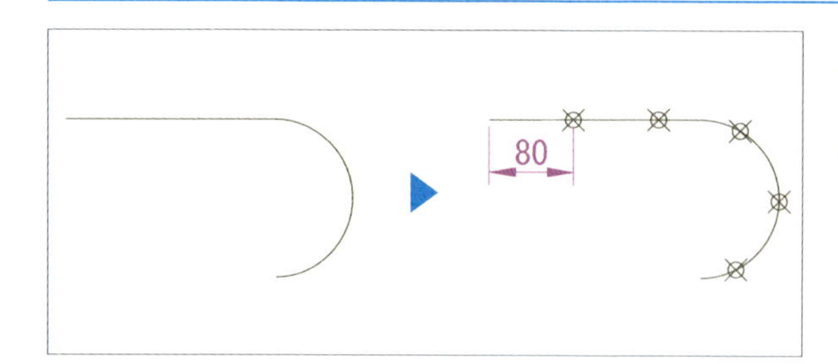

完成図

ポリラインを80の長さで分割した位置に点を作図します。作図した点はオブジェクトスナップの[点]コマンドで指定することができます。

[計測]コマンドを利用する

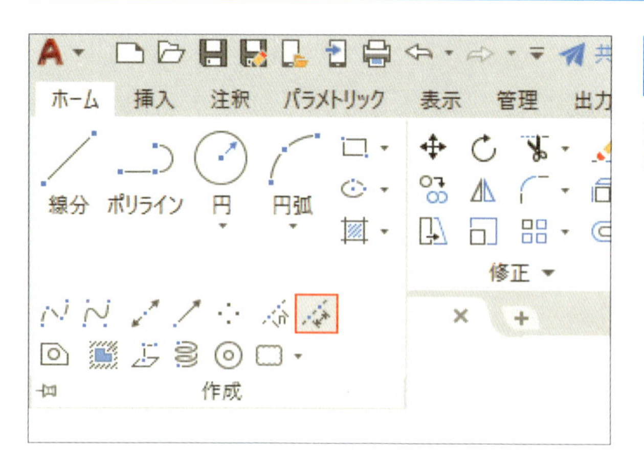

1 [計測]コマンドを実行する

[ホーム] タブ→ [作成] パネルの [作成 ▼] → [計測] をクリックします。

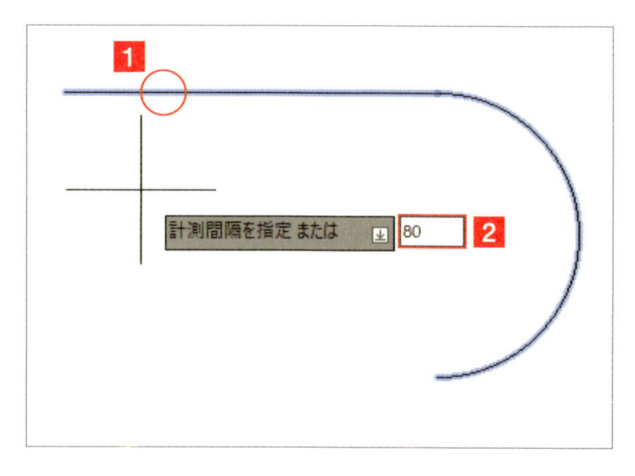

2 図形と計測間隔を指定する

ポリラインを選択し1、計測間隔に「80」と入力して2、Enterキーを押します。ポリラインを80 の長さで分割した位置に点が作図されます。

CHECK

図形をクリックした位置に近い端点が始点として計測されます。

等距離にブロックを配置する

ここでは、図形を任意の長さで分割する位置に、すでに作成されているブロックを配置します。ブロックについてはP.274の「ブロックを理解する」を参照してください。

サンプルファイル 1-34.dwg コマンド MEASURE ショートカットキー ME

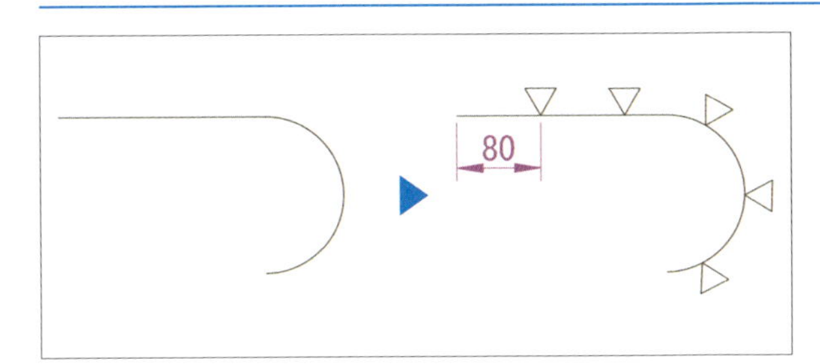

完成図

ポリラインを80の長さで分割した位置に、この図面に登録されているブロック「test」を配置します。

[計測]コマンドで[ブロック]を利用する

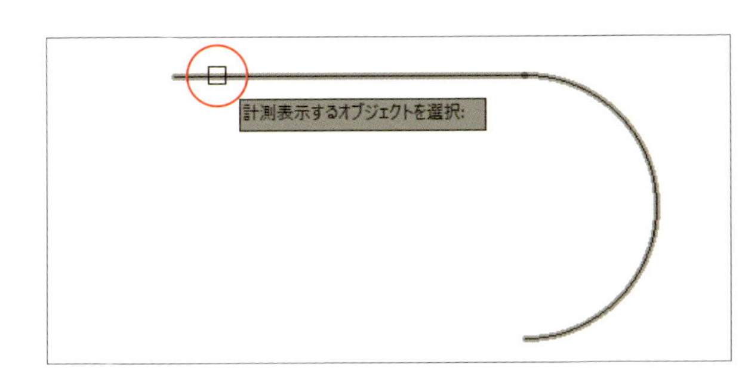

1 [計測]コマンドを実行し、図形を選択する

[ホーム] タブ→ [作成] パネルの [作成 ▼] → [計測] をクリックし、ポリラインを選択します。

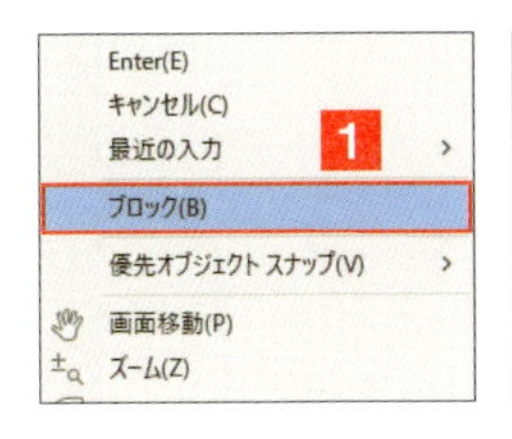

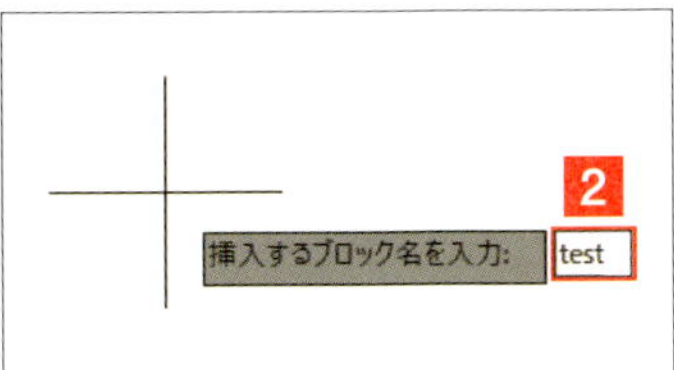

2 [ブロック]オプションとブロック名を指定する

作図領域で右クリックし、メニューから [ブロック] を指定し1、ブロック名を「test」と入力して2、Enterキーを押します。

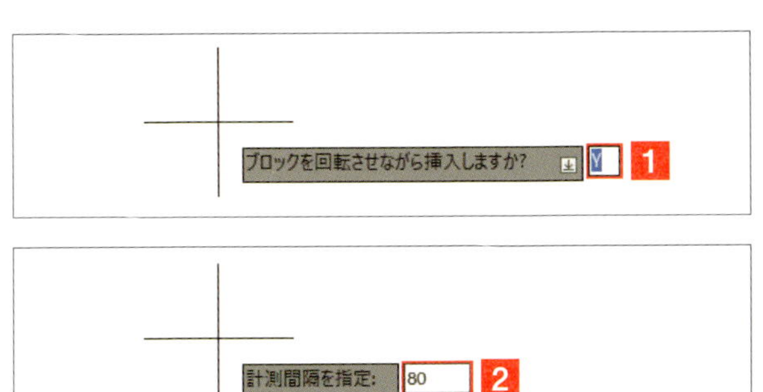

3 回転と分割数を指定する

「ブロックを回転させながら挿入しますか？」は「Y」(Yes の意味) が入力されているので、そのままEnterキーを押します1。計測間隔に「80」と入力し2、Enterキーを押すと、ブロックが配置されます。

リージョンを作成する

ここでは、ポリラインから面図形であるリージョンを作成します。リージョンの形状を変更するには[和]や[差]、[交差]のコマンドを利用します。詳しくは、P.168の「リージョンを合成する」を参照してください。

サンプルファイル 1-35.dwg　コマンド REGION　ショートカットキー REG

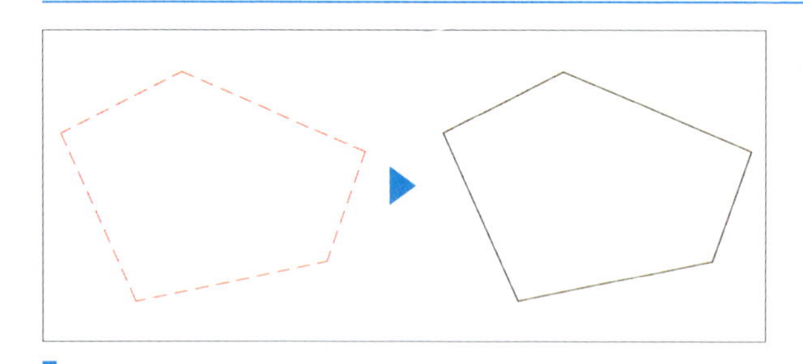

完成図

ポリラインからリージョンを作成します。

[リージョン]コマンドを利用する

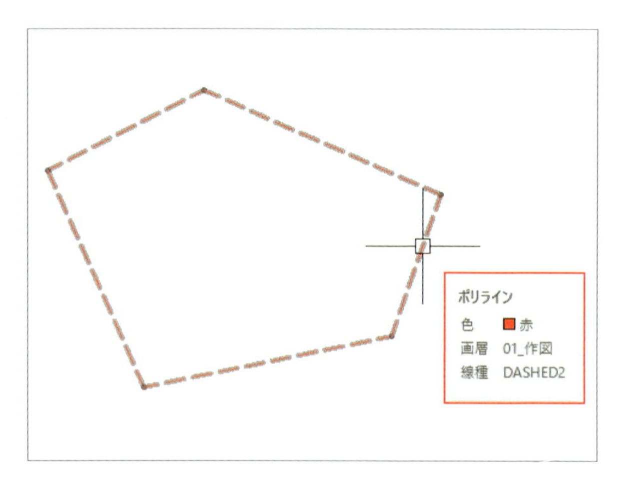

1 既存の図形を確認する

既存の図形にマウスカーソルを置き、ポリラインであることを確認します。

CHECK

マウスカーソルを当てても図形の種類が表示されない場合は、作図領域で右クリックして［オプション］をクリックし、［表示］タブ→［ロールオーバーツールチップを表示］にチェックを入れてください。

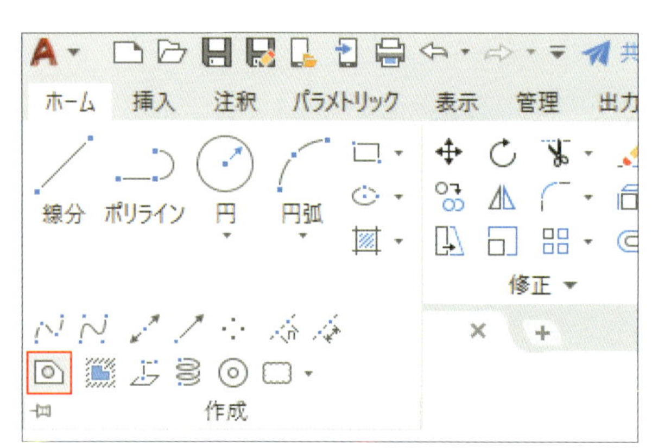

2 [リージョン]コマンドを実行する

［ホーム］タブ→［作成］パネルの［作成 ▼］→［リージョン］をクリックします。

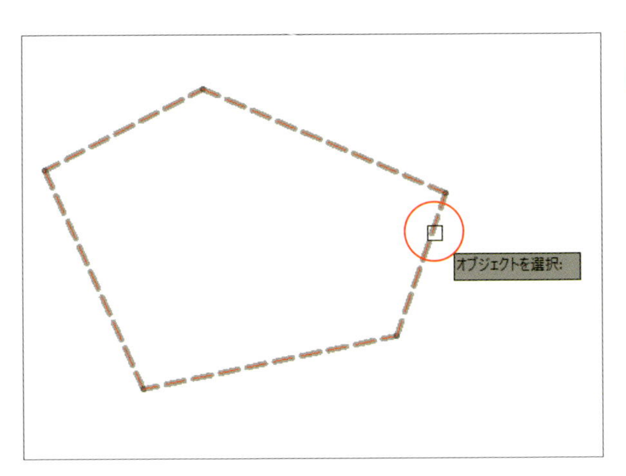

3 ポリラインを選択する

ポリラインを選択し、Enterキーを押すと、リージョンが作成されます。

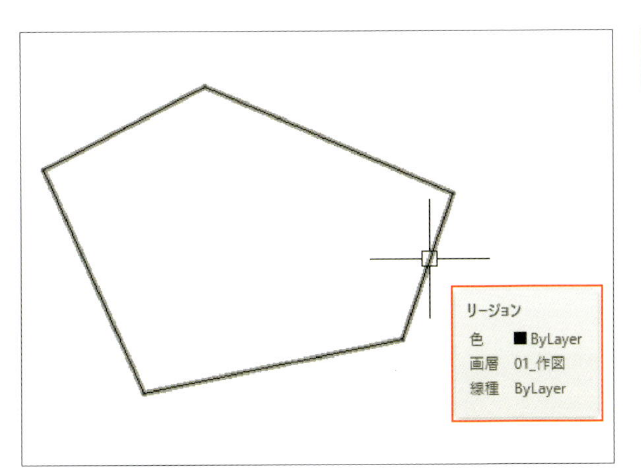

4 リージョンを確認する

既存の図形にマウスカーソルを置いて、リージョンであることを確認します。

POINT

リージョンについて

リージョンは面の図形であり、離れている 2 つのリージョンを 1 つのリージョンとしたり、リージョンに穴を開けたりすることができるので、効率的に面積を計測することができます。しかし、［トリム］コマンドなどの修正コマンドでは形状を変更することはできません。変更するには、［和］や［差］、［交差］のコマンドを利用します。P.168 の「リージョンを合成する」を参照してください。

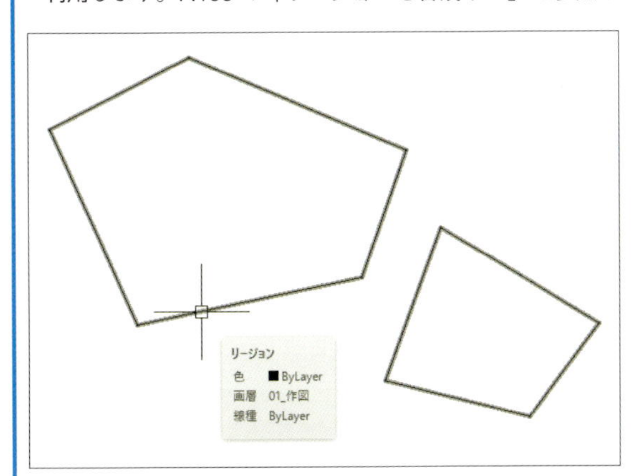

▲2つの離れているリージョンを［和］コマンドによって1つのリージョンとして扱い、合計の面積を測ることができる。

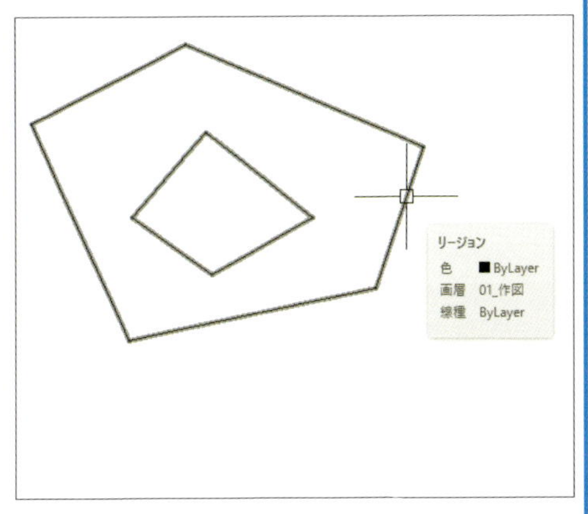

▲2つのリージョンから、［差］コマンドによって穴をあけることができる。

36 図形を隠す面を作図する

ここでは、[ワイプアウト]コマンドで図形を隠す多角形の面を作図します。ワイプアウトは多角形の頂点を指示するほか、ポリラインから作図することもできます。

サンプルファイル 1-36.dwg コマンド WIPEOUT ショートカットキー なし

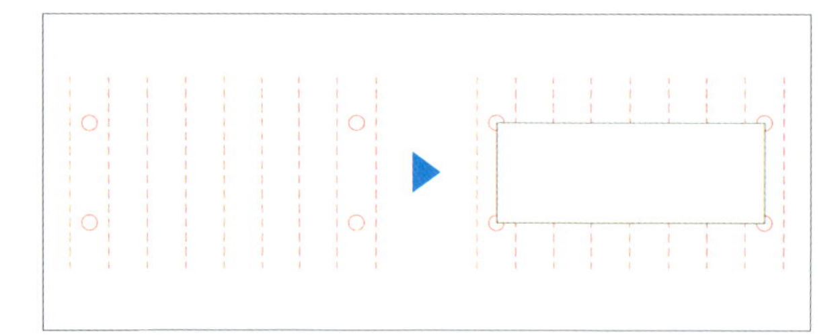

完成図

円の中心をオブジェクトスナップでクリックし、四角形のワイプアウトを作図します。

[ワイプアウト]コマンドを利用する

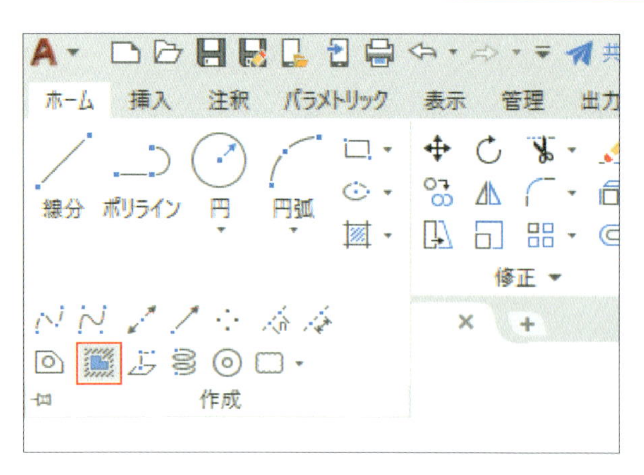

1 [ワイプアウト]コマンドを実行する

[ホーム] タブ→ [作成] パネルの [作成 ▼] → [ワイプアウト] をクリックします。

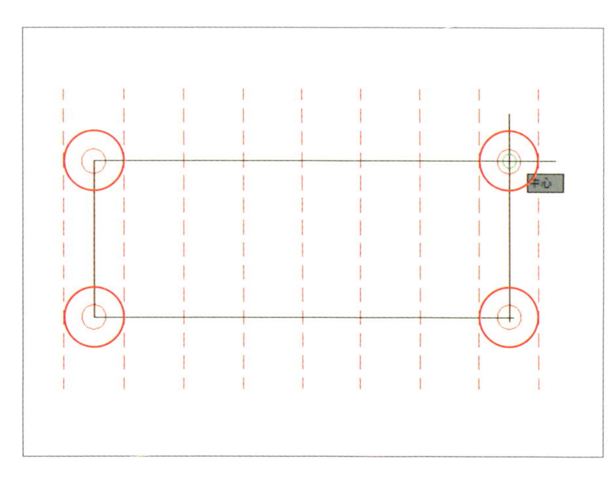

2 多角形の頂点を指定する

オブジェクトスナップを利用して、円の中心を4点クリックし、Enterキーを押します。ワイプアウトが作成できます。

CHECK

ワイプアウトの境界線を非表示にしたい場合は、手順1のあとに作図領域で右クリックし、メニューから [フレーム] をクリックして変更します。

CHAPTER

02

THE PERFECT GUIDE FOR AUTOCAD

図形の修正

図形を修正する流れを理解する

図形を修正するには、コマンドを実行してから図形を選択する操作手順と、図形を選択してからコマンドを実行する操作手順があります。また、単一の図形を選択する場合と複数の図形を選択する場合があります。

コマンドを実行してから図形を選択する

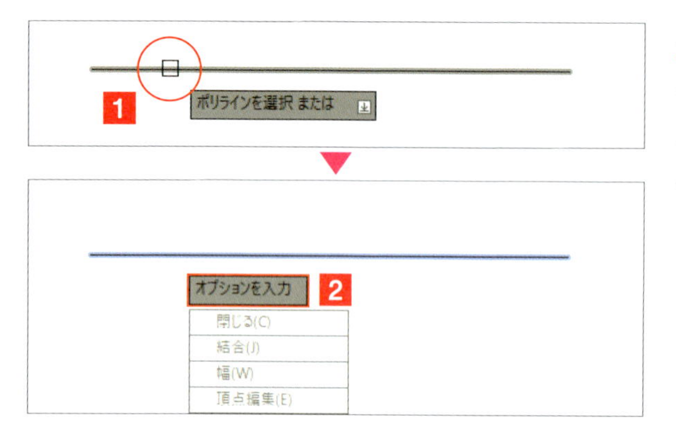

単一図形を選択するコマンド

単一図形を選択するコマンドの場合（[ポリライン編集］や［オフセット］コマンドなど)、クリックして図形を選択すると1、次の操作に関するメッセージが表示されます2。

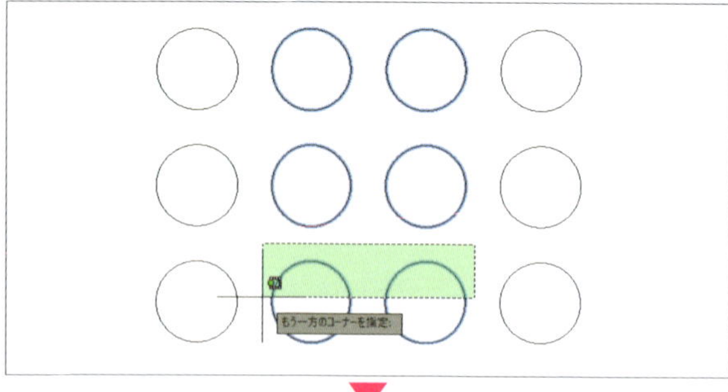

複数図形を選択するコマンド

複数図形を選択するコマンドの場合（[移動］や［複写］コマンドなど)、窓選択や交差選択を利用したり、選択や選択解除を繰り返したりして図形を選択します。

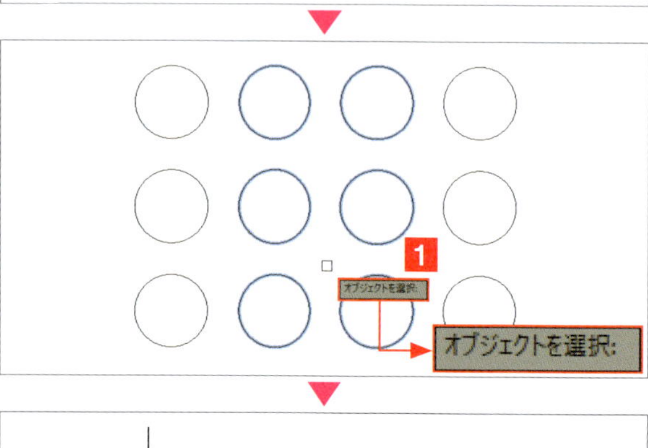

図形選択は確定するまで終了しません。クリックして選択後、「オブジェクトを選択」のメッセージで1、Enterキーを押して図形選択を確定すると、左図のようなメッセージが表示されます2。

図形を選択してからコマンドを実行する

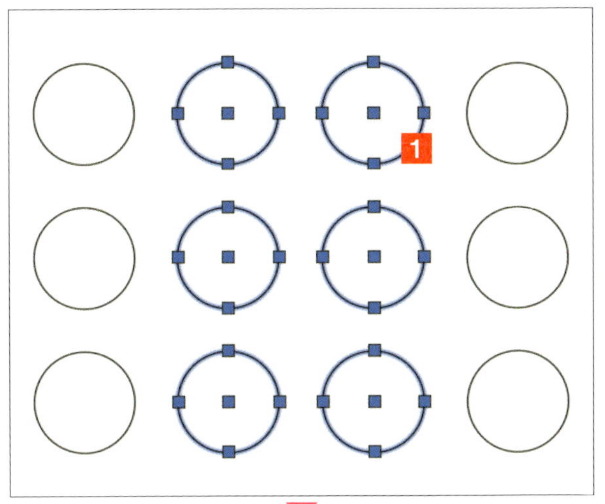

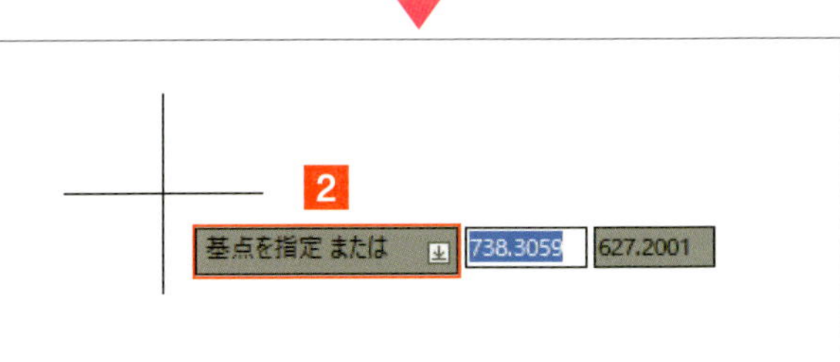

図形を選択してから1、コマンドを実行します。「オブジェクトを選択」のメッセージは表示されず、それを飛ばして左図のようなメッセージが表示されます2。

CHECK

単一図形を選択するコマンドの場合（[ポリライン編集] や [オフセット] コマンドなど）、図形が複数選択されていても選択が無効になり、あらためて図形を選択するメッセージが表示されます。

POINT

図形選択オプションでは事前選択不可

ポリゴン窓選択、ポリゴン交差選択などの図形選択オプションは（P.060 の「そのほかのオブジェクト選択を知る」を参照）、コマンド実行後にオプションを入力する必要があるので、事前選択では利用できません。

POINT

便利な事前選択の方法

P.113 の「条件指定で図形を選択する」
P.114 の「複数の条件指定で図形を選択する」
P.116 の「同じ種類の図形を選択する」
は、それぞれのコマンドを利用して条件に合った図形を選択できます。そのあとで、[修正] コマンドを実行することになります。

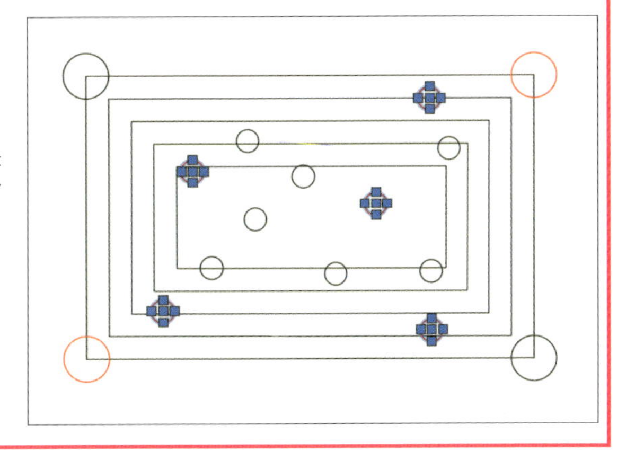

02 窓選択をする

窓選択は、左から右に2点クリックし、その2点から構成される青い矩形範囲に完全に入っている図形を選択する方法です。右から左に囲むと交差選択となります。

サンプルファイル 2-2.dwg　コマンド なし　ショートカットキー なし

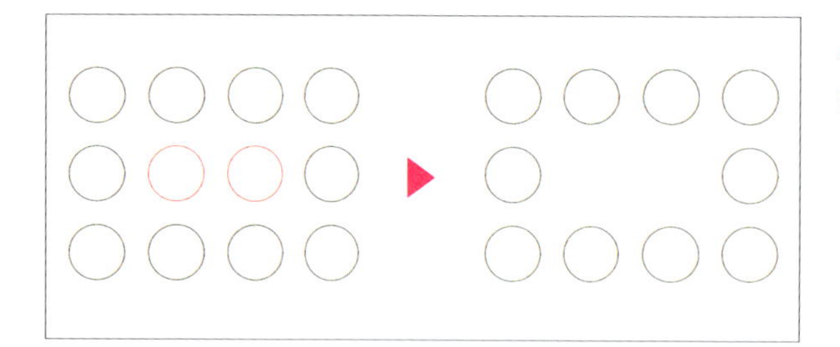

完成図

窓選択で赤い円を削除します。

[削除]コマンドで窓選択をする

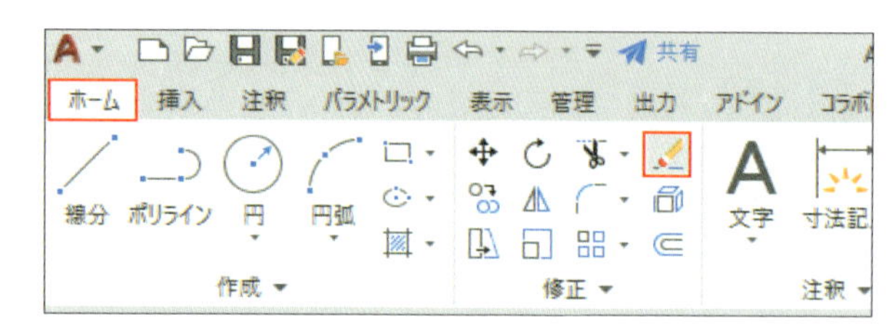

1 [削除]コマンドを実行する

[ホーム] タブ→[修正] パネルの [削除] をクリックし、[削除] コマンドを実行します。

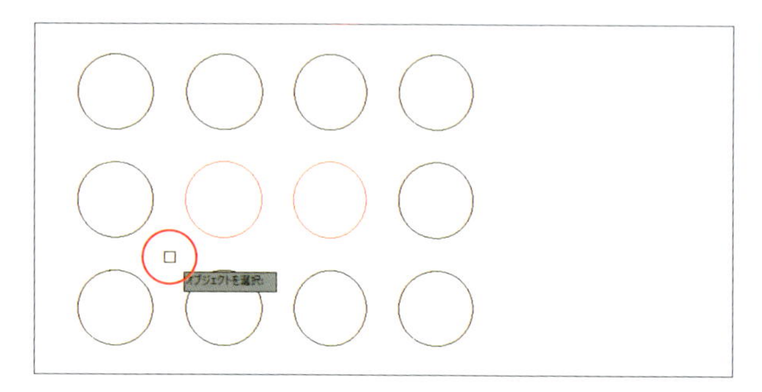

2 窓選択を開始する

赤い円の左下辺りでクリックします。窓選択が開始され、青い矩形範囲が表示されます。

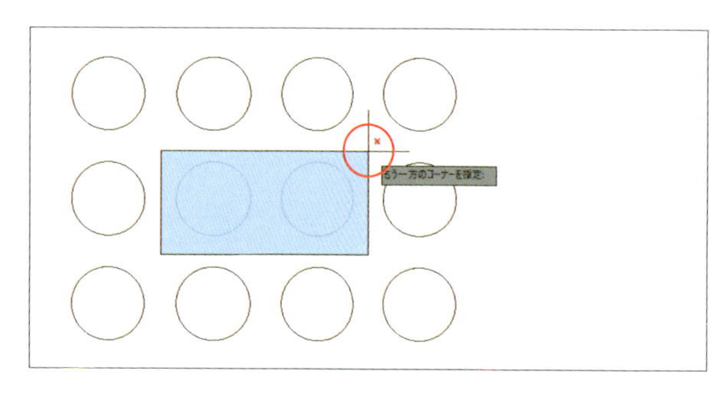

3 窓選択を終了する

赤い円が完全に青い矩形に入る位置までカーソルを動かし、クリックします。円が2つ選択されたのを確認し、Enterキーを押すと、図形選択が確定され、選択された円が削除されます。

03 交差選択をする

交差選択は右から左に2点をクリックし、その2点から構成される緑の矩形範囲に一部でも入っている図形を選択する方法です。左から右に囲むと窓選択となります。

サンプルファイル 2-3.dwg　コマンド なし　ショートカットキー なし

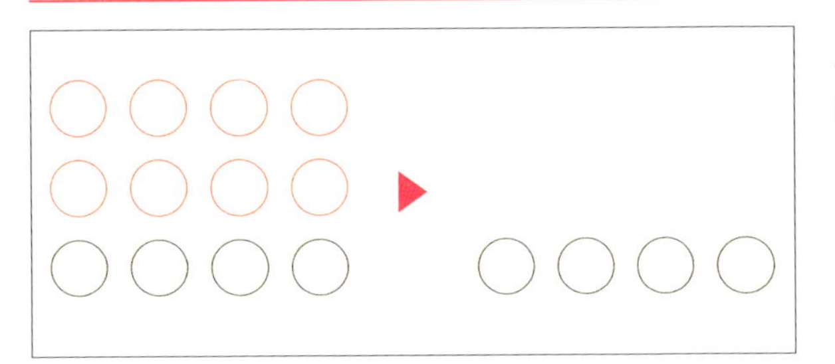

完成図

交差選択で赤い円を削除します。

[削除]コマンドで交差選択をする

1 [削除]コマンドを実行する

[ホーム]タブ→[修正]パネルの[削除]をクリックし、[削除]コマンドを実行します。

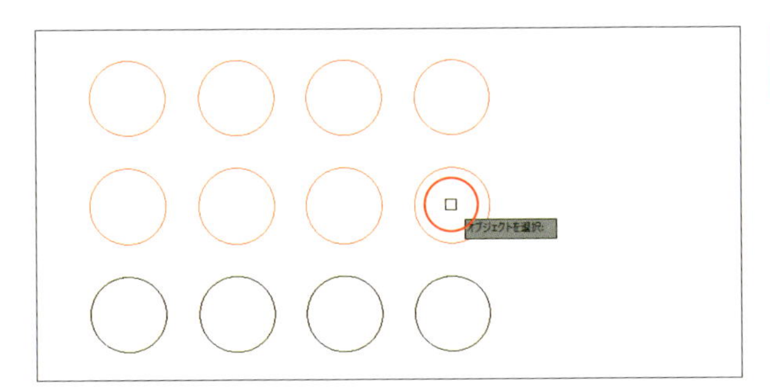

2 交差選択を開始する

右下の赤い円の中心辺りでクリックします。交差選択が開始され、緑の矩形範囲が表示されます。

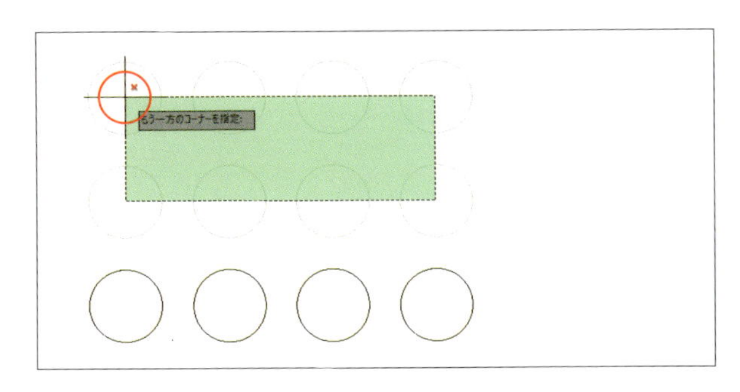

3 交差選択を終了する

左上の赤い円の中心辺りまでカーソルを動かし、クリックします。一部でも緑の矩形範囲に入っている円が選択されます。Enterキーを押すと、図形選択が確定され、選択された円が削除されます。

04 多角形で窓選択をする

「オブジェクトを選択」のメッセージで[ポリゴン窓(WP)]オプションを利用すると、矩形ではなく多角形で窓選択を行うことができます。

サンプルファイル 2-4.dwg　コマンド なし　ショートカットキー なし

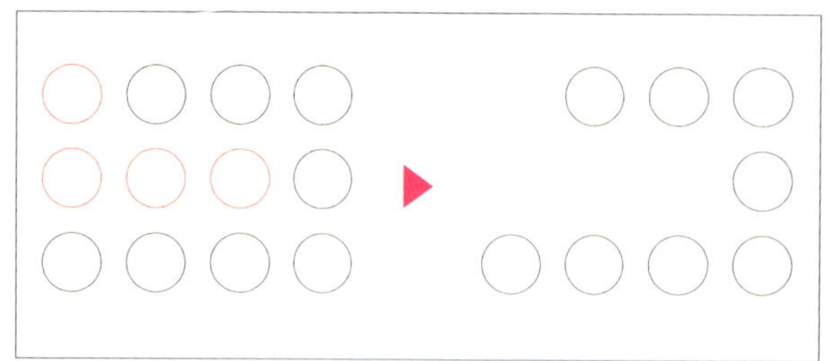

完成図

ポリゴン窓選択で赤い円を削除します。

[削除]コマンドで[ポリゴン窓]を利用する

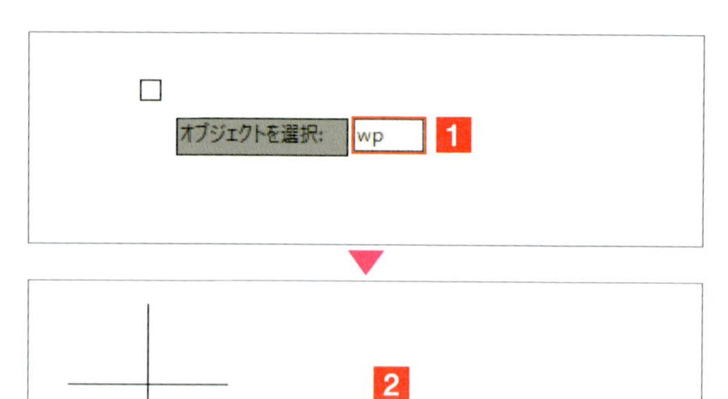

1 [削除]コマンドを実行し、[ポリゴン窓]オプションを選択する

[ホーム] タブ→ [修正] パネルの [削除] をクリックし、[削除] コマンドを実行します。次に、「wp」と入力し、Enterキーを押すと1、ポリゴン窓選択が開始されます2。

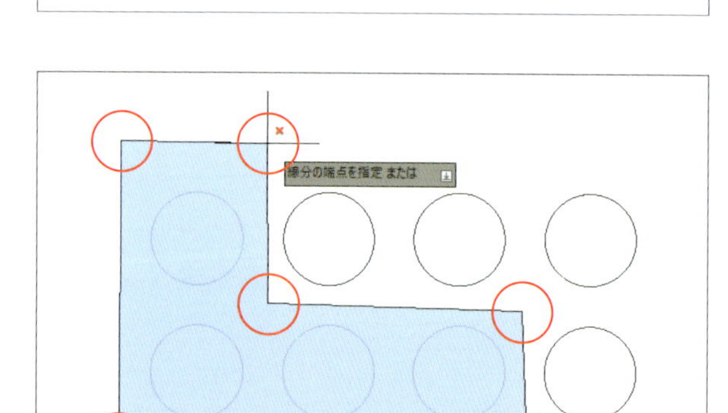

2 ポリゴン窓選択をする

赤い円が完全に入るように、多角形を作成します。図のように６点をクリックし、Enterキーを押すと、ポリゴン窓選択が確定され、赤い円が４つ選択されます。もう一度Enterキーを押すと、図形選択が確定され、選択された円が削除されます。

05 多角形で交差選択をする

「オブジェクトを選択」のメッセージで[ポリゴン交差(CP)]オプションを利用すると、矩形ではなく多角形で交差選択を行うことができます。

サンプルファイル 2-5.dwg　コマンド なし　ショートカットキー なし

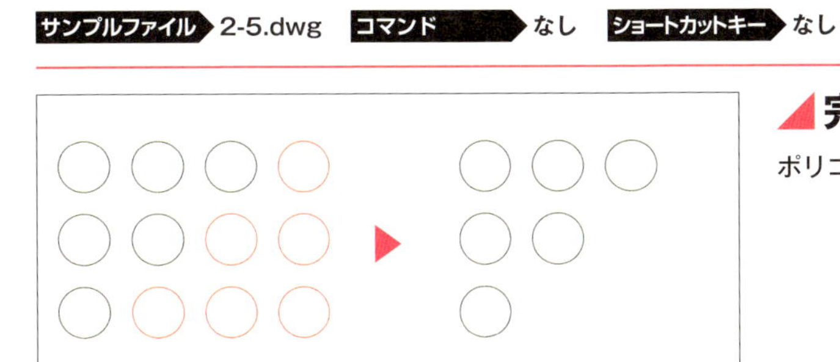

完成図

ポリゴン交差選択で赤い円を削除します。

[削除]コマンドで[ポリゴン交差]を利用する

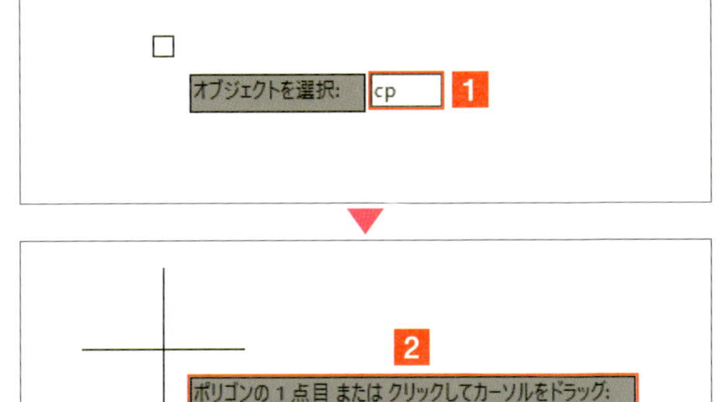

1 [削除]コマンドを実行し、[ポリゴン交差]オプションを選択する

[ホーム]タブ→[修正]パネルの[削除]をクリックし、[削除] コマンドを実行します。次に、「cp」と入力し、Enterキーを押すと1、ポリゴン交差選択が開始されます2。

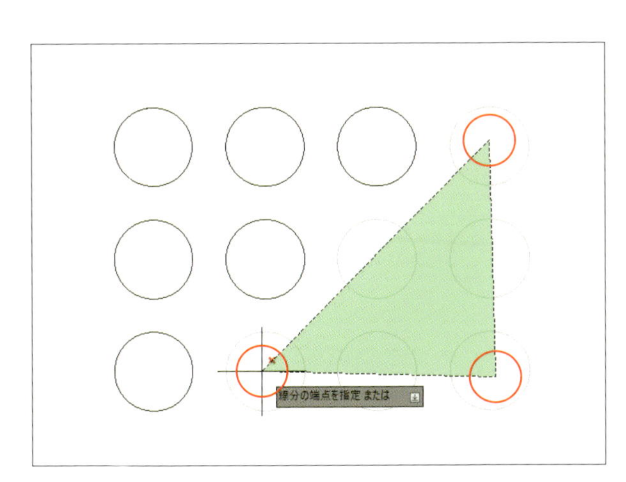

2 ポリゴン交差選択をする

赤い円が一部でも入るように、多角形を作成します。図のように3点をクリックし、Enterキーを押すと、ポリゴン交差選択が確定され、赤い円が6つ選択されます。もう一度Enterキーを押すと、図形選択が確定され、選択された円が削除されます。

06 線分で図形を選択する

「オブジェクトを選択」のメッセージで[フェンス(F)]オプションを利用すると、フェンス線分を作成し、その線分上を通る図形を選択することができます。

サンプルファイル 2-6.dwg　コマンド なし　ショートカットキー なし

完成図

フェンス選択で赤い円を削除します。

[削除]コマンドで[フェンス]を利用する

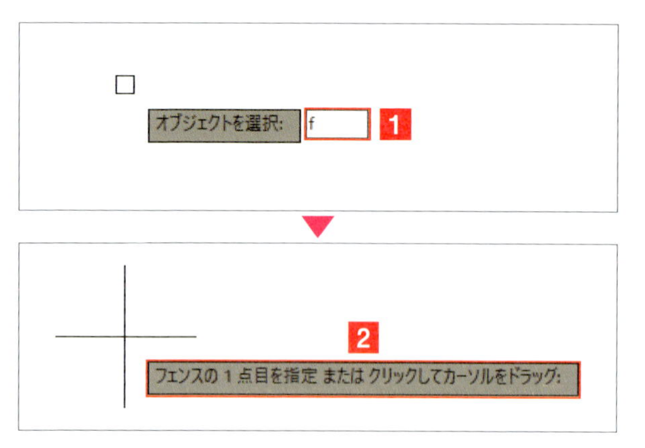

1 [削除]コマンドを実行し、[フェンス]オプションを選択する

[ホーム]タブ→[修正]パネルの[削除]をクリックし、[削除] コマンドを実行します。次に、「f」と入力し、Enterキーを押すと1、フェンス選択が開始されます2。

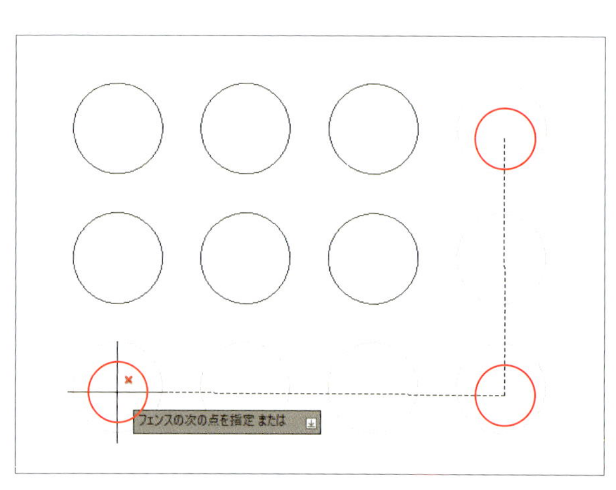

2 フェンス選択をする

赤い円を通るように、3点をクリックしてフェンス線分を作成します。Enterキーを押すと、フェンス選択が確定され、赤い円が6つ選択されます。もう一度Enterキーを押すと、図形選択が確定され、選択された円が削除されます。

すべての図形を選択する

「オブジェクトを選択」のメッセージで[すべて(ALL)]オプションを利用すると、作図されているすべての図形を選択することができます。非表示画層の図形も選択されますが、フリーズ画層・ロック画層の図形は選択されません。

サンプルファイル 2-7.dwg　コマンド なし　ショートカットキー なし

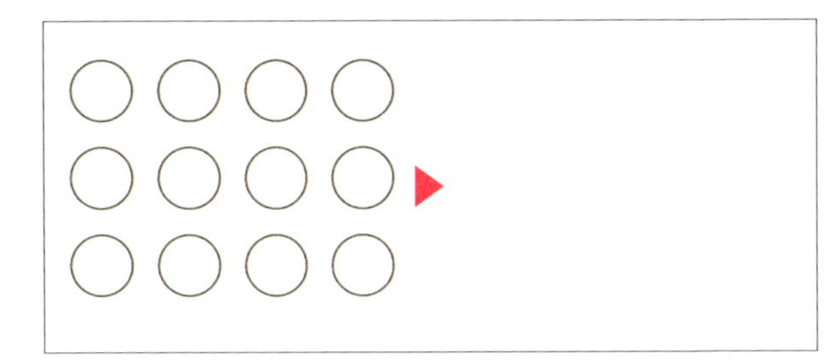

完成図

作図されているすべての図形を削除します。

[削除]コマンドで[すべて]を利用する

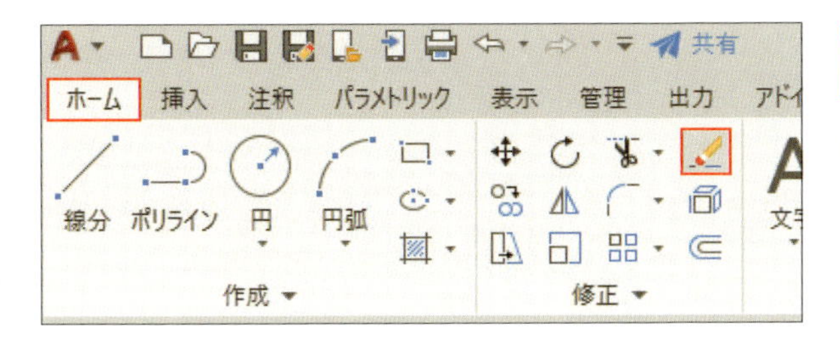

1 [削除]コマンドを実行する

[ホーム]タブ→[修正]パネルの[削除]をクリックし、[削除]コマンドを実行します。

オブジェクトを選択: all

2 [すべて]オプションを選択する

「all」と入力し、Enterキーを押すと、すべての図形が選択されます。

3 [削除]コマンドを終了する

もう一度Enterキーを押すと、図形選択が確定され、すべての図形が削除されます。

重なった図形を選択する

ここでは、ステータスバーの[選択の循環]を利用して、重なった図形の一部を選択します。選択の循環を利用すると、重なっているオブジェクトをダイアログで一覧表示して、確認しながら選択することができます。

サンプルファイル 2-8.dwg　システム変数 SELECTIONCYCLING　ショートカットキー Ctrl+W

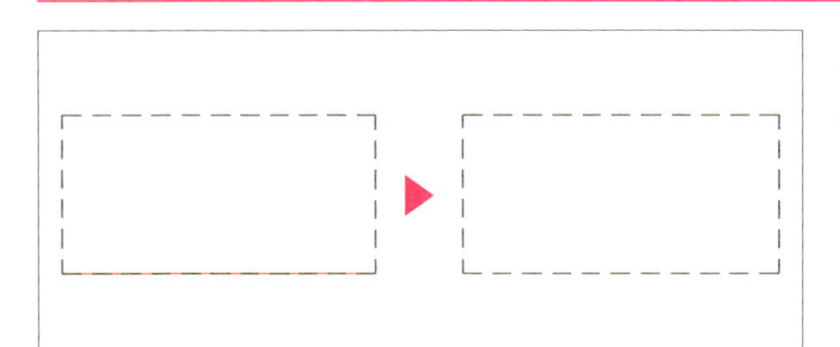

完成図

選択の循環を利用し、赤い線を削除します。

[選択の循環]をオンにする

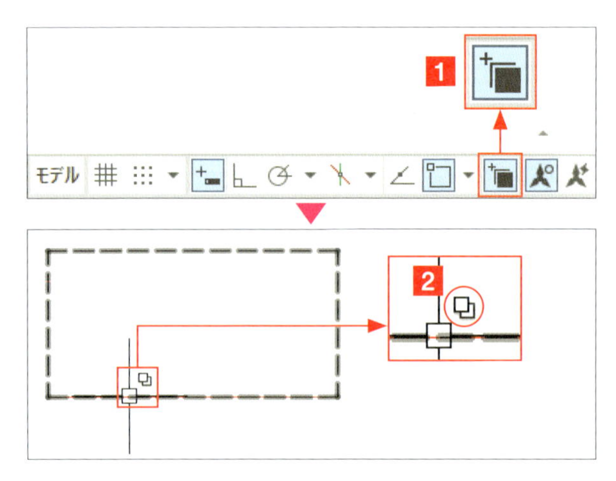

1 [選択の循環]をオンにする

ステータスバーの[選択の循環]をクリックして、オンにします1。次に、重なっている図形にマウスカーソルを近付けると、[選択の循環]マークが表示されます2。

CHECK

[選択の循環]が表示されていない場合は、P.392の「ステータスバーのボタンを表示する」を参照してください。

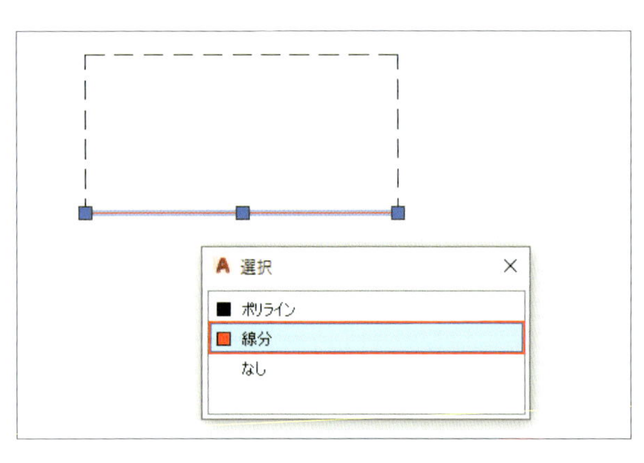

2 図形を選択する

図形をクリックして選択すると、[選択]ダイアログが表示されます。[線分]をクリックして選択すると、赤い線分が選択された状態になります。続いてDeleteキーを押すと、選択された図形が削除されます。

条件指定で図形を選択する

ここでは、[クイック選択]を利用し、条件を指定して図形を選択します。円や線などの図形の種類や、画層、線種、色などのプロパティ、その他図形の長さなどの情報から条件を指定することができます。

サンプルファイル 2-9.dwg **コマンド** QSELECT **ショートカットキー** なし

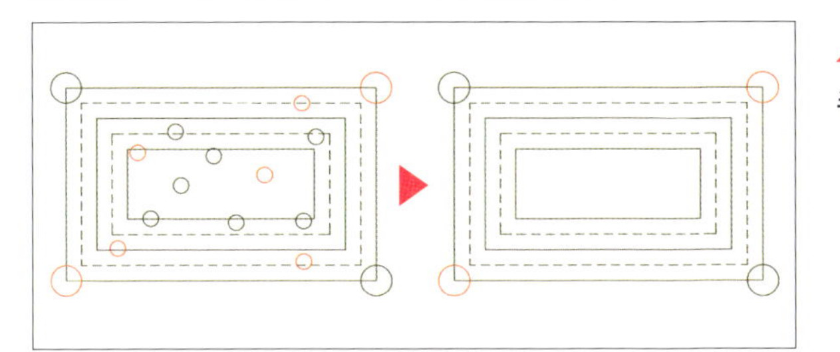

完成図

半径10の円を選択して削除します。

[クイック選択]を利用する

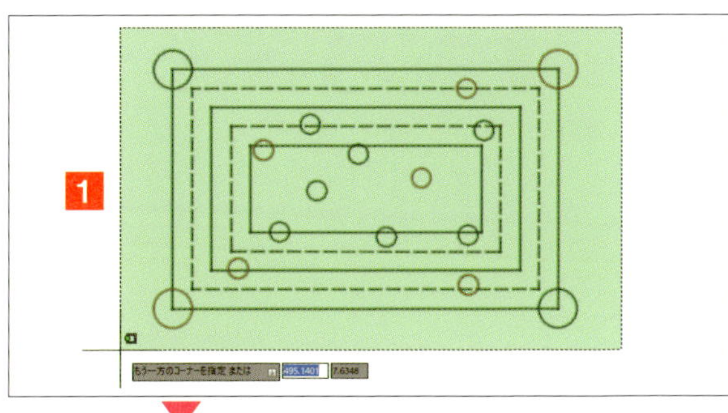

1 [クイック選択]を選択する

図形を交差選択などで選択し1、作図領域を右クリックして、[クイック選択] を選択します2。

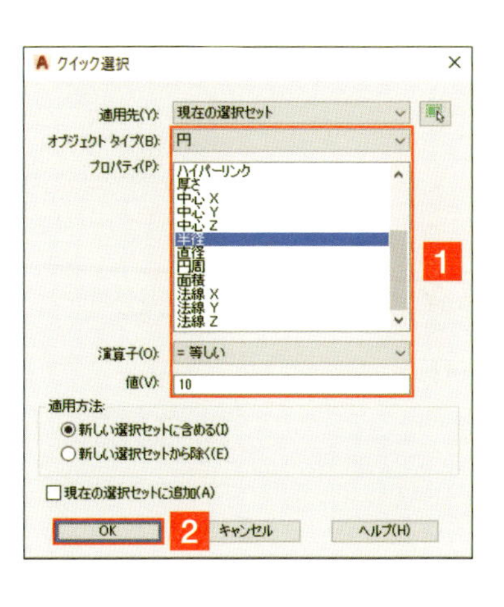

2 条件を指定する

[クイック選択] ダイアログが表示されるので、次の条件を設定します1。

- [オブジェクトタイプ] から [円] を選択
- [プロパティ] から [半径] を選択
- [演算子] から [= 等しい] を選択
- [値] に「10」を入力

[OK] をクリックすると2、半径 10 の円が選択されるので、Delete キーを押して、選択された図形を削除します。

複数の条件指定で図形を選択する

[オブジェクト選択フィルタ]を利用すると、円や線などの図形の種類や、画層、線種、色などのプロパティ情報、そのほか、さまざまな条件を複数指定して図形を選択できます。

サンプルファイル 2-10.dwg コマンド FILTER ショートカットキー FI

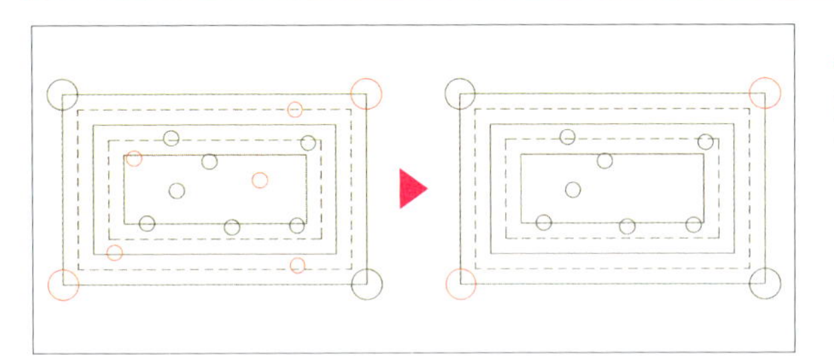

完成図

「02_作図」画層にある半径10の赤い円を選択して削除します。画層については、P.230を参照してください。

[オブジェクト選択フィルタ]コマンドを利用する

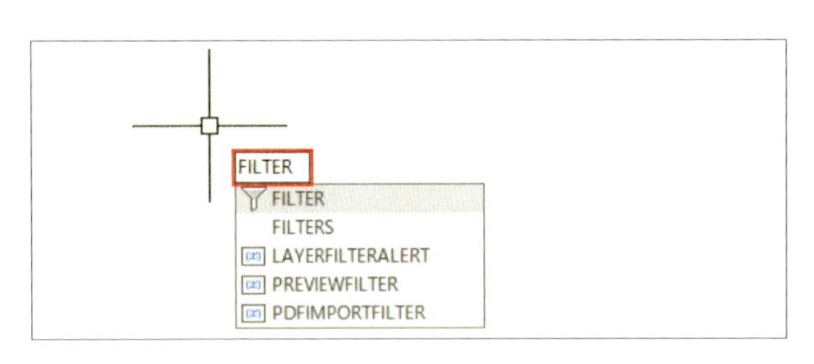

1 [オブジェクト選択フィルタ]コマンドを実行する

「FILTER」と入力し、Enterキーを押します。[オブジェクト選択フィルタ]ダイアログが表示されます。

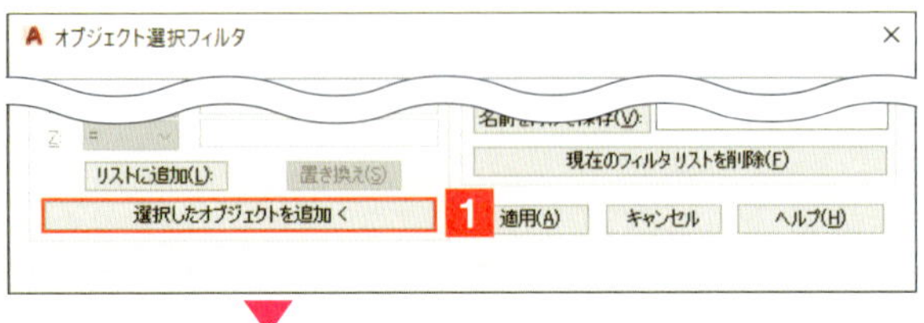

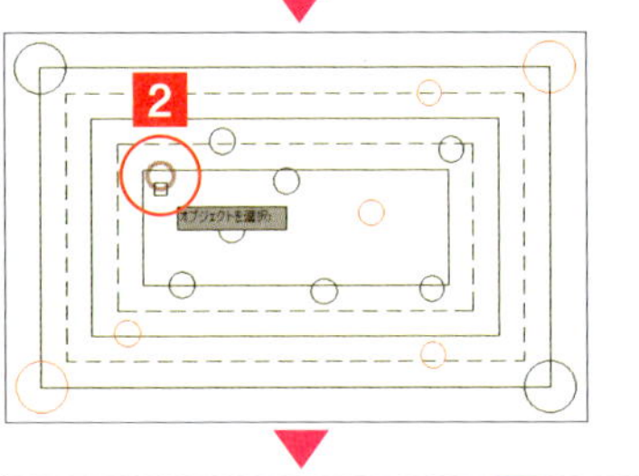

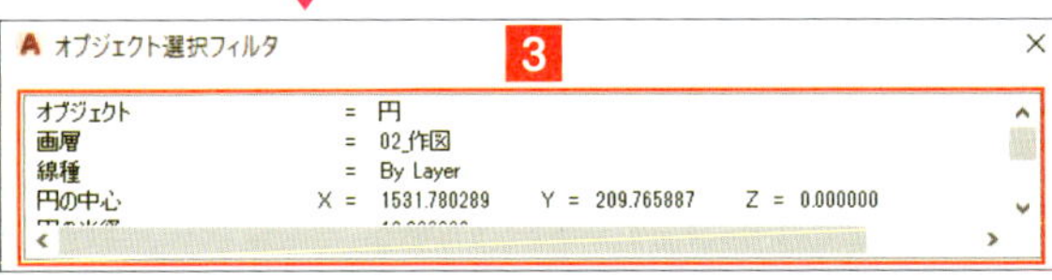

2 条件に合う図形を選択する

[選択したオブジェクトを追加]をクリックし1、半径10の赤い円をクリックして選択すると2、ダイアログに選択した図形の条件が表示されます3。

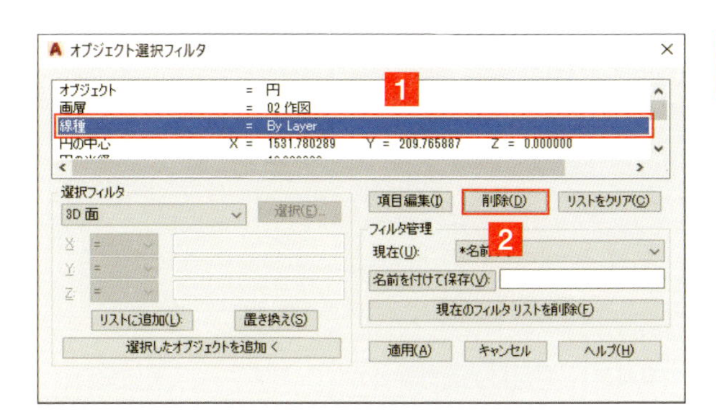

3 必要のない条件を削除する

［線種］のリスト（条件）をクリックし1、［削除］を選択します2。同様に［円の中心］、［法線ベクトル］、［色］を削除します。

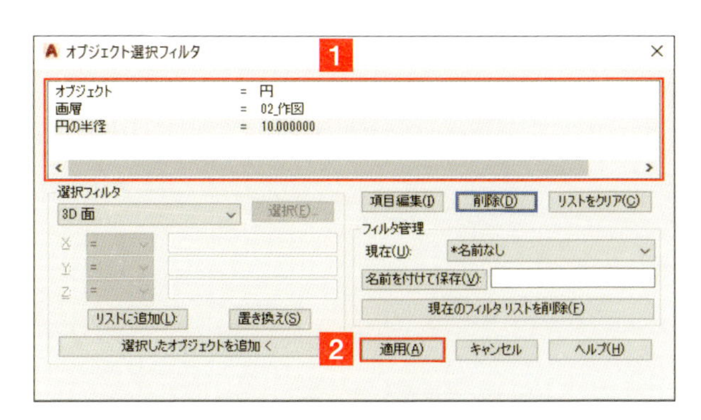

4 条件を適用する

［オブジェクト］、［画層］、［円の半径］がリストに表示されていることを確認し1、［適用］をクリックします2。

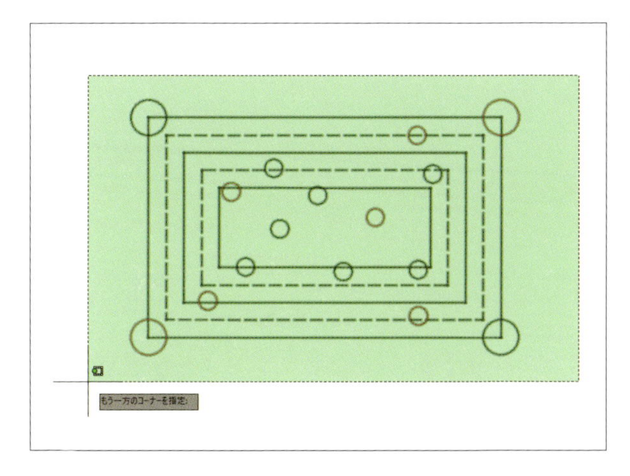

5 条件を適用する図形を選択する

条件を適用する図形を交差選択などで選択し、Enterキーを押すと、条件に合った図形だけが選択されます。

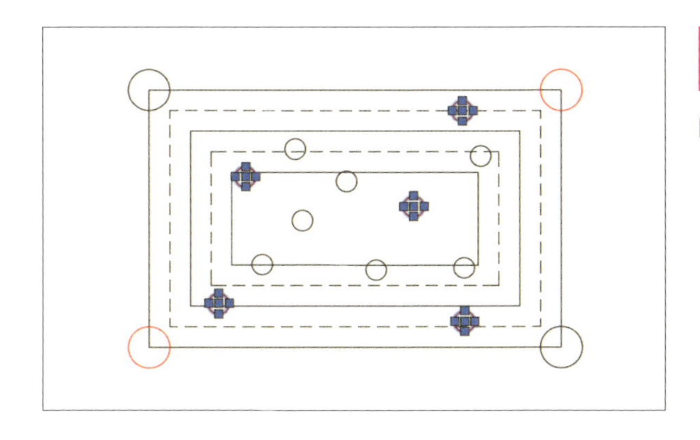

6 削除する

Deleteキーで選択された図形を削除します。

CHAPTER 02 図形の修正

11 同じ種類の図形を選択する

ある図形と同じプロパティ(画層、色、線の太さなど)を持つ図形をまとめて選択するには、[類似オブジェクトを選択]コマンドを実行します。

サンプルファイル 2-11.dwg **コマンド** SELECTSIMILAR **ショートカットキー** なし

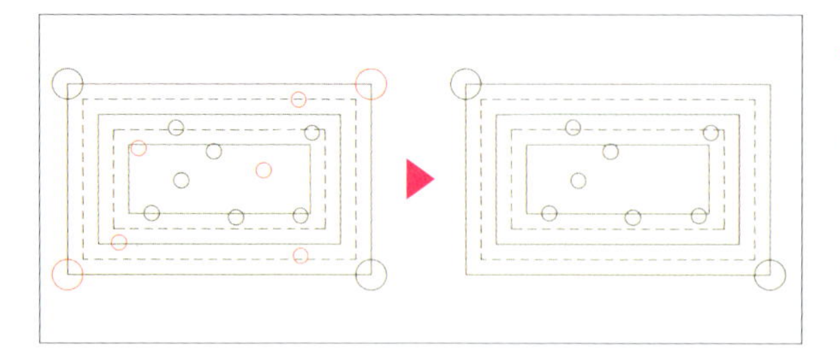

完成図

赤い円を選択し、[類似オブジェクトを選択]を利用して、同じ画層の円を削除します。また、コマンド実行中に[設定(SE)]オプションを選択することにより、類似の判定基準を設定することが可能です。

[類似オブジェクトを選択]コマンドを利用する

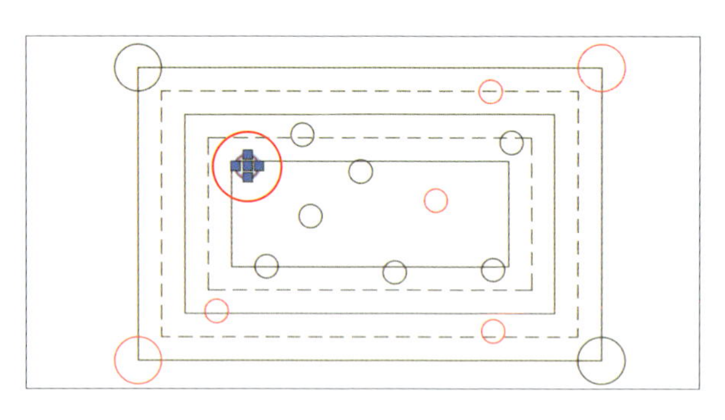

1 条件指定する図形を選択する

赤い円を 1 つクリックして選択します。

選択オブジェクトを追加(D)
類似オブジェクトを選択(T)
すべてを選択解除(A)

2 [類似オブジェクトを選択]コマンドを実行する

作図領域で右クリックし、メニューから[類似オブジェクトを選択]を選択します。

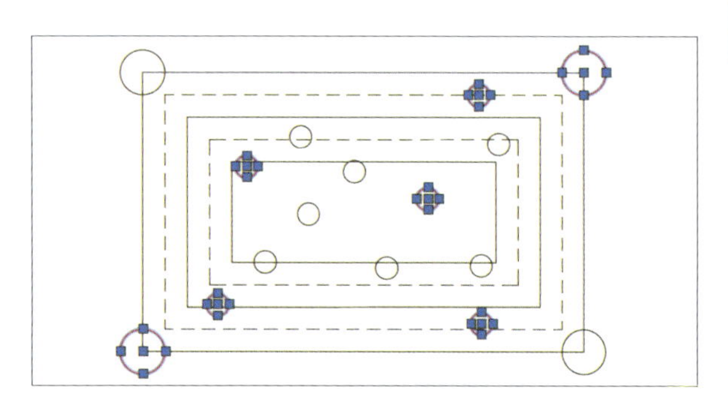

3 削除する

Deleteキーで選択された図形を削除します。

CHECK

類似の判定基準は、[類似オブジェクトの選択設定]ダイアログから設定できます。図形を選択していない状態で、「SELECT SIMILAR」と入力してコマンドを実行し、[設定(SE)]オプションを選択します。

Shift＋クリックで複数選択をする

既定では図形はクリックするたびに追加選択されます。ここでは設定を変更することで、クリックするたびに図形の選択が入れ替わり、Shiftキー＋クリックで複数の図形を選択するようにします。

サンプルファイル 2-12.dwg システム変数 PICKADD ショートカットキー なし

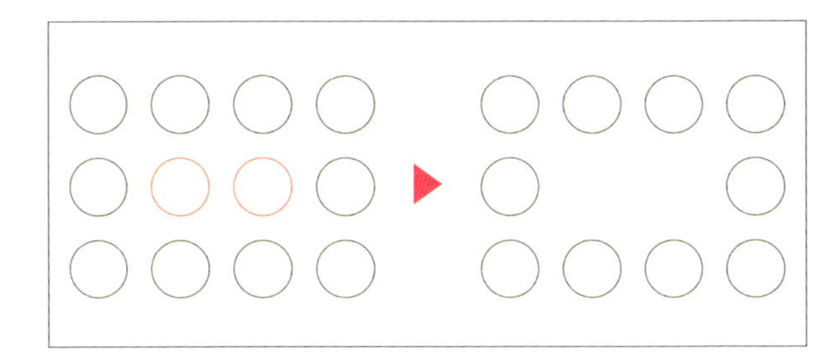

完成図

Shift＋クリックで複数選択をするオプションの設定をして、赤い円を削除します。

［システム変数PICKADDの値をトグル］をオフにする

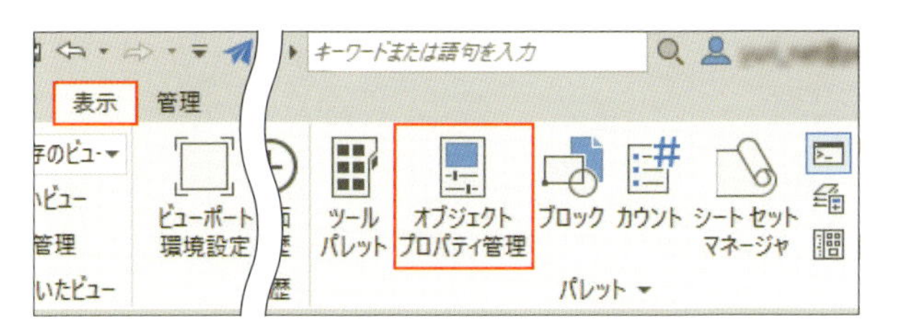

1 プロパティパレットを表示する

［表示］タブ→［パレット］パネルの［オブジェクトプロパティ管理］をクリックします。プロパティパレットが表示されます。

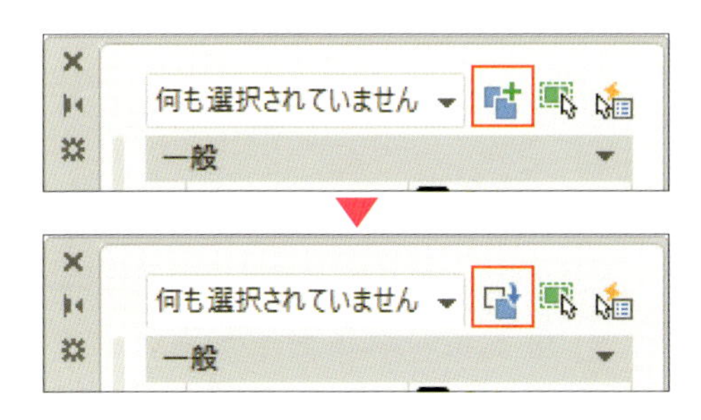

2 システム変数PICKADDをオフにする

［システム変数PICKADDの値をトグル］をクリックし、このPICKADDをオフにします。

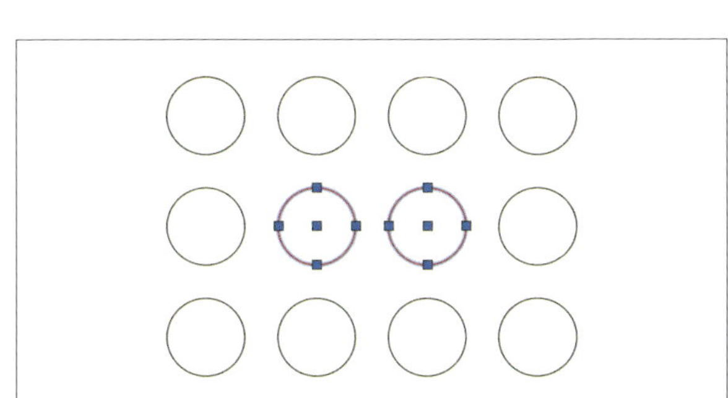

3 図形を選択し、削除する

円を1つ選択し、次の円はShiftキーを押しながら円を選択します。2つの円が選択されたら、Deleteキーで削除します。

13 点指定で図形を複写する

ここでは、複写元の点と複写先の点を指定して図形を複写します。点の指示にはオブジェクトスナップや座標入力を利用すると、正確な位置に複写することができます。

サンプルファイル 2-13.dwg　コマンド COPY　ショートカットキー COまたはCP

完成図

複写元の点と複写先の点をオブジェクトスナップで指定します。

[複写]コマンドで点を指定する

1 [複写]コマンドを実行する

[ホーム]タブ→[修正]パネルの[複写]をクリックします。

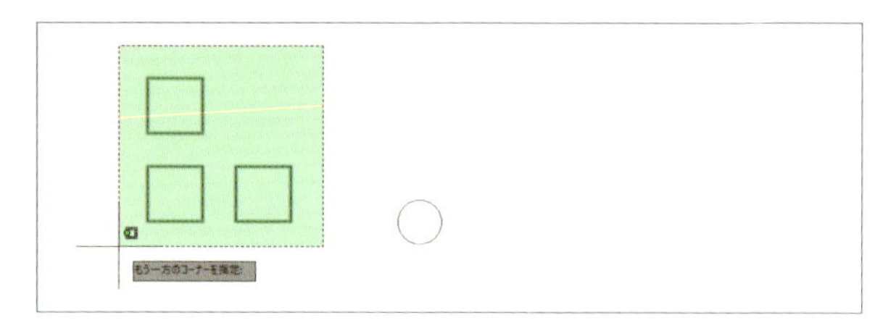

2 図形を選択する

複写する図形を選択し、Enterキーで図形の選択を確定します。

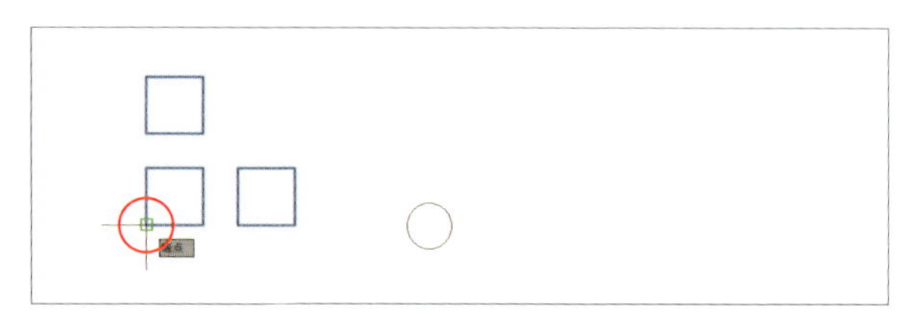

3 複写元の点を指定する

オブジェクトスナップを利用し、複写元の点（正方形の左下の端点）をクリックします。

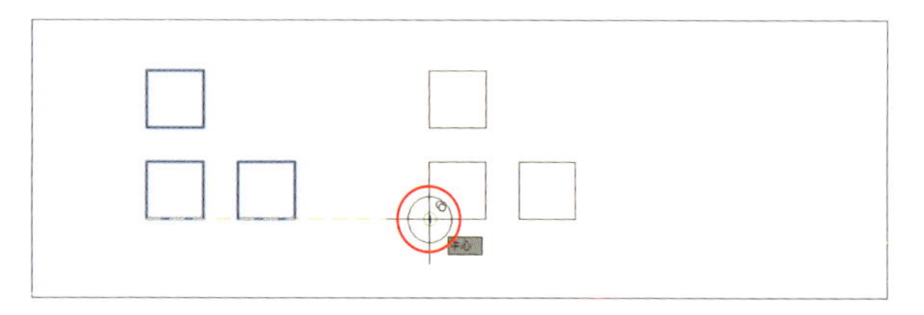

4 複写先の点を指定する

複写先の点（円の中心）をクリックすると、図形が複写されます。最後にEnterキーでコマンドを終了します。

距離指定で図形を複写する

前ページと同じように、複写元の点と複写先の点を指定して図形を複写します。ここでは、複写先の点の指示に直接距離入力を利用することによって、水平垂直に図形を複写します。

サンプルファイル 2-14.dwg コマンド COPY ショートカットキー COまたはCP

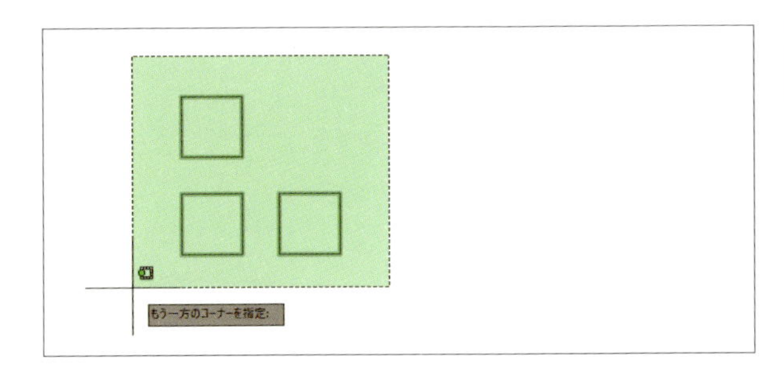

完成図

直接距離入力を利用し、距離と方向を指定して複写します。

[複写]コマンドで直接距離入力を利用する

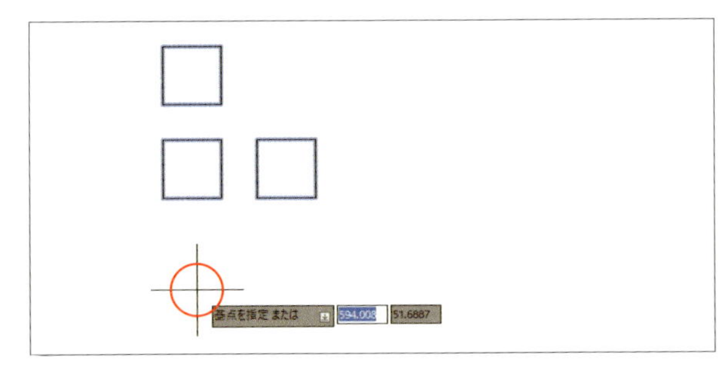

1 [複写]コマンドを実行し、図形を選択する

[ホーム]タブ→[修正]パネルの[複写]をクリックし、複写する図形を選択して、Enterキーで図形の選択を確定します。

2 複写元の点を指定する

複写元の点（任意点）をクリックします。

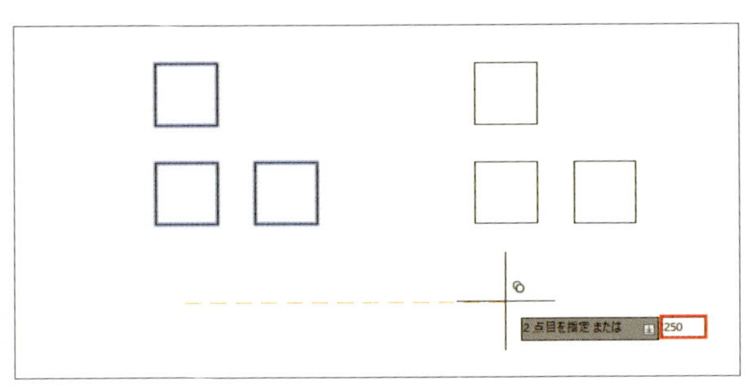

3 直接距離入力を利用する

直交モードをオンにして、水平にマウスカーソルを動かし、「250」と入力し、Enterキーを押すと、水平に250の位置に図形が複写されます。最後にEnterキーでコマンドを終了します。

15 点指定で図形を伸縮させる

ここでは、伸縮元の点と伸縮先の点を指定して図形を伸縮させます。図形の指定には必ず交差選択を利用します。点の指定にはオブジェクトスナップや座標入力を利用すると、正確な位置に伸縮させることができます。

サンプルファイル 2-15.dwg　コマンド STRETCH　ショートカットキー S

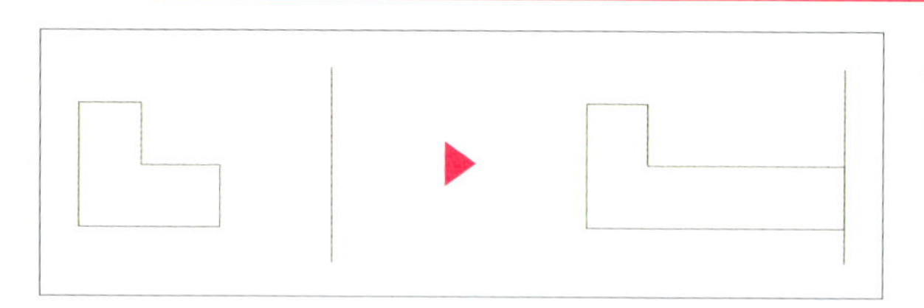

完成図

既存図形の右側だけを、線分まで伸ばします。

[ストレッチ]コマンドで点を指定する

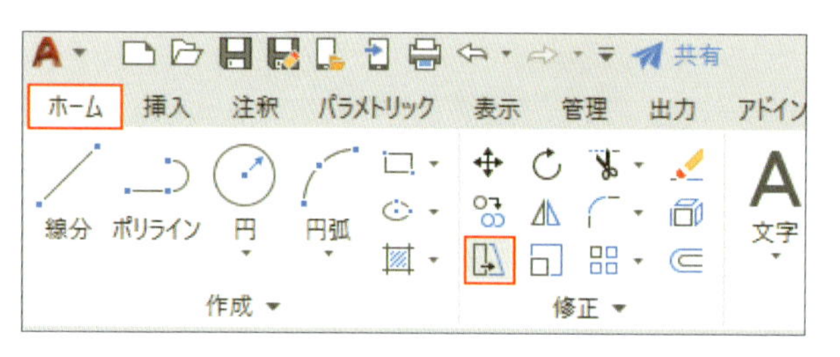

1 [ストレッチ]コマンドを実行する

[ホーム] タブ→ [修正] パネルの [ストレッチ] をクリックします。

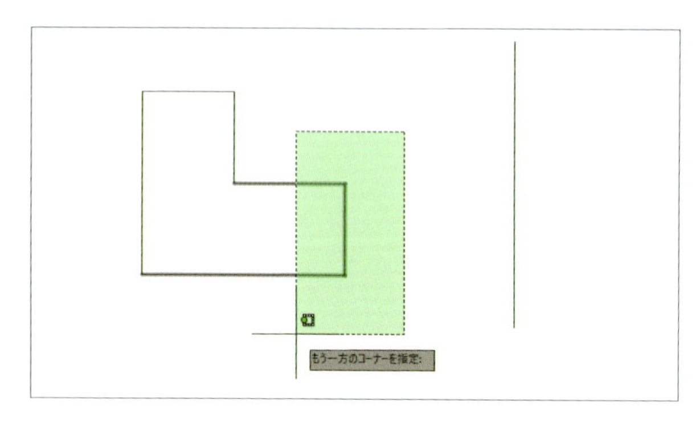

2 伸縮する図形を交差選択する

伸縮する右側の図形を、右から左に囲って交差選択し、Enterキーを押して図形の選択を確定します。

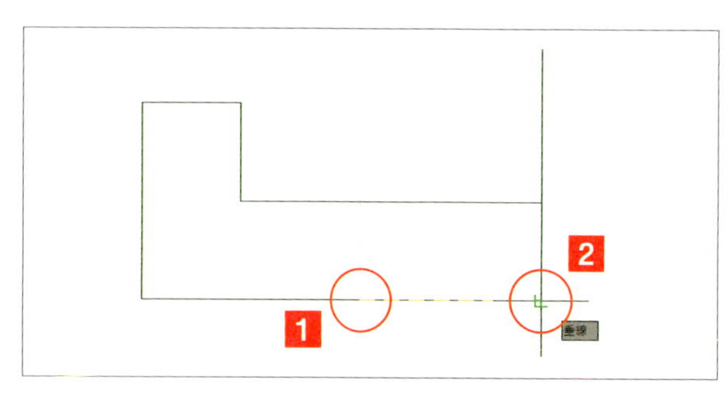

3 伸縮元と伸縮先の点を指定する

伸縮元の、図形の右下端点をクリックし1、伸縮先の線分で、垂線のオブジェクトスナップを利用してクリックします2。図形の右側のみ、線分まで伸びます。

距離指定で図形を伸縮させる

前ページと同様に、伸縮元の点と伸縮先の点を指定して図形を伸縮します。図形の指定には必ず交差選択を利用します。ここでは、伸縮先の点の指定に直接距離入力を利用することによって、水平垂直に図形を伸縮させます。

サンプルファイル 2-16.dwg **コマンド** STRETCH **ショートカットキー** S

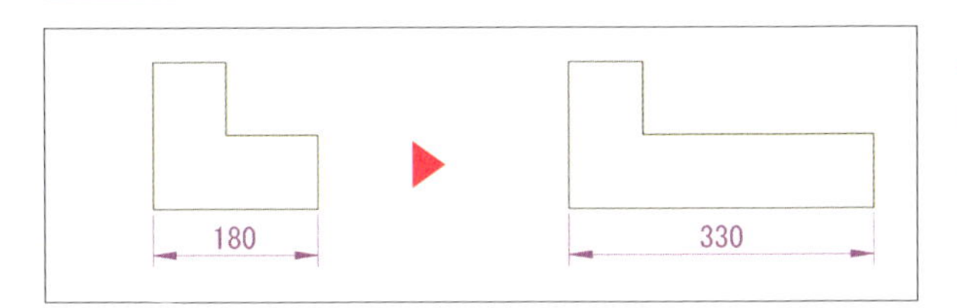

完成図

既存図形の右側だけを伸ばして、長さが330になるようにします。

[ストレッチ]コマンドで距離を指定する

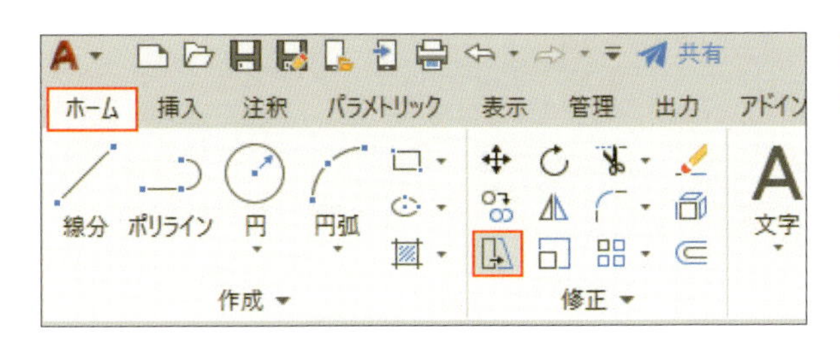

1 [ストレッチ]コマンドを実行する

[ホーム]タブ→[修正]パネルの[ストレッチ]をクリックします。

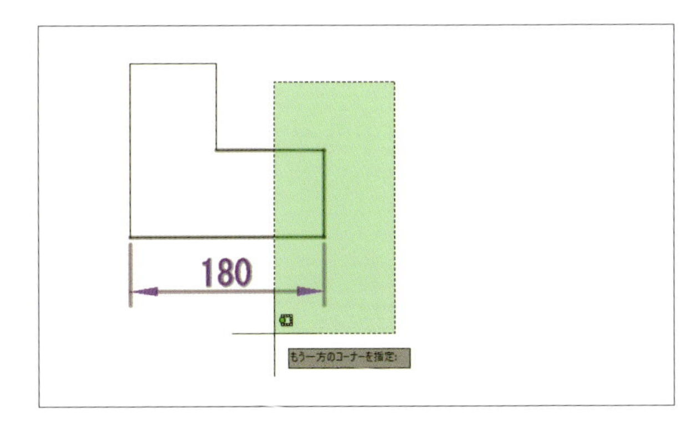

2 伸縮する図形を交差選択する

伸縮する右側の図形と寸法を、右から左に囲って交差選択し、Enterキーを押して図形の選択を確定します。

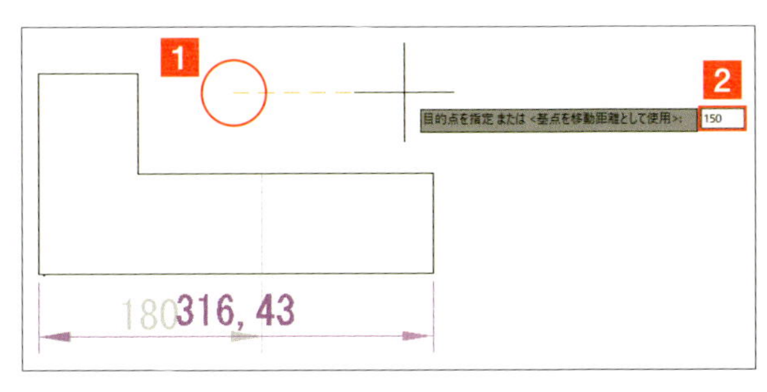

3 伸縮元を指定して距離を入力する

伸縮元の任意点をクリックし1、直交モードをオンにして、水平にマウスカーソルを動かします。「150」と入力し、Enterキーを押します2。図形の右側のみ150伸びて全体の長さが330になります。

17 角度指定で図形を回転する

ここでは、回転の中心点と角度を入力して、図形を回転します。角度の入力については、P.062の「点／距離／角度の指定方法を理解する」を参照してください。

サンプルファイル 2-17.dwg コマンド ROTATE ショートカットキー RO

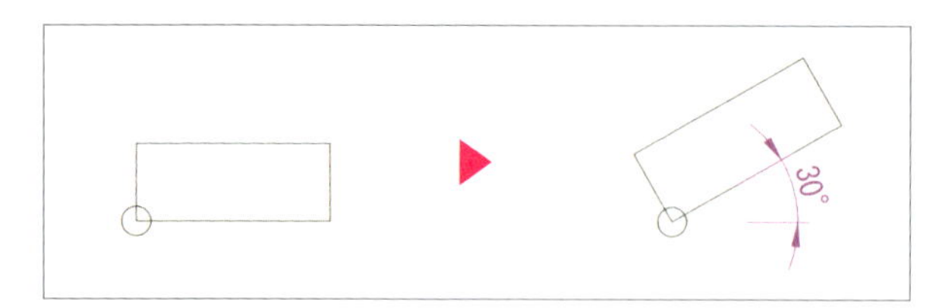

完成図

円の中心を基点として、長方形を30°回転します。

［回転］コマンドで角度を指定する

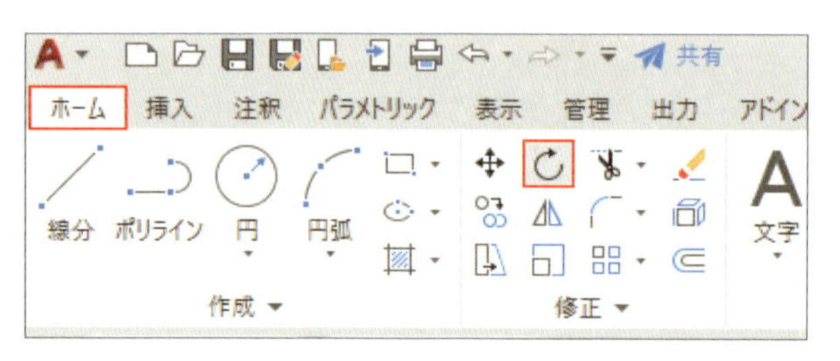

1 ［回転］コマンドを実行する

［ホーム］タブ→［修正］パネルの［回転］をクリックします。

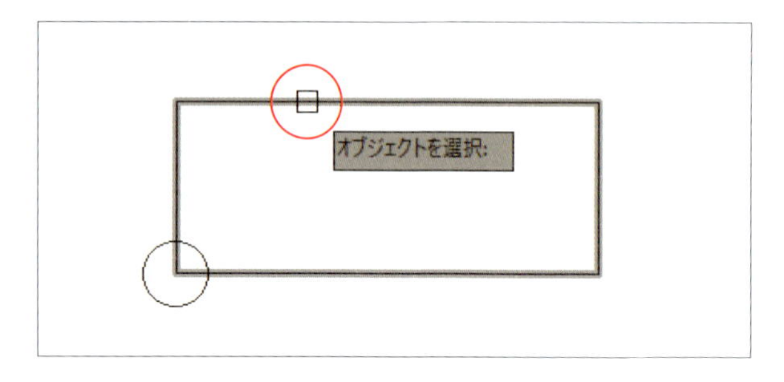

2 回転する図形を選択する

長方形を選択し、Enterキーを押し、図形の選択を確定します。

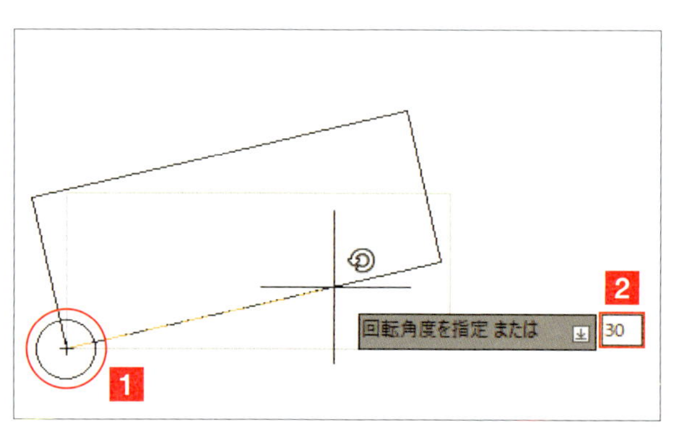

3 基点と角度を指定する

オブジェクトスナップを利用し、基点として円の中心をクリックして指定します1。角度に「30」を入力したら、Enterキーを押します2。長方形が30°回転します。

18 参照角度で図形を回転する

既存の線分に合わせて図形を回転させたい場合など、回転角度がわからないときには、回転コマンドの[参照]オプションを利用し、参照する角度を点で指定します。

サンプルファイル 2-18.dwg　コマンド ROTATE　ショートカットキー RO

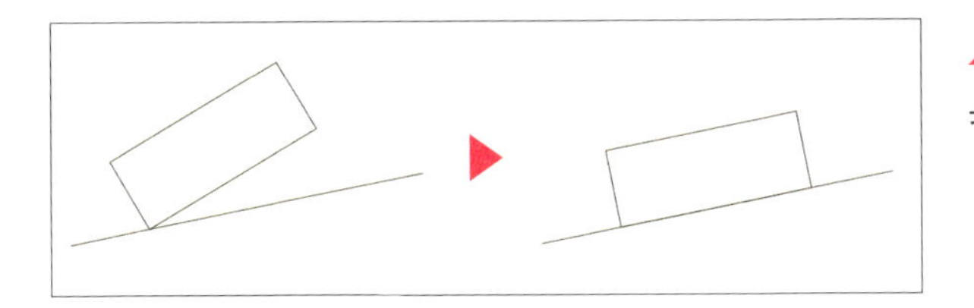

完成図

長方形の傾きが線に沿うように回転します。

[回転]コマンドで[参照]を選択する

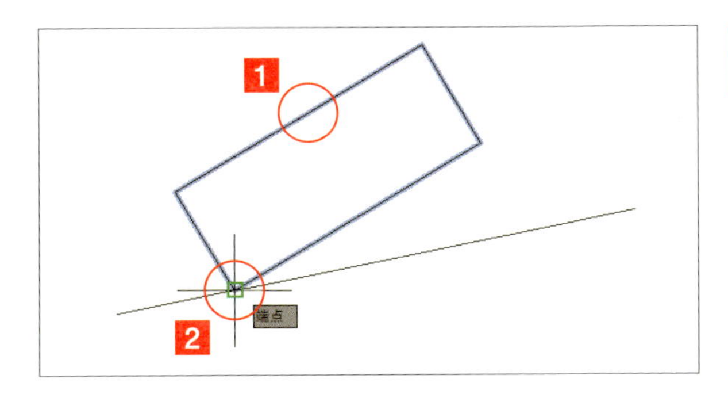

1 [回転]コマンドを実行し、図形と基点を指定する

[ホーム]タブ→[修正]パネルの[回転]をクリックし、長方形を選択したら、Enterキーを押して図形の選択を確定します1。オブジェクトスナップを利用し、基点として長方形の左下端点をクリックして指定します2。

キャンセル(C)
最近の入力 ›
コピー(C)
参照(R)
優先オブジェクト スナップ(V) ›

2 [参照]オプションを選択する

作図領域で右クリックし、メニューから[参照]を選択します。

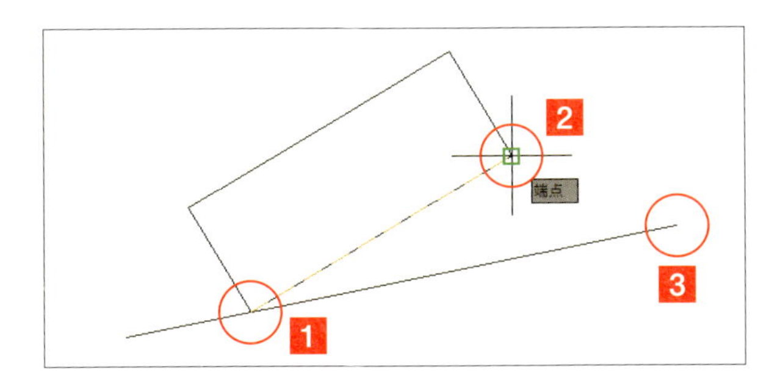

3 参照する角度、新しい角度を指定する

参照する角度に長方形の左下端点1、右下端点2をクリックして指定します。新しい角度に線分の右端点3をクリックして指定すると、長方形が回転します。

図形を反転コピーする

ここでは、対象軸(線分)を指定し、鏡で写したように反転した図形をコピーします。対象軸の指定には、オブジェクトスナップや直交モードなどを使用します。

サンプルファイル 2-19.dwg　コマンド MIRROR　ショートカットキー MI

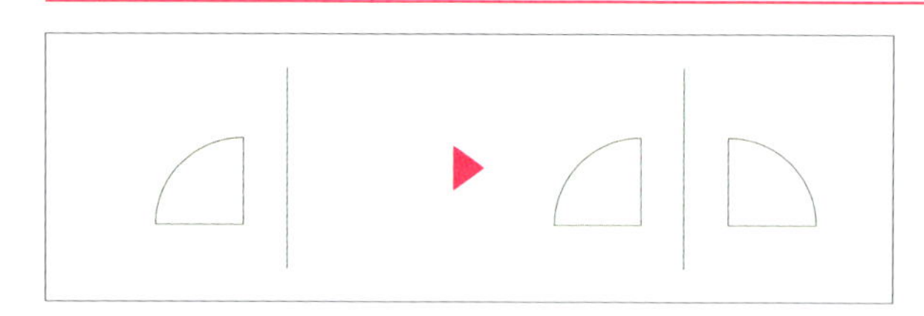

完成図

垂直の長い線分を対象軸として、円弧と線分2つを反転コピーします。

▶ [鏡像]コマンドで線分を対象軸とする

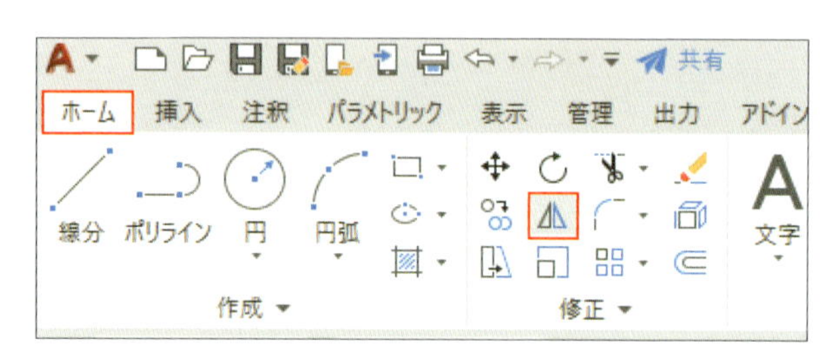

1 [鏡像]コマンドを実行する

[ホーム] タブ→[修正] パネルの [鏡像] をクリックします。

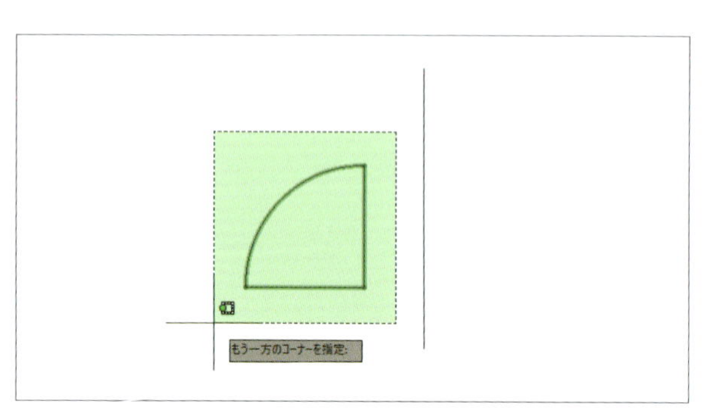

2 反転する図形を選択する

交差選択などで線分２つと円弧を選択したら、Enterキーを押して図形の選択を確定します。

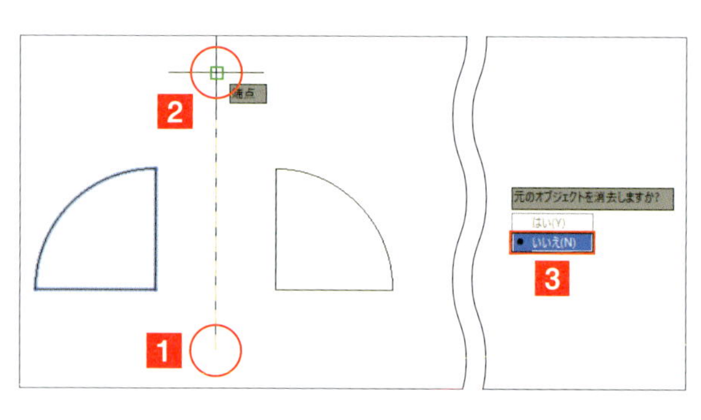

3 対象軸を選択する

オブジェクトスナップを利用し、対象軸として、線分の両端点２点をクリックし1、2、「元のオブジェクトを消去しますか？」のメッセージは[いいえ] をクリックします3。選択した図形が反転コピーされます。

図形を反転する

前ページと同様に、対象軸を指定し、鏡で写したように反転した図形を作成します。ここでは、線分の中点を対象軸として、その指定にはオブジェクトスナップや直交モードなどを使用します。

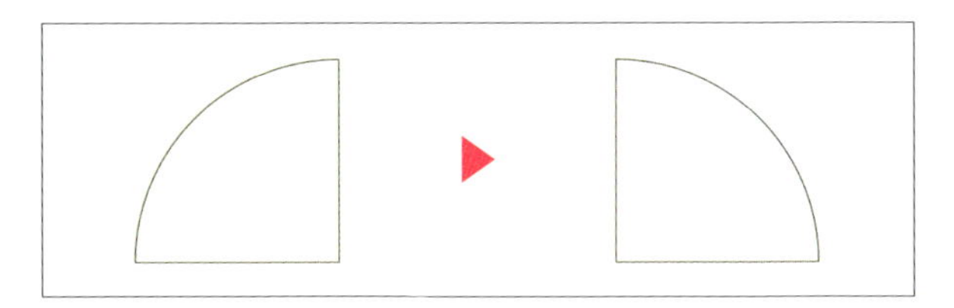

完成図

垂直な線分と円弧を反転させて、ドアの向きを変えます。

[鏡像]コマンドで線分の中点を対象軸とする

1 [鏡像]コマンドを実行する

[ホーム]タブ→[修正]パネルの[鏡像]をクリックします。

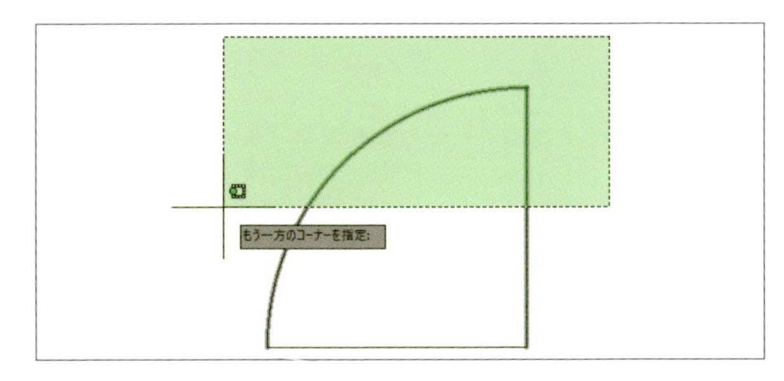

2 反転する図形を選択する

交差選択などで線分と円弧を選択したら、Enterキーを押して図形の選択を確定します。

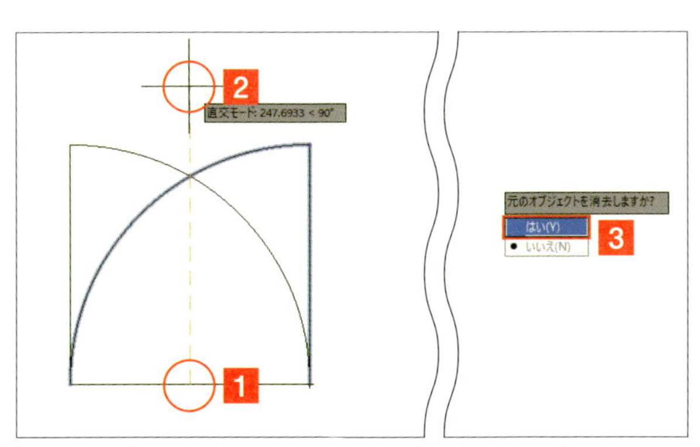

3 対象軸を選択する

オブジェクトスナップを使い、対象軸として線分の中点をクリックし1、直交モードをオンにして垂直の任意の位置をクリックして2、「元のオブジェクトを消去しますか?」のメッセージは[はい]をクリックします3。選択した図形が反転されます。

尺度指定で図形を拡大／縮小する

基点を指定してから倍率を入力することで、図形を拡大／縮小することができます。図形を縮小する場合は、0.5などの小数点、または1/2、1/4など、「/」(半角スラッシュ)を使って倍率を入力します。

サンプルファイル 2-21.dwg **コマンド** SCALE **ショートカットキー** SC

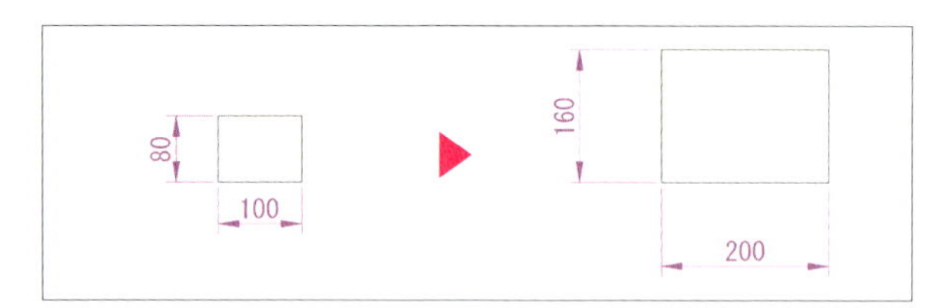

完成図

長方形の左下を基点として、図形を2倍にします。

[尺度変更]コマンドで倍率を指定する

1 [尺度変更]コマンドを実行する

[ホーム] タブ→ [修正] パネルの [尺度変更] をクリックします。

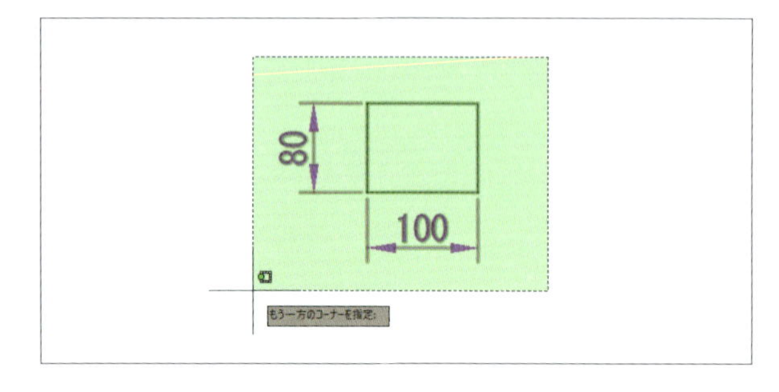

2 拡大する図形を選択する

交差選択などで、長方形と寸法を選択し、Enter キーを押して、図形の選択を確定します。

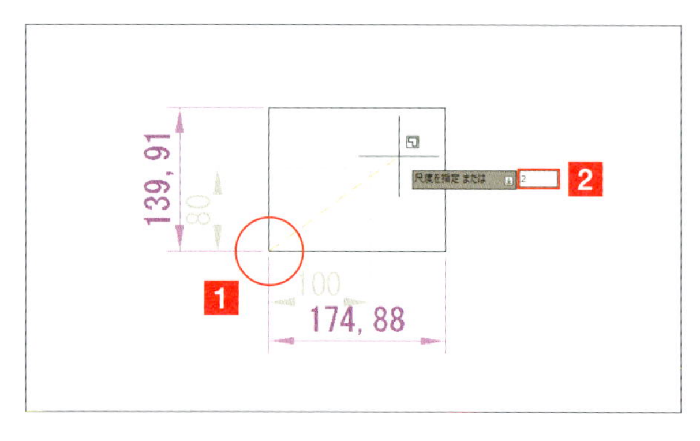

3 基点と尺度を指定する

基点に長方形の左下点をクリックし1、尺度に「2」を入力して、Enter キーを押すと2、選択した図形が2倍になります。

長さを参照して図形を拡大／縮小する

図形の拡大／縮小は、もとの図形の長さと、拡大または縮小した長さを指定することでも行えます。長さの指定には、距離の入力やオブジェクトスナップを使用します。

サンプルファイル 2-22.dwg　コマンド SCALE　ショートカットキー SC

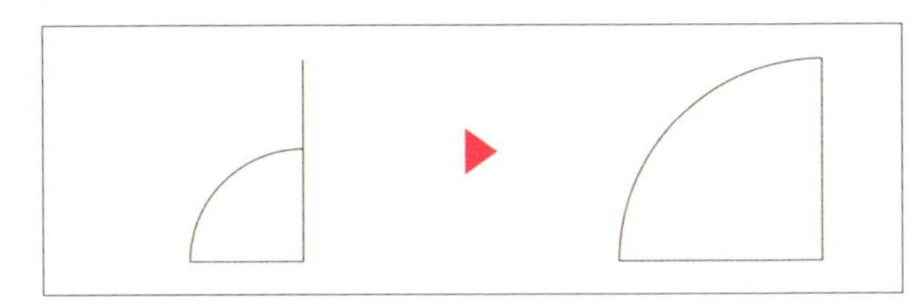

完成図

垂直な線分の長さに合わせるように、円弧と水平な線分を拡大します。

［尺度変更］コマンドで［参照］を利用する

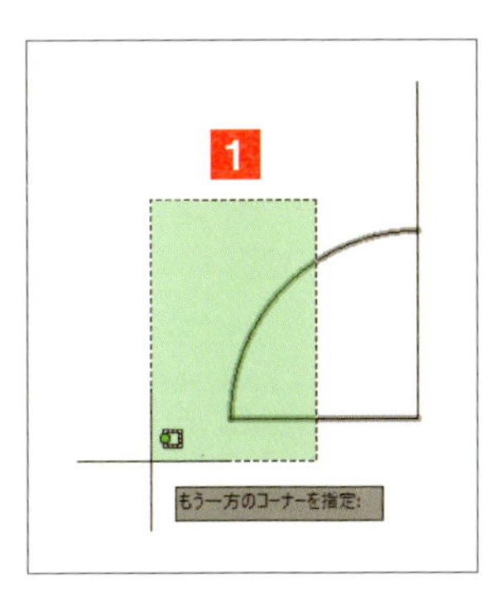

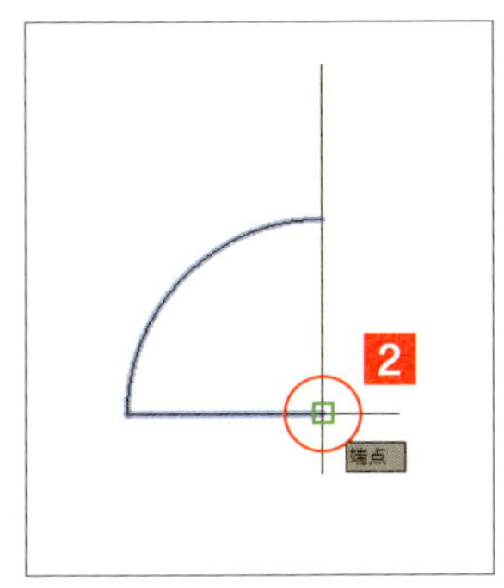

1 ［尺度変更］コマンドを実行し、図形と基点を指定する

［ホーム］タブ→［修正］パネルの［尺度変更］をクリックします。円弧と水平な線分を選択したら、Enterキーを押して図形の選択を確定します1。オブジェクトスナップを利用し、基点として垂直な線分の下端点をクリックして指定します2。

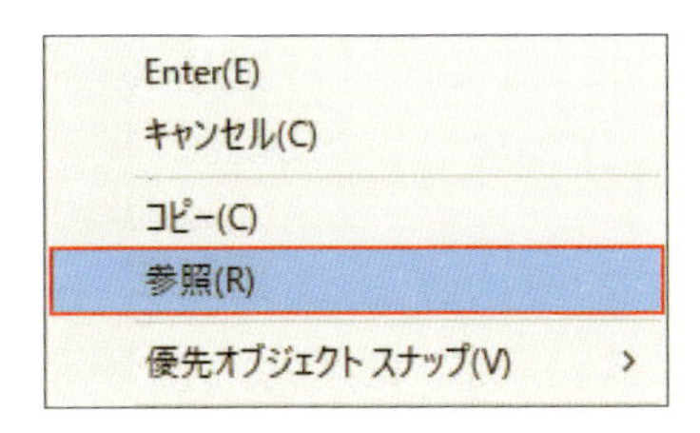

2 ［参照］オプションを選択する

作図領域で右クリックし、メニューから［参照］を選択します。

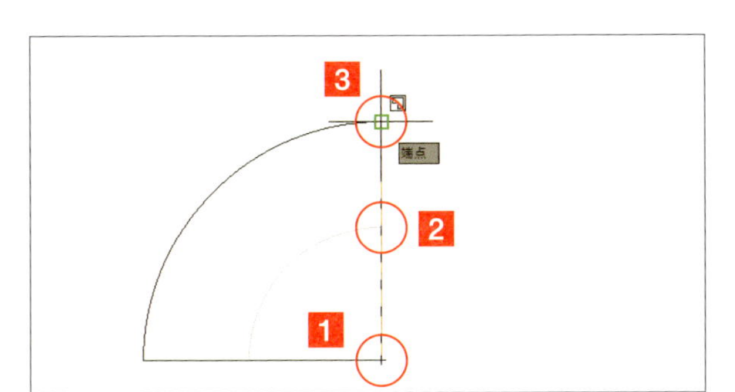

3 参照する長さ、新しい長さを指定する

参照する長さとして、垂直な線分の下端点1、円弧の右上端点2をクリックして指定します。新しい長さとして、線分の上端点3を指定すると、円弧と線分が拡大します。

23 任意の線まで図形の一部を切り取る

図形の一部を削除するには、[トリム]コマンドを利用し、あらかじめ用意した線分やポリラインなどの基準線(切り取りエッジ)まで図形を切り取ります。

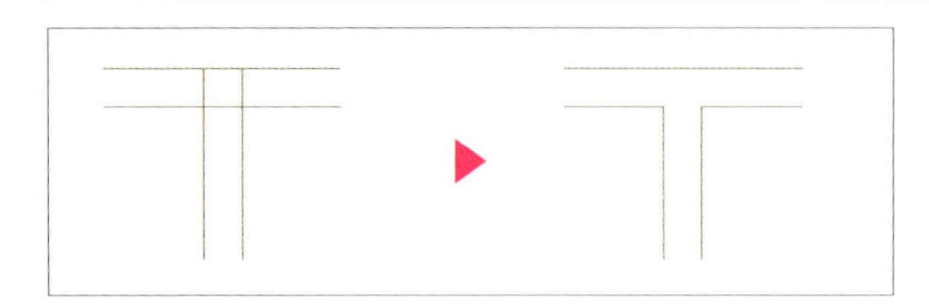

完成図

線分の一部を削除して、交わっている箇所をなくします。

[トリム]コマンドで切り取りエッジを選択する

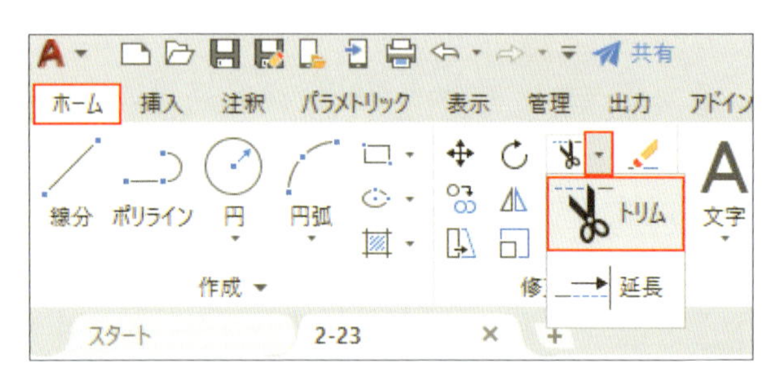

1 [トリム]コマンドを実行する

[ホーム]タブ→[修正]パネルの[▼]→[トリム]をクリックします。

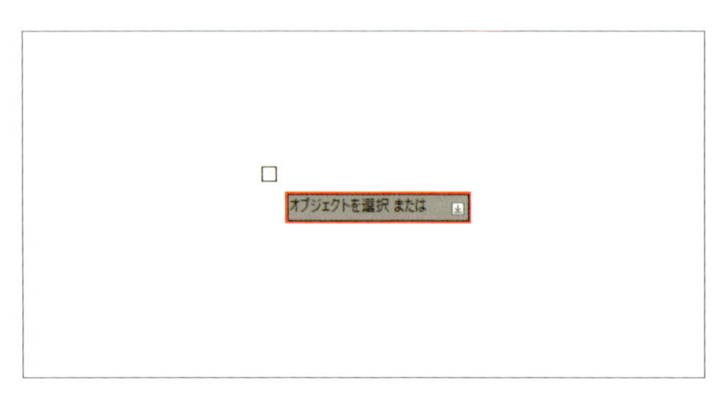

2 プロンプトを確認する

プロンプトに「トリムするオブジェクトを選択…」と表示された場合は、そのまま手順3に進みます。「オブジェクトを選択 または」と表示された場合は、すべての図形を切り取りの基準線(切り取りエッジ)とするため、Enterキーを押します。

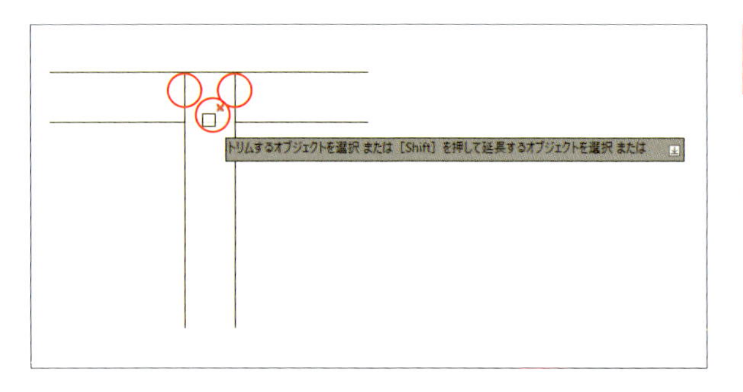

3 削除する箇所を指定する

線分の削除する箇所をクリックすると、線分の一部が削除されます。合計3箇所削除したら、Enterキーを押してコマンドを終了します。

24 任意の線まで図形の一部をまとめて切り取る

[フェンス]オプションを使うことによって、フェンス線分上を通る図形を選択し、まとめて切り取りをすることができます。

サンプルファイル 2-24.dwg　コマンド TRIM　ショートカットキー TR

完成図

線分の斜線から上を削除します。

[トリム]コマンドで[フェンス]を利用する

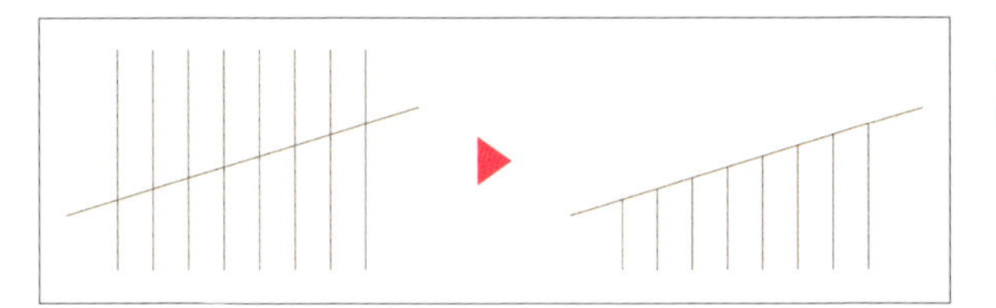

1 [トリム]コマンドを実行する

[ホーム]タブ→[修正]パネルの[▼]→[トリム]をクリックします。

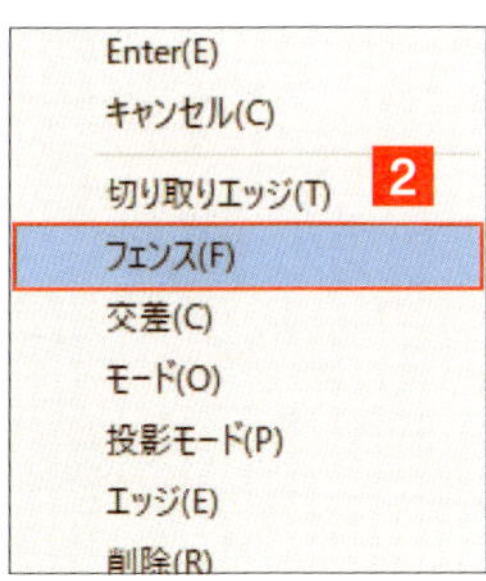

2 プロンプトを確認する

プロンプトに「トリムするオブジェクトを選択…」と表示された場合は、そのまま手順3に進みます。「オブジェクトを選択 または」と表示された場合は、すべての図形を切り取りの基準線（切り取りエッジ）とするため、Enterキーを押します1。続けて、作図領域で右クリックし、メニューから［フェンス］を選択します2。

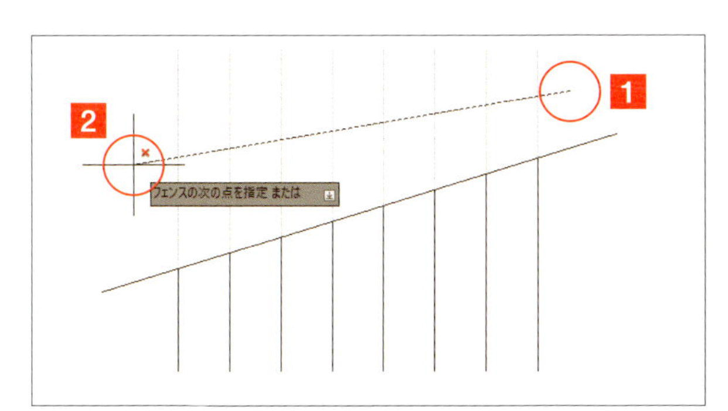

3 削除する箇所を指定する

線分の上の部分を通るように2点をクリックします1、2。フェンス線分が続いている場合は、Enterキーを押してフェンス選択を終了すると、線分の一部が削除されます。もう一度Enterキーを押してコマンドを終了します。

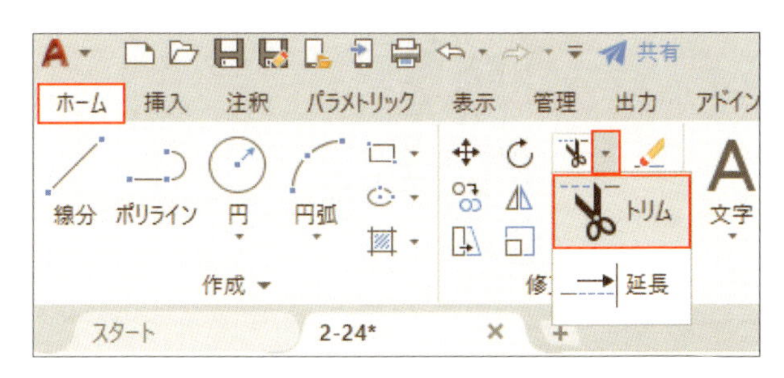

任意の線まで線分を延長する

図形の一部を伸ばすには、[延長]コマンドを利用し、あらかじめ用意した線分やポリラインなどの基準線(境界エッジ)まで図形を延長します。

サンプルファイル 2-25.dwg　コマンド EXTEND　ショートカットキー EX

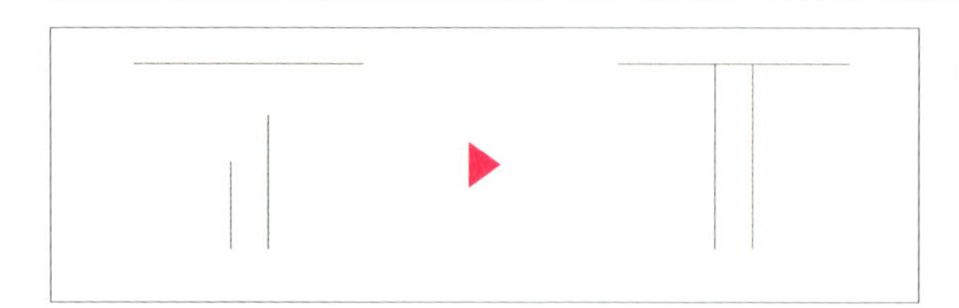

完成図

水平な線分まで、垂直な線分を伸ばします。

[延長]コマンドで境界エッジを選択する

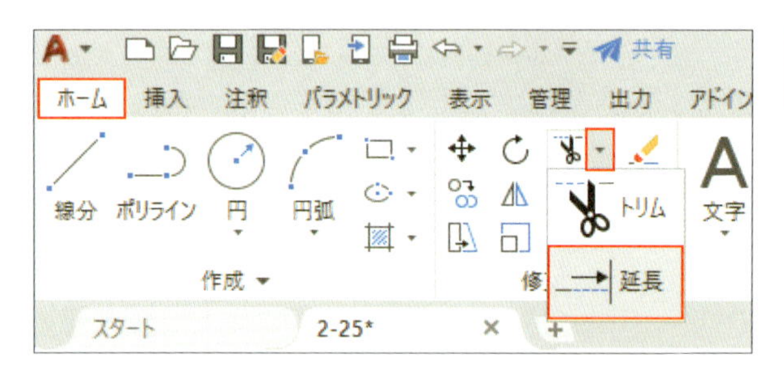

1 [延長]コマンドを実行する

[ホーム] タブ→ [修正] パネルの [▼] → [延長] をクリックします。

2 プロンプトを確認する

プロンプトに「延長するオブジェクトを選択…」と表示された場合は、そのまま手順3に進みます。「オブジェクトを選択 または」と表示された場合は、すべての図形を延長の基準線（境界エッジ）とするため、Enterキーを押します。

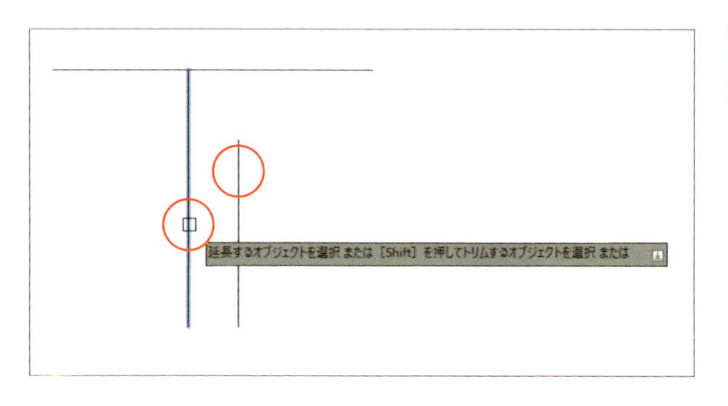

3 延長する箇所を指定する

線分の延長する箇所をクリックすると、線分が延長されます。合計2箇所延長したら、Enterキーを押してコマンドを終了します。

任意の線まで線分をまとめて延長する

[フェンス]オプションを使うことによって、フェンス線分上を通る図形を選択し、まとめて延長することができます。

サンプルファイル 2-26.dwg コマンド EXTEND ショートカットキー EX

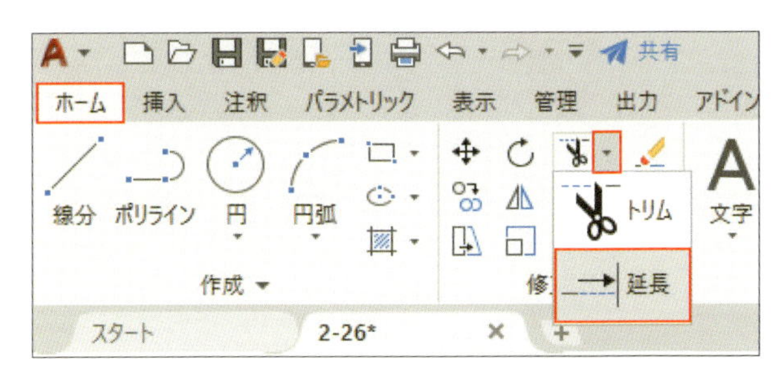

完成図

水平な線分まで垂直な線分を伸ばします。

[延長]コマンドで[フェンス]を利用する

1 [延長]コマンドをする

[ホーム] タブ→ [修正] パネルの [▼] → [延長] をクリックします。

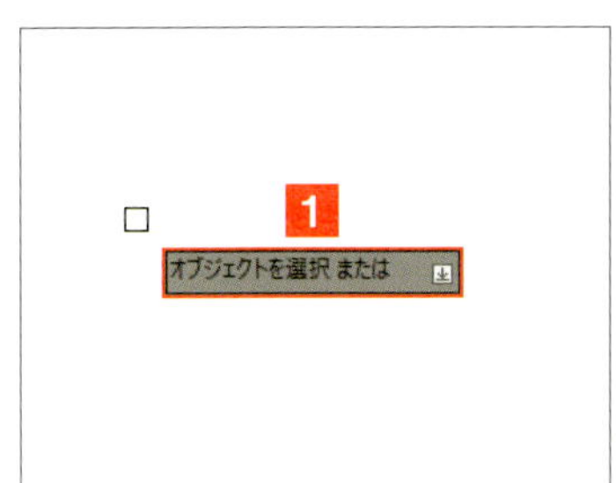

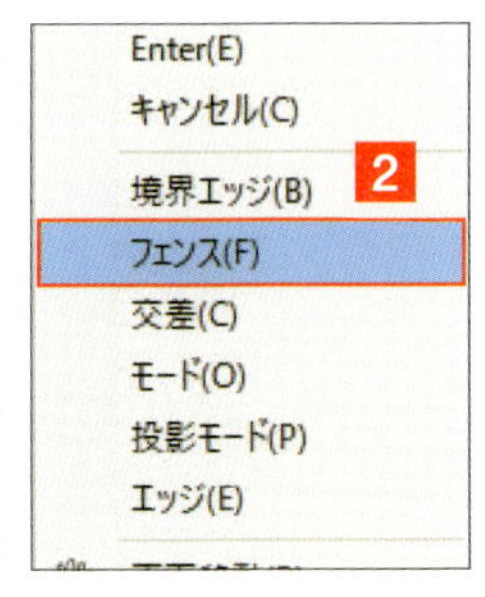

2 プロンプトを確認する

プロンプトに「延長するオブジェクトを選択…」と表示された場合は、そのまま手順3に進みます。「オブジェクトを選択 または」と表示された場合は、すべての図形を延長の基準線（境界エッジ）とするため、Enterキーを押します1。続けて、作図領域で右クリックし、メニューから［フェンス］を選択します2。

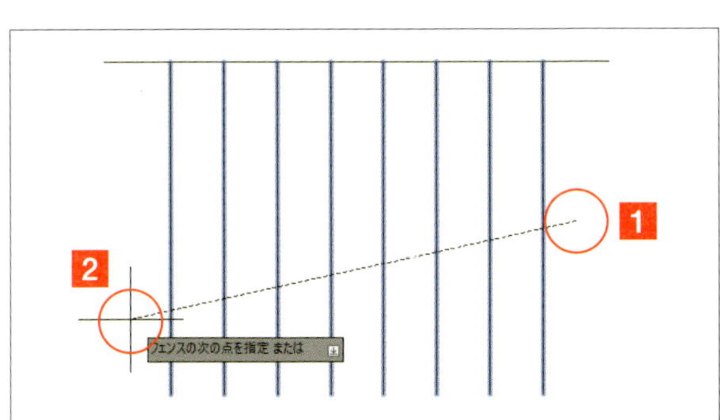

3 延長する箇所を指定する

線分の上の部分を通るように2点をクリックしします1、2。フェンス線分が続いている場合は、Enterキーを押してフェンス選択を終了すると、線分が延長されます。もう一度Enterキーを押してコマンドを終了します。

半径指定で図形の角を丸める

ここでは、[フィレット]コマンドを利用し、図形の角を構成する2本の線を指定して、角を丸めます。半径は、半径オプションを利用して変更します。

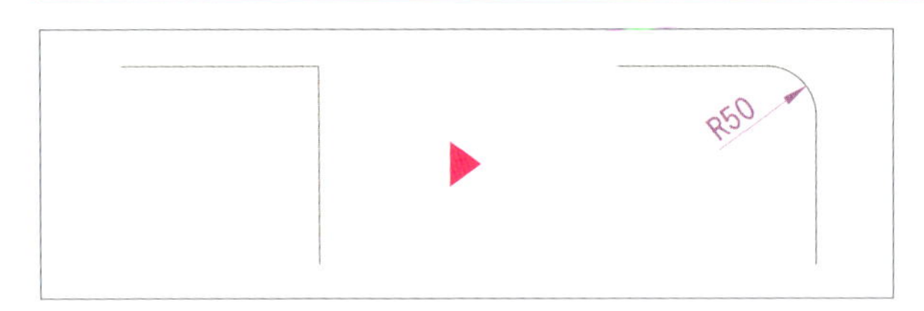

完成図

角を半径50で丸めます。

[フィレット]コマンドで[半径]を利用する

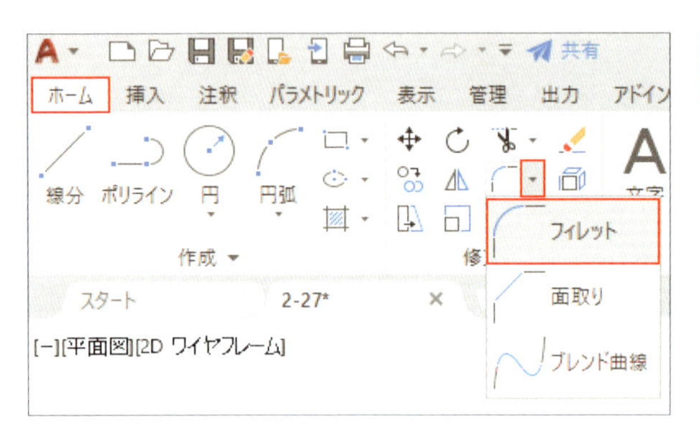

1 [フィレット]コマンドを実行する

[ホーム] タブ→ [修正] パネルの [▼] → [フィレット] をクリックします。

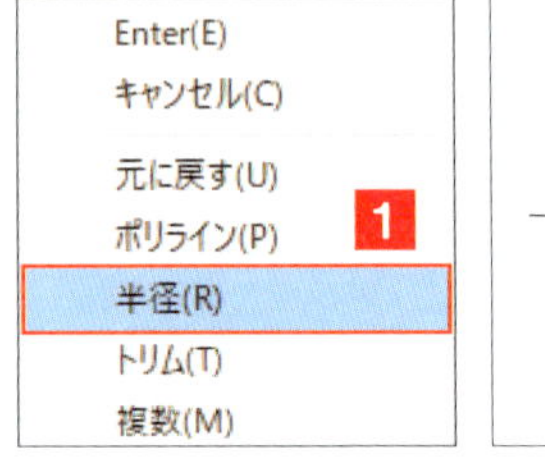

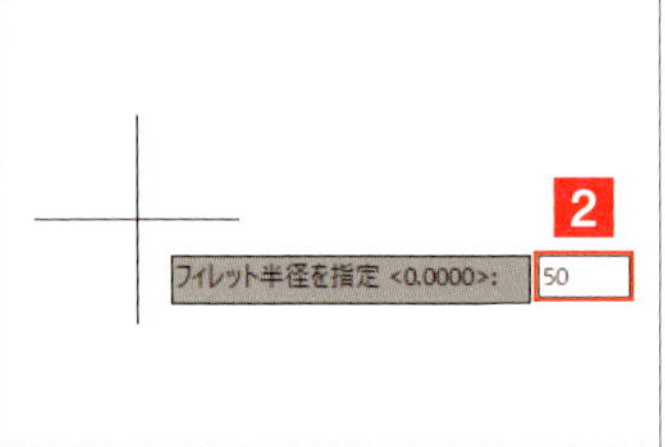

2 [半径]オプションを選択し、半径を指定する

作図領域で右クリックし、メニューから [半径] を選択します1。半径には「50」を入力し、Enterキーを押します2。

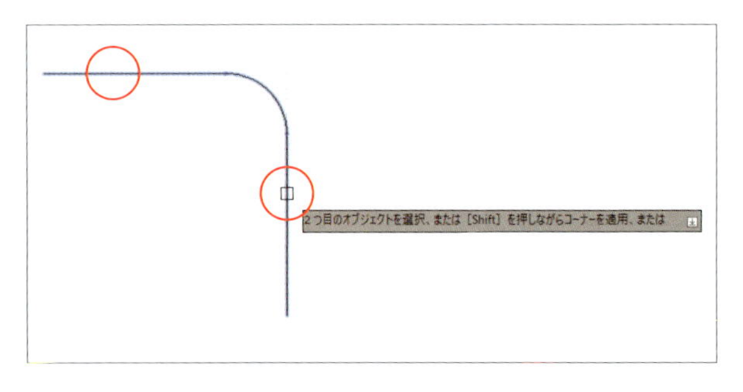

3 角を選択する

角を構成している２本の線分を選択すると、角が半径 50 で丸まります。

28 2本の線分から角を作成する

ここでは、[フィレット]コマンドを利用して2本の線分から角を作ります。2本目の線分の指定でShiftキーを押しながらクリックすると、2本の線分をダイレクトにつなげて角を作ることができます。

サンプルファイル 2-28.dwg　コマンド FILLET　ショートカットキー F

完成図

離れている線分をつなげて角を作ります。

[フィレット]コマンドで線分をクリックする

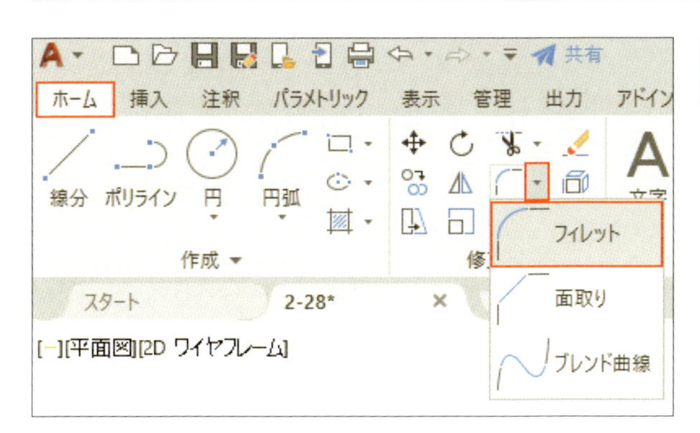

1 [フィレット]コマンドを実行する

[ホーム] タブ→ [修正] パネルの [▼] → [フィレット] をクリックします。

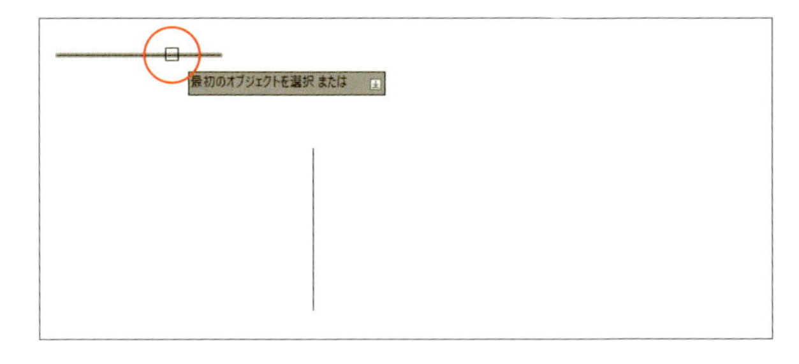

2 最初の線分を選択する

角を構成している 1 本目の線分をクリックして選択します。

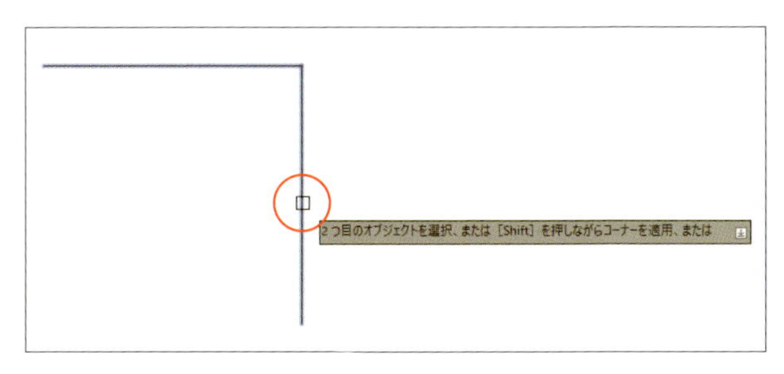

3 2本目の線分を選択する

2 本目の線分は、Shiftキーを押しながらクリックして選択します。角が作成されました。

長さ指定で面取りする

ここでは、図形の角の頂点からの距離を指定して、2本の線分の角を斜めに切り取ります。距離は、[距離]オプションを利用して変更します。

サンプルファイル 2-29.dwg コマンド CHAMFER ショートカットキー CHA

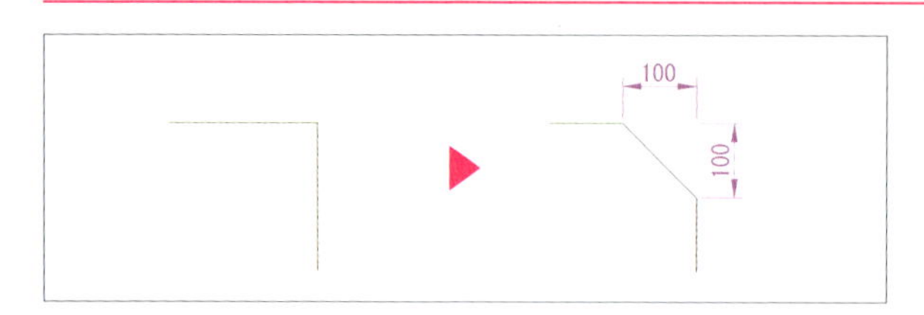

完成図

角の頂点から100の距離で、角を切り取ります。斜線の長さを指定するにはP.136「隅切りの長さを指定して面取りをする」を参照してください。

[面取り]コマンドで[距離]を利用する

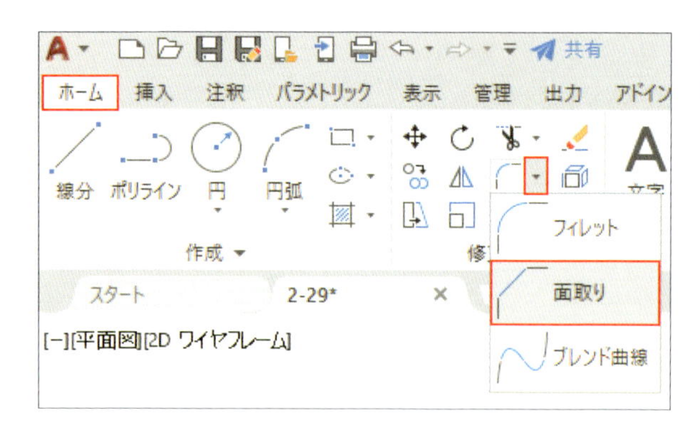

1 [面取り]コマンドを実行する

[ホーム]タブ→[修正]パネルの[▼]→[面取り]をクリックします。

Enter(E)
キャンセル(C)
元に戻す(U)
ポリライン(P)
距離(D)
角度(A)
トリム(T)

2 [距離]オプションを選択し、距離を指定する

作図領域で右クリックし、メニューから[距離]を選択します。1本目の距離には「100」を入力し、Enterキーを押します。2本目の距離にも「100」を入力し、Enterキーを押します。

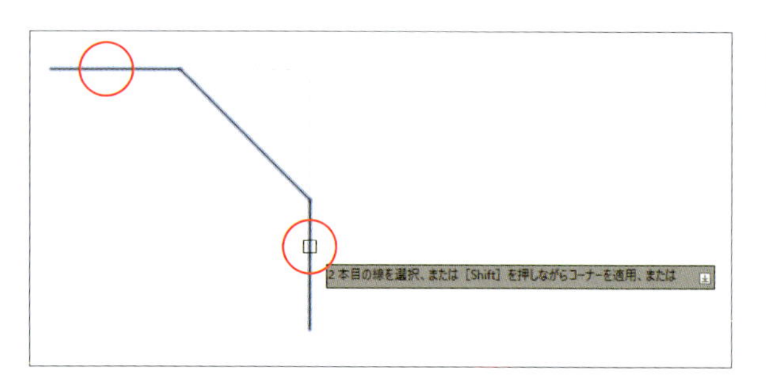

3 角を選択する

角を構成している2本の線分を選択すると、角が距離100で切り取られます。

30 長さと角度指定で面取りする

ここでは、図形の角の頂点からの距離と角度を指定して、2本の線分の角を斜めに切り取ります。距離と角度は、[角度]オプションを利用して変更します。

サンプルファイル 2-30.dwg コマンド CHAMFER ショートカットキー CHA

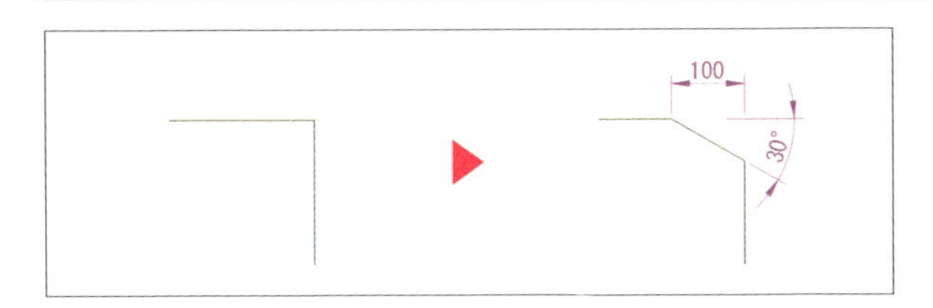

完成図

角の頂点から100の距離、そこから30°で角を切り取ります。

[面取り]コマンドで[角度]を利用する

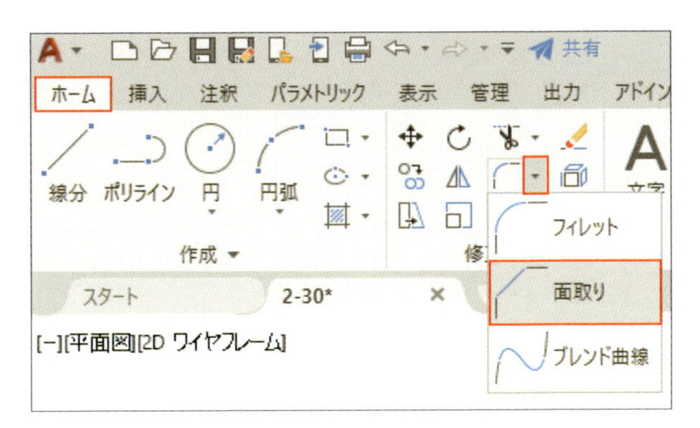

1 [面取り]コマンドを実行する

[ホーム]タブ→[修正]パネルの[▼]→[面取り]をクリックします。

Enter(E)
キャンセル(C)
元に戻す(U)
ポリライン(P)
距離(D)
角度(A)
トリム(T)

2 [角度]オプションを選択し、距離と角度を指定する

作図領域で右クリックし、メニューから[角度]を選択します。距離には「100」を入力して Enter キーを、角度には「30」を入力して Enter キーを押します。

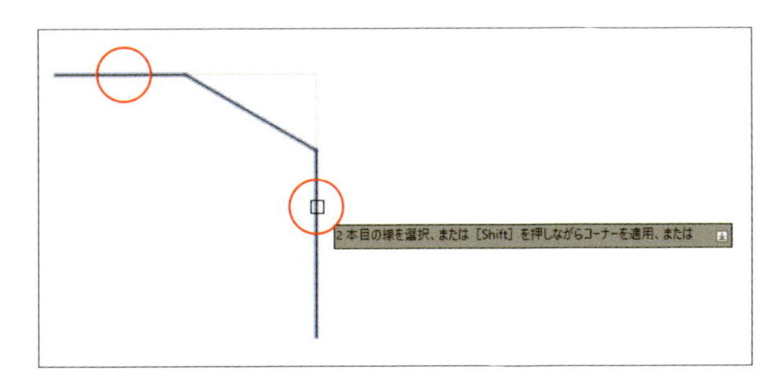

3 角を選択する

角を構成している2本の線分を選択すると、角が距離100の30°で切り取られます。

隅切りの長さを指定して面取りをする

図形の角を斜めに切り取るには[面取り]コマンドを使いますが、斜線の長さを指定することはできません。適当な長さで角を作成し、[尺度変更]コマンドを利用すれば斜線の長さを変更できます。

サンプルファイル 2-31.dwg コマンド SCALE ショートカットキー SC

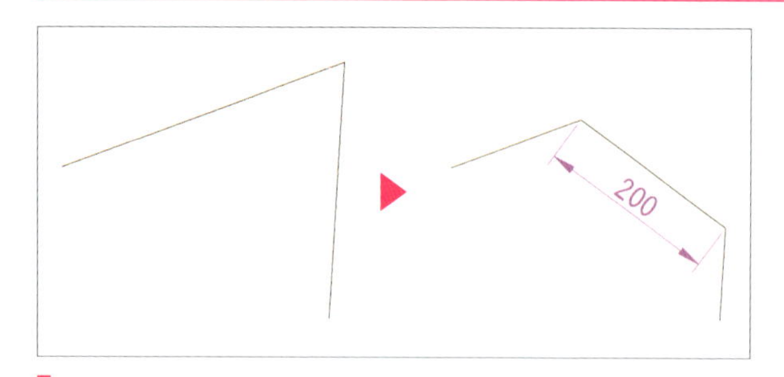

完成図

斜線の長さが200になるように、角を切り取ります。

[尺度変更]コマンドで[参照]を利用する

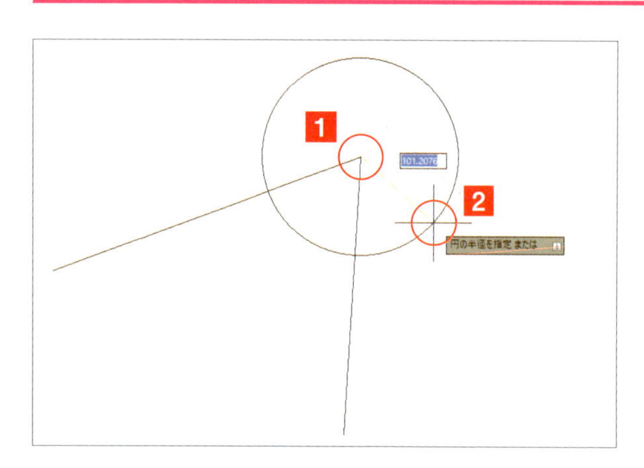

1 円を作成する

[ホーム] タブ→ [作成] パネルの [円▼] → [中心、半径]をクリックします。オブジェクトスナップで、中心として角の端点を指定して1、半径は任意点をクリックします2。

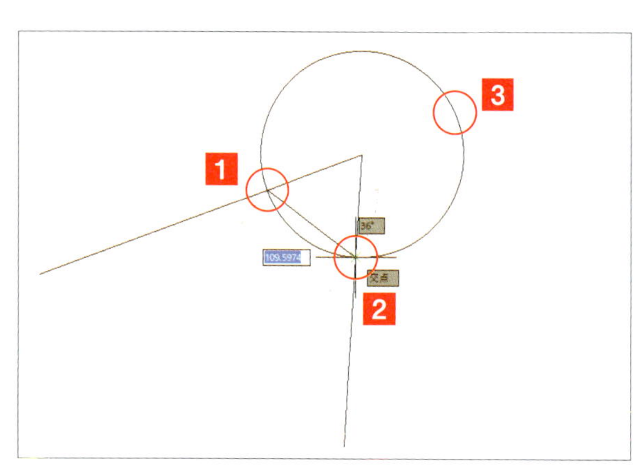

2 線分を作成し、円を削除する

[ホーム] タブ→ [作成] パネルの [線分] をクリックし、円と線分の交点2点1、2で線分を作成します。作成した円は、[ホーム] タブ→ [修正] パネルの [削除] コマンドを使って削除します3。

3 ［尺度変更］コマンドを実行し、図形を選択する

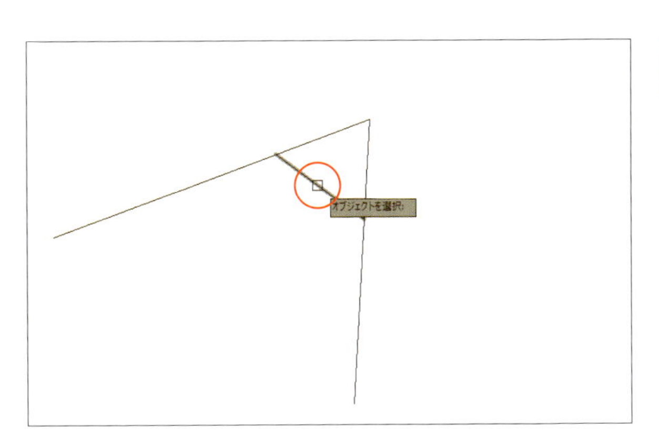

［ホーム］タブ→［修正］パネルの［尺度変更］をクリックし、作成した線分を選択して Enter キーを押します。

4 基点を選択し、［参照］オプションを指定する

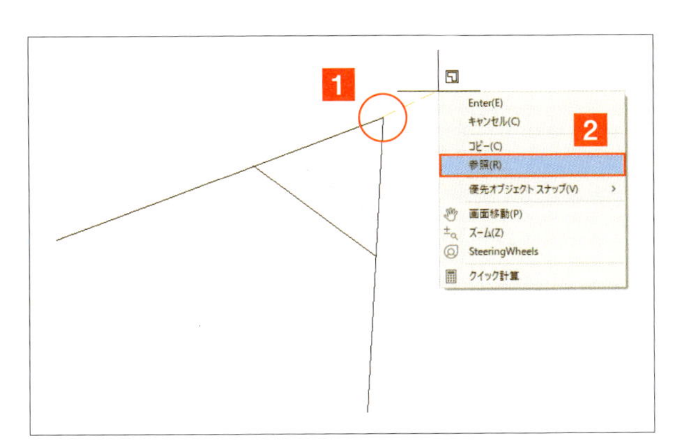

基点として、角の頂点をクリックして指定します1。そのまま右クリックして、メニューから［参照］を選択します2。

5 参照する長さを指定する

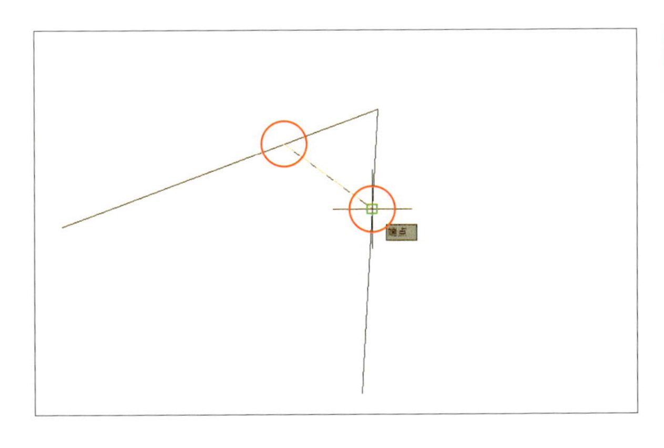

参照する長さとして、作成した線分の端点を2点指定します。

6 新しい長さを指定する

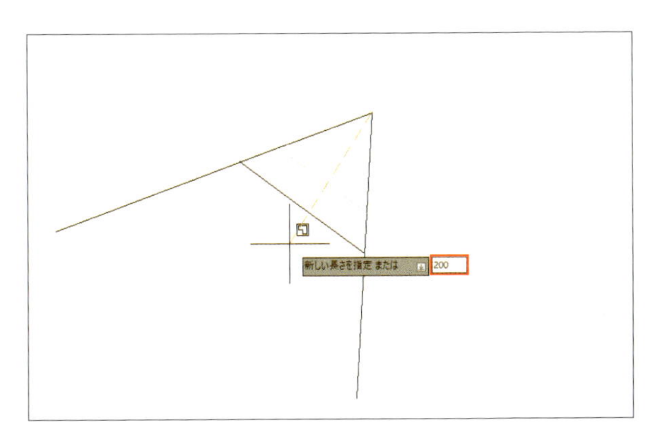

新しい長さとして「200」を入力し、Enter キーを押します。線分の長さが200となります。最後に［トリム］コマンドで必要のない部分を削除してください（P.128参照）。

SECTION 32 一定の間隔で図形を複写する

ここでは、XYの距離を指定し、一定の間隔で図形を複写してグループ化します。グループ化された図形の1つを選択したい場合は、Ctrlキーを押しながら図形をクリックしてください。

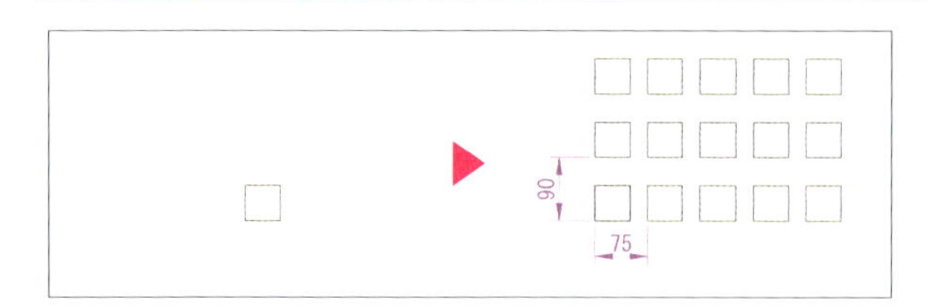

完成図

横に75の間隔で5つ、縦に90の間隔で3つに、図形を並べて複写します。

［矩形状配列複写］コマンドを利用する

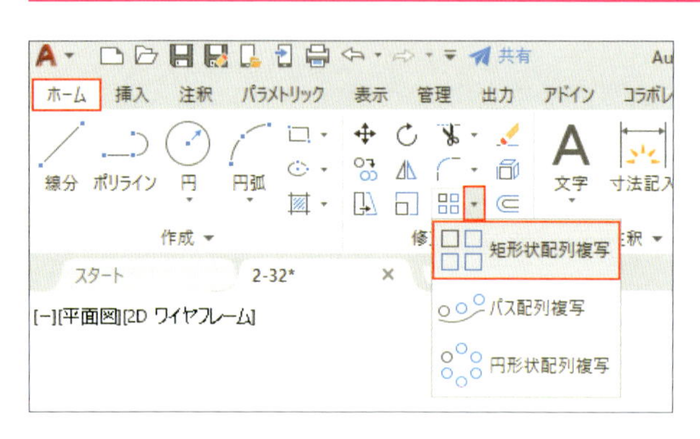

1 ［矩形状配列複写］コマンドを実行する

［ホーム］タブ→［修正］パネルの［▼］→［矩形状配列複写］をクリックします。

2 複写する図形を選択する

正方形のポリラインを選択し、Enterキーを押して選択を確定します。

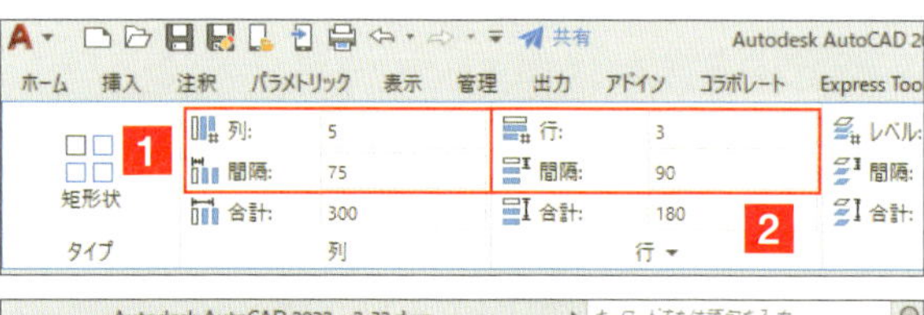

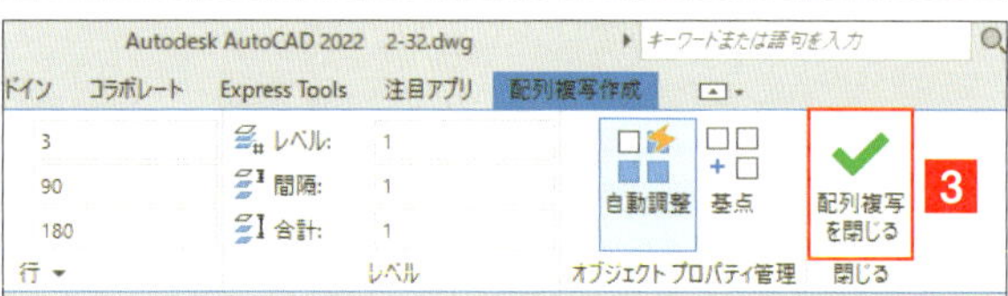

3 列と行の間隔と個数を指定する

リボンに［配列複写作成］タブが表示されるので、以下の指定をします。

・［列数］を「5」、［列の間隔］を「75」1
・［行数］を「3」、［行の間隔］を「90」2

最後に［配列複写を閉じる］を選択すると3、四角形が一定間隔で複写されます。

33 曲線に沿って図形を配置する

ここでは、ポリラインなどの図形に沿って図形を複写してグループ化します。グループ化された図形の1つを選択したい場合は、Ctrlキーを押しながら図形をクリックしてください。

サンプルファイル 2-33.dwg　コマンド ARRAYPATH　ショートカットキー AR

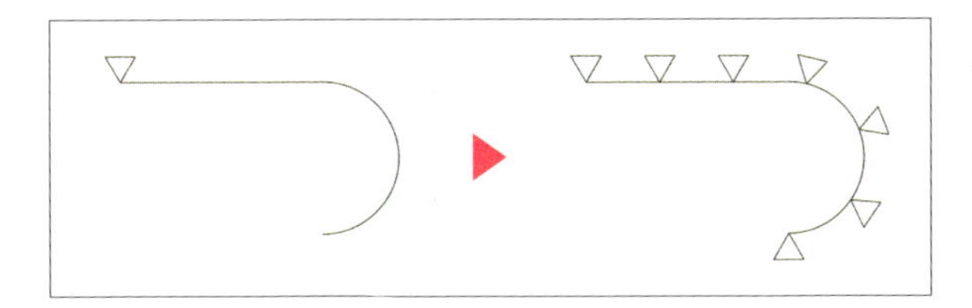

完成図

ポリラインに沿って回転させながら図形を7つ等間隔に配置します。

[パス配列複写]コマンドを利用する

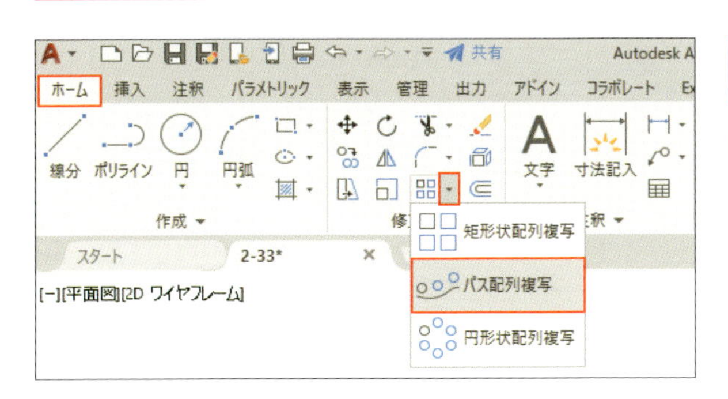

1 [パス配列複写]コマンドを実行する

[ホーム] タブ→ [修正] パネルの [▼] → [パス配列複写] をクリックします。

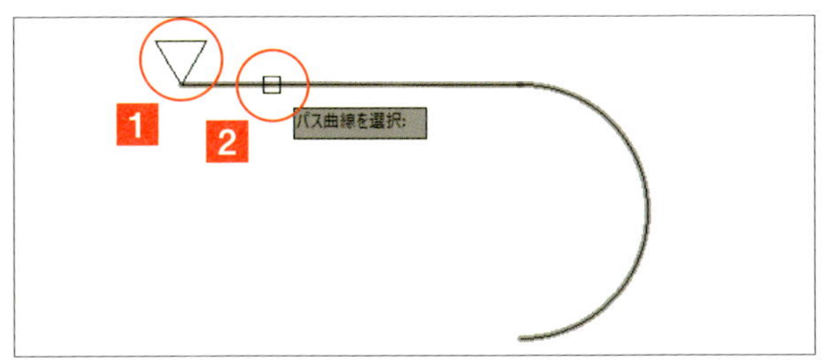

2 複写する図形とパスの図形を選択する

複写する図形として、三角形のポリラインを選択し、Enterキーを押して選択を確定します1。次に、パスの図形としてポリラインを選択します2。

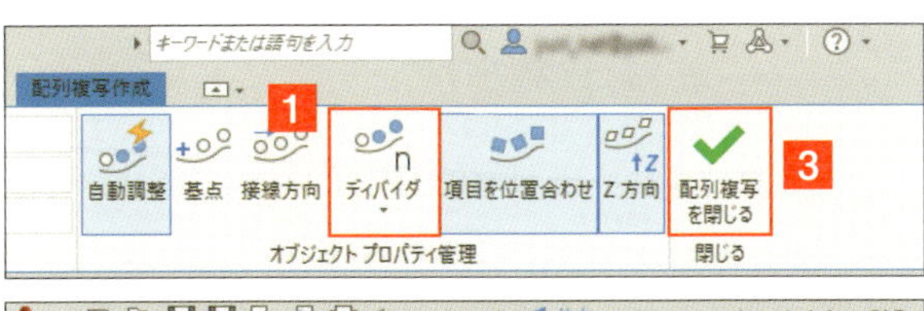

3 方式と個数を指定する

リボンに [配列複写作成] タブが表示されるので、[オブジェクトプロパティ管理] パネルの [メジャー▼] をクリックして、[ディバイダ] (等間隔配列) に指定します1。[項目] パネルの [項目] に 「7」 を入力し2、最後に [配列複写を閉じる] を選択すると3、三角形が一定間隔で複写されます。

一定の角度で図形を回転複写する

ここでは、中心点を指定し、一定の角度で図形を複写してグループ化します。グループ化された図形の1つを選択したい場合は、Ctrlキーを押しながらクリックしてください。

サンプルファイル 2-34.dwg　コマンド ARRAYPOLAR　ショートカットキー AR

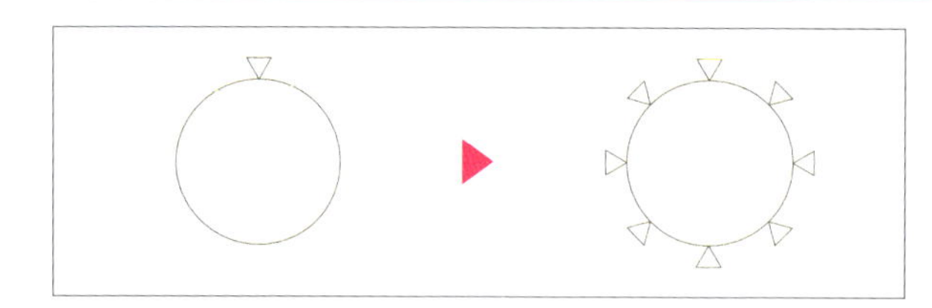

完成図

中心点を指定し、回転させながら図形を8つ複写します。

［円形状配列複写］コマンドを利用する

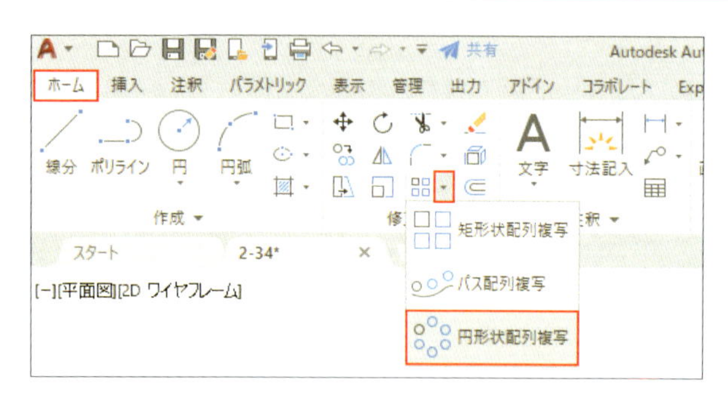

1 ［円形状配列複写］コマンドを実行する

［ホーム］タブ→［修正］パネルの［▼］→［円形状配列複写］をクリックします。

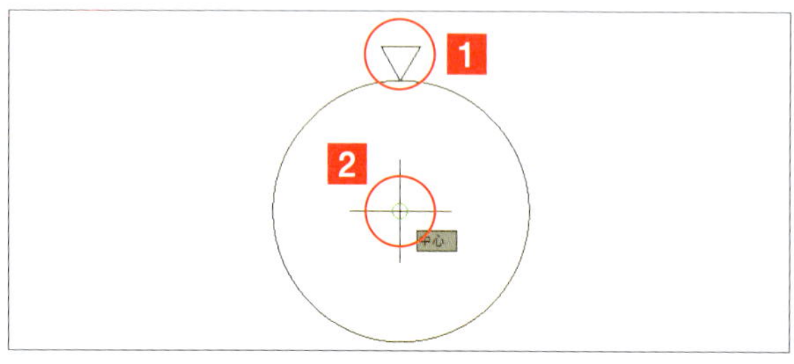

2 複写する図形と配列の中心を選択する

複写する図形として、三角形のポリラインを選択し、Enterキーを押して選択を確定します1。次にオブジェクトスナップで、中心として円の中心点を指定します2。

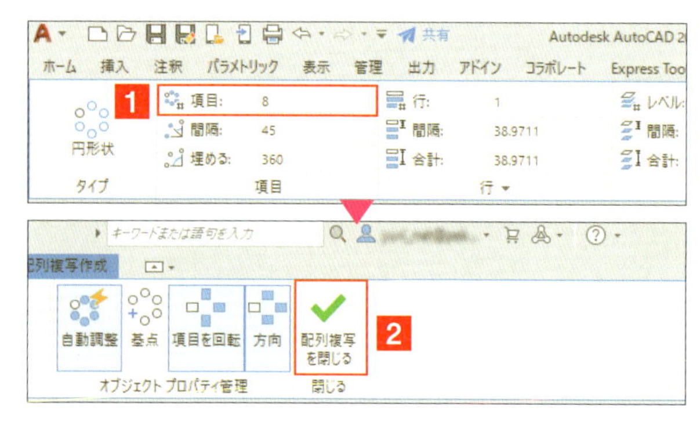

3 個数を指定する

リボンに［配列複写作成］タブが表示されるので、［項目数］に「8」を入力し1、最後に［配列複写を閉じる］を選択すると2、三角形が一定間隔で複写されます。

35 図形を削除する

ここでは、窓選択や交差選択を利用して図形を削除します。削除は図形を選択してから Delete キーを押すことでも実行できます。図形の一部を削除するには、[トリム]コマンドや[部分削除]コマンドを使用してください。

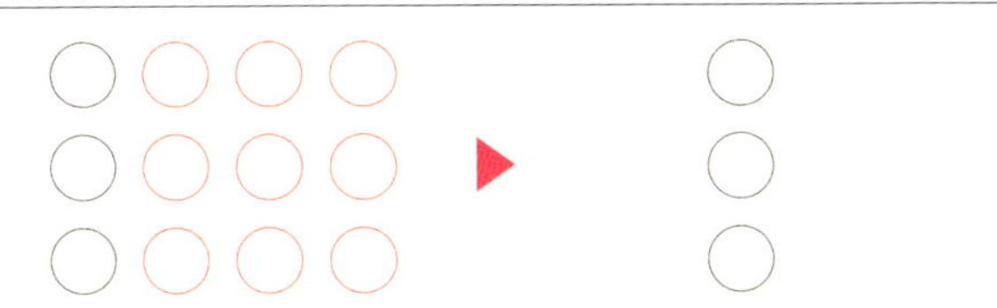

完成図

赤い円を削除します。

[削除]コマンドを利用する

1 [削除]コマンドを実行する

[ホーム]タブ→[修正]パネルの[削除]をクリックします。

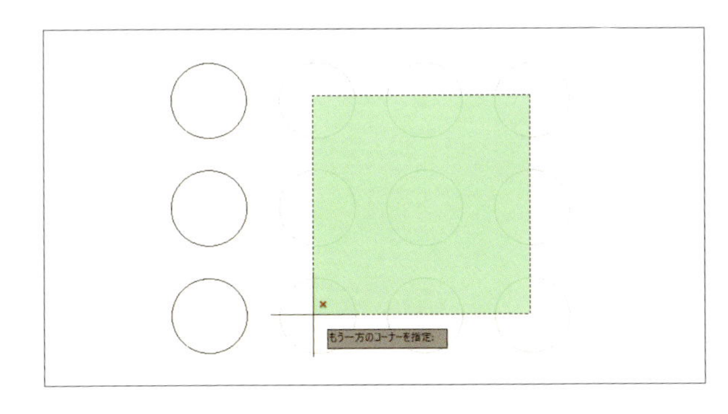

2 削除する図形を選択する

交差選択などで赤い円を9つ選択し、Enter キーで選択を確定します。

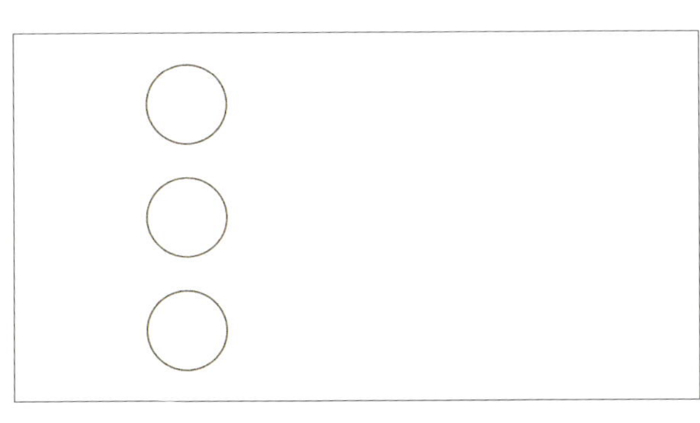

3 削除される

赤い円が削除され、黒い円が3つ残ります。

ポリラインやハッチングを分解する

[分解]コマンドを利用すると、ポリラインやハッチング、マルチテキストなどの複合図形を個々の要素に分解できます。ポリラインは線分と円弧に、ハッチングは線分に、マルチテキストは文字などに分解されます。

サンプルファイル 2-36.dwg **コマンド** EXPLODE **ショートカットキー** X

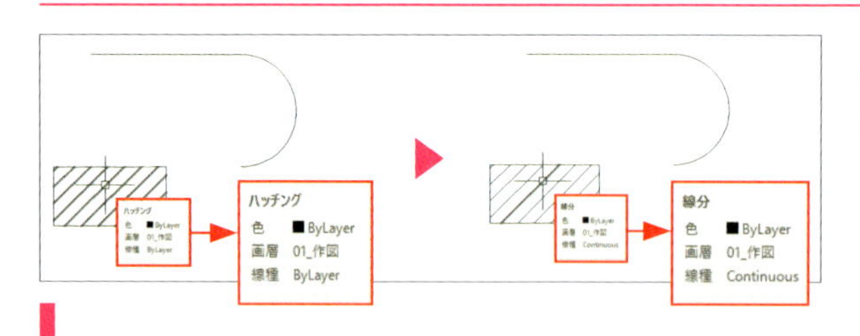

完成図

ハッチングを線分に分解します。

[分解]コマンドを利用する

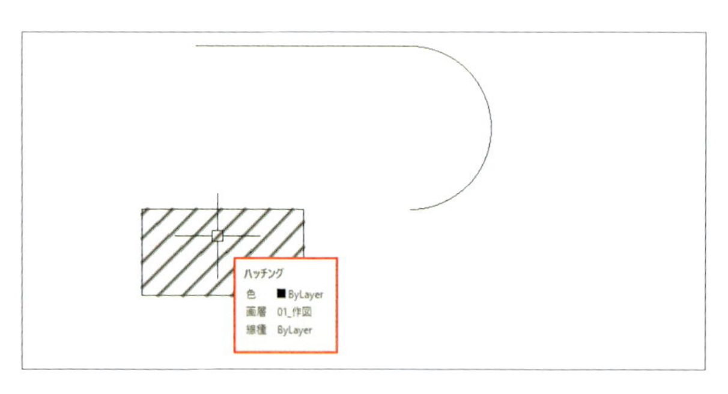

1 ポリラインとハッチングであることを確認する

図形にマウスカーソルを近付けて、ロールオーバーツールチップを表示し、ポリラインとハッチングであることを確認します。

2 [分解]コマンドを実行する

[ホーム]タブ→[修正]パネルの[分解]をクリックします。

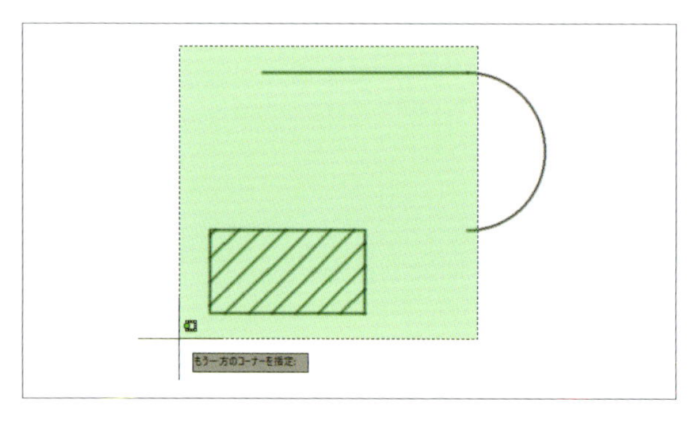

3 分解する図形を選択する

ポリラインとハッチングを選択し、Enterキーを押して図形の選択を確定します。図形が分解され、線分や円弧になったことを確認してください。

距離指定で線分をオフセットする

[オフセット]コマンドを利用すると、線分や円弧、ポリラインを平行に複写できます。連続した線分をオフセット(平行に複写)する場合には、あらかじめポリラインに結合しておくと、まとめてオフセットできます。

サンプルファイル 2-37.dwg　コマンド OFFSET　ショートカットキー O

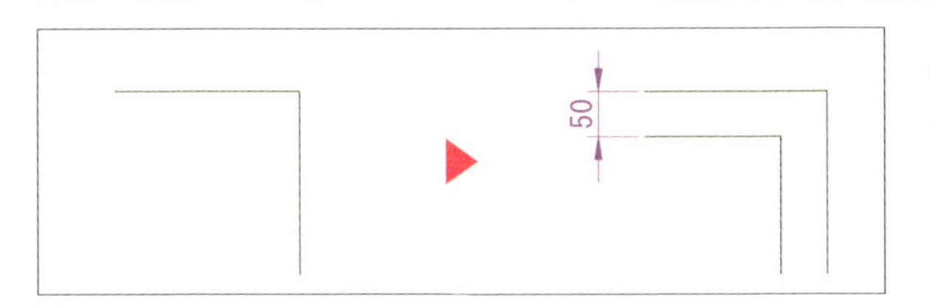

完成図

ポリラインを50の距離で平行複写します。

[オフセット]コマンドを利用する

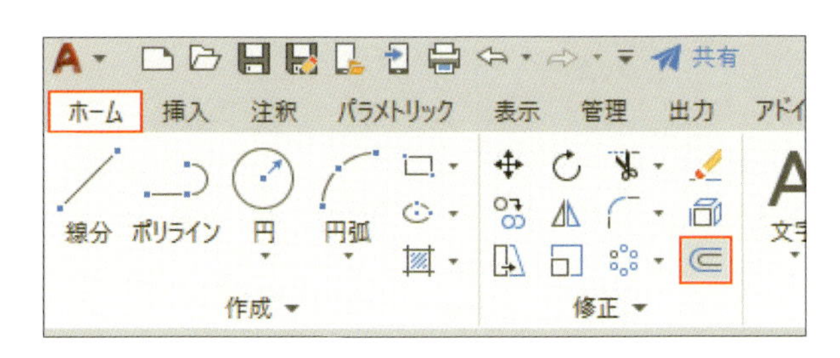

1 [オフセット]コマンドを実行する

[ホーム] タブ→ [修正] パネルの [オフセット] をクリックします。

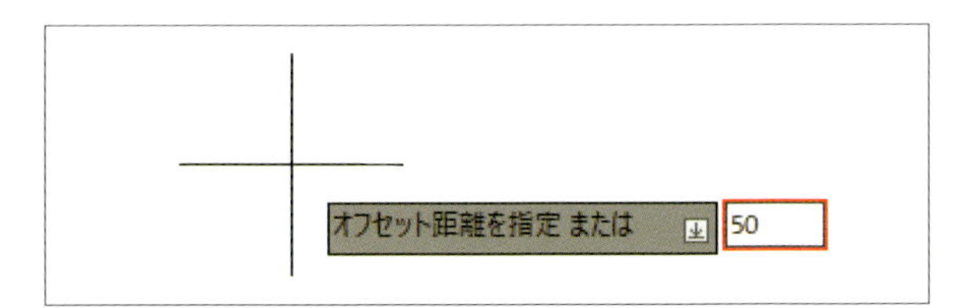

2 オフセット距離を指定する

オフセット距離に「50」を入力し、Enterキーを押します。

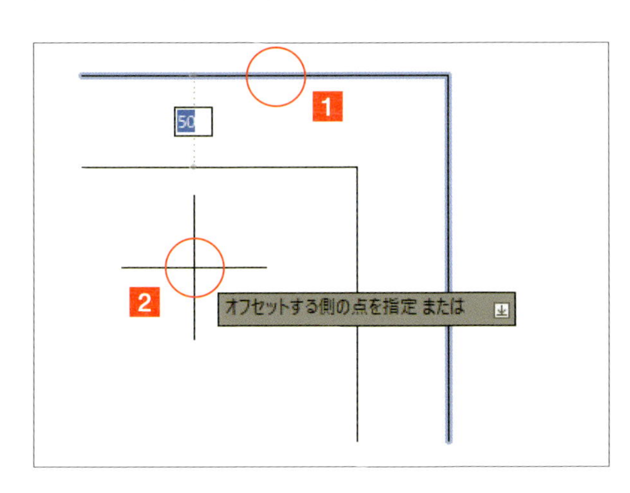

3 オフセットする図形と方向を指定する

オフセットする図形を選択したら1、オフセットする側の点として、選択した図形の左下の任意点をクリックして指定します2。ポリラインが平行に複写されたのを確認し、Enterキーを押してコマンドを終了します。

点指定で線分をオフセットする

点を指定し、その位置を通るように線分やポリラインを複写することができます。参照できる点がある場合、距離を測ってからオフセットするより効率的です。

サンプルファイル 2-38.dwg　コマンド OFFSET　ショートカットキー O

完成図

指定した点の位置に、線分を平行複写します。

[オフセット]コマンドで[通過点]を利用する

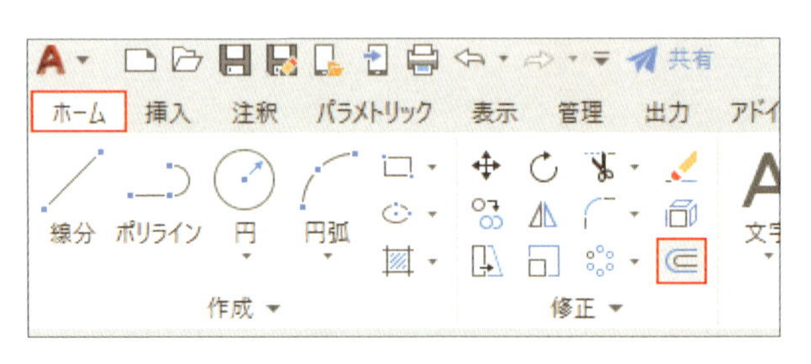

1 [オフセット]コマンドを実行する

[ホーム] タブ→ [修正] パネルの [オフセット] をクリックします。

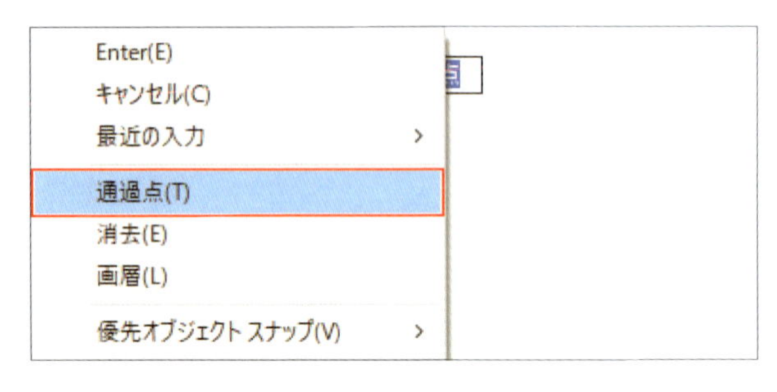

2 [通過点]オプションを選択する

作図領域で右クリックし、メニューから [通過点] を選択します。

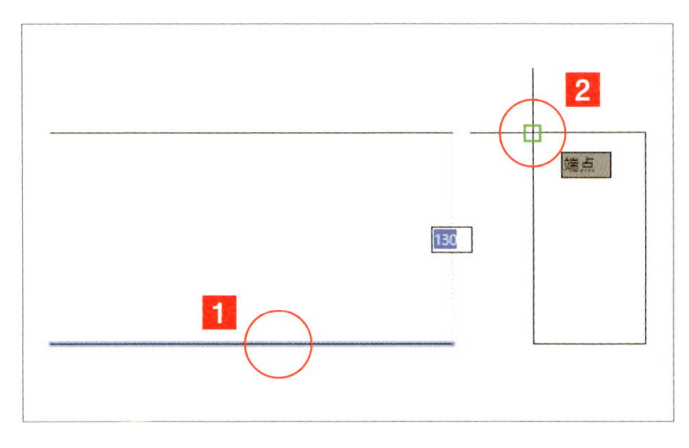

3 オフセットする図形と位置を指定する

オフセットする図形を選択し1、通過点として長方形の左上端点をオブジェクトスナップで指定します2。線分が平行に複写されたのを確認し、Enterキーを押してコマンドを終了します。

現在画層に線分をオフセットする

ここでは、オフセットした線分やポリラインを現在画層にします。あらかじめ、現在画層の指定を行っておく必要があります。通り芯から壁を作る、中心線から外形線を作成する、などの場合に効率的に利用できます。

サンプルファイル 2-39.dwg **コマンド** OFFSET **ショートカットキー** O

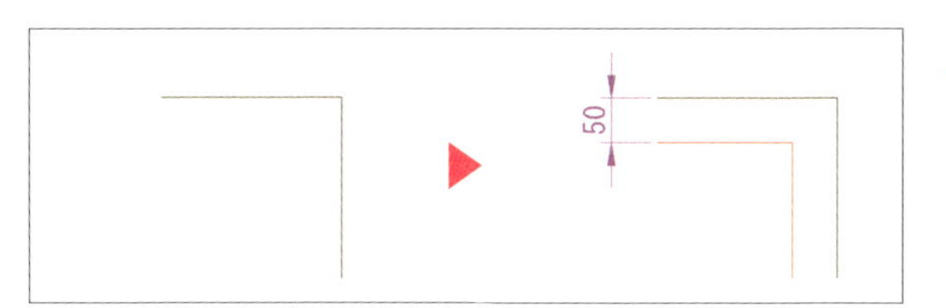

完成図

オフセットしたポリラインを現在画層にします。

[オフセット]コマンドで[画層]を利用する

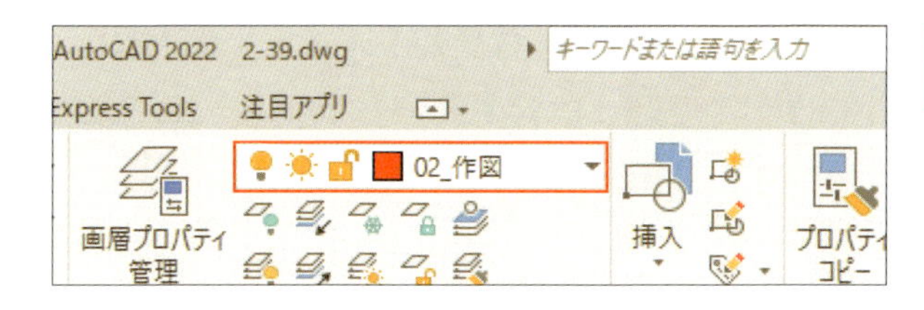

1 現在画層を確認し、[オフセット]コマンドを実行する

現在画層が「02_作図」であることを確認し、[オフセット] コマンドを実行します。画層については P.230 を参照してください。

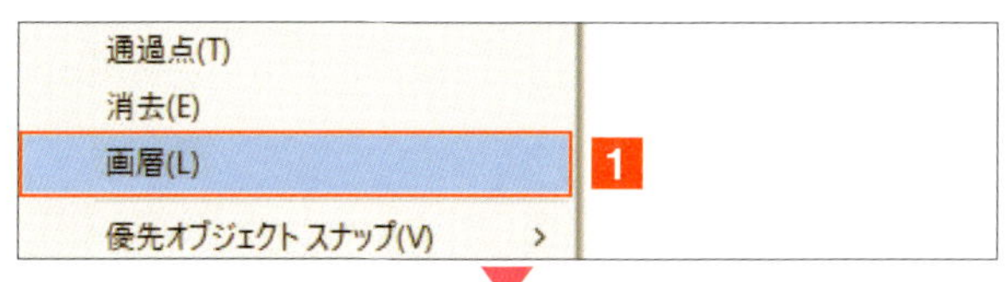

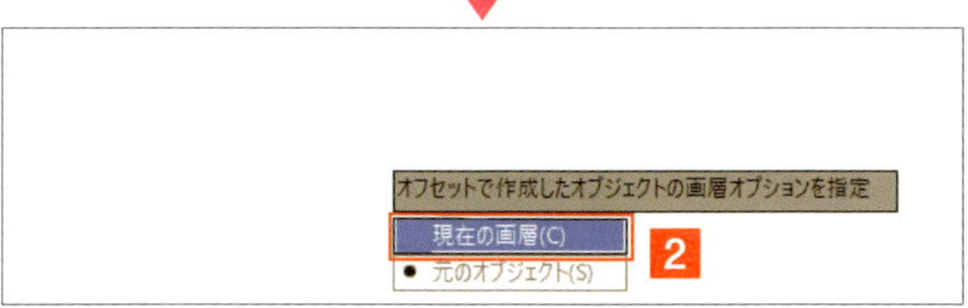

2 [画層]オプションから[現在の画層]を選択する

作図領域で右クリックし、[画層] オプションを選択1、[現在の画層] を選択します2。

3 オフセットする図形と方向を選択する

オフセット距離に「50」を入力し、Enterキーを押します。オフセットする図形を選択したら1、オフセットする側の点をクリックして指定します2。ポリラインが「02_作図」画層に平行に複写されたのを確認し、Enterキーを押してコマンドを終了します。

40 増分指定で図形の長さを変更する

[長さ変更]コマンドを利用すると、任意の長さを指定し、その長さだけ図形を伸ばしたり縮めたりすることができます。長さを縮めるには、増減の長さを－(半角マイナス)で指定します。

サンプルファイル 2-40.dwg コマンド LENGTHEN ショートカットキー LEN

200

完成図

200の距離だけ線分を伸ばします。

[長さ変更]コマンドで[増減]を利用する

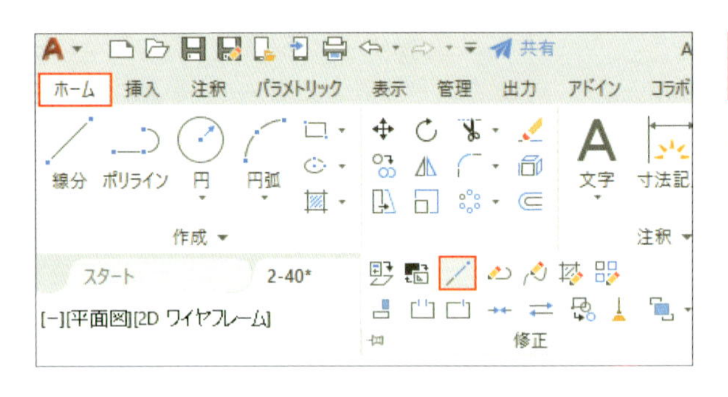

1 [長さ変更]コマンドを実行する

[ホーム]タブ→[修正]パネルの[修正▼]→[長さ変更]をクリックします。

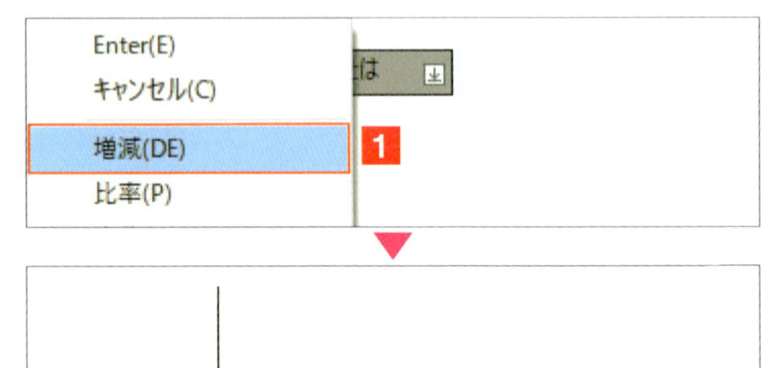

2 [増減]オプションを選択し、長さを入力する

作図領域で右クリックして、[増減]オプションを選択し1、増減の長さに「200」を入力して、Enterキーを押します2。

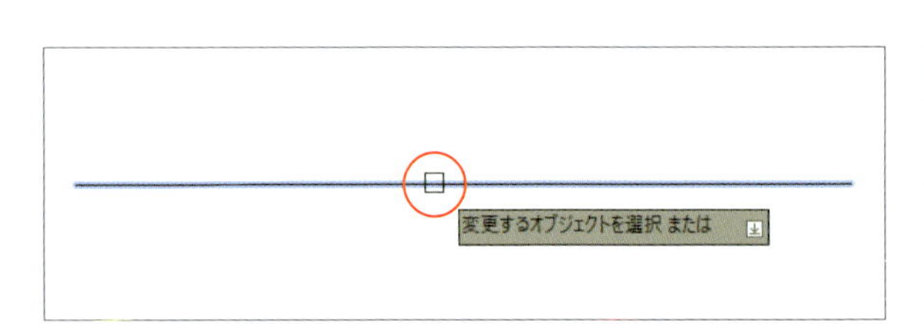

3 図形を選択する

線分の右側をクリックすると、200の長さで延長されます。最後にEnterキーを押してコマンドを終了します。

図形全体の長さを変更する

ここでは、図形全体の長さを任意の長さに変更します。[円弧]コマンドでは、円弧全体の長さを指定して作成することはできないので、円弧を適当に作図したのち、[長さ変更]コマンドで長さを指定します。

サンプルファイル 2-41.dwg **コマンド** LENGTHEN **ショートカットキー** LEN

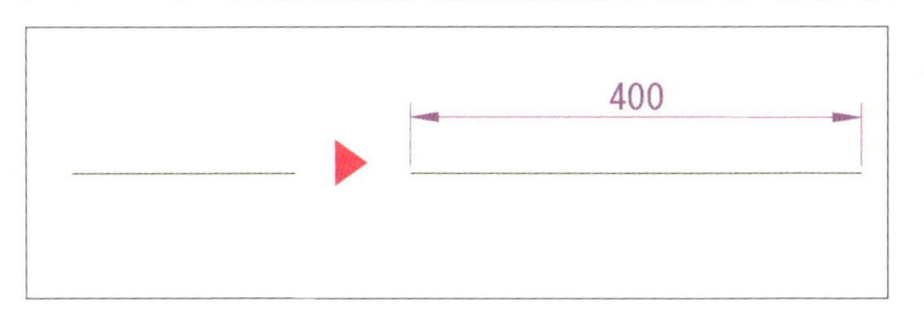

完成図

線分の全体の長さを400にします。

[長さ変更]コマンドで[全体]を利用する

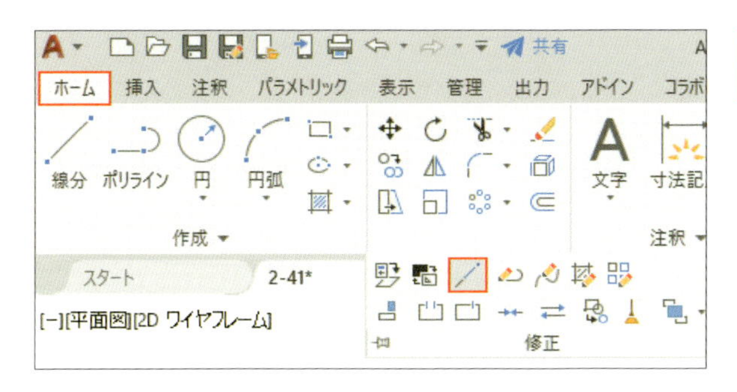

1 [長さ変更]コマンドを実行する

[ホーム] タブ→ [修正] パネルの [修正▼] → [長さ変更] をクリックします。

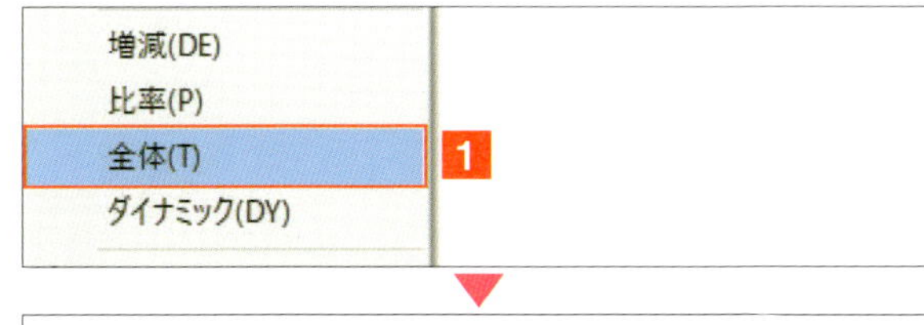

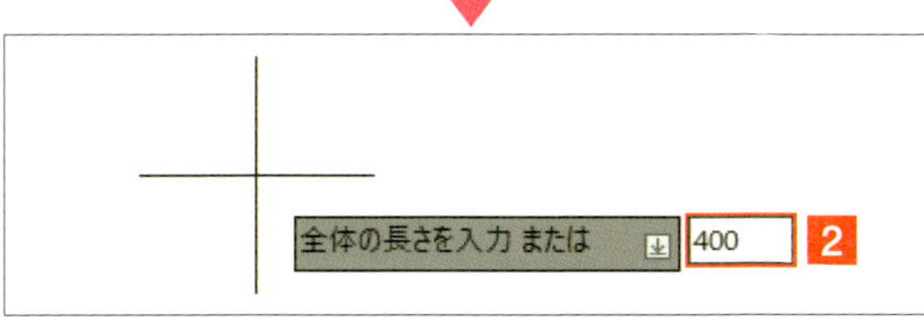

2 [全体]オプションを選択し、長さを入力する

作図領域で右クリックして、[全体] オプションを選択し1、全体の長さに「400」を入力して、Enterキーを押します2。

3 図形を選択する

線分の右側をクリックすると、全体が 400 の長さになるように延長されます。最後にEnterキーを押してコマンドを終了します。

線分や円弧をポリラインにする

ここでは、線分や円弧をつなげてポリラインにします。ポリラインにすることにより、長さや面積を取得することや、まとめてオフセットをすることができます。

サンプルファイル 2-42.dwg　コマンド PEDIT　ショートカットキー PE

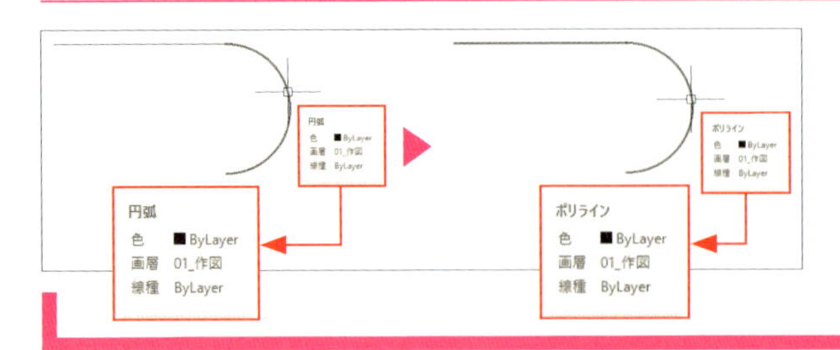

完成図

線分と円弧をつなげてポリラインに変換します。

▶［ポリライン編集］コマンドで［結合］を利用する

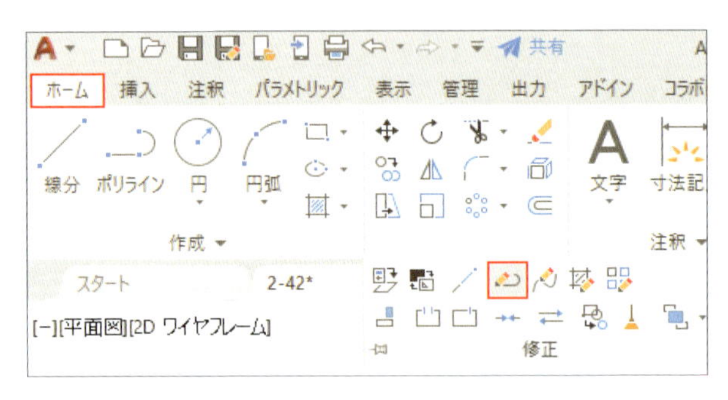

1 ［ポリライン編集］コマンドを実行する

［ホーム］タブ→［修正］パネルの［修正▼］→［ポリライン編集］をクリックします。

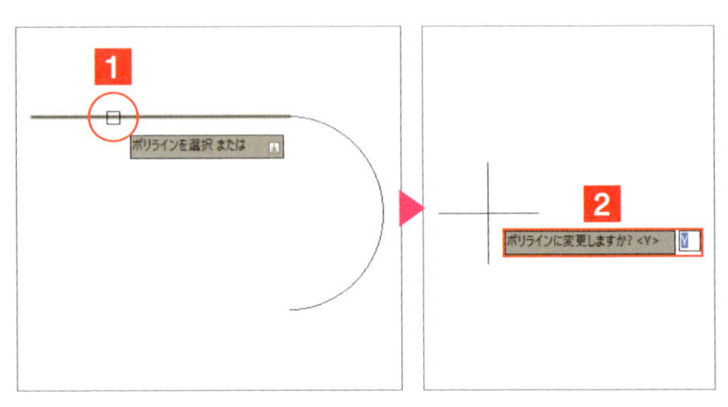

2 図形を選択する

ポリラインにする図形を１つ選択します**1**。「ポリラインに変更しますか？」のメッセージが表示された場合は、「Y」（Yes の意味）のまま Enter キーを押します**2**。

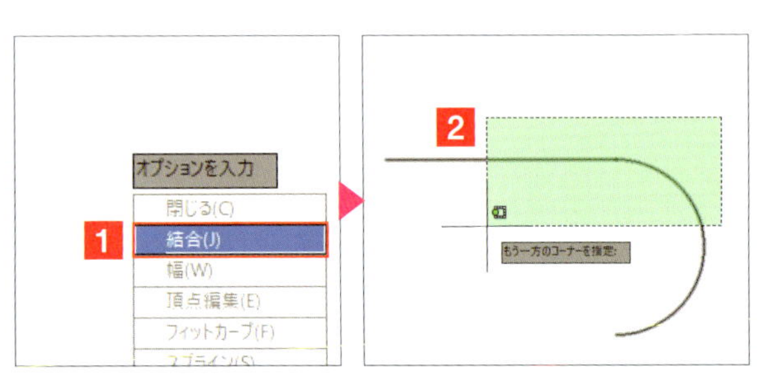

3 ［結合］オプションを選択し、結合する図形を選択する

［結合］を選択し**1**、ポリラインにする図形を選択して**2**、Enter キーを押します。最後に再び Enter キーを押してコマンドを終了すると、線分と円弧が結合されたポリラインに変換されます。

ポリラインを太くする

ここでは、ポリラインに幅を設定し、太く表示します。印刷時の線の太さを指定するには、画層や印刷スタイルで設定を行いますので、図面で強調させたい部分のみに使用してください。

サンプルファイル 2-43.dwg　コマンド PEDIT　ショートカットキー PE

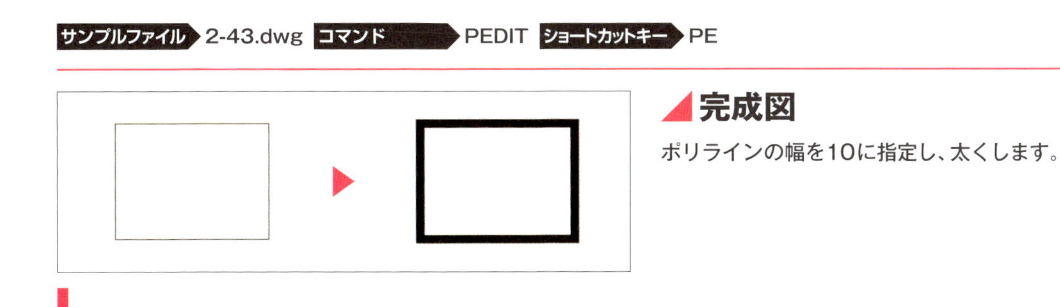

完成図

ポリラインの幅を10に指定し、太くします。

プロパティパレットの［グローバル幅］を設定する

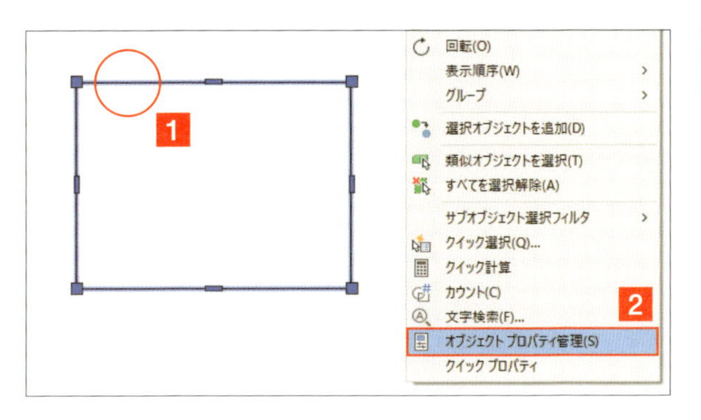

1 プロパティパレットを表示する

ポリラインをクリックして選択したら1、そのまま右クリックし、メニューから［オブジェクトプロパティ管理］を選択すると2、プロパティパレットが表示されます。

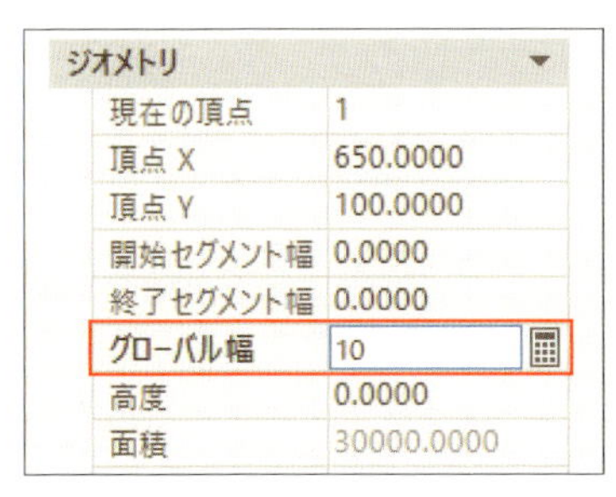

2 幅を設定する

プロパティパレットの［グローバル幅］に「10」を入力し、Enterキーを押します。

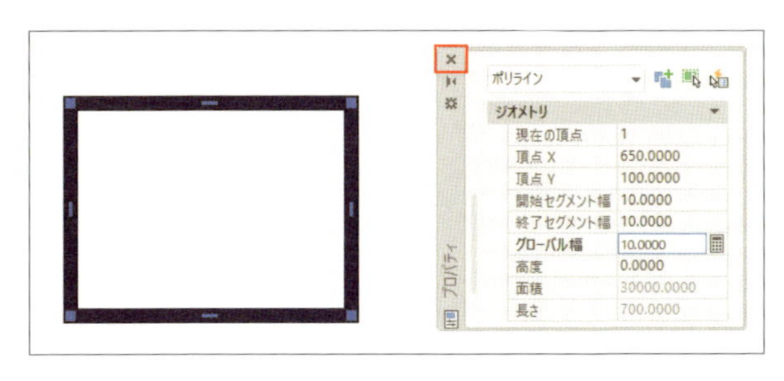

3 幅が適用された

ポリラインの幅が適用され、太く表示されます。プロパティパレットは［×］をクリックして閉じ、Escキーを押してポリラインの選択を解除してください。

ポリラインの始点と終点を反転する

ここでは、図形の始点と終点を入れ替えます。線種に文字が使用されていると、文字が反転してしまう場合があるので、このコマンドで作成方向を反転させてください。

サンプルファイル 2-44.dwg　コマンド REVERSE　ショートカットキー なし

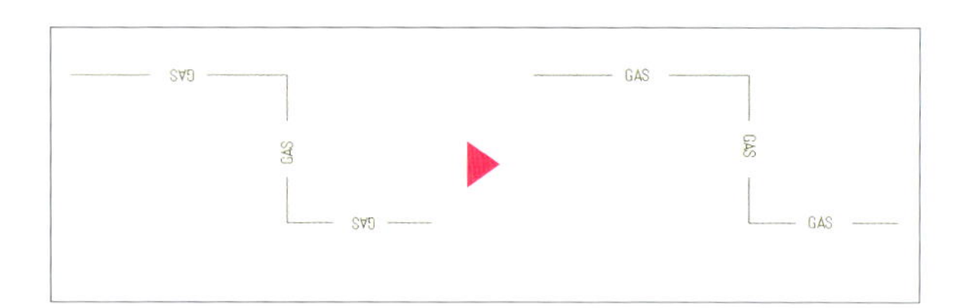

完成図

ポリラインの始点と終点を入れ替え、線種の向きを変更します。

[反転] コマンドを利用する

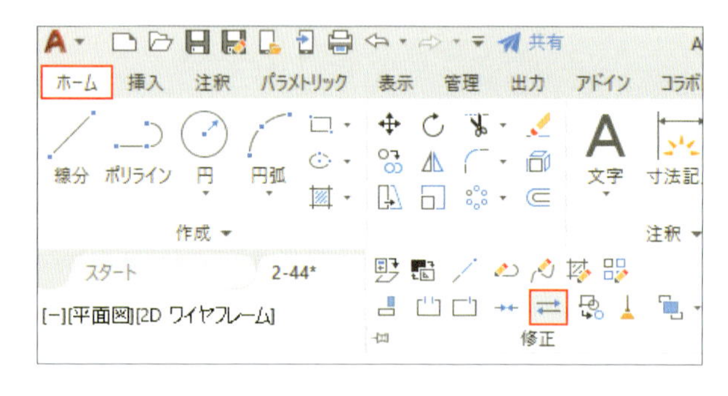

1 [反転] コマンドを実行する

[ホーム] タブ→ [修正] パネルの [修正▼] → [反転] をクリックします。

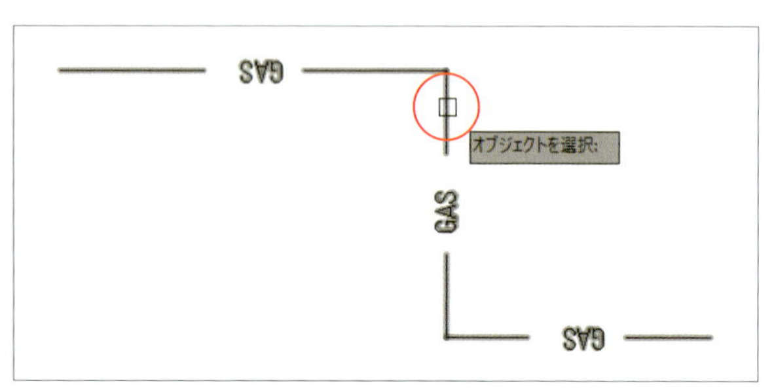

2 図形を選択する

ポリラインを選択し、Enterキーを押して選択を確定します。

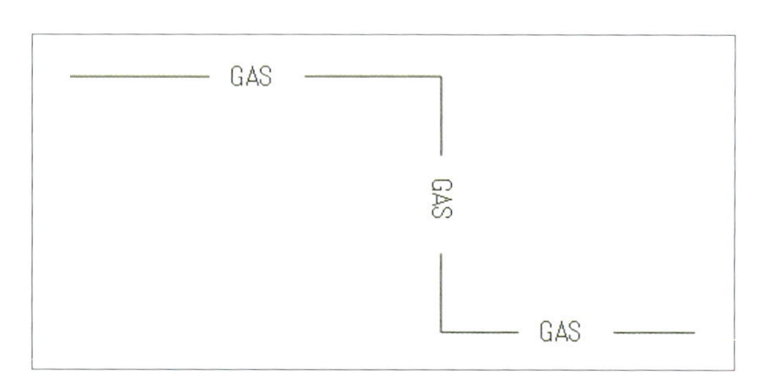

3 反転される

ポリラインの始点と終点が入れ替わり、文字の方向が変わります。

ハッチングの種類や尺度を変更する

ハッチング(領域内に施された一定のパターン)をクリックすると、リボンにハッチングエディタが表示され、さまざまな変更を行うことができます。ここでは、ハッチングのパターンと尺度を変更します。

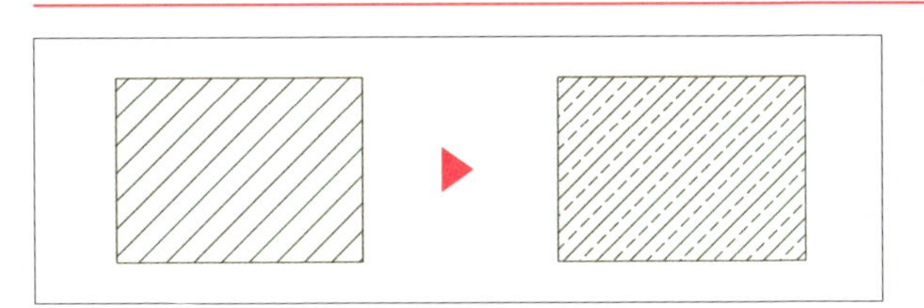

完成図

ハッチングのパターンをANSI33に、尺度を3に変更します。

ハッチングエディタでパターンを変更する

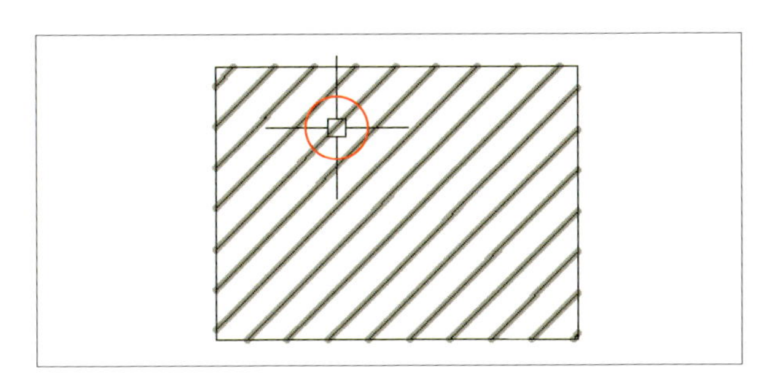

1 ハッチングを選択する

ハッチングをクリックして選択します。リボンに［ハッチングエディタ］タブが表示されます。

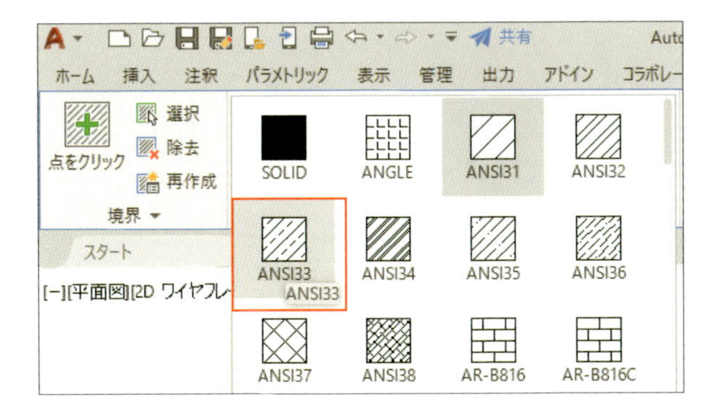

2 パターンを変更する

［パターン］パネルから［ANSI33］を選択します。

3 尺度を変更する

［プロパティ］パネルの［ハッチングパターンの尺度］に「3」を入力し、Enterキーを押すとハッチングに尺度が反映されます。最後にEscキーを押して、ハッチングの選択を解除します。

ハッチングの島の検出を変更する

指定したハッチングの範囲が入れ子になっている場合、1つずつ間をおいてハッチングが作成される場合があります。島の検出方法を変更することにより、指定した部分のみにハッチングを作成することができます。

サンプルファイル 2-46.dwg コマンド HATCHEDIT ショートカットキー HE

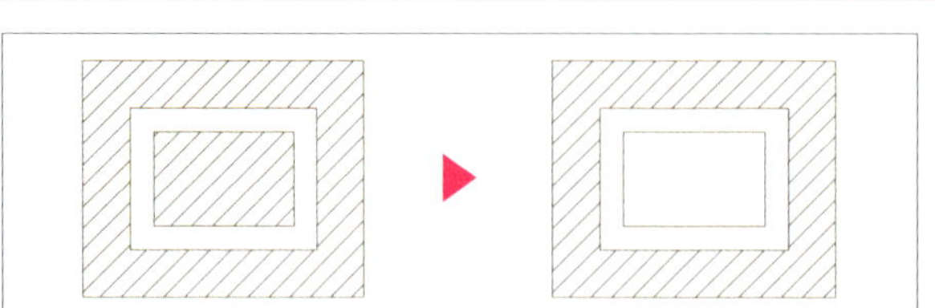

完成図

ハッチングが1つずつ間をおいて作成されてしまった場合、指定した範囲のみに変更します。

ハッチングエディタで［島検出］を選択する

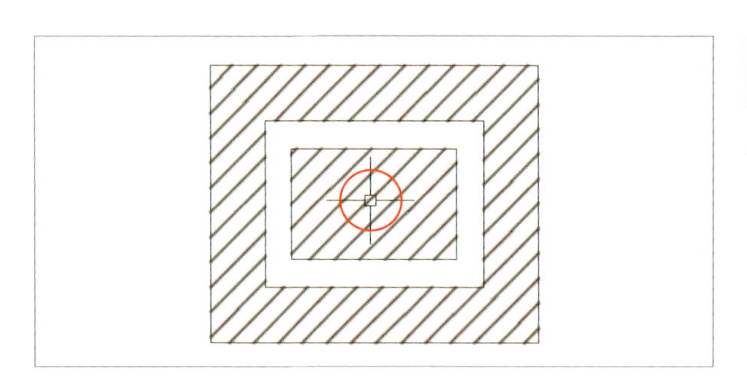

1 ハッチングを選択する

ハッチングをクリックして選択します。リボンに［ハッチングエディタ］タブが表示されます。

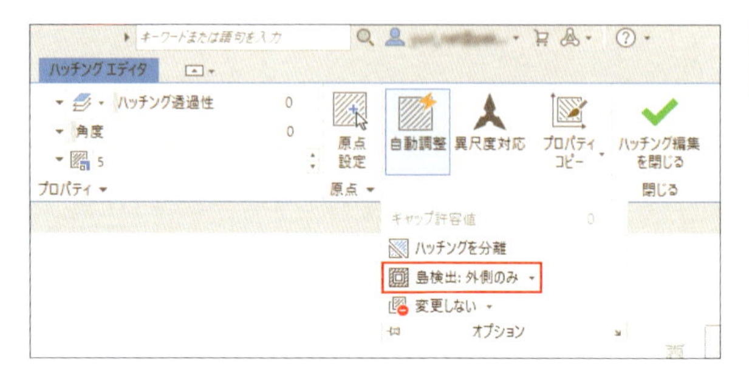

2 島検出を変更する

［オプション］パネルの［オプション▼］をクリックし、［島検出］の［▼］から［島検出:外側のみ］を選択します。

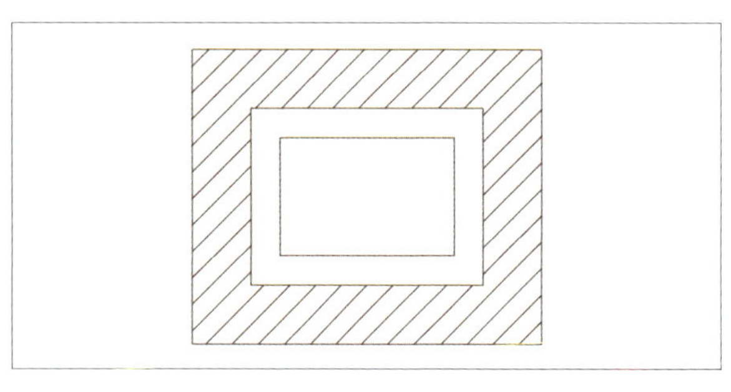

3 島検出が変更される

島の検出方法が変更され、ハッチングが外側のみに作成されます。最後に、Escキーを押してハッチングの選択を解除します。

ハッチングの境界を再作成する

ハッチングを作成したときに境界を削除してしまった場合、ハッチングの境界を再作成することができます。境界はポリラインまたはリージョンで作成されます。

サンプルファイル 2-47.dwg コマンド HATCHEDIT ショートカットキー HE

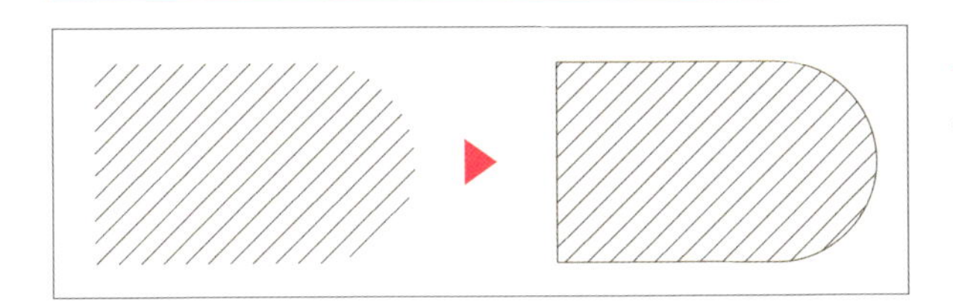

完成図

ハッチングの境界をポリラインで作成します。

ハッチングエディタで［再作成］を選択する

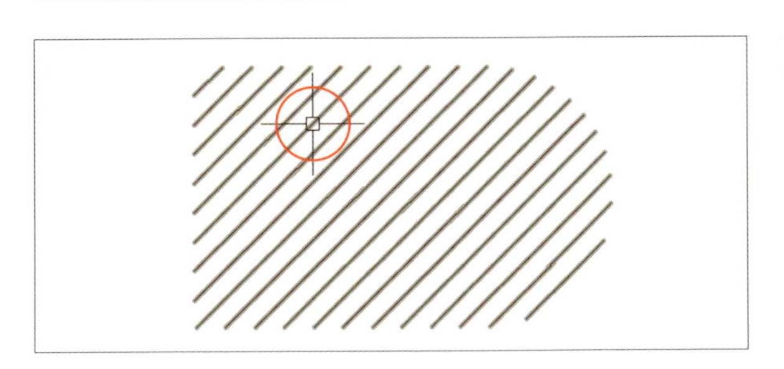

1 ハッチングを選択する

ハッチングをクリックして選択します。リボンに［ハッチングエディタ］タブが表示されます。

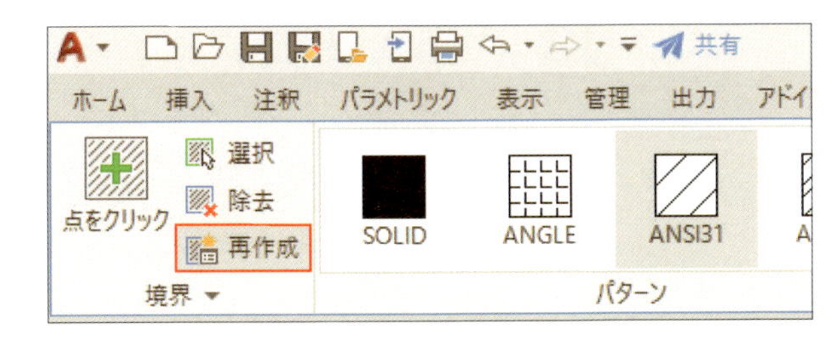

2 再作成を選択する

［境界］パネルから［再作成］をクリックします。

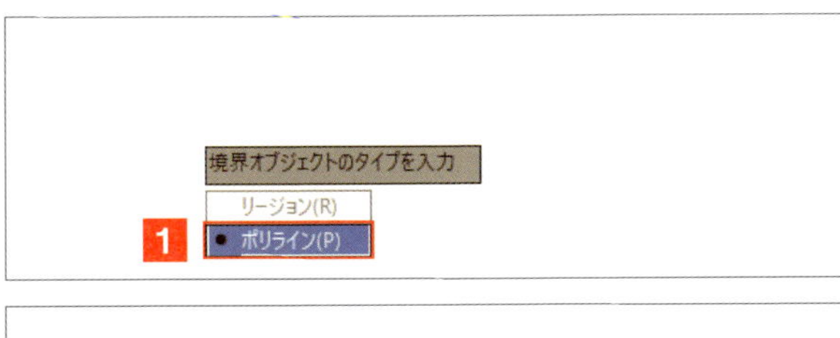

3 境界のタイプを選択する

境界オブジェクトのタイプから［ポリライン］をクリックして選択します1。「ハッチングを新しい境界に対して自動調整しますか？」のメッセージでは「Y」（Yes の意味）のままEnterキーを押します2。ポリラインが作成されたことを確認し、Escキーを押して選択を解除します。

配列複写を編集する

既存の配列複写をクリックして選択すると、配列複写を作成したときと同様の[配列複写]タブがリボンに表示され、列数や行数、間隔、基点などを編集することができます。

サンプルファイル 2-48.dwg　コマンド ARRAYEDIT　ショートカットキー なし

完成図

配列複写（矩形状）の列間隔を90に、列数を5から4に変更します。

[配列複写]タブで変更する

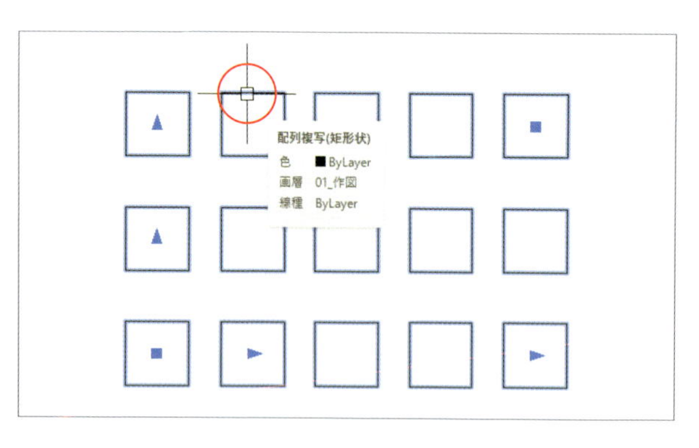

1 配列複写（矩形状）を選択する

配列複写（矩形状。P.138 参照）をクリックして選択します。リボンに［配列複写］タブが表示されます。

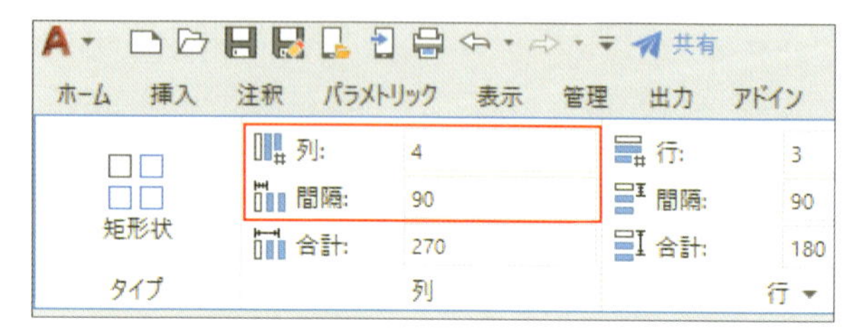

2 列数と間隔を変更する

［列］に「4」、［間隔］に「90」と入力し、Enterキーを押します。

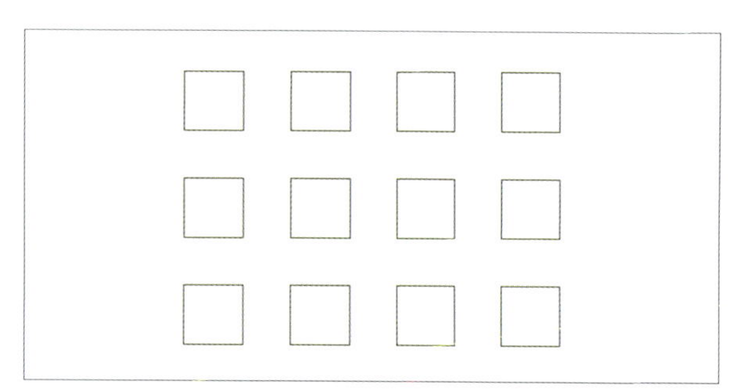

3 配列複写が変更された

配列複写の列数と間隔が変更されます。Escキーを押して選択を解除します。

配列複写のグループ化を解除する

グループ化された配列複写は、[分解]コマンドで個別の図形にすることができます。配列複写を作成するときにグループ化したくない場合は、[配列複写作成]タブ→[プロパティ]パネルの[自動調整]をオフにします。

サンプルファイル 2-49.dwg　コマンド EXPLODE　ショートカットキー X

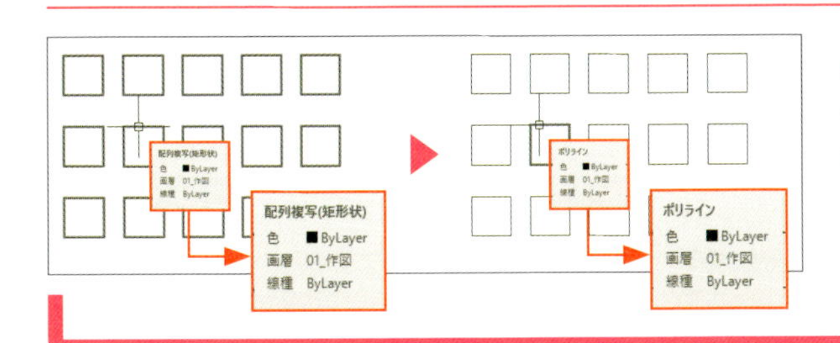

完成図

グループ化されている配列複写（矩形状）を個別のポリライン図形に変更します。

[分解]コマンドを利用する

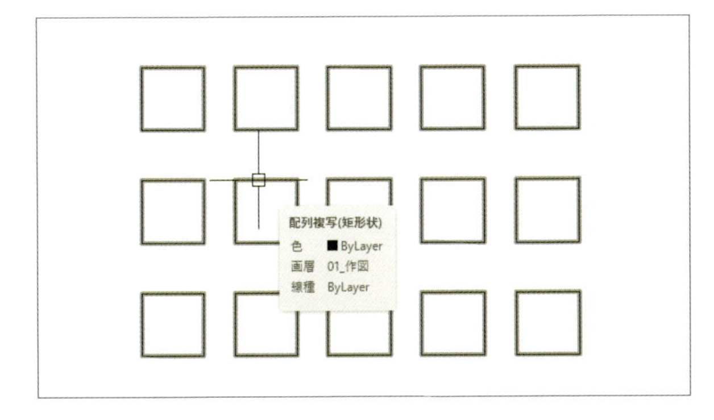

1 配列複写であることを確認する

図形にマウスカーソルを近付けて、ロールオーバーツールチップを表示し、配列複写（矩形状）であることを確認します。

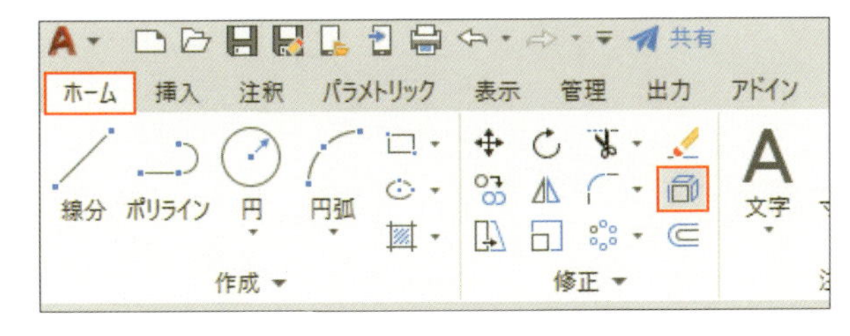

2 [分解]コマンドを実行する

[ホーム]タブ→[修正]パネルの[分解]をクリックします。

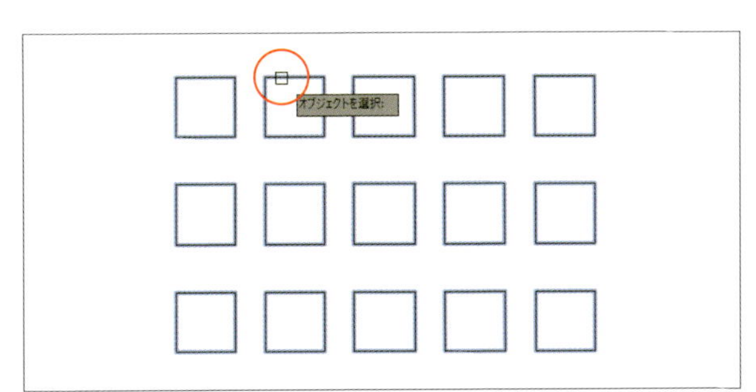

3 分解する図形を選択する

配列複写を選択し、Enterキーを押して図形の選択を確定します。図形が分解され、ポリラインになったことを確認してください。

図形の位置を合わせる

イメージ画像やPDFの大きさを任意の長さに合わせる場合は、2点を指定して位置と大きさを調整できる[位置合わせ]コマンドを利用すると効率的です。

サンプルファイル 2-50.dwg コマンド ALIGN ショートカットキー AL

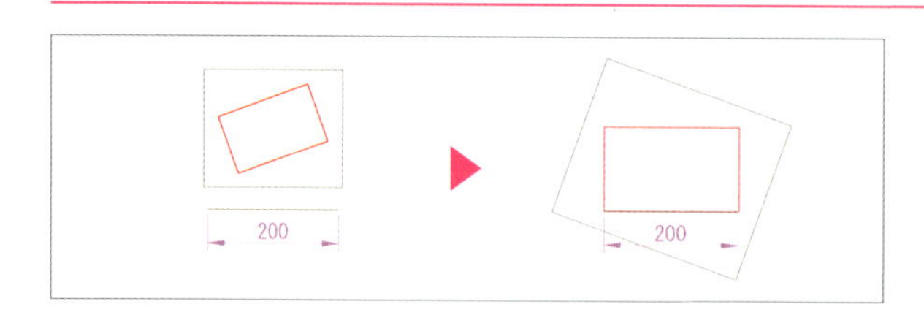

完成図

イメージ画像の大きさや位置を既存の線分に合わせます。

[位置合わせ]コマンドを利用する

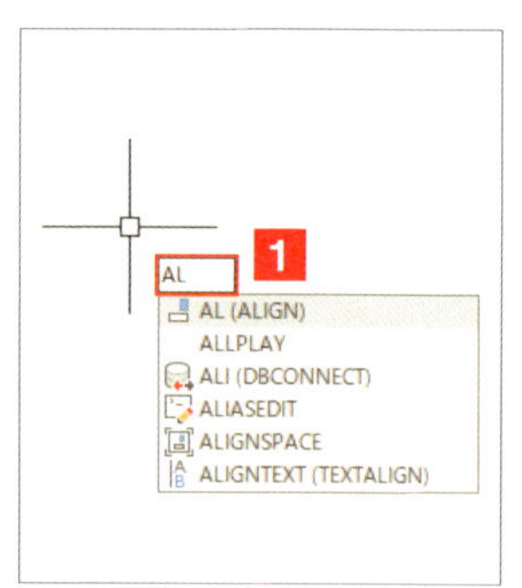

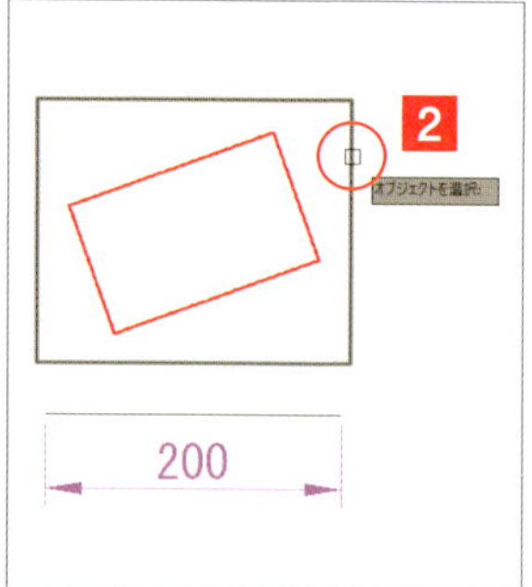

1 [位置合わせ]コマンドを実行し、図形を選択する

「AL」と入力してEnterキーを押し1、イメージ画像を選択したらEnterキーを押します2。

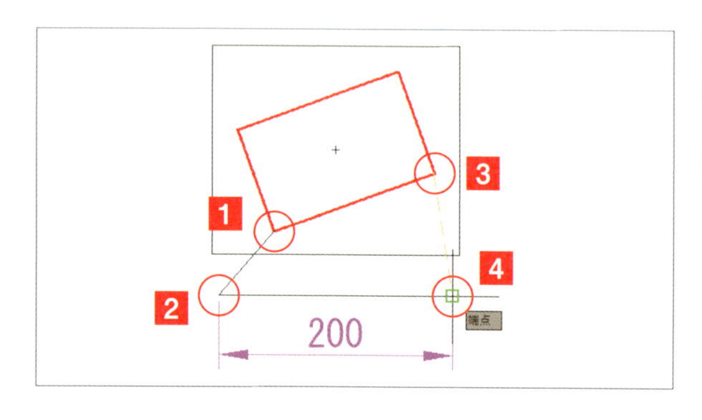

2 図形と第1、第2のソース点、目的点を指定する

第1のソース点1と目的点2、第2のソース点3と目的点4をクリックして指定します。第3のソース点は指定しないので、Enterキーを押します。

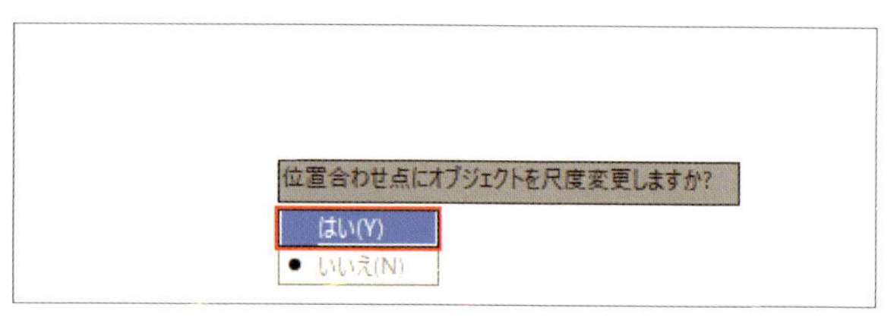

3 尺度変更をする

「位置合わせ点にオブジェクトを尺度変更しますか？」のメッセージで［はい］を選択すると、イメージ画像が位置合わせされます。

51 2点指示で部分削除する

線分や円弧、ポリライン上の2点を指定することで、その間を削除できます。[部分削除]コマンドを利用しますが、[1点目]オプションを選択しないと、図形を選択した位置から削除されるので注意してください。

サンプルファイル 2-51.dwg コマンド BREAK ショートカットキー BR

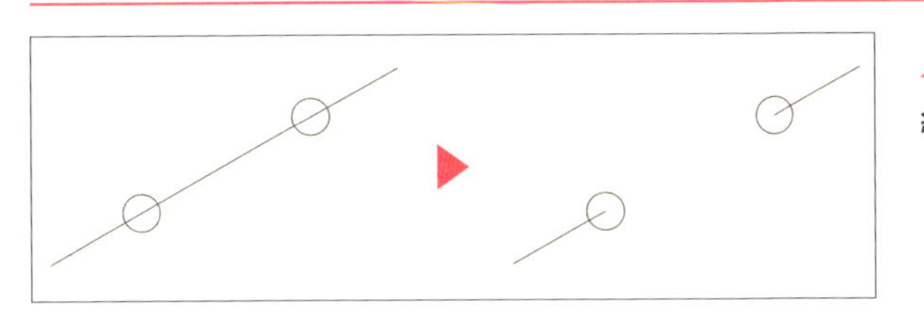

完成図

線分上の2点を指定し、その間を削除します。

[部分削除]コマンドを利用する

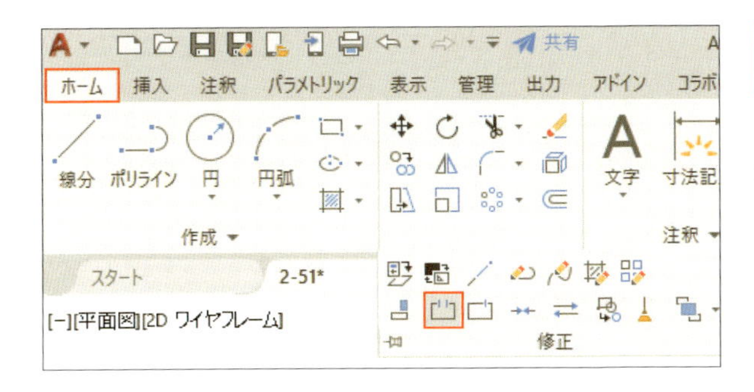

1 [部分削除]コマンドを実行する

[ホーム] タブ→ [修正] パネルの [修正▼] → [部分削除] をクリックします。

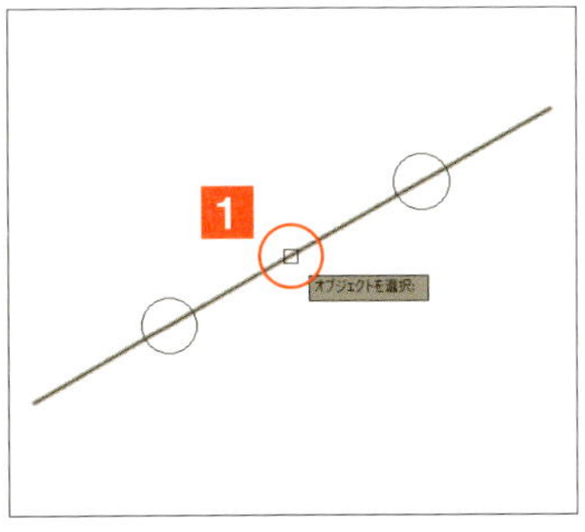

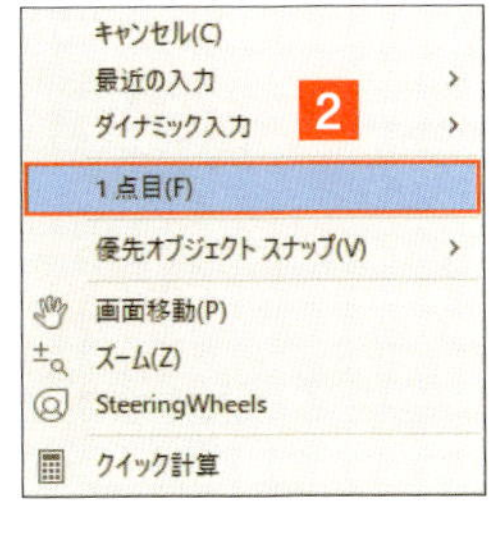

2 図形を選択し、[1点目]オプションを選択する

線分を選択して1、そのまま右クリックし、メニューから [1点目] を選択します2。

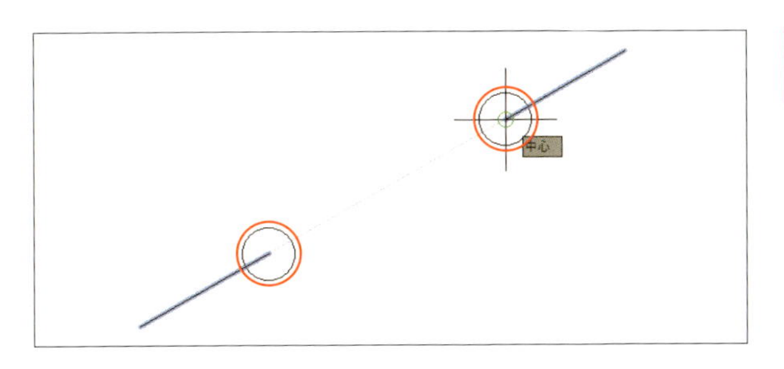

3 2点を指定する

分割する2点をクリックして指定すると、その間が削除されます。

1点指示で線分を分割する

線分や円弧、ポリライン上の1点を指定することで、図形を2つに分割することができます。図形の途中から画層や色、線種などを変更したい場合に利用してください。

サンプルファイル 2-52.dwg コマンド BREAK ショートカットキー BR

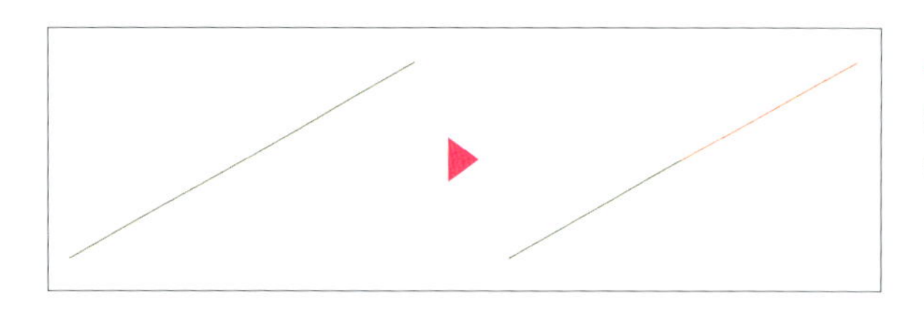

完成図

線分の中点を指示し、1本の線分を2本の線分に分割します。

[点で部分削除]コマンドを利用する

1 [点で部分削除]コマンドを実行する

[ホーム] タブ→ [修正] パネルの [修正▼] → [点で部分削除] をクリックします。

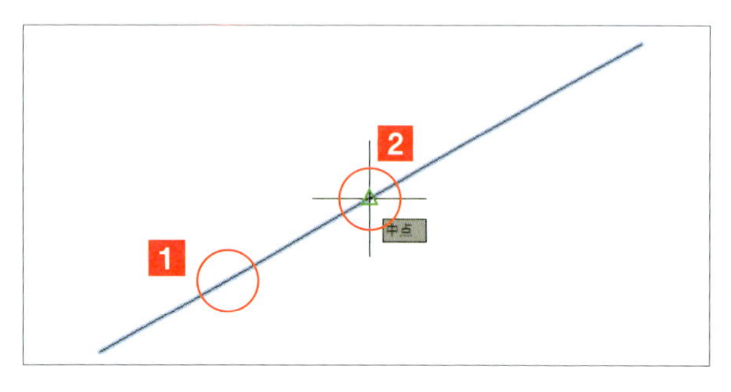

2 図形を選択し、分割点を指定する

線分を選択し1、オブジェクトスナップで中点をクリックして分割点に指定します2。すると、線分が2つに分割されます。

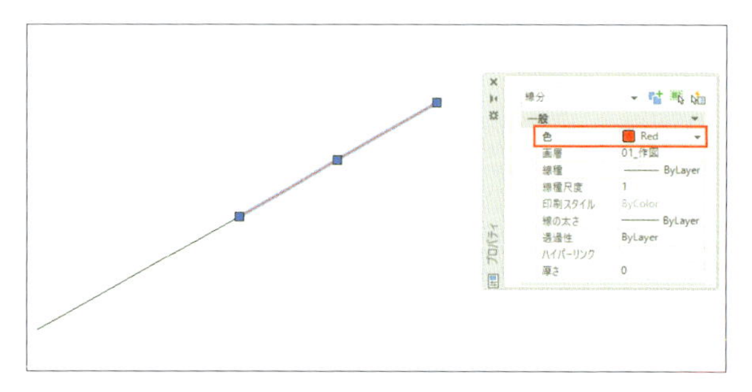

3 色を変更する

分割された片方の線分の色を、[表示] タブ→ [パレット] パネルの [オブジェクトプロパティ管理] をクリックすると表示されるプロパティパレットなどを使用して変更します。

重なった同じ図形を削除する

ほかのCADで出力されたDWGファイルを受け取ると、同じ図形がいくつか重なっている場合があります。[重複オブジェクトを削除]コマンドを使用すれば、必要のない図形を削除することができます。

サンプルファイル 2-53.dwg **コマンド** OVERKILL **ショートカットキー** なし

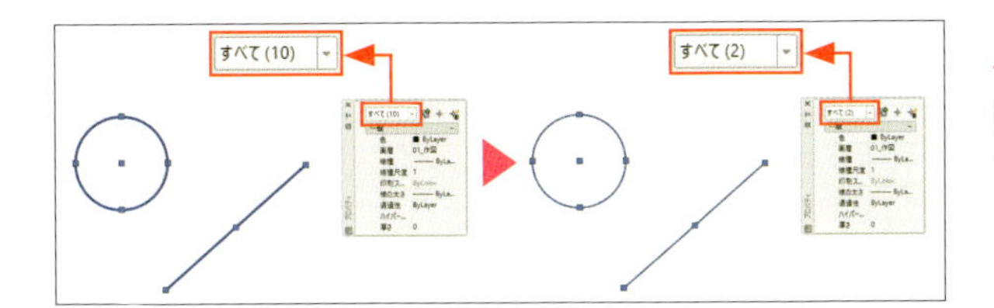

完成図

円が5つ、線分が5つ重なっているので、削除して1つだけ残します。

[重複オブジェクトを削除]コマンドを利用する

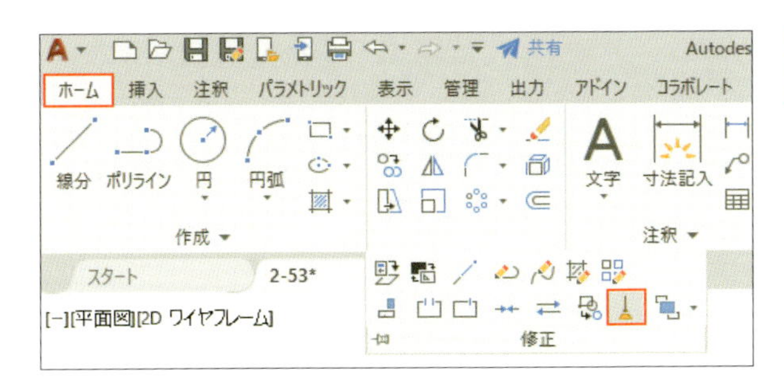

1 [重複オブジェクトを削除] コマンドを実行する

[ホーム] タブ→ [修正] パネルの [修正▼] → [重複オブジェクトを削除] をクリックします。

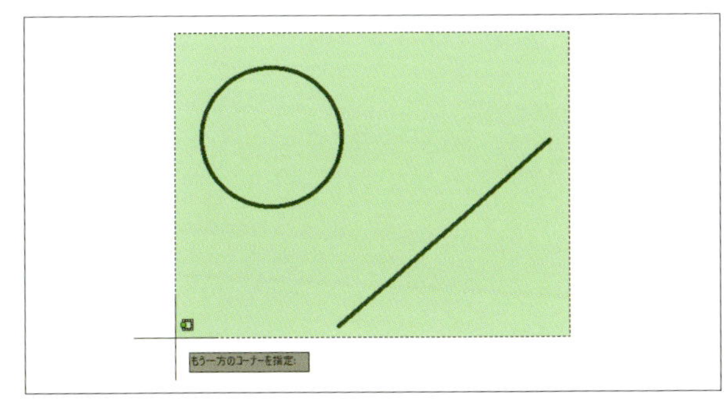

2 重複図形を選択する

交差選択などで、重複図形を選択し、Enterキーを押して選択を確定します。

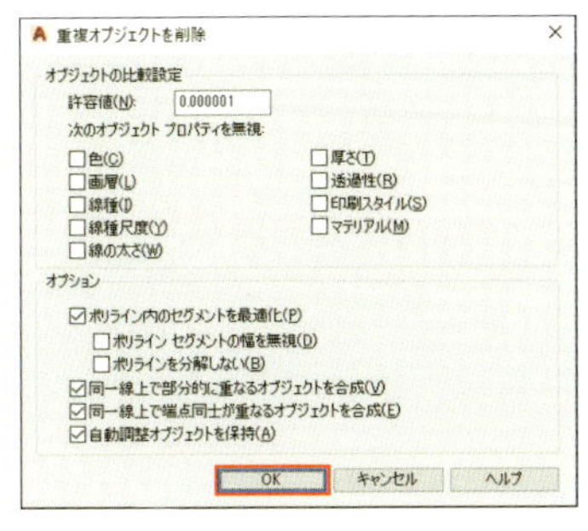

3 設定画面を終了する

[重複オブジェクトを削除] ダイアログで [OK] をクリックします。重複図形が削除されます。

図形を最前面へ移動する

図形が隠れて見えない場合は、表示順序を変更します。ここではワイプアウト（図形にマスクを利用して図形の一部を隠す機能）によって隠れている線分を最前面に移動します。

サンプルファイル 2-54.dwg コマンド DRAWORDER ショートカットキー DR

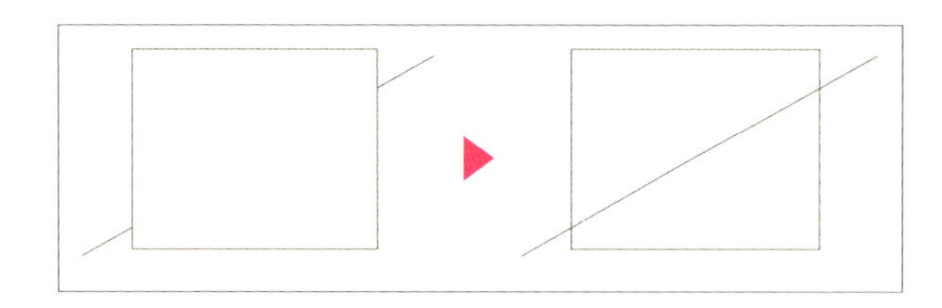

完成図

ワイプアウトで隠れている線分を最前面に移動します。

[最前面へ移動]コマンドを利用する

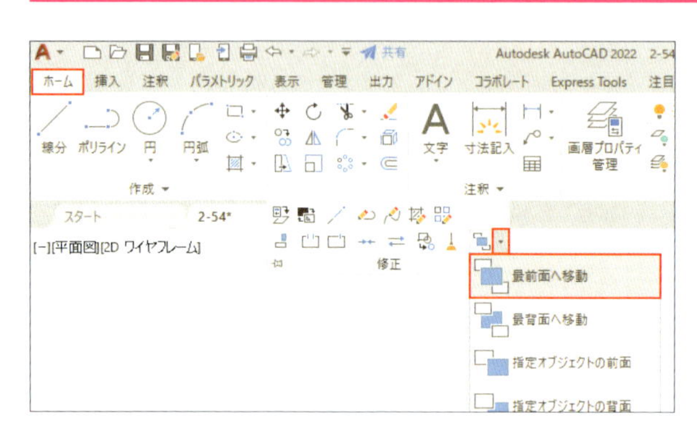

1 [最前面へ移動]コマンドを実行する

[ホーム]タブ→[修正]パネルの[修正▼]→[▼]→[最前面へ移動]をクリックします。

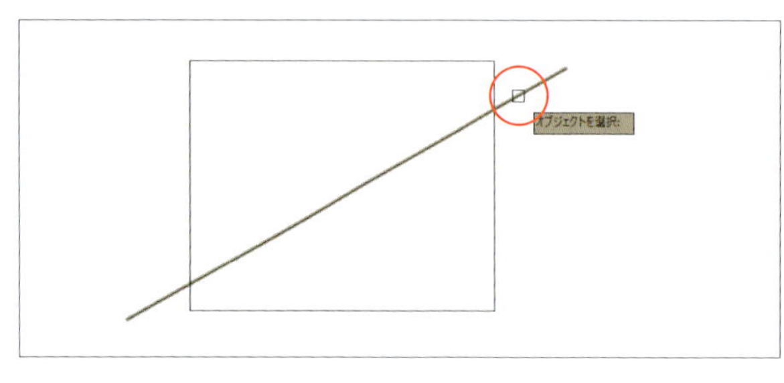

2 線分を選択する

線分を選択し、Enterキーを押して選択を確定します。

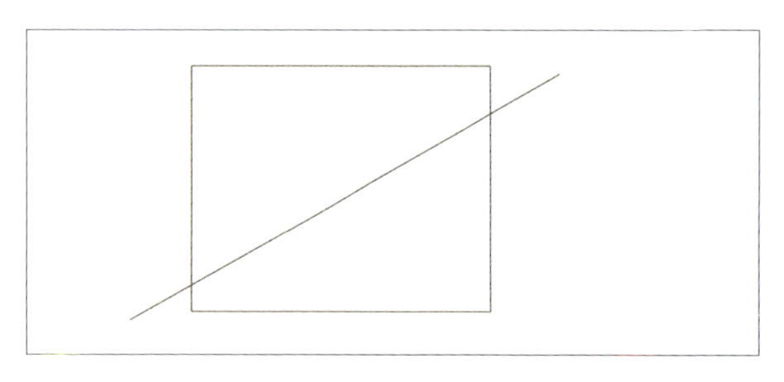

3 線分が最前面に移動する

隠れていた線分が最前面に移動し、表示されます。

図形を最背面へ移動する

前ページでは線分を最前面に移動しましたが、今度は逆に図形を最背面に移動することで、ワイプアウトによって隠れている線分を見えるようにします。

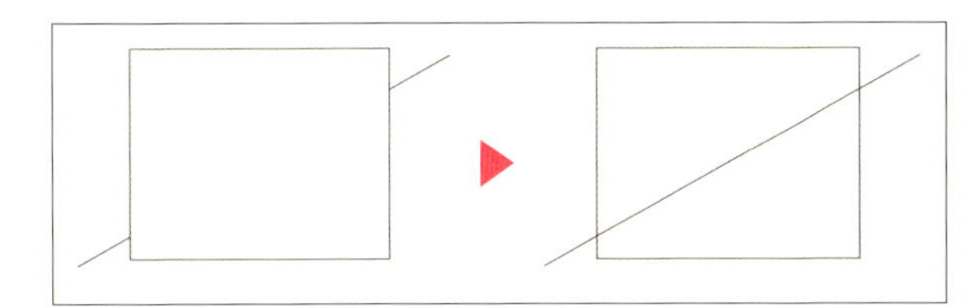

完成図

ワイプアウトを最背面に移動し、隠れている線分を表示します。

[最背面へ移動]コマンドを利用する

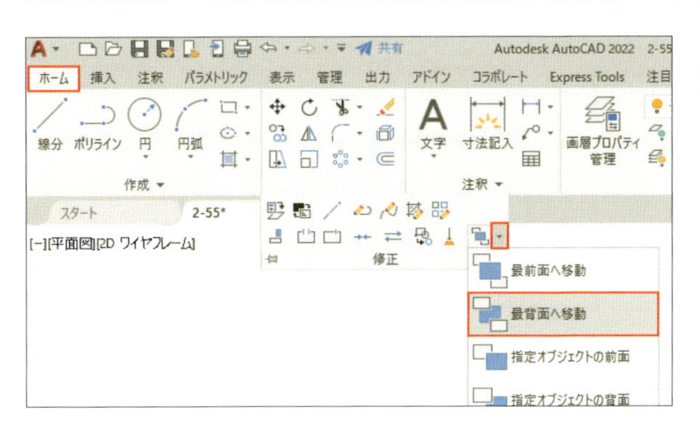

1 [最背面へ移動]コマンドを実行する

[ホーム]タブ→[修正]パネルの[修正▼]→[▼]→[最背面へ移動]をクリックします。

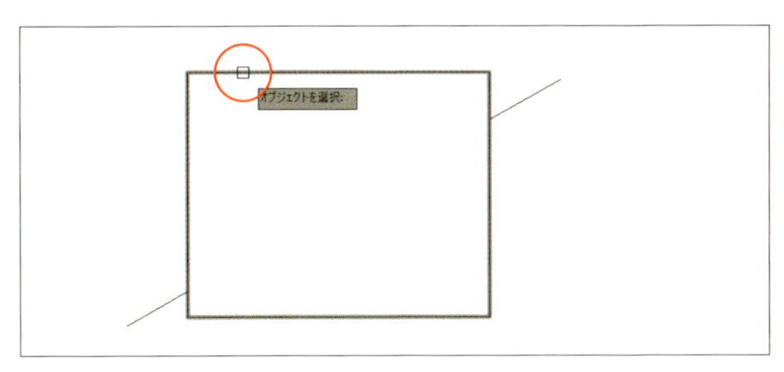

2 ワイプアウトを選択する

ワイプアウトを選択し、Enterキーを押して選択を確定します。

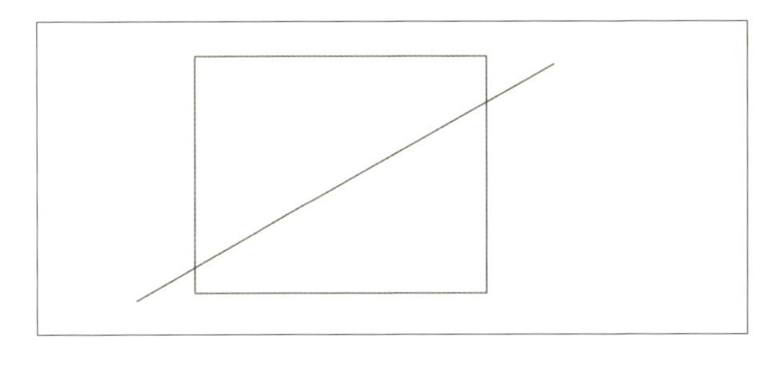

3 最背面にワイプアウトが移動する

ワイプアウトが最背面に移動し、隠れていた線分が表示されます。

56 すべての文字／寸法を前面へ移動する

ここでは、[すべての注釈を前面に移動]コマンドを利用して、ワイプアウトによって隠れている文字や寸法を最前面に移動して見えるようにします。すべての文字や寸法が前面に移動する点に注意してください。

サンプルファイル 2-56.dwg コマンド TEXTTOFRONT ショートカットキー なし

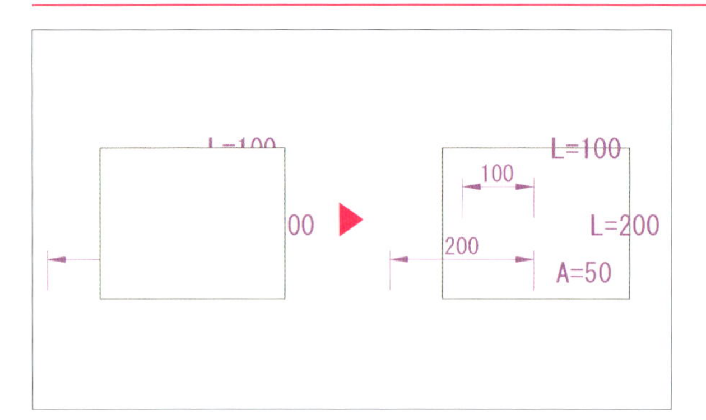

完成図

ワイプアウトで隠れている文字と寸法を最前面に移動し、表示します。

▶ [すべての注釈を前面に移動]コマンドを利用する

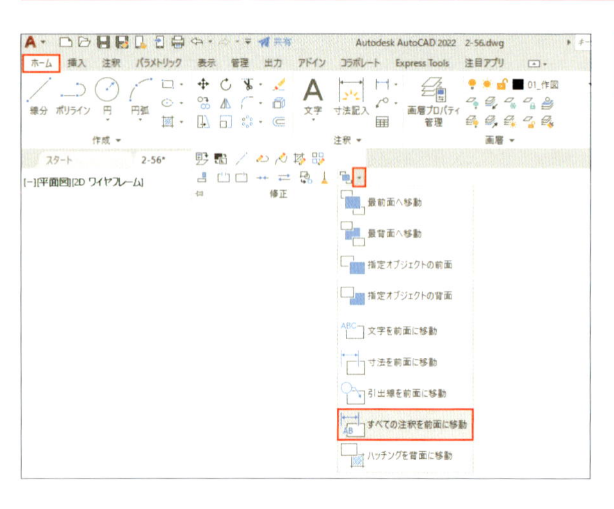

1 [すべての注釈を前面に移動]コマンドを実行する

[ホーム] タブ→ [修正] パネルの [修正▼] →[▼] → [すべての注釈を前面に移動] をクリックします。

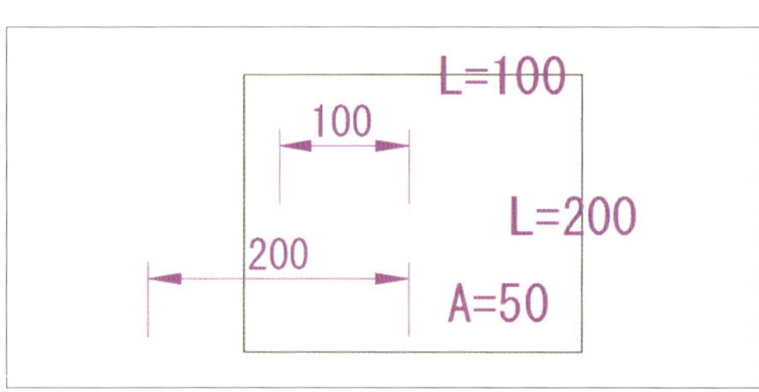

2 注釈が前面に移動する

すべての注釈が前面に移動し、ワイプアウトで隠れていた文字や寸法が表示されます。

すべてのハッチング図形を背面へ移動する

ハッチング図形とは塗りつぶしたり、斜線を入れたりして強調した図形のことを指します。ここでは、[ハッチングを背面に移動]コマンドを利用して、ハッチング図形を最背面に移動します。

サンプルファイル 2-57.dwg　コマンド HATCHTOBACK　ショートカットキー なし

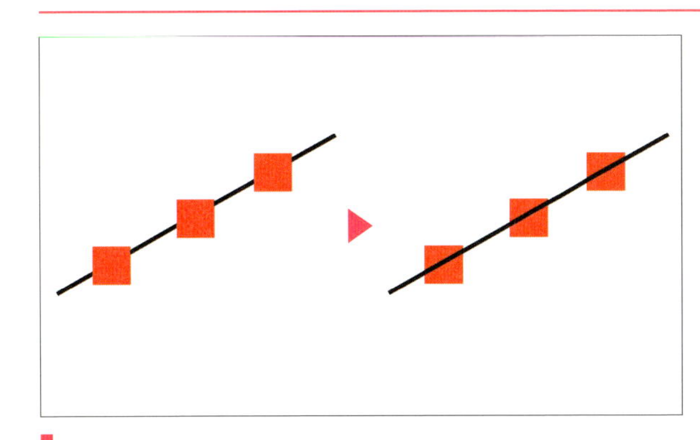

完成図

ハッチング図形を最背面に移動し、隠れている線分を表示します。すべてのハッチング図形が背面に移動する点に注意してください。

[ハッチングを背面に移動]コマンドを利用する

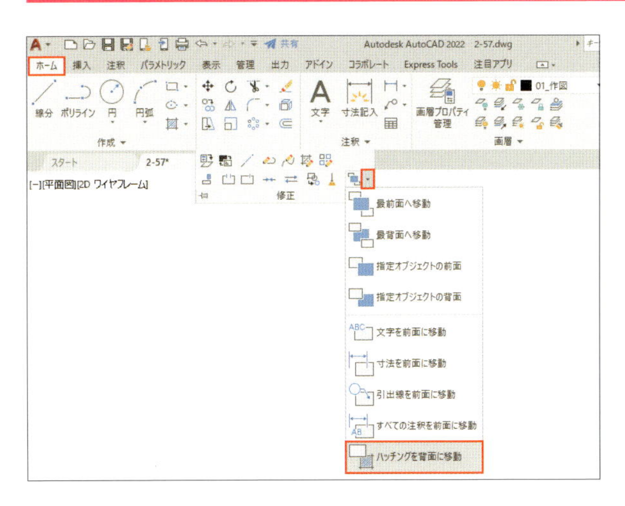

1 [ハッチングを背面に移動]コマンドを実行する

[ホーム]タブ→[修正]パネルの[修正▼]→[▼]→[ハッチングを背面に移動]をクリックします。

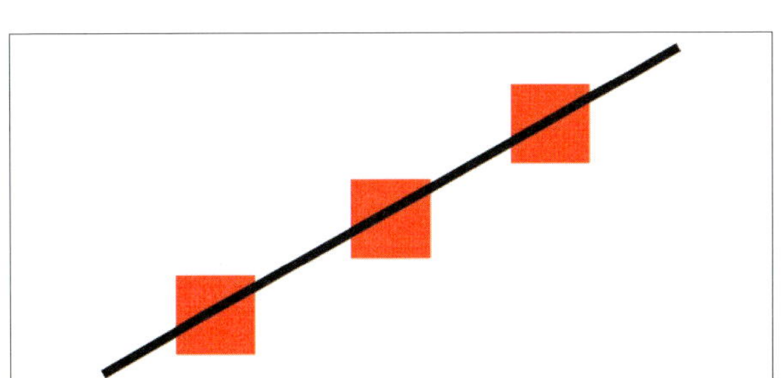

2 ハッチングが背面に移動する

すべてのハッチングが背面に移動し、隠れていた線分が表示されます。

グリップを理解する

コマンドを実行していない状態で図形をクリックして選択すると、青いグリップが表示されます。このグリップを使用すると、効率的にストレッチや長さ変更を行うことができます。

グリップの基本操作

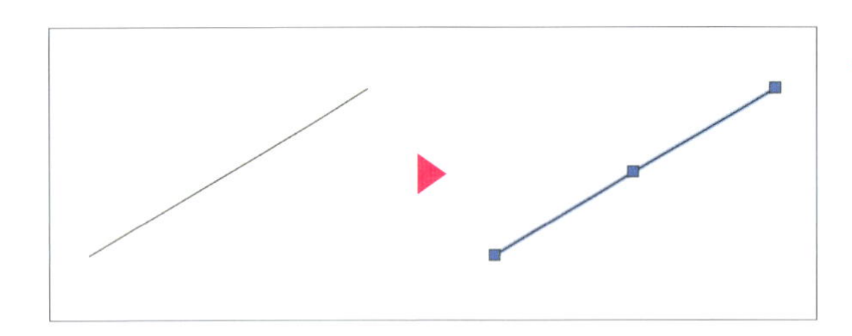

グリップの表示

コマンドを実行していない状態で図形を選択すると、グリップが表示されます。コマンドが実行されている場合は、Escキーを押してコマンドを中断してから選択してください。

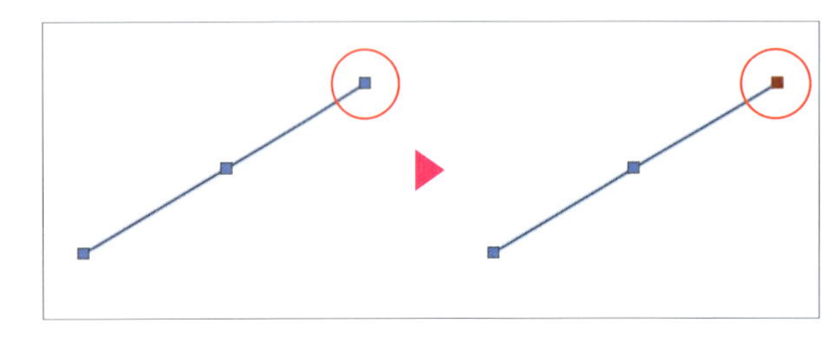

グリップの選択

グリップをクリックして選択すると、グリップは赤く表示されます。Shiftキーを押しながらグリップを選択すると、複数選択することが可能です。

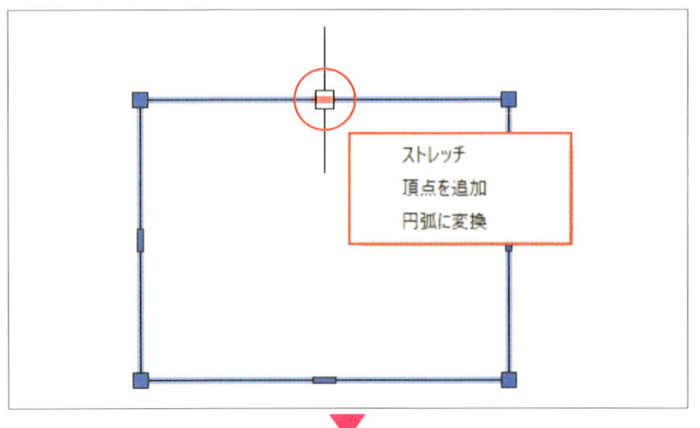

グリップのオプションの表示

グリップにマウスカーソルを近付けると（選択はしないでください）、メニューが表示されます。

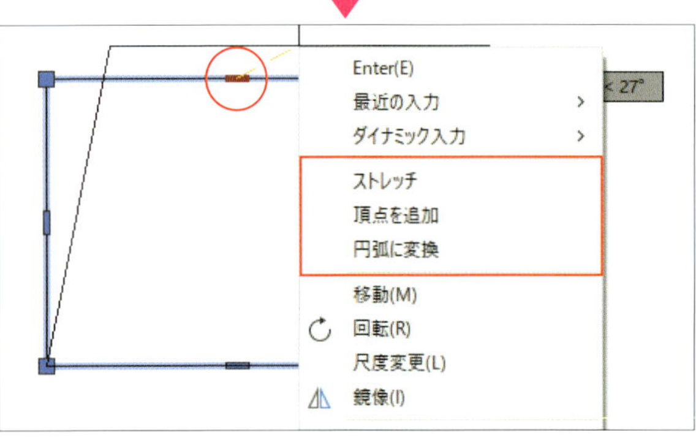

グリップを選択してから右クリックし、メニューを表示させることもできます。

グリップを使った編集例

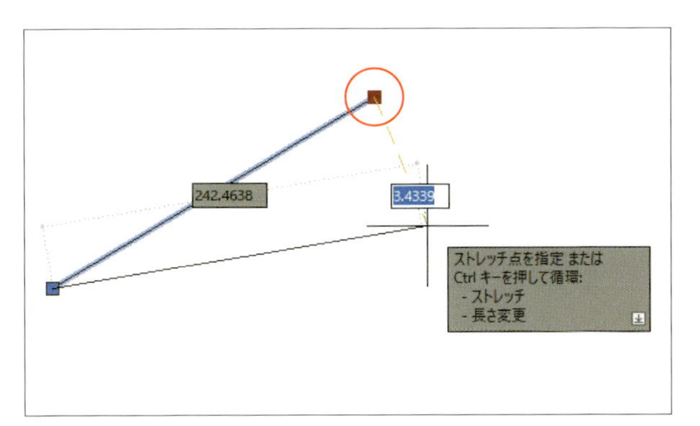

線分の編集

端点のグリップを使用すると、端点の位置を変更することができます。オブジェクトスナップや直交モードと組み合わせて、[トリム] コマンドや [延長] コマンドの代わりに使用することが可能です。

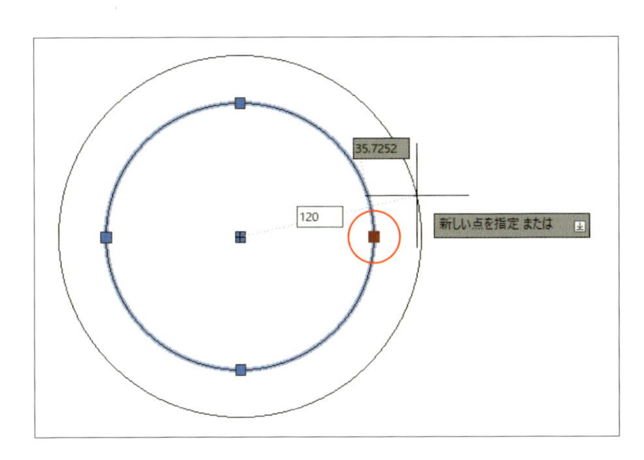

円弧の編集

円弧の四半円点のグリップを使用すると、半径の変更ができます。

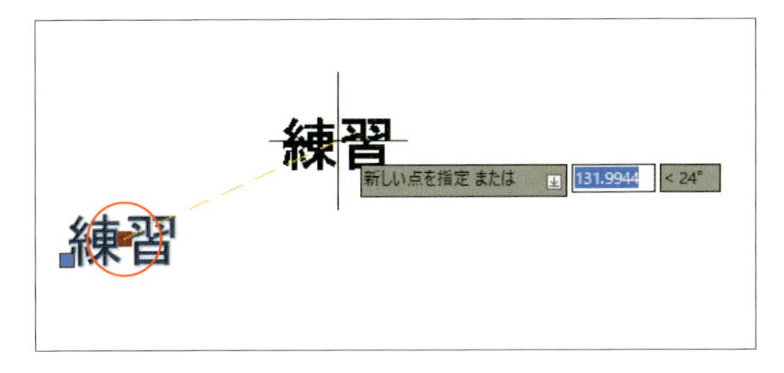

文字の編集

文字の基点のグリップを使用すると、文字を移動することができます。

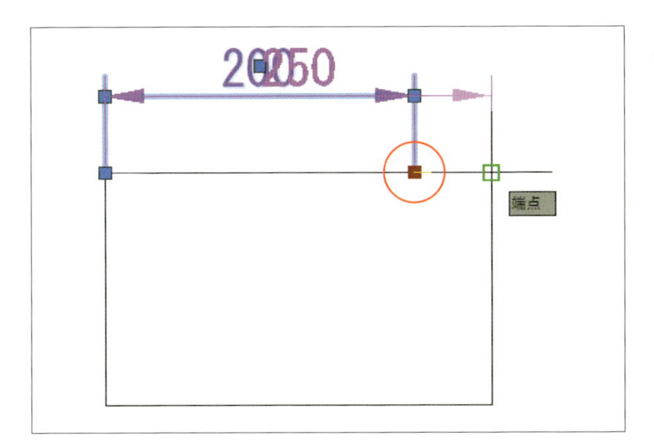

寸法の編集

寸法補助線の起点のグリップを使用すると、寸法の計測位置を変更することができます。

グリップで線分の長さを変更する

グリップを利用し、線分の長さを変更します。既定で選択されている[ストレッチ]オプションでは線分の方向も変わってしまうので、[長さ変更]オプションに変更してください。

サンプルファイル 2-59.dwg　コマンド なし　ショートカットキー なし

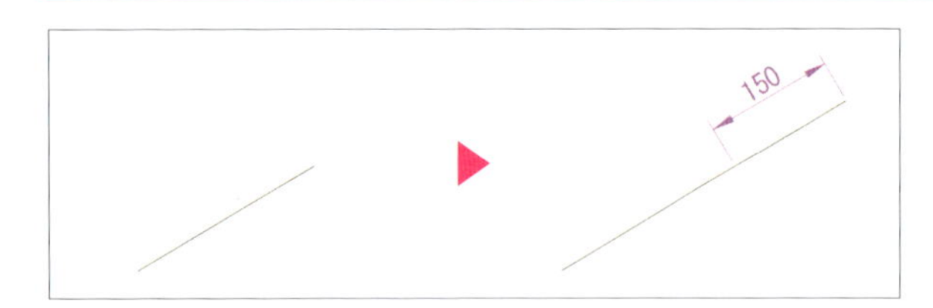

完成図

グリップを利用して線分を150伸ばします。

[長さ変更]を利用する

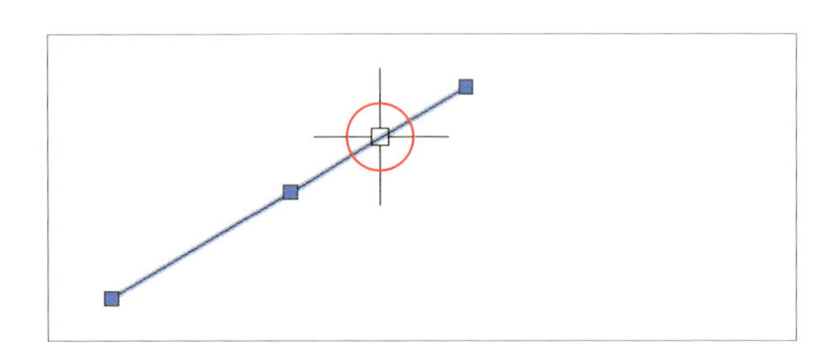

1 線分を選択する

線分を選択し、グリップを表示します。

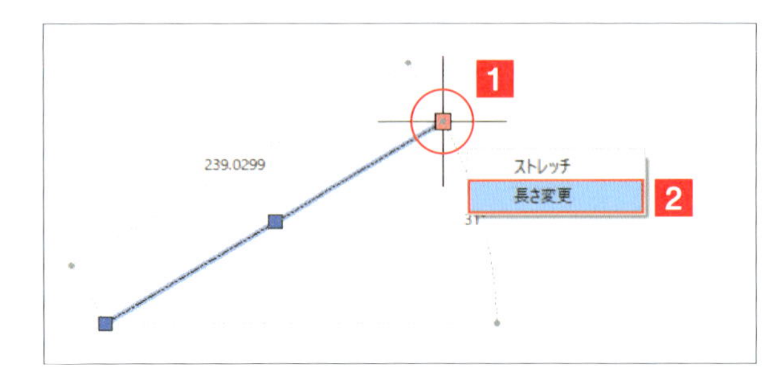

2 [長さ変更]オプションを選択する

グリップにマウスカーソルを近付け1、[長さ変更]を選択します2。

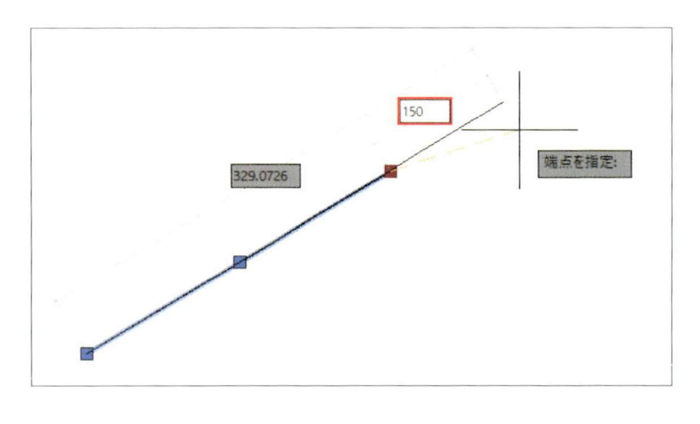

3 長さを入力する

長さに「150」を入力し、Enterキーを押すと、線分が150長くなります。Escキーを押して、線分の選択を解除します。

60 グリップでポリラインの頂点を追加する

ポリラインのグリップで選択できる[頂点を追加]、[頂点を除去]オプションを利用すると、効率的にポリラインを編集することができます。ここでは、[頂点を追加]オプションで頂点を追加します。

サンプルファイル 2-60.dwg コマンド なし ショートカットキー なし

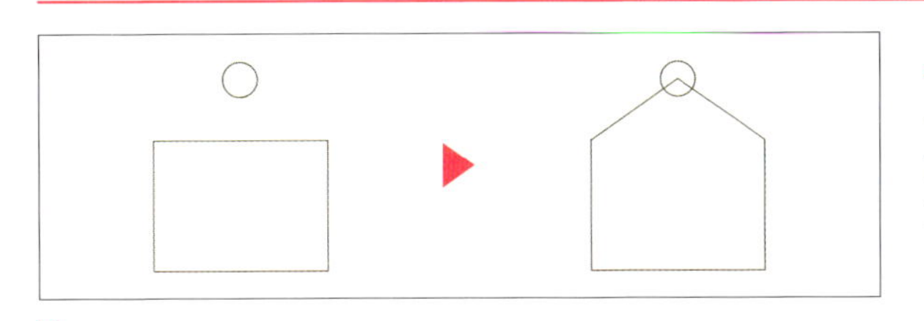

完成図

グリップを使用してポリラインの頂点を追加し、頂点が4つのポリラインを頂点が5つのポリラインに変更します。

[頂点を追加]を利用する

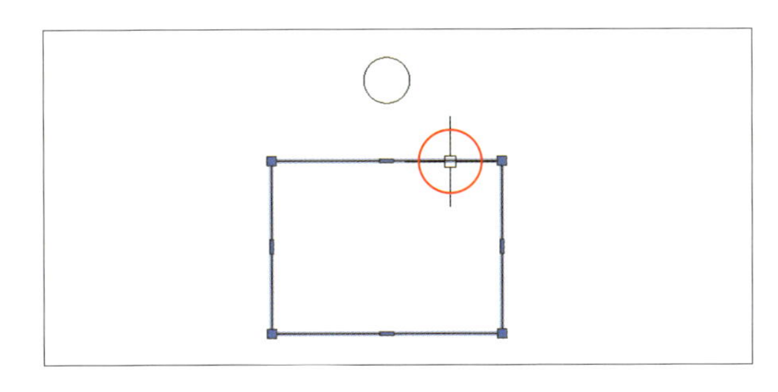

1 ポリラインを選択する

ポリラインを選択し、グリップを表示します。

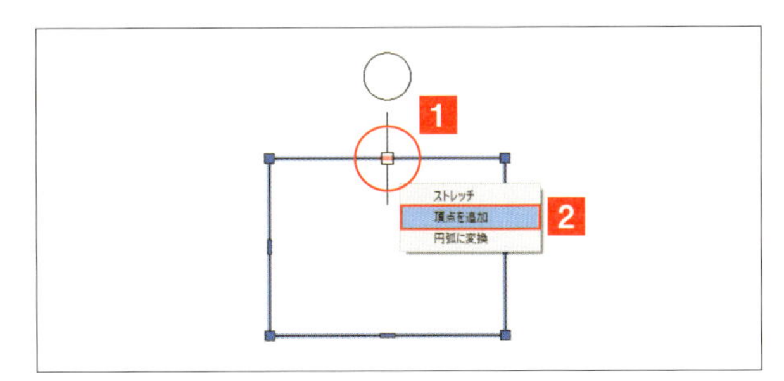

2 [頂点を追加]オプションを選択する

グリップにマウスカーソルを近付け1、[頂点を追加]を選択します2。

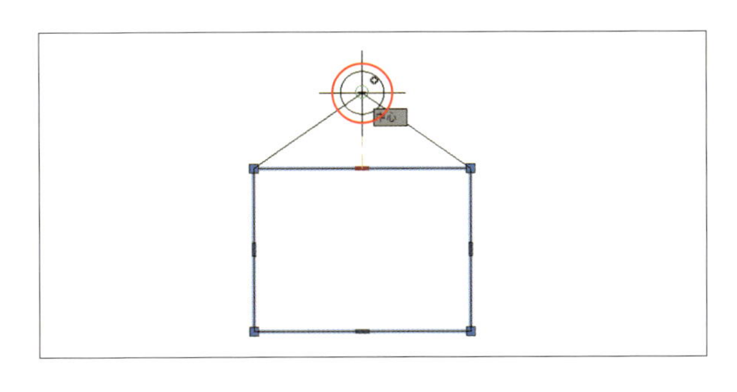

3 頂点の位置を指定する

オブジェクトスナップで円の中心をクリックして指定すると、ポリラインの頂点が追加されます。Escキーを押して、ポリラインの選択を解除します。

61 リージョンを合成する

リージョンはポリラインのように頂点を編集することはできませんが、[和]コマンド(UNION/UNI)、[差]コマンド(SUBTRACT/SU)、[交差]コマンド(INTERSECT)を利用すれば合成が可能です。

サンプルファイル 2-61.dwg コマンド UNION ショートカットキー UNI

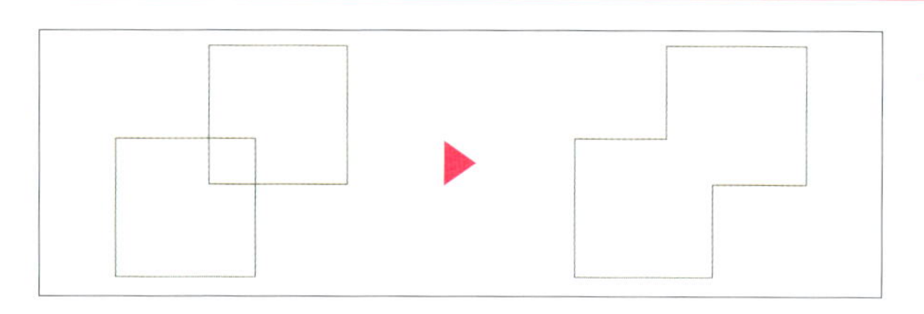

完成図

リージョン2つを足して、1つのリージョンとします。

[和]コマンドを利用する

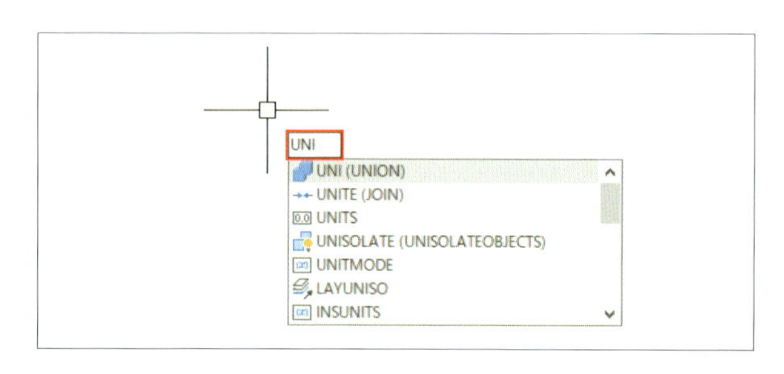

1 [和]コマンドを実行する

「UNI」と入力して Enter キーを押します。[和]コマンドが実行されます。

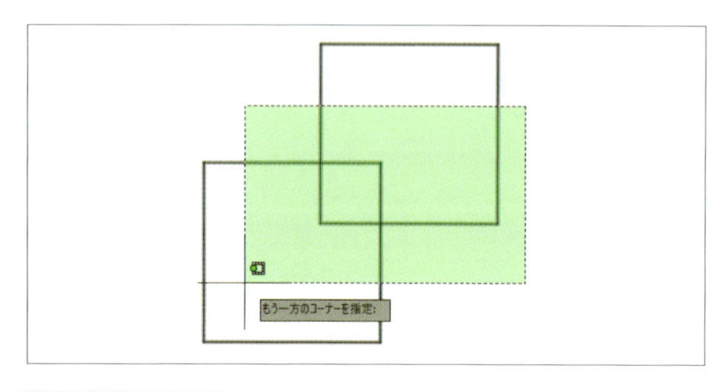

2 リージョンを選択する

交差選択などでリージョンを選択し、Enter キーを押して選択を確定します。リージョンが合成されます。

POINT

それぞれの合成結果

[和] コマンド、[差] コマンド、[交差] コマンドの結果は右図のようになります。なお、[差] コマンドを使うには、元のリージョンを選択して Enter キーを押したあと、切り抜きたいリージョンを選択して Enter キーを押します。[交差] コマンドの使い方は [和] コマンドと同じです。

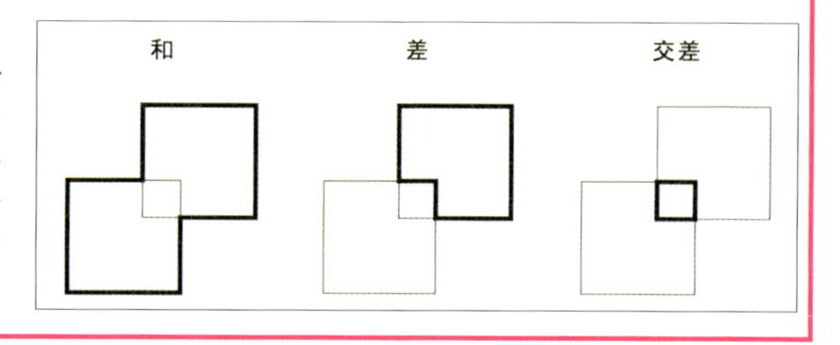

ほかのファイルに図形をコピーする

ほかのファイルに図形をコピーするには、コピーしたい図形を[基点コピー]コマンドでクリップボードにコピーし、貼り付け先のファイルで[貼り付け]コマンドを使用します。

サンプルファイル 2-62.dwg　コマンド COPYBASE、PASTECLIP　ショートカットキー Ctrl+Shift+C、Ctrl+V

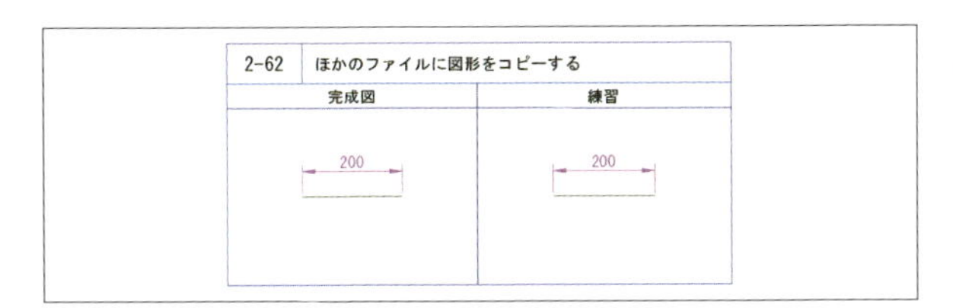

完成図

図形をコピーして、ほかのファイルに貼り付けます。

[基点コピー]コマンドを利用する

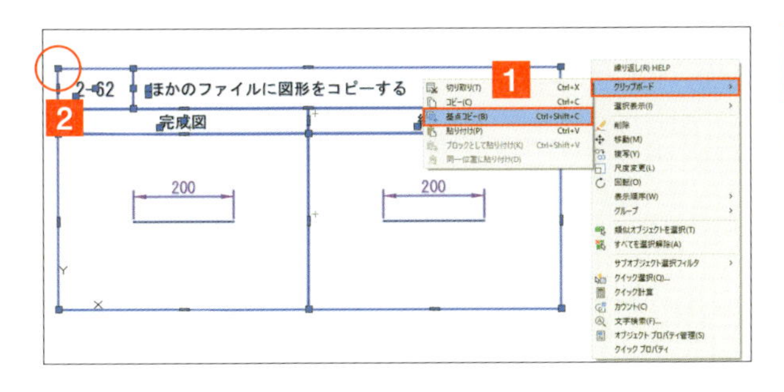

1 図形を選択、[基点コピー]コマンドを実行し、基点を指定する

図形を選択して、そのまま右クリックし、メニューから［クリップボード］→［基点コピー］を選択します1。基点として左上点を選択します2。

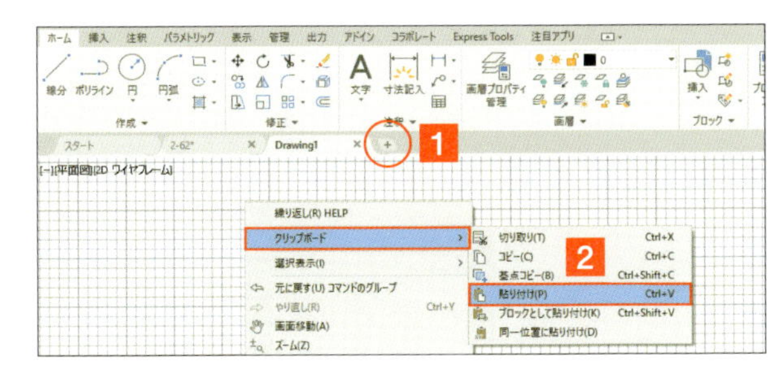

2 新規ファイルを作成し、[貼り付け]コマンドを実行する

新規ファイルを作成し1、右クリックして、［クリップボード］→［貼り付け］を選択します2。

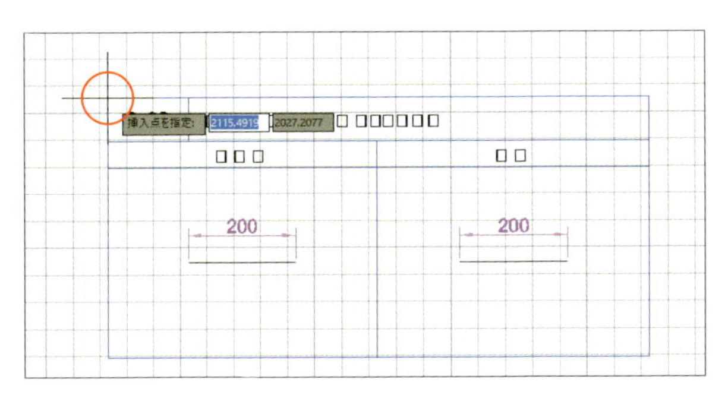

3 任意点を指定する

任意点をクリックすると、コピーした図形が貼り付けられます。

座標軸を回転してコピーする

UCS（ユーザ座標系）でXY方向を変更し、[基点コピー]コマンドと[貼り付け]コマンドで、回転とコピーを同時に行うことができます。

サンプルファイル 2-63.dwg　コマンド COPYBASE、PASTECLIP、UCS　ショートカットキー Ctrl+Shift+C、Ctrl+V

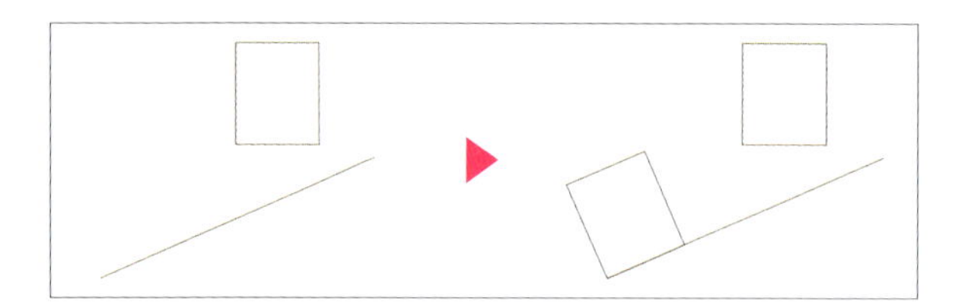

完成図

四角形をコピーし、既存の線分の方向に貼り付けます。

[基点コピー]コマンドとUCSを利用する

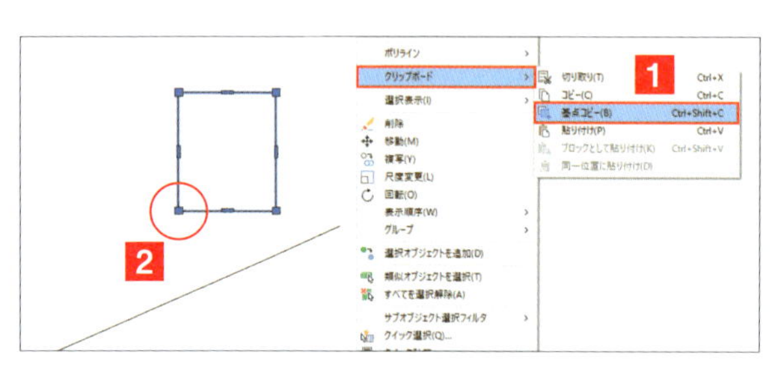

1 図形を選択、[基点コピー]コマンドを実行し、基点を指定する

長方形を選択して、そのまま右クリックし、メニューから［クリップボード］→［基点コピー］を選択します1。基点として左下点を選択します2。

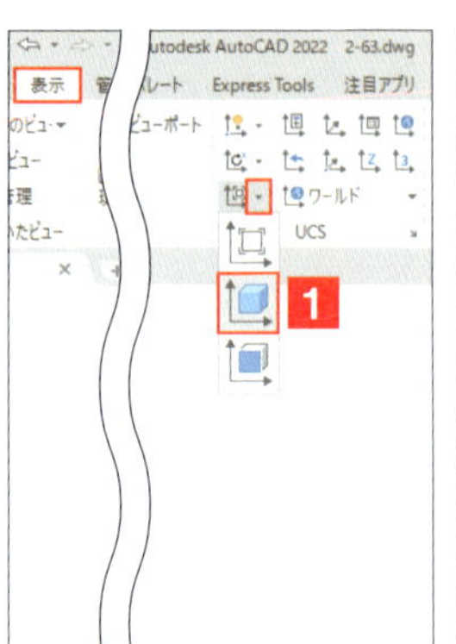

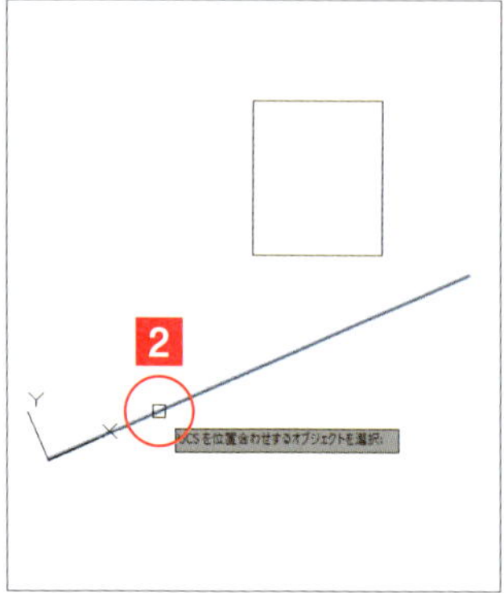

2 UCSを設定する

［表示］タブ→［UCS］パネルの［▼］→［オブジェクト］をクリックし1、線分の左側を選択します2。

CHECK

［UCS］パネルが表示されていない場合は、P.377の「［UCS］パネルで設定／管理する」を参照してください。

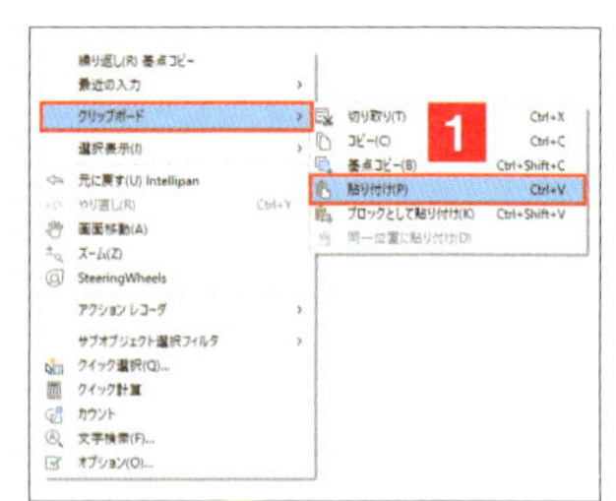

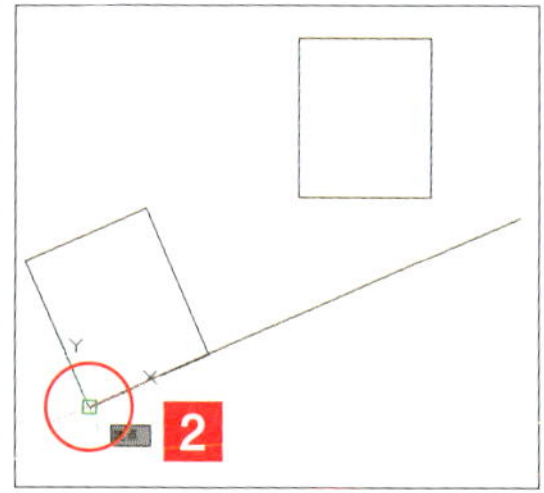

3 [貼り付け]コマンドを選択する

右クリックし、［クリップボード］→［貼り付け］を選択します1。貼り付けの基点として線分の左端点をクリックして選択します2。最後に［表示］タブ→［UCS］パネルの［ワールド］でUCSを戻してください。

CHAPTER

03

THE PERFECT GUIDE FOR AUTOCAD

注釈

図面の縮尺を理解する～文字などの大きさを決める基準

AutoCADでは対象物を原寸(1mmを1)で作図しますが、文字や図枠は、どの大きさで描くかを図面の縮尺に合わせて計算する必要があります。ここでは、文字や図枠の大きさを計算するときの考え方を解説します。

図枠や文字の大きさは図面の縮尺から計算する

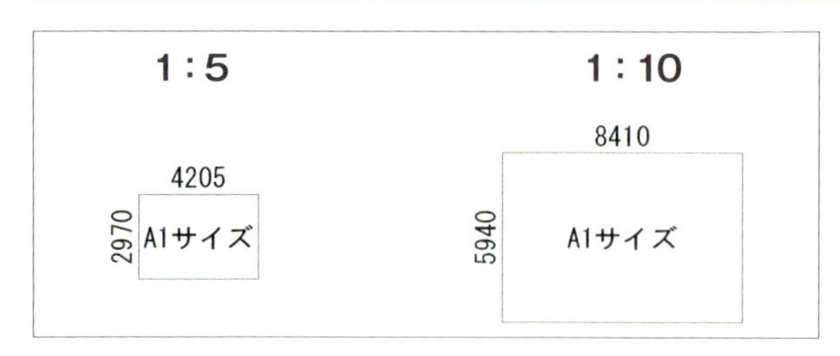

図枠(用紙サイズ)の大きさ

図枠（用紙サイズ）は、縮尺の逆数をかけて長方形で作図します。たとえばA1サイズで1：100なら、「84,100（841×100）×594,00（594×100）」の長方形となります。

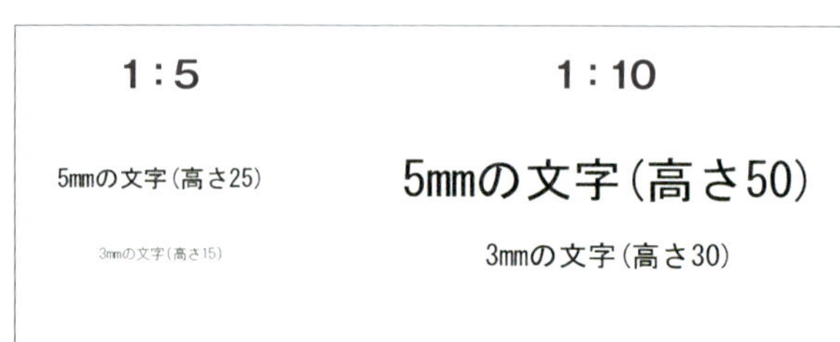

文字の大きさ

印刷時の文字の高さに縮尺の逆数をかけます。たとえば3mmで1：100なら、文字の高さを「300（3×100）」として記入します。

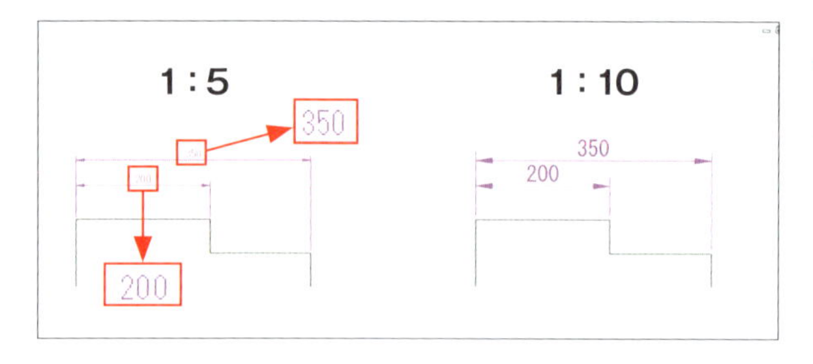

寸法の大きさ

寸法スタイルの［全体の尺度］に縮尺の逆数を設定します。1:100なら「100」に設定します。

CHECK

文字や寸法に注釈尺度を利用する場合は、それぞれP.406、407を参照してください。

線種の間隔

線種管理の［グローバル線種尺度］を設定します。値は「1」を基準にした倍数を入力し、図面を見ながら調整します。

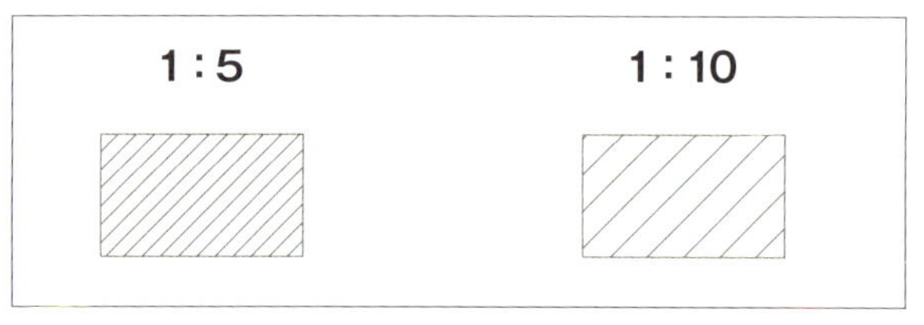

ハッチングの間隔

ハッチングの作成で［ハッチングパターンの尺度］を設定します。値は「1」を基準にした倍数を入力し、図面を見ながら調整します。

02 文字を理解する

文字には1行文字と、複数行で書式設定のできるマルチテキストの2種類があります。文字にはフォントなどが設定された[文字スタイル]が適用され、[文字スタイル]は図面ファイルごとに管理されます。

▶ 文字の種類やスタイルを知る

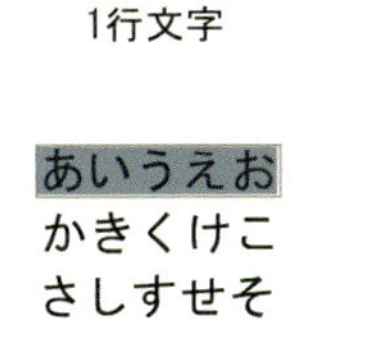

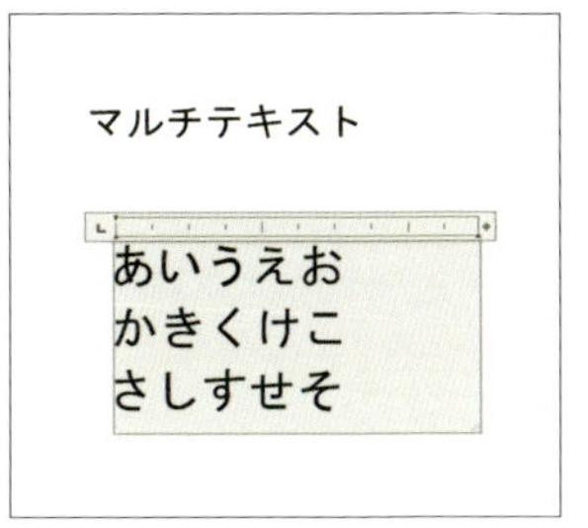

2種類の文字オブジェクト

図面内に文字を記入する場合には1行文字、文章を記入する場合には複数行を1つの図形とするマルチテキストを使用します。

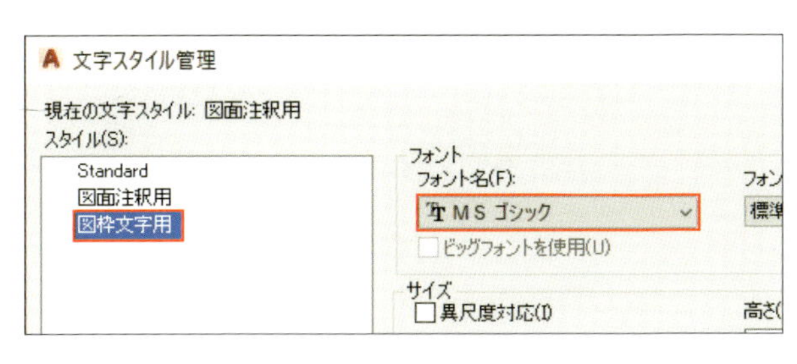

文字スタイル

[文字スタイル] にはフォントなどが設定されています。文字の作成時に [文字スタイル] を適用します。

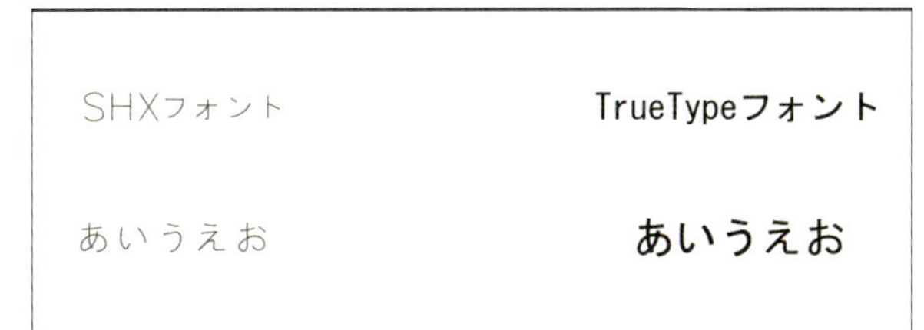

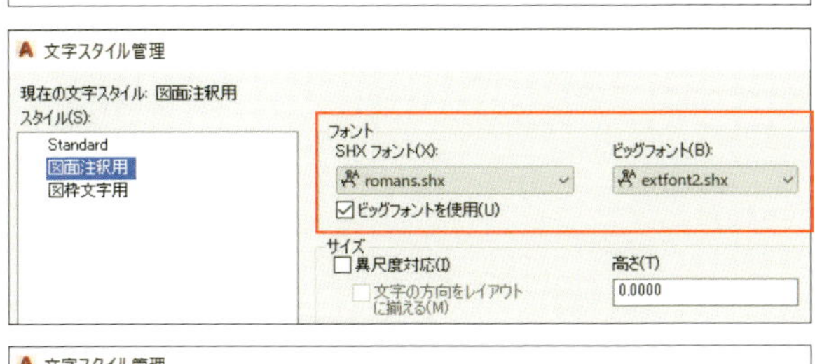

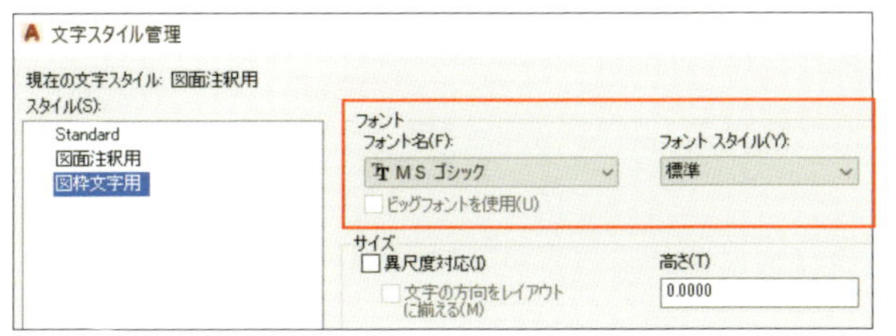

フォント

フォントには以下の2種類があります。

●SHX フォント
AutoCAD 専用の線画で作成されたフォント。[ビッグフォントを使用] にチェックを入れ、半角英数字と全角の2種類のフォントを設定する必要があります。

●TrueType フォント
MS ゴシックなどの Windows 全般で使用されるフォント。[ビッグフォントを使用]のチェックは外す必要があります。

文字を作図する

1行文字は、挿入点、高さ(大きさ)、角度(文字の方向)を指定して作図します。改行すると2行目を書くことが可能ですが、1行ずつ別々の文字図形となります。

サンプルファイル 3-3.dwg
コマンド TEXT
ショートカットキー DT

完成図

文字スタイルを[Standard]、高さが50、内容が「あいうえお」の文字を作図します。

[文字記入]コマンドを利用する

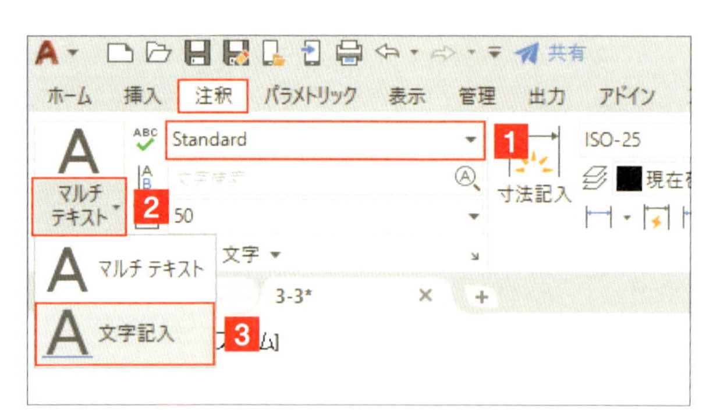

1 文字スタイルを確認し、[文字記入]コマンドを実行する

[注釈] タブ→ [文字] パネルの [文字スタイル] が [Standard] であることを確認し1、[▼] をクリックして2、[文字記入] をクリックします3。

2 挿入点、高さ、角度を指定する

オブジェクトスナップで、文字の始点として円の中心点をクリックして指定し、高さに「50」を入力、角度に「0」を入力します。

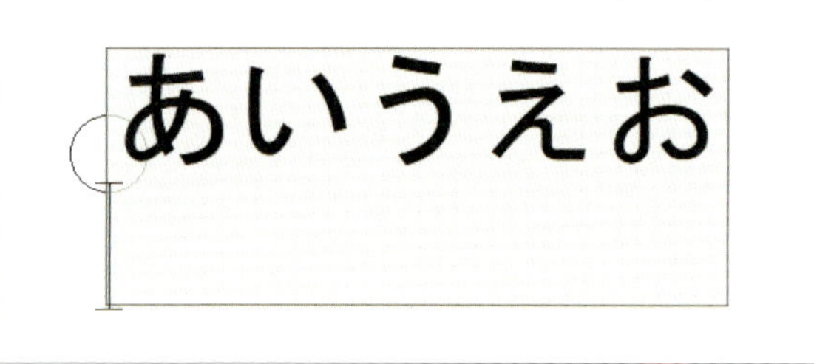

3 内容を記入する

入力カーソルが点滅するので、「あいうえお」と入力し、Enterキーを押して改行、もう一度Enterキーを押して入力を確定します。コマンドが終了し、文字が作図されます。

04 位置合わせを指定して文字を作図する

文字の挿入位置を変更するには、[文字記入]コマンドを実行後に、[位置合わせオプション]を利用します。[位置合わせ]オプションの既定値は[左寄せ(L)]となっています。

完成図

高さが50、内容が「あいうえお」の文字を長方形の中央に作成します。

[文字記入]コマンドで[位置合わせオプション]を利用する

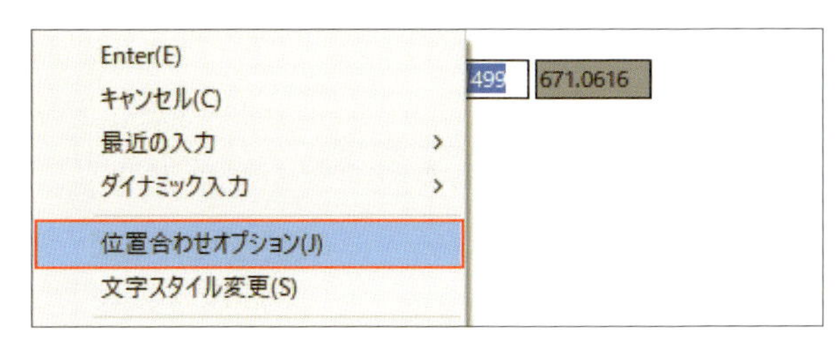

1 [文字記入]コマンドを実行し、[位置合わせオプション]を選択する

[注釈] タブ→ [文字] パネルの [▼] → [文字記入] をクリックし、作図領域で右クリックして、メニューから [位置合わせオプション] を選択します。

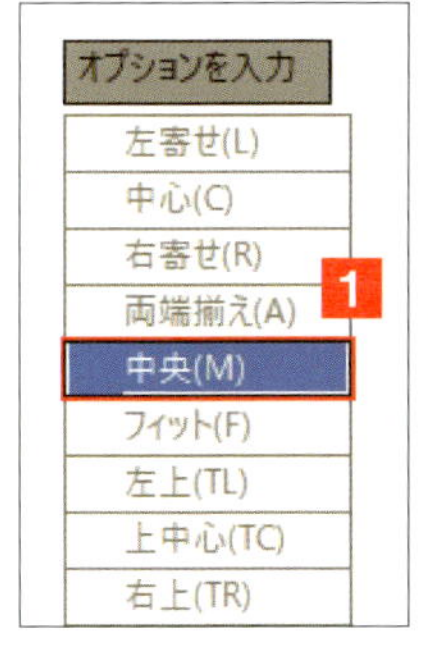

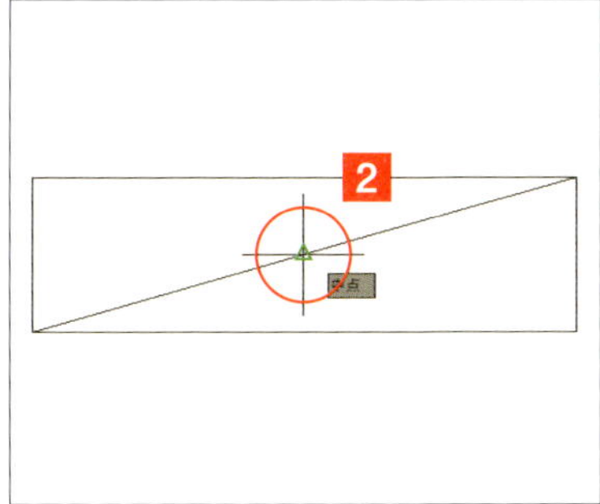

2 [中央(M)]を選択し、挿入点を指定する

表示されたオプションから [中央 (M)] をクリックして選択し1、オブジェクトスナップで、挿入点として線分の中点をクリックして指定します2。

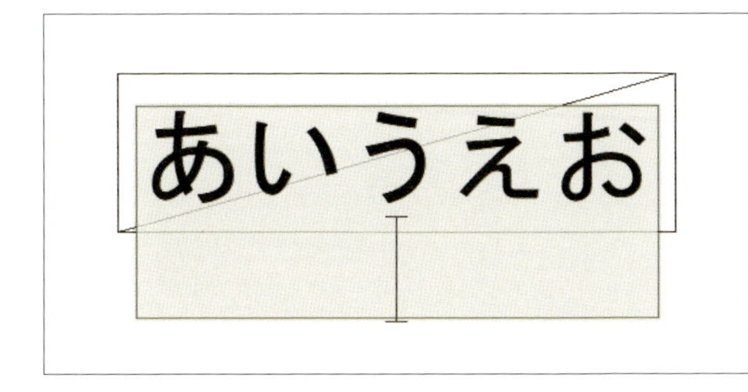

3 高さ、角度を指定し、文字内容を記入する

高さに「50」、角度に「0」、内容に「あいうえお」を入力し、Enterキーを2回押すと、文字が作図されます。

05 図形に沿って文字を作図する

[文字記入]コマンドで角度を指定することもできますが、既存の線分などに沿って文字を作図する場合には、UCSを利用すると効率的です。

サンプルファイル 3-5.dwg　コマンド TEXT、UCS　ショートカットキー DT、なし

完成図

既存の線分に沿って、高さが50、内容が「あいうえお」の文字を作図します。

UCSを設定して[文字記入]コマンドを利用する

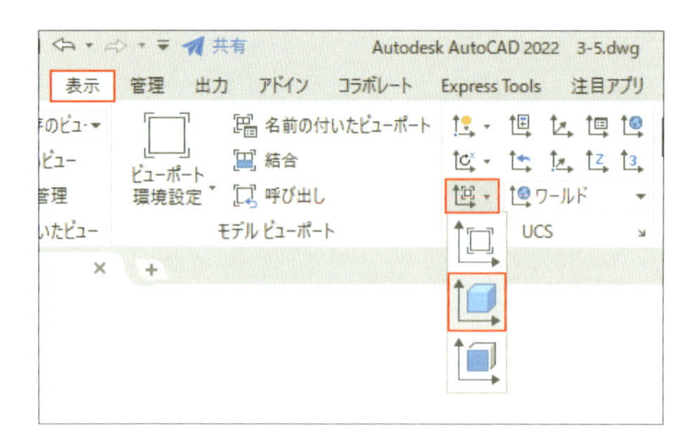

1 [オブジェクト]コマンドを実行する

[表示] タブ→ [UCS] パネルの [▼] → [オブジェクト] をクリックします。

CHECK

[UCS] パネルが表示されていない場合は、P.377の「[UCS] パネルで設定／管理する」を参照してください。

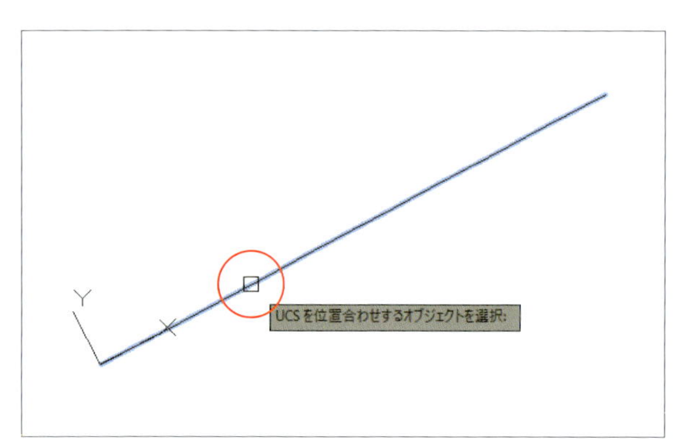

2 X軸にするオブジェクトを選択する

プロンプトに「UCSを位置合わせするオブジェクトを選択」と表示されます。線分の左側をクリックします。

CHECK

このとき、線分の右側をクリックすると座標系の向きが反対になるので注意してください。

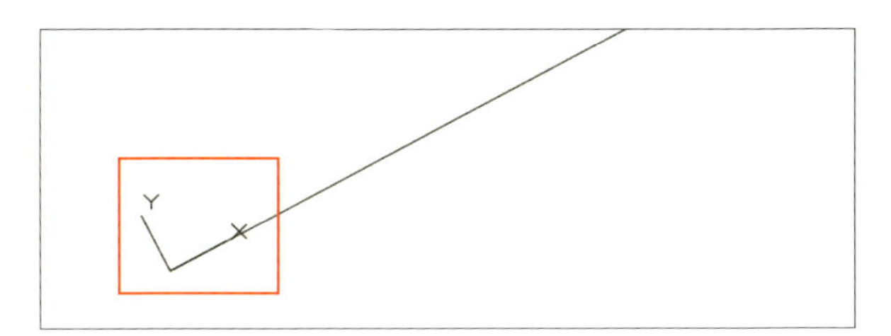

3 XY軸が傾く

ユーザ座標系（UCS）に変更され、X軸が選択した線分の向きになります。

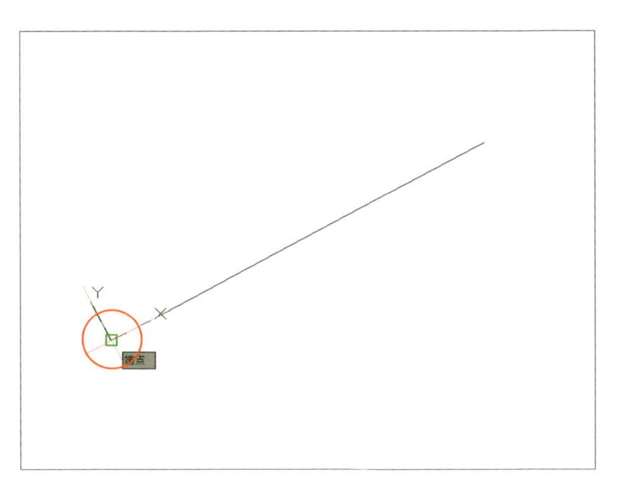

4 [文字記入]コマンドを実行し、挿入点を指定する

[注釈]タブ→[文字]パネルの[▼]→[文字記入]をクリックし、挿入点として線分の左側を指定します。

CHECK

[文字記入]コマンドを実行した際、プロンプトに「文字列の中央点を指定 または ~」と表示され、挿入点が中央などになっている場合は、[位置合わせオプション]を選択し、[左寄せ（L）]に変更することができます（P.175参照）。

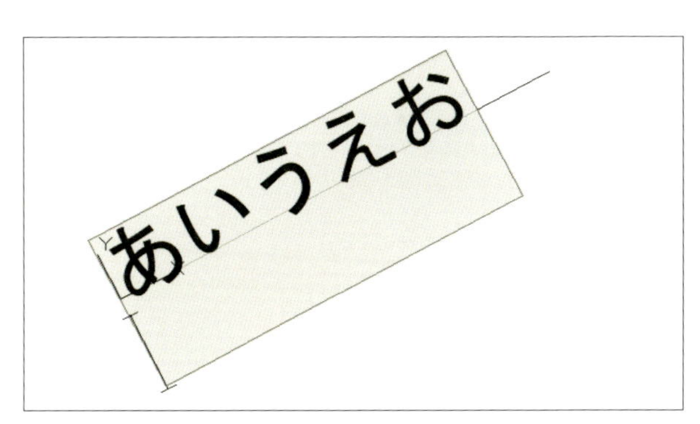

5 高さ、角度を指定し、文字内容を記入する

高さに「50」、角度に「0」、内容に「あいうえお」を入力し、Enterキーを2回押すと、文字が作図されます。

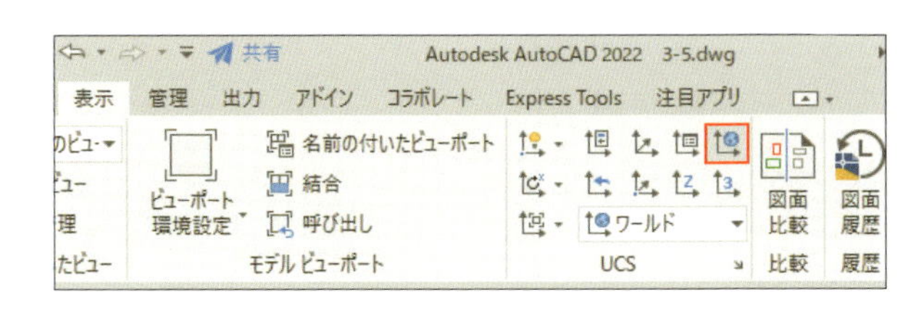

6 [ワールド]コマンドを実行する

[表示]タブ→[UCS]パネルの[ワールド]をクリックします。

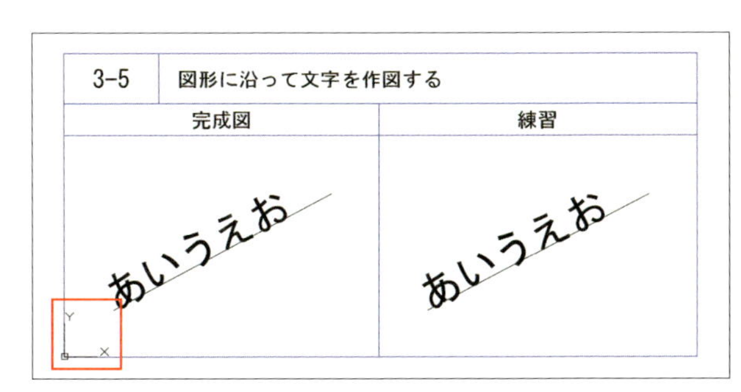

7 ワールド座標に戻る

ユーザ座標系（UCS）からワールド座標系（WCS）に戻ります。

文字内容を変更する

文字内容の変更には、[文字編集]コマンドが用意されていますが、文字をダブルクリックすることによって編集することも可能です。

サンプルファイル 3-6.dwg　コマンド TEXTEDIT　ショートカットキー ED

あいうえお ▶ かきくけこ

完成図

文字の内容を「かきくけこ」に変更します。

文字をダブルクリックして編集する

1 [文字編集]コマンドを実行する

マウスカーソルを文字に近付けると、文字がハイライト表示されるので1、その場所でダブルクリックします2。

2 文字内容を変更する

「かきくけこ」と入力して文字内容を変更します。

3 [文字編集]コマンドを終了する

Enterキーを押して、指定している文字の編集を終了します。もう一度Enterキーを押すと［文字編集］コマンドが終了します。

文字の大きさを変更する

1行文字の文字内容はダブルクリックして編集できますが、文字の大きさを修正するには、プロパティパレットにある[高さ]の数値を変更します。

サンプルファイル 3-7.dwg **コマンド** PROPERTIES **ショートカットキー** PRまたは Ctrl + 1

あいうえお ▶ あいうえお

完成図

文字の高さを70に変更します。

プロパティパレットの[高さ]を変更する

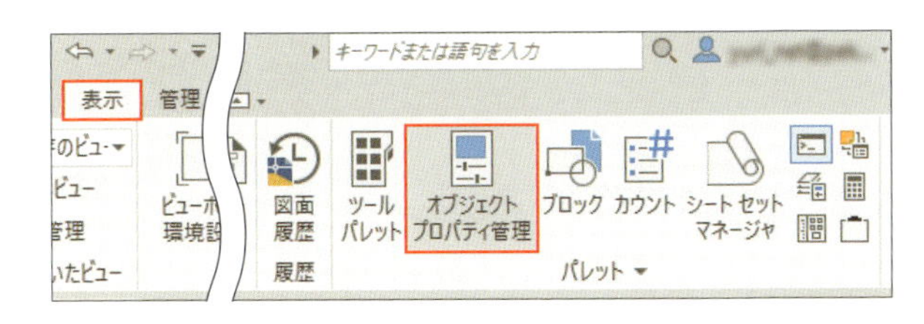

1 プロパティパレットを表示する

［表示］タブ→［パレット］パネルの［オブジェクトプロパティ管理］をクリックします。

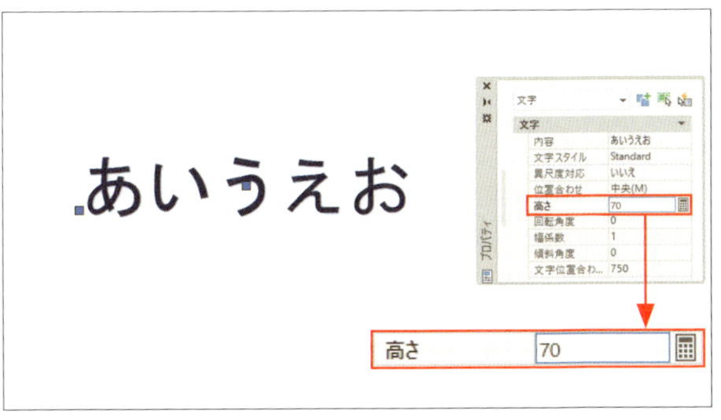

2 文字を選択し、高さを変更する

文字をクリックして選択し、プロパティパレットの［高さ］に「70」と入力して、Enter キーを押すと文字の高さが変更されます。

3 プロパティパレットを閉じる

プロパティパレットの［×］をクリックし、プロパティパレットを閉じます。文字の選択は Esc キーを押して解除します。

08 文字の幅を変更する

文字の幅を変更するには、前ページと同様、プロパティパレットを利用します。プロパティパレットにある[幅係数]の数値を変更しますが、幅係数は「1.0」が標準の幅となるため、数値は倍数で設定します。

サンプルファイル 3-8.dwg　コマンド PROPERTIES　ショートカットキー PRまたはCtrl＋1

あいうえお ▶ あいうえお

完成図

文字の幅を0.75倍に変更します。

プロパティパレットの[幅係数]を変更する

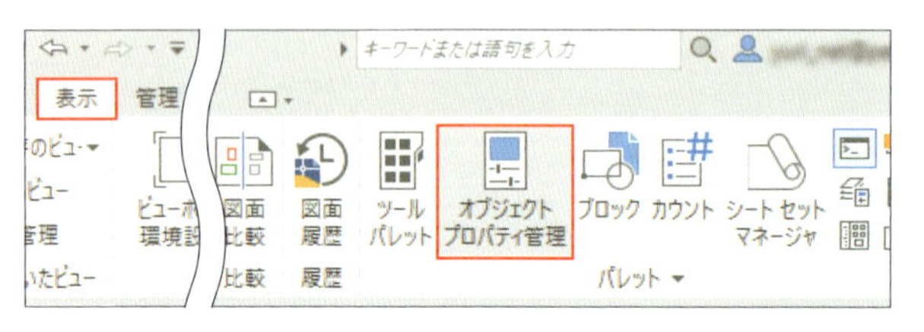

1 プロパティパレットを表示する

[表示] タブ→ [パレット] パネルの [オブジェクトプロパティ管理] をクリックします。

あいうえお

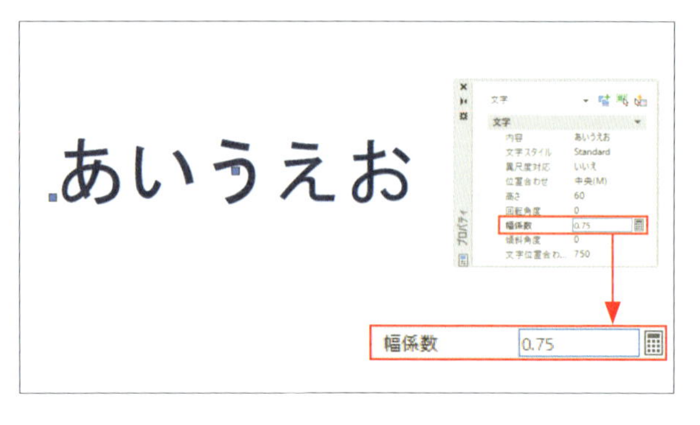

2 文字を選択し、幅を変更する

文字をクリックして選択し、プロパティパレットの [幅係数] に「0.75」と入力、Enterキーを押すと文字の幅が変更されます。

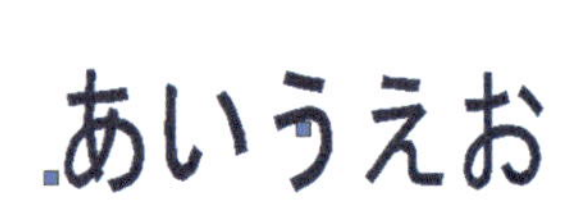

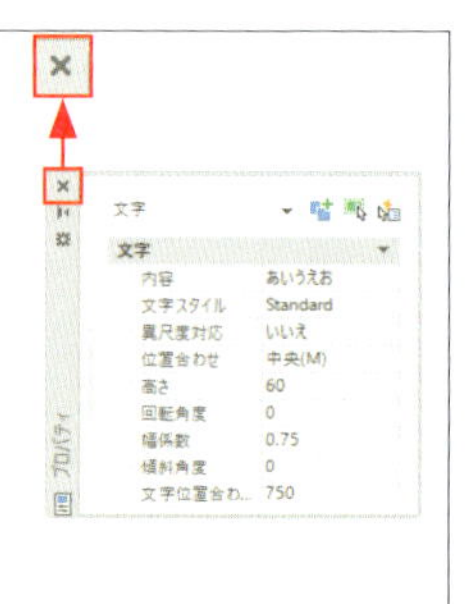

3 プロパティパレットを閉じる

プロパティパレットの [×] をクリックし、プロパティパレットを閉じます。文字の選択はEscキーを押して解除します。

文字スタイルを変更する

文字スタイルを変更するには、前ページと同様、プロパティパレットにある[文字スタイル]から文字スタイルを選択します。文字スタイルの新規作成方法は、P.194を参照してください。

サンプルファイル 3-9.dwg　コマンド PROPERTIES　ショートカットキー PRまたはCtrl + 1

あいうえお ▶ あいうえお

完成図

文字スタイルを「練習用」に変更します。

プロパティパレットの[文字スタイル]を変更する

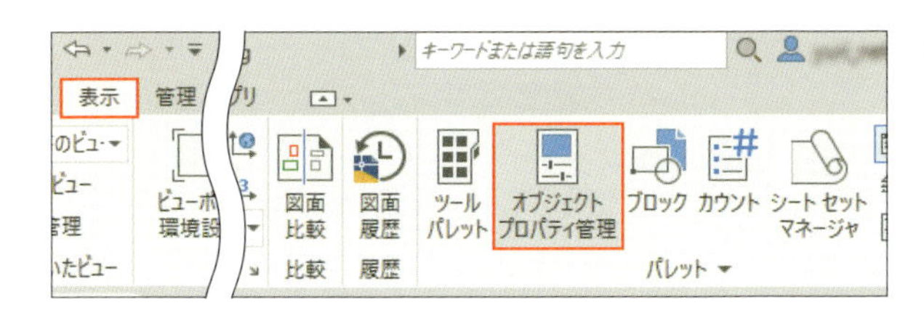

1 プロパティパレットを表示する

[表示] タブ→ [パレット] パネルの [オブジェクトプロパティ管理] をクリックします。

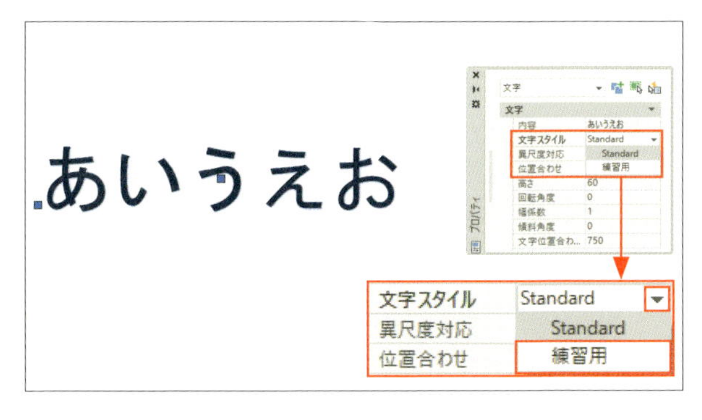

2 文字を選択し、文字スタイルを変更する

文字をクリックして選択し、プロパティパレットの [文字スタイル] から [練習用] を選択すると文字スタイルが変更されます。

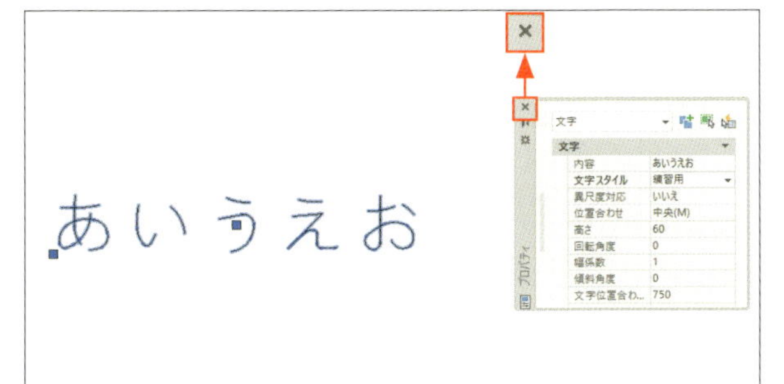

3 プロパティパレットを閉じる

プロパティパレットの [×] をクリックし、プロパティパレットを閉じます。文字の選択はEscキーを押して解除します。

ほかの文字の大きさなどをコピーする

既存の図形の画層や色、線種などは[プロパティコピー]コマンドでコピーすることが可能です。文字に対してこのコマンドを実行すると、高さ、角度、スタイルなどの文字のプロパティがコピーされます。

サンプルファイル 3-10.dwg **コマンド** MATCHPROP **ショートカットキー** MA

完成図

既存の文字から文字の高さをコピーします。

[プロパティコピー]コマンドを利用する

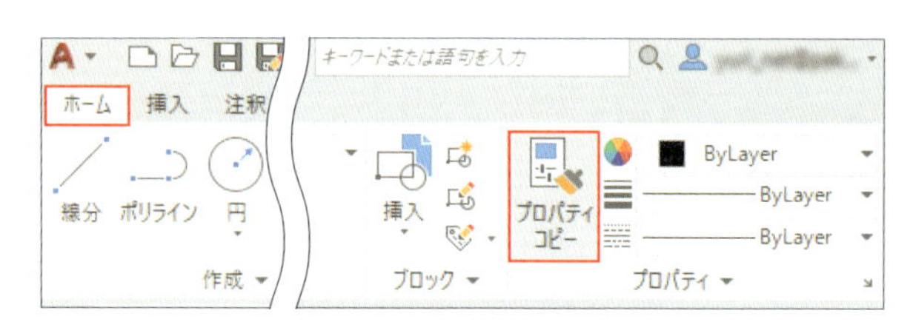

1 [プロパティコピー]コマンドを実行する

[ホーム]タブ→[プロパティ]パネルの[プロパティコピー]をクリックします。

2 コピー元の文字を選択する

コピー元の文字をクリックして選択します。

3 コピー先の文字を選択する

コピー先の文字をクリックして選択すると、文字の大きさが変更されます。Enterキーを押して選択を確定し、コマンドを終了します。

文字を検索する

[文字検索]コマンドで[検索と置換]ダイアログを利用すると、図面内の文字内容の検索や置換をすることができます。また、[検索オプション]を使ってワイルドカード(特殊な記法や記号)を利用した検索も可能です。

サンプルファイル 3-11.dwg **コマンド** FIND **ショートカットキー** なし

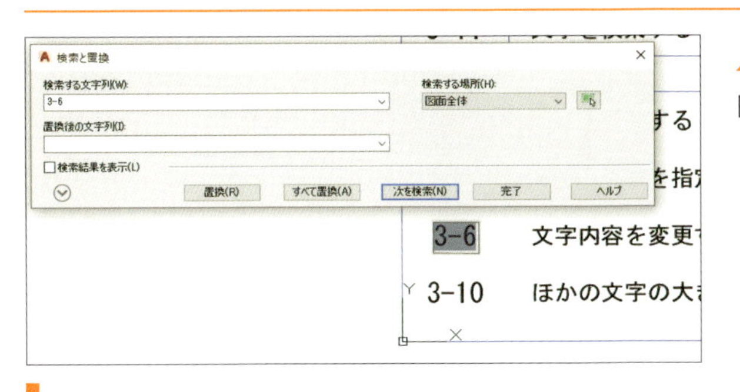

完成図

「3-6」と書かれている文字を検索します。

[文字検索]コマンドを利用する

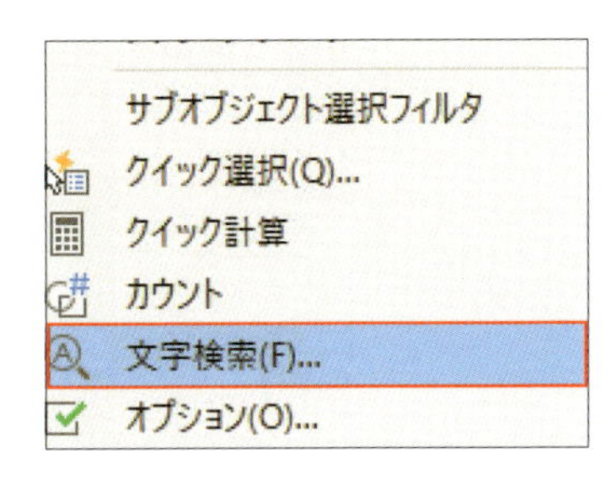

1 [文字検索]コマンドを実行する

作図領域で右クリックし、[文字検索]を選択します。

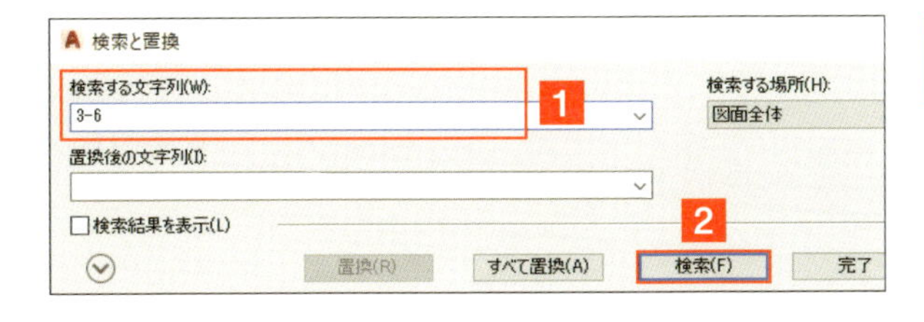

2 検索する文字を入力する

[検索する文字列]に「3-6」を入力し1、[検索]をクリックします2。

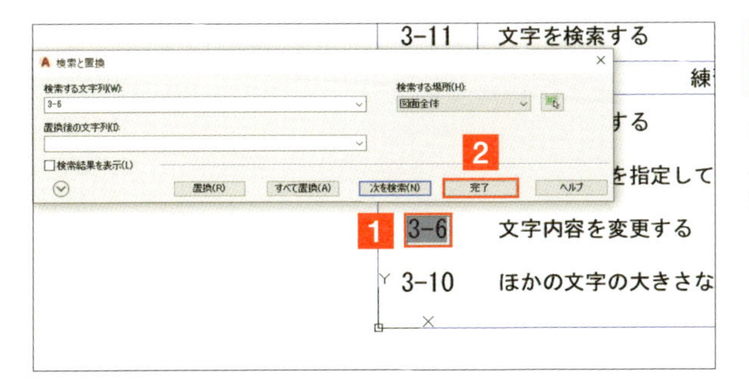

3 検索結果が表示された

検索結果が図面内に表示され、「3-6」の文字がハイライトされます1。[完了]をクリックして終了します2。

面積を表す文字を作図する

[フィールド]を利用すると1行文字やマルチテキストに、さまざまな情報をリンクして記入することができます。ここでは、ポリラインの面積を記入します。

サンプルファイル 3-12.dwg コマンド TEXTEDIT ショートカットキー ED

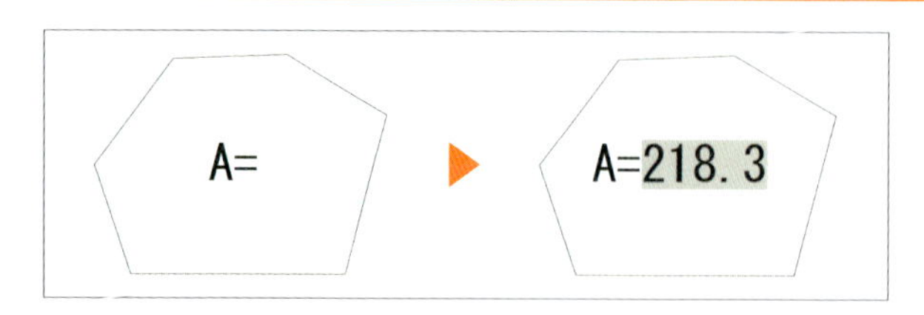

完成図

ポリラインの面積を記入します。
また、面積はmm^2からm^2に変更します。

[フィールド]ダイアログで面積などを設定する

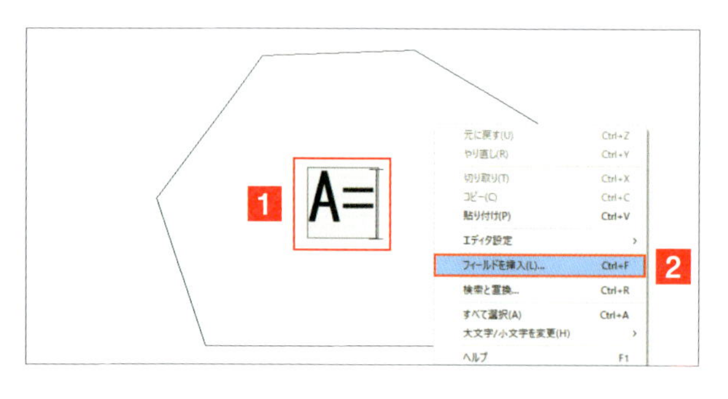

1 [文字編集]コマンドを実行し、[フィールドを挿入]を選択する

文字をダブルクリックして選択します。入力カーソルを「=」のうしろに移動し1、作図領域で右クリックして、[フィールドを挿入]を選択します2。

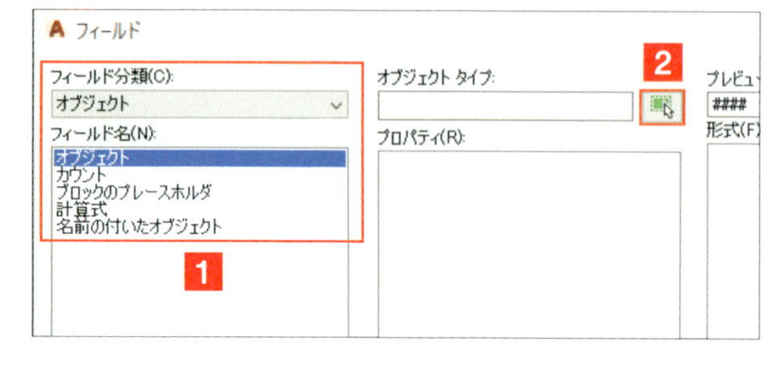

2 フィールド分類、フィールド名、オブジェクトタイプを選択する

[フィールド]ダイアログが表示されます。[フィールド分類]で[オブジェクト]、[フィールド名]で[オブジェクト]を選択し1、[オブジェクトタイプ]の[オブジェクトを選択]をクリックします2。

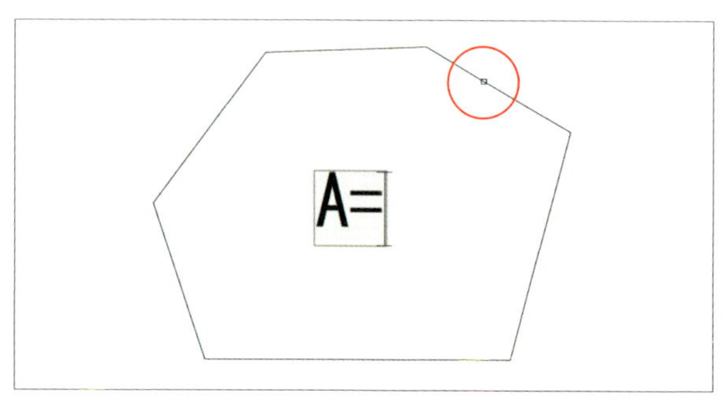

3 ポリラインを選択する

文字の周りにあるポリラインをクリックして選択します。

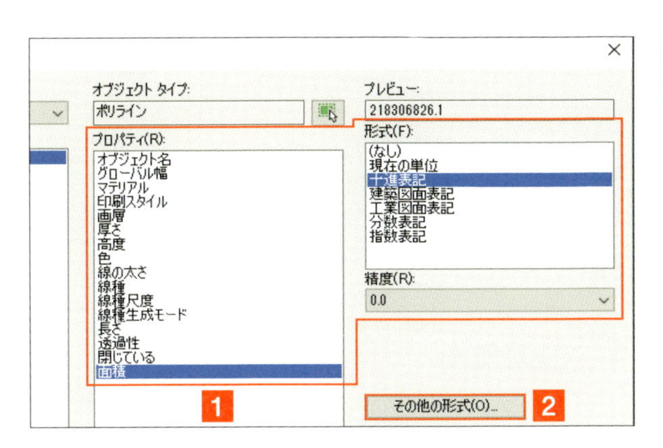

4 プロパティと形式を選択する

[プロパティ]に[面積]、[形式]に[十進表記]、[精度]に[0.0]を選択し1、[その他の形式]をクリックします2。

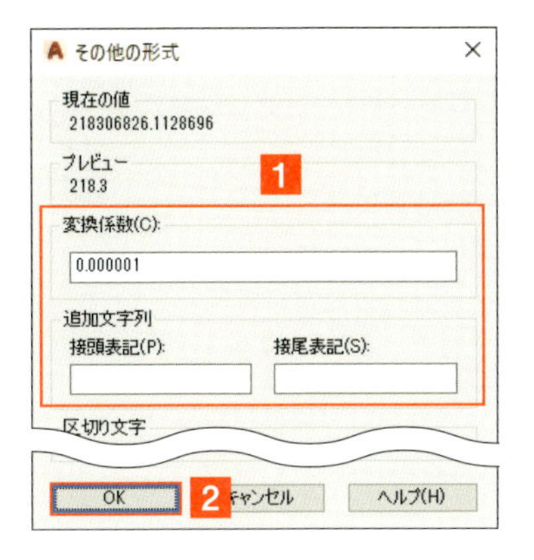

5 変換係数、接頭表記、接尾表記を設定する

[変換係数] に「0.000001」を入力し、[接頭表記]、[接尾表記] を空欄にして1、[OK] をクリックします2。

CHECK

ここでは、標準である mm^2 を m^2 に変換するため、変換係数を 1,000 の二乗分の 1 である「0.000001」を入力しています。

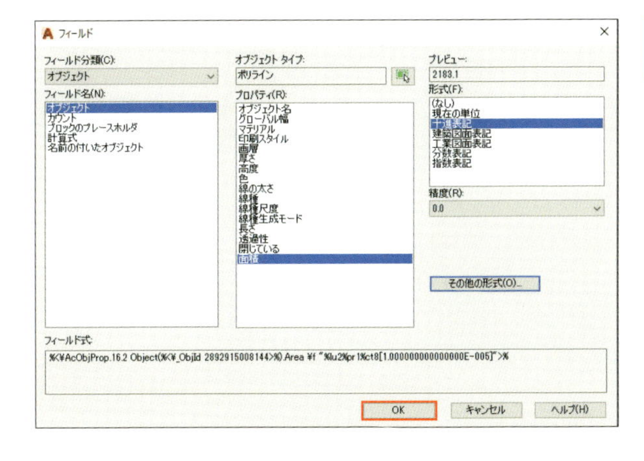

6 フィールドを終了する

[フィールド] ダイアログの [OK] をクリックし、フィールドを終了します。

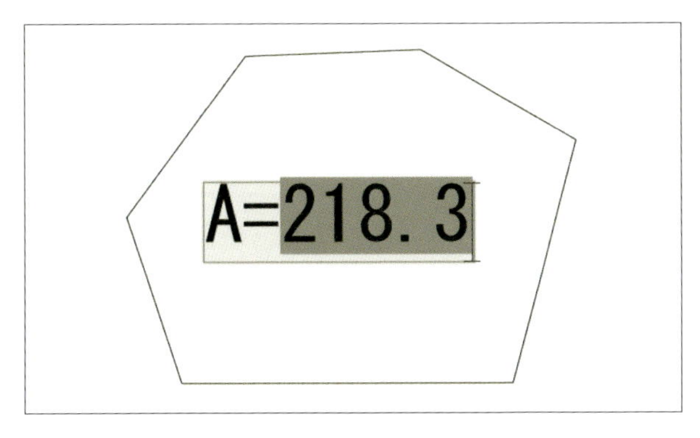

7 [文字編集]を終了する

Enterキーを押して、指定している文字の編集を終了します。もう一度Enterキーを押すと [文字編集] コマンドが終了します。

ファイル名を表示する文字を作図する

[フィールド]を利用すると1行文字やマルチテキストに、さまざまな情報をリンクして記入することができます。ここでは、ファイル名を記入します。

サンプルファイル 3-13.dwg　コマンド TEXTEDIT　ショートカットキー ED

ファイル名 :

ファイル名 : 3-13. dwg

完成図

ファイル名を記入します。

[フィールド]ダイアログでファイル名などを設定する

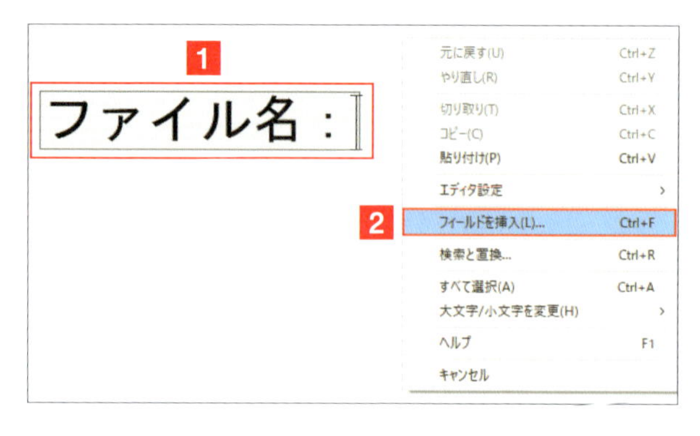

1 [文字編集]コマンドを実行し、[フィールドを挿入]を選択する

文字をダブルクリックして選択します。入力カーソルを「:」のうしろに移動し1、作図領域で右クリックして、[フィールドを挿入] を選択します2。

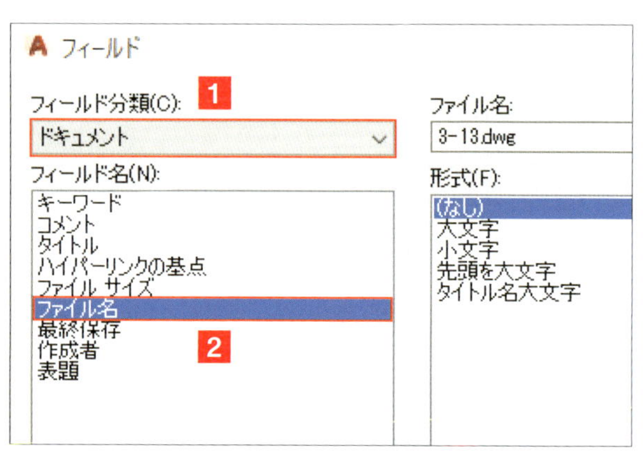

2 フィールド分類、フィールド名を選択する

[フィールド分類] で [ドキュメント] 1、[フィールド名] で [ファイル名] を選択します2。

3 形式を選択する

［ファイル名のみ］を選択し1、［OK］をクリックします2。

4 ［文字編集］コマンドを終了する

Enterキーを押して、指定している文字の編集を終了します。もう一度Enterキーを押すと［文字編集］コマンドが終了します。

POINT

フィールドの背景色を非表示にする

フィールドの背景色が不要な場合は、［アプリケーションメニュー］の下部にある［オプション］をクリックし、［基本設定］タブの［フィールドの背景を表示］のチェックを外してください。

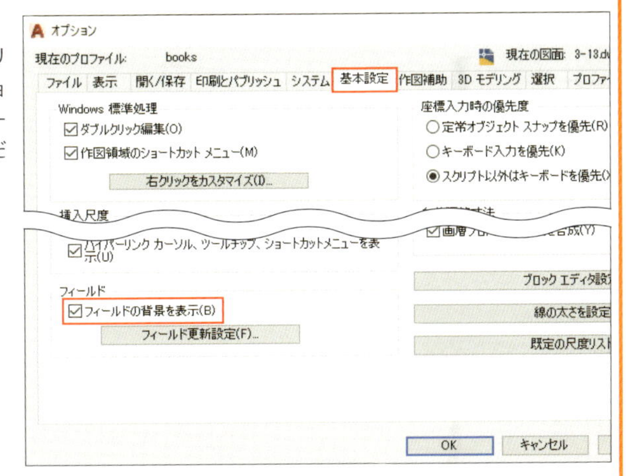

POINT

フィールドを編集可能な文字列に変換する

フィールドを編集可能な文字列に変換する場合には、［文字編集］コマンドを実行し、フィールドを選択して右クリック、［フィールドを文字に変換］を選択してください。

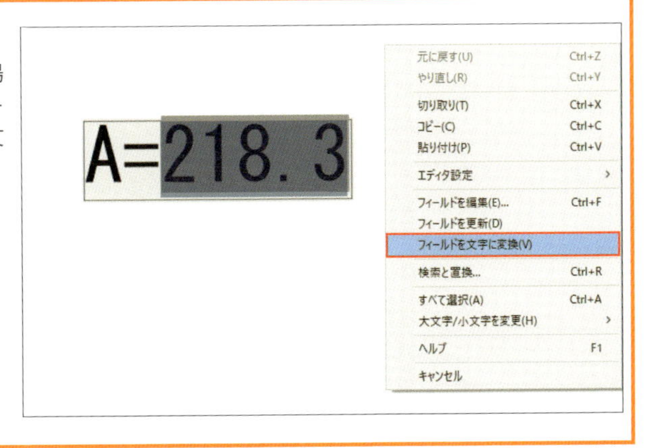

マルチテキストを作図する

複数行の文章を記入する場合は、マルチテキストが適しています。文字を書く範囲を2点で指定すると、入力範囲を越えた文字は自動的に改行されます。

サンプルファイル 3-14.dwg **コマンド** MTEXT **ショートカットキー** MT

完成図

高さが35、内容が「あいうえおかきくけこ」の複数行の文字を作図します。

[マルチテキスト]コマンドを利用する

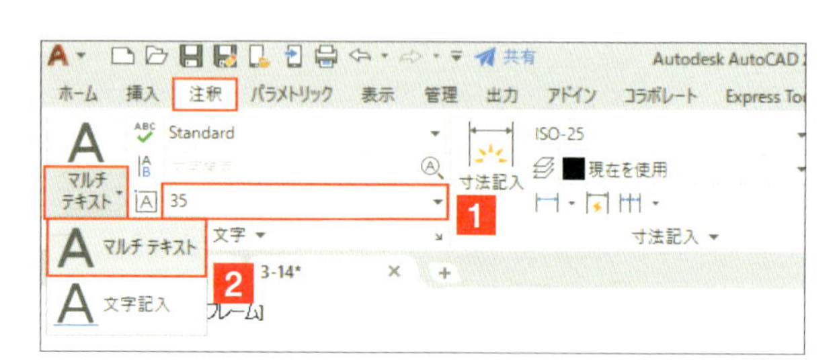

1 文字高さを確認し、[マルチテキスト]コマンドを実行する

[注釈] タブ→ [文字] パネルの [注釈文字の高さ] が「35」であることを確認し1、[▼] → [マルチテキスト] をクリックします2。

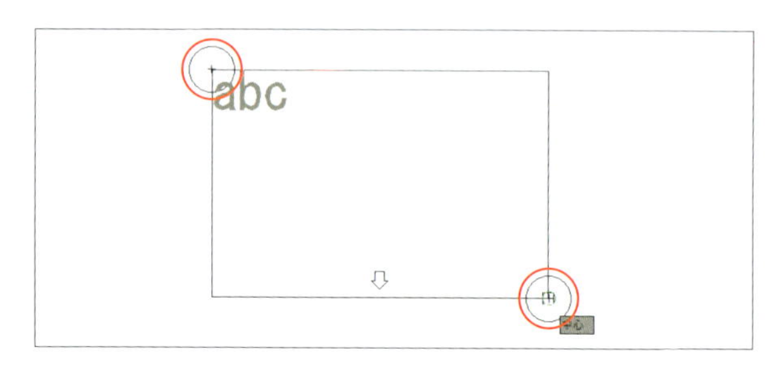

2 範囲を指定する

文字を書く範囲として、オブジェクトスナップで円の中心を2点クリックします。

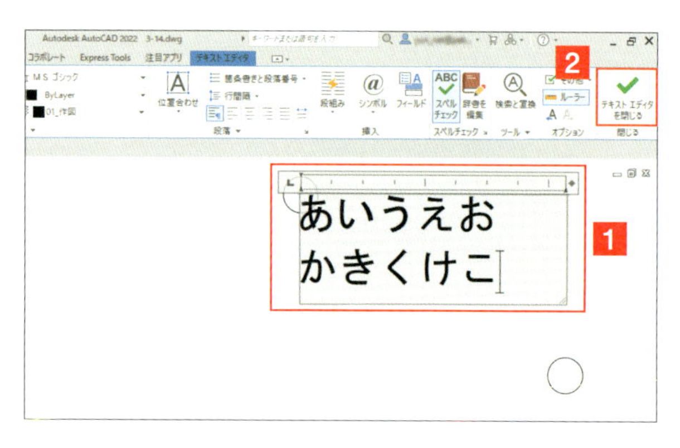

3 文字を記入する

入力カーソルが点滅するので、「あいうえお」と入力し、Enterキーを押して改行し、次に「かきくけこ」と入力して1、[テキストエディタ] タブ→ [閉じる] パネルの [テキストエディタを閉じる]をクリックします2。コマンドが終了し、マルチテキストが作図されます。

マルチテキストの内容を変更する

マルチテキストの内容を変更するには、[文字編集]コマンドが用意されていますが、文字をダブルクリックすることによって編集することも可能です。

サンプルファイル 3-15.dwg コマンド TEXTEDIT ショートカットキー ED

あいうえお かきくけこ ▶ かきくけこ さしすせそ

完成図

内容を「かきくけこさしすせそ」に変更します。

ダブルクリックで変更する

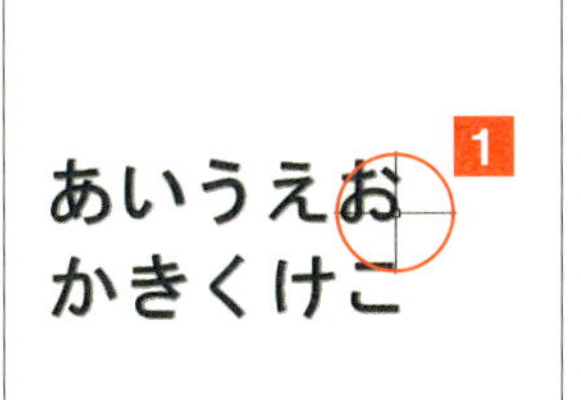

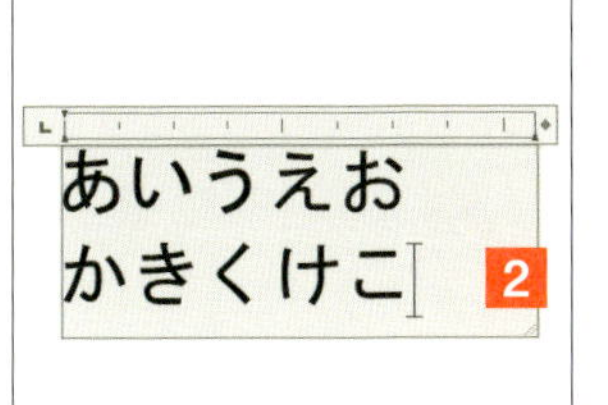

1 [文字編集]コマンドを実行する

マウスカーソルを文字に近付けると、文字がハイライト表示されるので1、その場所でダブルクリックします2。

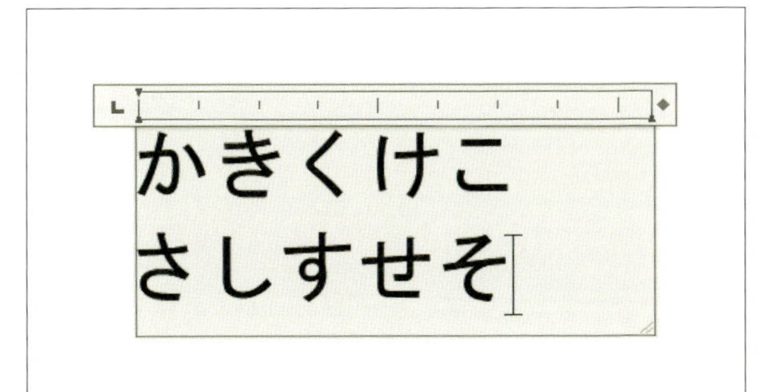

2 文字内容を変更する

文字内容を「かきくけこさしすせそ」に変更します。

3 テキストエディタを終了する

[テキストエディタ] タブ→ [閉じる] パネルの[テキストエディタを閉じる] をクリックします。コマンドが終了し、文字の内容が変更されます。

16 マルチテキストで下線を付ける

マルチテキストの修正は、[文字編集]コマンドで表示される、リボンの[テキストエディタ]タブを利用します。文字の高さや位置合わせなど、さまざまな書式を設定することができます。ここでは、文字に下線を付けます。

サンプルファイル 3-16.dwg　コマンド TEXTEDIT　ショートカットキー ED

あいうえお
かきくけこ
▶
あいうえお
かきくけこ

完成図

「あいうえお」の文字に下線を付けます。

[テキストエディタ]タブの[下線]を利用する

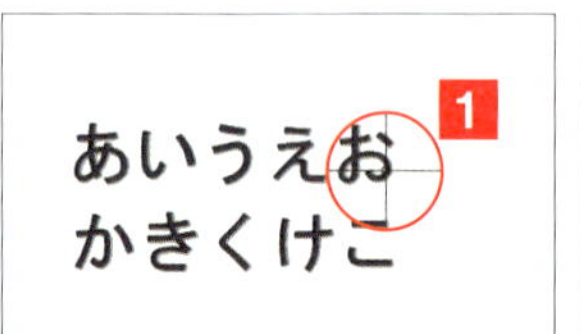

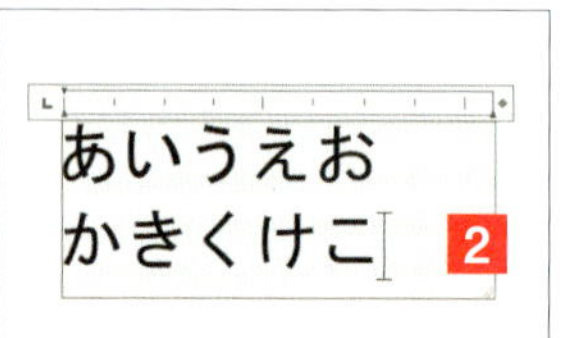

1 [文字編集]コマンドを実行する

マウスカーソルを文字に近付けると、文字がハイライト表示されるので1、その場所でダブルクリックします2。

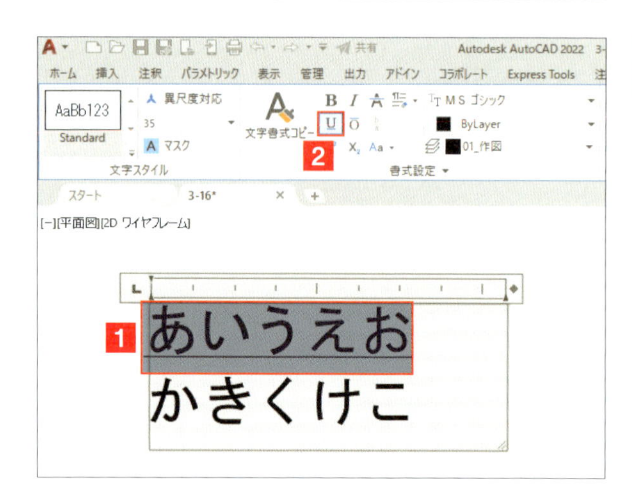

2 文字を選択し、下線を付ける

「あいうえお」の文字をドラッグして選択し1、[テキストエディタ]タブ→[書式設定]パネルの[下線]をクリックします2。

3 テキストエディタを終了する

[テキストエディタ]タブ→[閉じる]パネルの[テキストエディタを閉じる]をクリックします。コマンドが終了し、文字に下線がつきます。

マルチテキストの文字の大きさを指定する

ここでは、マルチテキストの文字の大きさを変更します。前ページと同様に、リボンの[テキストエディタ]タブを利用します。テキスト全体ではなく、任意の文字のみ変更することが可能です。

サンプルファイル 3-17.dwg　コマンド TEXTEDIT　ショートカットキー ED

あいうえお
かきくけこ
▶
あいうえお
かきくけこ

完成図

「かき」の文字のみ、高さを50にします。

[テキストエディタ]タブの[文字高さ]で変更する

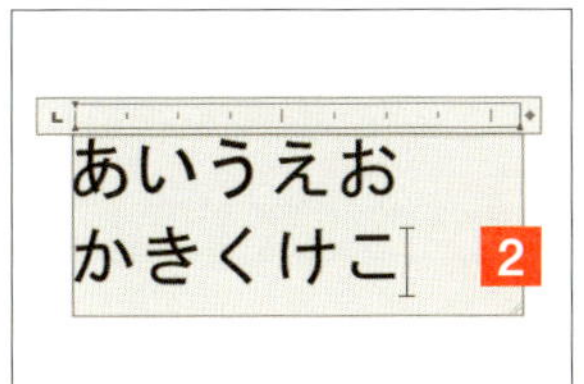

1 [文字編集]コマンドを実行する

マウスカーソルを文字に近付けると、文字がハイライト表示されるので1、その場所でダブルクリックします2。

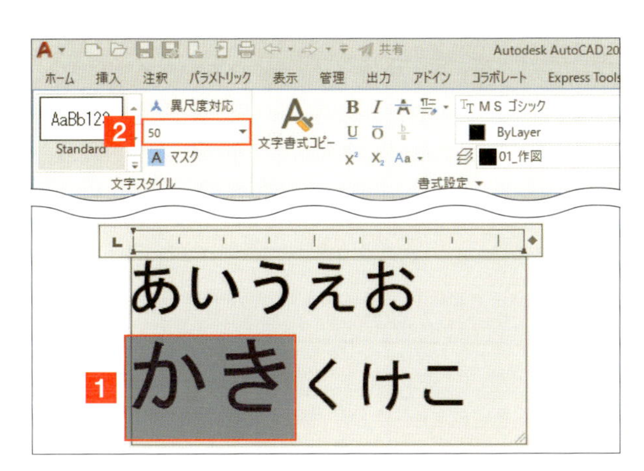

2 文字を選択し、高さを変更する

「かき」の文字をドラッグして選択し1、[テキストエディタ]タブ→[文字スタイル]パネルの[文字高さ]に「50」を入力し、Enterキーを押します2。

3 テキストエディタを終了する

[テキストエディタ]タブ→[閉じる]パネルの[テキストエディタを閉じる]をクリックします。コマンドが終了し、文字の高さが変更されます。

マルチテキストで1行に2行分を表示する

マルチテキストのスタック機能(書式設定)は、文字の間を「/」で区切ると水平線で、「#」で区切ると斜線で2行に区切って表示されます。ここでは、線が表示されない「^」で区切って2行で表示する方法を解説します。

サンプルファイル 3-18.dwg **コマンド** TEXTEDIT **ショートカットキー** ED

縮尺 V=1:200^H=1:100

▼

縮尺 V=1:200
H=1:100

完成図

「V=1：200」と「H=1：1000」の文字を、2行で表示します。

文字を選択してスタックを適用する

縮尺 V=1:200^H=1:100

1 [文字編集]コマンドを実行する

マウスカーソルを文字に近付けると、文字がハイライト表示されるので、その場所でダブルクリックします。

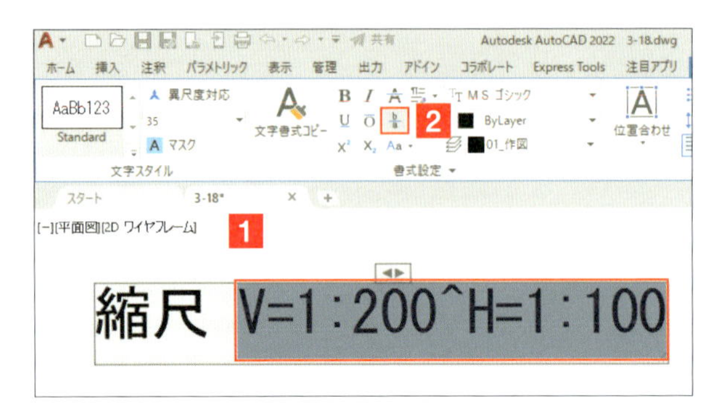

2 文字を選択し、スタックする

「V=1：200^H=1：100」の文字をドラッグして選択し1、[テキストエディタ]タブ→[書式設定]パネルの[スタック]をクリックします2。

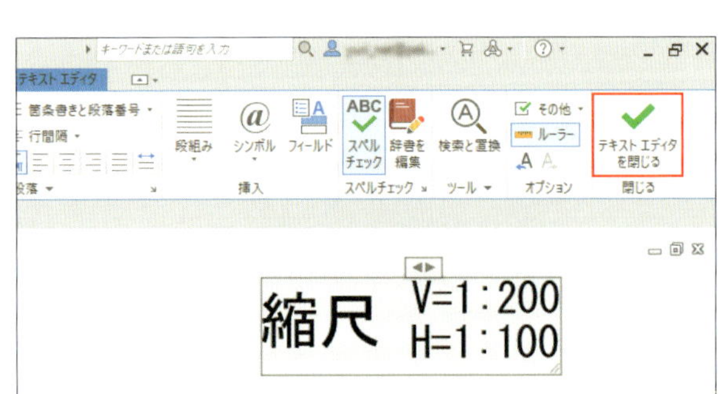

3 テキストエディタを終了する

[テキストエディタ]タブ→[閉じる]パネルの[テキストエディタを閉じる]をクリックします。コマンドが終了し、スタックすることができます。

マルチテキストを1行文字に変換する

マルチテキストを1行文字にするには、[分解]コマンドを実行します。なお、文字の大きさや下線付きなどプロパティが違うものは、個別に1行文字に変換されます。

サンプルファイル 3-19.dwg コマンド EXPLODE ショートカットキー X

完成図

マルチテキストを1行文字に変換します。

[分解]コマンドを利用する

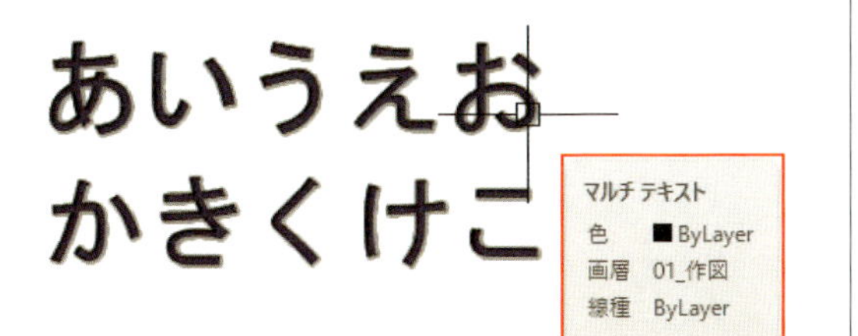

1 マルチテキストであることを確認する

マウスカーソルを文字に近付けると、ロールオーバーツールチップが表示されるので、マルチテキストであることを確認します。

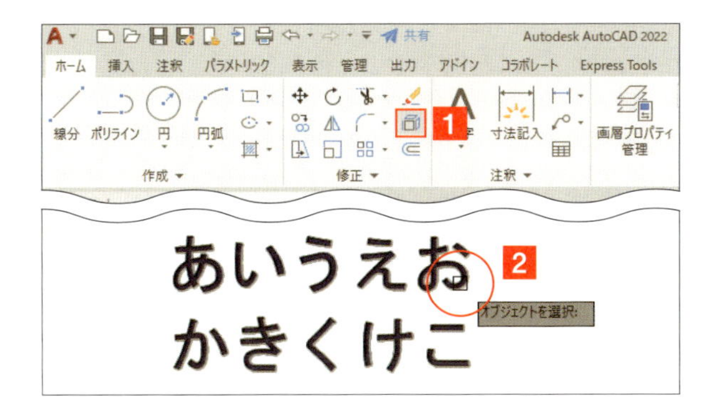

2 [分解]コマンドを実行する

[ホーム]タブ→[修正]パネルの[分解]をクリックし1、マルチテキストを選択して2、選択を確定するためにEnterキーを押します。

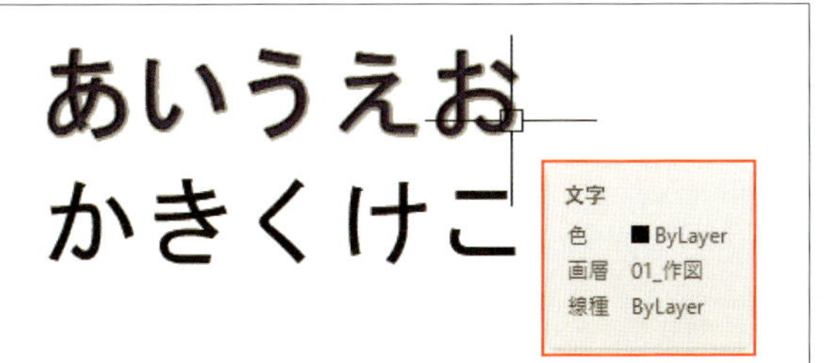

3 文字であることを確認する

マウスカーソルを文字に近付け、文字に変換されたことを確認します。

20 文字スタイルを作成する

文字には必ず文字スタイルが適用されており、フォントも文字スタイルに設定します。フォントにはAutoCAD専用の線画で作られたSHXフォントとWindowsで使用されるTrueTypeフォントがあります。

サンプルファイル 3-20.dwg **コマンド** STYLE **ショートカットキー** ST

あいうえお
かきくけこ
▶
あいうえお
かきくけこ

完成図

「作図用」という名前の文字スタイルを作成します。フォントは、半角に[romans.shx]、全角に[extfont2.shx]を指定します。

新規作成でフォントを指定する

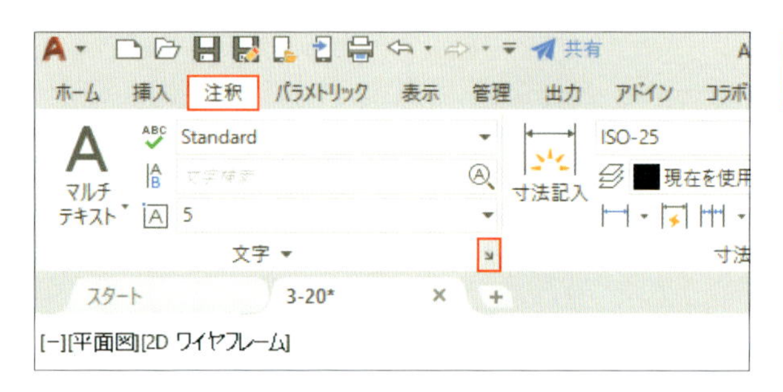

1 [文字スタイル管理]コマンドを実行する

[注釈] タブ→ [文字] パネルの [ダイアログボックスランチャー] をクリックします。

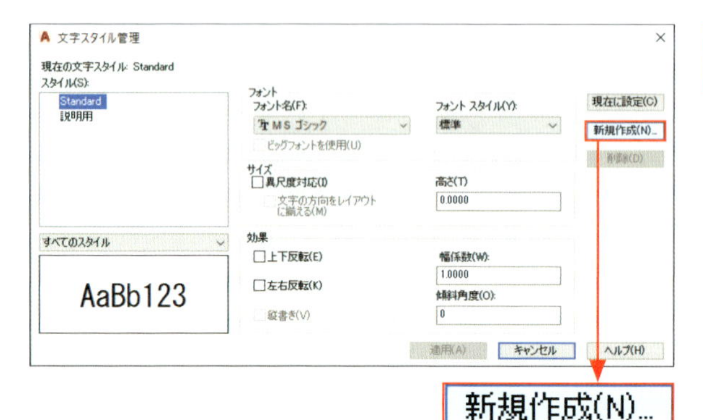

2 文字スタイルを新規作成する

[文字スタイル管理] ダイアログが表示されるので、[新規作成] をクリックします。

3 文字スタイル名を入力する

[スタイル名] に「作図用」と入力し1、[OK] をクリックします2。

4 半角用のフォントを指定する

［フォント名］で［romans.shx］を選択します。

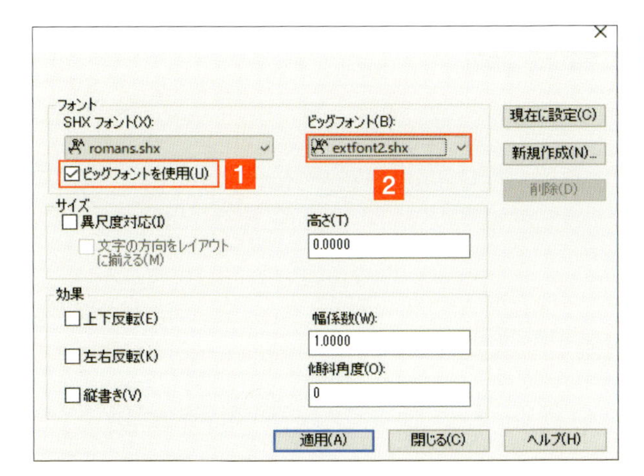

5 全角用のフォントを指定する

［ビッグフォントを使用］にチェックを入れ1、［ビッグフォント］から［extfont2.shx］を選択します2。

CHECK

SHX フォントを使用する場合は、［ビッグフォントを使用］にチェックを入れ、［SHX フォント］に半角英数字用のフォントを、［ビッグフォント］に全角用のフォントを指定する必要があります。

6 設定を適用し、文字スタイルを終了する

設定を反映するため［適用］をクリックし1、［閉じる］をクリックします2。

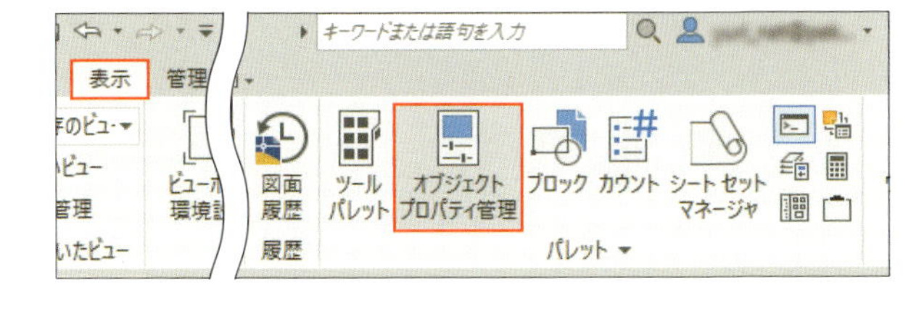

7 プロパティパレットを表示する

［表示］タブ→［パレット］パネルの［オブジェクトプロパティ管理］をクリックします。

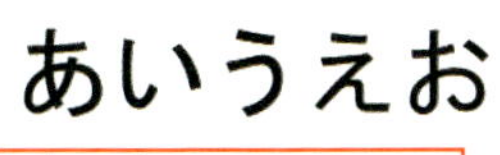

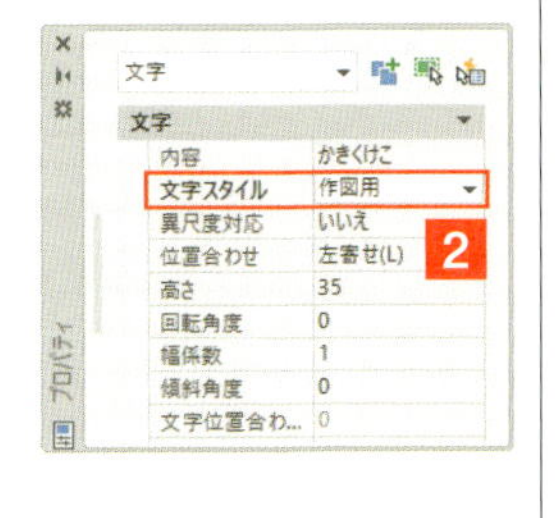

8 文字スタイルを変更する

「かきくけこ」の文字をクリックして選択し1、プロパティパレットの［文字スタイル］を［作図用］に変更します2。フォントが変更されたことがわかります。プロパティパレットの［×］をクリックし、Escキーを押して文字の選択を解除します。

21 文字スタイルを指定して作図する

P.194で触れたとおり、文字には必ず文字スタイルが適用されます。作図用、寸法用、図枠用など、さまざまな場合に備えた文字スタイルを用意し、文字を作図するときには文字スタイルを指定します。

サンプルファイル 3-21.dwg　コマンド STYLE　ショートカットキー ST

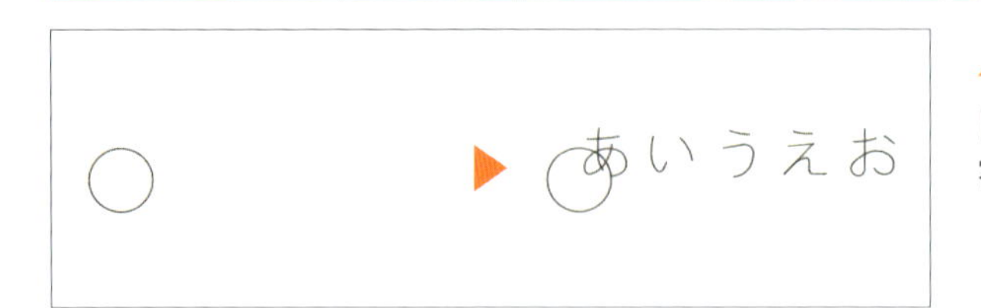

完成図

[作図用]の文字スタイルを指定し、高さが35、内容が「あいうえお」の文字を作図します。

文字スタイルを指定して[文字記入]コマンドを利用する

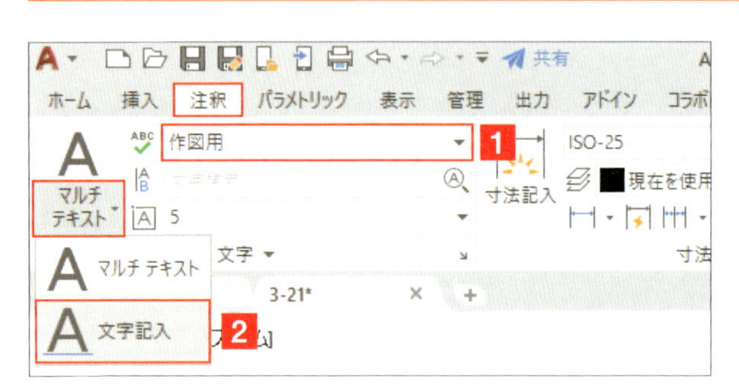

1 文字スタイルを設定し、[文字記入]コマンドを実行する

[注釈] タブ→ [文字] パネルの [文字スタイル] から [作図用] を選択し1、[▼] → [文字記入] をクリックします2。

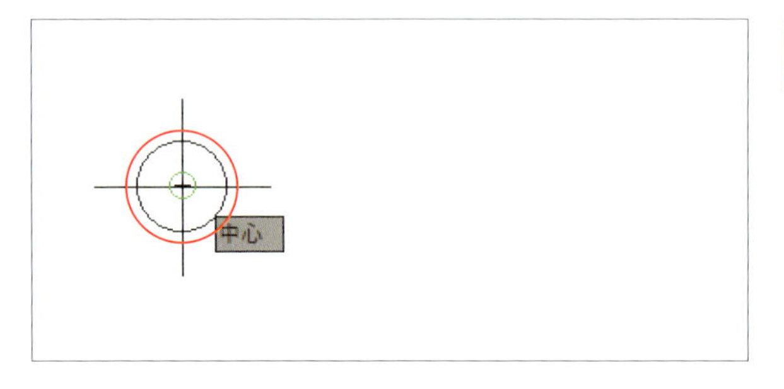

2 挿入点、高さ、角度を指定する

オブジェクトスナップで、文字の始点として円の中心を指定し、高さに「35」を入力、角度に「0」を入力します。

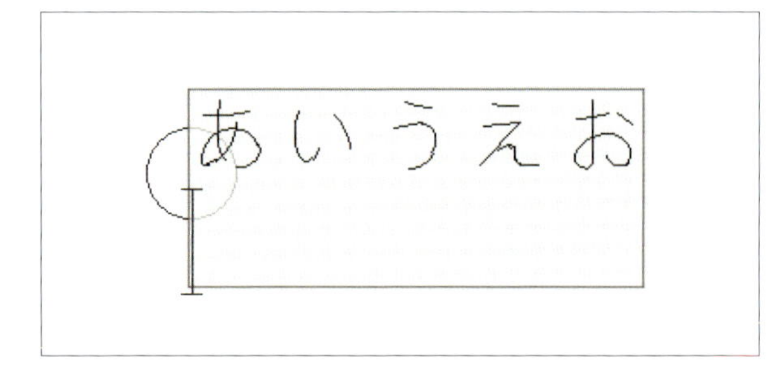

3 内容を記入する

入力カーソルが点滅するので、「あいうえお」と入力し、Enterキーを押して改行したら、もう一度Enterキーを押して入力を確定します。コマンドが終了し、[作図用] 文字スタイルで文字が作図されます。

文字スタイルのフォントを変更する

文字スタイルにはフォントが設定されていますが、そのフォントはあとから変更することができます。ここでは、すでに作成している文字スタイルのフォントを変更します。

あいうえお ▶ あいうえお

完成図

［作図用］文字スタイルのフォントを［MSゴシック］に変更します。

［文字スタイル管理］ダイアログから変更する

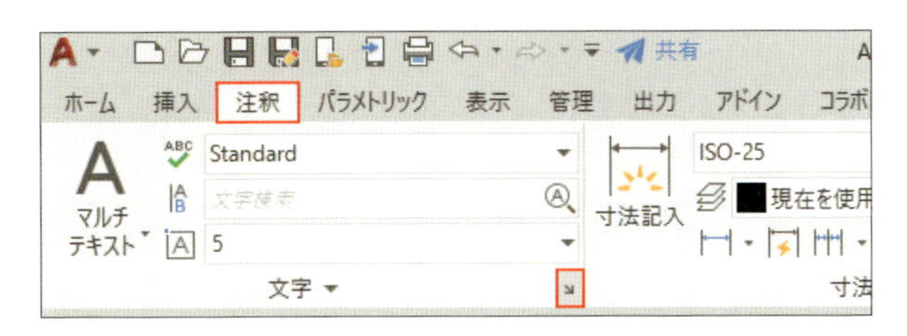

1 ［文字スタイル管理］コマンドを実行する

［注釈］タブ→［文字］パネルの［ダイアログボックスランチャー］をクリックします。

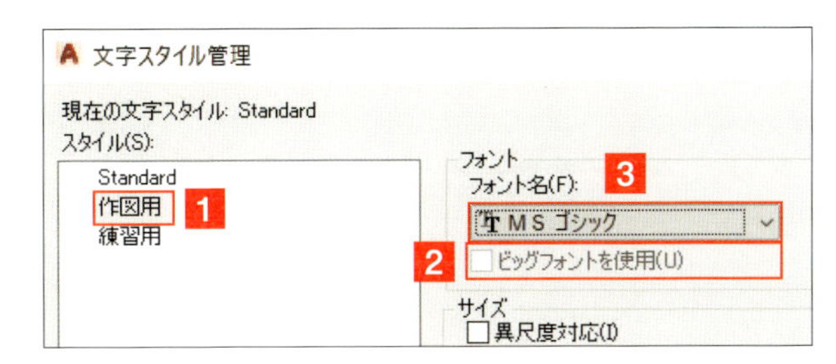

2 フォントを変更する

［スタイル］から［作図用］を選択し**1**、［ビッグフォントを使用］のチェックを外して**2**、［MSゴシック］を選択します**3**。

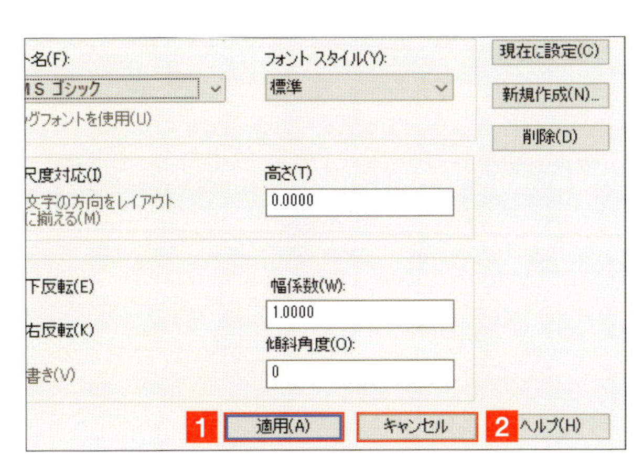

3 設定を適用し、文字スタイルを終了する

設定を反映するため［適用］をクリックし**1**、［閉じる］をクリックします（［キャンセル］が［閉じる］に変わる）**2**。文字のフォントが変更されたことを確認してください。

CHECK

変更が反映されない場合は、「RE」と入力して Enter キーを押し、［再作図］コマンドを実行してください。

23 寸法を理解する

寸法には、長さ寸法、平行寸法、角度寸法、弧長寸法、半径寸法、直径寸法、座標寸法、折り曲げ半径寸法があります。寸法スタイルでは寸法線や寸法補助線、矢印、寸法値の設定を行うことができます。

寸法の構成要素とスタイル

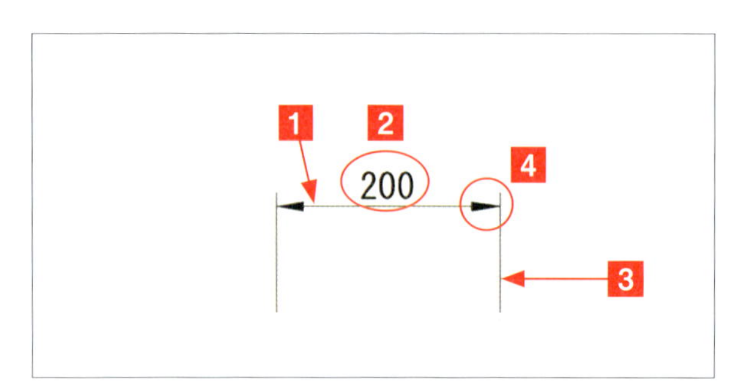

寸法の構成要素

寸法は寸法線1、寸法値2、寸法補助線3、矢印4から作図されています。

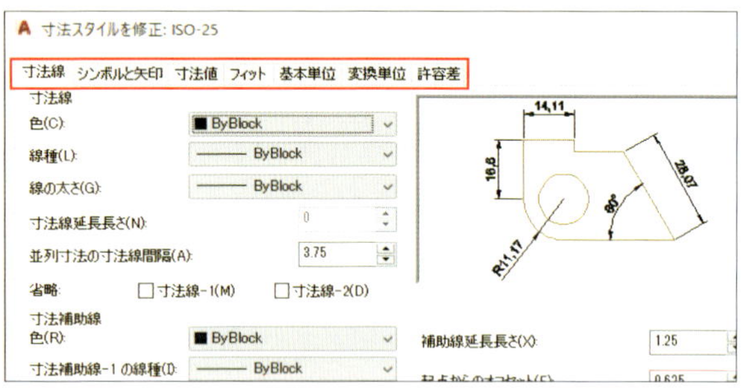

寸法スタイル

寸法スタイルを設定できるダイアログにはいくつかのタブがあり、寸法線や寸法補助線、寸法値、矢印などの設定が行えます。ダイアログは、[ダイアログボックスランチャー] をクリックして、[修正]、[新規作成] などをクリックして表示します（P.211、213 参照）。

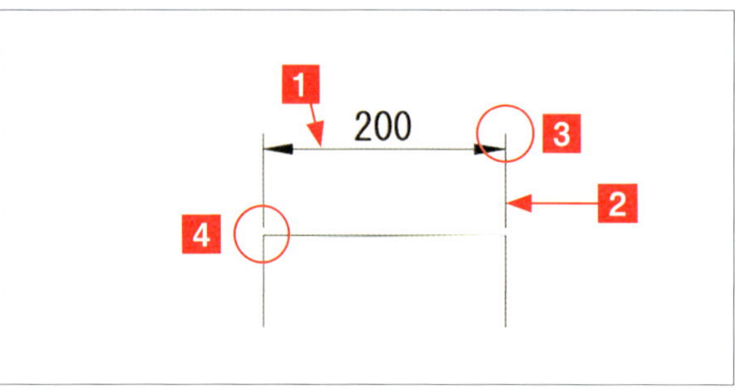

●[寸法線] タブ
寸法線1や寸法補助線2、補助線延長長さ3、基点からのオフセット4などを設定します。

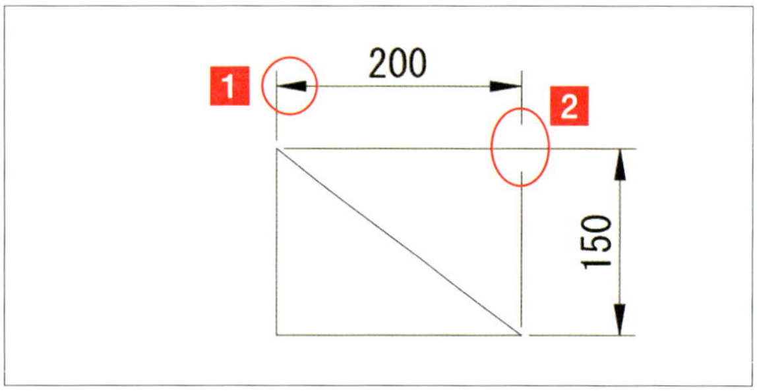

●[シンボルと矢印] タブ
寸法に使われる矢印の種類1や寸法マスク2などを設定します。

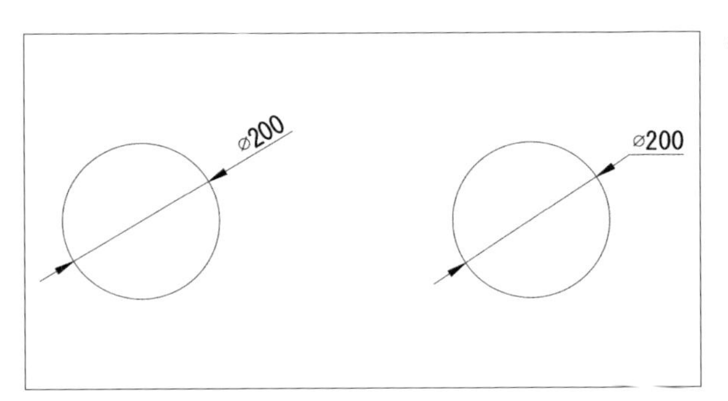

●[寸法値] タブ
寸法値の文字スタイルや位置合わせの方法などを設定します。

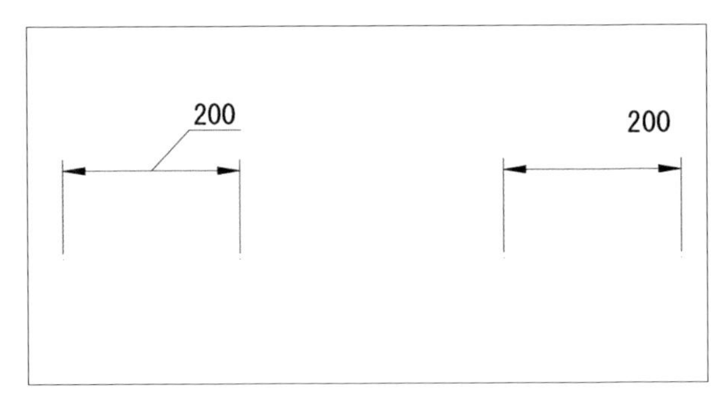

●[フィット] タブ
寸法図形の尺度や寸法値の配置方法（引出線あり／なし、など）を設定します。

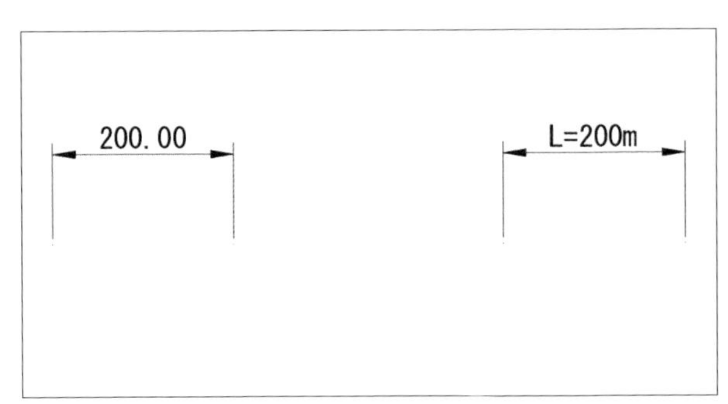

●[基本単位] タブ
寸法値に単位を表記したい場合の設定や、小数点以下の桁数などを設定します。

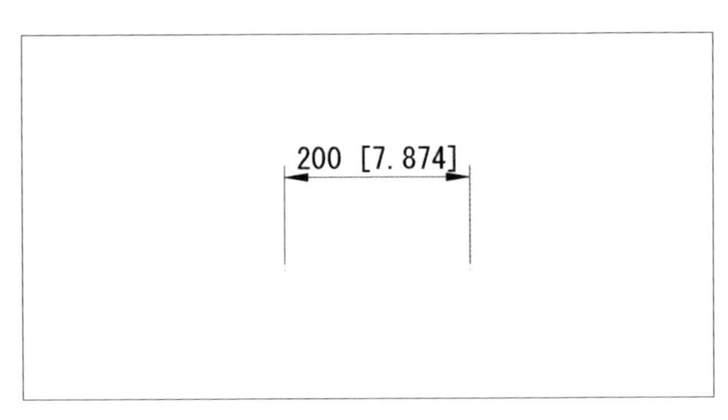

●[変換単位] タブ
メートル系単位とインチ系単位の寸法値を両方表示したい場合などに設定します。

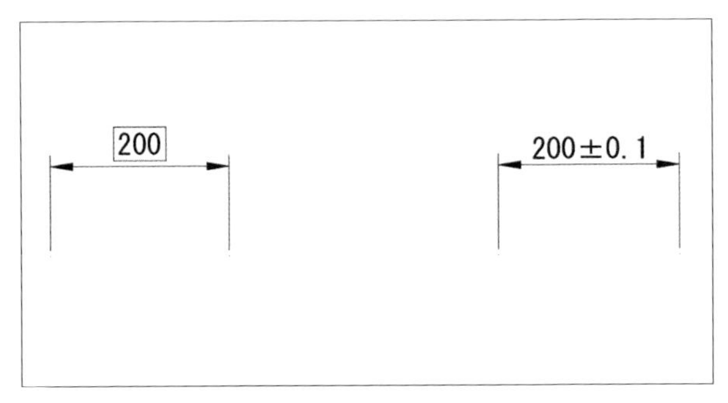

●[許容差] タブ
主に機械設計などで寸法に交差を入れる場合に設定します。

24 水平垂直の寸法を作図する

ここでは、X軸方向(水平方向)、Y軸方向(垂直方向)の寸法を2点指示で作図します。XY軸の方向を変更したい場合は、P.202「図形に沿って寸法を作図する ～座標系を変更」を参照してください。

サンプルファイル 3-24.dwg コマンド DIMLINEAR ショートカットキー DLI

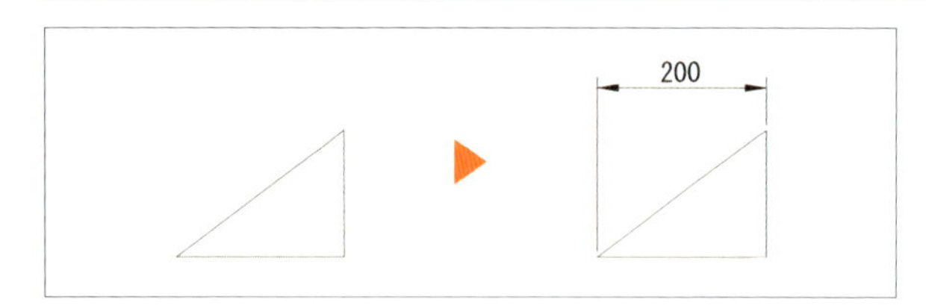

完成図

2点を指示して、水平方向の寸法を作図します。

[長さ寸法]コマンドで2点を指定する

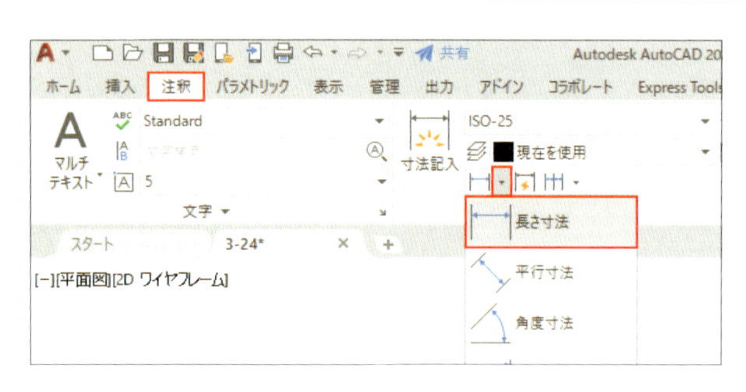

1 [長さ寸法]コマンドを実行する

[注釈] タブ→ [寸法記入] パネルの [▼] → [長さ寸法] をクリックします。

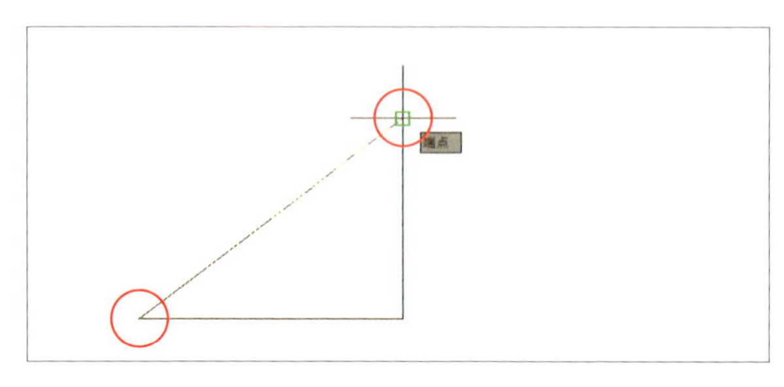

2 測定位置を2点指定する

オブジェクトスナップの端点で、長さを測る位置を2点クリックします。

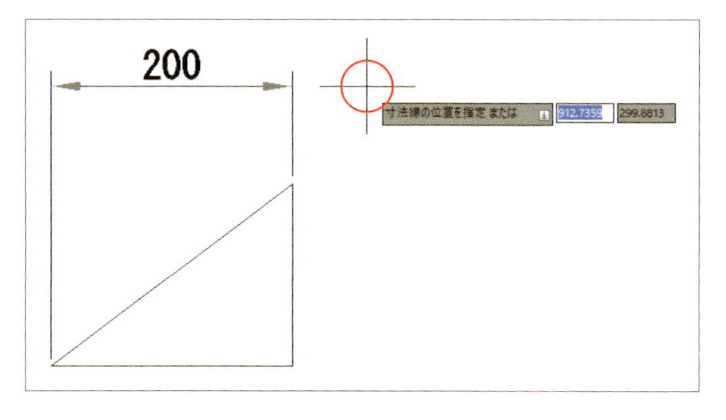

3 寸法の配置位置を指定する

寸法を配置する位置をクリックします。寸法が作成されます。

図形に沿って寸法を作図する ～[平行寸法]コマンド

ここでは、2点間の距離を表す寸法を[平行寸法]コマンドで作図します。XY軸の方向を変更して作図する場合は、P.202「図形に沿って寸法を作図する　～座標系を変更」を参照してください。

サンプルファイル 3-25.dwg　コマンド DIMALIGNED　ショートカットキー DAL

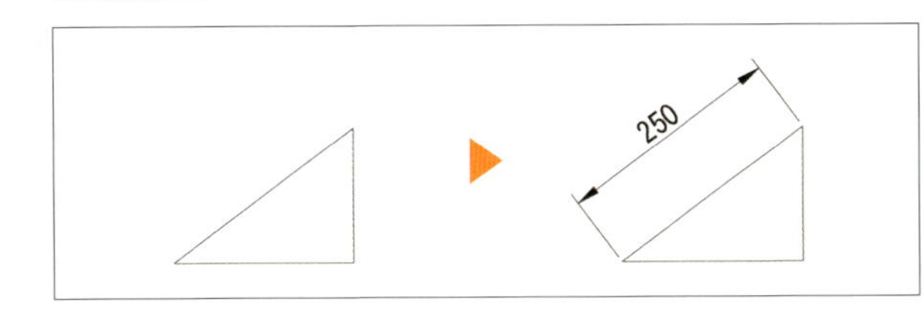

完成図

2点を指示し、その2点間の距離を表す寸法を作図します。

[平行寸法]コマンドで2点を指定する

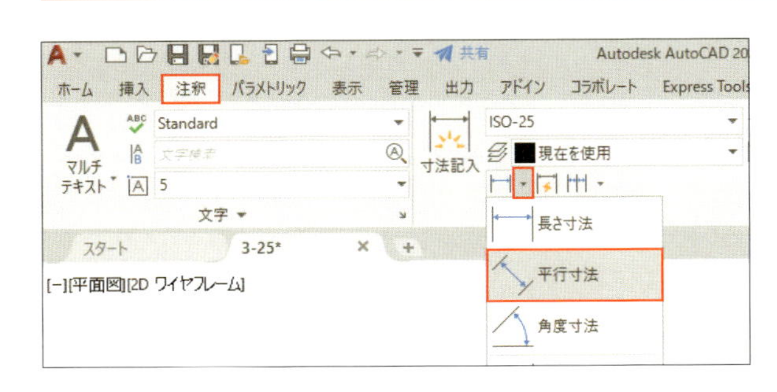

1 [平行寸法]コマンドを実行する

[注釈] タブ→ [寸法記入] パネルの [▼] → [平行寸法] をクリックします。

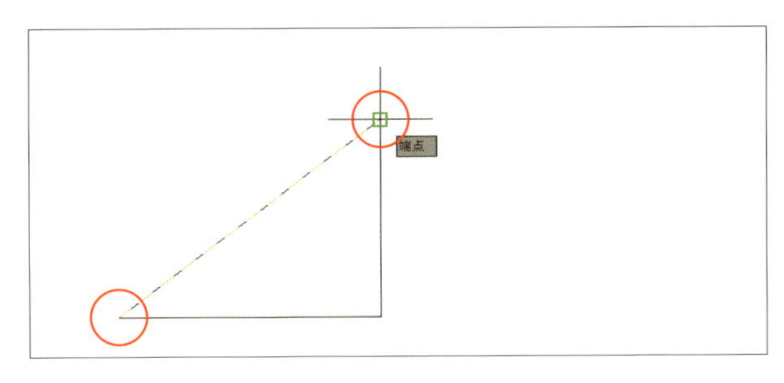

2 測定位置を2点指定する

オブジェクトスナップの端点で、長さを測る位置を２点クリックします。

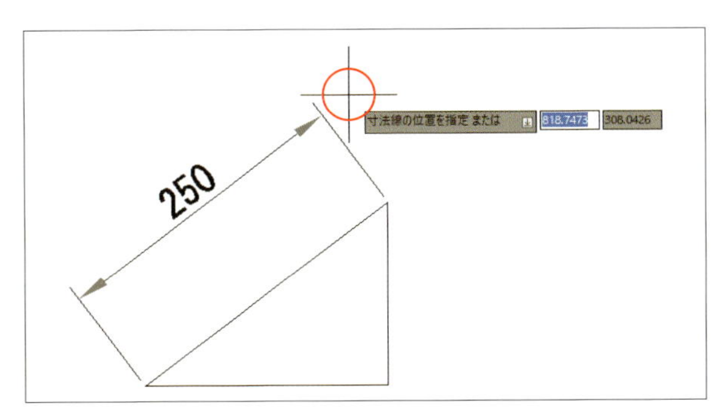

3 寸法の配置位置を指定する

寸法を配置する位置をクリックします。寸法が作図されます。

図形に沿って寸法を作図する～座標系を変更

図形に沿って寸法を作図するには、ワールド座標系(WCS)をユーザ座標系(UCS)にし、XY軸を変更してから2点間の寸法を作図する方法もあります。XY軸の変更後は、WCSに戻します。

サンプルファイル 3-26.dwg **コマンド** DIMLINEAR、UCS **ショートカットキー** DLI、なし

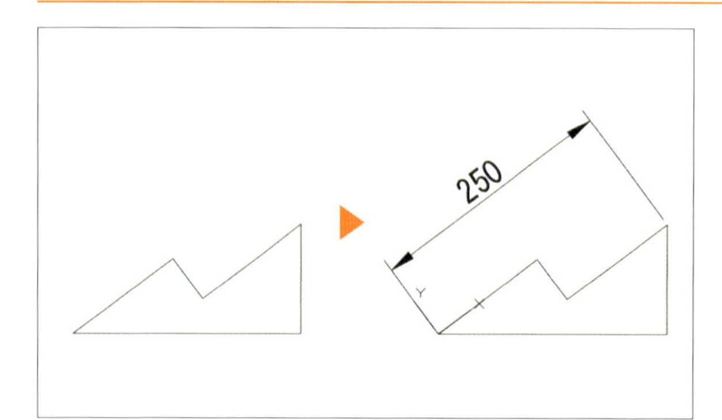

完成図

UCSでX軸方向を変更し、2点を指示して、X軸方向の寸法を作図します。

[オブジェクト]コマンドでXY軸を変更する

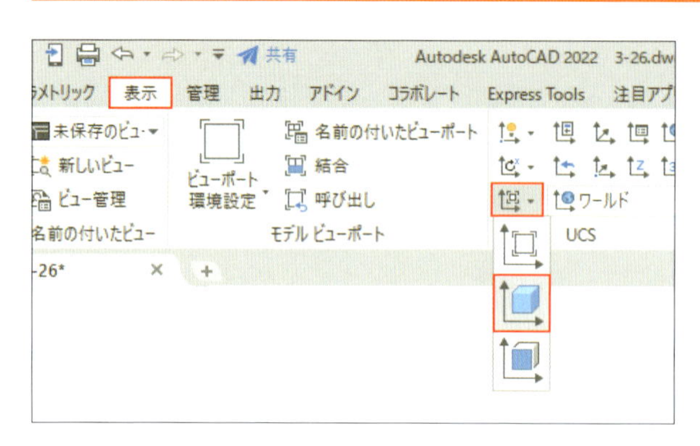

1 [オブジェクト]コマンドを実行する

[表示] タブ→ [UCS] パネルの [▼] → [オブジェクト] をクリックします。

CHECK

[UCS] パネルが表示されていない場合は、P.377「[UCS] パネルで設定／管理する」を参照してください。

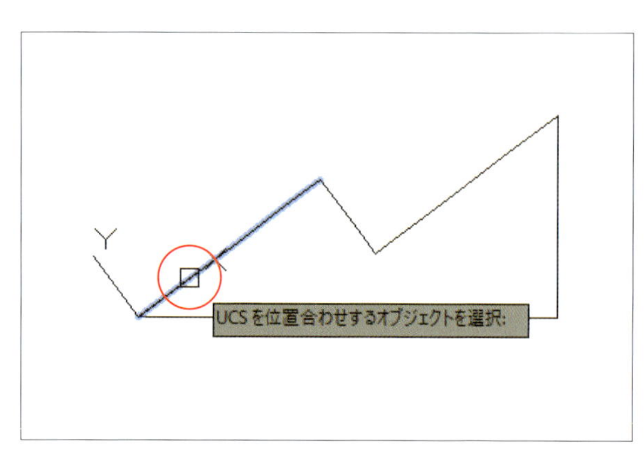

2 X軸にするオブジェクトを選択する

プロンプトに「UCSを位置合わせするオブジェクトを選択」と表示されます。線分の左側をクリックします。

CHECK

このとき、右側をクリックすると座標系の向きが反対になるので注意をしてください。

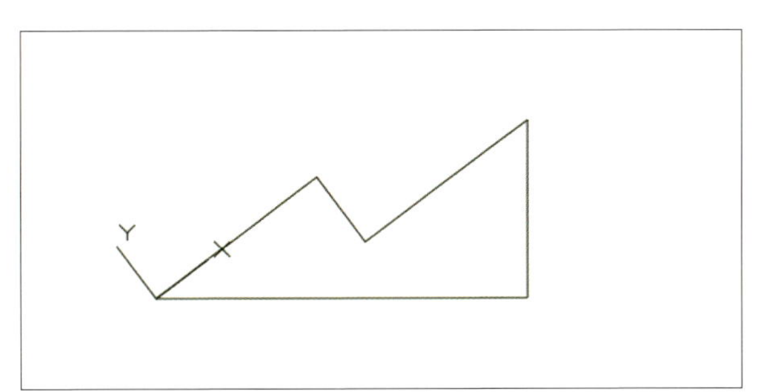

3 XY軸が傾く

ユーザ座標系（UCS）に変更され、X軸が選択した線分の向きになります。

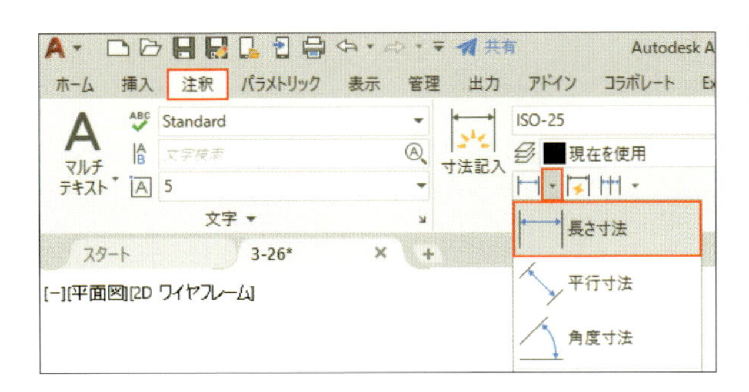

4 ［長さ寸法］コマンドを実行する

［注釈］タブ→［寸法記入］パネルの［▼］→［長さ寸法］をクリックします。

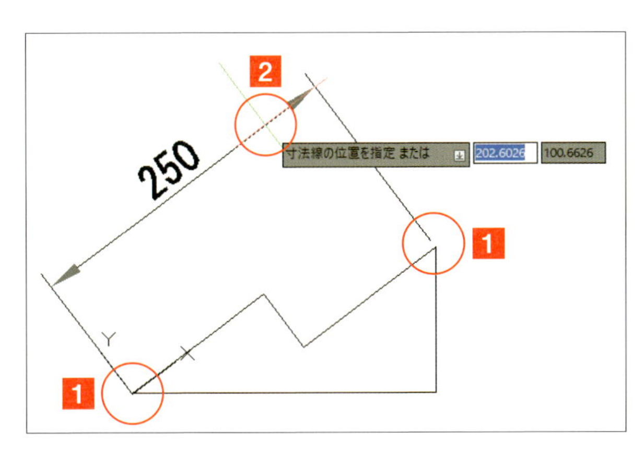

5 測定位置と配置位置を指定する

オブジェクトスナップの端点で、長さを測る位置を2点クリックし1、寸法を配置する位置をクリックします2。

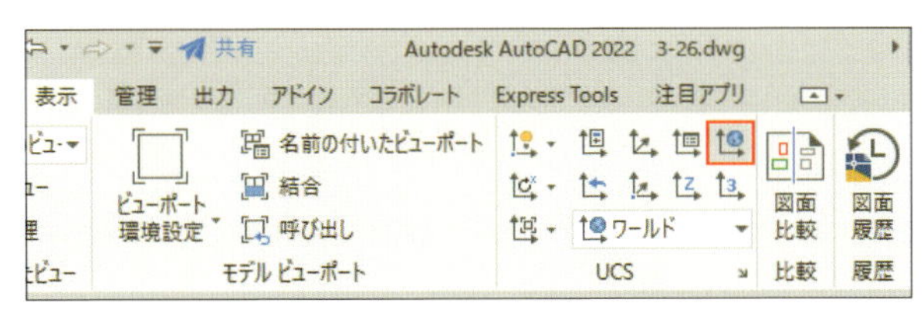

6 ［ワールド］コマンドを実行する

［表示］タブ→［UCS］パネルの［ワールド］をクリックします。

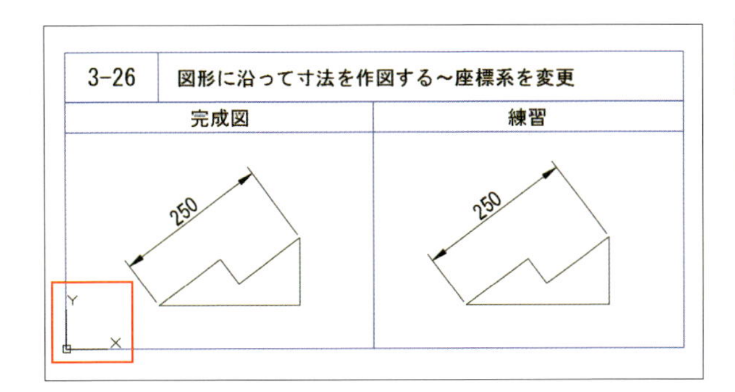

7 ワールド座標に戻る

ユーザ座標系（UCS）からワールド座標系（WCS）に戻ります。

連続する寸法を作図する

[クイック寸法]を使用すると、複数のオブジェクトを選択し、連続する寸法(直列寸法)を作図することができます。また、オプションを変更することにより、様々な寸法を一度に作図することも可能です。

サンプルファイル 3-27.dwg　システム変数 QDIM　ショートカットキー なし

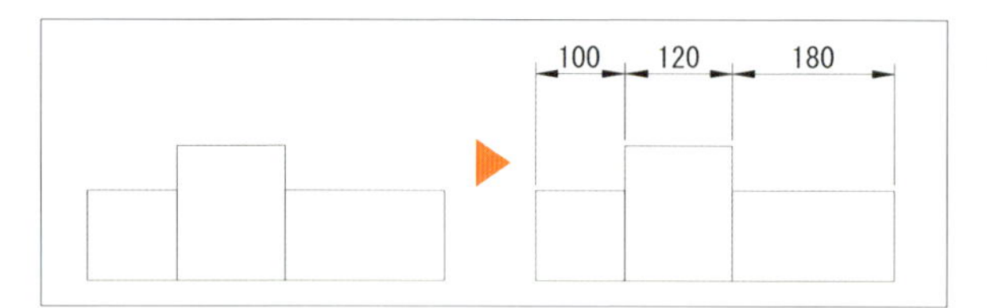

完成図

3つ長方形に連続する寸法を作図します。

[クイック寸法]コマンドを利用する

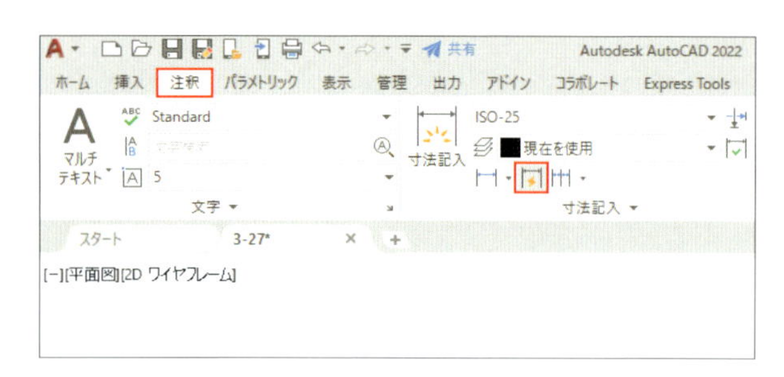

1 [クイック寸法]コマンドを実行する

[注釈] タブ→ [寸法記入] パネル→ [クイック寸法] をクリックします。

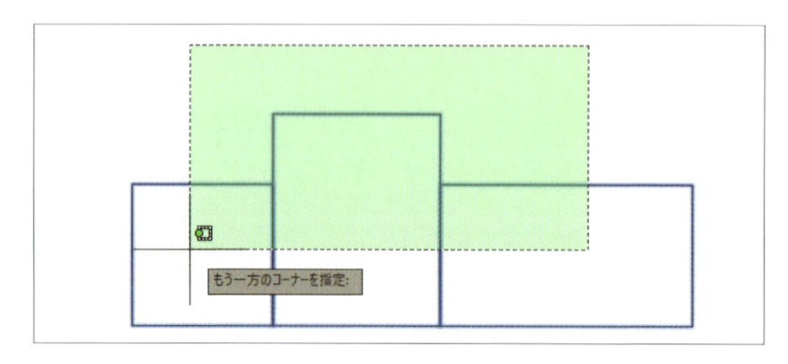

2 寸法記入するオブジェクトを選択する

プロンプトに「寸法を記入するジオメトリを選択」と表示されます。交差選択などで長方形をすべて選択し、Enterキーを押します。

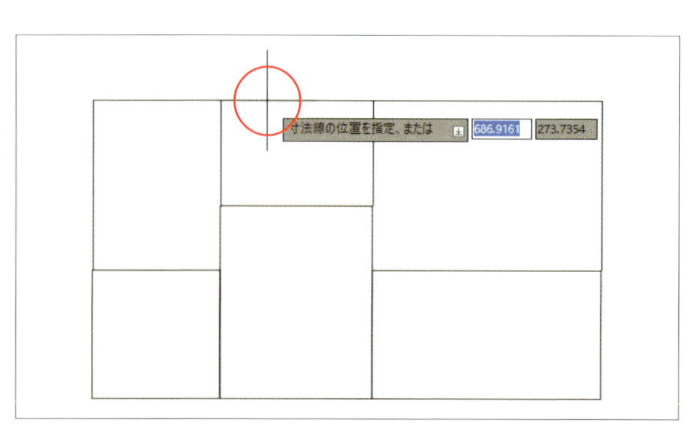

3 寸法の配置位置を指定する

寸法を配置する位置をクリックします。連続した寸法が作図されます。

28 寸法補助線に角度を付ける

ここでは、寸法補助線に角度を付けます。設定する角度は、既存の寸法補助線を回転させる角度ではなく、寸法補助線の向きを角度で設定します。寸法の測定位置を中心とし、そこから3時方向を0°で考えて設定します。

サンプルファイル 3-28.dwg コマンド DIMEDIT ショートカットキー DED

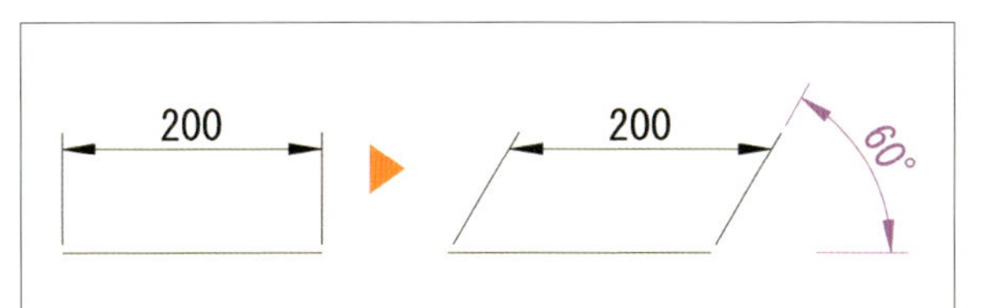

完成図

寸法補助線の角度を60°に設定します。

[スライド寸法]コマンドで角度を入力する

1 [スライド寸法]コマンドを実行する

[注釈] タブ→[寸法記入] パネルの [寸法記入▼] → [スライド寸法] をクリックします。

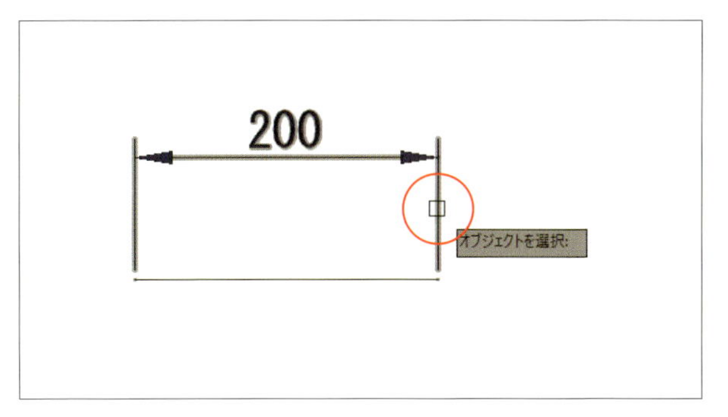

2 寸法を選択する

寸法を選択し、選択を確定するため Enter キーを押します。

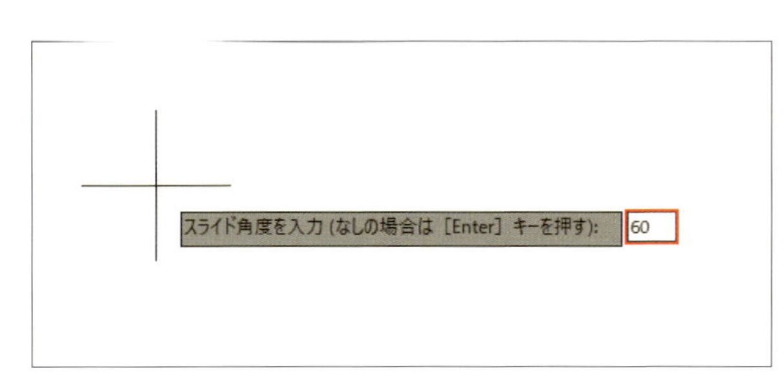

3 角度を入力する

スライド角度に「60」を入力し、Enter キーを押します。寸法補助線の角度が 60° になります。

寸法文字を移動する

寸法文字(寸法値)のグリップにマウスカーソルを近付けると、多機能グリップと呼ばれる機能のオプションメニューが表示され、寸法値の位置を編集することができます。

サンプルファイル 3-29.dwg コマンド なし ショートカットキー なし

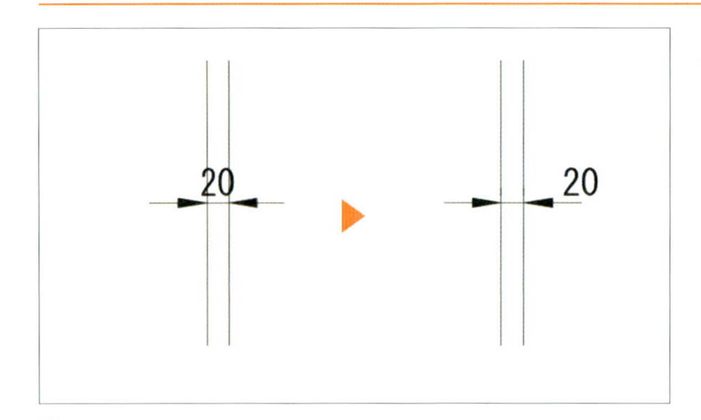

完成図

寸法文字(寸法値)を移動して、他の図形と重ならないようにします。

多機能グリップで[文字のみを移動]を選択する

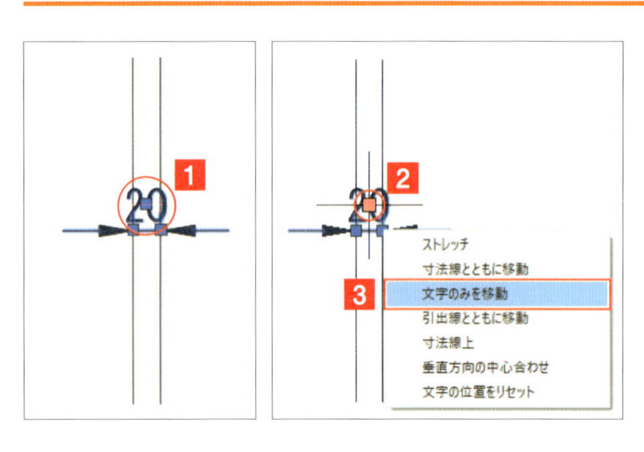

1 多機能グリップメニューから[文字のみを移動]を選択する

寸法をクリックして選択し1、寸法値のグリップにマウスカーソルを近付けると2、多機能グリップメニューが表示されるので、[文字のみを移動]を選択します3。

CHECK

グリップはクリックせずに、合わせるだけにすると多機能グリップメニューが表示されます。

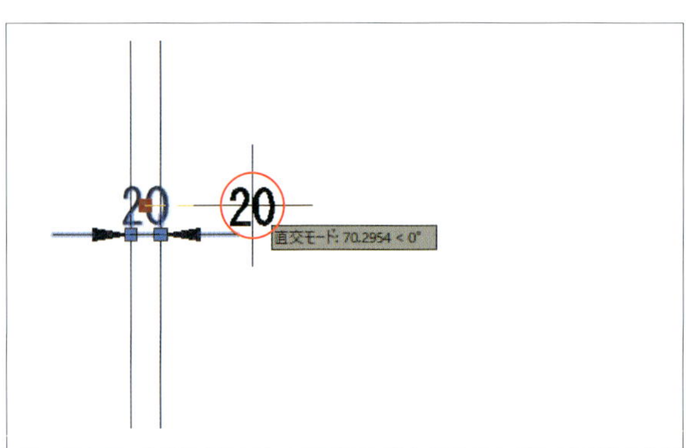

2 寸法値の位置を指定する

直交モードをオンにし、寸法値を移動したい場所でクリックします。移動後はEscキーを押して寸法の選択を解除します。

30 寸法文字の内容を編集する

寸法文字(寸法値)の内容は、編集することができます。既定は計測値となっており、計測値を消してしまった場合は「<>」と入力することによって計測値として表示させることができます。

3-30.dwg コマンド TEXTEDIT ショートカットキー ED

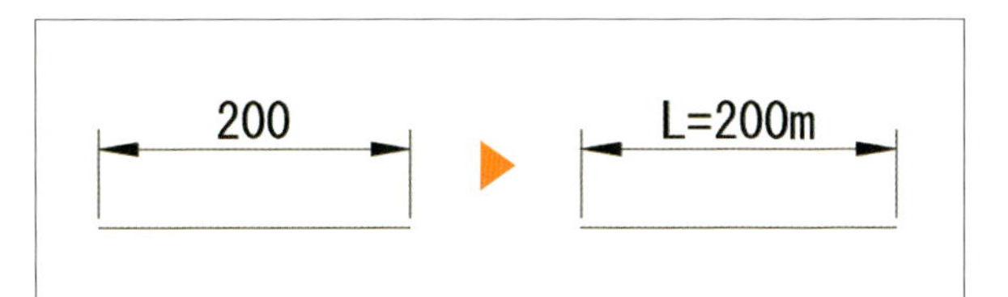

完成図

寸法文字(寸法値)の内容を「L= 計測値 m」と変更します。

[文字編集]コマンドで計測値の前後に入力する

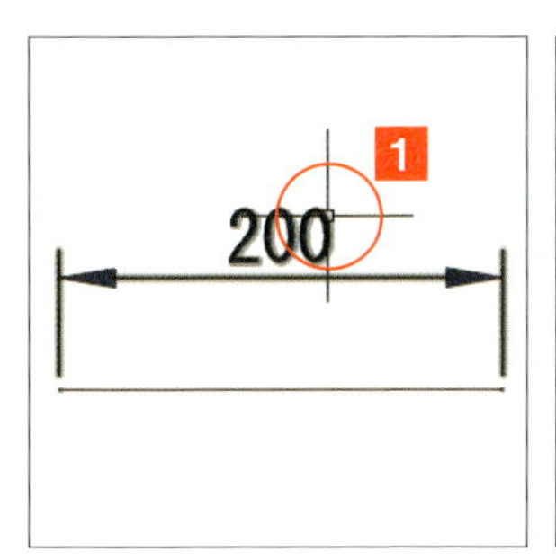

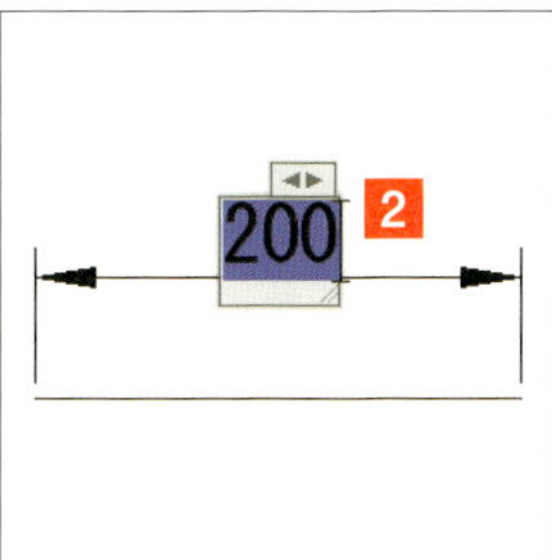

1 [文字編集]コマンドを実行する

マウスカーソルを寸法値に近付けると、寸法全体がハイライト表示されるので1、その場所でダブルクリックします2。

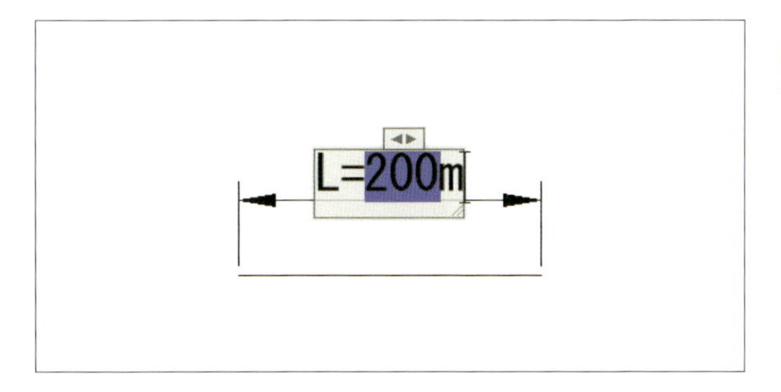

2 内容を変更する

計測値の先頭に「L=」、末尾に「m」を入力します。誤って計測値を削除した場合は、「<>」を入力すると、計測値が表示されます。

3 テキストエディタを終了する

[テキストエディタ] タブ→ [閉じる] パネルの [テキストエディタを閉じる] をクリックします。Enterキーを押すと [文字編集] コマンドが終了し、内容が変更されます。

31 寸法線を挟んで文字を改行する

寸法文字(寸法値)の入力では、マルチテキストの書式コード(あらかじめ決められた記述形式)を一部使用することができます。寸法線を挟んで改行したい場合には「¥X」と入力します。

サンプルファイル 3-31.dwg **コマンド** TEXTEDIT **ショートカットキー** ED

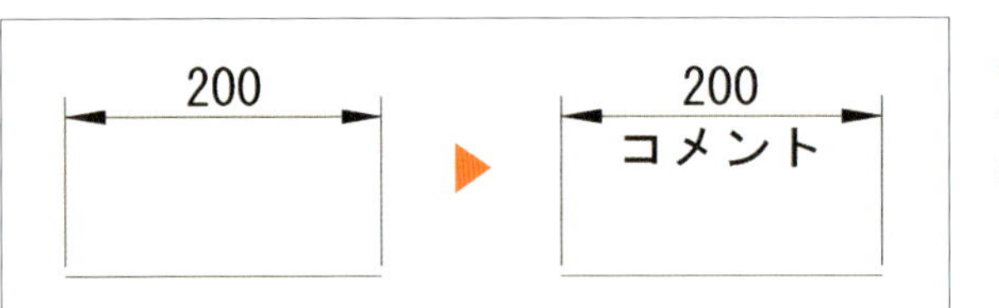

完成図

寸法線を挟んで、上に計測値、下に「コメント」と表示します。

▶ [文字編集]コマンドで計測値の末尾に「¥X」と入力する

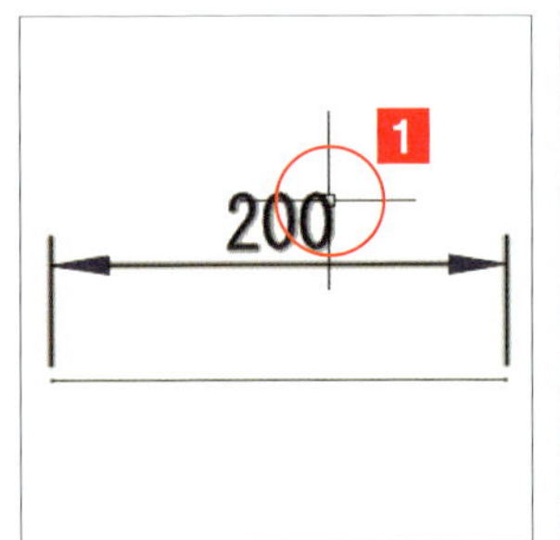

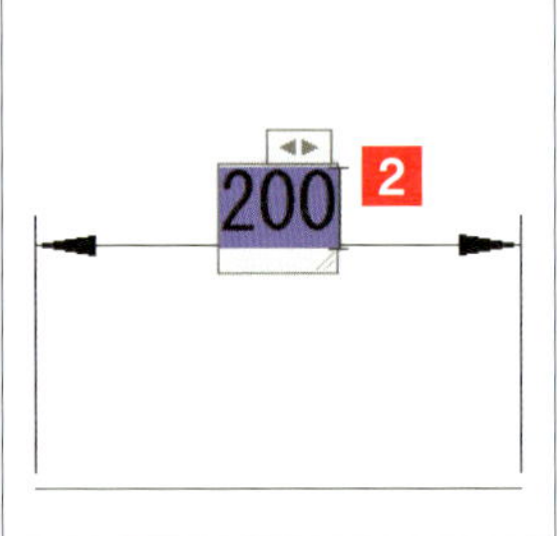

1 [文字編集]コマンドを実行する

マウスカーソルを寸法値に近付けると、寸法全体がハイライト表示されるので1、その場所でダブルクリックします2。

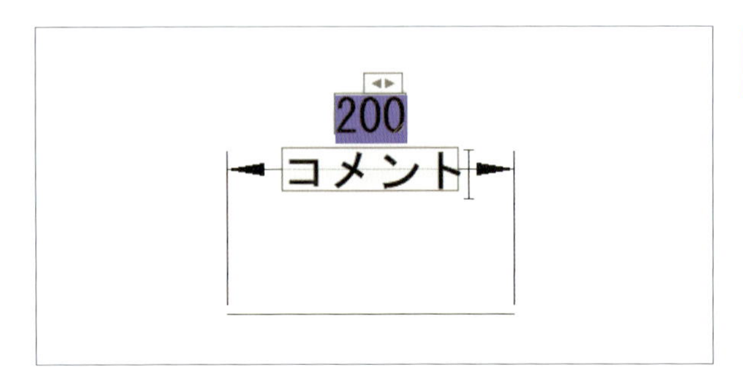

2 内容を変更する

計測値の末尾に「¥X (「X」は大文字)」と入力すると改行されます。改行されたあとに「コメント」と入力します。誤って計測値を削除した場合は、「<>」を入力すると、計測値が表示されます。

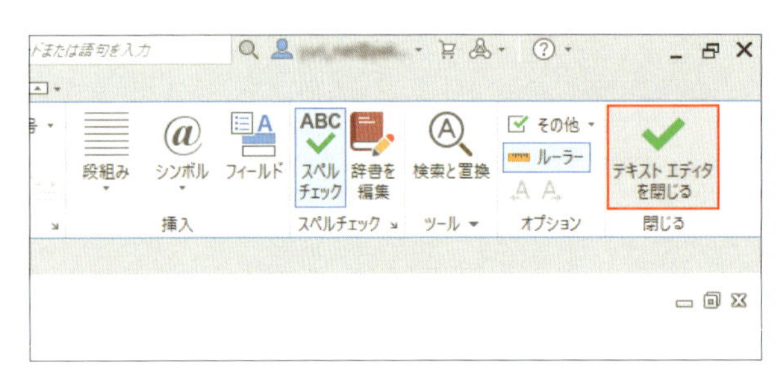

3 テキストエディタを終了する

[テキストエディタ] タブ→ [閉じる] パネルの [テキストエディタを閉じる] をクリックします。Enter キーを押すと [文字編集] コマンドが終了し、内容が変更されます。

SECTION 32 # 寸法の矢印を反転する

寸法の矢印にマウスカーソルを近付けると、多機能グリップと呼ばれる機能のオプションメニューが表示され、矢印の反転や寸法の種類によっては直列寸法、並列寸法を実行することができます。

3-32.dwg なし なし

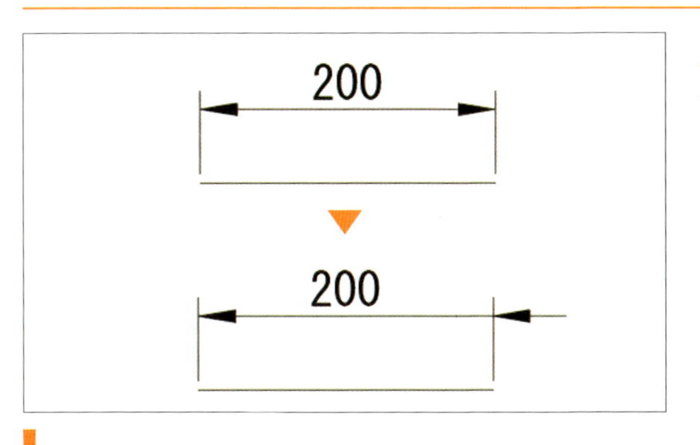

完成図

寸法の右の矢印を反転します。

多機能グリップで[矢印を反転]を選択する

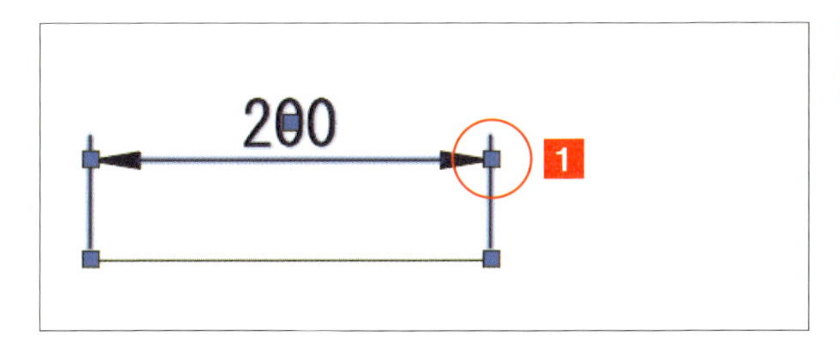

1 多機能グリップメニューから[矢印を反転]を選択する

寸法をクリックして選択し、右矢印のグリップにマウスカーソルを近付けると1、多機能グリップメニューが表示されるので、[矢印を反転]を選択します2。

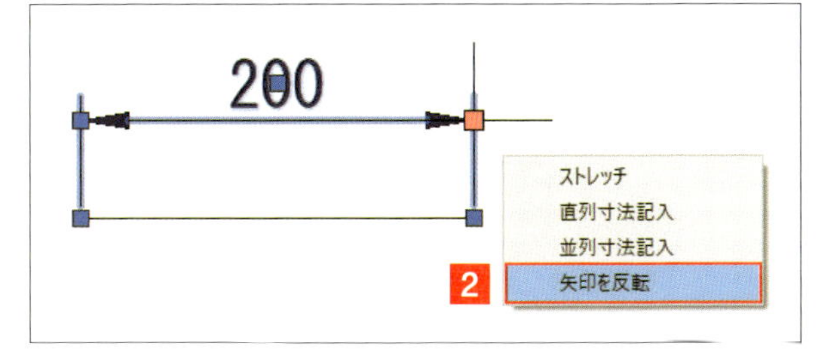

CHECK

グリップはクリックせずに、合わせるだけにすると多機能グリップメニューが表示されます。

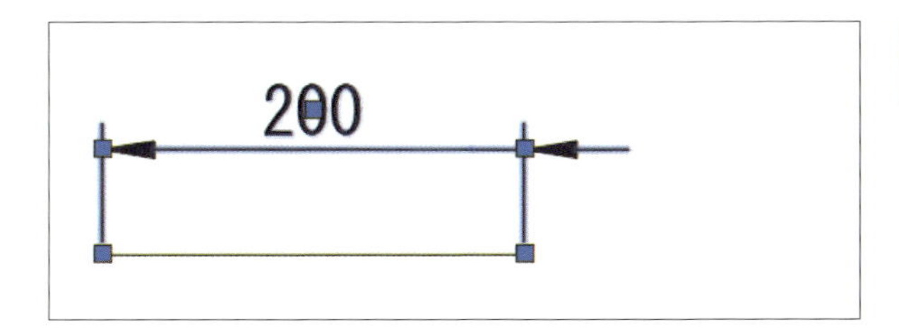

2 矢印が反転される

矢印が反転されたのを確認し、Escキーを押して寸法の選択を解除します。

寸法の矢印の形状を変更する

個々の寸法の寸法線、寸法補助線、寸法値、矢印、尺度などの設定は、プロパティパレットを利用して修正することが可能です。ここでは、矢印の形状を変更します。

サンプルファイル 3-33.dwg コマンド PROPERTIES ショートカットキー PRまたはCtrl＋1

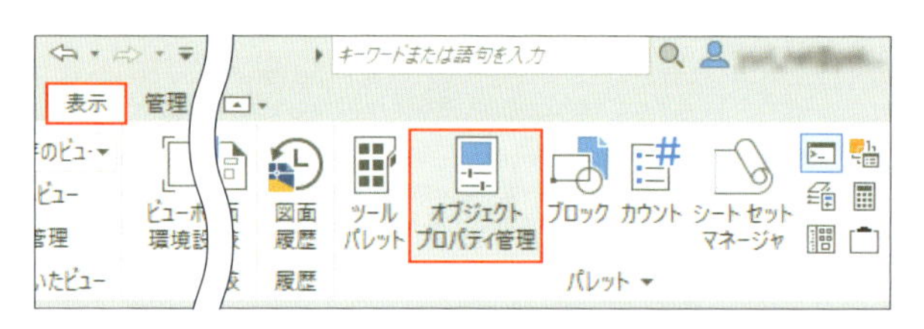

完成図

寸法の左の矢印を[小黒丸]に変更します。

[オブジェクトプロパティ管理]コマンドを利用する

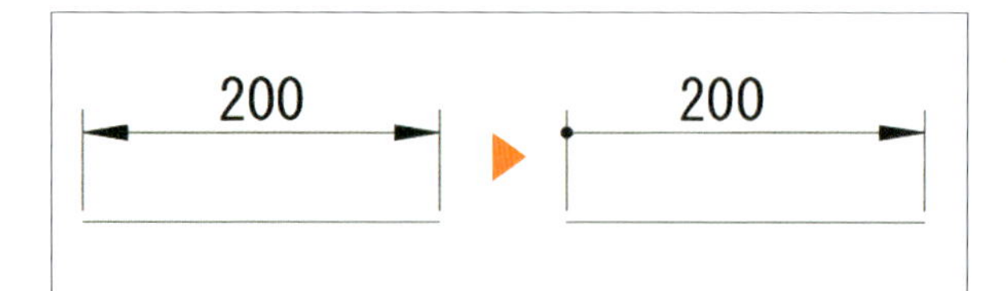

1 プロパティパレットを表示する

[表示] タブ→ [パレット] パネルの [オブジェクトプロパティ管理] をクリックします。

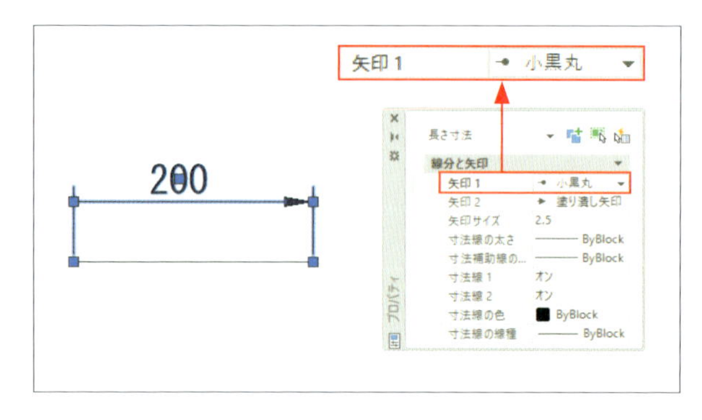

2 寸法を選択し、矢印の形状を変更する

寸法をクリックして選択し、プロパティパレットの [矢印 1] から [小黒丸] を選択します。左側の矢印の形状が小黒丸に変更されます。

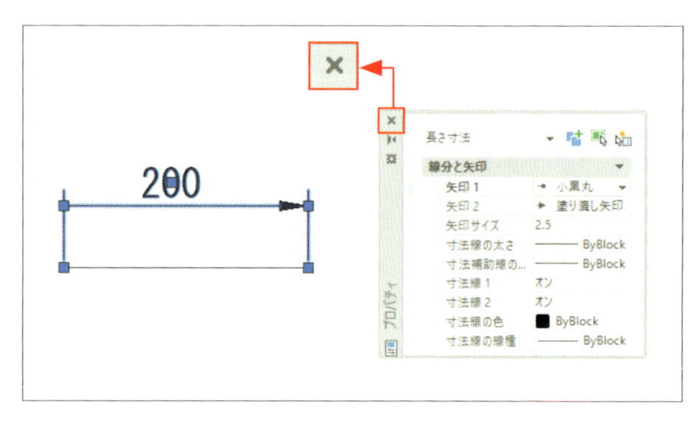

3 プロパティパレットを閉じる

プロパティパレットの [×] をクリックし、プロパティパレットを閉じます。寸法の選択はEscキーを押して解除します。

SECTION 34 # 寸法スタイルを作成する

寸法線、寸法補助線、寸法値、矢印、尺度などの設定を行った寸法スタイルを作成し、その寸法スタイルを指定することで、図面内の寸法の形状を揃えることができます。

| サンプルファイル | 3-34.dwg | コマンド | DIMSTYLE | ショートカットキー | D |

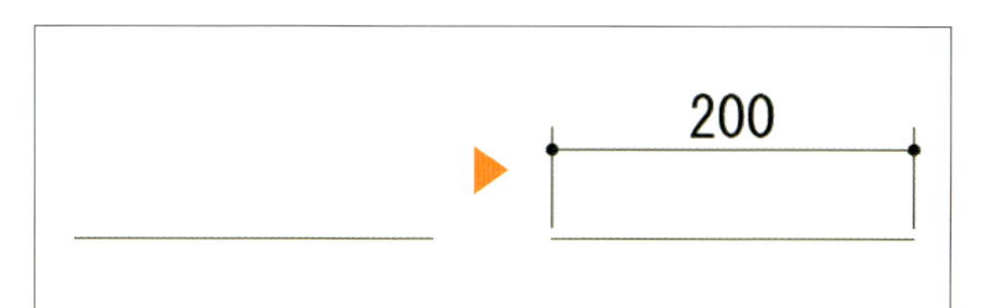

完成図

新しい寸法スタイルを作成し、名前は「作図用」、矢印は[小黒丸]にします。

▶ [寸法スタイル管理]コマンドで新規に作成する

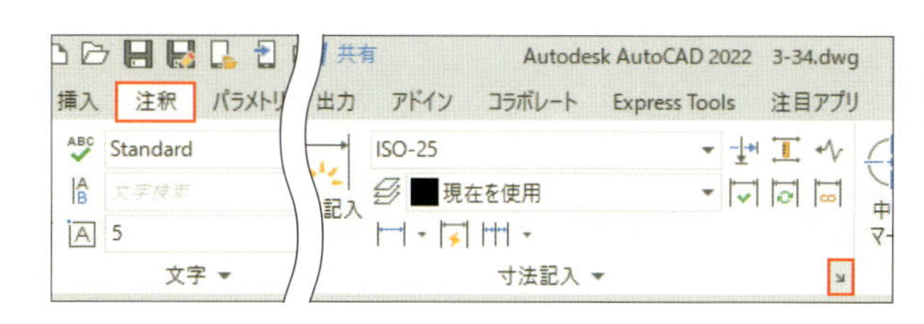

1 [寸法スタイル管理]コマンドを実行する

[注釈] タブ→ [寸法記入] パネルの [ダイアログボックスランチャー] をクリックします。

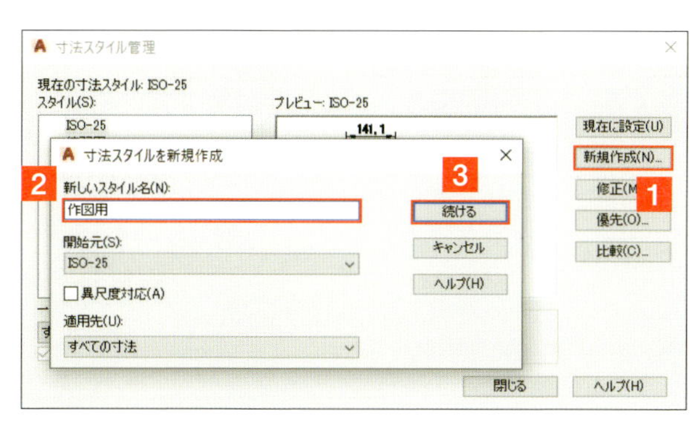

2 寸法スタイルを新規作成する

[寸法スタイル管理] ダイアログが表示されます。[新規作成] をクリックし1、[新しいスタイル名] に「作図用」と入力して2、[続ける] をクリックします3。

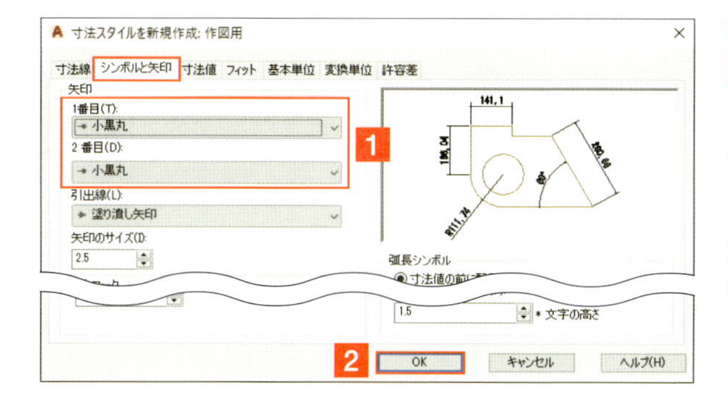

3 矢印を変更する

[シンボルと矢印] タブの [1番目] [2番目] から [小黒丸] を選択し1、[OK] をクリックします2。[寸法スタイル管理] ダイアログの [閉じる] をクリックして閉じます。P.212の「寸法スタイルを指定して作図する」を参照し、寸法を作図してください。

寸法スタイルを指定して作図する

寸法スタイルを指定して寸法を作図することで、図面内の寸法の形状を揃えることができます。必要な寸法スタイルはあらかじめ作成しておきましょう。ここでは、P.211で作成した寸法スタイルを利用します。

サンプルファイル 3-35.dwg コマンド DIMSTYLE ショートカットキー D

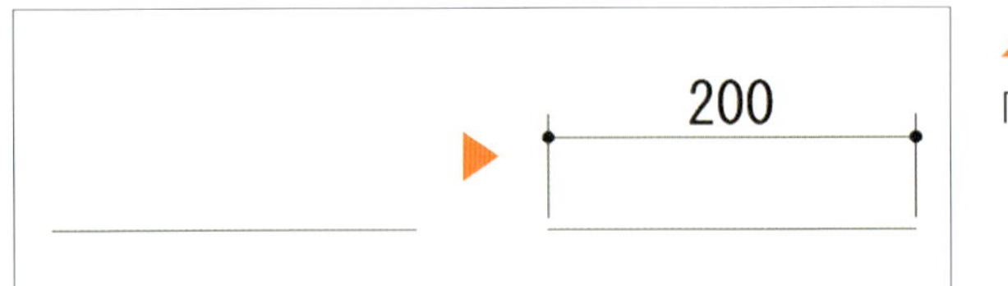

完成図

「作図用」寸法スタイルで長さ寸法を作図します。

寸法スタイルを指定して[長さ寸法]コマンドを利用する

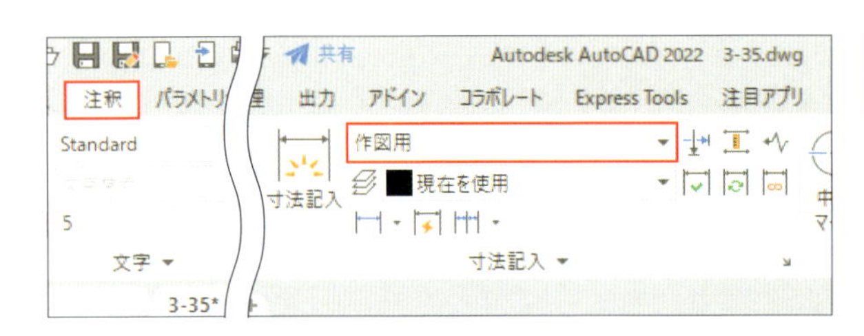

1 寸法スタイルを設定する

[注釈] タブ→ [寸法記入] パネルの [寸法スタイル] から [作図用] を選択します。

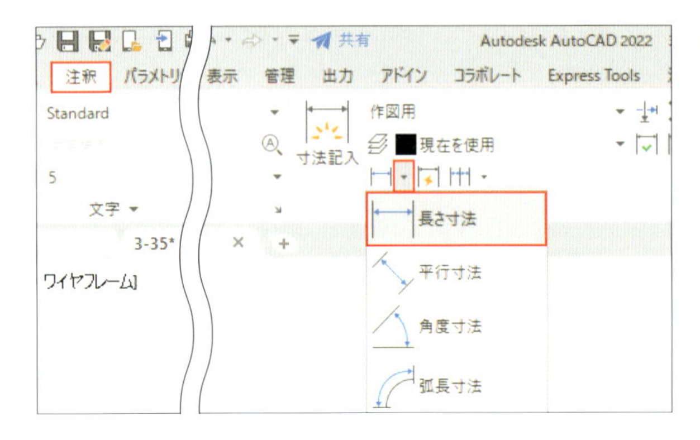

2 [長さ寸法]コマンドを実行する

[注釈] タブ→ [寸法記入] パネルの [▼] → [長さ寸法] をクリックします。

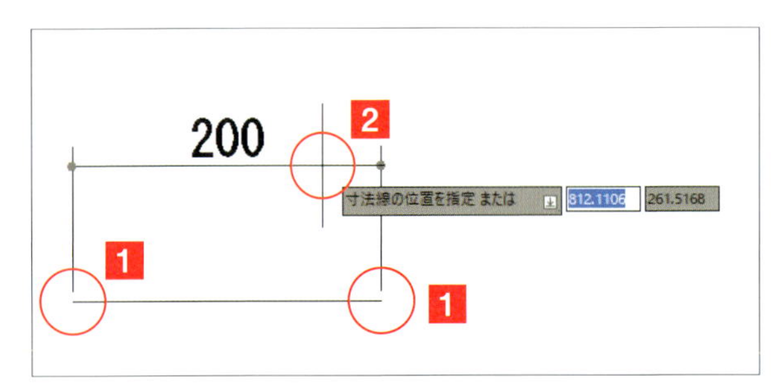

3 測定位置、配置位置を指定する

オブジェクトスナップで長さを測る位置を2点クリックし1、寸法を配置する位置をクリックします2。[作図用] 寸法スタイルで寸法が作図されます。

寸法スタイルの文字や矢印の大きさを修正する

ほかのファイルに図形をコピーすると、図面の縮尺の違いにより寸法文字(寸法値)や矢印が小さすぎて見えない場合があります。その場合は、その寸法の寸法スタイルの尺度を修正する必要があります。

サンプルファイル 3-36.dwg　コマンド DIMSTYLE　ショートカットキー D

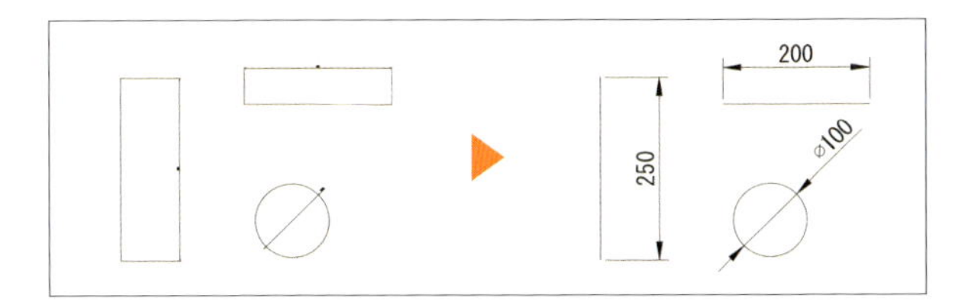

完成図

寸法文字(寸法値)や矢印が小さいので、1：10の縮尺に合わせます。これらの寸法は[作図用]寸法スタイルで作図されています。

[寸法スタイルを修正]ダイアログの[フィット]タブで修正する

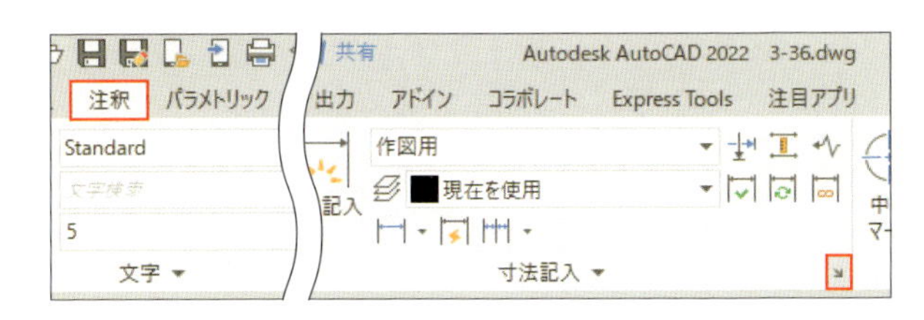

1 [寸法スタイル管理]コマンドを実行する

[注釈] タブ→ [寸法記入] パネルの [ダイアログボックスランチャー] をクリックします。

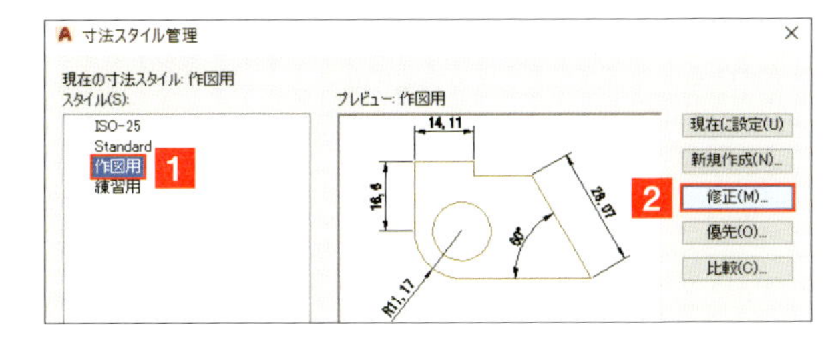

2 寸法スタイルを修正する

[寸法スタイル管理] ダイアログが表示されます。[スタイル] から [作図用] を選択し1、[修正] をクリックします2。

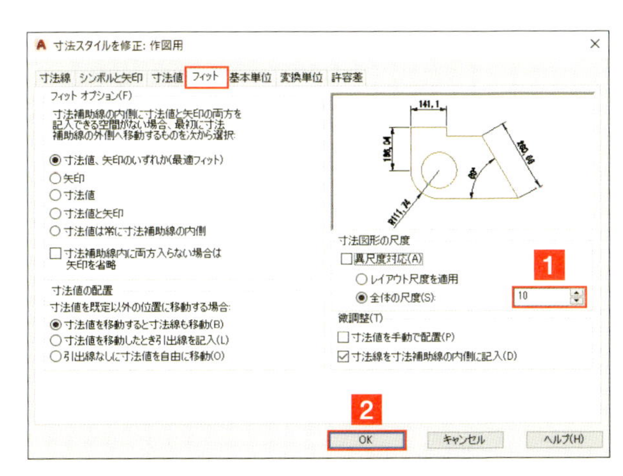

3 尺度を変更する

[フィット] タブの [全体の尺度] に「10」を入力し1、[OK] をクリックします2。[寸法スタイル管理] ダイアログの [閉じる] をクリックして閉じると、[作図用] 寸法スタイルで作図されていた寸法の寸法値や矢印が見えるようになります。

寸法スタイルの矢印の形状をまとめて変更する

個々の寸法のプロパティの変更はプロパティパレットで行うことができますが、既存の寸法スタイルを編集すれば、その寸法スタイルで書かれている寸法すべての設定をまとめて変更できます。

サンプルファイル 3-37.dwg コマンド DIMSTYLE ショートカットキー D

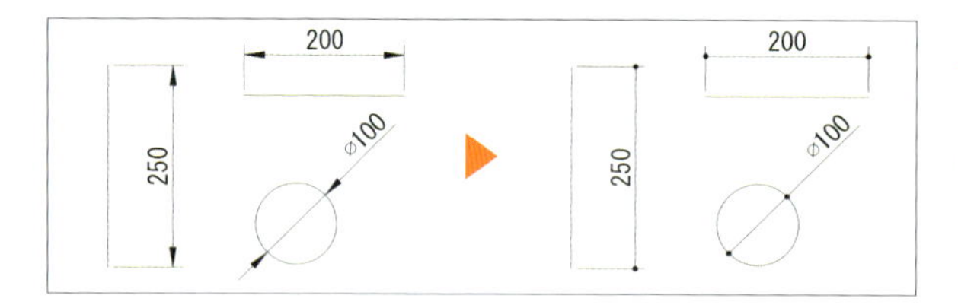

完成図

[作図用] 寸法スタイルの矢印の形状を [小黒丸] に変更します。これらの寸法は [作図用] 寸法スタイルで作図されています。

[寸法スタイルを修正] ダイアログの [シンボルと矢印] タブで変更する

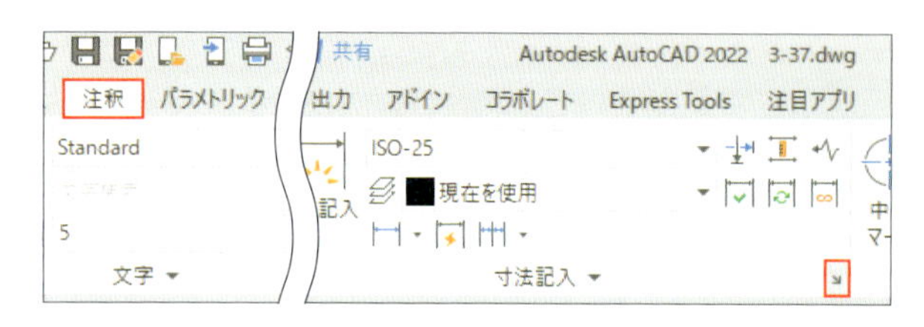

1 [寸法スタイル管理] コマンドを実行する

[注釈] タブ→ [寸法記入] パネルの [ダイアログボックスランチャー] をクリックします。

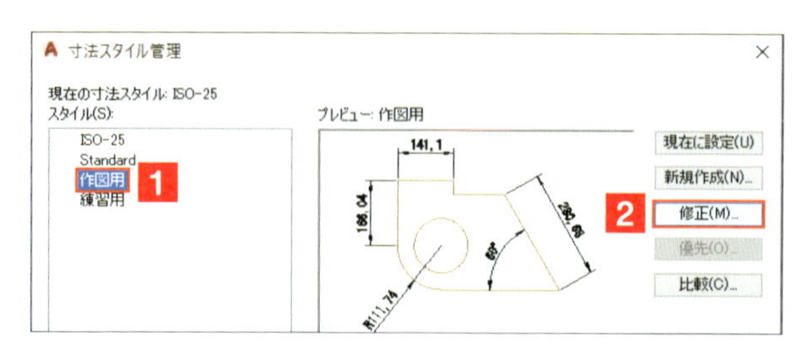

2 寸法スタイルを修正する

[寸法スタイル管理] ダイアログが表示されます。[スタイル] から [作図用] を選択し1、[修正] をクリックします2。

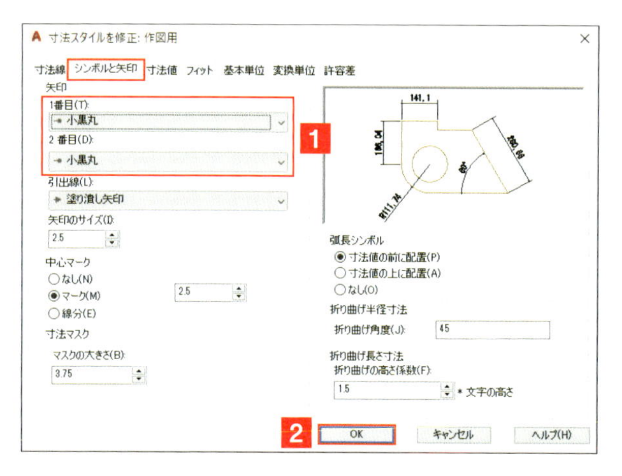

3 矢印の形状を変更する

[シンボルと矢印] タブの [1番目] [2番目] から [小黒丸] を選択し1、[OK] をクリックします2。[寸法スタイル管理] ダイアログの [閉じる] をクリックして閉じると、[作図用] 寸法スタイルで作図されていた寸法の矢印の形状が [小黒丸] に変更されます。

SECTION 38 寸法別に寸法スタイルを作成する

寸法スタイルは寸法の種類（長さ寸法、角度寸法、半径寸法、直径寸法など）によって、寸法線、寸法補助線、寸法値、矢印の設定を変更することができます。

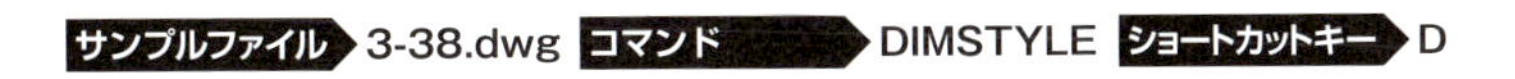

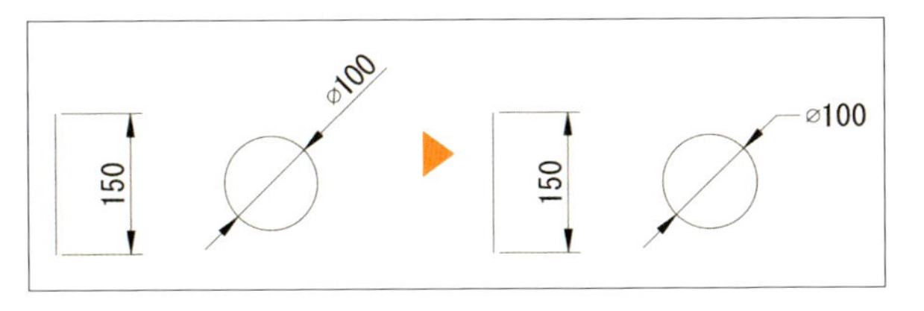

サンプルファイル 3-38.dwg　**コマンド** DIMSTYLE　**ショートカットキー** D

完成図

「作図用」寸法スタイルで作図されている直径寸法のみ、寸法値を水平にします。

▶ [寸法スタイル管理]ダイアログの[新規作成]から設定する

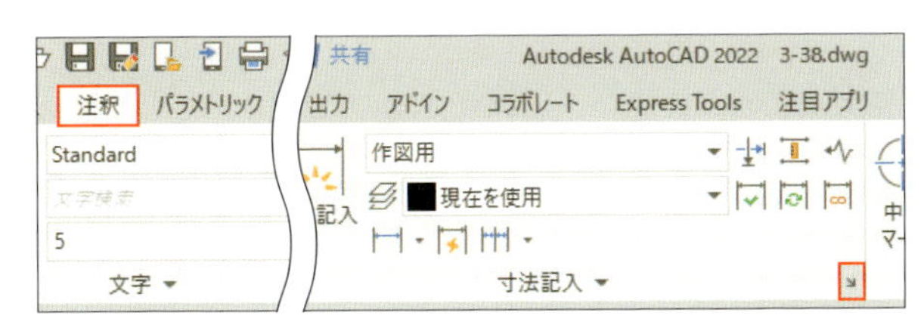

1 [寸法スタイル管理]コマンドを実行する

[注釈]タブ→[寸法記入]パネルの[ダイアログボックスランチャー]をクリックします。

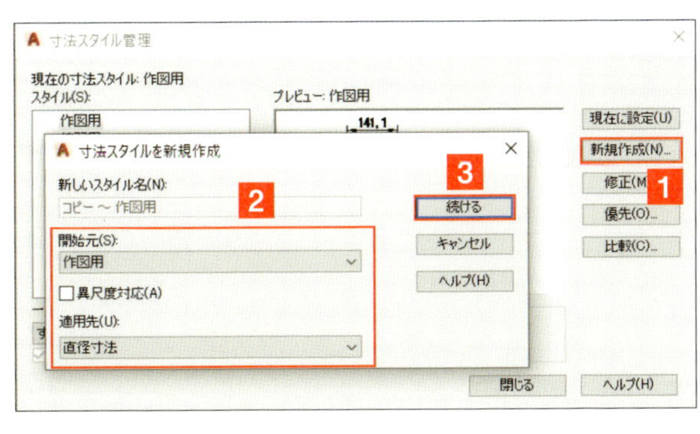

2 寸法スタイルを新規作成する

[寸法スタイル管理]ダイアログが表示されます。[新規作成]をクリックし①、[開始元]で[作図用]、[適用先]で[直径寸法]を選択して②、[続ける]をクリックします③。

CHECK

[開始元]には元にしたい既存の寸法スタイルを指定し、[適用先]には設定を切り替えたい寸法の種類を指定します。

3 寸法値の位置合わせを変更する

[寸法スタイルを新規作成]ダイアログが表示されます。[寸法値]タブの[寸法値の位置合わせ]で[常に水平]を選択し①、[OK]をクリックします②。[寸法スタイル管理]ダイアログの[閉じる]をクリックして閉じます。直径寸法のみ寸法値が水平になります。

マルチ引出線を理解する

マルチ引出線は、矢印、引出線、マルチテキストまたはブロックが含まれた図形です。さまざまな設定は[マルチ引出線スタイル]で行います。

マルチ引出線の構成要素とスタイル

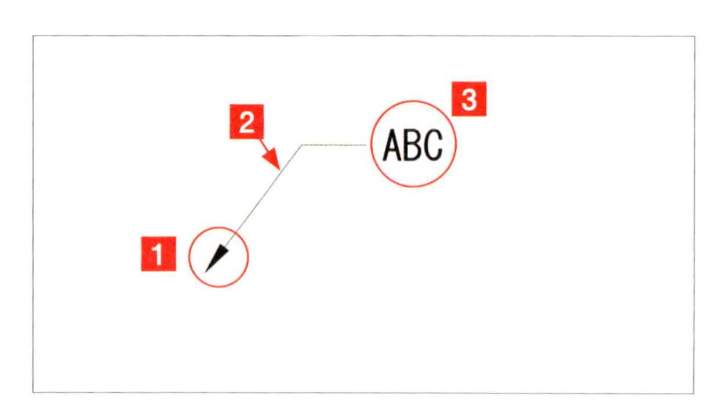

マルチ引出線の構成要素

マルチ引出線は、矢印1、引出線2、マルチテキストまたはブロック3から作成されています。

CHECK

引出線とマルチテキストが別の図形になっている場合は、「QLEADER」コマンドで書かれた引出線です。

マルチ引出線スタイルを修正: Standard

引出線の形式　引出線の構造　内容

一般

種類(T): 直線

色(C): ■ ByBlock

線種(L): ——— ByBlock

線の太さ(I): ——— ByBlock

矢印

記号(S): ▸ 塗り潰し矢印

サイズ(Z):

マルチ引出線スタイル

マルチ引出線のさまざまな設定をマルチ引出線スタイルに保存します。

●[引出線の形式] タブ
矢印の種類1や大きさ、引出線の線種などを設定します。

●[引出線の構造] タブ
引出線の折り曲げ数の上限や、参照線2の長さ、引出線の尺度などを設定します。

●[内容] タブ
引出線に接続する図形の種類3などを設定します。

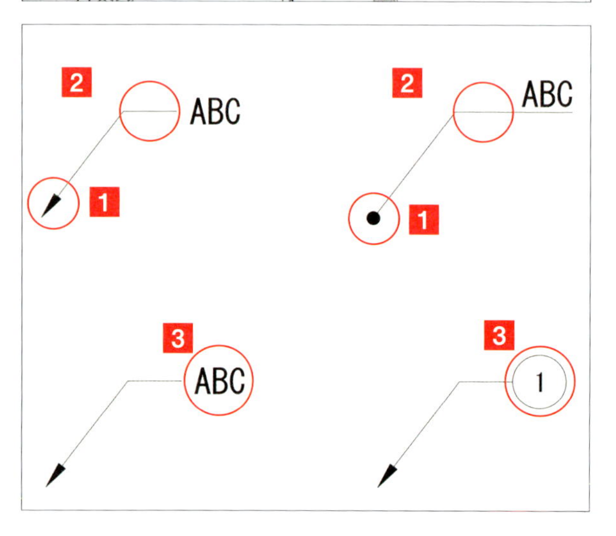

マルチ引出線を作図する

ここでは、矢印の点と折れ曲がり点を指示して、マルチ引出線を作図します。ここでの設定は、矢印を入れたい位置を先に指定するのがポイントになります。

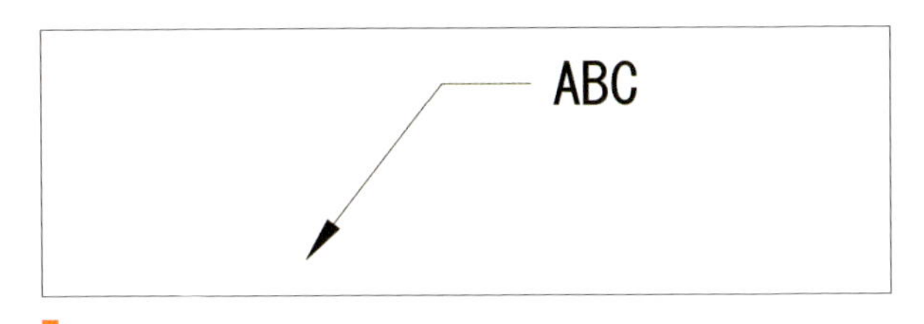

完成図

2点を指示して引出線を作図します。手順2で点の指示の順番が逆になる場合には、手順1のあとで作図領域で右クリックして［引出線矢印を指定］オプションを指定してください。

［マルチ引出線］コマンドで2点を指定する

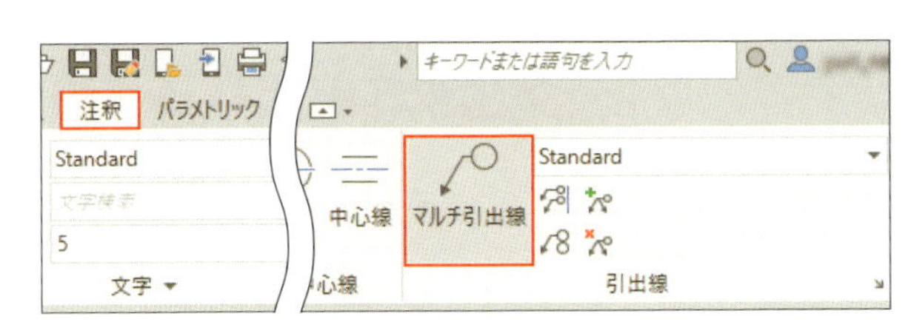

1 ［マルチ引出線］コマンドを実行する

［注釈］タブ→［引出線］パネルの［マルチ引出線］をクリックします。

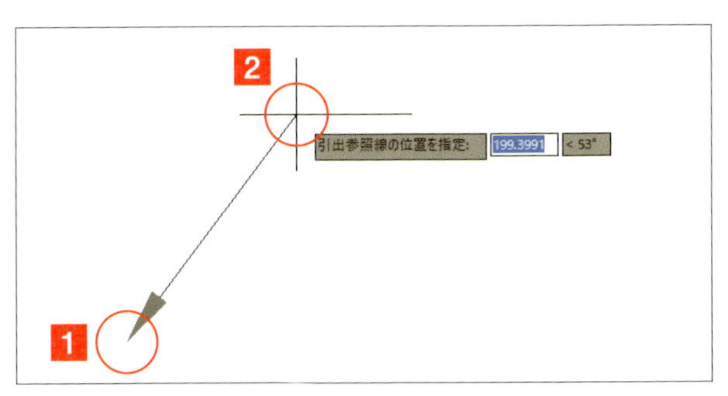

2 2点指示する

矢印を入れたい位置をクリックし1、参照線の位置をクリックして2、点を指示します。

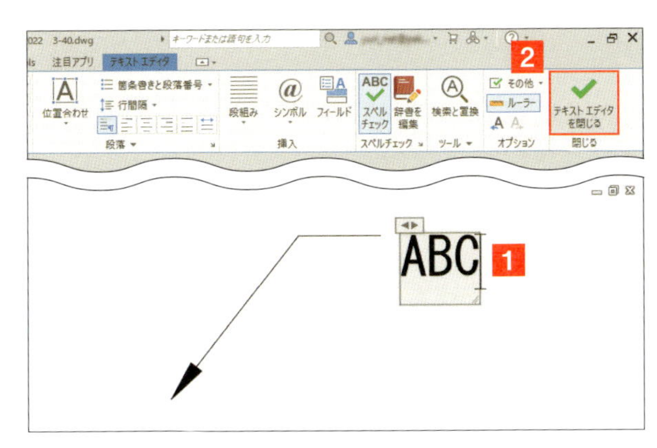

3 文字を記入する

入力カーソルが点滅するので、「ABC」と入力し1、［テキストエディタ］タブ→［閉じる］パネルの［テキストエディタを閉じる］をクリックします2。コマンドが終了し、マルチ引出線が作図されます。

41 マルチ引出線スタイルを作成する

矢印の種類や文字の高さ、引出線の接続(文字と引出線の配置場所)などはマルチ引出線スタイルに設定します。図面に必要なマルチ引出線スタイルをあらかじめ作成しておきましょう。

サンプルファイル 3-41.dwg コマンド MLEADERSTYLE ショートカットキー MLS

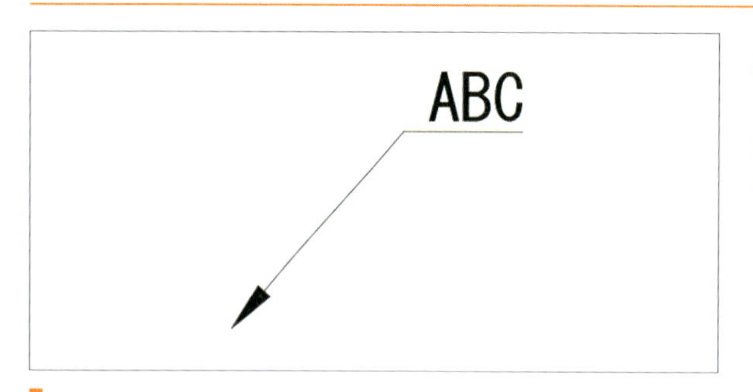

完成図

マルチ引出線スタイルを作成します。名前は「作図用」、文字の下に線が引かれるように設定し、図面の縮尺は1：10とします。

[マルチ引出線スタイル管理]コマンドでスタイルを新規作成する

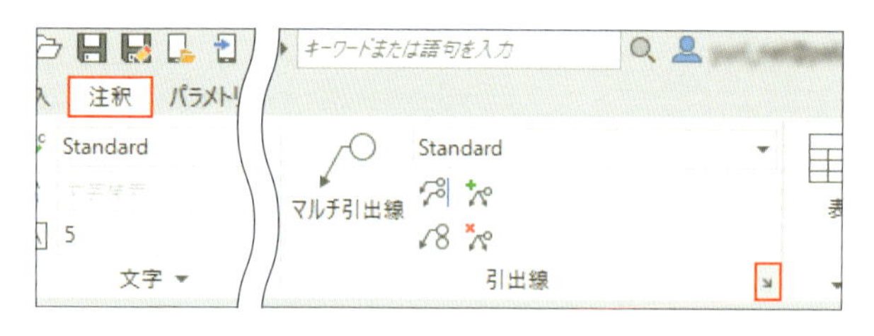

1 [マルチ引出線スタイル管理]コマンドを実行する

[注釈]タブ→[引出線]パネルの[ダイアログボックスランチャー]をクリックします。

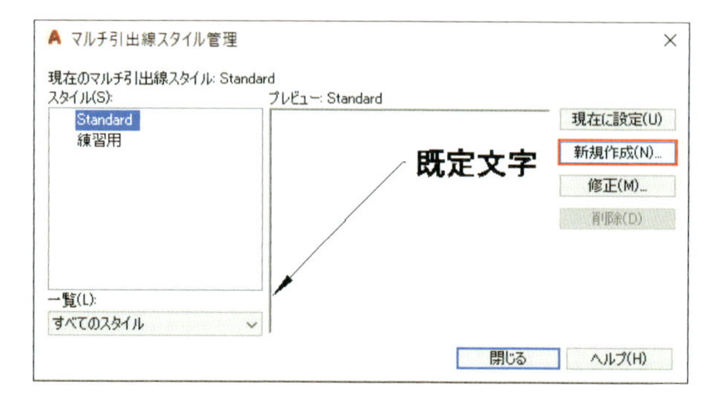

2 マルチ引出線スタイルを新規作成する

[マルチ引出線スタイル管理] ダイアログが表示されます。[新規作成] をクリックします。

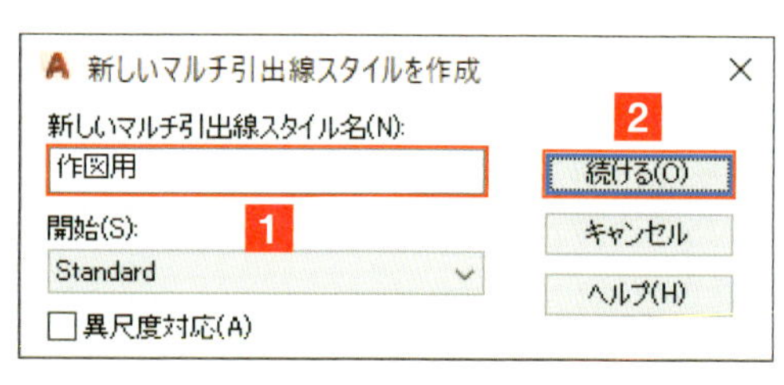

3 マルチ引出線スタイルの名前を入力する

[新しいマルチ引出線スタイル名] に「作図用」と入力し1、[続ける] をクリックします2。

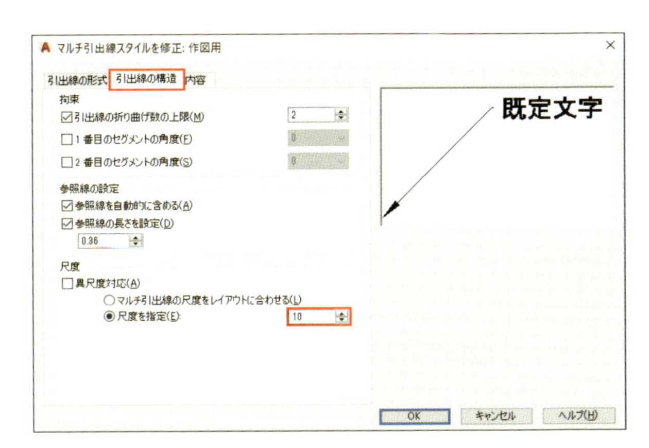

4 尺度を設定する

[マルチ引出線スタイルを修正] ダイアログが表示されます。[引出線の構造]タブの[尺度を指定]に「10」を入力します（図面の縮尺が 1：10 なので、ここに入れる値は「10」となります）。

CHECK

注釈尺度を使用する場合は、[異尺度対応] にチェックを入れてください。注釈尺度については P.407 を参照してください。

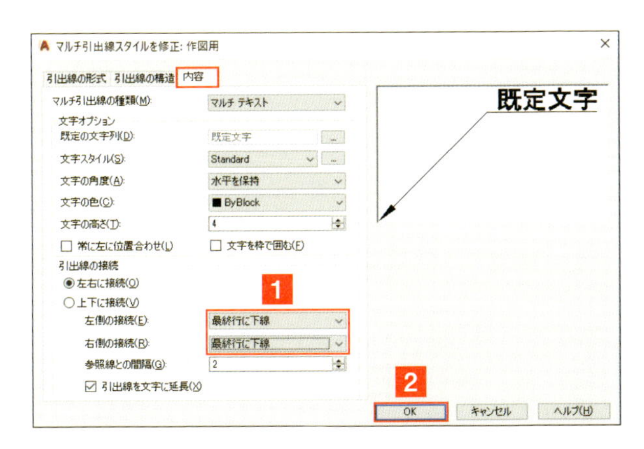

5 引出線の接続を変更する

[内容] タブの [左側の接続] と [右側の接続] で [最終行に下線] を選択し1、[OK] をクリックしてダイアログを閉じます2。

CHECK

[左側の接続] [右側の接続] では、引出線と文字の接続位置を、引出線が文字の左側 / 右側にある場合で変更することができます。

6 [マルチ引出線スタイル管理] を終了する

[閉じる] をクリックし、[マルチ引出線スタイル管理] ダイアログを閉じます。

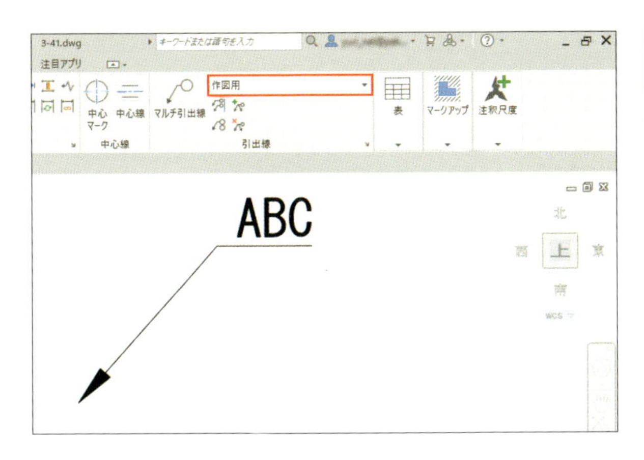

7 マルチ引出線スタイルを確認し、[マルチ引出線]コマンドを実行する

[注釈] タブ→ [引出線] パネルの [マルチ引出線スタイル] が [作図用] であることを確認し、マルチ引出線を作図します（P.220 参照）。下線付きの引出線が作図されます。

マルチ引出線スタイルを指定して作図する

マルチ引出線の作図は、マルチ引出線スタイルを指定してから行います。作図後にマルチ引出線スタイルを変更した場合、接続する図形などは変更できないので、注意してください。

サンプルファイル 3-42.dwg　コマンド MLEADERSTYLE　ショートカットキー MLS

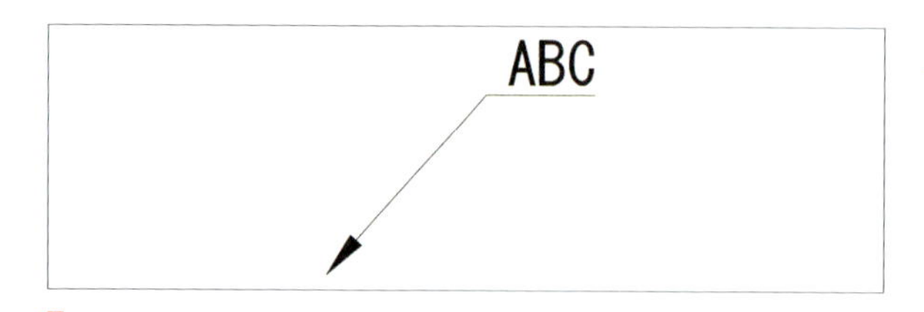

完成図

ここでは、P.218で作成した「作図用」のマルチ引出線スタイルを利用して、引出線を作図します。

マルチ引出線スタイルを指定して[マルチ引出線]コマンドを利用する

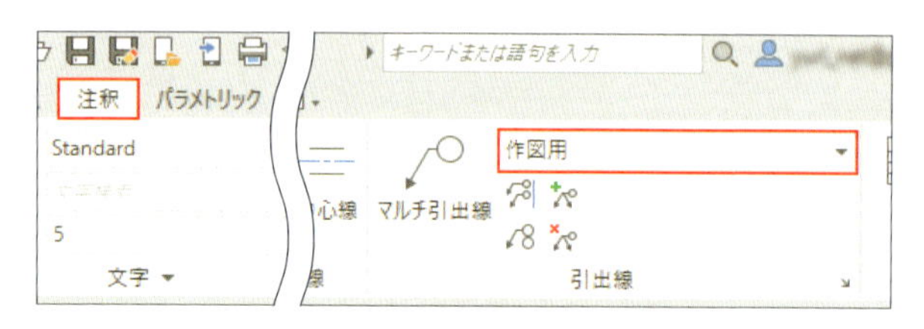

1 マルチ引出線スタイルを指定する

[注釈] タブ→ [引出線] パネルの [マルチ引出線スタイル] から [作図用] を選択します。

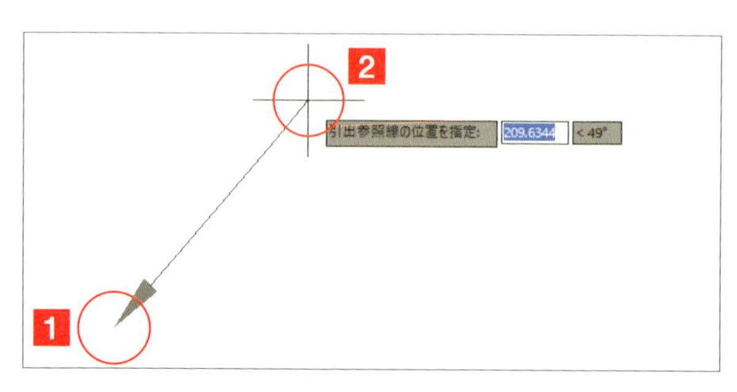

2 [マルチ引出線]コマンドを実行し、2点指示する

[注釈] タブ→ [引出線] パネルの [マルチ引出線] をクリックします。矢印の位置をクリックし1、参照線の位置をクリックして2、点を指示します。

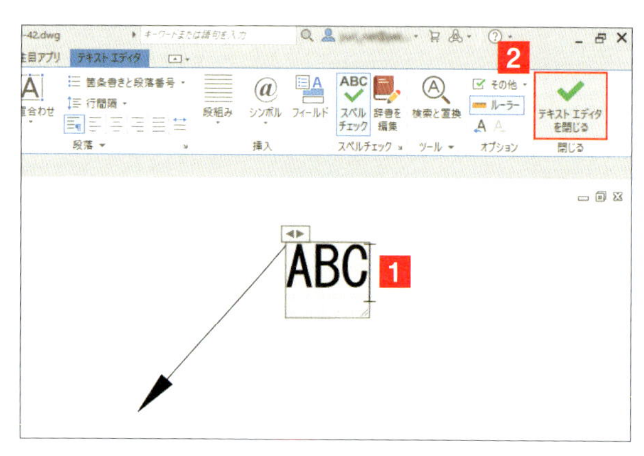

3 文字を記入する

入力カーソルが点滅するので、「ABC」と入力し1、[テキストエディタ] タブ→ [閉じる] パネルの [テキストエディタを閉じる] をクリックします2。コマンドが終了し、マルチ引出線が作図されます。

引出線を追加する

ここではリボンのボタンを利用して、マルチ引出線の引出線(矢印)を増やします。引出線の追加は、マルチ引出線を選択し、右クリックメニューからでも行うことができます。

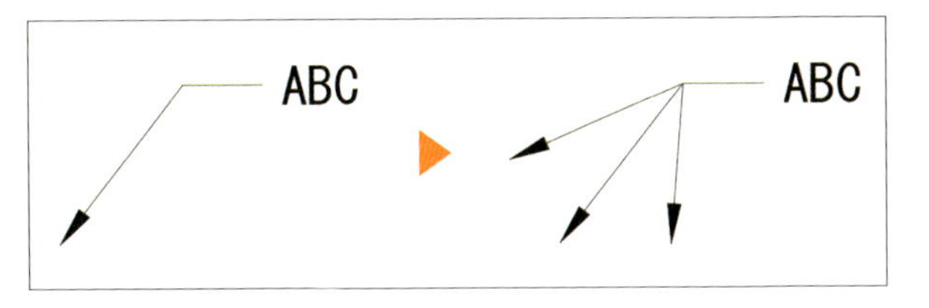

完成図

マルチ引出線の引出線を2つ追加します。

[引出線を追加]コマンドを利用する

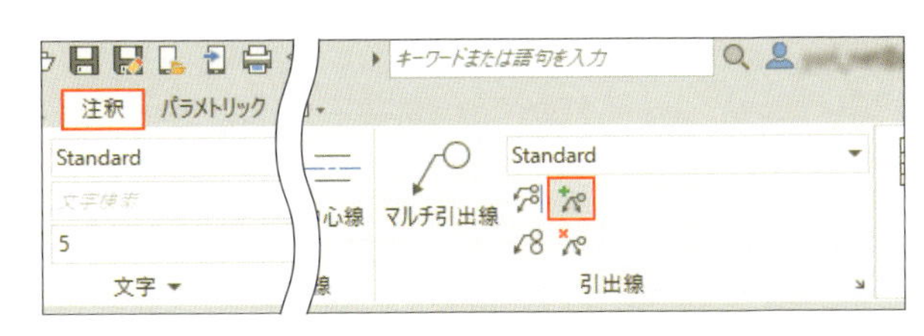

1 [引出線を追加]コマンドを実行する

[注釈]タブ→[引出線]パネルの[引出線を追加]をクリックします。

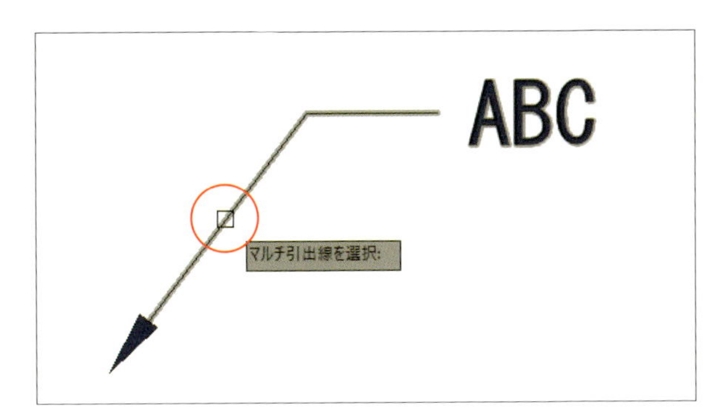

2 マルチ引出線を選択する

マルチ引出線をクリックして選択します。

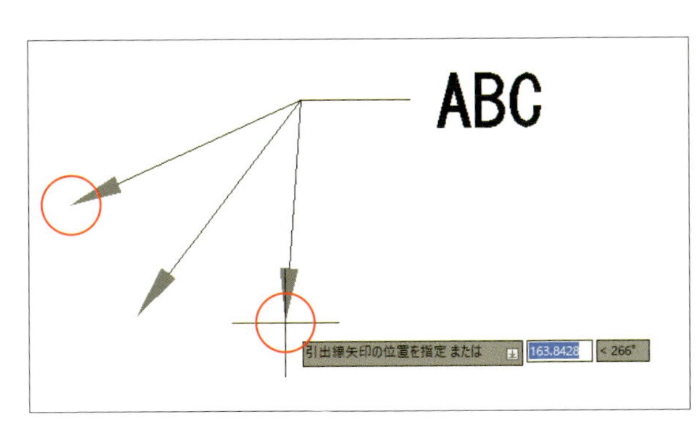

3 矢印の位置を指定する

矢印の位置をクリックして指定します。最後に Enter キーを押して引出線の追加を確定し、コマンドを終了します。

44 引出線を削除する

ここではリボンのボタンを利用して、マルチ引出線の引出線(矢印)を減らします。引出線の削除は、マルチ引出線を選択し、右クリックメニューからでも行うことができます。

サンプルファイル 3-44.dwg コマンド MLEADEREDIT ショートカットキー MLE

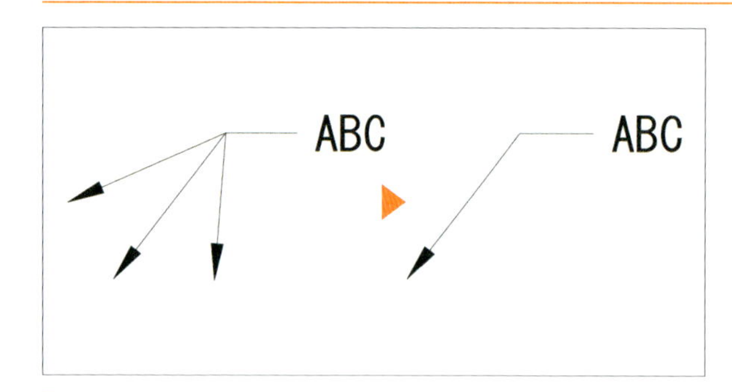

完成図

マルチ引出線の引出線を2つ削除します。

[引出線を除去]コマンドを利用する

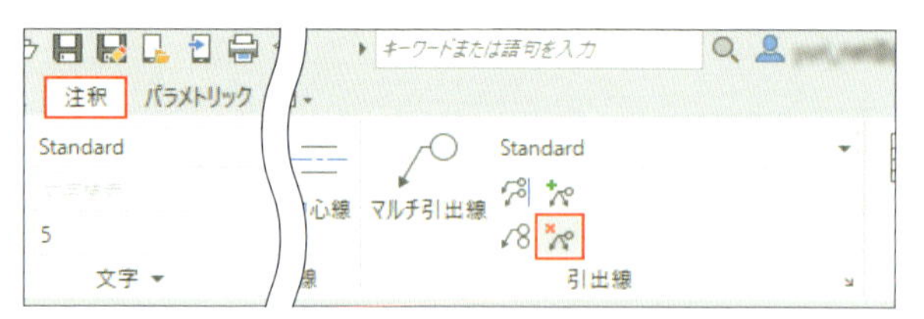

1 [引出線を除去]コマンドを実行する

[注釈] タブ→ [引出線] パネルの [引出線を除去] をクリックします。

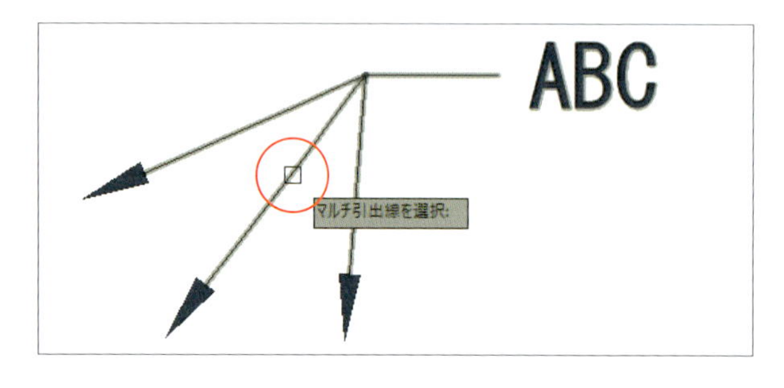

2 マルチ引出線を選択する

マルチ引出線をクリックして選択します。

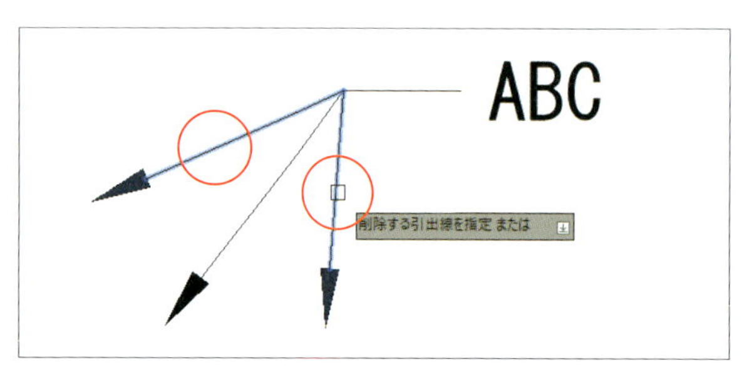

3 削除したい引出線を選択する

削除したい引出線をクリックして選択します。選択を確定するため Enter キーを押すとコマンドが終了し、引出線が削除されます。

表を理解する

表は表全体、セル、マルチテキストから作成され、それぞれ選択方法が違います。セルを選択すると、リボンから行の追加などを効率的に行うことができるので、ぜひ活用してください。

表の選択操作について

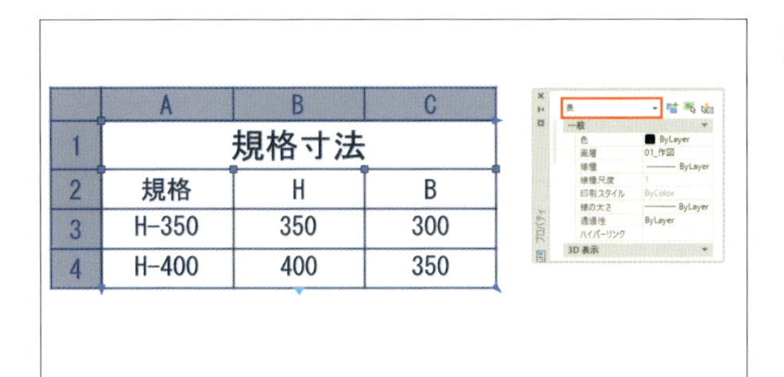

表全体を選択する

表の線をクリックして選択します。プロパティパレット（P.225参照）には［表］と表示され、［表］や［表分割］のプロパティが表示されます。

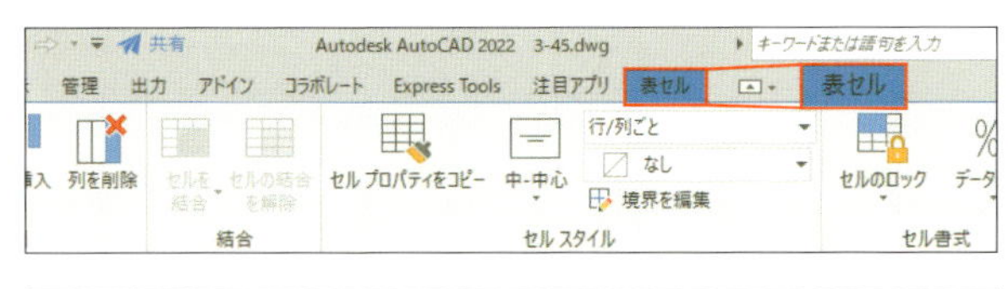

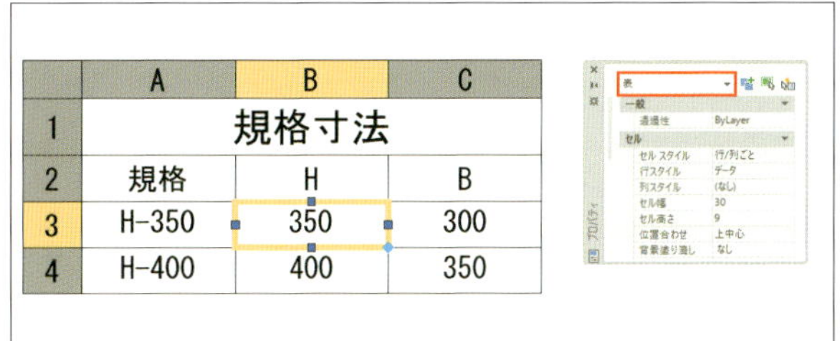

セルを選択する

表のセル内をクリックして選択します。プロパティパレットには［表］と表示され、［セル］や［内容］のプロパティが表示されます。また、リボンには［表セル］タブが表示されます。

	A	B	C
1	規格寸法		
2	規格	H	B
3	H-350	350	300
4	H-400	400	350

マルチテキストを選択する

表のセル内をダブルクリックします。リボンに［テキストエディタ］タブが表示され、マルチテキストと同様の書式設定を行うことができます。

表を作成する

表を作成する場合は、まずは適当な大きさで作成してからプロパティパレット(P.225参照)で幅や高さなどを整えていくと、図面の余白に効率的に配置することができます。

サンプルファイル 3-46.dwg コマンド TABLE ショートカットキー TB

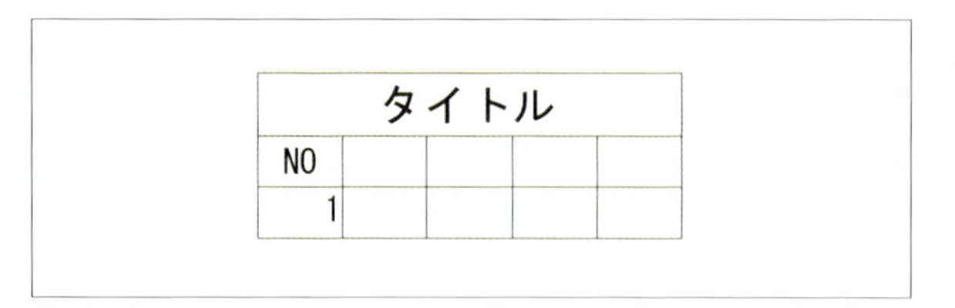

完成図

5列で列幅が15の表を作成し、タイトルに「タイトル」、見出しに「NO」、データに「1」と入力します。

[表]コマンドを利用して列数と列幅を指定する

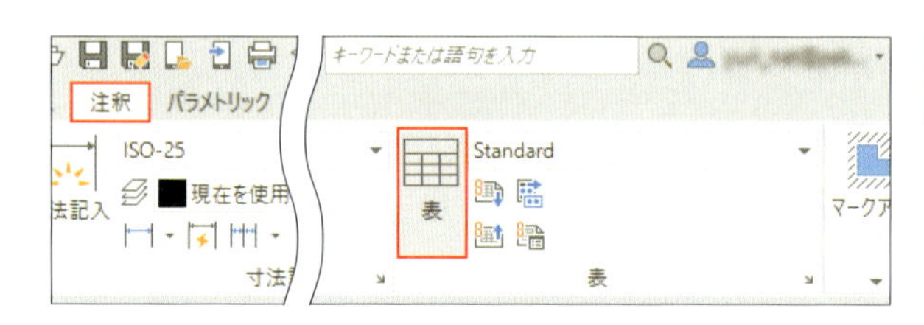

1 [表]コマンドを実行する

[注釈] タブ→ [表] パネルの [表] をクリックします。

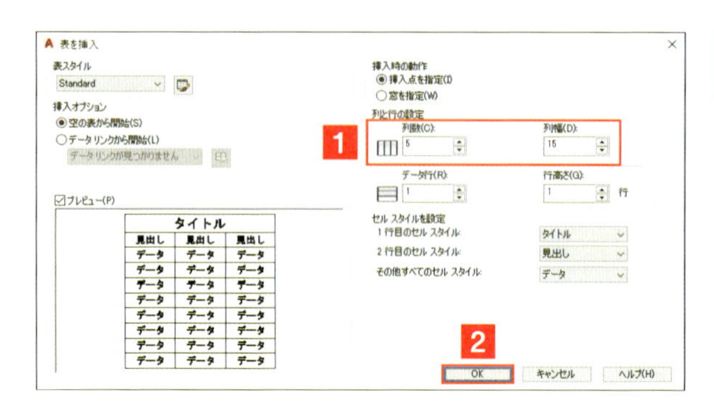

2 列数と列幅を指定する

[表を挿入] ダイアログが表示されます。[列数] に「5」、[列幅] に「15」と入力し1、[OK] をクリックします2。表を配置したい場所をクリックします。

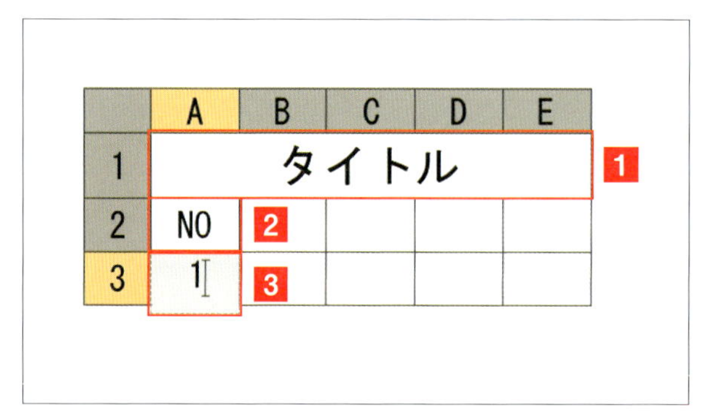

3 タイトル、見出し、データを入力する

タイトル欄で入力カーソルが点滅するので、「タイトル」と入力しEnterキーを押します1。見出し欄にマウスカーソルが移動するので、「NO」と入力しEnterキーを押します2。データ欄にマウスカーソルが移動するので、「1」と入力し3、Enterキーを押すと [表] コマンドが終了します。

表の大きさを変更する

表全体の幅や高さは、プロパティパレットで変更することができます。表はクリックした場所によって選択されるオブジェクト（表、セル、テキスト）が異なるので注意してください。

サンプルファイル 3-47.dwg　コマンド PROPERTIES　ショートカットキー PRまたは Ctrl + 1

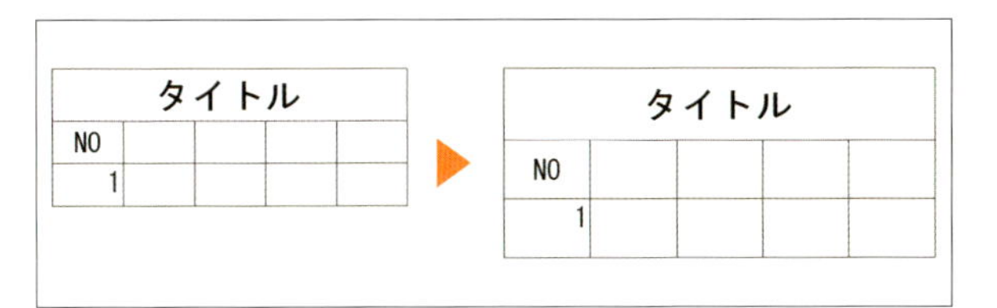

完成図

表全体の幅を90、高さを40に変更します。

プロパティパレットから［表の幅］と［表の高さ］を設定する

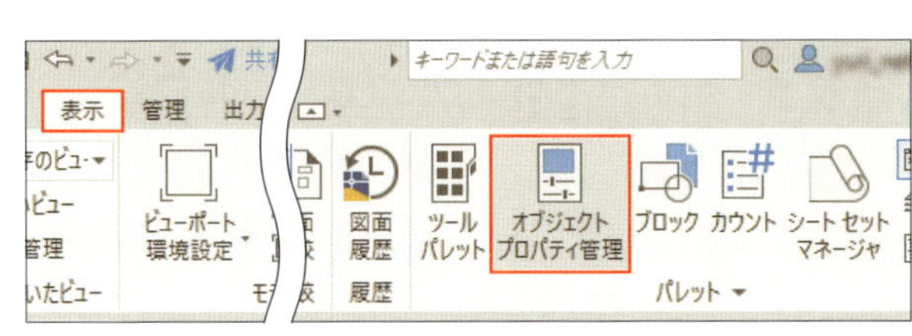

1 プロパティパレットを表示する

［表示］タブ→［パレット］パネルの［オブジェクトプロパティ管理］をクリックします。

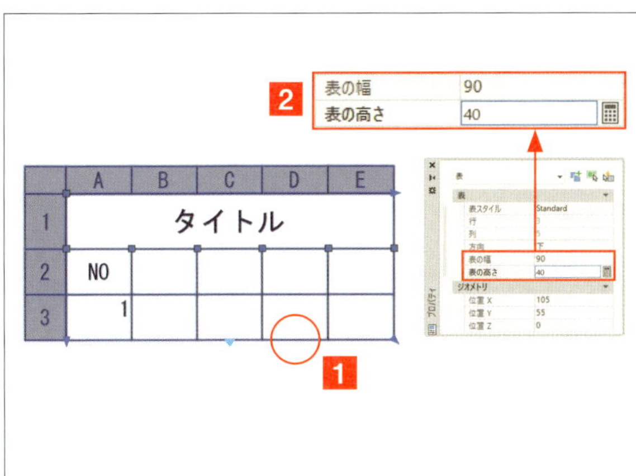

2 表を選択し、幅と高さを変更する

表の線の部分をクリックして選択し**1**、プロパティパレットの［表の幅］に「90」、［表の高さ］に「40」と入力して**2**、Enterキーを押します。

CHECK

表の幅や高さは、印刷時の大きさに縮尺の逆数をかけます。まずは印刷時の大きさで作成し、そのあとで［尺度変更］コマンドを利用して縮尺の逆数を入力し、表全体の大きさを変更すると効率的です。

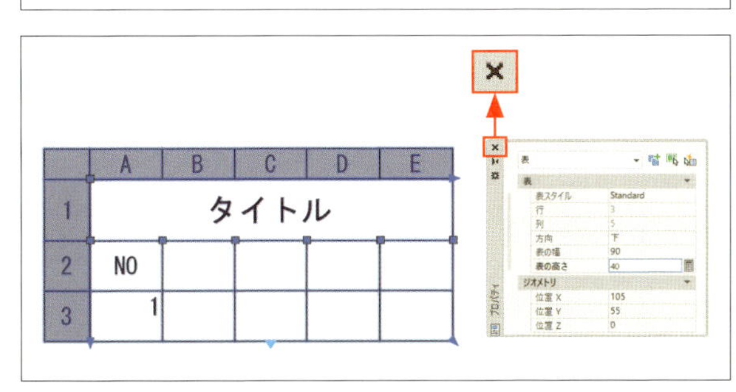

3 プロパティパレットを閉じる

表の大きさが変更されます。プロパティパレットの［×］をクリックし、プロパティパレットを閉じます。表の選択はEscキーを押して解除します。

表のセルの大きさを変更する

セルの幅や高さは、プロパティパレットで変更することができます。表はクリックした場所によって選択されるオブジェクト(表、セル、テキスト)が異なるので注意してください。

サンプルファイル 3-48.dwg コマンド PROPERTIES ショートカットキー PRまたはCtrl + 1

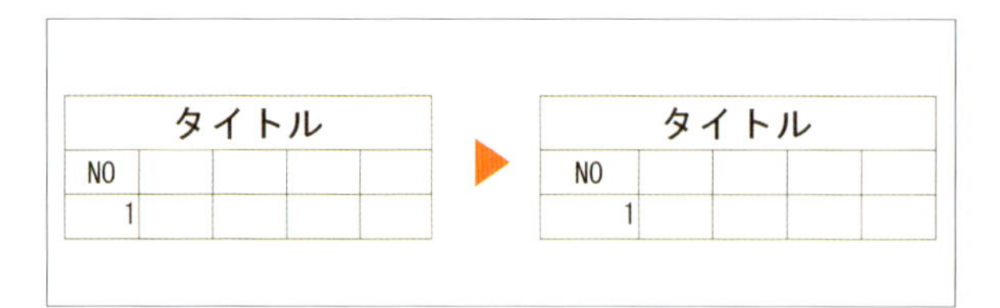

完成図

「NO」が入力されているセルの幅を20に変更します。

プロパティパレットから[セル幅]を設定する

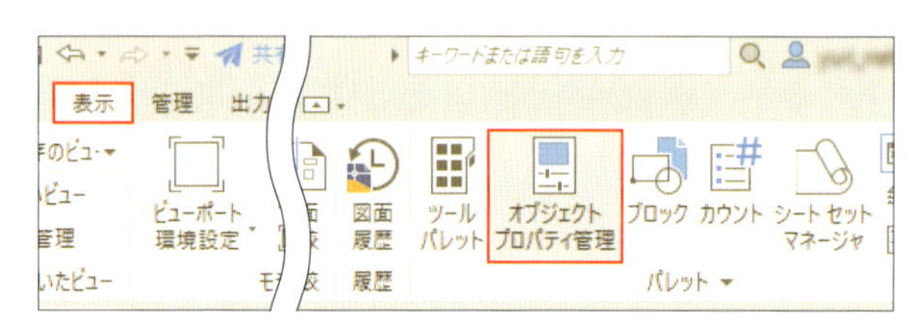

1 プロパティパレットを表示する

[表示]タブ→[パレット]パネルの[オブジェクトプロパティ管理]をクリックします。

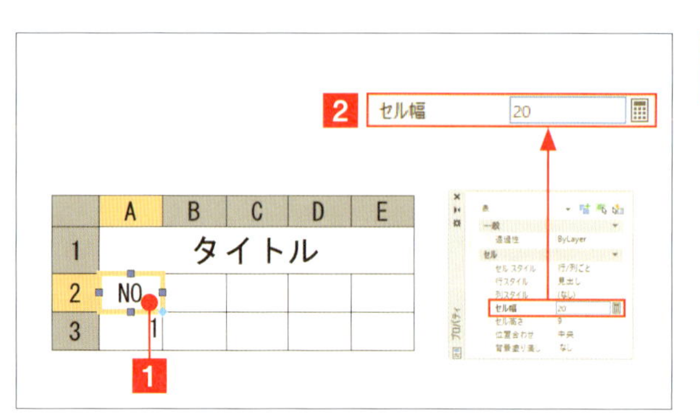

2 セルを選択し、幅を変更する

表のセル内をクリックして選択し1、プロパティパレットの[セル幅]に「20」と入力して2、Enterキーを押します。

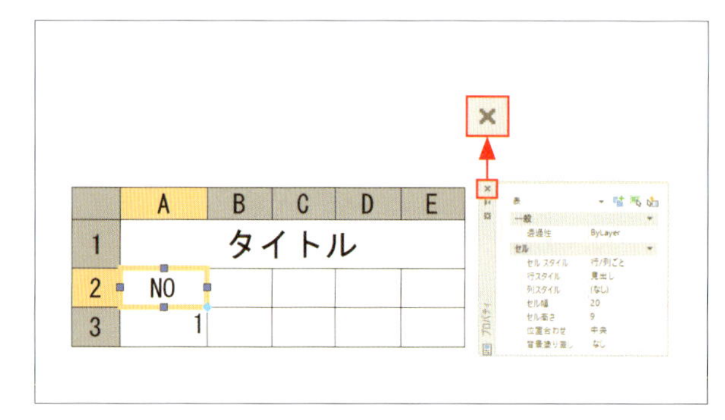

3 プロパティパレットを閉じる

選択したセルの幅が変更されます。プロパティパレットの[×]をクリックし、プロパティパレットを閉じます。セルの選択はEscキーを押して解除します。

49 表の文字の大きさを変更する

表内の文字の大きさは、プロパティパレットで変更することができます。表はクリックした場所によって選択されるオブジェクト(表、セル、テキスト)が異なるので注意してください。

サンプルファイル 3-49.dwg コマンド PROPERTIES ショートカットキー PRまたはCtrl＋1

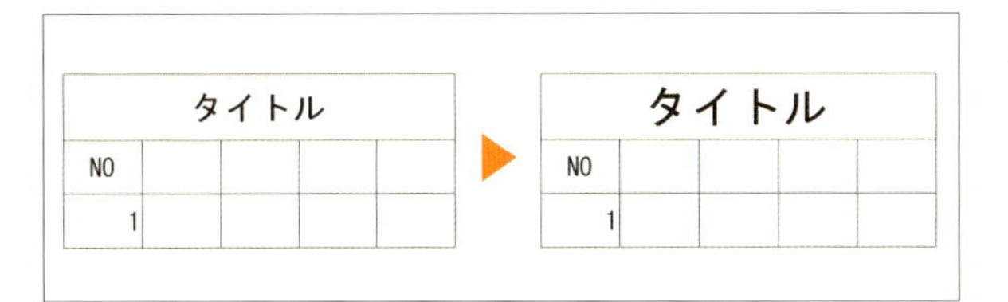

完成図

タイトルの文字の高さを8に変更します。

プロパティパレットから［文字の高さ］を設定する

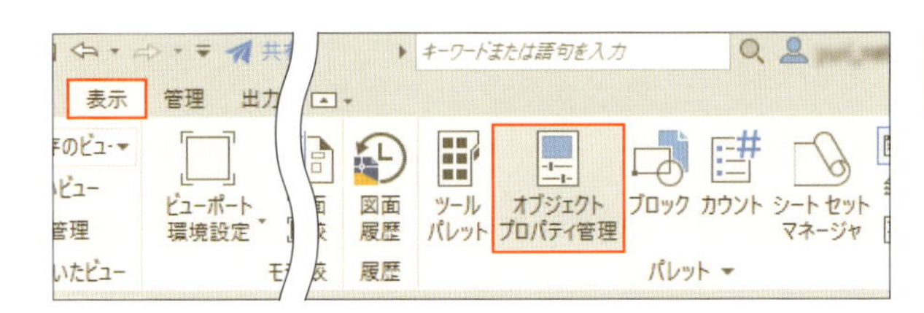

1 プロパティパレットを表示する

［表示］タブ→［パレット］パネルの［オブジェクトプロパティ管理］をクリックします。

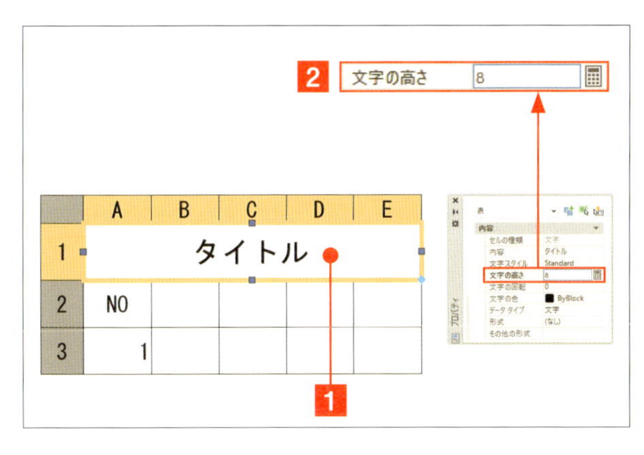

2 セルを選択し、文字の高さを変更する

表のタイトルセル内をクリックして選択し1、プロパティパレットの［文字の高さ］に「8」と入力して2、Enterキーを押します。

CHECK

文字の大きさは、印刷時の大きさに縮尺の逆数をかけます。まずは印刷時の大きさで作成し、そのあとで［尺度変更］コマンドを利用して縮尺の逆数を入力し、表全体の大きさを変更すると効率的です。

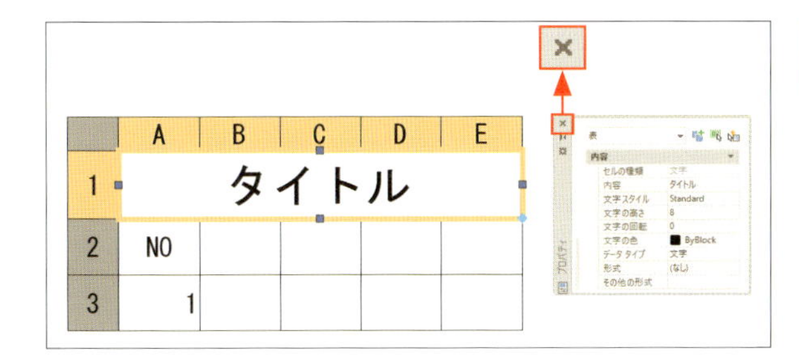

3 プロパティパレットを閉じる

タイトルの文字高さが変更されます。プロパティパレットの［×］をクリックし、プロパティパレットを閉じます。セルの選択はEscキーを押して解除します。

50 雲マークを作図する

対角に点を指定することによって、矩形状や多角形状の雲マークを作図することができます。ここでは矩形状の雲マークを作図します。図面の縮尺によって円弧の長さを変更してください。

サンプルファイル 3-50.dwg コマンド REVCLOUD ショートカットキー なし

完成図

円弧のおおよその長さを50にして雲マークを作図します。

[矩形状]コマンドで円弧の最短と最大を設定する

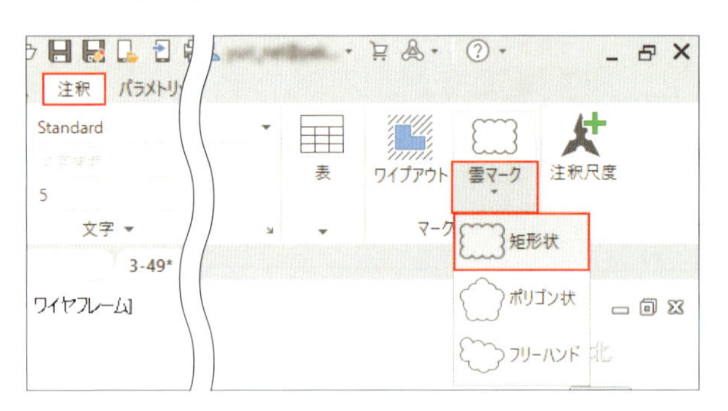

1 [雲マーク▼]の[矩形状]コマンドを実行する

[注釈] タブ→ [マークアップ] パネルの [雲マーク▼] → [矩形状] をクリックします。

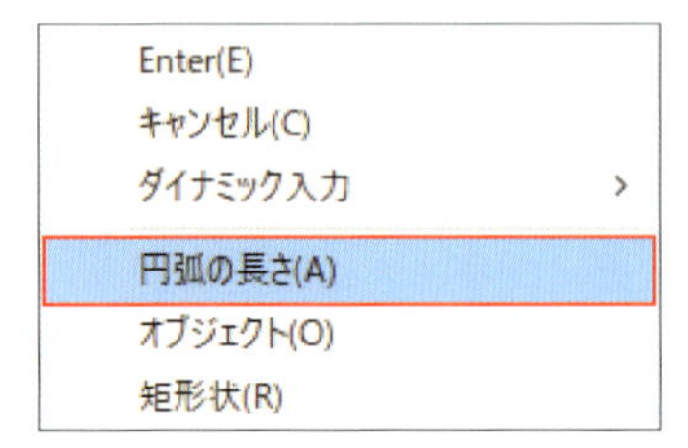

2 円弧のおおよその長さを変更する

作図領域で右クリックし、メニューから [円弧の長さ] を選択し、おおよその長さに「50」を入力します。「最短の長さ」と表示された場合は、「最短の長さ」と「最大の長さ」に「50」を入力します。

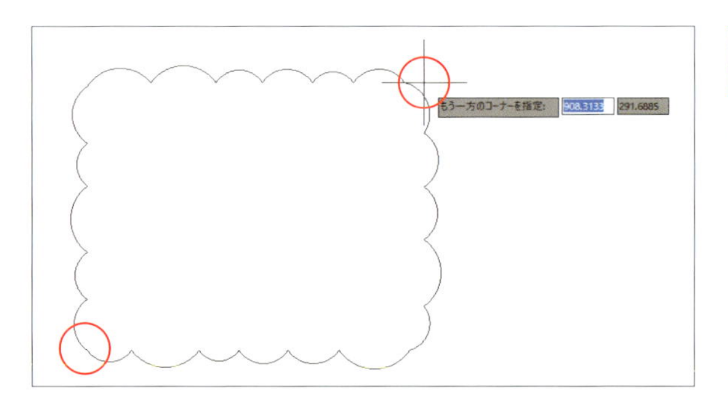

3 矩形の2点を指定する

矩形状の対角となる2点をクリックして指定します。矩形状の雲マークが作図できます。

CHAPTER

04

THE PERFECT GUIDE FOR AUTOCAD

画層とプロパティ

画層を理解する

画層には色、線種、線の太さなどを設定します。画層を図面要素ごとに分けることにより、表示／非表示や印刷の状態(色や線種、線の太さ、印刷する／しないなど)を制御することができます。

画層は管理／制御のために利用する

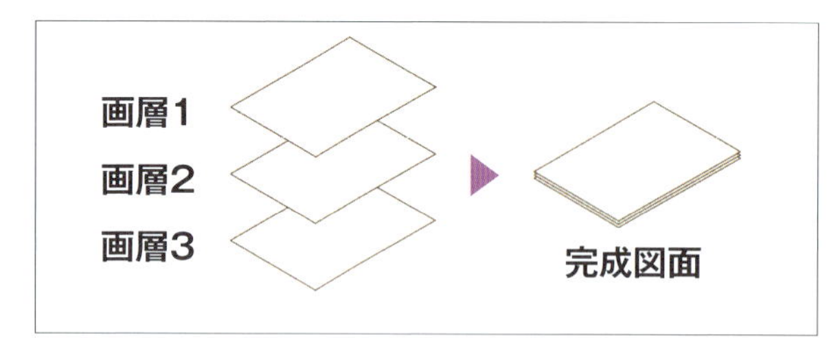

画層とは

画層の考え方は、図面を複数の用紙（画層 1、画層 2、画層 3、・・・）に分けて作図し、すべてを重ね合わせて完成図面とするイメージです。

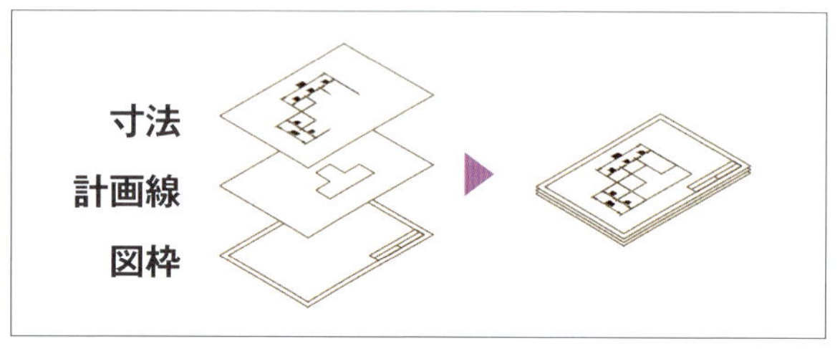

画層の使用用途

寸法、計画線、図枠などの要素を管理しやすいように、画層を分けて作図します。

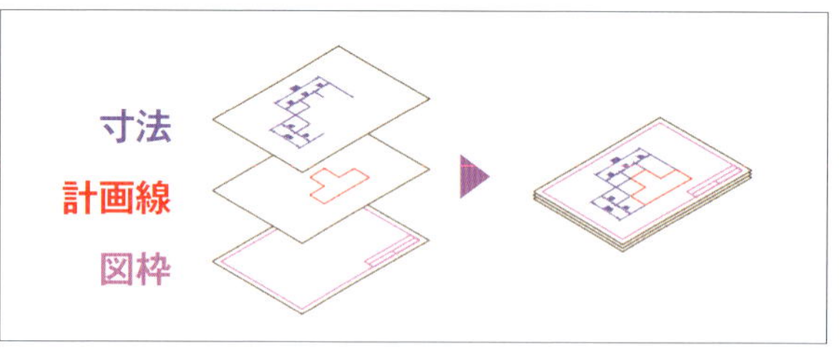

画層にそれぞれ色、線種、線の太さなどを設定することで、図形の色、線種、線の太さを制御できます。

現在画層を確認する

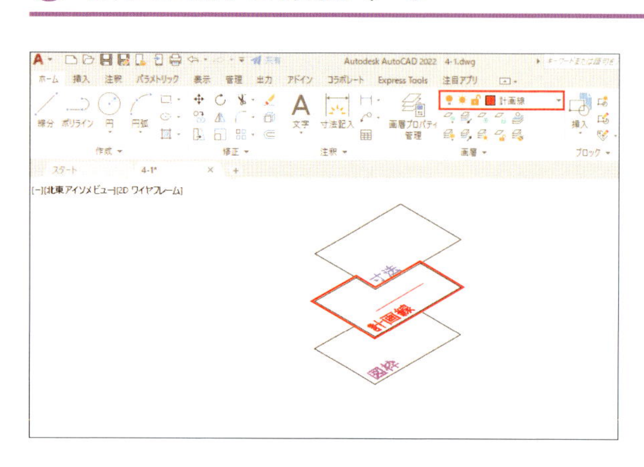

現在画層の確認

図形は［ホーム］タブ→［画層］パネルの［画層］に表示されている現在画層に作図されます。

画層の3つの状態を使い分ける

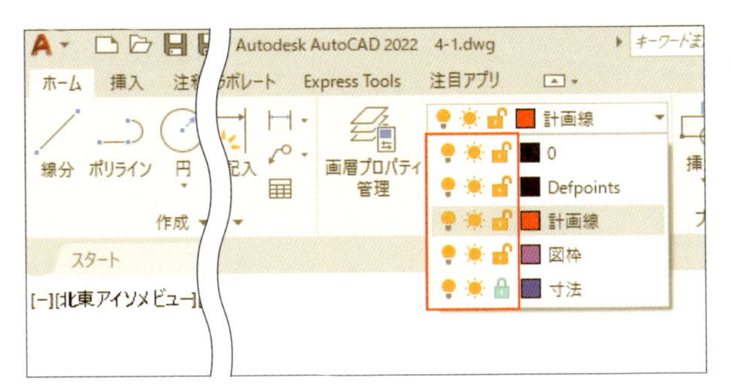

画層の3つの状態

画層には、表示／非表示、フリーズ／フリーズ解除、ロック／ロック解除の３つの状態があります。これらの状態をうまく使い分けることで、作業を効率化させることができます。

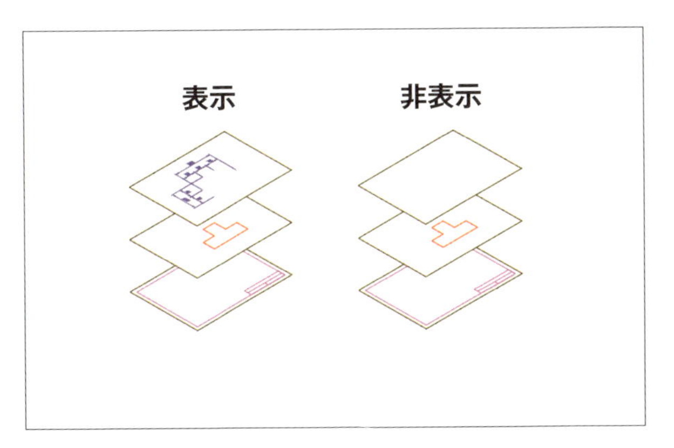

表示／非表示

画層に作図された図形は表示／非表示の設定を行うことができます。非表示にした画層の図形は画面に表示されず、印刷もされません。

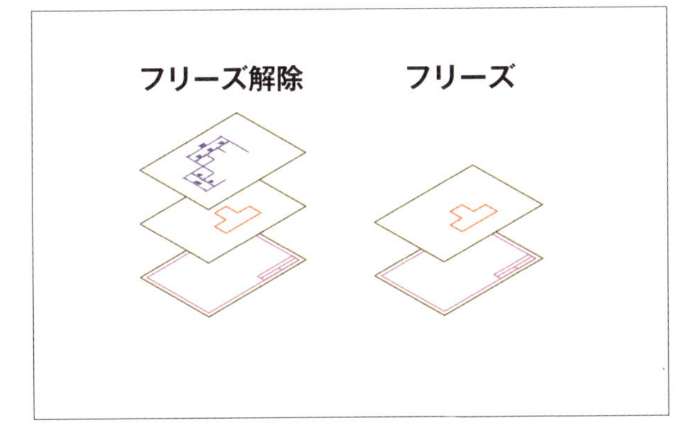

フリーズ／フリーズ解除

画層はフリーズさせることが可能です。フリーズ状態は画面上では非表示と同じですが、図形が「ない」ことと同じ状態になり、画面の表示速度を向上させることができます。

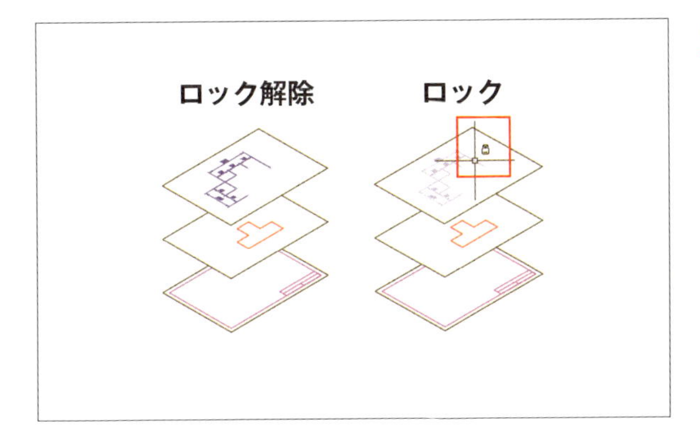

ロック／ロック解除

画層をロックすることで編集や削除ができないようにします。ロックされた画層にある図形にマウスカーソルを近付けると鍵のマークが表示されます。また、ロックされた画層の図形は、既定の設定では、薄い色で表示（フェード表示）されます。

画層を作成する

画層は図面ファイルごとに設定されます。利用したい画層がない場合には、画層を作成する必要があります。ここでは、画層を新規作成し、色や線種などの設定を行います。

サンプルファイル 4-2.dwg　コマンド LAYER　ショートカットキー LA

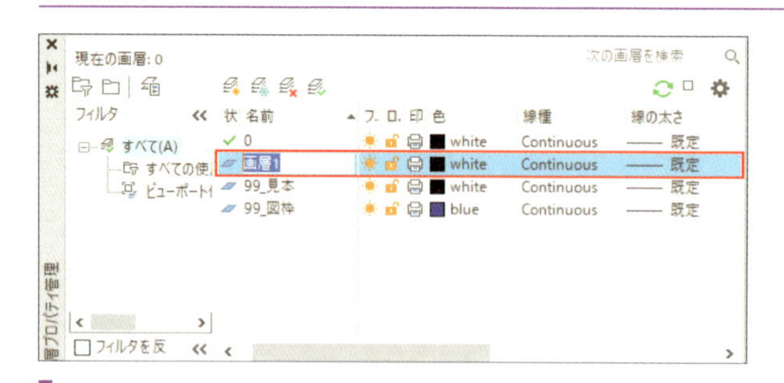

完成図

画層を新規作成します。名前は「10_中心線」、色は「bule」、線種は「CENTER」、線の太さは「0.18mm」に設定します。

[画層プロパティ管理]コマンドで画層を新規に作成する

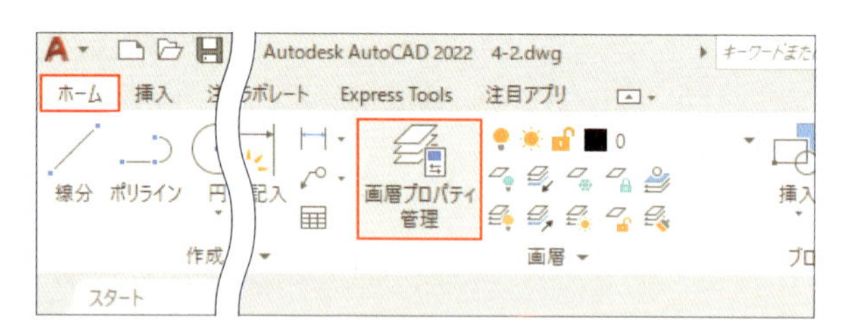

1 [画層プロパティ管理]コマンドを実行する

[ホーム]タブ→[画層]パネルの[画層プロパティ管理]をクリックします。

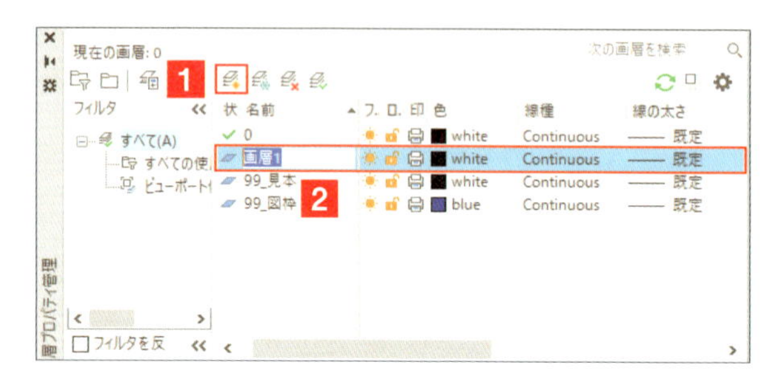

2 画層を新規作成する

画層プロパティ管理パレットが表示されるので、[新規作成]をクリックします1。新しい画層が作成されます2。

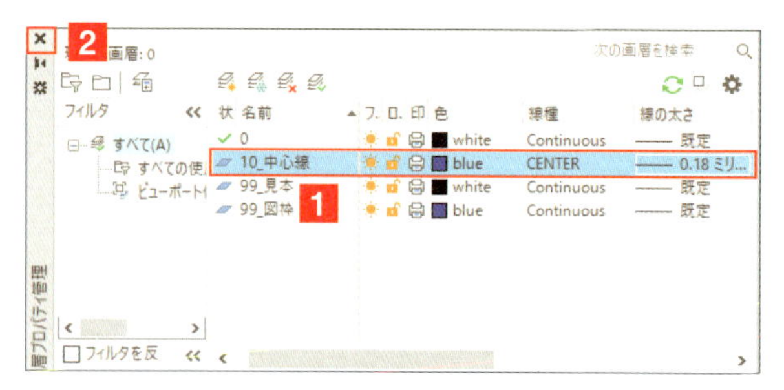

3 画層の設定をする

名前に「10_中心線」と入力し、色を[blue](5番)、線種を[CENTER]、線の太さを[0.18ミリメートル]と指定します1。最後に[×]をクリックして、画層プロパティ管理パレットを閉じます2。

ほかのファイルから画層をコピーする

前ページで解説したとおり、利用したい画層がない場合は、画層を新規に作成しますが、ほかのファイルから画層をコピーすることも可能です。

サンプルファイル 4-3.dwg　コマンド ADCENTER　ショートカットキー Ctrl + 2

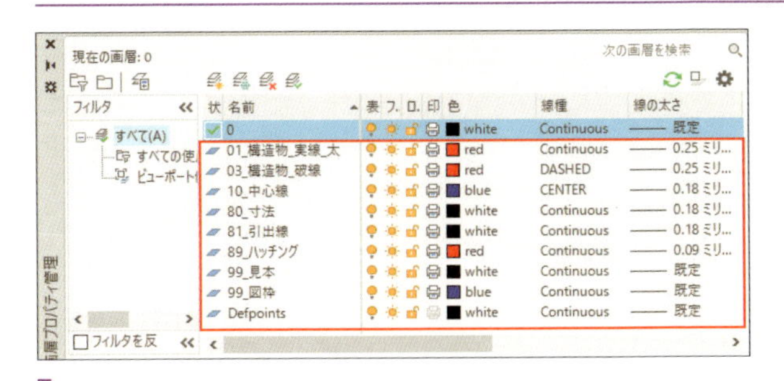

完成図

新規作成したファイル［Drawing1.dwg］に、［4-3.dwg］ファイルにあるすべての画層をコピーします。ここでの操作は、画層の情報をコピーする方法であり、それ以外（図形など）はコピーされません。

DesignCenterパレットから画層をドラッグ＆ドロップする

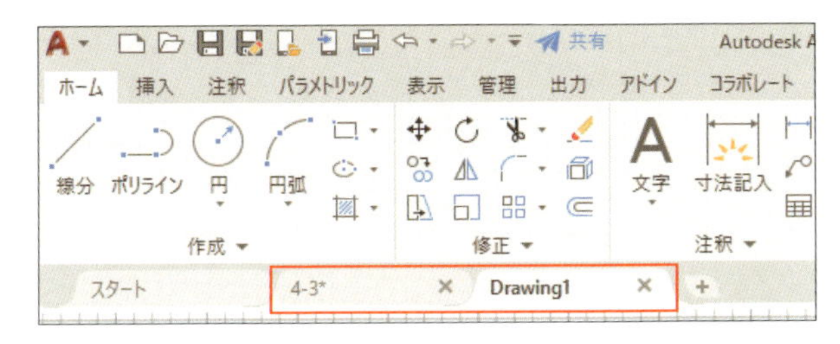

1 ファイルを開き、新規作成する

サンプルの［4-3.dwg］ファイルを開き、続いて P.022 手順2～3を参考に、［acadiso.dwt］（AutoCAD LT では［acadltiso.dwt］）を選択し、［Drawing1.dwg］ファイルを作成します。

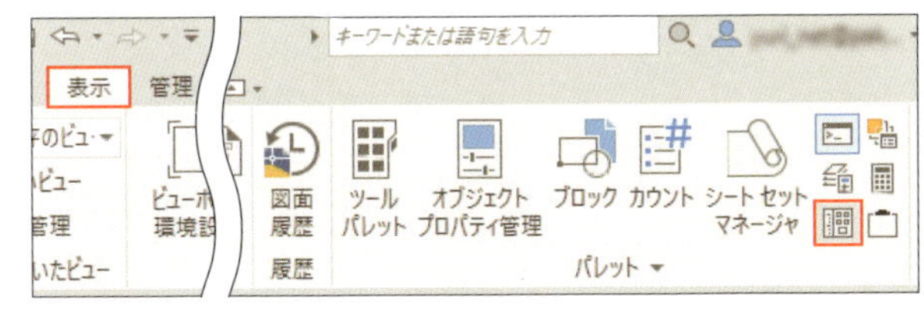

2 ［DesignCenter］コマンドを実行する

［表示］タブ→［パレット］パネルの［Design Center］をクリックします。

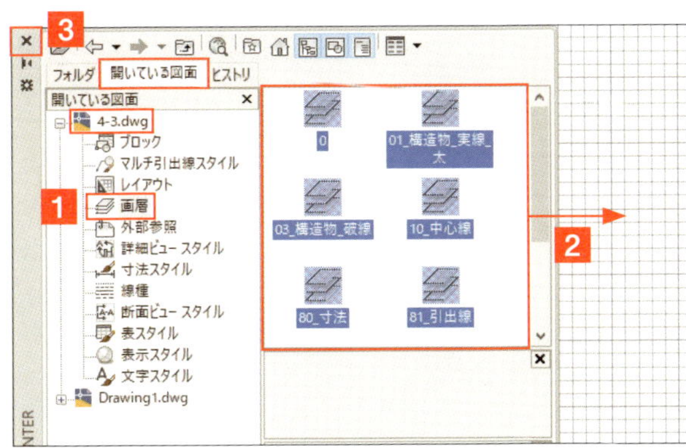

3 画層をコピーする

DesignCenter パレットが表示されます。［開いている図面］タブを選択し、［4-3.dwg］→［画層］をクリックします1。画層をすべて選択し、作図領域にドラッグ＆ドロップすると2、画層がコピーされます。最後に［×］をクリックして、DesignCenter パレットを閉じます3。

04 画層を設定して図形を作図する

［ホーム］タブ→［画層］パネルの［画層］に表示されている画層を現在画層といいます。作図コマンドを実行する前に、現在画層を設定してから作図を行うようにしましょう。

サンプルファイル 4-4.dwg　コマンド なし　ショートカットキー なし

完成図

現在画層を［10_中心線］に設定し、線分を作図します。作図された線分は［10_中心線］画層の設定により、一点鎖線で青になります。

現在画層を選択して作図コマンドを利用する

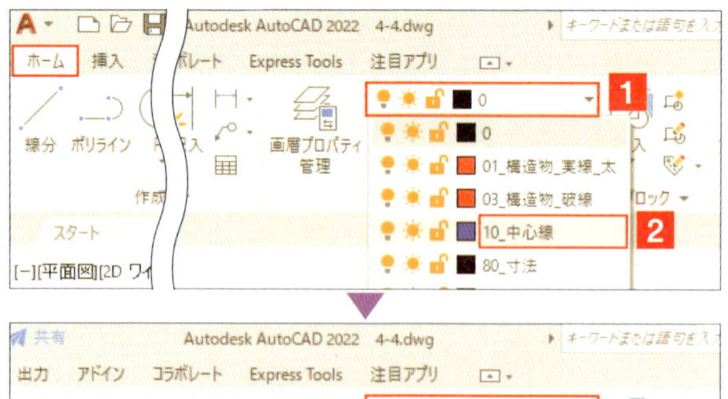

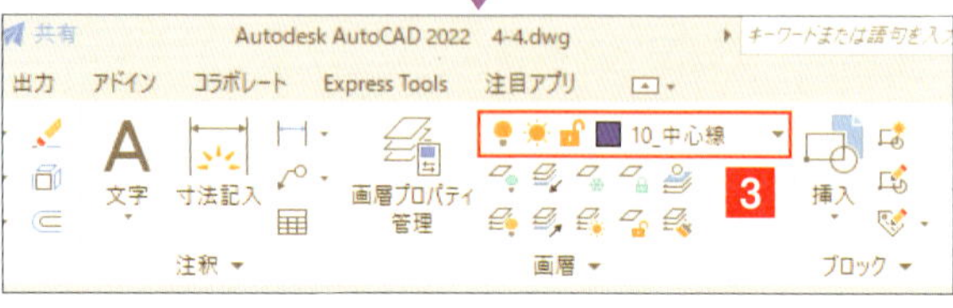

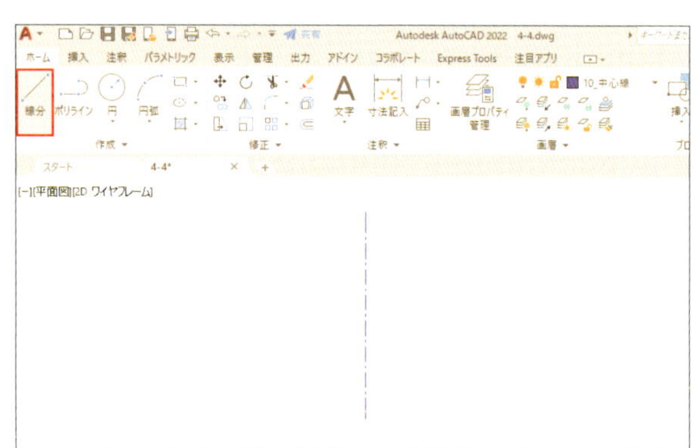

1 現在画層を設定する

［ホーム］タブ→［画層］パネルの［画層］をクリックし1、［10_中心線］を選択して2、現在画層にします3。

CHECK

このとき、画層名の文字をクリックしてください。ほかの場所をクリックすると、違う操作になります。

2 線分を作図する

［ホーム］タブ→［作成］パネルの［線分］をクリックし、線分を作図すると、［10_中心線］画層で作図され、一点鎖線で青になります。

既存図形の画層を変更する

意図した画層で作図されていない図形は、図形の画層を変更します。リボンやプロパティパレットから変更したり、ほかの図形から画層をコピーしたりすることができます。ここでは、リボンから変更します。

サンプルファイル 4-5.dwg **コマンド** なし **ショートカットキー** なし

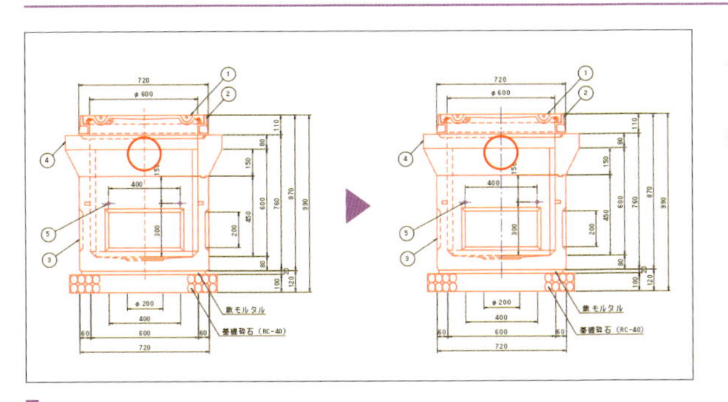

完成図

[03_構造物_破線] 画層で作図されている既存の線分を、[10_中心線] 画層に変更します。

オブジェクトを選択してリボンから画層を選択する

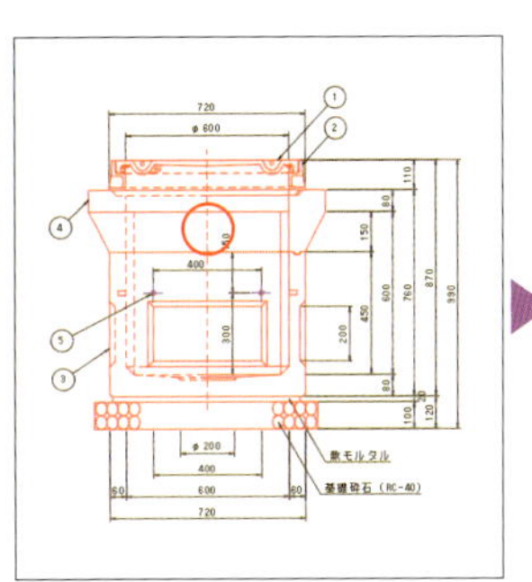

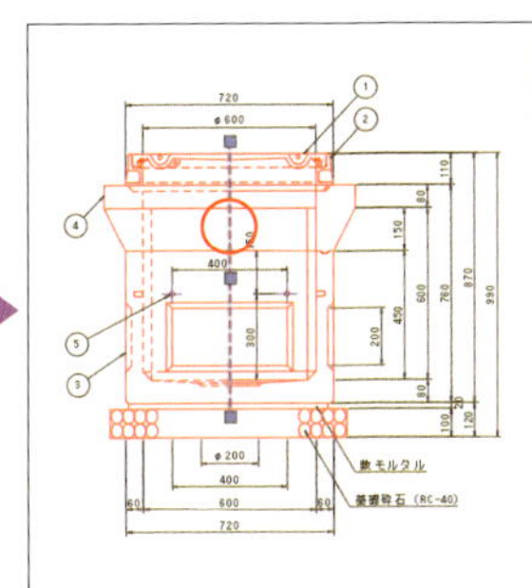

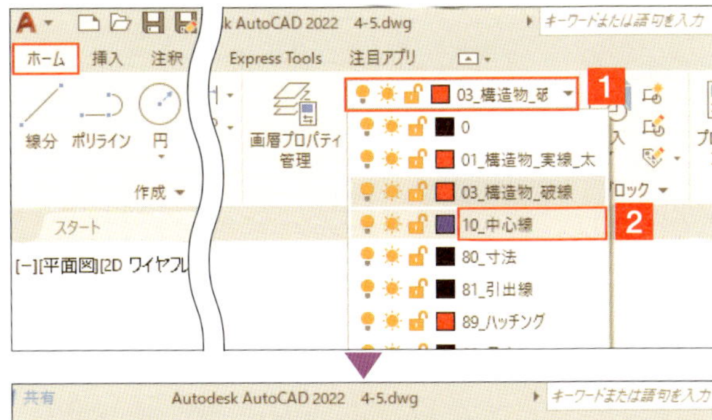

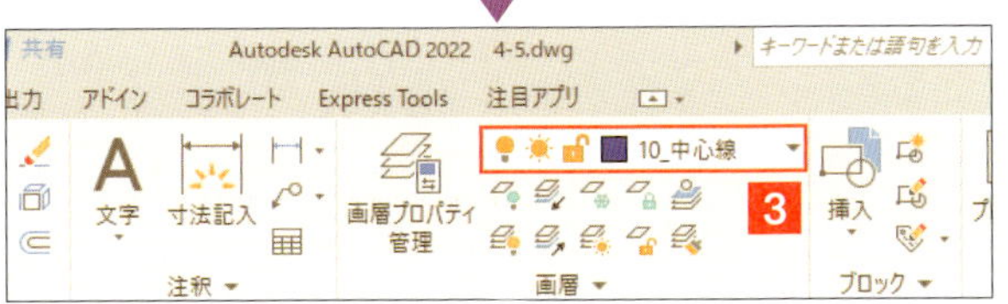

1 線分を選択する

左図を参考に垂直な線分を選択します。

CHECK

このとき、コマンドが実行されていると、次からの操作ができません。コマンドが実行されている場合は、Escキーでキャンセルをしてください。

2 画層を変更する

[ホーム] タブ→[画層] パネルの [画層] をクリックし1、[10_中心線] を選択すると2、線分の画層が変更されます3。最後にEscキーを押して、選択を解除します。

ほかの図形から画層の設定をコピーする

前ページで解説したとおり、意図した画層で作図されていない図形は、図形の画層を変更します。ここでは、ほかの図形から画層の設定をコピーすることで画層を変更します。

サンプルファイル 4-6.dwg　コマンド MATCHPROP　ショートカットキー MA

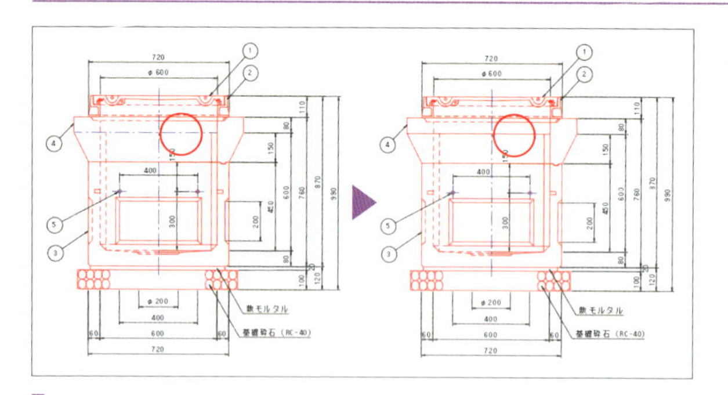

完成図

左図の線分の画層は[10_中心線]です。この線分の画層を[01_構造物_実線_太]画層に作図されている図形からコピーします。

[プロパティコピー]コマンドで図形を選択する

1 [プロパティコピー]コマンドを実行する

[ホーム]タブ→[プロパティ]パネルの[プロパティコピー]をクリックします。

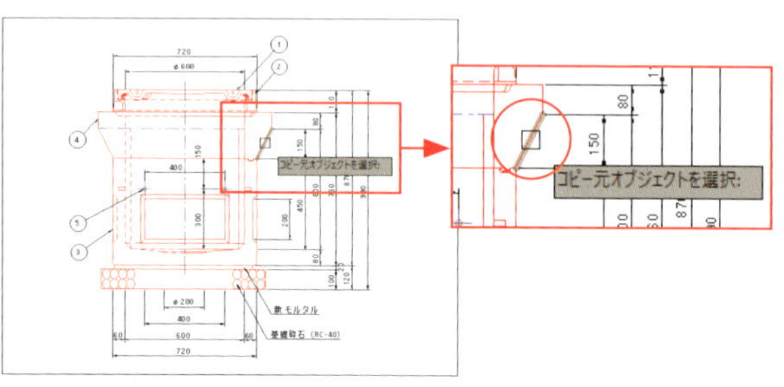

2 コピー元の図形を選択する

[01_構造物_実線_太]画層で作図されている図形を選択します。

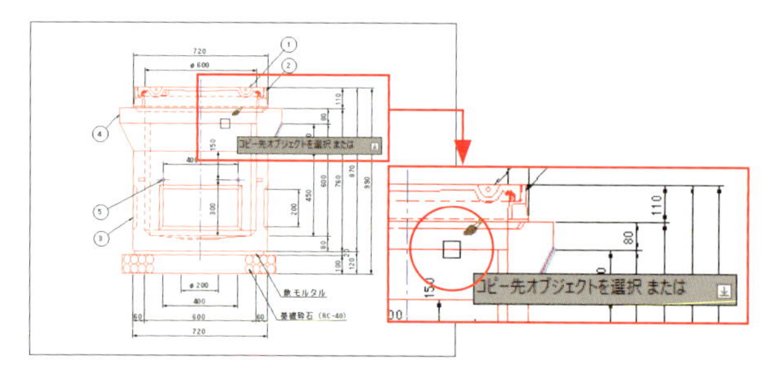

3 コピー先の図形を選択する

[10_中心線]画層で作図されている図形を選択すると、画層の設定がコピーされ、[01_構造物_実線_太]画層に変更されます。最後にEnterキーを押してコマンドを終了します。

画層を表示／非表示する

作図や編集作業に不必要な画層は非表示にしておくと効率的です。ただし、非表示のままにしておくと、印刷もされないので注意してください。ここでは、リボンから操作を行います。

サンプルファイル 4-7.dwg　コマンド なし　ショートカットキー なし

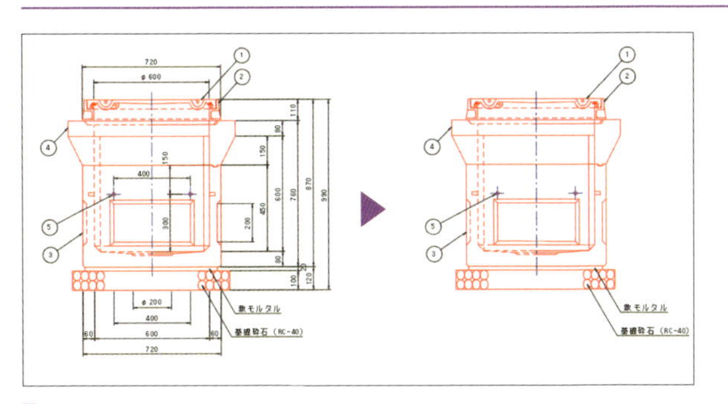

完成図

[80_寸法]画層を非表示にします。

画層を展開して[画層の表示/非表示]をクリックする

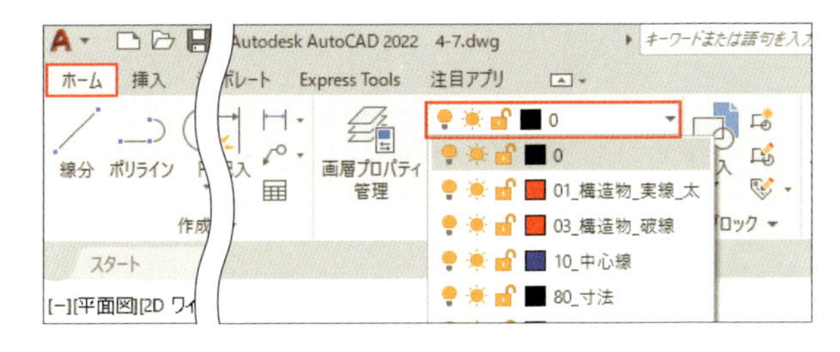

1 [画層]を展開する

[ホーム]タブ→[画層]パネルの[画層]をクリックして、画層を展開します。

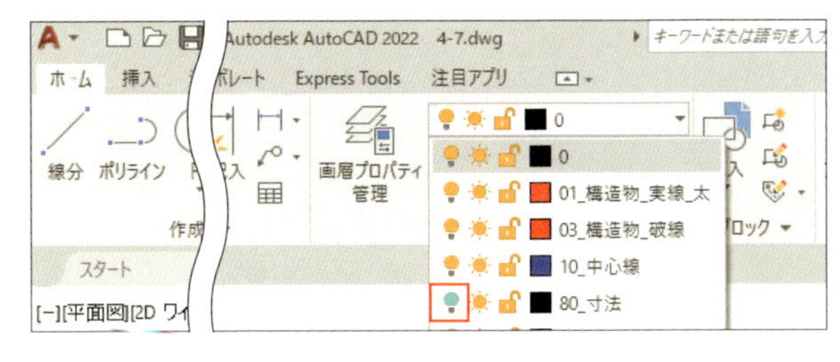

2 画層を非表示にする

[80_寸法]画層の[画層の表示/非表示]をクリックし、非表示にします。電球のマークが水色で表示されます。

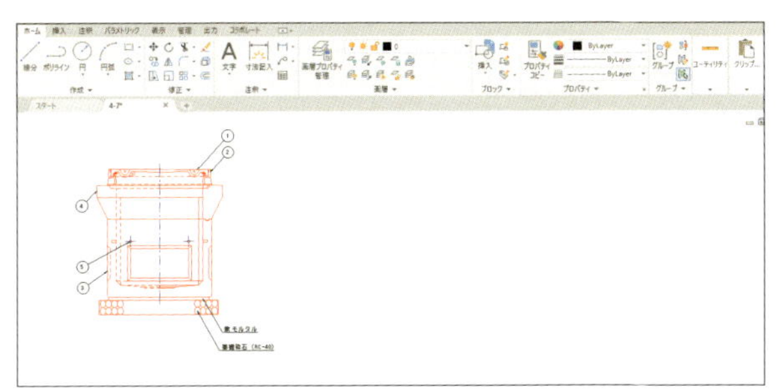

3 [画層]を閉じる

Escキーを押し、展開した[ホーム]タブ→[画層]パネルの[画層]を閉じます。再度、同様の操作を行えば再表示できます。

選択した図形の画層を非表示にする

前ページで解説したとおり、作図や編集作業に不必要な画層は非表示にしておくと効率的です。ここでは、選択した図形の画層を非表示にします。

サンプルファイル 4-8.dwg　コマンド LAYOFF　ショートカットキー なし

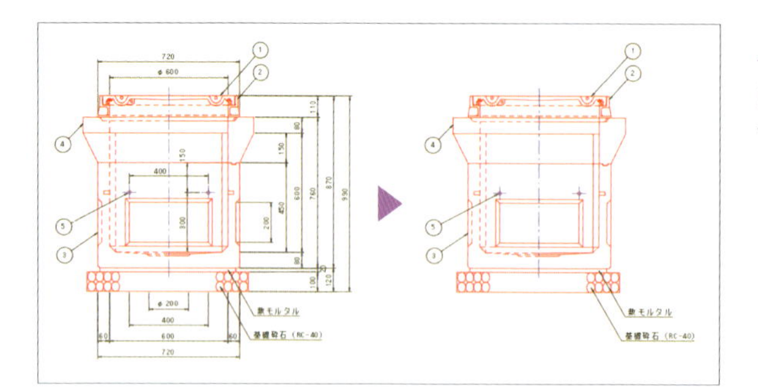

完成図

[80_寸法] 画層に作図されている図形を選択して、画層を非表示にします。

[非表示] コマンドで非表示にする図形を選択する

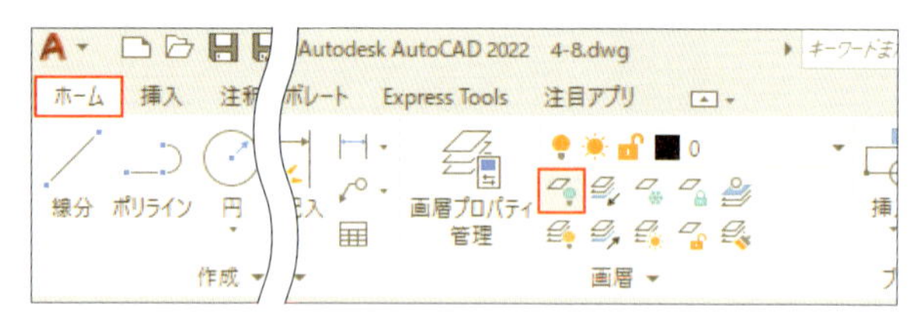

1 [非表示] コマンドを実行する

[ホーム] タブ→ [画層] パネルの [非表示] をクリックします。

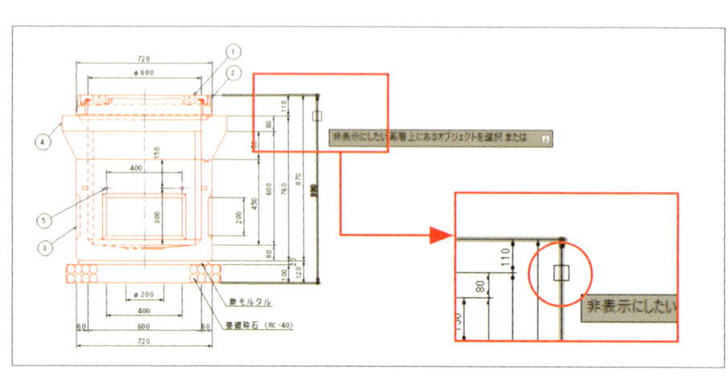

2 非表示にする図形を選択する

寸法図形を選択します。選択した寸法図形の[80_寸法] 画層が非表示になります。

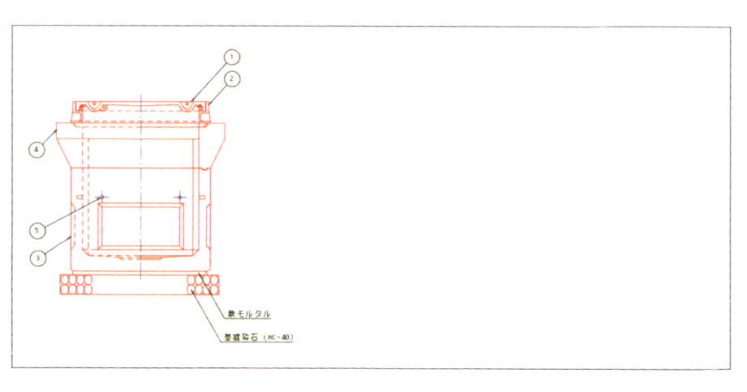

3 コマンドを終了する

Enterキーを押してコマンドを終了します。

全画層を表示する

すべての画層を表示したい場合、[ホーム]タブ→[画層]パネルの[画層]から非表示のマークをクリックして操作を行うのは効率的ではありません。[全画層表示]コマンドを使用してください。

サンプルファイル 4-9.dwg　コマンド LAYON　ショートカットキー なし

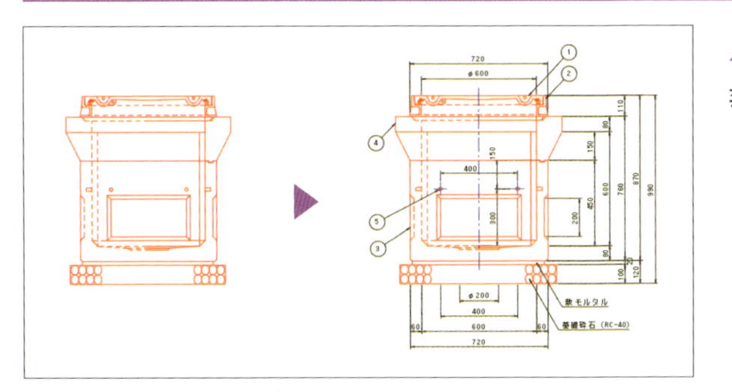

完成図

非表示になっている画層をすべて表示します。

[全画層表示]コマンドを利用する

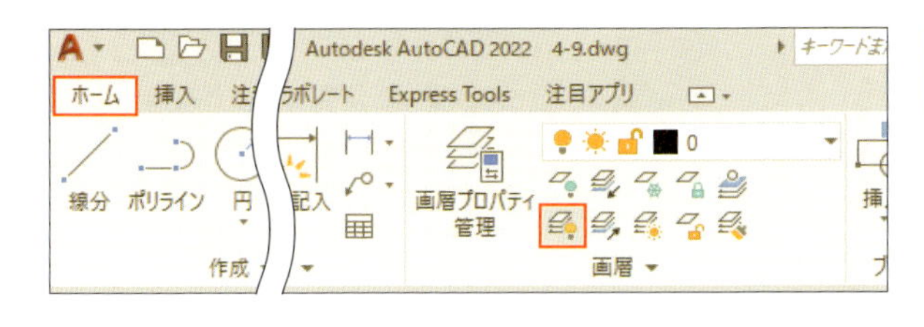

1 [全画層表示]コマンドを実行する

[ホーム] タブ→ [画層] パネルの [全画層表示] をクリックします。

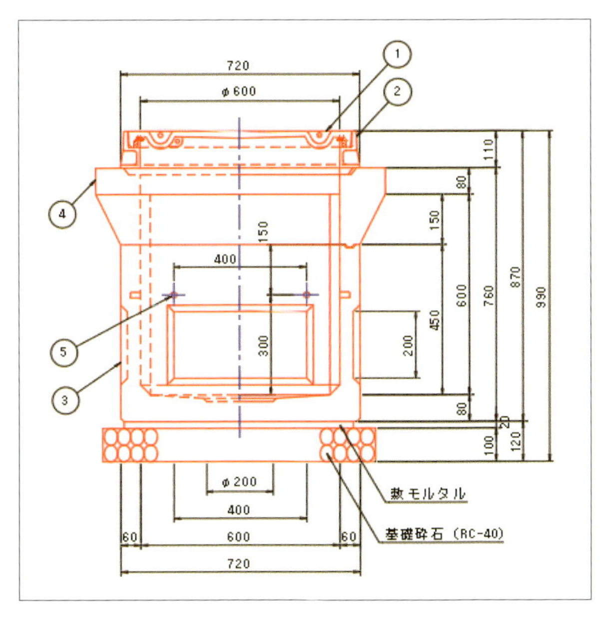

2 すべての画層が表示される

非表示になっていた画層がすべて表示されます。

CHECK

画層がフリーズされている場合、非表示から表示に変更しても、フリーズが解除されない限り、画面には表示されません（P.241参照）。

選択した図形の画層のみを表示する

[選択表示]コマンドを利用すると、選択した画層以外の画層をロックまたは非表示にすることができます。既定ではロックされるようになっているので、オプションで非表示に変更してください。

サンプルファイル 4-10.dwg コマンド LAYISO ショートカットキー なし

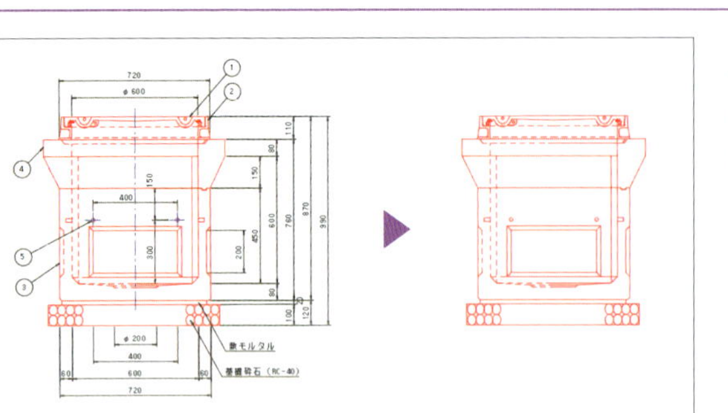

完成図

[01_構造物_実線_太]、[03_構造物_破線]画層に作図されている図形を選択し、その2つの画層のみ表示します。

[選択表示]コマンドで表示する画層の図形を選択する

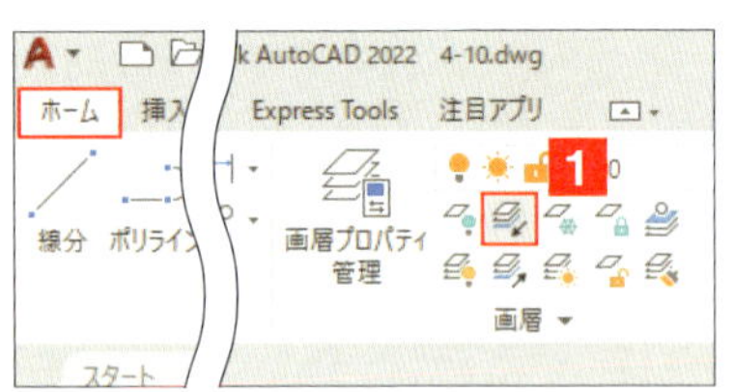

1 [選択表示]コマンドを実行し、[設定]オプションを選択する

[ホーム]タブ→[画層]パネルの[選択表示]をクリックします1。作図領域で右クリックし、メニューから[設定]を選択します2。

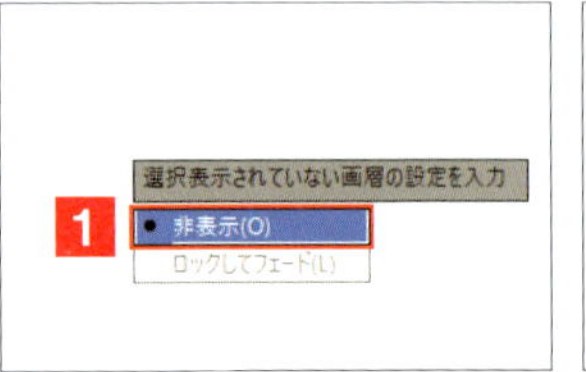

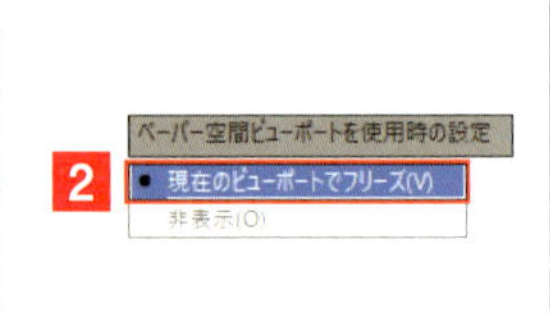

2 そのほかの設定を選択する

画層の設定は[非表示]を選択し1、ビューポートの設定は[現在のビューポートでフリーズ]を選択します2。

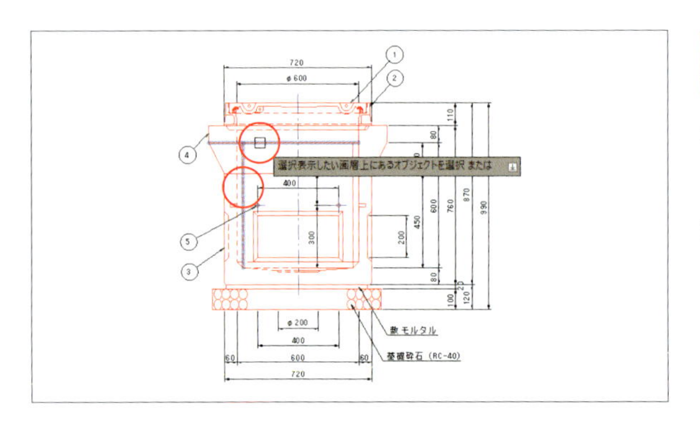

3 表示する図形を選択する

左図を参考に図形2か所をShiftキーを押しながらクリックして選択し、Enterキーを押して選択を確定します。コマンドが終了し、選択した図形の画層のみが表示されます。

画層をフリーズ／フリーズ解除する

画層をフリーズすると画面上は非表示と同じですが、画層が存在しない状態になり、画面の表示速度を向上させることができます。使わないが残しておきたい画層をフリーズするとよいでしょう。

サンプルファイル 4-11.dwg　コマンド なし　ショートカットキー なし

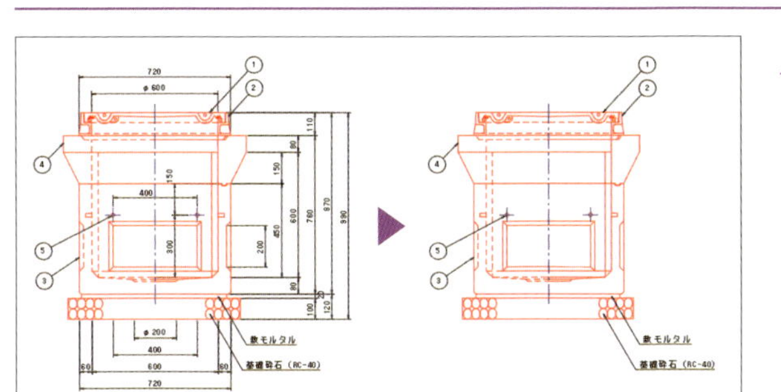

完成図

[80_寸法]画層をフリーズします。

画層を展開して[すべてのビューポートでフリーズまたはフリーズ解除]をクリックする

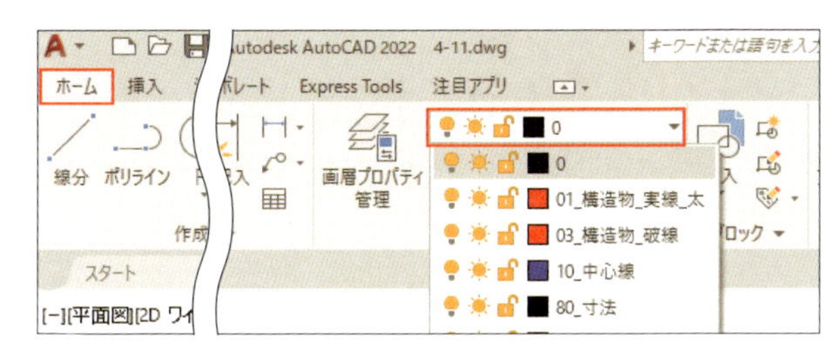

1 [画層]を展開する

[ホーム]タブ→[画層]パネルの[画層]をクリックして、画層を展開します。

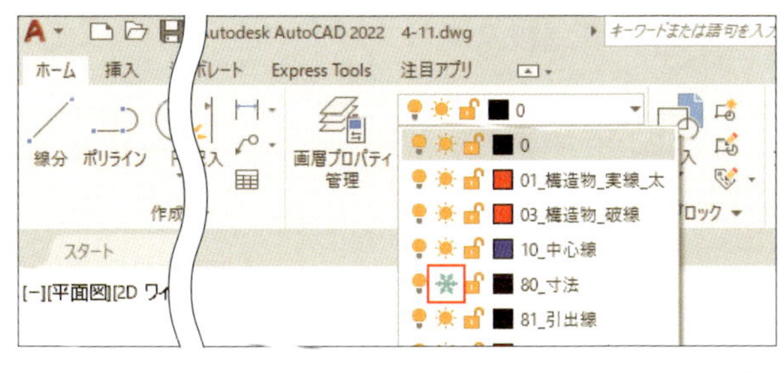

2 画層をフリーズする

[80_寸法]画層の[すべてのビューポートでフリーズまたはフリーズ解除]をクリックし、フリーズします。太陽のマークが雪のマークになります。

3 [画層]を閉じる

Escキーを押し、展開した[ホーム]タブ→[画層]パネルの[画層]を閉じます。再度、同様の操作を行えばフリーズを解除できます。

選択した図形の画層をフリーズする

数多くの画層がある場合には、リボンの画層の一覧から目的の画層を探すのは効率的ではありません。図形をクリックして選択するだけで、その図形の画層をフリーズするコマンドを紹介します。

サンプルファイル 4-12.dwg コマンド LAYFRZ ショートカットキー なし

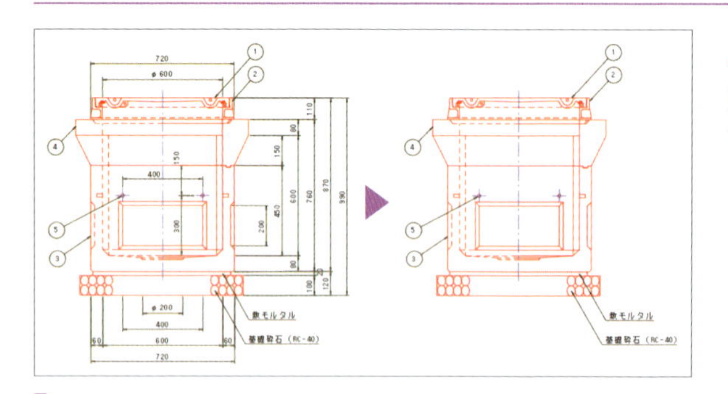

完成図

[80_寸法] 画層に作図されている図形を選択して、画層をフリーズします。

[フリーズ] コマンドで図形を選択する

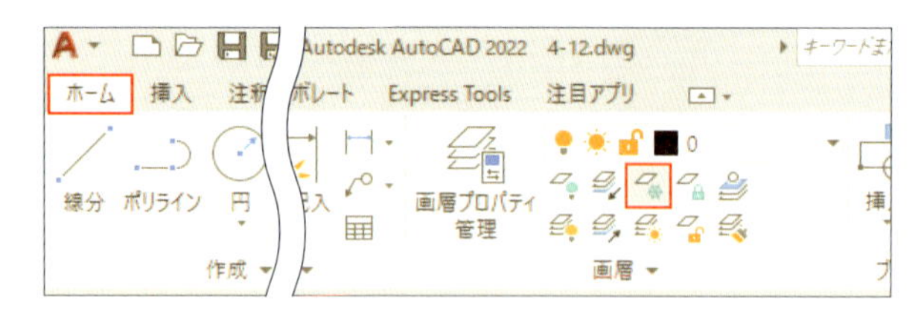

1 [フリーズ] コマンドを実行する

[ホーム] タブ→ [画層] パネルの [フリーズ] をクリックします。

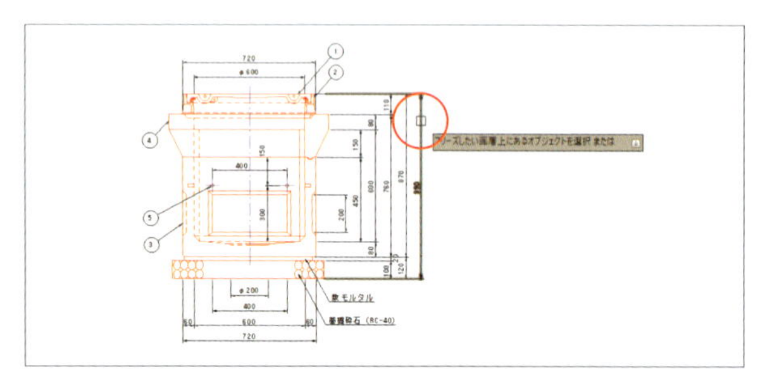

2 フリーズにする図形を選択する

寸法図形を選択します。選択した寸法図形の[80_寸法] 画層がフリーズします。

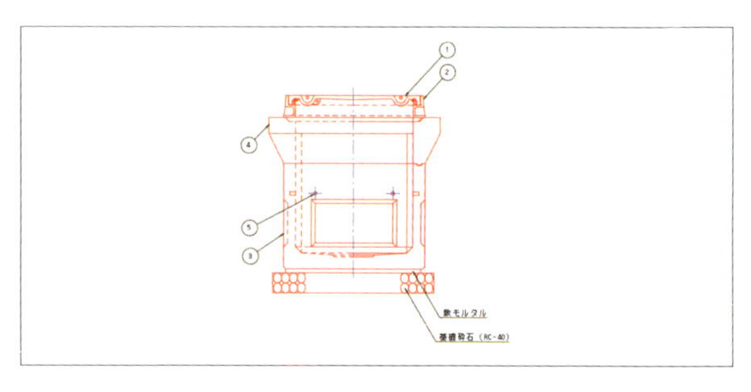

3 コマンドを終了する

Enter キーを押してコマンドを終了します。

全画層をフリーズ解除する

ここでは、フリーズされているすべての画層をフリーズ解除します。[全画層表示]コマンドと一緒に使用することで(P.239参照)、すべての画層を画面に表示させることができます。

サンプルファイル 4-13.dwg コマンド LAYTHW ショートカットキー なし

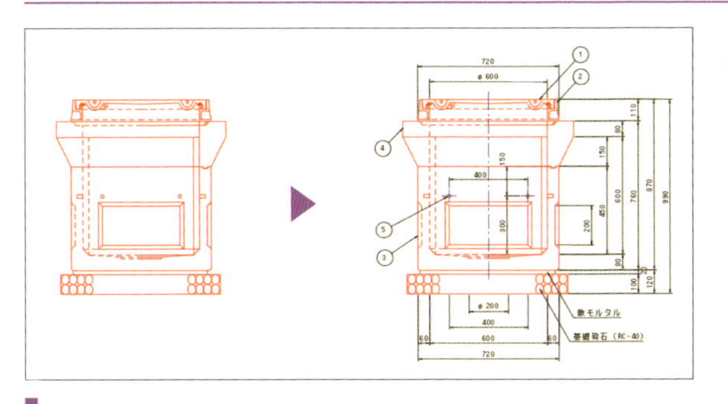

完成図

フリーズされている画層をすべてフリーズ解除します。

[全画層フリーズ解除]コマンドを利用する

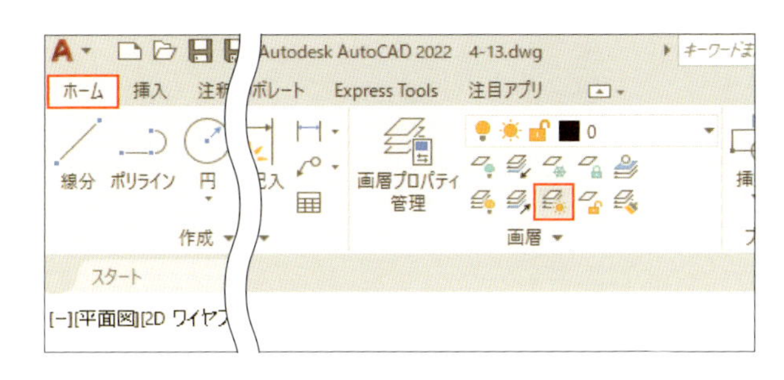

1 [全画層フリーズ解除]コマンドを実行する

[ホーム] タブ→ [画層] パネルの [全画層フリーズ解除] をクリックします。

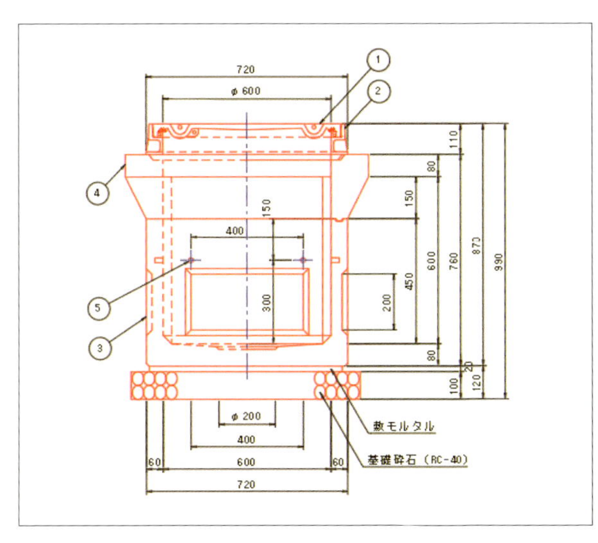

2 すべての画層がフリーズ解除される

フリーズされていた画層がすべてフリーズ解除され、表示されます。

CHECK

画層をフリーズ解除しても、非表示になっている場合は、画面には表示されません(P.237 参照)。

画層をロック／ロック解除する

ロックされた画層は編集や削除ができなくなります。図枠の画層など、あまり編集しない画層はロックしておくと誤って削除されたりしないので、効率的に作業ができます。

サンプルファイル 4-14.dwg　コマンド なし　ショートカットキー なし

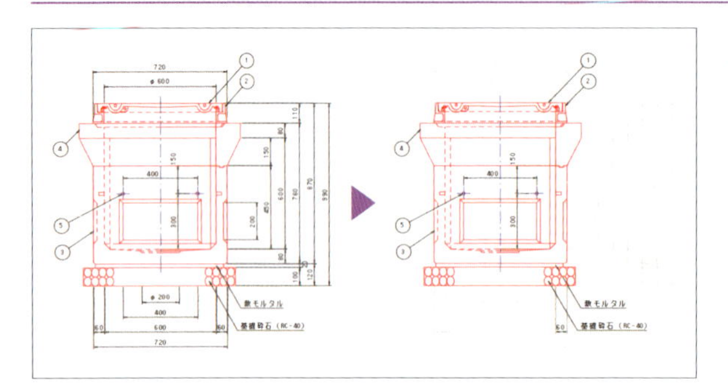

完成図

[80_寸法]画層をロックします。

画層を展開して[画層をロックまたはロック解除]をクリックする

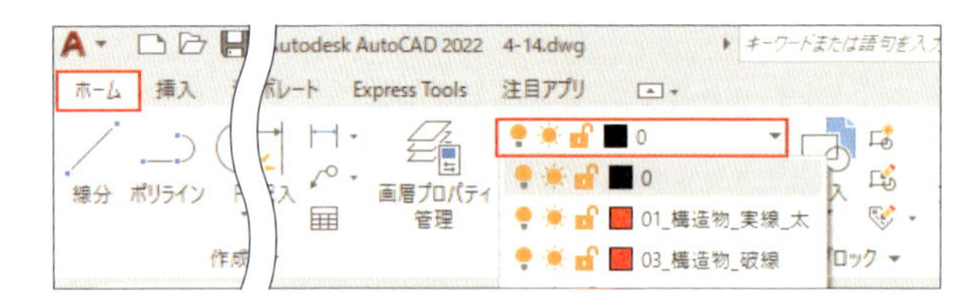

1 [画層]を展開する

[ホーム]タブ→[画層]パネルの[画層]をクリックして、画層を展開します。

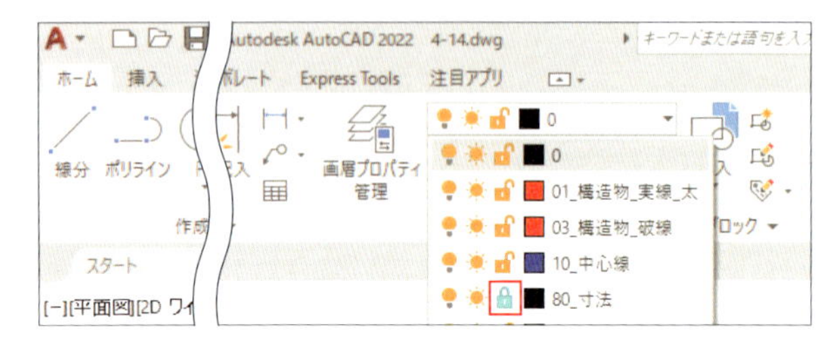

2 画層をロックする

[80_寸法]画層の[画層をロックまたはロック解除]をクリックし、ロックします。鍵のマークが閉じて、水色で表示されます。

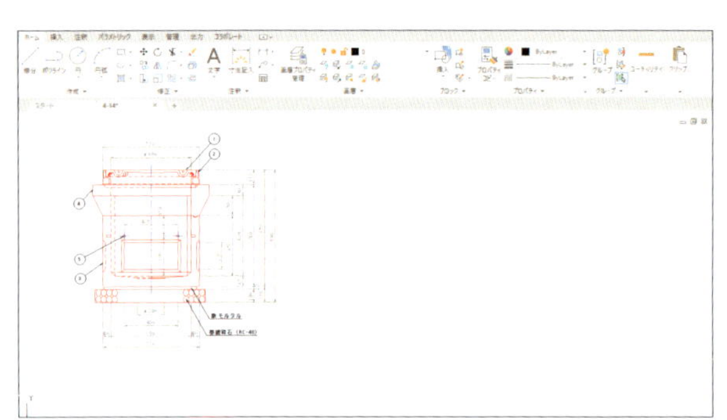

3 [画層]を閉じる

Escキーを押し、展開した[ホーム]タブ→[画層]パネルの[画層]を閉じます。[80_寸法]画層がフェード表示されます(フェード表示についてはP.245を参照してください)。

ロック画層をフェード表示する

[ロック画層のフェード]をオンにすると、ロック画層が薄く表示(フェード表示)されます。フェード率(濃淡)はリボンでコントロールすることができます。

サンプルファイル 4-15.dwg **システム変数** LAYLOCKFADECTL **ショートカットキー** なし

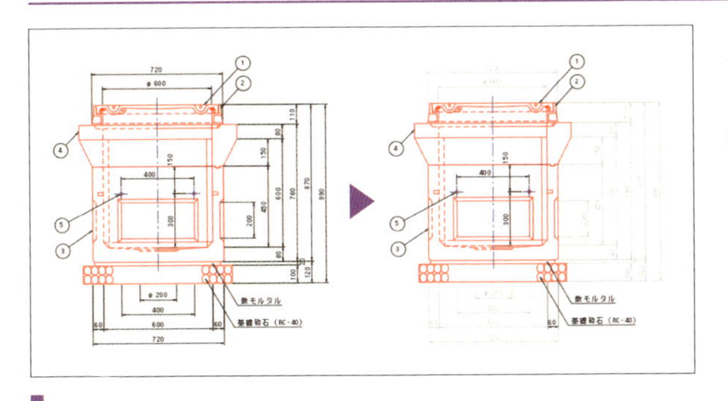

完成図

ロックされている[80_寸法]画層をフェード表示(薄く表示)します。

▶[画層をロックまたはロック解除]をクリックしてフェードを設定する

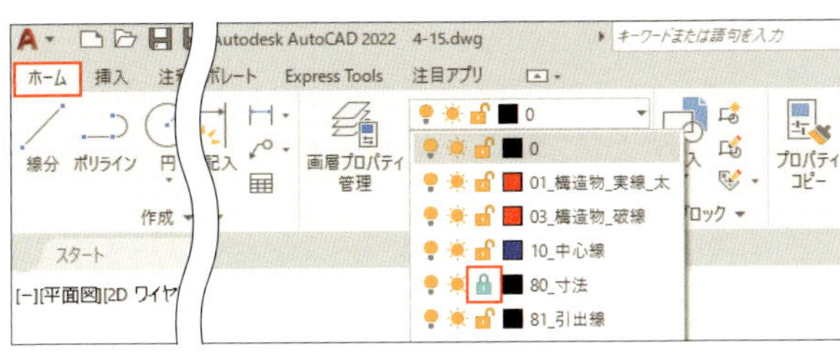

1 画層をロックする

[ホーム]タブ→[画層]パネルの[画層]をクリックして、画層を展開し、[80_寸法]画層の[画層をロックまたはロック解除]をクリックします。

2 ロック画層をフェード表示する

[ホーム]タブ→[画層]パネルの[画層▼]→[ロック画層のフェード]をクリックし、オン(青い状態)にします1。フェード率に「70」を入力し、Enterキーを押します2。

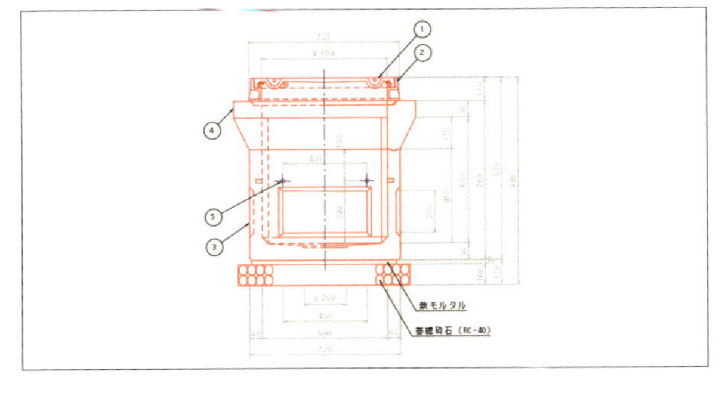

3 ロック画層がフェード表示される

ロック画層がフェード表示され、[80_寸法]画層が薄く表示されます。

選択した図形の画層以外をロックする

編集したい画層にある図形を選択し、その画層のみをロック解除して、そのほかの画層をロックします。ロックすることにより、編集はできなくなりますが、オブジェクトスナップなどを参照することができます。

サンプルファイル 4-16.dwg **コマンド** LAYISO **ショートカットキー** なし

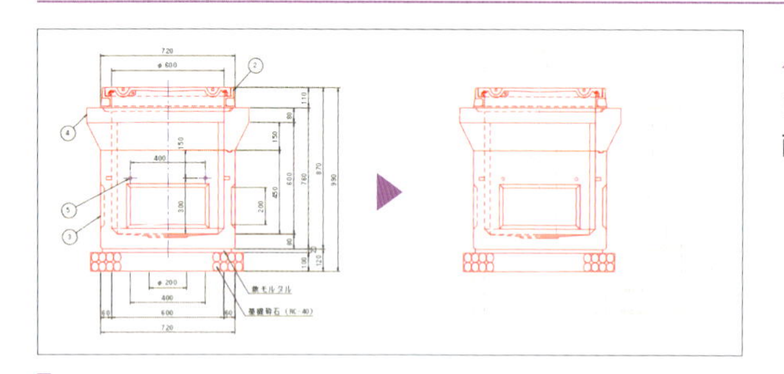

完成図

[01_構造物_実線_太]画層と[03_構造物_破線]画層以外をロックします。

[選択表示]コマンドで[設定]からロックする

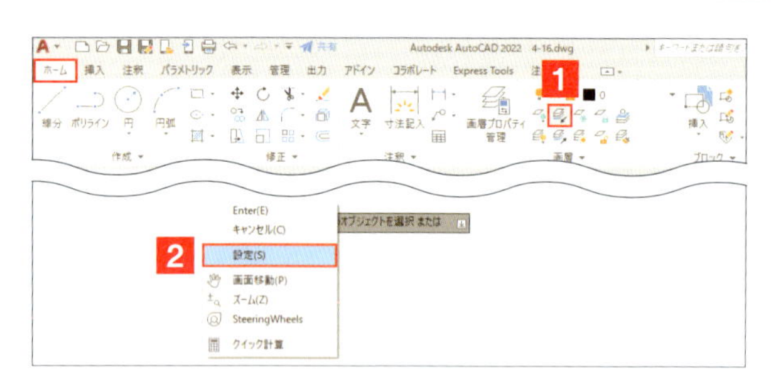

1 [選択表示]コマンドを実行し、[設定]オプションを選択する

[ホーム] タブ→ [画層] パネルの [選択表示] をクリックします**1**。作図領域で右クリックし、メニューから [設定] を選択します**2**。

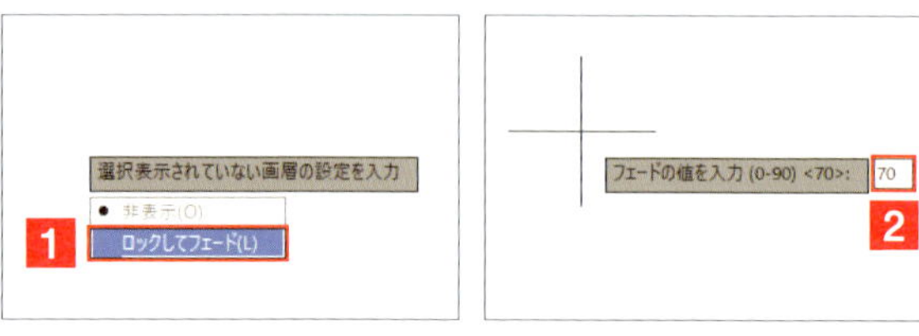

2 そのほかの設定を選択する

画層の設定は[ロックしてフェード]を選択し**1**、フェードの値は「70」を入力して Enter キーを押します**2**。

3 表示する図形を選択する

左図のように図形を選択し、Enter キーを押して選択を確定します。コマンドが終了し、選択した図形の画層以外がロックされます。

画層の一覧をExcelに貼り付ける

画層の一覧を作成するには、画層プロパティ管理パレットで画層をすべて選択してコピーし、Excelに貼り付けます。ただし、コピーはキーボード操作で行い、右クリックではできません。

サンプルファイル 4-17.dwg　コマンド LAYER　ショートカットキー LA

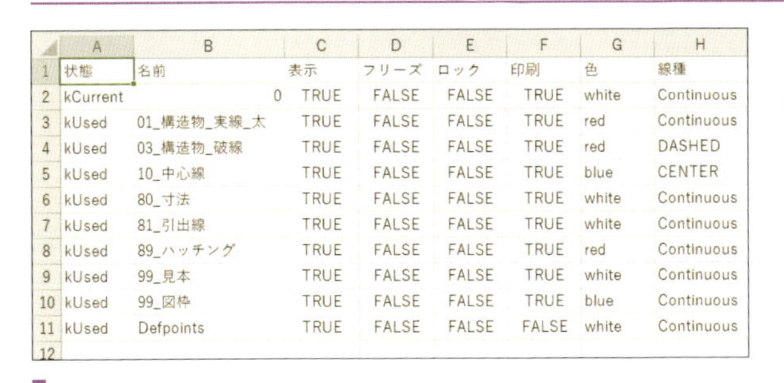

	A	B	C	D	E	F	G	H
1	状態	名前	表示	フリーズ	ロック	印刷	色	線種
2	kCurrent	0	TRUE	FALSE	FALSE	TRUE	white	Continuous
3	kUsed	01_構造物_実線_太	TRUE	FALSE	FALSE	TRUE	red	Continuous
4	kUsed	03_構造物_破線	TRUE	FALSE	FALSE	TRUE	red	DASHED
5	kUsed	10_中心線	TRUE	FALSE	FALSE	TRUE	blue	CENTER
6	kUsed	80_寸法	TRUE	FALSE	FALSE	TRUE	white	Continuous
7	kUsed	81_引出線	TRUE	FALSE	FALSE	TRUE	white	Continuous
8	kUsed	89_ハッチング	TRUE	FALSE	FALSE	TRUE	red	Continuous
9	kUsed	99_見本	TRUE	FALSE	FALSE	TRUE	white	Continuous
10	kUsed	99_図枠	TRUE	FALSE	FALSE	TRUE	blue	Continuous
11	kUsed	Defpoints	TRUE	FALSE	FALSE	FALSE	white	Continuous
12								

完成図

画層の一覧をコピーし、Excelに貼り付けます。

[画層プロパティ管理]コマンドでコピー＆ペーストする

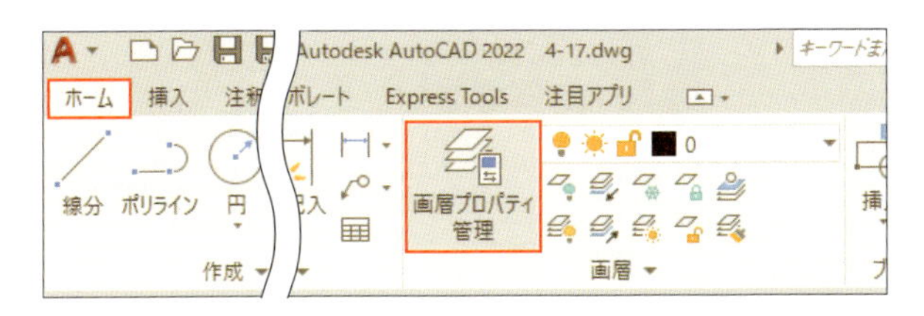

1 [画層プロパティ管理]コマンドを実行する

[ホーム]タブ→[画層]パネルの[画層プロパティ管理]をクリックします。

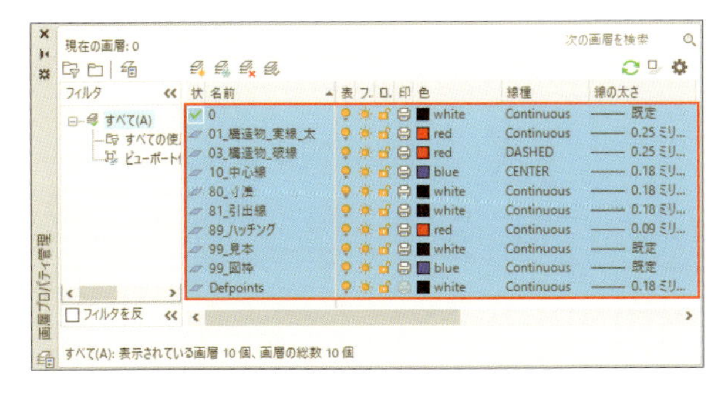

2 画層の一覧をコピーする

画層プロパティ管理パレットが表示されます。画層をどれか1つクリックして選択すると、青く表示されます。次に、Ctrlキーを押しながらAキーを押すと、すべての画層が選択され、青く表示されます。最後に、Ctrlキーを押しながらCキーを押すと、コピーされます（このとき、とくに何も表示されません）。

	A	B	C	D	E	F	G	H	I	J	K
1	状態	名前	表示	フリーズ	ロック	印刷	色	線種	線の太さ	透過性	新しいVP 説明
2	kCurrent	0	TRUE	FALSE	FALSE	TRUE	white	Continuous	ByLineWeightDefault	0	FALSE
3	kUsed	01_構造物_実線_太	TRUE	FALSE	FALSE	TRUE	red	Continuous	LineWeight025	0	FALSE
4	kUsed	03_構造物_破線	TRUE	FALSE	FALSE	TRUE	red	DASHED	LineWeight025	0	FALSE
5	kUsed	10_中心線	TRUE	FALSE	FALSE	TRUE	blue	CENTER	LineWeight018	0	FALSE
6	kUsed	80_寸法	TRUE	FALSE	FALSE	TRUE	white	Continuous	LineWeight018	0	FALSE
7	kUsed	81_引出線	TRUE	FALSE	FALSE	TRUE	white	Continuous	LineWeight018	0	FALSE
8	kUsed	89_ハッチング	TRUE	FALSE	FALSE	TRUE	red	Continuous	LineWeight009	0	FALSE
9	kUsed	99_見本	TRUE	FALSE	FALSE	TRUE	white	Continuous	ByLineWeightDefault	0	FALSE
10	kUsed	99_図枠	TRUE	FALSE	FALSE	TRUE	blue	Continuous	ByLineWeightDefault	0	FALSE
11	kUsed	Defpoints	TRUE	FALSE	FALSE	FALSE	white	Continuous	LineWeight018	0	FALSE
12											
13											

3 Excelに貼り付ける

Excelの［貼り付け］などで貼り付けを実行すると、画層の一覧が貼り付けられます。

特定の画層だけを閲覧する

ダイアログに画層の一覧を表示し、画層名をクリックすることで、画層の表示／非表示を切り替えることができます。この操作を行うことで、どの画層にどのような図形が描かれているかを確認することが可能です。

サンプルファイル 4-18.dwg　コマンド LAYWALK　ショートカットキー なし

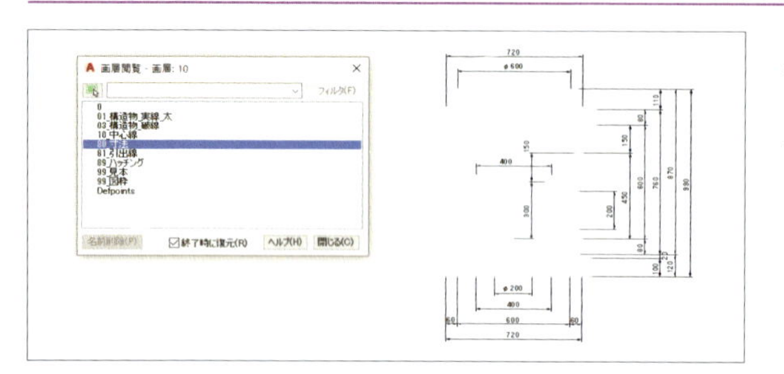

完成図

[80_寸法] 画層に書かれている図形を表示します。

[画層閲覧] コマンドで画層を選択する

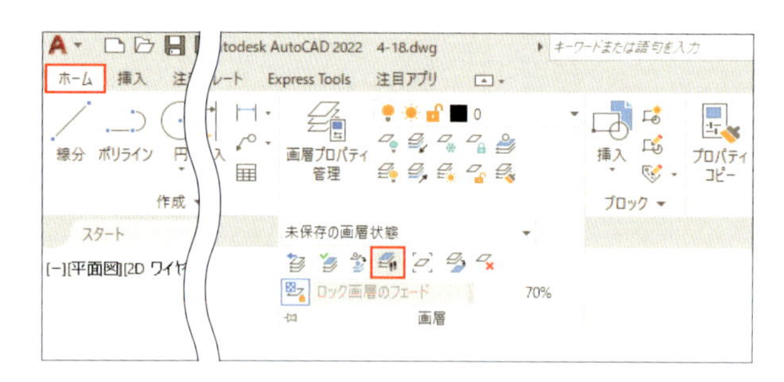

1 [画層閲覧] コマンドを実行する

[ホーム] タブ→ [画層] パネルの [画層▼] → [画層閲覧] をクリックします。

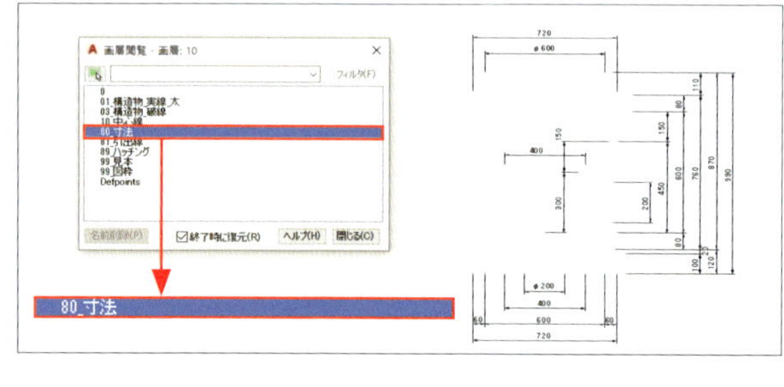

2 画層を選択する

[80_寸法] をクリックして選択します。選択した画層のみが画面に表示されます。

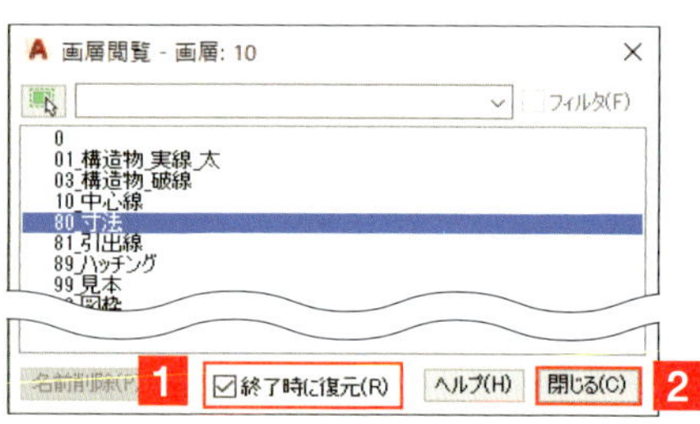

3 コマンドを終了する

[終了時に復元] にチェックを入れ1、[閉じる] をクリックします2。コマンドが終了し、[画層閲覧] を実行する前の画層状態に戻ります。

補助線用の画層を印刷しない設定にする

AutoCADには「補助線」という概念の図形はありません。補助線用の画層を作成し、表示されていても印刷しない設定にすることで、その画層に線分などを作図し、補助線として利用します。

サンプルファイル 4-19.dwg コマンド LAYER ショートカットキー LA

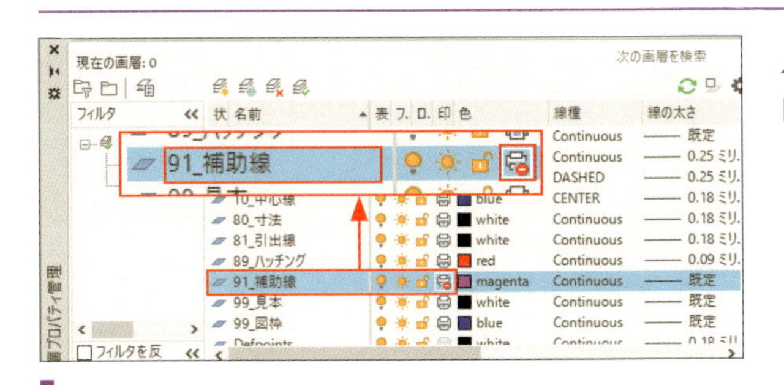

完成図

[91_補助線]画層を、印刷しない設定にします。

[画層プロパティ管理]コマンドで印刷しない設定にする

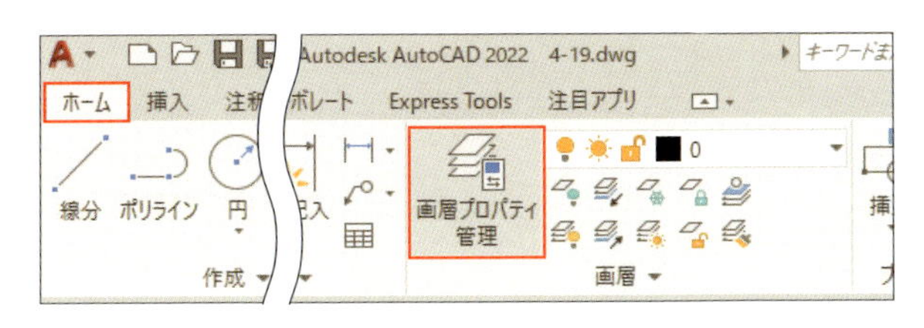

1 [画層プロパティ管理]コマンドを実行する

[ホーム]タブ→[画層]パネルの[画層プロパティ管理]をクリックします。

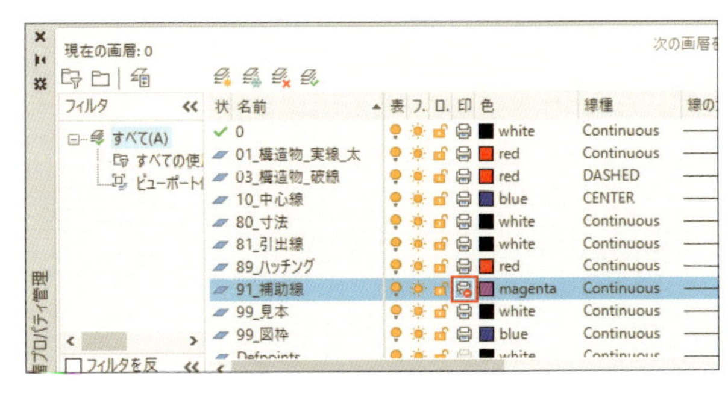

2 印刷しない設定にする

画層プロパティ管理パレットが表示されます。[91_補助線]画層の[印刷]をクリックすると、プリンタのマークに赤いマークがつきます。これで、画面に表示されていても印刷はされない設定になります。

3 画層プロパティ管理パレットを閉じる

画層プロパティ管理パレットの[×]をクリックして、閉じます。

20 画層の設定を保存／読み込みする

画層の表示／非表示などの設定は保存でき、その設定を読み込むことができます。たとえば、印刷用の画層設定を保存して読み込めば、印刷のたびに画層の表示／非表示をコントロールせずに済むので、効率的です。

サンプルファイル 4-20.dwg　コマンド LAYERSTATE　ショートカットキー LAS

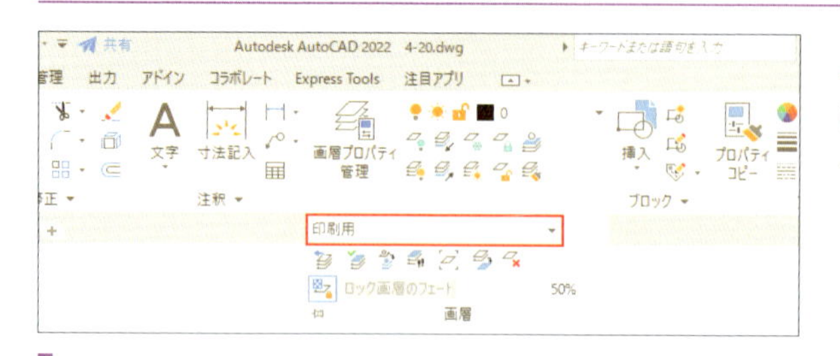

完成図

印刷用の画層設定を保存し、いつでも読み込めるようにします。

［画層状態管理］コマンドで画層状態を保存する

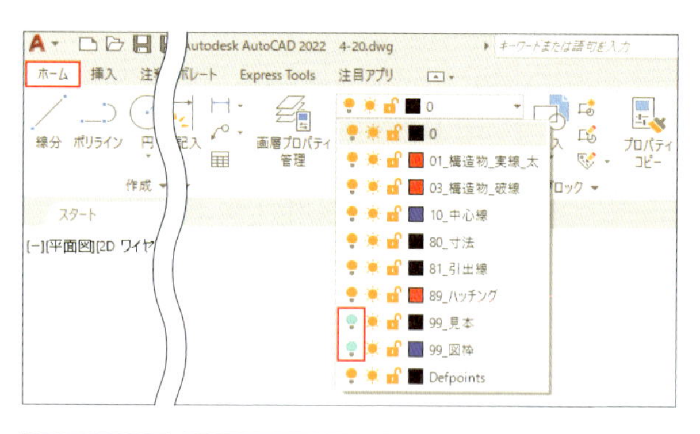

1 印刷用の画層設定にする

［ホーム］タブ→［画層］パネルの［画層］をクリックし、［99_見本］画層と［99_図枠］画層を非表示にします。この状態を画層状態に保存します。

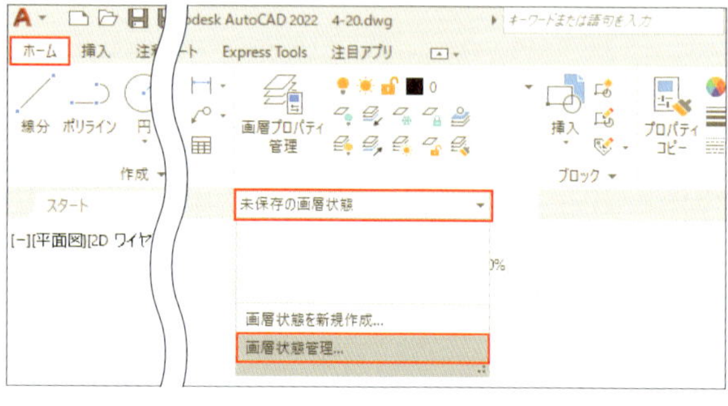

2 ［画層状態管理］コマンドを実行する

［ホーム］タブ→［画層］パネルの［画層▼］→［未保存の画層状態］→［画層状態管理］をクリックします。

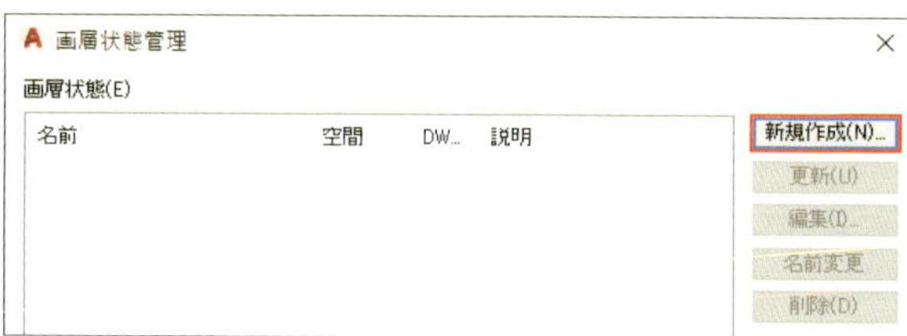

3 画層状態を新規作成する

［画層状態管理］ダイアログが表示されるので、［新規作成］をクリックします。

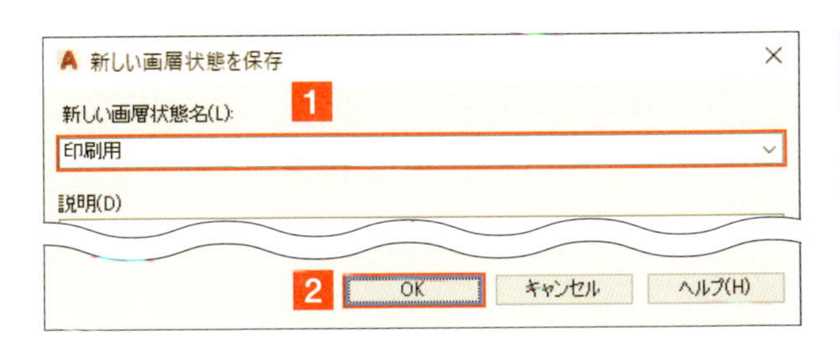

4 画層状態に名前を付ける

［新しい画層状態名］に「印刷用」と入力し1、［OK］をクリックします2。

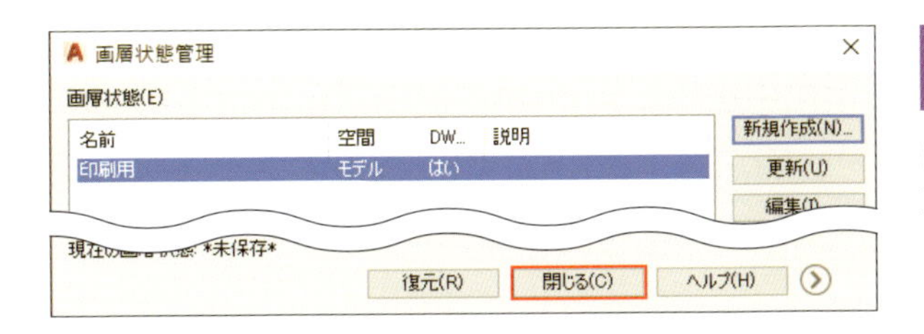

5 設定を終了する

［閉じる］をクリックし、［画層状態管理］ダイアログを閉じます。

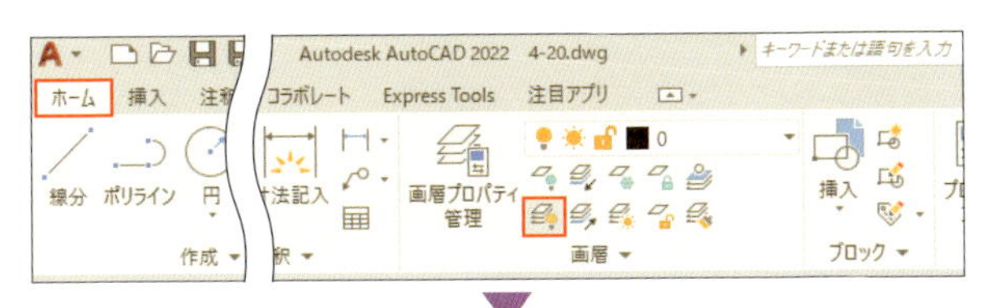

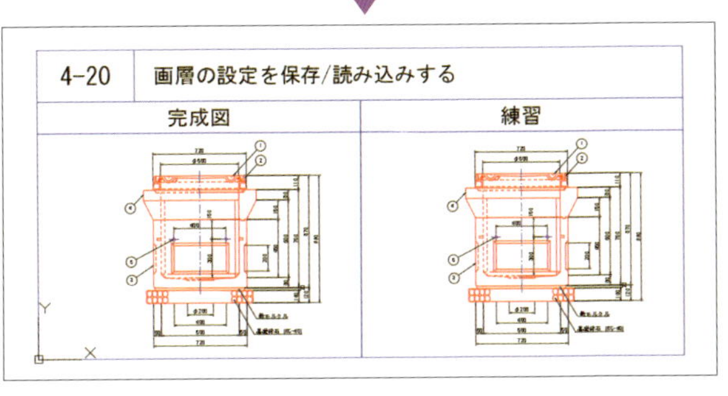

6 画層をすべて表示する

［ホーム］タブ→［画層］パネルの［全画層表示］をクリックし、すべての画層を表示します。

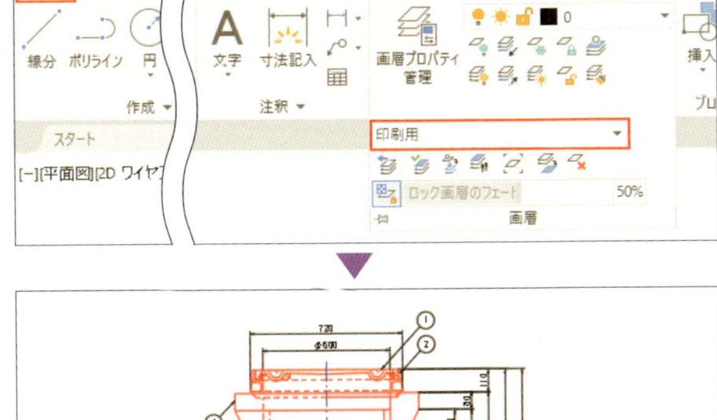

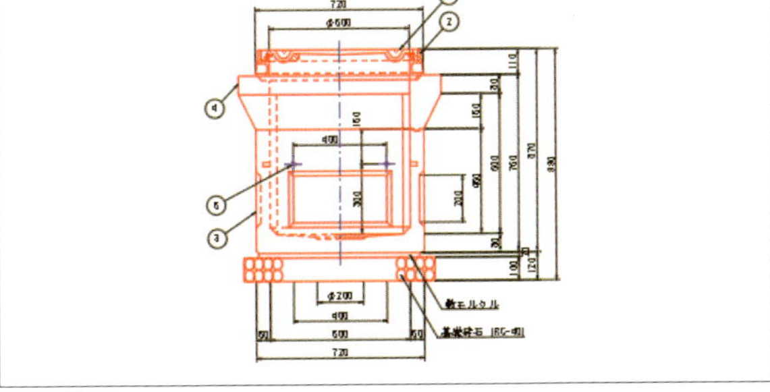

7 画層状態を［印刷用］にする

［ホーム］タブ→［画層］パネルの［画層▼］→［画層状態］から［印刷用］を選択します。保存した画層状態（［99_見本］画層と［99_図枠］画層が非表示）になります。

画層フィルタを活用する

画層が数多くある場合、リボンの画層の一覧をスクロールして画層を探すような状態になります。画層フィルタを活用すると、使用する画層のみ、画層の一覧に表示させることができます。

サンプルファイル 4-21.dwg　コマンド LAYER　ショートカットキー LA

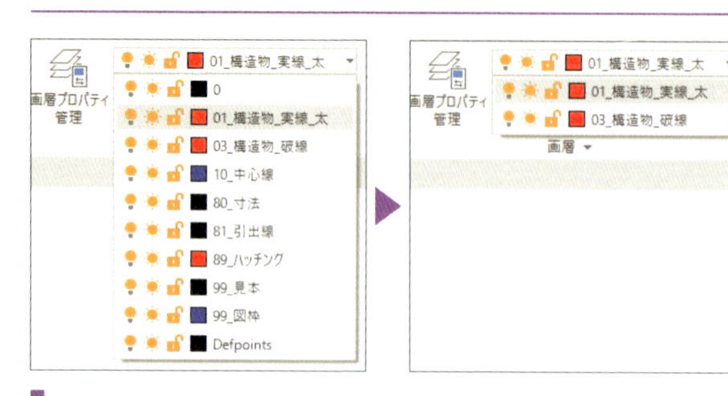

完成図

[01_構造物_実線_太]と[03_構造物_破線]の画層のみをリボンに表示します。

[画層プロパティ管理]コマンドでグループフィルタを作成する

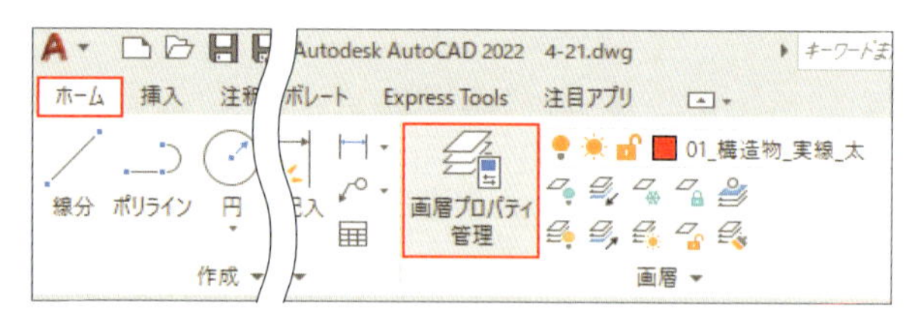

1 [画層プロパティ管理]コマンドを実行する

[ホーム]タブ→[画層]パネルの[画層プロパティ管理] をクリックします。

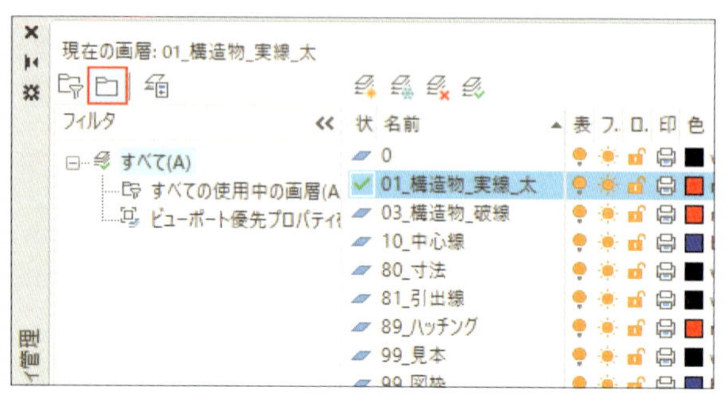

2 グループフィルタを作成する

画層プロパティ管理パレットが表示されるので、[グループフィルタを新規作成] をクリックします。

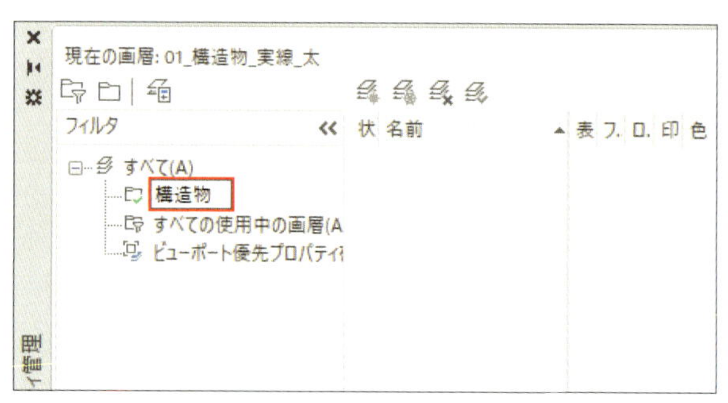

3 フィルタ名を入力する

[フィルタ] 欄にグループフィルタが新しく作成されるので、「構造物」と入力し、Enterキーを押します。

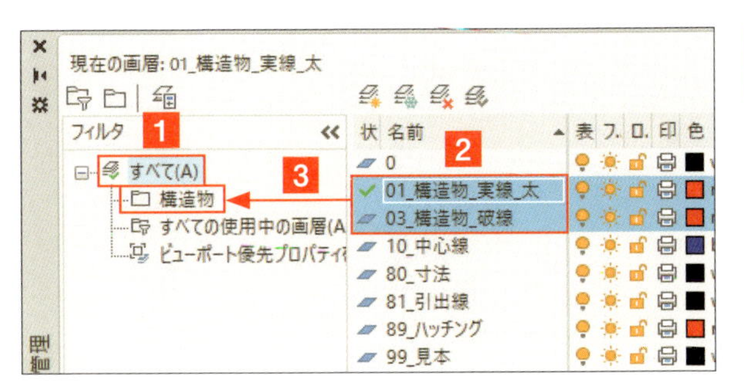

4 グループフィルタに画層を追加する

［すべて］をクリックし1、右欄に画層をすべて表示させます。Ctrlキーを押しながら［01_構造物_実線_太］画層と［03_構造物_破線］画層をクリックして選択し2、［構造物］グループフィルタにドラッグアンドドロップします3。

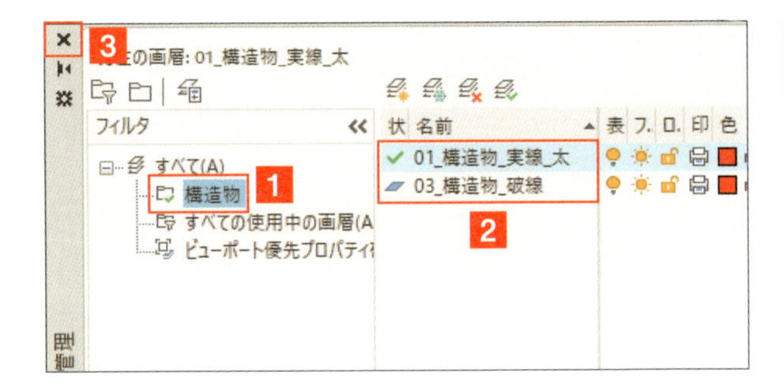

5 ［構造物］グループフィルタを選択する

［構造物］グループフィルタを選択します1。［01_構造物_実線_太］画層と［03_構造物_破線］画層が表示されているのを確認したら2、［×］をクリックし3、画層プロパティ管理パレットを閉じます。

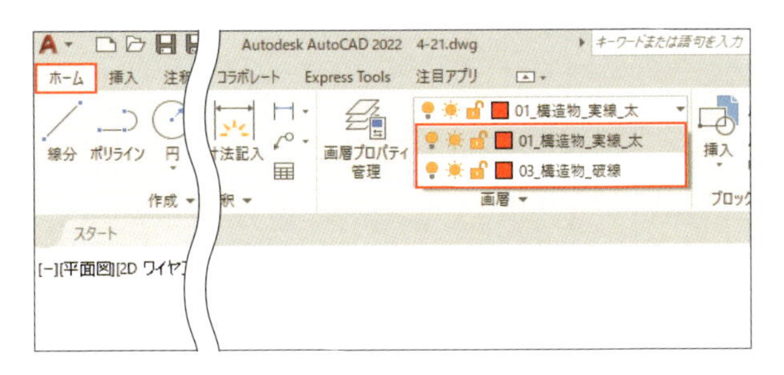

6 リボンの画層表示を確認する

［ホーム］タブ→［画層］パネルの［画層］をクリックします。画層プロパティ管理パレットで選択した［構造物］グループフィルタと同様の画層のみが表示されます。Escキーを押して、展開した［画層］を閉じます。

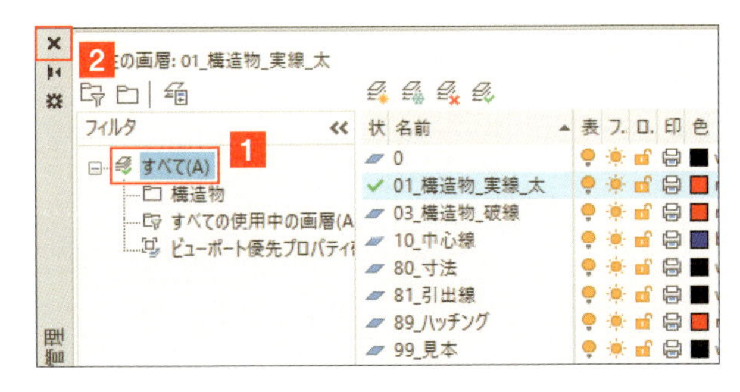

7 グループフィルタを元に戻す

［ホーム］タブ→［画層］パネルの［画層プロパティ管理］をクリックし、［すべて］を選択して1、右欄に画層がすべて表示されている状態にします。［×］をクリックし2、画層プロパティ管理パレットを閉じます。

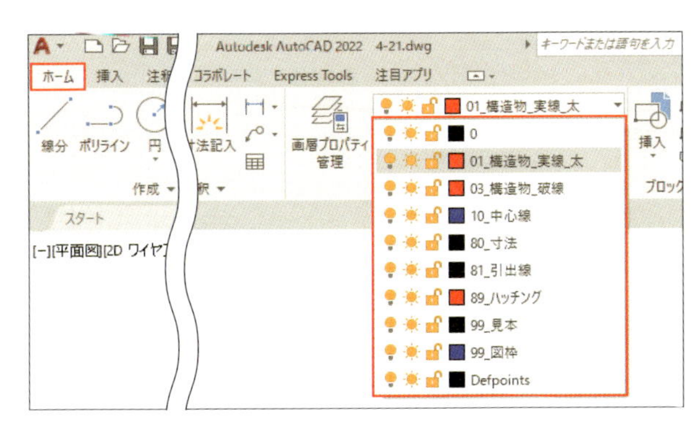

8 リボンの画層表示を確認する

［ホーム］タブ→［画層］パネルの［画層］をクリックします。画層プロパティ管理パレットで［すべて］を選択したので、すべての画層が表示されています。

文字の画層を指定する

文字を作図する画層を[文字画層の優先]で設定すると、現在の画層ではなく[文字画層の優先]で設定した画層で文字が作図されます。

サンプルファイル 4-22.dwg　システム変数 TEXTLAYER　ショートカットキー なし

あいうえお

完成図

文字が「21_寸法文字」画層に作図されるように設定します。

[文字画層の優先]で画層を設定する

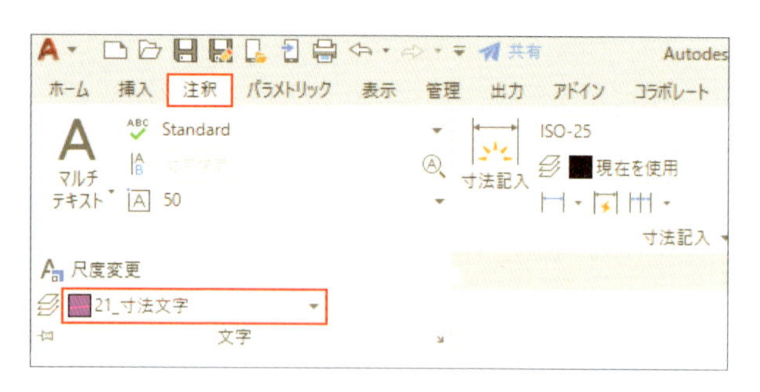

1 [文字画層の優先]で画層を設定する

[注釈] タブ→ [文字] パネルの [文字▼] → [寸法画層の優先] から [21_寸法文字] を選択します。

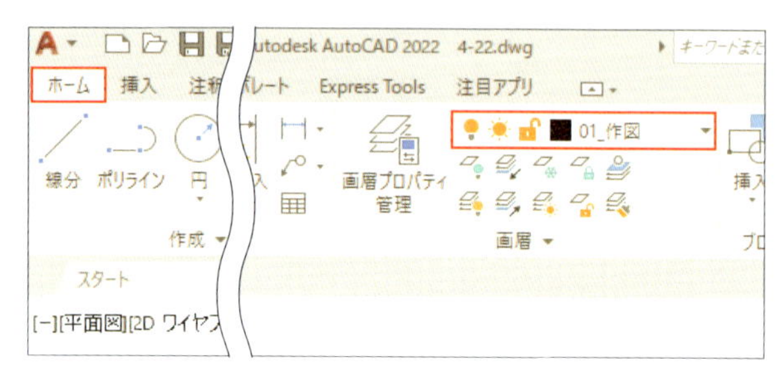

2 現在画層を確認する

[ホーム] タブ→ [画層] パネルの [画層] から、現在の画層が [01_作図] であることを確認します。

あいうえお

3 文字を作図する

[注釈] タブ→ [文字] パネルの [文字記入] をクリックして、文字を作図します。現在画層は [01_作図] ですが、[文字画層の優先] で設定した [21_寸法文字] 画層で作図されます。

23 寸法の画層を指定する

寸法を作図する画層を[寸法画層を優先]で設定すると、現在の画層ではなく、[寸法画層を優先]で設定した画層で寸法が作図されます。

サンプルファイル 4-23.dwg システム変数 DIMLAYER ショートカットキー なし

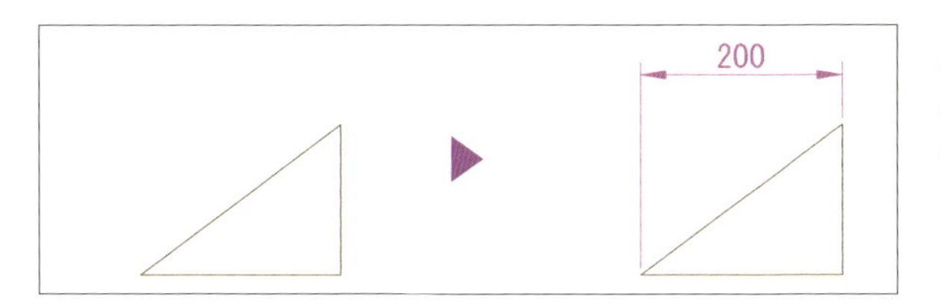

完成図

寸法が「21_寸法文字」画層に作図されるように設定します。

[寸法画層を優先]で画層を設定する

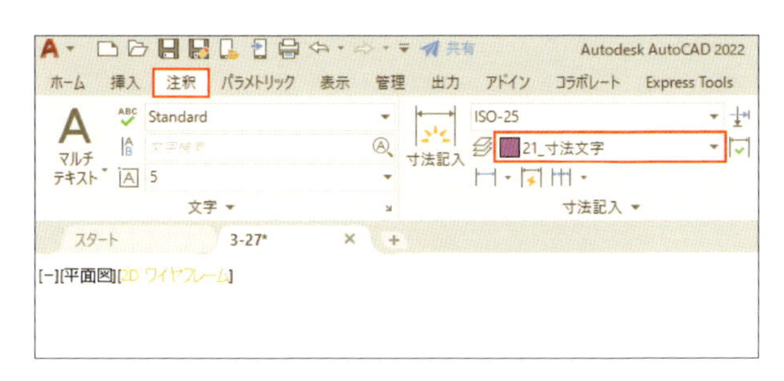

1 [寸法画層を優先]で画層を設定する

[注釈] タブ→ [寸法記入] パネルの [寸法画層を優先] から [21_ 寸法文字] を選択します。

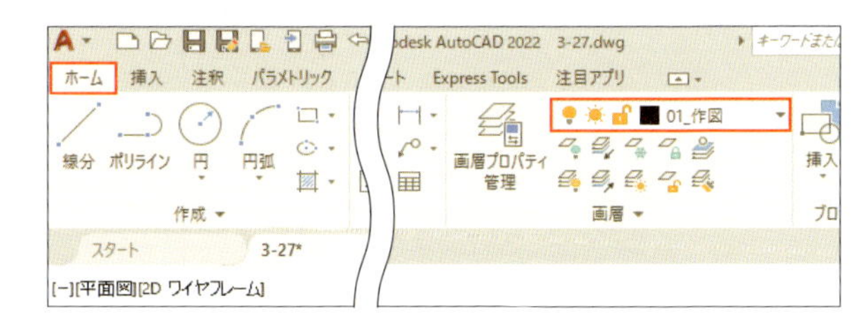

2 現在画層を確認する

[ホーム] タブ→ [画層] パネルの [画層] から、現在の画層が [01_ 作図] であることを確認します。

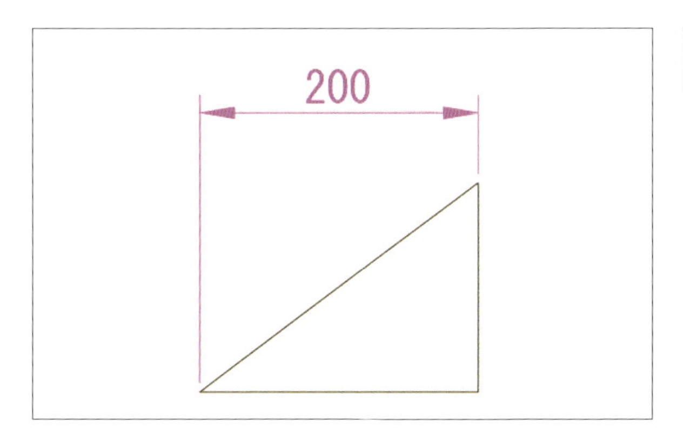

3 寸法を作図する

[注釈] タブ › [寸法記入] パネルの [長さ寸法] をクリックして寸法を作図します。現在画層は [01_ 作図] ですが、[寸法画層を優先] で設定した [21_ 寸法文字] 画層で作図されます。

色を理解する

通常、AutoCADでは、画層に設定された色で作図を行います。ただし、例外的に画層に設定されているもの以外の色を使用することもできます。

図形の色はByLayerで設定するのが基本

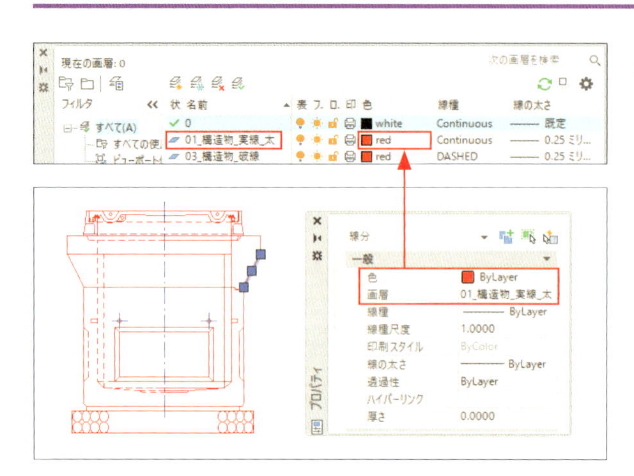

設定の基本

図形の色を画層によってコントロールしたい場合は、ByLayerを選択します。通常はByLayerで作図を行い、個別で設定したい場合のみ、プロパティパレットなどで色を変更します。下記の［色選択］ダイアログは、プロパティパレットの［色］欄から、［色選択］を選択して表示します。

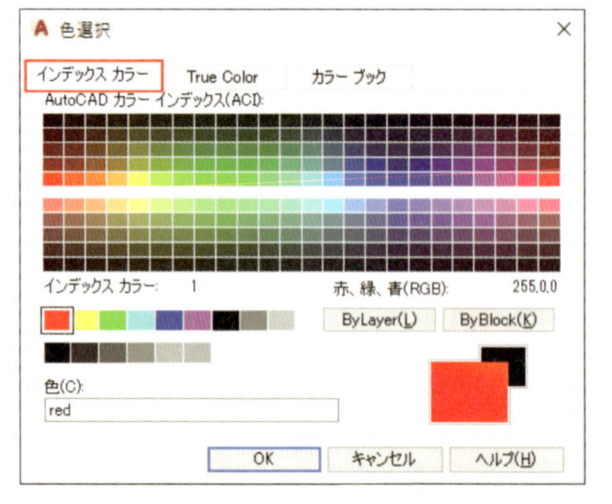

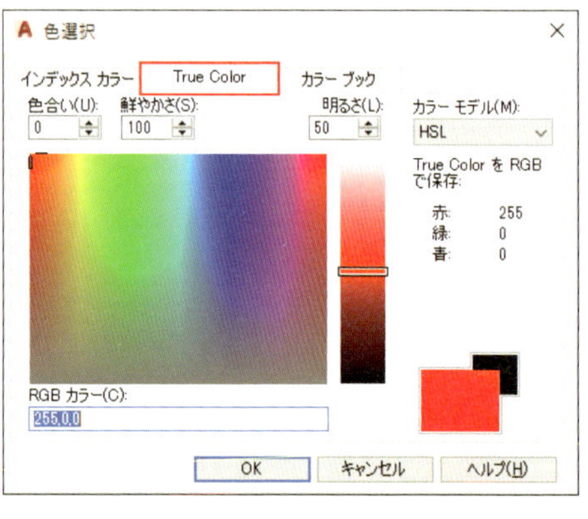

色の種類

●インデックスカラー
インデックスカラーでは、AutoCADであらかじめ用意されている255色から選択します。色は番号（1～255）で指定しますが、1～7はよく使う色として、名前（redなど）でも指定できます。

●True Color
True Colorでは、RGBカラーからさまざまな色を指定できます。ただし、印刷するには「名前の付いた印刷スタイル」を使用する必要があります。詳しくはP.330「印刷スタイルを作成する ～STB」を参照してください。

●カラーブック
カラーブックでは、よく使う色がカラーブックとして登録されています。オプションに設定ファイルの場所が指定されています。

図形の色を変更する

ここでは、図形に設定されている色を変更します。ByLayerにすると、色は画層によりコントロールされます。個別に設定すると、画層の色とは別の色を設定することができます。

サンプルファイル 4-25.dwg コマンド PROPERTIES ショートカットキー PRまたはCtrl + 1

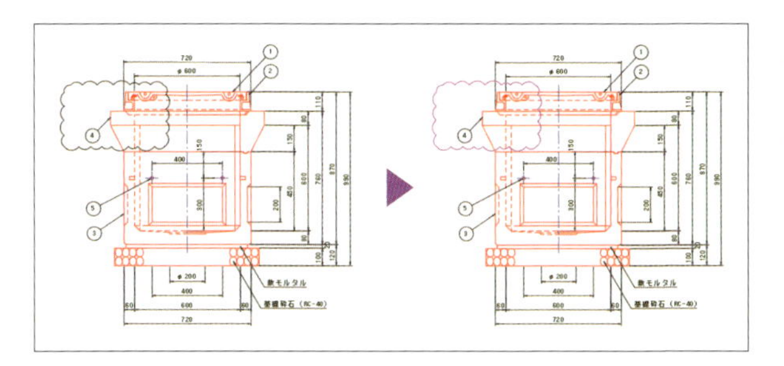

完成図

雲マークの色をByLayerからMagentaに変更します。

プロパティパレットで［色］を変更する

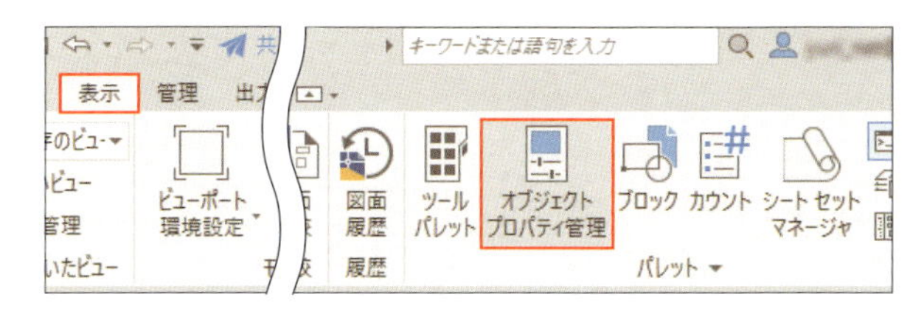

1 プロパティパレットを表示する

［表示］タブ→［パレット］パネルの［オブジェクトプロパティ管理］をクリックします。プロパティパレットが表示されます。

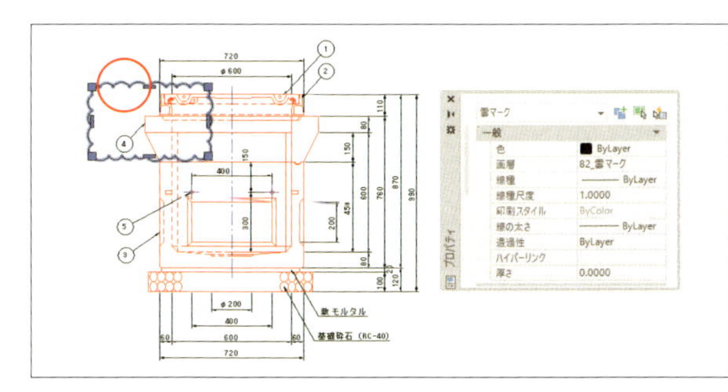

2 図形を選択する

雲マークをクリックして選択します。

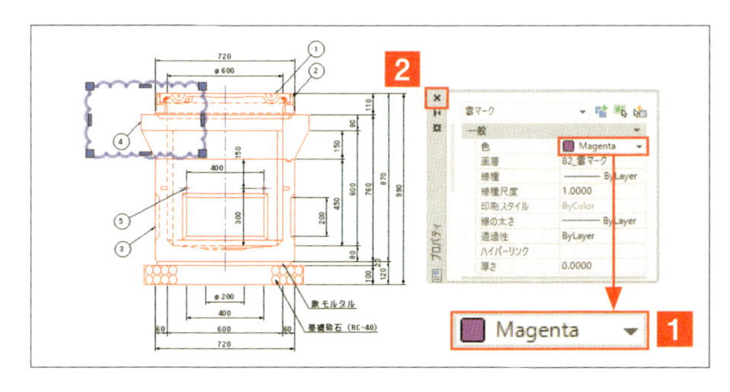

3 色を変更する

プロパティパレットの［色］から［Magenta］を選択すると、色が変更されます1。［×］をクリックし2、プロパティパレットを閉じます。また、Escキーを押して、図形の選択を解除します。

線種を理解する

通常、AutoCADでは、線種は画層に設定されたもので作図を行います。ただし、例外的に画層に設定されているもの以外の線種を使用することもできます。

図形の線種はByLayerで設定するのが基本

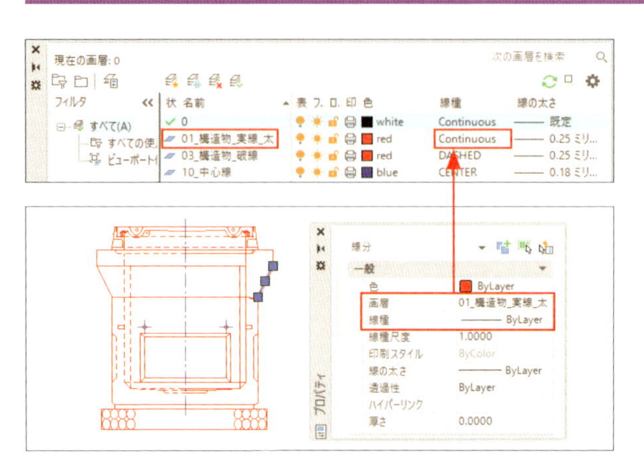

設定の基本

図形の線種を画層によってコントロールしたい場合は、ByLayerを選択します。通常はByLayerで作図を行い、個別で設定したい場合のみ、プロパティパレットなどから線種を変更します。

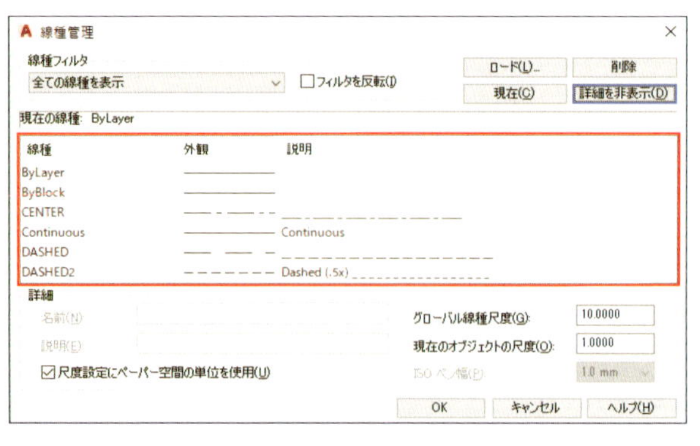

線種の種類

線種は図面ファイルごとに使用できる線種が設定されています。必要な線種がない場合には、線種定義ファイルから線種を読み込む必要があります。詳しくは、P.260「線種をロードする」を参照してください。

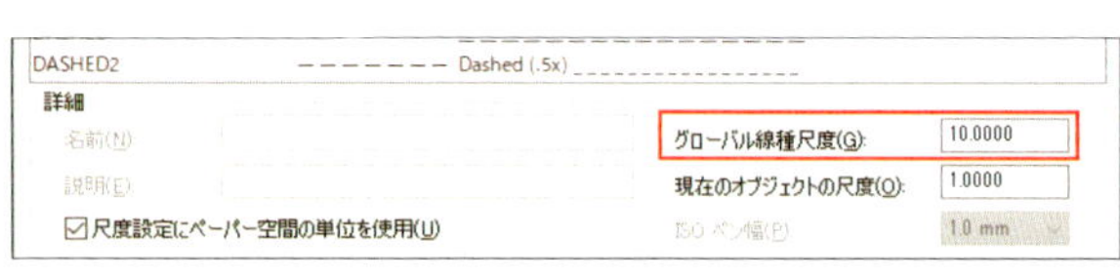

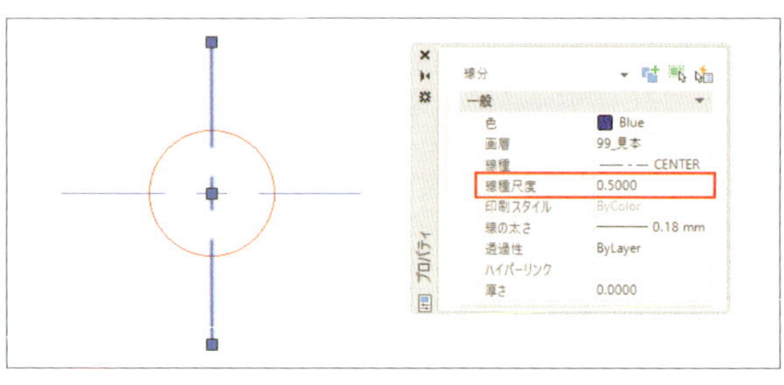

線種のピッチ間隔

破線や一点鎖線などのピッチ間隔は、線種尺度で設定します。図面全体の線種のピッチ間隔を変更するにはP.261「図面全体の線種尺度を設定する」を、図形ごとに変更するにはP.262「任意の図形の線種尺度を設定する」を参照してください。

図形の線種を変更する

ここでは、図形に設定されている線種を変更します。ByLayerにすると、色の場合と同じように、線種は画層によりコントロールされます。個別に設定すると、画層の線種とは別の線種を設定することができます。

サンプルファイル 4-27.dwg　コマンド PROPERTIES　ショートカットキー PRまたはCtrl＋1

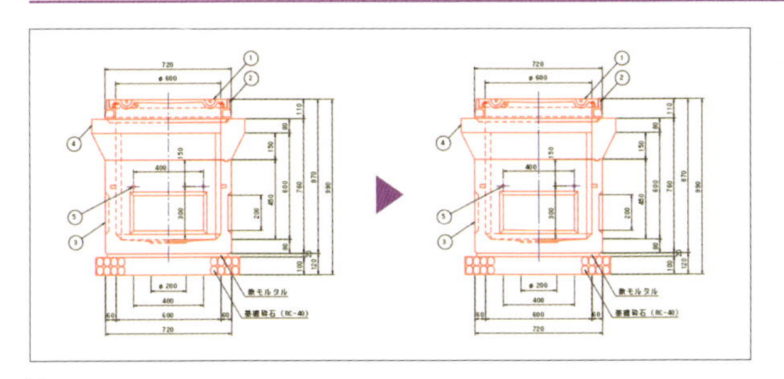

完成図

中心線の線種をByLayerからJIS_08_25に変更します。

プロパティパレットで［線種］を変更する

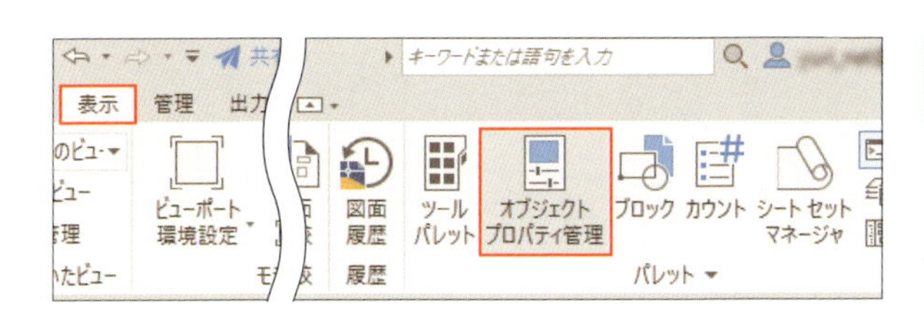

1 プロパティパレットを表示する

［表示］タブ→［パレット］パネルの［オブジェクトプロパティ管理］をクリックします。プロパティパレットが表示されます。

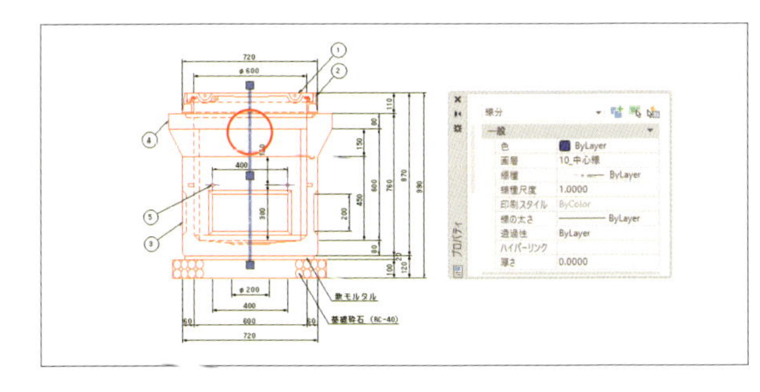

2 図形を選択する

中心線をクリックして選択します。

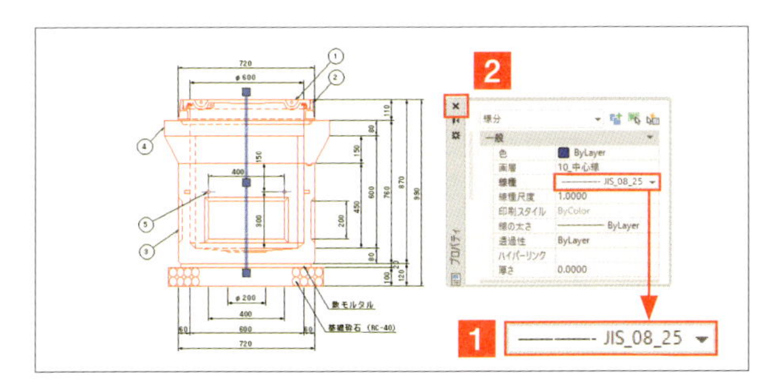

3 線種を変更する

プロパティパレットの［線種］から［JIS_08_25］を選択すると、線種が変更されます1。［×］をクリックし2、プロパティパレットを閉じます。また、Escキーを押して、図形の選択を解除します。

線種をロードする

線種は図面ファイルごとに使用できる線種が設定されています。必要な線種がない場合には、線種定義ファイル「acadltiso.lin(AutoCADでは[acadiso.lin])」から線種を読み込む必要があります。

サンプルファイル 4-28.dwg **コマンド** LINETYPE **ショートカットキー** LT

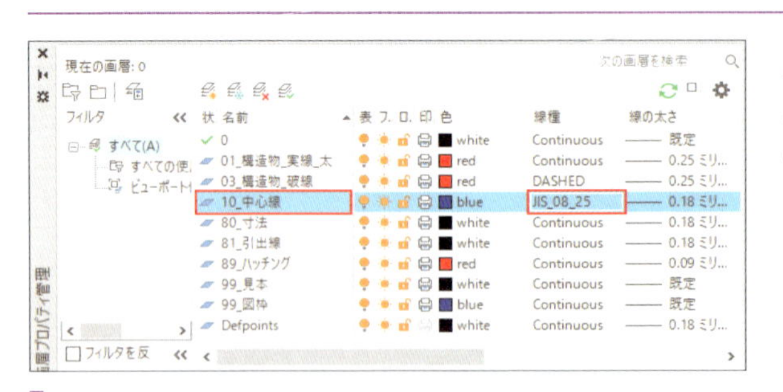

完成図

JIS_08_25線種をロードし、[10_中心線]画層の線種をJIS_08_25に変更します。

▶ [線種管理]ダイアログから線種をロードする

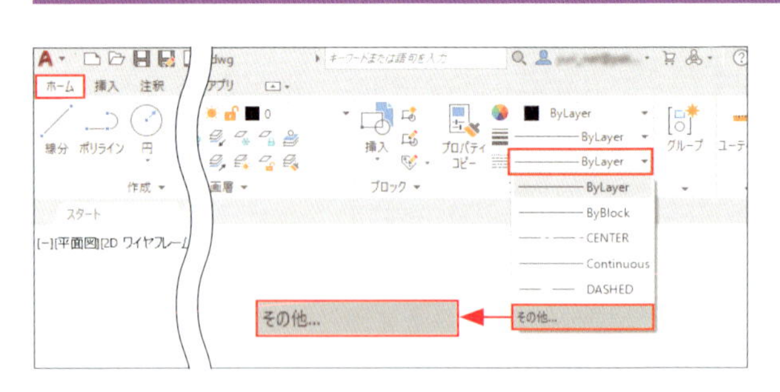

1 線種管理を表示する

[ホーム] タブ→ [プロパティ] パネルの [線種] をクリックし、[その他] を選択します。[線種管理] ダイアログが表示されます。

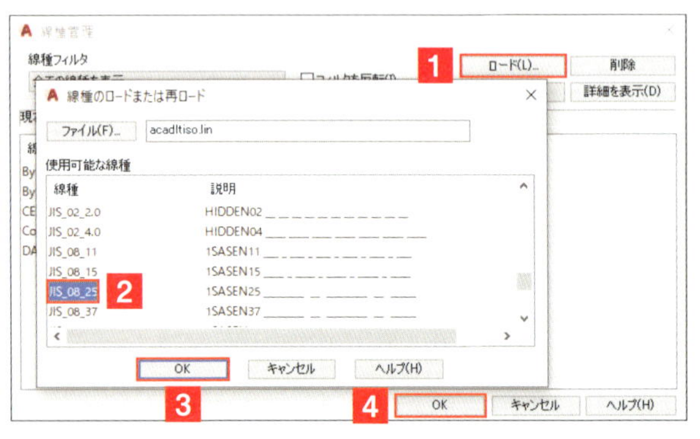

2 線種をロードする

[ロード] をクリックすると**1**、[線種のロードまたは再ロード] ダイアログが表示されます。[JIS_08_25] を選択し**2**、[OK] をクリックします**3**。最後に、[線種管理] ダイアログを閉じるため、[OK] をクリックします**4**。

3 画層に線種を設定する

画層プロパティ管理パレットを表示します(P.232 参照)。[中心線] 画層の線種をクリックして、[JIS_08_25] に変更します。

図面全体の線種尺度を設定する

破線や一点鎖線などの線種が、画面上で実線に見えてしまう場合は、線種尺度(線種のピッチ間隔)を変更します。ここでは、図面全体の線種尺度を変更します。

サンプルファイル 4-29.dwg **コマンド** LINETYPE **ショートカットキー** LT

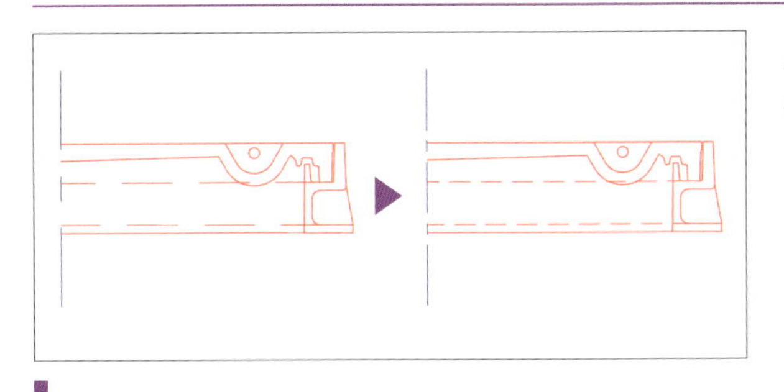

完成図

破線の間隔が広いので、狭くします。

[線種管理]ダイアログから[グローバル線種尺度]を変更する

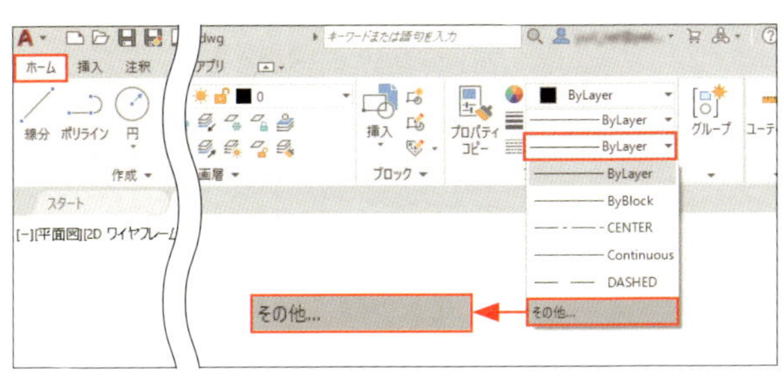

1 線種管理を表示する

[ホーム]タブ→[プロパティ]パネルの[線種]をクリックし、[その他]を選択します。[線種管理]ダイアログが表示されます。

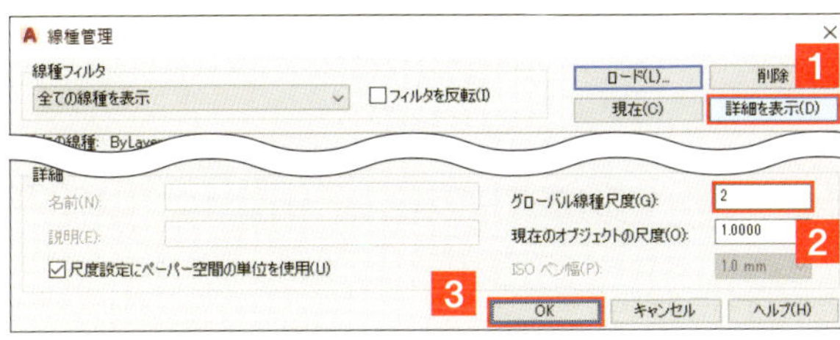

2 線種尺度を変更する

[詳細を表示]をクリックして1、[グローバル線種尺度]に「2」を入力し2、[OK]をクリックします3。

3 線種尺度が更新される

線種尺度が5から2になり、値が小さくなったので、線種のピッチ間隔が狭くなります。

CHECK

線種尺度が適用されていない場合は、「RE」と入力し、Enterキーを押して、再作図(画面の更新)をしてください。

任意の図形の線種尺度を設定する

前ページでは図形全体の線種尺度を設定しましたが、ほかの図形の線種尺度は変更したくないといった場合もあるでしょう。そんなときは、個別に線種尺度を変更することも可能です。

サンプルファイル 4-30.dwg **コマンド** PROPERTIES **ショートカットキー** PRまたはCtrl + 1

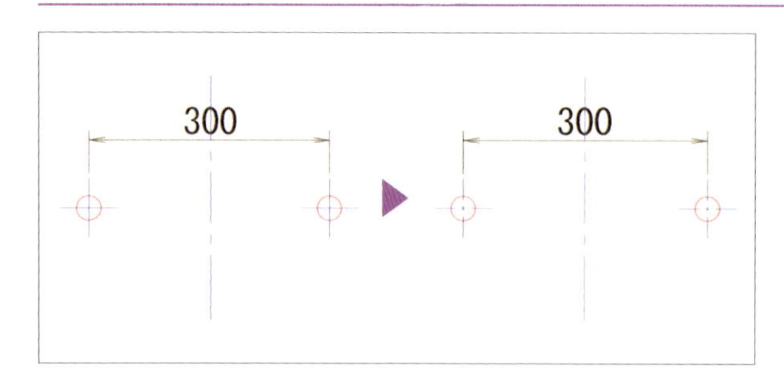

完成図

円の中心線の線種が表示されていないので、線種の間隔を狭くして表示します。

プロパティパレットで[線種尺度]を変更する

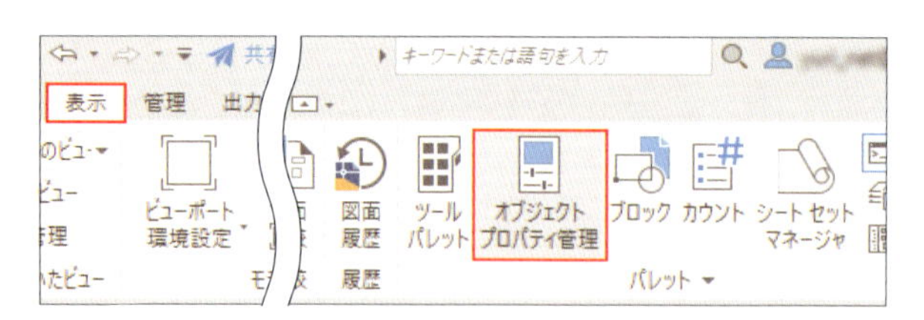

1 プロパティパレットを表示する

［表示］タブ→［パレット］パネルの［オブジェクトプロパティ管理］をクリックします。プロパティパレットが表示されます。

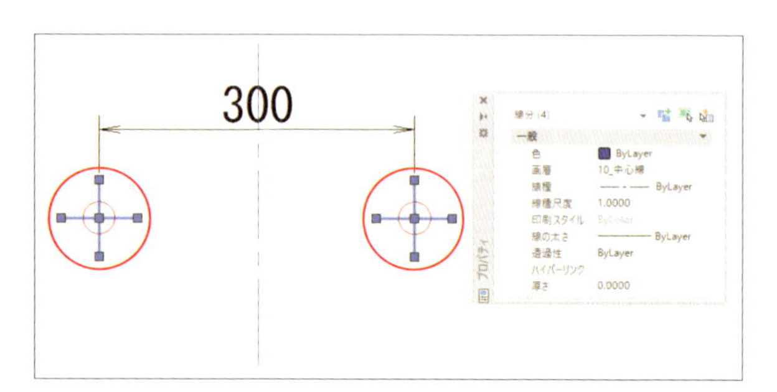

2 図形を選択する

中心線を４本クリックして選択します。

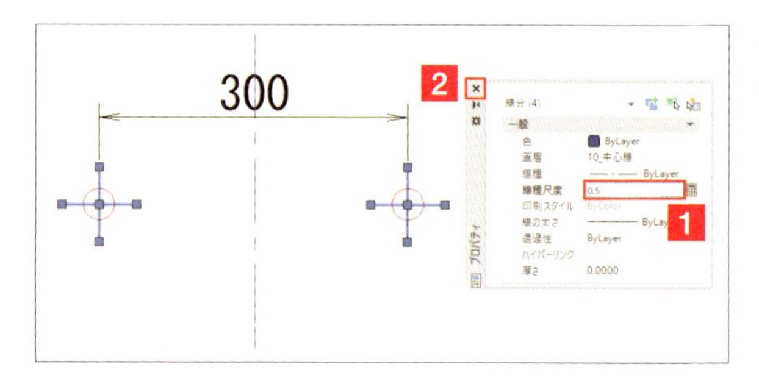

3 線種尺度を変更する

プロパティパレットの［線種尺度］に「0.5」を入力しEnterキーを押すと、線種尺度が変更されます1。［×］をクリックし2、プロパティパレットを閉じます。また、Escキーを押して、図形の選択を解除します。

ポリラインの線種を表示する

ポリラインの頂点の間隔が狭い場合、線種が画面上で表示されず、実線に見える場合があります。ポリラインの[線種生成モード]を変更すると、ポリラインの線種を表示することができます。

サンプルファイル 4-31.dwg コマンド PROPERTIES ショートカットキー PRまたはCtrl＋1

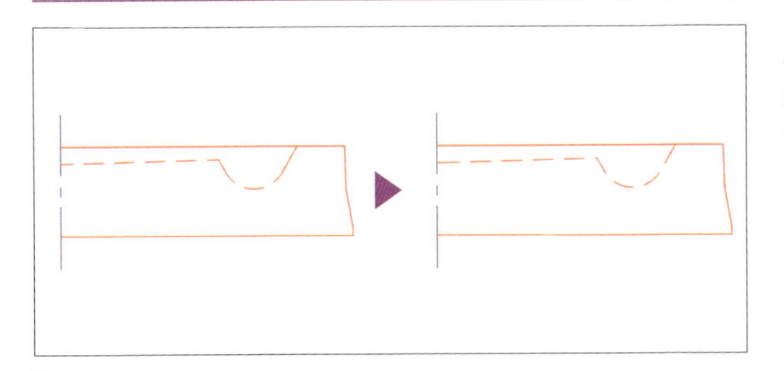

完成図

ポリラインの破線の一部が表示されていないので、表示します。

プロパティパレットで[線種生成モード]を有効にする

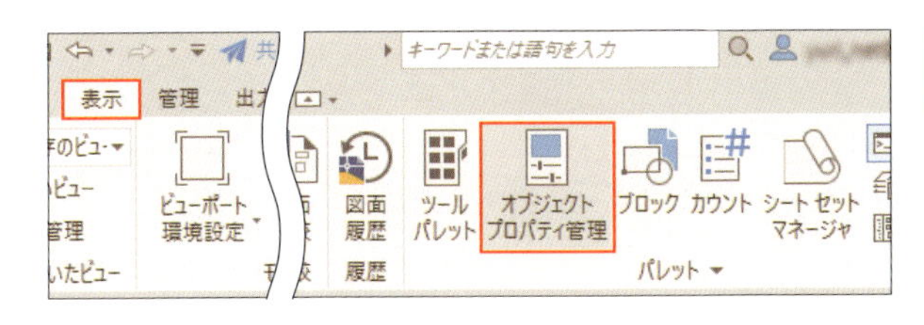

1 プロパティパレットを表示する

［表示］タブ→［パレット］パネルの［オブジェクトプロパティ管理］をクリックします。プロパティパレットが表示されます。

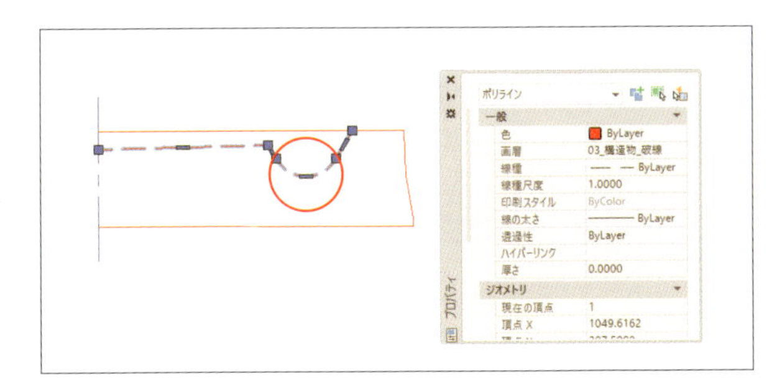

2 図形を選択する

破線をクリックして選択します。

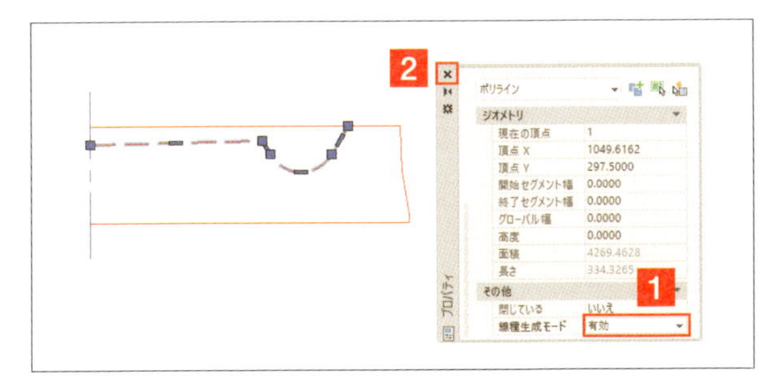

3 線種尺度を変更する

プロパティパレットの[線種生成モード]から[有効]を選択すると、ポリラインの破線が表示されます1。[×]をクリックし2、プロパティパレットを閉じます。また、Escキーを押して、図形の選択を解除します。

32 線の太さを理解する

通常、AutoCADでは、線の太さは画層に設定されたもので作図を行います。ただし、例外的に画層に設定されているもの以外の線の太さを使用することもできます。

図形の線の太さはByLayerで設定するのが基本

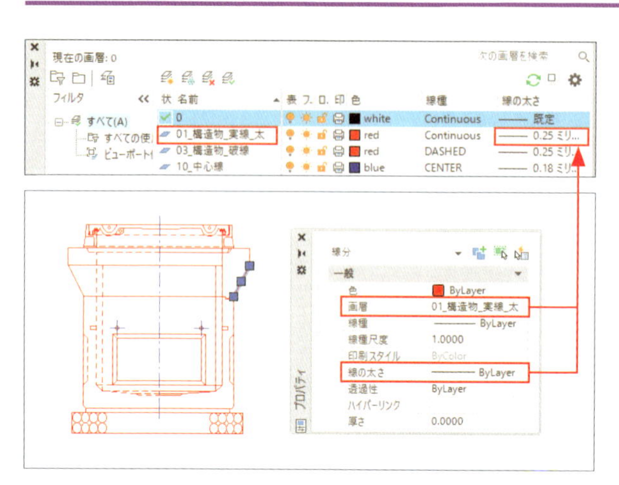

設定の基本

図形の太さを画層によってコントロールしたい場合は、ByLayerを選択します。通常はByLayerで作図を行い、個別で設定したい場合のみ、プロパティパレットなどで太さを変更します。

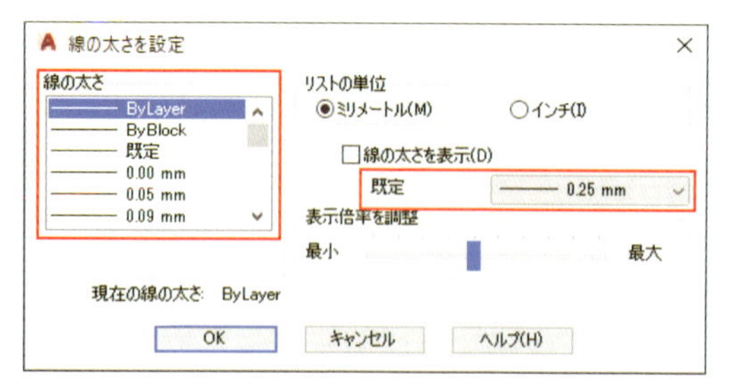

線の太さの種類

線の太さの種類は、AutoCADであらかじめ用意されています。[既定]の太さは、左図の[線の太さを設定]ダイアログから設定することが可能です。表示方法は、画面左上の[アプリケーションメニュー]→[オプション]→[基本設定]タブ→[線の太さを設定]をクリックします。なお、線の太さが近いもの(0.05と0.09など)は、プリンタやプロッタによっては、同じ太さで出力されてしまう場合があります。

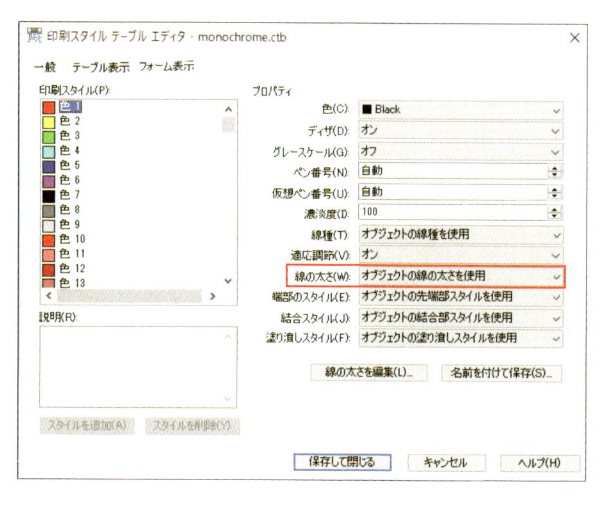

印刷時の線の太さ

印刷するときの線の太さは、図形に設定されている線の太さではなく、印刷スタイルが適用される場合があります。印刷スタイルの作成についてはP.328「印刷スタイルを作成する ～CTB」またはP.330「印刷スタイルを作成する ～STB」を参照してください。

図形の線の太さを変更する

P.257では図形の色を、P.259では図形の線種をByLayerから変更しましたが、同じように線の太さを変更することができます。個別に設定すると、画層の線の太さとは別の太さを設定することができます。

サンプルファイル 4-33.dwg **コマンド** PROPERTIES **ショートカットキー** PRまたは Ctrl + 1

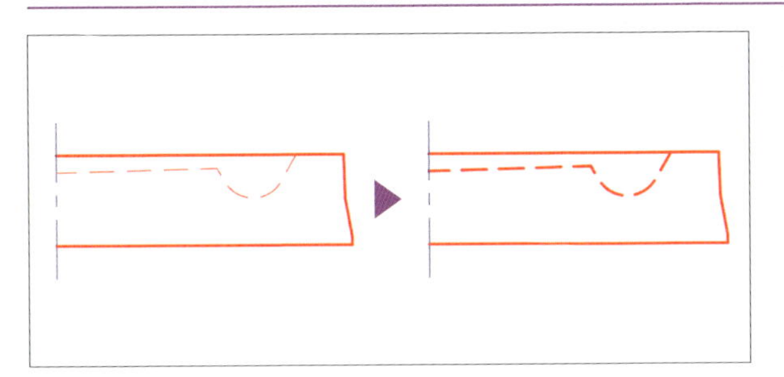

完成図

破線で表示されているポリラインの線の太さを0.30mmに変更します。

プロパティパレットで［線の太さ］を変更する

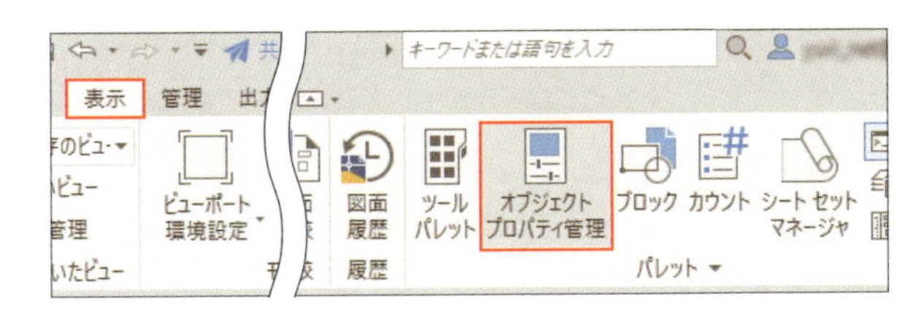

1 プロパティパレットを表示する

［表示］タブ→［パレット］パネルの［オブジェクトプロパティ管理］をクリックします。プロパティパレットが表示されます。

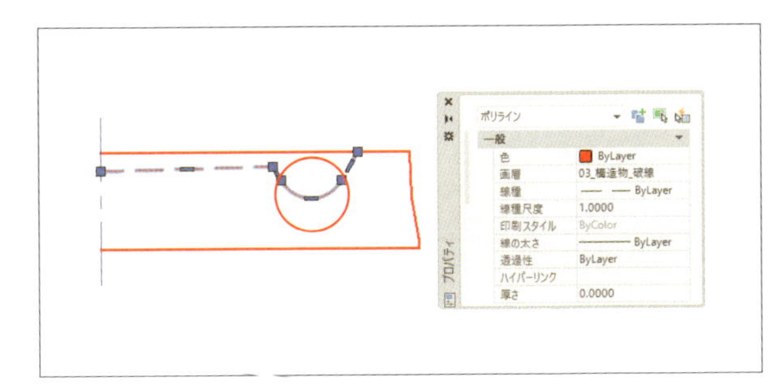

2 図形を選択する

破線をクリックして選択します。

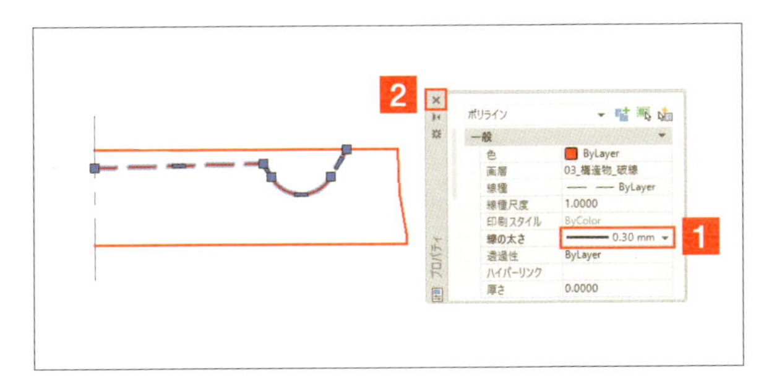

3 線種を変更する

プロパティパレットの［線の太さ］から［0.30mm］を選択すると、線の太さが変更されます 1。［×］をクリックし 2、プロパティパレットを閉じます。また、Esc キーを押して、図形の選択を解除します。

34 線の太さを画面に反映する

線の太さは[線の太さ]をオンにすることにより、画面で確認することができます。既定では[0.30mm]以上が画面で太く表示されます。太さの表示は調整することもできます。

サンプルファイル 4-34.dwg コマンド なし ショートカットキー なし

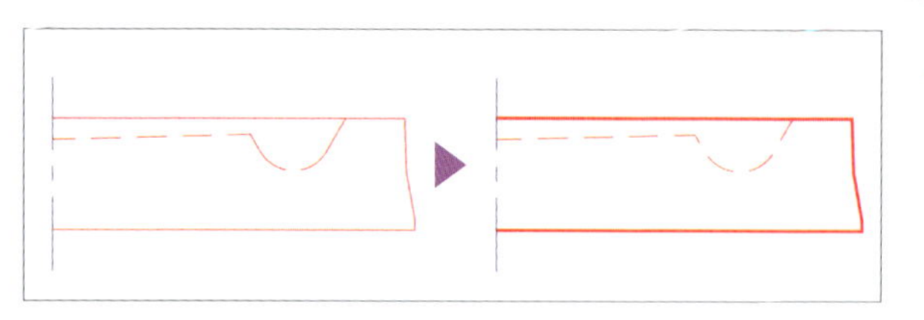

完成図

線の太さが画面上で表示されるように設定します。

[線の太さ]をオンにする

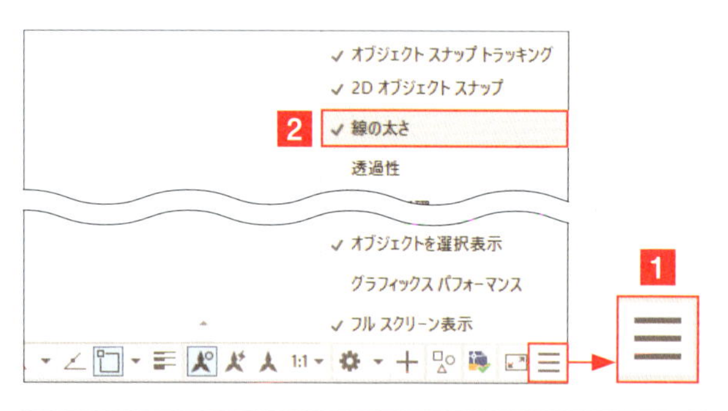

1 ボタンをステータスバーに表示する

ステータスバーの［カスタマイズ］をクリックし1、［線の太さ］にチェックを入れます2。

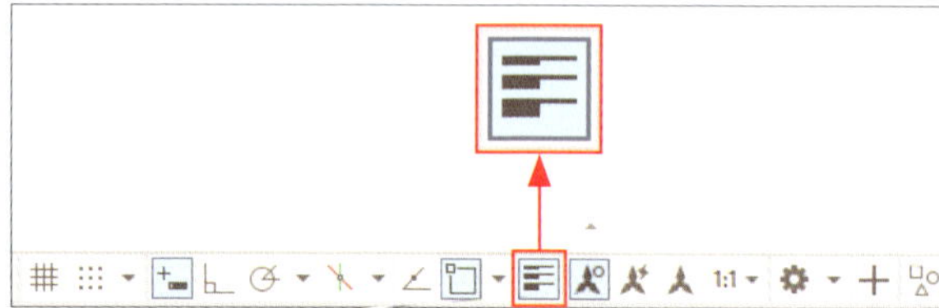

2 [線の太さ]をオンにする

ステータスバーの［線の太さ］をクリックしてオンにします。オンにすると青く表示されます。

3 線の太さが表示された

0.30mm に設定されている［01_構造物_実線_太］画層の図形が太く表示されました。

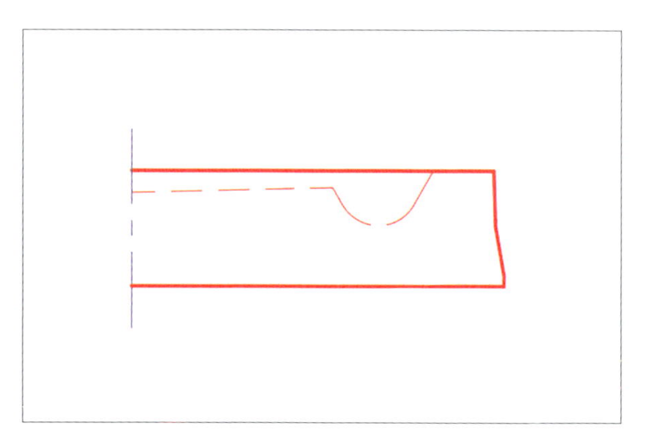

CHECK

表示される線の太さを調整したい場合は、画面左上の［アプリケーションメニュー］→［オプション］→［基本設定］タブ→［線の太さを設定］をクリックします。表示される［線の太さを設定］ダイアログの［表示倍率を調整］で表示倍率を調整してください。

プロパティパレットを理解する

プロパティパレットでは、図形の画層、色、線種、線の太さなどを確認または変更することができます。また、図形ごとに確認／変更できるプロパティが用意されており、修正を効率的に行うことができます。

プロパティパレットとは

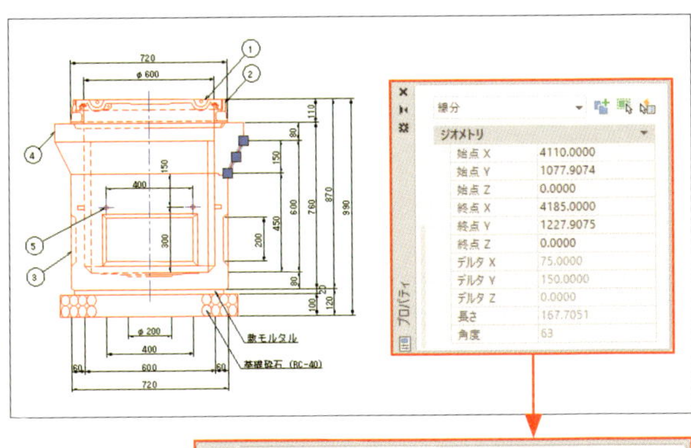

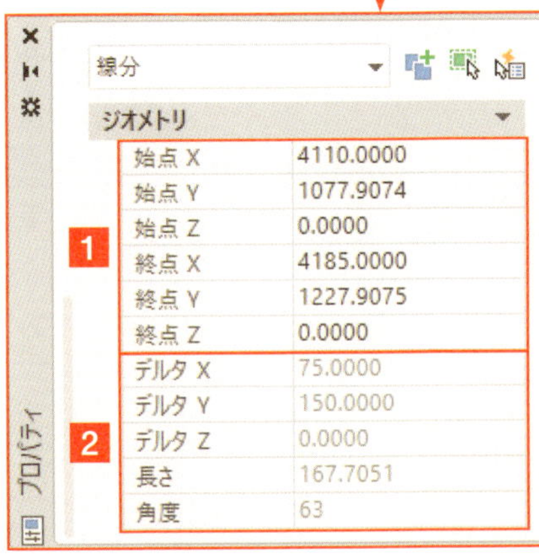

プロパティパレットを使えば、図形ごとに設定されたプロパティを確認／変更することができます。表示される内容は、図形の選択状況によって異なります（下記参照）。
たとえば、線の場合では、始点と終点の座標を確認／変更することが可能です**1**。デルタ値や長さ、角度といった項目については、値がグレーで表示され、確認のみができます**2**。

選択状態ごとの表示&設定項目

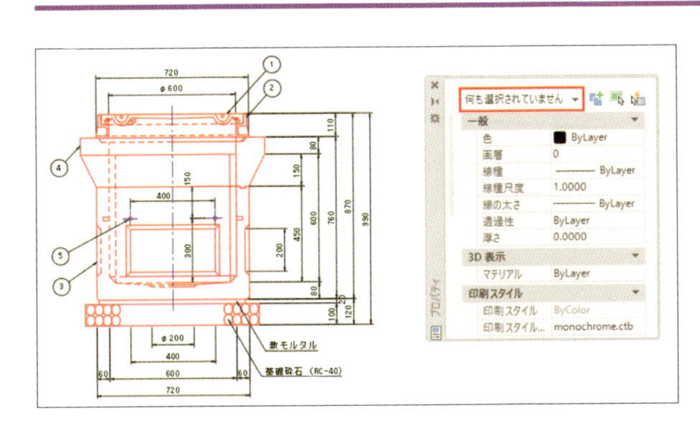

図形が選択されていない

図形が選択されていない場合、プロパティパレットの一番上には［何も選択されていません］と表示されます。リボンに表示されているプロパティと同様、これから作図する図形の画層や色、線種、線の太さなどを確認／変更できます。

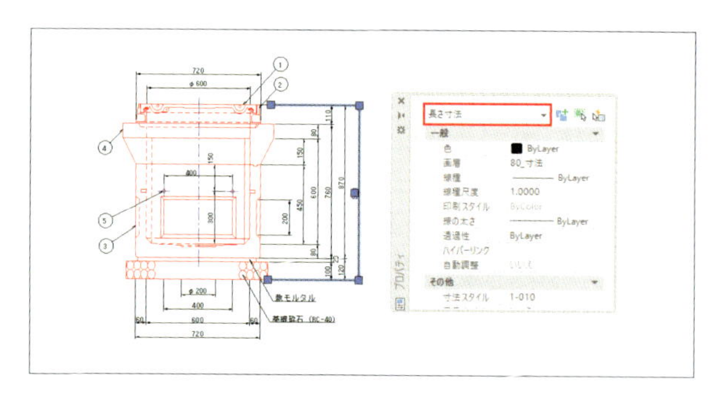

図形が1つ選択されている

図形が選択されている場合、プロパティパレットの一番上には図形の種類が表示されます。選択中の図形のプロパティを確認／変更することができます。

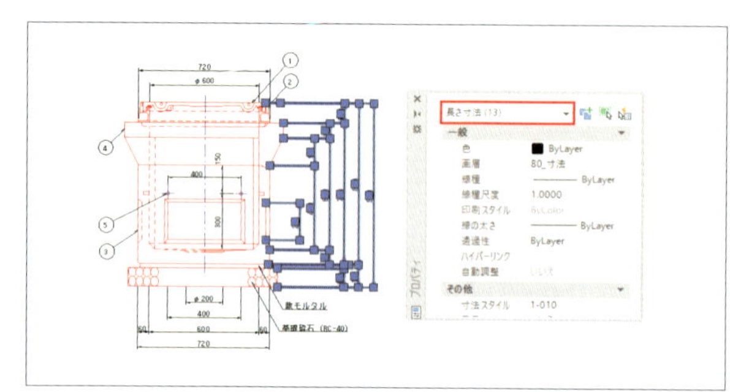

同じ種類の図形が複数選択されている

同じ種類の図形が複数選択されている場合、プロパティパレットの一番上には図形名と、選択した図形の数が（ ）で表示されます。

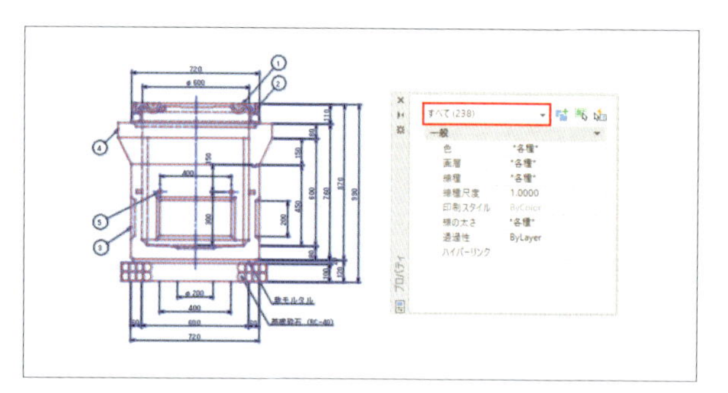

違う種類の図形が複数選択されている

違う種類の図形が複数選択されている場合、プロパティパレットの一番上には［すべて］と表示され、選択した図形の数が ( ) で表示されます。画層や色、線種、線の太さなどの一般的なプロパティをまとめて変更することが可能です。

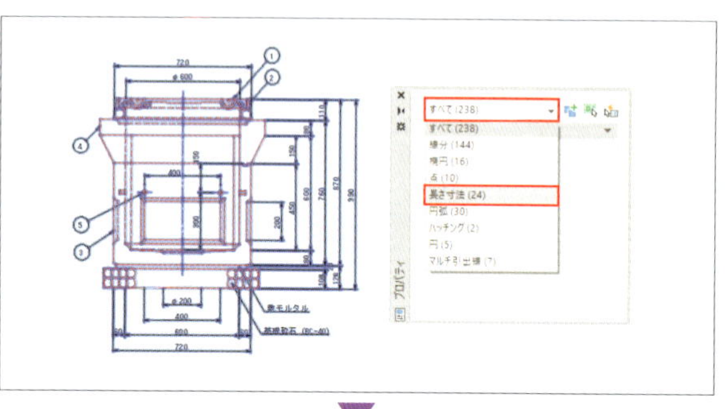

また、一番上の図形名を選択することによって、特定の図形の項目のみを表示し、変更することができます。

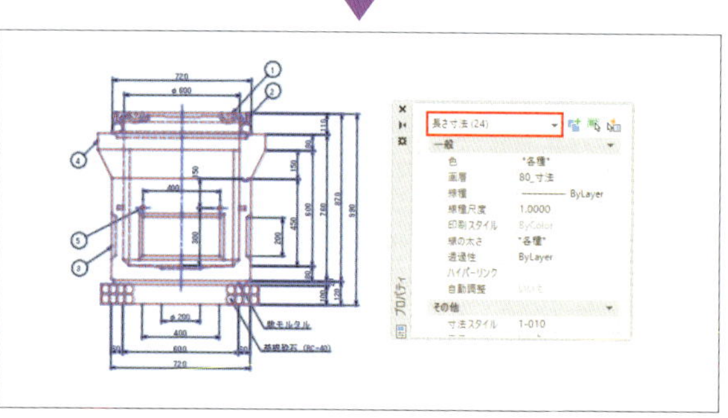

プロパティパレットで図形の設定を変更する

プロパティパレットを活用すると、図形のさまざまな設定や値を変更することができます。ここでは、複数の円の直径をまとめて変更します。

サンプルファイル 4-36.dwg コマンド PROPERTIES ショートカットキー PRまたはCtrl+1

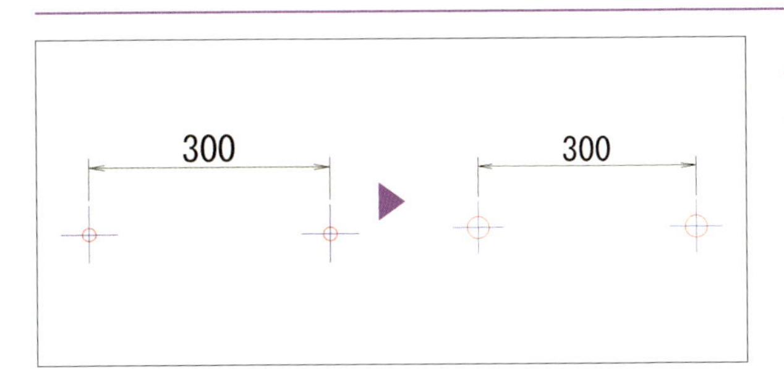

完成図

2つの円の直径を30に変更します。

プロパティパレットで[直径]を変更する

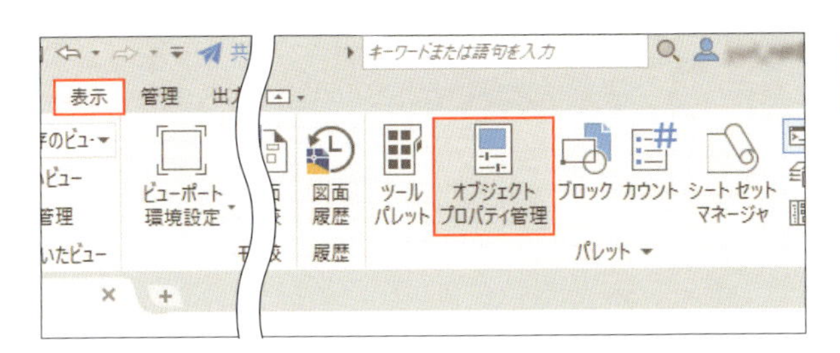

1 プロパティパレットを表示する

[表示] タブ→ [パレット] パネルの [オブジェクトプロパティ管理] をクリックします。プロパティパレットが表示されます。

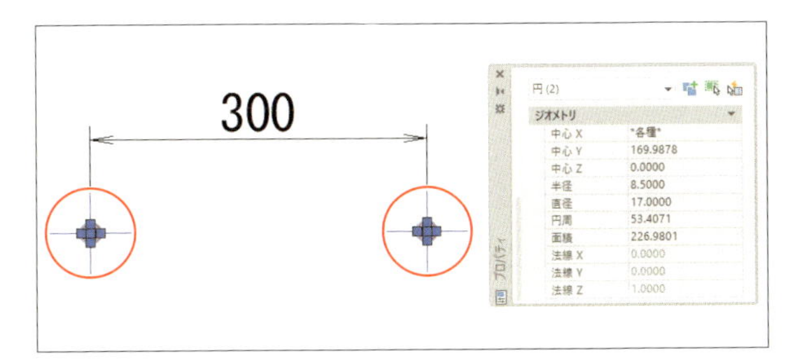

2 図形を選択する

円を 2 つShiftキーを押しながらクリックして選択します。

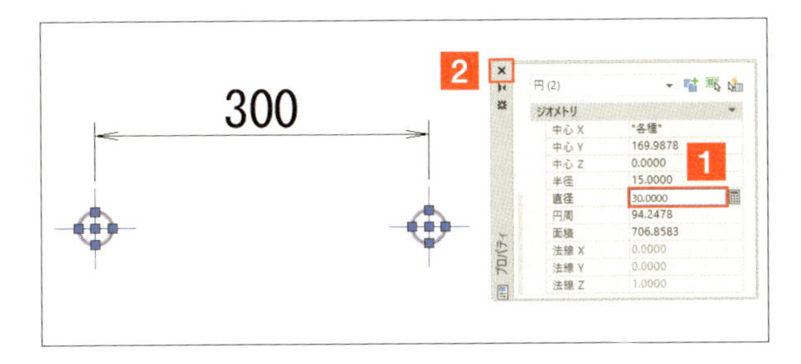

3 直径を変更する

プロパティパレットの [直径] に「30」を入力し、Enterキーを押すと、直径が変更されます1。[×] をクリックし2、プロパティパレットを閉じます。また、Escキーを押して、図形の選択を解除します。

図形のプロパティをコマンドで変更する

何百、何千の図形をプロパティパレットで変更しようとすると、表示のパフォーマンスが落ち、効率的に作業が行えなくなります。その場合、コマンドで変更するとパフォーマンスを上げることができます。

サンプルファイル 4-37.dwg コマンド CHANGE ショートカットキー ー CH

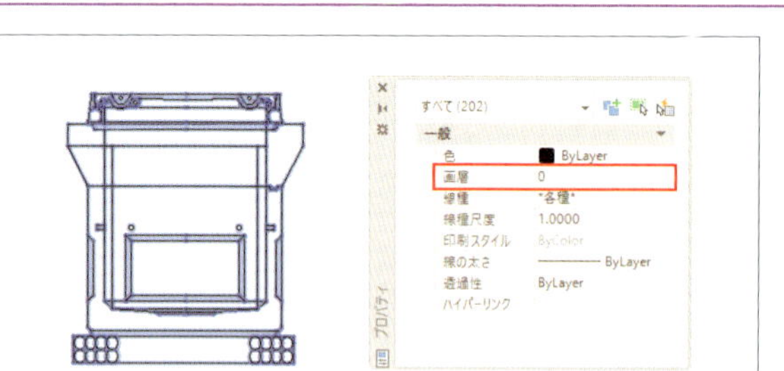

完成図

キーボードで図形の画層を［0］画層に変更します。

［データ変更］コマンドで画層を変更する

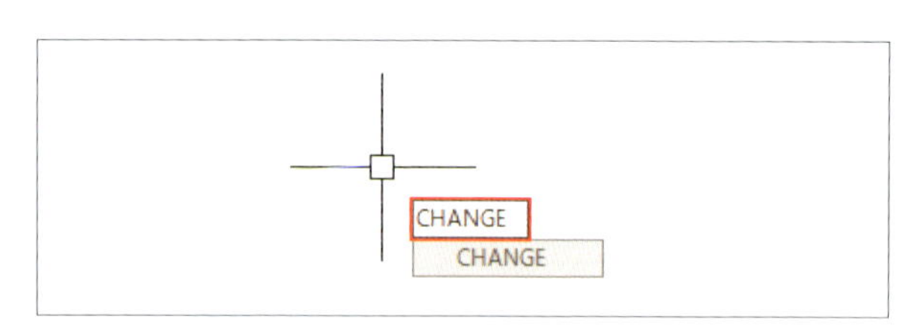

1 ［データ変更］コマンドを実行する

「CHANGE」と入力し、Enterキーを押します。［データ変更］コマンドが実行されます。

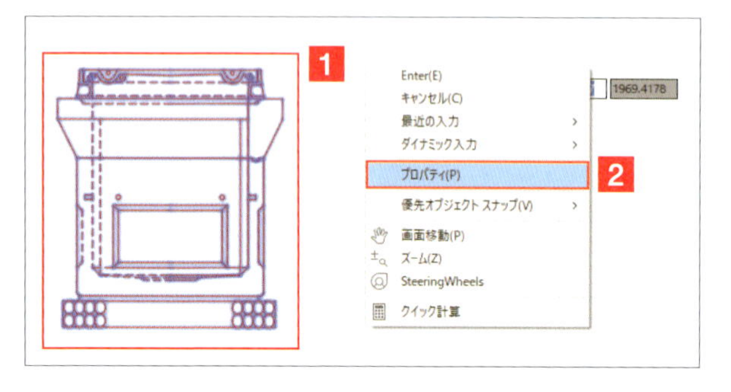

2 図形を選択し、［プロパティ］を選択する

図形をすべて選択し、Enterキーを押して選択を確定します1。作図領域で右クリックし、メニューから［プロパティ］を選択します2。

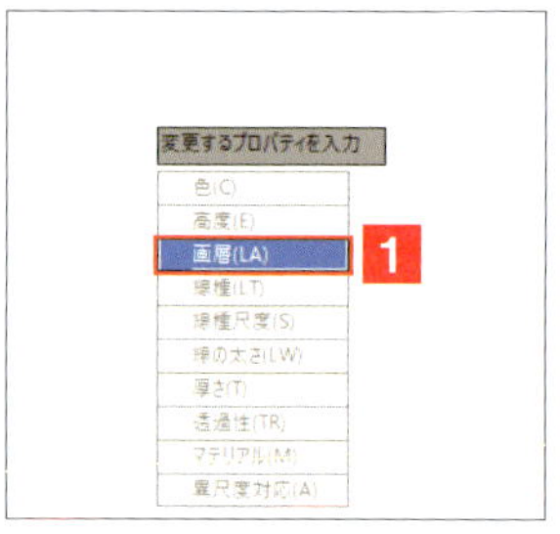

3 ［画層］を選択し、画層名を入力する

表示されたオプションから［画層］をクリックして選択1、画層名に「0」を入力し2、Enterキーを押します。最後にもう一度Enterキーを押してコマンドを終了します。

38 図形のプロパティをByLayerに変換する

ほかのCADで作成されたデータなどは、図形の色や線種、線の太さがByLayerに設定されていない場合があります。ここでは、一度に複数の図形のプロパティをByLayerに設定します。

サンプルファイル 4-38.dwg　コマンド SETBYLAYER　ショートカットキー なし

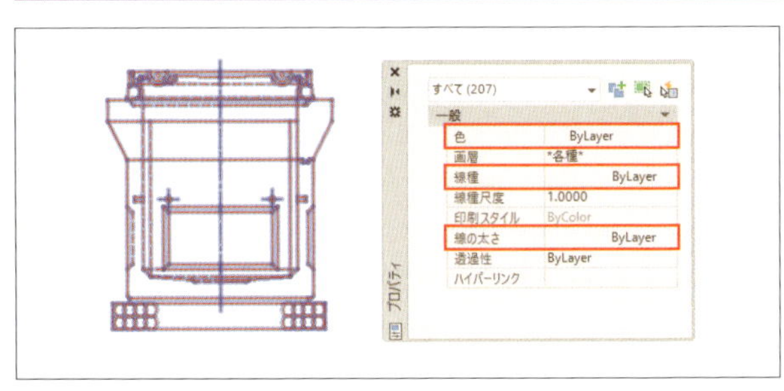

完成図

色がWhite、線種がContinuous、線の太さが0.18mmの図形の色、線種、線の太さをByLayerにします。

[ByLayerに変更]コマンドを利用する

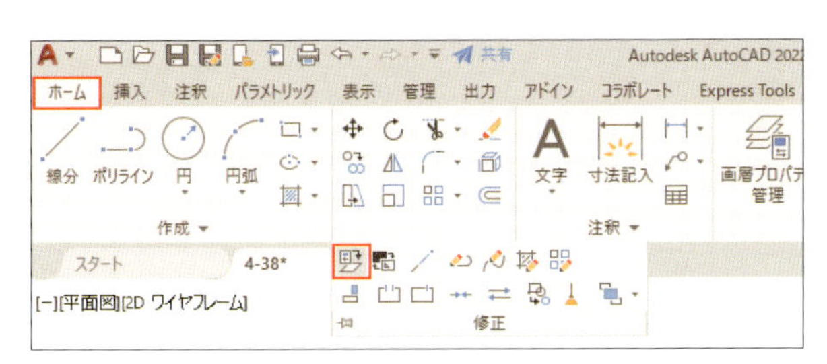

1 [ByLayerに変更]コマンドを実行する

[ホーム] タブ→ [修正] パネルの [修正▼] → [ByLayer に変更] をクリックします。

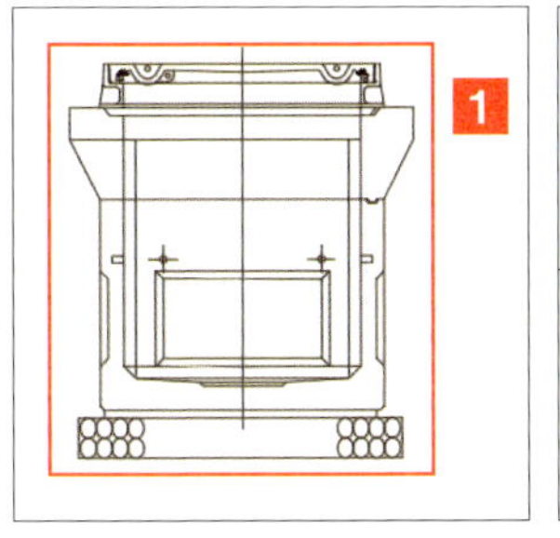

2 図形を選択し、オプションを選択する

図形をすべて選択し、Enterキーを押して選択を確定します1。「ByBlock を ByLayer に変更しますか？」と「ブロックを含めますか？」は、[はい] をクリックして選択します2、3。

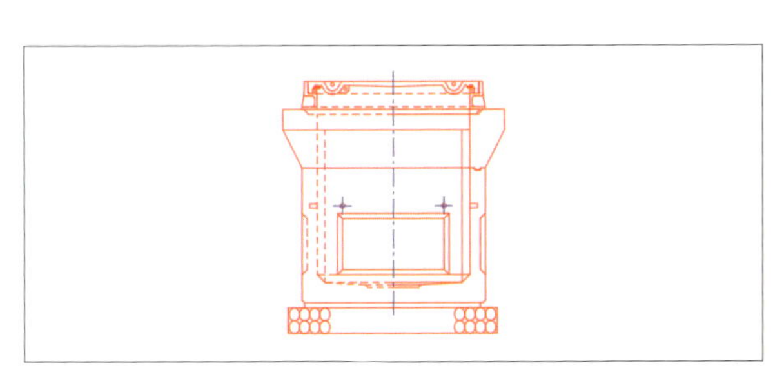

3 ByLayerに変更される

ByLayer に変更され、図形に設定された画層の設定の色や線種に変更されます。

図形を透過させる

ハッチング図形に透過を設定することにより、重なった線をはっきりと表示させることができます。ただし、透過を印刷する場合は、印刷のダイアログで[透過性を印刷]にチェックを入れてください。

サンプルファイル 4-39.dwg　コマンド PROPERTIES　ショートカットキー PRまたは Ctrl + 1

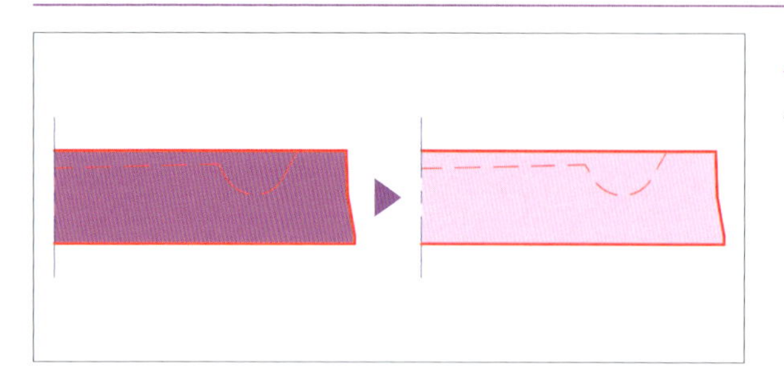

完成図

ハッチング図形の透過性を80に設定します。

プロパティパレットで透過性を設定する

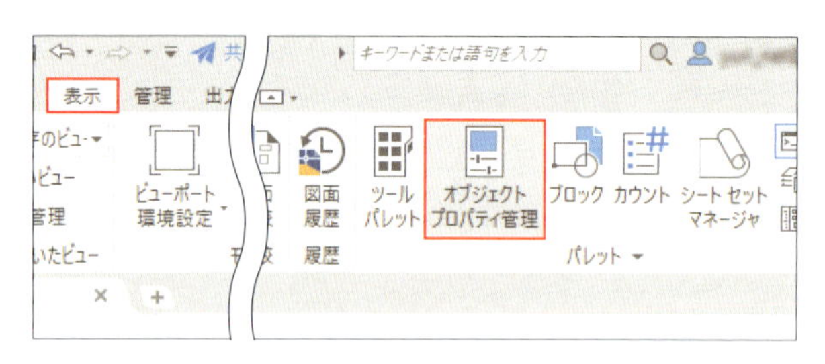

1 プロパティパレットを表示する

[表示] タブ→ [パレット] パネルの [オブジェクトプロパティ管理] をクリックします。プロパティパレットが表示されます。

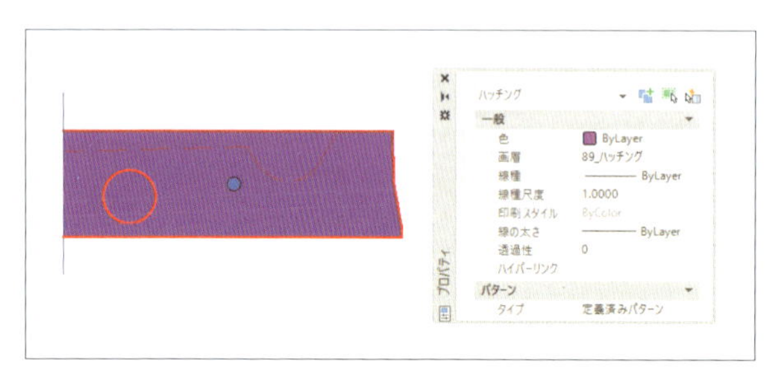

2 図形を選択する

ハッチングをクリックして選択します。

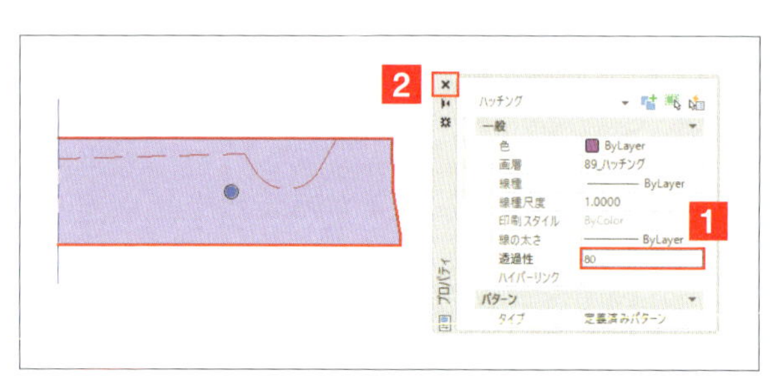

3 透過性を変更する

プロパティパレットの[透過性]に「80」と入力し、Enter キーを押すと、透過性が変更されます1。[×] をクリックし2、プロパティパレットを閉じます。また、Esc キーを押して、図形の選択を解除します。

CHAPTER

05

THE PERFECT GUIDE FOR AUTOCAD

[ブロックと参照]

ブロックを理解する

ブロックとは、線分や円弧などの複数の図形を1つの図形として扱うことができる機能です。よく使う部品や図面記号などに利用されます。ここでは、ブロックについて概要を説明します。

ブロック作成に必要な要素

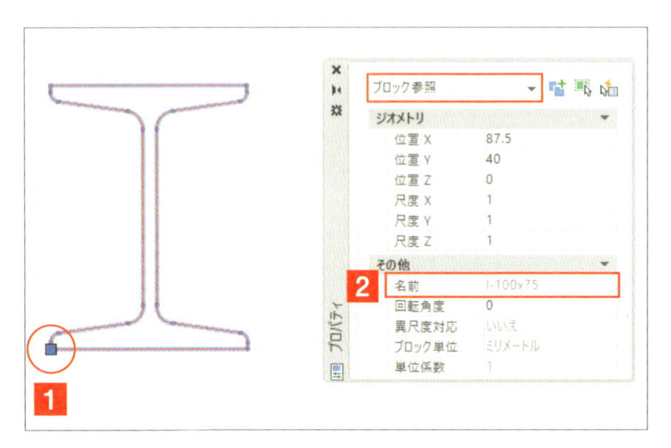

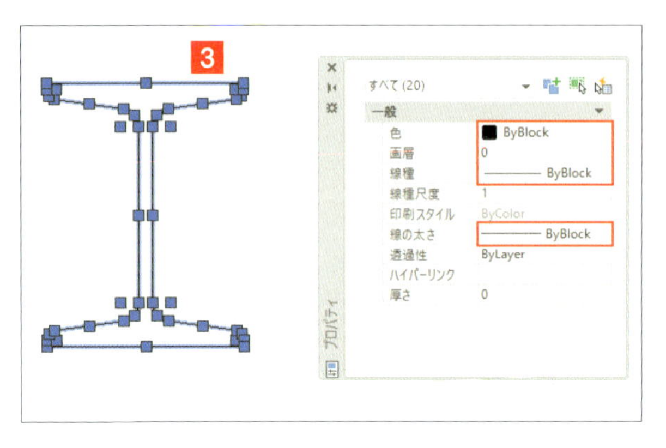

ブロックの作成に必要な要素

作成したブロックはファイル内に登録されます。ブロックを作成するには、次の 3 つの要素が必要です。

●基点1

ブロックの挿入基点です。ブロックをクリックして選択すると、基点が 1 つグリップ(P.164 参照)で表示されます。

●名前2

ブロックの名前です。既存のブロックの名前を登録すると、上書きされるので注意してください。

●図形3

ブロックには線分、ポリライン、円、円弧などさまざまな図形を登録することができます。画層や色などのプロパティを変更したい場合には、[0] 画層と [ByBlock] を使用します (P.276 参照)。

ブロックでできること

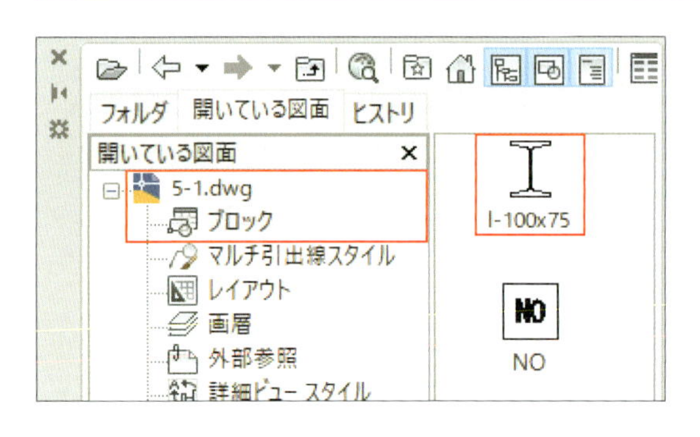

ブロックの挿入

ファイルに登録されたブロックは図面に配置することができます。ほかのファイルに登録されているブロックは、DesignCenter パレットを使用して挿入することが可能です (P.281 参照)。同じ名前のブロックを挿入すると上書きされるので注意をしてください。

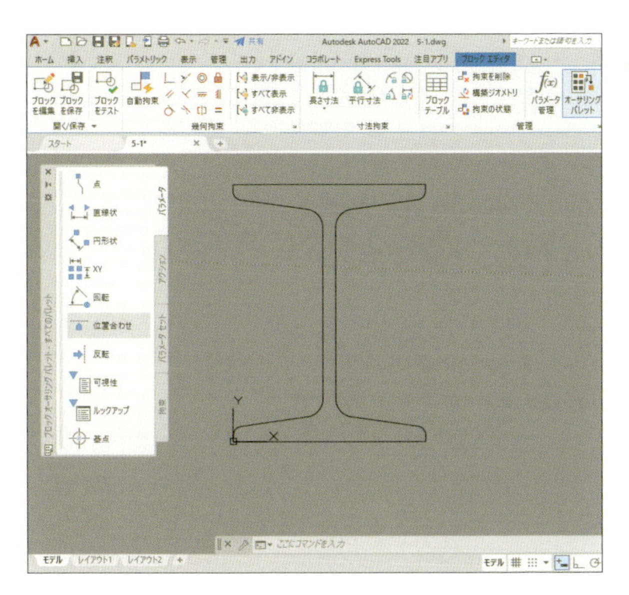

ブロックの編集

ブロックとして登録した図形は、あとから編集することができます。編集作業には、ブロックエディタを使用します（P.279 参照）。

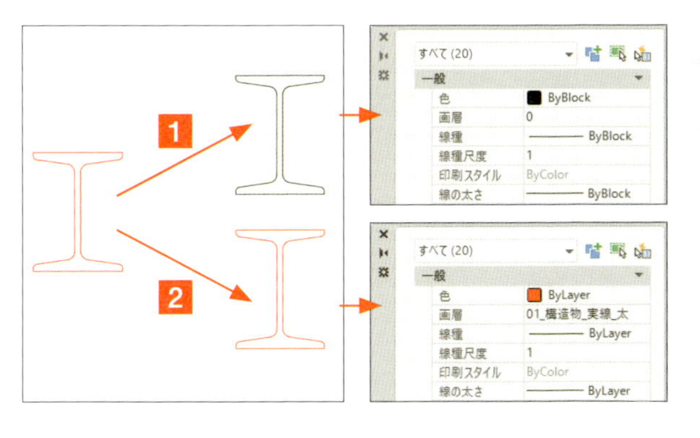

ブロックの分解

ブロックを分解するには［分解］コマンドを使用します1。ブロックの画層を継承したい場合（ByBlock で作成されたブロックを分解したい場合）は、［拡張分解］コマンド（XPLODE）を使用してください2。

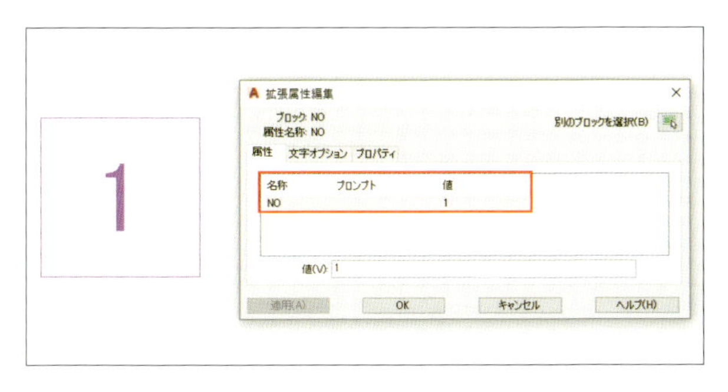

ブロック属性による文字入力

ブロック内の文字内容を変更したい場合には、文字やマルチテキストではなく、ブロック属性を使用します（P.285 参照）。

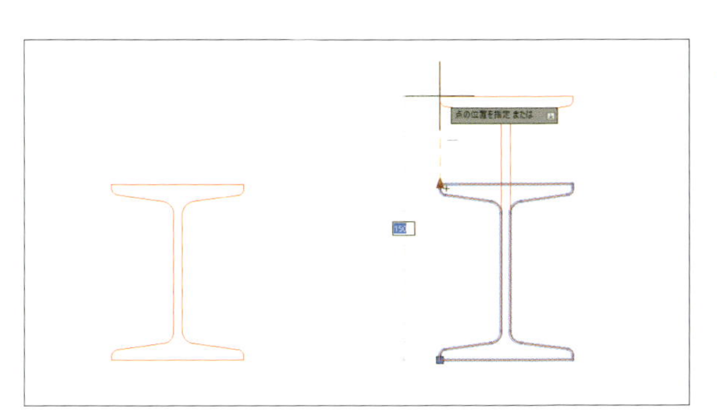

可変のダイナミックブロック

ブロックの形状やサイズを変更したい場合は、ダイナミックブロックを作成すると効率的に作図を行うことができます（P.293 参照）。

02 ByBlockを理解する

[0]画層と[ByBlock]の色、線種、線の太さで作成されたブロックは、図面に挿入した個々のブロックごとに画層、色、線種、線の太さを変更することができます。

ByLayerとの違いからByBlockを理解する

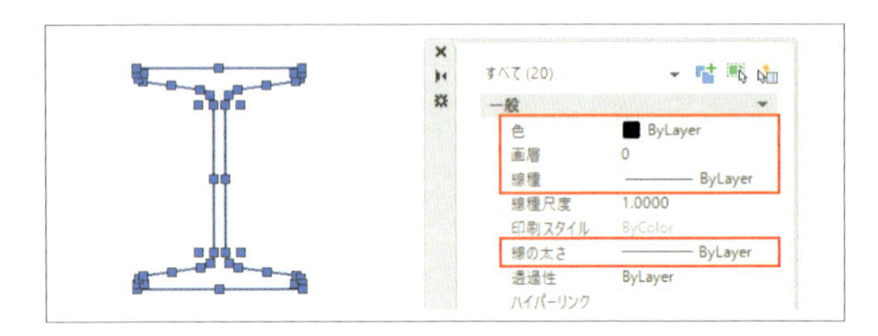

ByLayerで作成すると画層の設定に依存

図形を［0］画層に作図し、色／線種／線の太さを［ByLayer］(P.256、258、264 参照）にした状態でブロックにすると、それらの図形はブロックを挿入した画層に属し、色／線種／線の太さは画層によりコントロールされます。

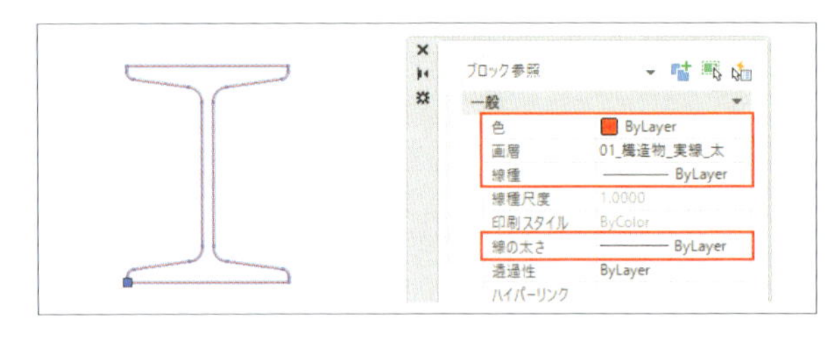

左図は、ブロックの元図形を［0］画層で、色／線種／線の太さを［ByLayer］で作図した例です。挿入した画層により色などのプロパティがコントロールされています。個別にプロパティを指定しても反映されません。

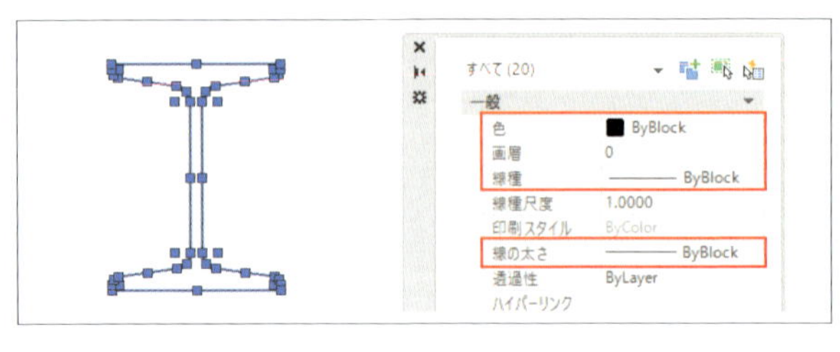

ByBlockで作成すると個別に変更可能

図形を［0］画層に作図し、色／線種／線の太さを［ByBlock］にした状態でブロックにすると、それらの図形はブロックを挿入した画層に属しますが、色／線種／線の太さは個別に変更可能になります。

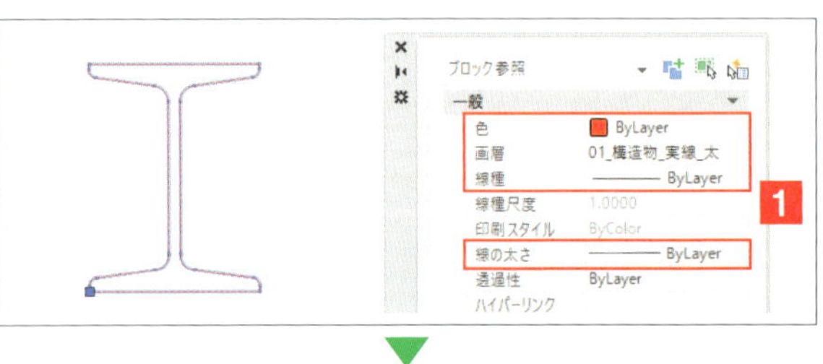

▼

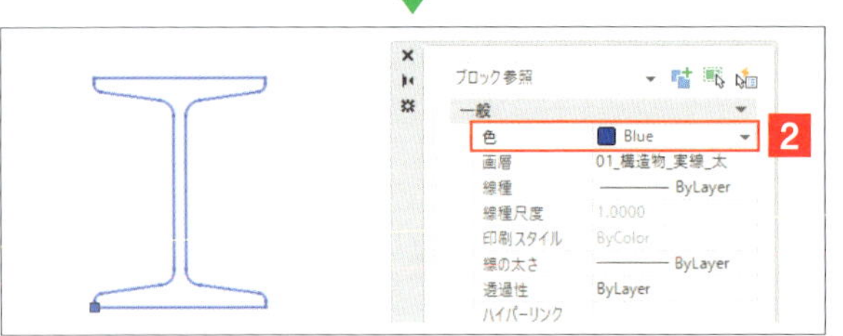

左図は、ブロックの元図形を［0］画層で、色／線種／線の太さを［ByBlock］で作図した例です。挿入した画層により色などのプロパティがコントロールされます1。また、個別にプロパティを指定することも可能です2。

ブロックを作成する

ブロックとは、線分や円弧などの複数の図形を1つの図形として扱うことができる機能です。よく使う部品や図面記号などに利用されます。ここでは、実際にブロックを作成します。

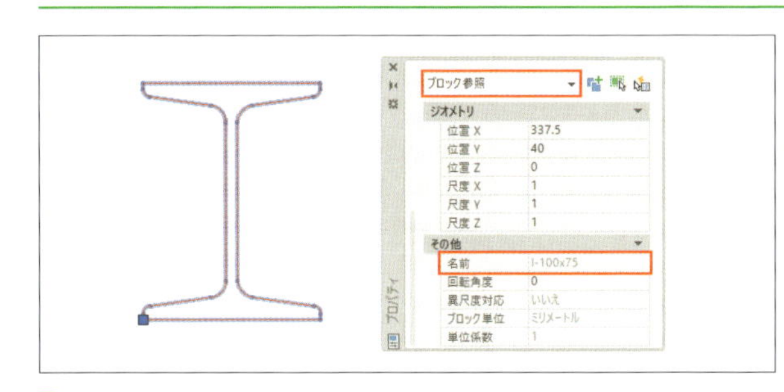

完成図

[I-100x75]という名前のブロックを作成します。作成に使用する図形は[0]画層、色／線種／線の太さは[ByBlock]で作成されています。

[ブロック作成]コマンドでブロックを定義する

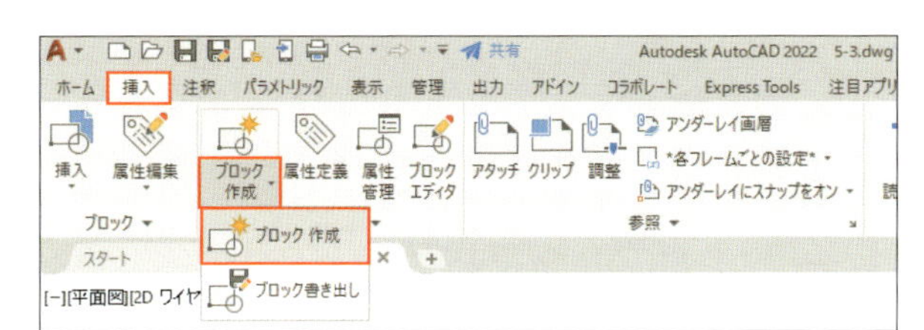

1 [ブロック作成]コマンドを実行する

[挿入]タブ→[ブロック定義]パネルの[ブロック作成▼]→[ブロック作成]をクリックします。

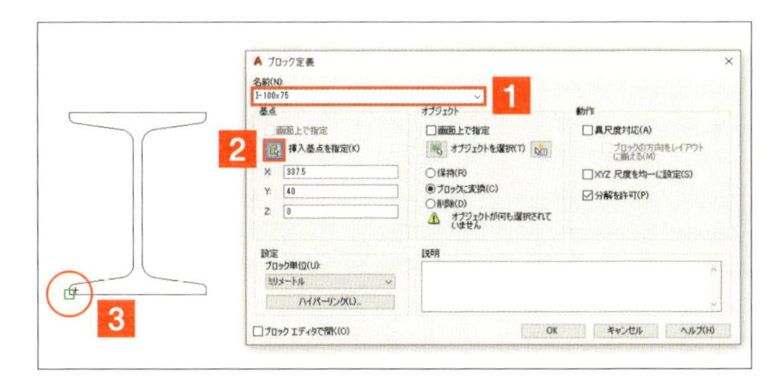

2 名前、挿入点を指定する

[名前]に「I-100x75」と入力し1、[挿入基点を指定]をクリックして2、図形の左下点を指定します3。

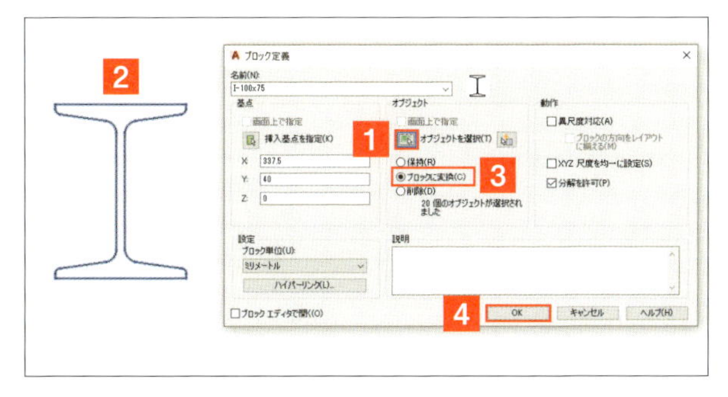

3 オブジェクトを指定する

再度[ブロック定義]ダイアログが表示されます。[オブジェクトを選択]をクリックし1、交差選択などで図形をすべて選択して2、Enterキーを押します。[ブロックに変換]を選択し3、[OK]をクリックすると4、ブロックが作成されます。3で[ブロックに変換]を選択したので、選択した図形はブロックに変換されています。

ブロックを挿入する

ここでは、ファイルに登録したブロックを挿入します。オプションで、挿入位置、尺度、回転角度を指定することも可能です。尺度はXYZ方向を別々に設定できるので、縦と横の比率が違う図形を作成することも可能です。

サンプルファイル 5-4.dwg **コマンド** INSERT **ショートカットキー** I

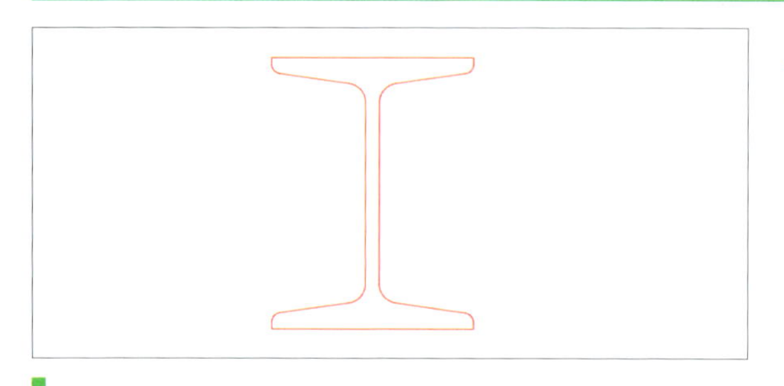

完成図

[I-100x75]のブロックを図面に配置します。ブロックの画層は[01_構造物_実線_太]にします。

[ブロック挿入]コマンドでブロックを挿入する

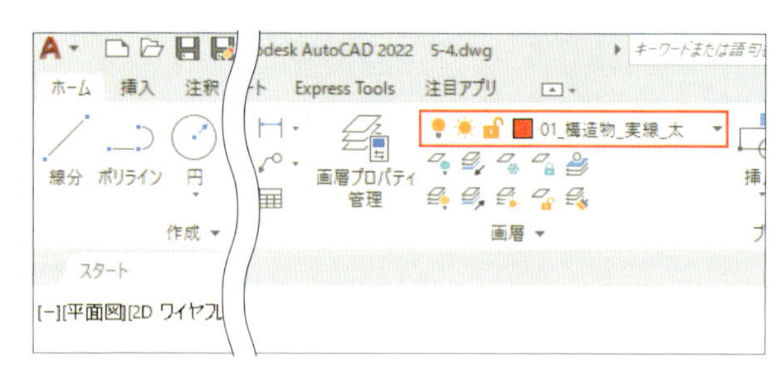

1 画層を確認する

[ホーム]タブ→[画層]パネル→[画層]から、現在画層が[01_構造物_実線_太]になっていることを確認します。

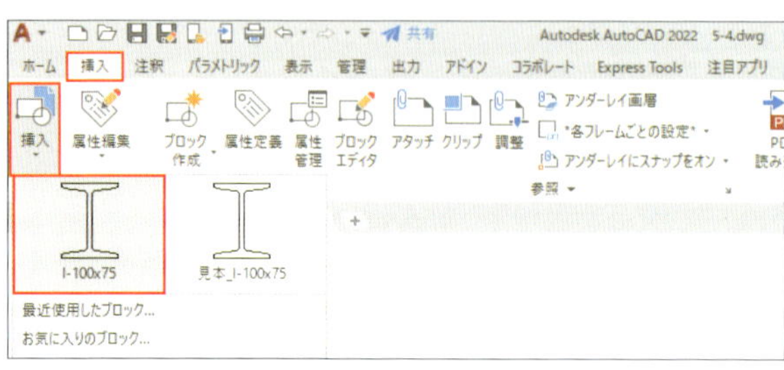

2 [ブロック挿入]コマンドを実行する

[挿入]タブ→[ブロック]パネルの[挿入▼]→[I-100x75]をクリックします。

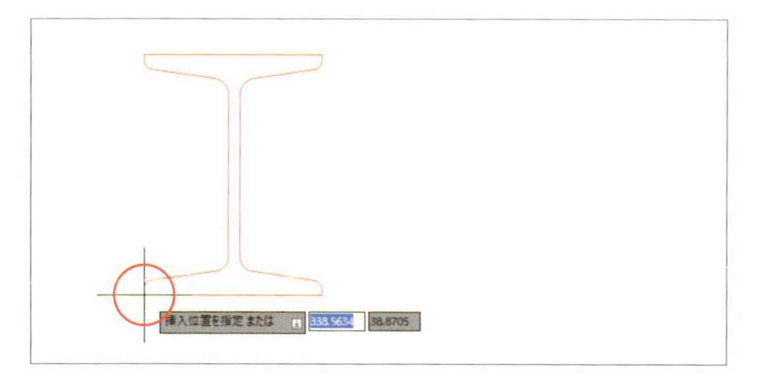

3 挿入位置を指定する

任意点をクリックします。ブロックが配置されます。

05 ブロックを編集する

登録済みのブロックを編集するには、ブロックエディタを利用すると効率的です。ブロックエディタを起動すると、リボンに[ブロックエディタ]タブが表示され、作図領域の背景色が変わります。

サンプルファイル 5-5.dwg コマンド BEDIT ショートカットキー BE

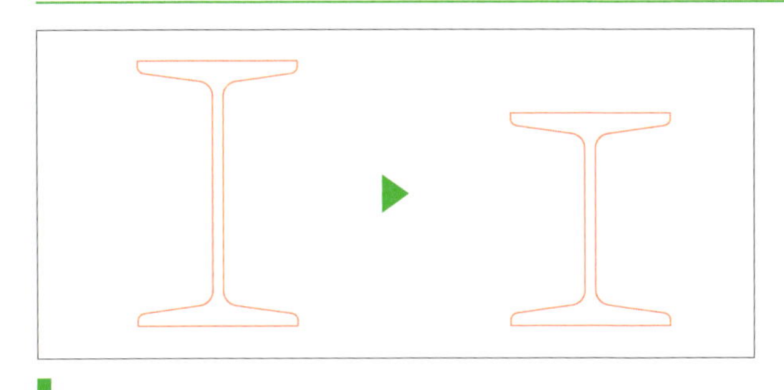

完成図

[I-100x75]のブロックの高さを、125から100に編集します。

ブロックエディタでブロックを編集する

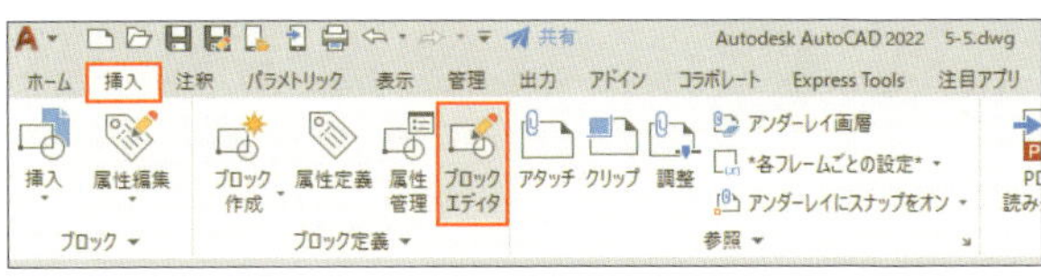

1 ブロックエディタを起動する

[挿入] タブ→ [ブロック定義] パネルの [ブロックエディタ] をクリックします。

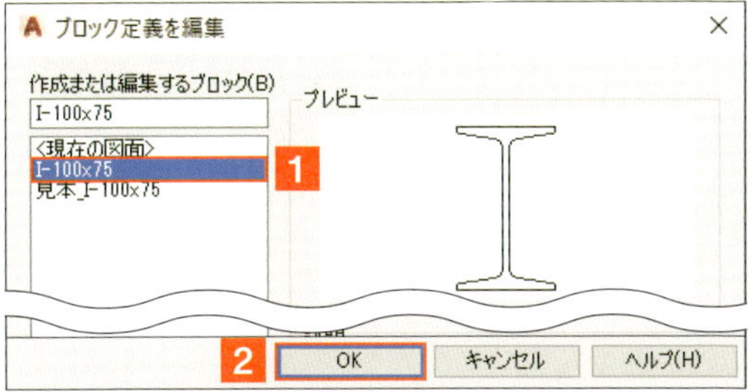

2 ブロックを指定する

[I-100x75] を選択し1、[OK] をクリックします2。

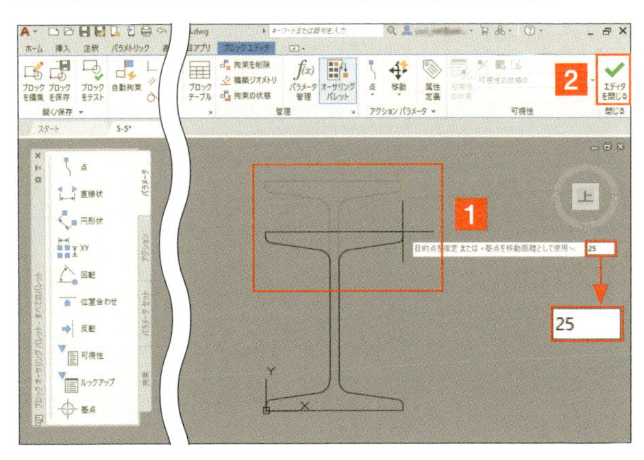

3 図形を編集する

P.121 を参考に [ストレッチ] コマンドで基点と方向を指示、長さ「25」を入力し1、高さを125から100に変更します。図形を編集したら、[エディタを閉じる] をクリックします2。「変更は保存されませんでした。どのようにしますか?」のダイアログでは [変更をI-100x75に保存]を選択します。ブロックエディタが閉じて、ブロックの高さが変更されます。

ほかのファイルをブロックとして挿入する

DWGファイルは、そのままブロックとして利用することができます。ファイルの原点(X=0、Y=0)がブロックの基点となり、ブロックの名前はファイル名で挿入されます。

サンプルファイル 5-6.dwg　コマンド INSERT　ショートカットキー I

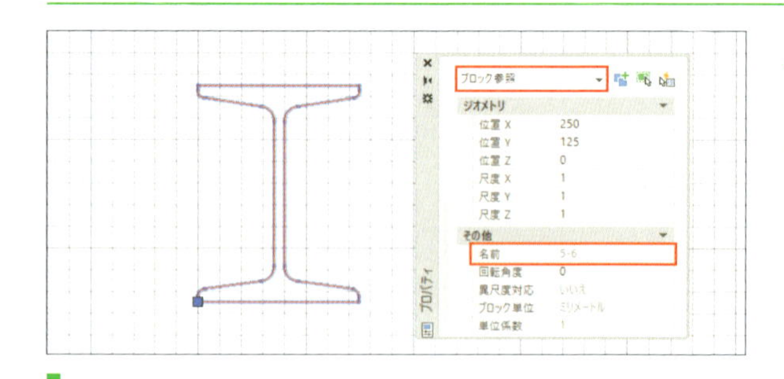

完成図

[5-6.dwg]ファイルをブロックとして新規作成したファイルに配置します。

[挿入]コマンドでファイルを挿入する

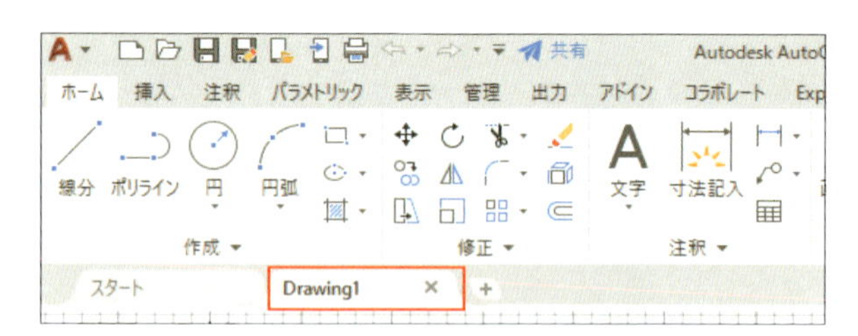

1 ファイルを新規作成する

P.022を参考に[acadiso.dwt](AutoCAD LTでは[acadltiso.dwt])を選択してファイルを新規作成します。

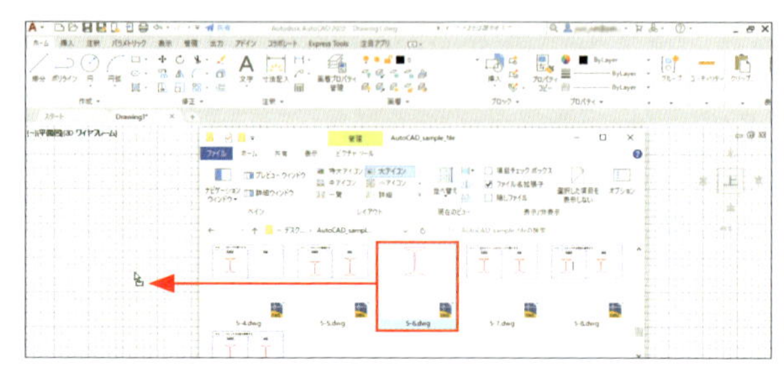

2 エクスプローラでファイルを挿入する

Windowsのエクスプローラから、[5-6.dwg]を新規ファイルの作図領域へドラッグアンドドロップします。

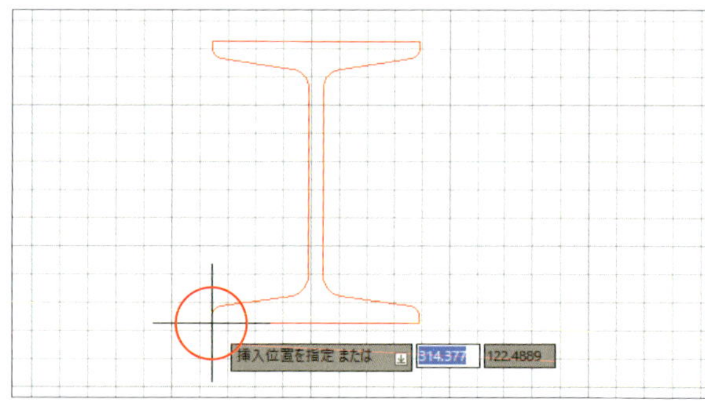

3 挿入位置とX・Y方向の尺度、回転角度を指定する

任意点をクリックし、X方向の尺度に「1」、Y方向の尺度に「1」、回転角度に「0」を入力します。[5-6.dwg]ファイルがブロックとして配置されます。

ほかのファイルのブロックを挿入する

ブロックはファイルに登録される情報です。ほかのファイルに登録されているブロックを使用するには、[DesignCenter]コマンドを使用します。

サンプルファイル 5-7.dwg コマンド ADCENTER ショートカットキー Ctrl + 2

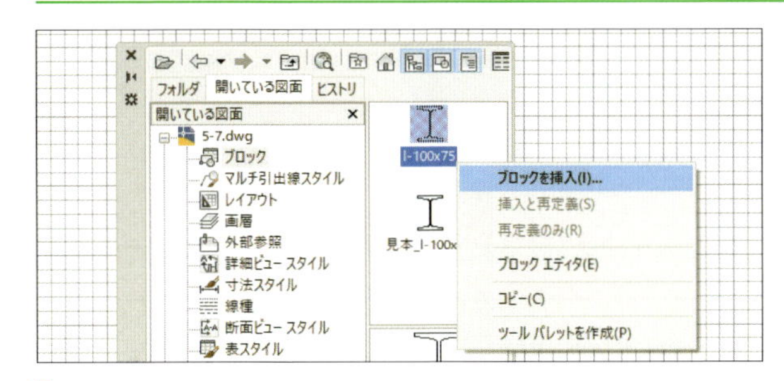

完成図

新規作成したファイルに、[5-7.dwg] ファイルの[I-100x75]ブロックを配置します。

[DesignCenter]コマンドでブロックを挿入する

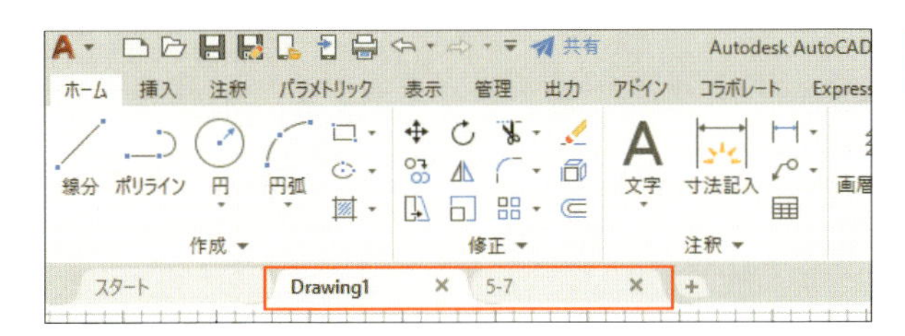

1 ファイルを開き、新規作成する

[5-7.dwg] ファイルを開き、P.022を参考に[acadiso.dwt]（AutoCAD LTでは[acadltiso.dwt]）を選択してファイルを新規作成します。

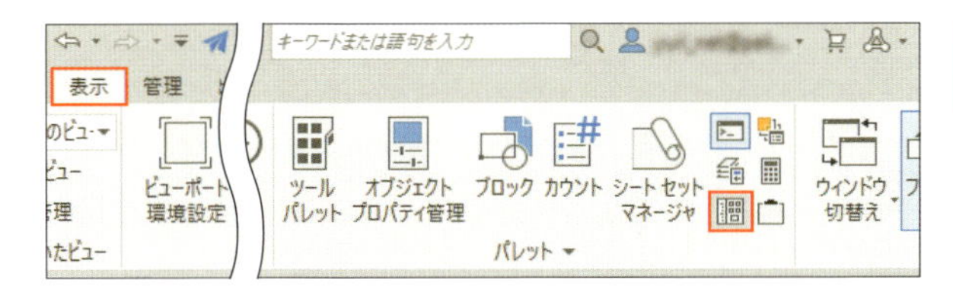

2 [DesignCenter]コマンドを実行する

[表示] タブ→ [パレット] パネルの [Design Center] をクリックします。

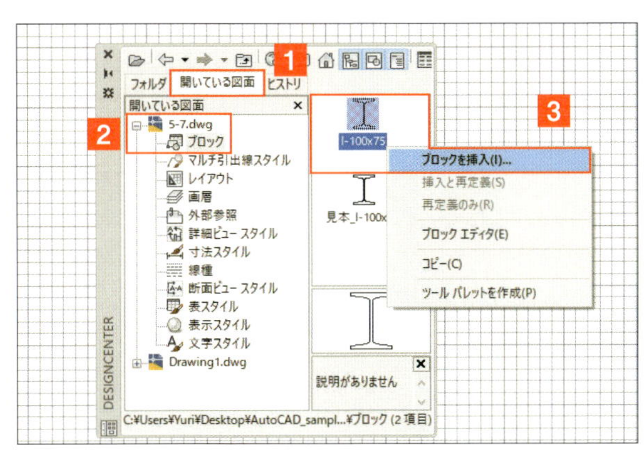

3 ブロックを挿入する

[開いている図面] タブを選択し1、[5-7.dwg] → [ブロック] をクリックして2、[I-100x75] を右クリックしたら、[ブロックを挿入] を選択します3。[ブロック挿入] ダイアログが表示されるので、挿入位置に [画面上で指定] を選択し、[OK] をクリックして、ブロックを配置してください。

ブロック内の図形を複写する

ブロックを複写するには[複写]コマンドを実行しますが、[ネストされたオブジェクトを複写]コマンドを利用すると、ブロックや外部参照内の一部の図形を複写することができます。

サンプルファイル 5-8.dwg　コマンド NCOPY　ショートカットキー なし

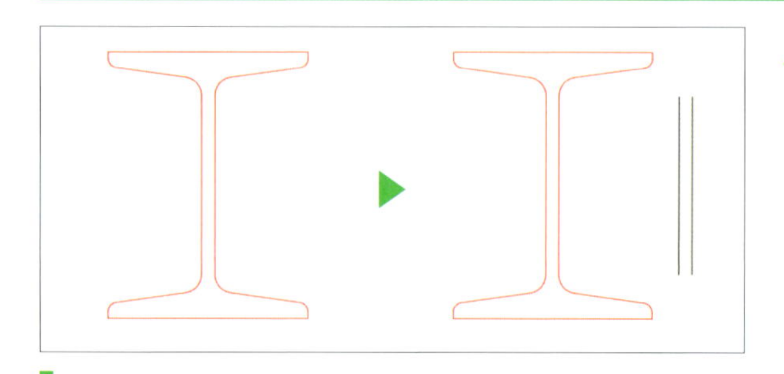

完成図

ブロック内の線分を2本コピーします。

[ネストされたオブジェクトを複写]コマンドを利用する

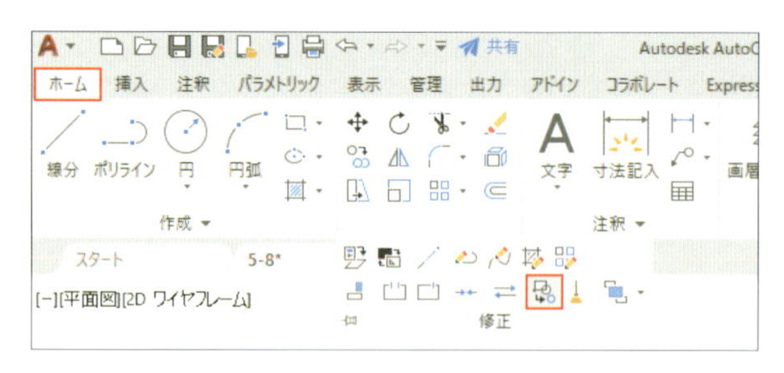

1 [ネストされたオブジェクトを複写]コマンドを実行する

[ホーム]タブ→[修正]パネルの[修正▼]→[ネストされたオブジェクトを複写]をクリックします。

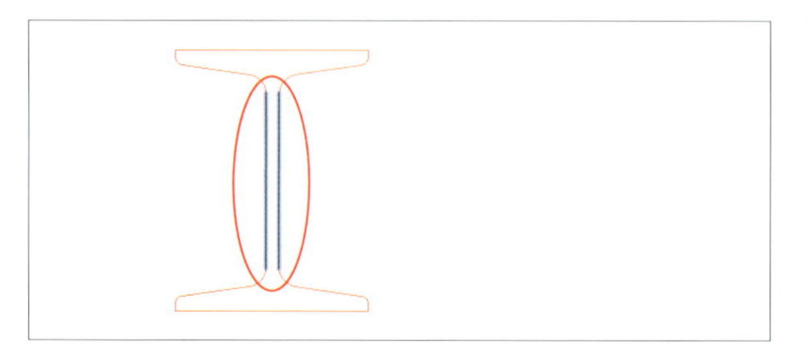

2 ブロックの内図形を選択する

ブロックの内図形である線分を2つクリックして選択し、Enterキーを押して確定します。

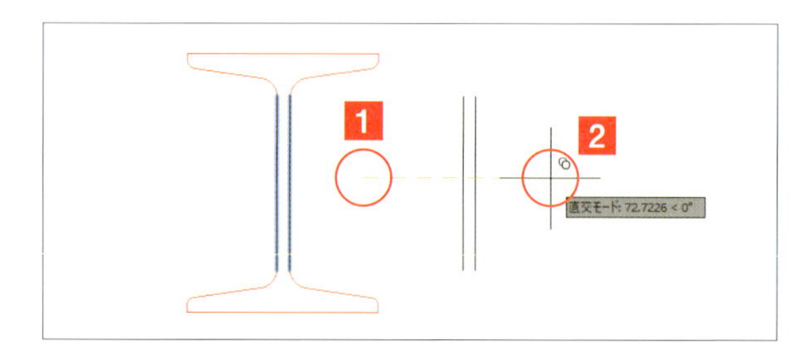

3 基点と2点目を指定する

基点1と2点目2は任意点をクリックして指定します。ブロック内の線分が2本複写されます。

09 ブロックの名前を変更する

ブロックは重複した名前を登録することはできません。ほかのファイルから名前が同じブロックを挿入すると、ブロックの情報が上書きされるので、どちらかのブロックの名前を変更する必要があります。

サンプルファイル 5-9.dwg　**コマンド** RENAME　**ショートカットキー** REN

完成図

既存のブロックの名前を[I-100x100]から[I-100x75]に変更します。

▶ [名前変更]コマンドを利用する

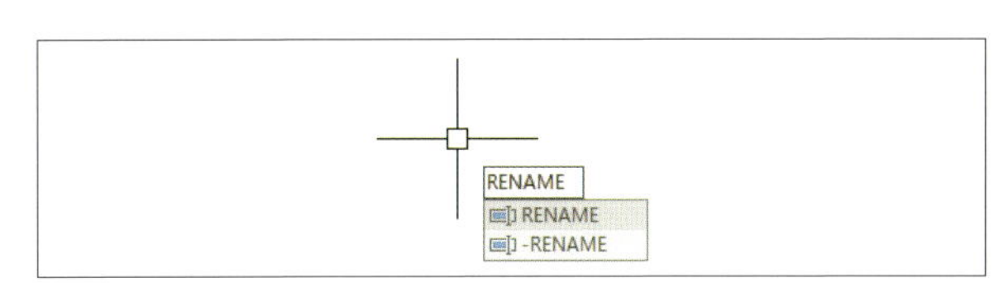

1 [名前変更]コマンドを実行する

「RENAME」と入力し、Enterキーを押します。

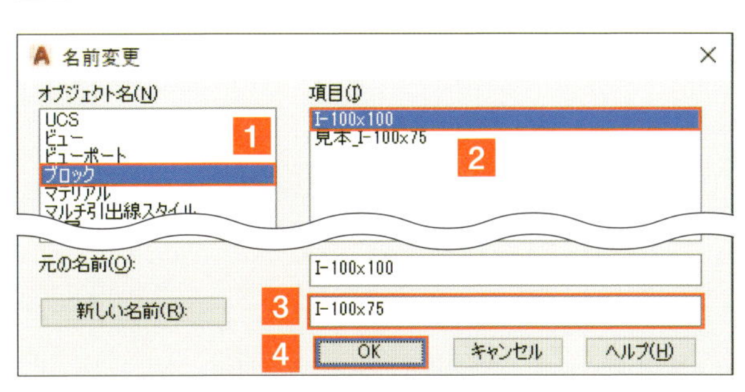

2 名前を変更する

[ブロック]を選択し1、[I-100x100]を選択します2。[新しい名前]に「I-100x75」を入力し3、[OK]をクリックして[名前変更]ダイアログを閉じます4。

3 名前を確認する

ブロックをクリックして選択し1、[表示]タブ→[パレット]パネルの[オブジェクトプロパティ管理]でブロックの名前が[I-100x100]から[I-100x75]に変更されたことを確認します2。

ブロックの数を確認する

2022バージョンからの新機能であるカウントパレットを使用すると、簡単にブロックの数を確認することが可能です。また、重複したブロックについてはエラーが表示され、問題となっている部分を目視することができます。

サンプルファイル 5-10.dwg コマンド COUNTLIST ショートカットキー なし

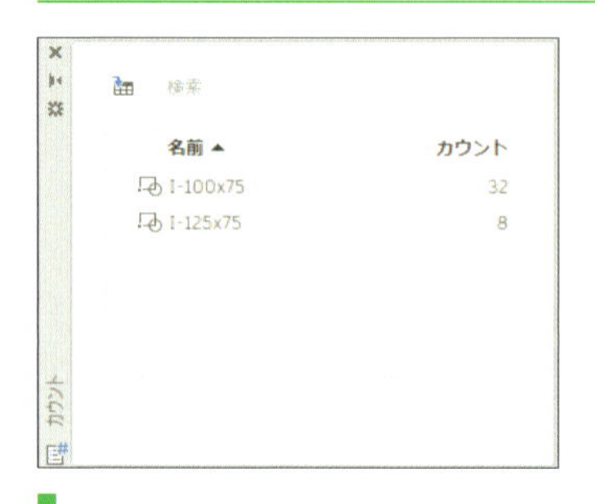

完成図

カウントパレットでブロックの数を確認し、重複したブロックを削除します。

カウント パレットを利用する

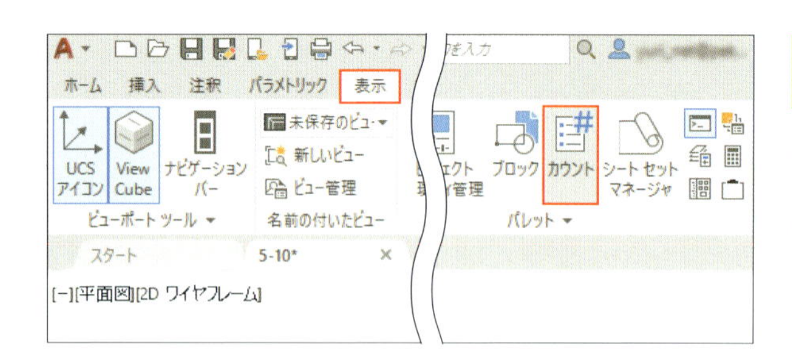

1 カウント パレットを表示する

［表示］タブ→［パレット］パネルの［カウント］をクリックします。カウントパレットが表示されます。

2 ブロックの数とエラーを確認する

ブロック名とその数が表示されています1。［I-100x75］ブロックのエラーを確認するため、エラー表示をクリックします2。

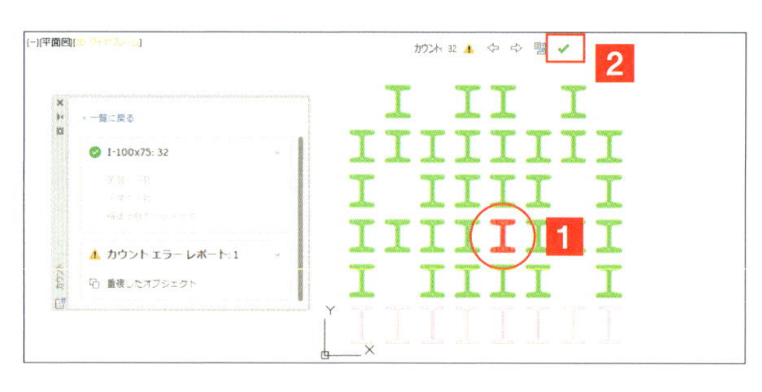

3 重複ブロックを削除する

重複したブロックが赤く表示されているので、削除します1。エラーが解除されたのを確認し、カウントツールバーの［カウントを終了］をクリックすると2、プレビュー表示が終了します。

ブロック属性を作成する

ブロック内の文字の内容を変更するには、ブロック属性というブロック用の文字を作図します。ブロック属性が含まれているブロックは、挿入時に属性値の入力が求められます。

サンプルファイル 5-11.dwg
コマンド ATTDEF
ショートカットキー ATT

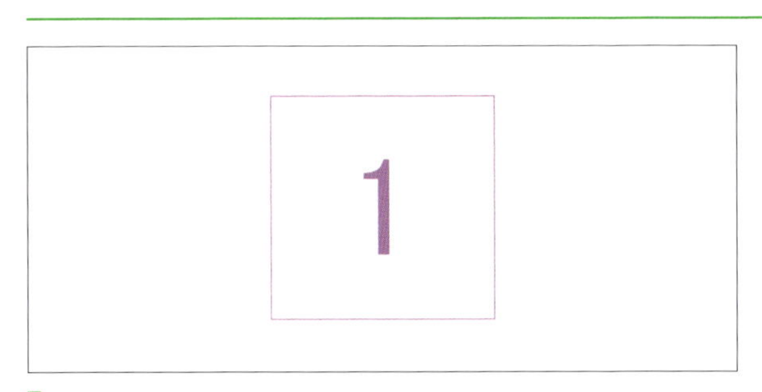

完成図

NOが入力できるブロックを作成します。

[属性定義]コマンドで属性を定義してブロックを作成する

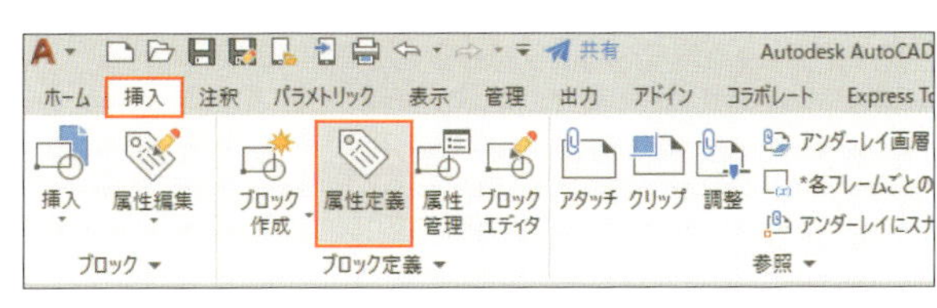

1 [属性定義]コマンドを実行する

[挿入] タブ→ [ブロック定義] パネルの [属性定義] をクリックします。

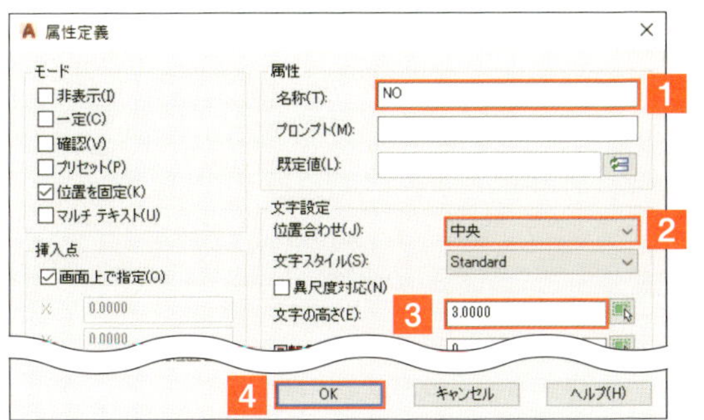

2 属性のプロパティを入力する

[名称] に「NO」を入力し1、[位置合わせ] から [中央] を選択して2、[文字の高さ] に「3」を入力したら3、[OK] をクリックします4。

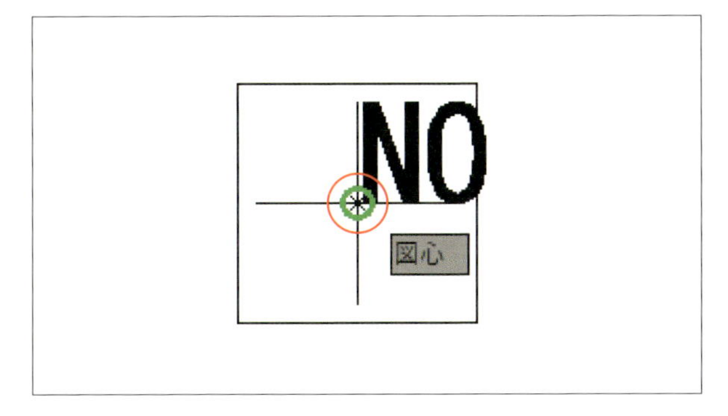

3 ブロック属性を配置し、ブロックを作成する

オブジェクトスナップで四角形の図心をクリックして、ブロック属性を配置します。P.277～278を参考に、四角形とブロック属性を選択してブロックを作成・挿入すると、[属性編集] ダイアログが表示されます。「1」と入力し、[OK] をクリックすると、文字内容が入力できるブロックが作成できます。

12 ブロック属性を変更する

ブロック属性の内容を変更するには、[拡張属性編集]コマンドを利用します。ブロックをダブルクリックするとコマンドが実行されるので効率的です。

サンプルファイル 5-12.dwg コマンド EATTEDIT ショートカットキー なし

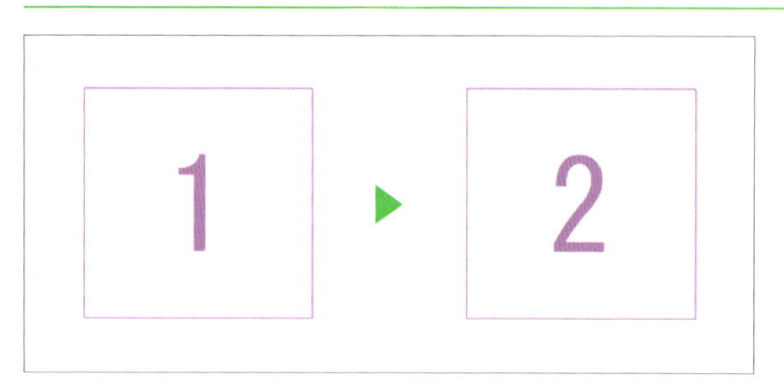

完成図

ブロック属性[NO]の内容を「2」に変更します。

ブロックをダブルクリックして値を変更する

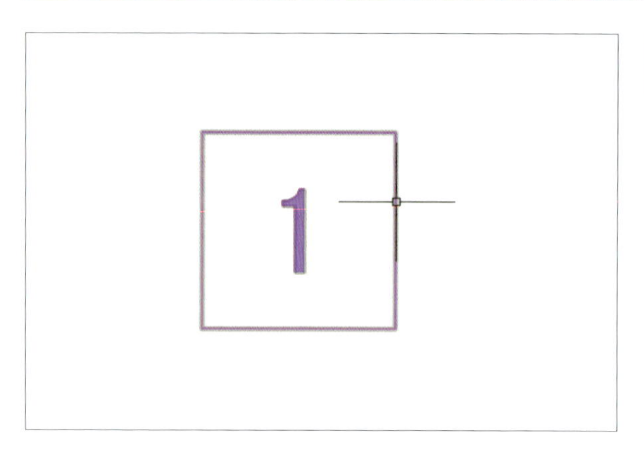

1 [拡張属性編集]コマンドを実行する

ブロックをダブルクリックすると、[拡張属性編集] ダイアログが表示されます。

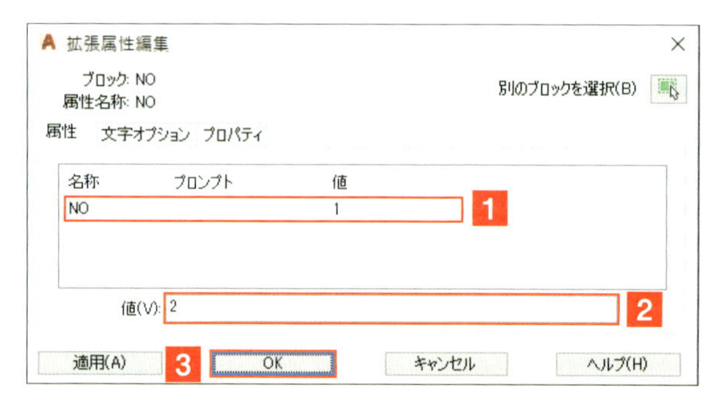

2 値を入力する

[NO] をクリックして選択し1、[値] に「2」を入力します2。最後に [OK] をクリックします3。[拡張属性編集] ダイアログが閉じ、属性の内容が変更されます。

CHECK

ブロック属性を含んだブロックを分解すると、入力した内容は削除されます。分解しないようにしてください。

ブロック属性を分解する

AutoCADのExpress Toolsタブには、便利なコマンドがそろっています。その中の1つ、[Explode Attributes]コマンドを使用すると、ブロック属性の内容をそのまま維持して分解することが可能です。

サンプルファイル 5-13.dwg コマンド BURST ショートカットキー なし

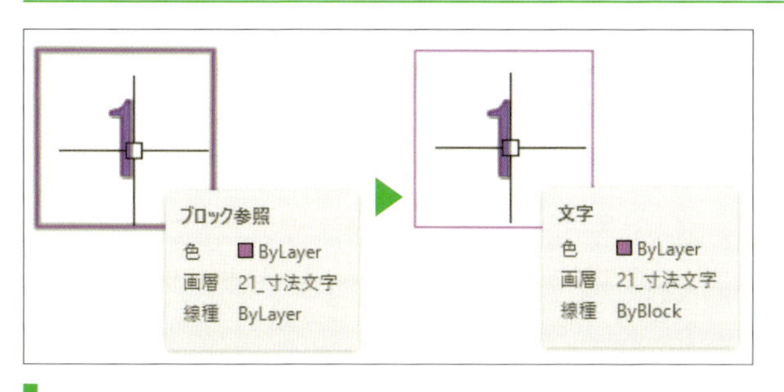

完成図

ブロック属性をポリラインと文字に分解します。

[Explode Attributes]コマンドを利用する

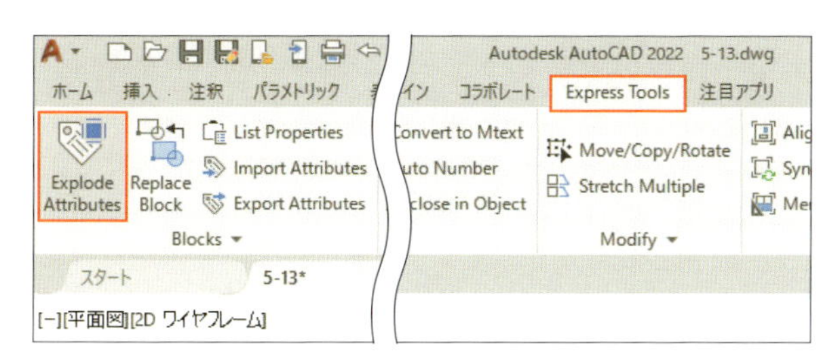

1 [Explode Attributes]コマンドを実行する

[Express Tools] タブ→ [Blocks] パネルの [Explode Attributes] をクリックします。

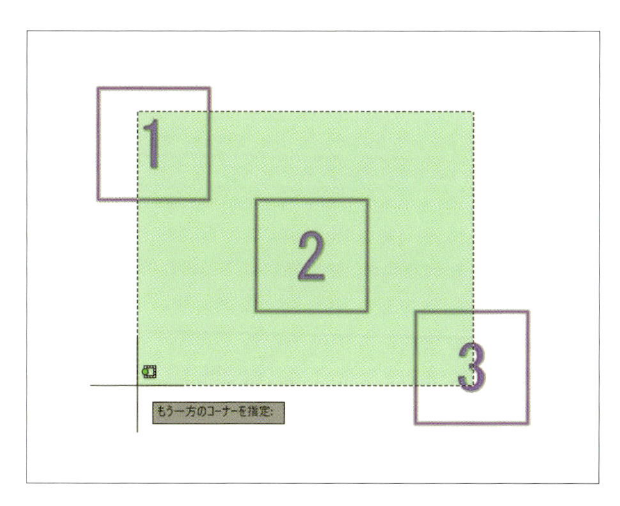

2 分解するブロックを選択する

ブロックを選択し、Enterキーを押して図形の選択を確定します。ブロックが分解され、ポリラインと文字になります。

CHECK

[Express Tools] のタブがない場合は、「EXPRESSTOOLS」とコマンド入力し、Enterキーを押すと、タブが表示されます。また、AutoCAD インストール手順でカスタマイズインストールを選択した場合は、エクスプレスツールのチェックボックスがインストール対象から外れるので、手動で追加する必要があります。なお、AutoCAD LT には Express Tools はありません。

14 ブロック属性の値をExcelファイルに書き出す

[データ書き出し]コマンドを使用すると、図形の座標や画層など、さまざまな情報をExcelファイルに書き出すことが可能です。ここでは、ブロック属性の値を書き出す方法を紹介します。

サンプルファイル 5-14.dwg コマンド DATAEXTRACTION ショートカットキー DX

完成図

図面に配置されているブロック[NO]の情報をExcelファイルに書き出します。

[データ書き出し]コマンドを利用する

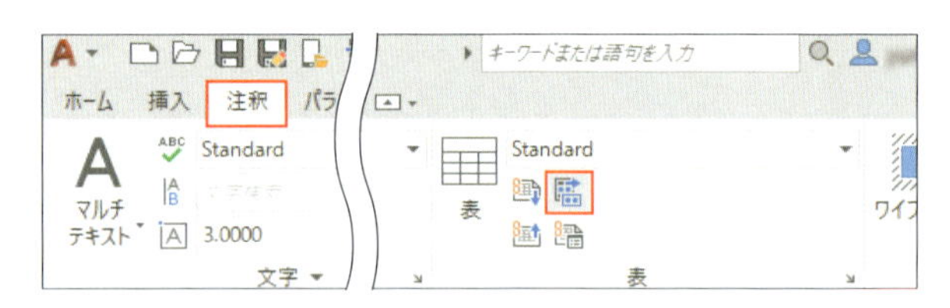

1 [データ書き出し]コマンドを実行する

[注釈] タブ→ [表] パネルの [データ書き出し] をクリックします。

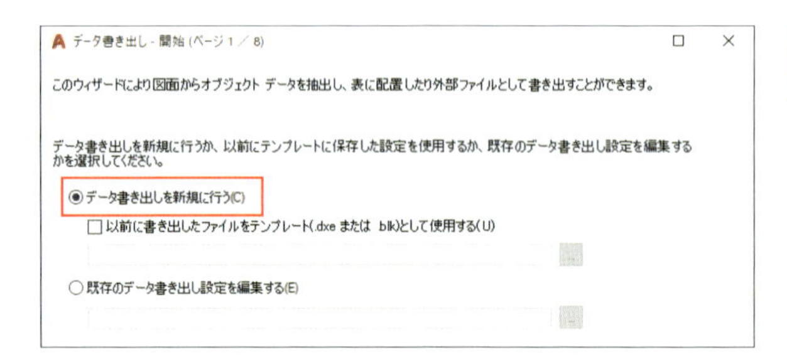

2 データ書き出しファイルを選択する

[データ書き出しを新規に行う] を選択し、[次へ] をクリック、ファイルの保存先と名前を入力後、[保存] をクリックします。

CHECK

データ書き出しファイル(*.dxe)には、これから行う設定が保存されます。

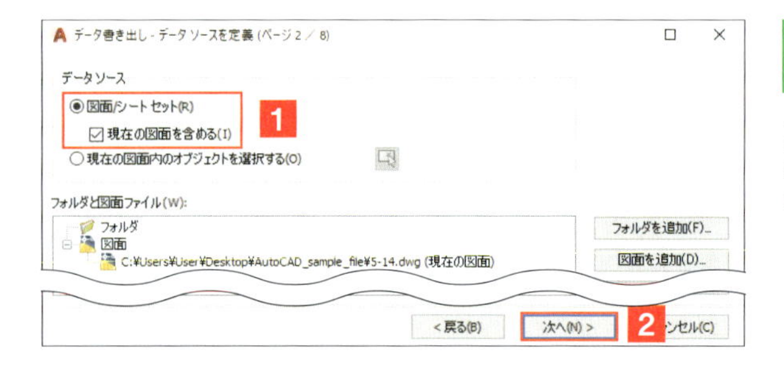

3 図面を選択する

[図面 / シートセット] を選択し、[現在の図面を含める] にチェックを入れて1、[次へ] をクリックします2。

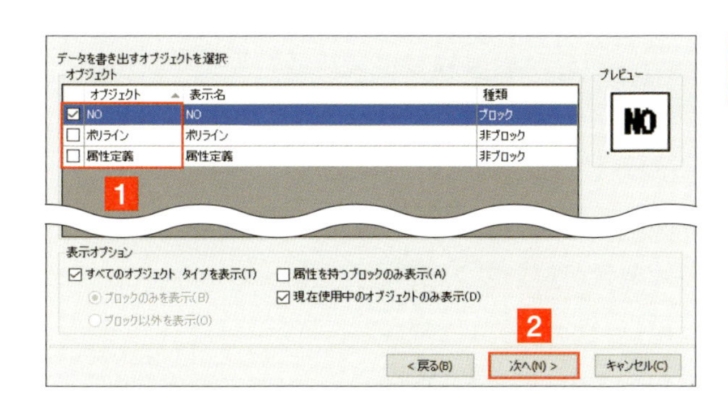

4 書き出す図形を選択する

[NO] のみにチェックを入れ（ほかの2つはチェックを外します）1、[次へ] をクリックします2。

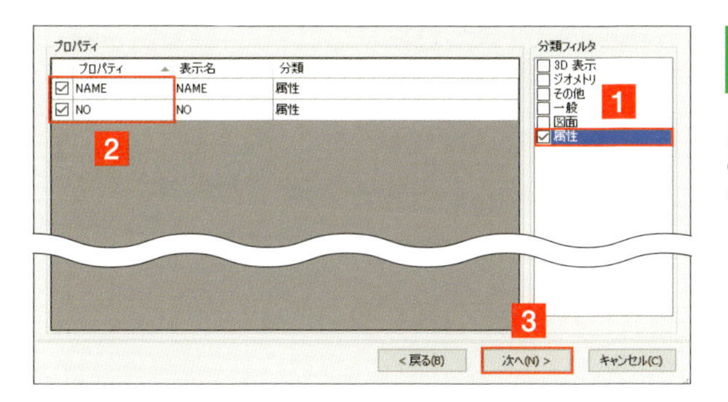

5 プロパティを選択する

[分類フィルタ] の [属性] 1、[プロパティ] の [NAME]、[NO] にチェックを入れ2、[次へ] をクリックします3。

6 データの表示／非表示を行う

[数量列を表示]、[名前列を表示] のチェックを外し1、[次へ] をクリックします2。

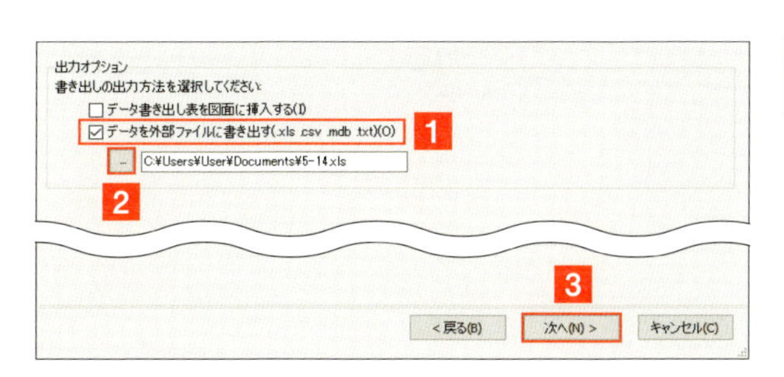

7 Excelファイルの保存先を指定する

[データを外部ファイルに書き出す] にチェックを入れ1、[…] ボタンをクリックし2、ファイルの保存先と名前を入力して、[次へ] をクリックします3。

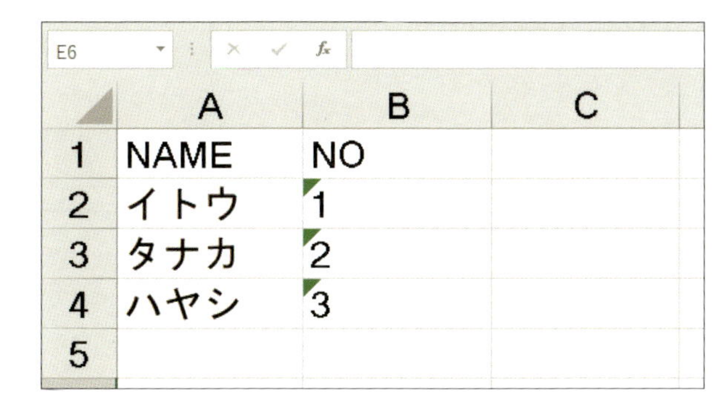

	A	B	C
1	NAME	NO	
2	イトウ	1	
3	タナカ	2	
4	ハヤシ	3	
5			

8 データ書き出しを終了する

[完了] をクリックして [データ書き出し] コマンドを終了します。手順7で指定した保存先のExcel ファイルを開くと、手順6で表示されたブロック属性の内容が入力されています。

CHECK

[データ書き出し] コマンドは、AutoCAD LT にはありません。[属性書き出し] コマンド（P.292「ブロック属性の値をテキストファイルに書き出す」参照）を使用してください。

ブロック属性を表にする

[データ書き出し]コマンドを使用すると、図形の座標や画層など、さまざまな情報を図面内の表に書き出すことが可能です。ここでは、ブロック属性の値を書き出す方法を紹介します。

サンプルファイル 5-15.dwg　コマンド DATAEXTRACTION　ショートカットキー DX

完成図

図面内に配置されているブロック[NO]の情報を表にします。

[データ書き出し]コマンドを利用する

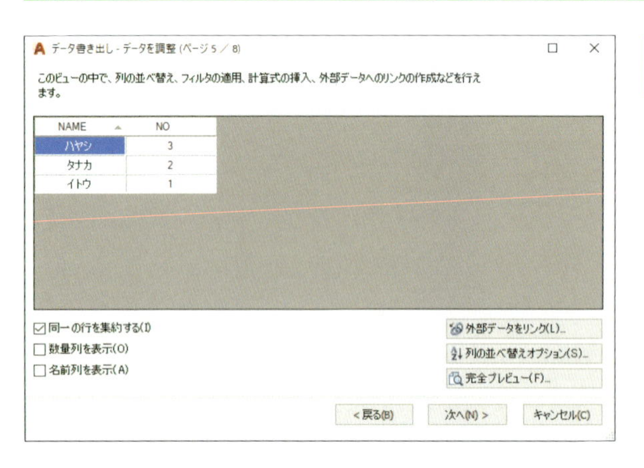

1 [データ書き出し]コマンドを実行する

P.289 の手順6までと同じ操作を行い、表に書き出すデータを表示します。

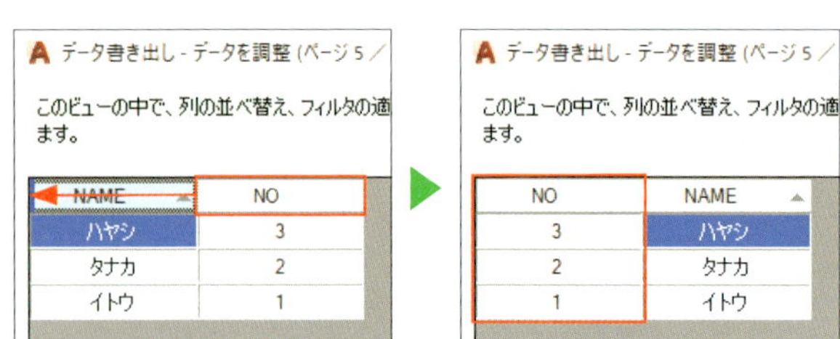

2 列を入れ替える

[NO] を [NAME] の左側へドラッグし、[NO] 列を移動します。

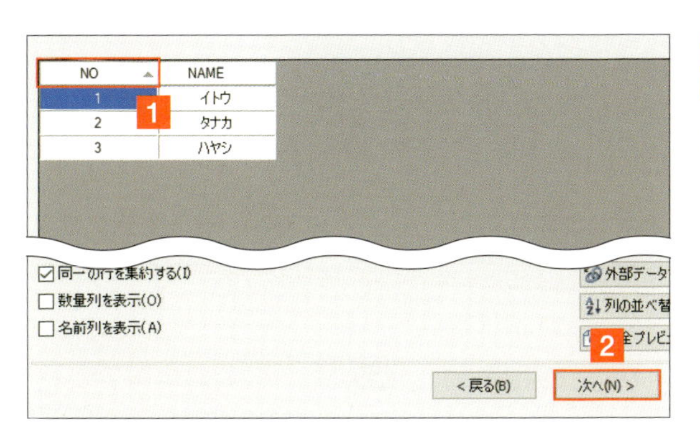

3 昇順に並び替える

[NO] をクリックして昇順に並び替えをし1、[次へ] をクリックします2。

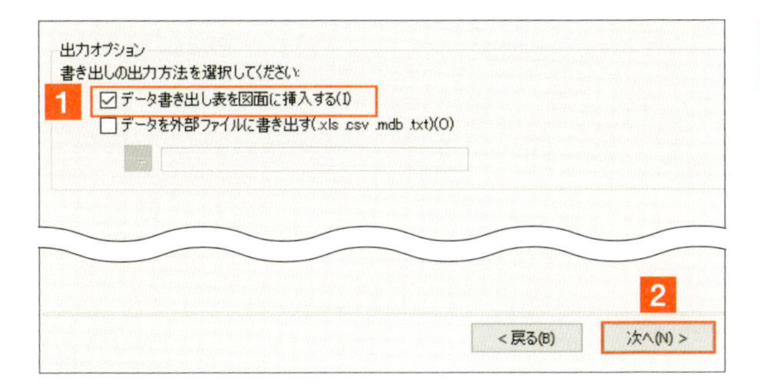

4 表に書き出す

[データ書き出し表を図面に挿入する] にチェックを入れ1、[次へ] をクリックします2。

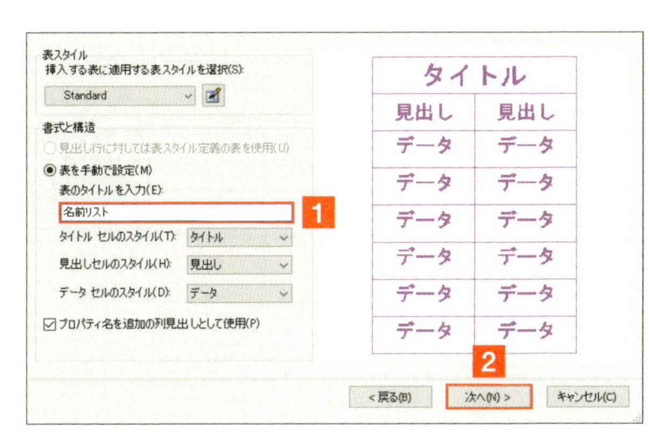

5 表のタイトルを入力する

[表のタイトルを入力] に「名前リスト」と入力し1、[次へ] をクリックします2。

6 データ書き出しを終了する

[完了] をクリックし、[データ書き出し] コマンドを終了します。

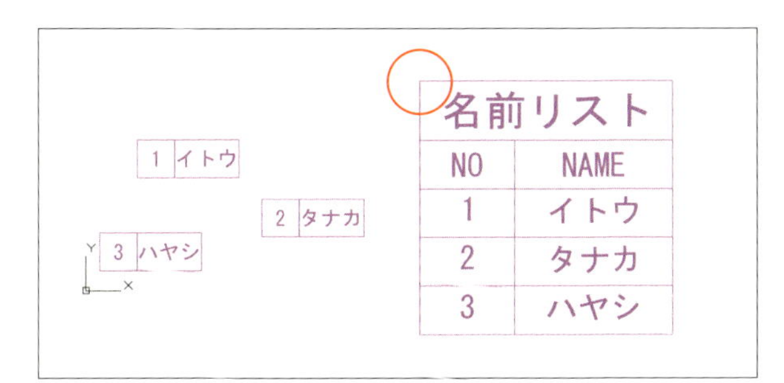

7 表を挿入する

表を配置したい場所をクリックします。手順3で表示されたブロック属性の内容が表で作成されます。

CHECK

[データ書き出し] コマンドは、AutoCAD LT にはありません。

16 ブロック属性の値をテキストファイルに書き出す

ブロックの名前や画層、挿入点座標、ブロック属性の内容などはテキストファイルに書き出すことができます。書き出しには、どのような情報を書き出すかを記入したテンプレートファイル(*.txt)が必要です。

サンプルファイル 5-16.dwg コマンド ATTEXT ショートカットキー なし

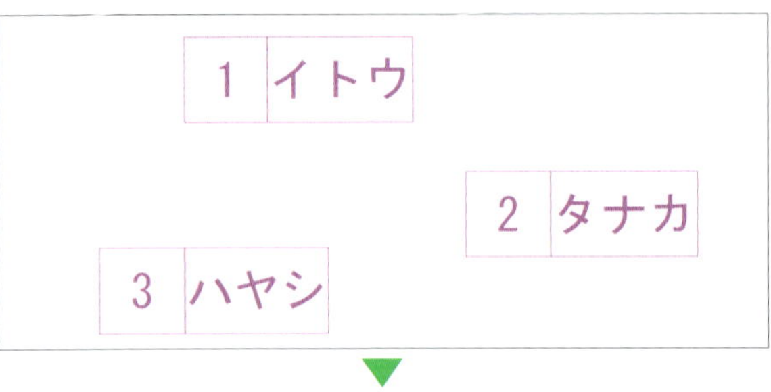

完成図

配置されている属性付きブロックの情報をテキストファイル(*.txt)に書き出します。テンプレートファイルは、すでに用意している「5-16_テンプレート.txt」を利用してください。テンプレートファイルについて詳しく知りたい方は、ヘルプの「属性書き出しテンプレート ファイルを設定する」を参照してください。

[属性書き出し]コマンドを利用する

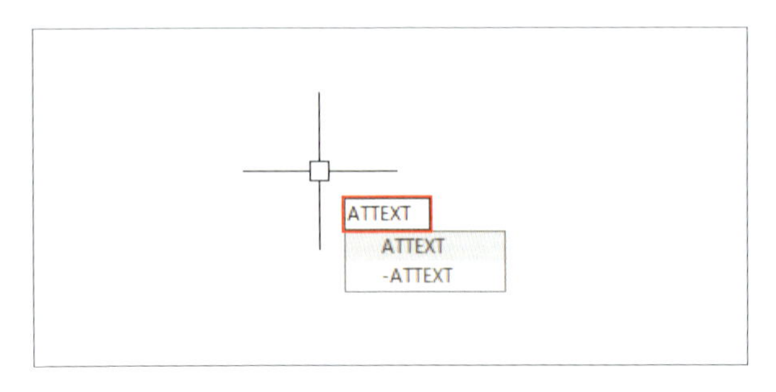

1 [属性書き出し]コマンドを実行する

「ATTEXT」と入力し、Enterキーを押します。[属性書き出し] ダイアログが表示されます。

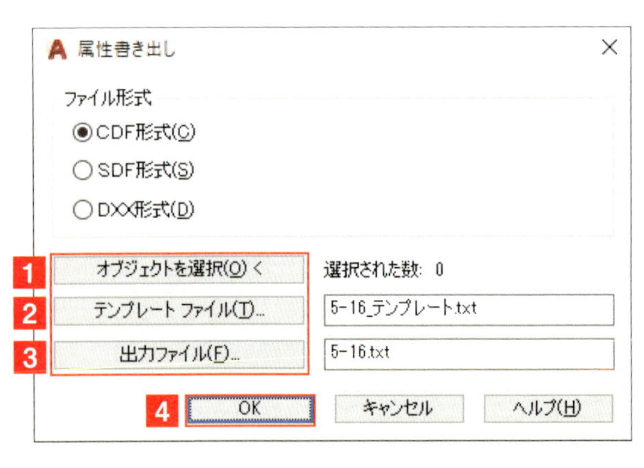

2 図形やテンプレートファイルを選択する

[オブジェクトを選択] をクリックし1、ブロックを3つ選択し、Enterキーを押して確定します。[テンプレートファイル]をクリックし2、[5-16_テンプレート.txt]を選択します。[出力ファイル]をクリックし3、テキストファイルを出力する場所と名前を入力して、[OK] をクリックすると4、指定した場所にテキストファイルが作成されます。

ダイナミックブロックを理解する

ダイナミックブロックを作成すると、ブロック内の一部の図形をストレッチしたり、回転させたりすることが可能です。サイズのみが違う部品をダイナミックブロックで作成すると効率的に図面を作成できます。

▶ ダイナミックブロック作成に必要な要素

		アクション							
		移動	ストレッチ	尺度変更	配列複写	円形状ストレッチ	回転	反転	ルックアップ
パラメータ	位置合わせ								
	可視性								
	基点								
	点								
	直線状								
	円形状								
	XY								
	回転								
	反転								
	ルックアップ								

ダイナミックブロックの作成に必要な要素

ダイナミックブロックに必要なものは、パラメータとアクションです。パラメータで入力(座標や距離、角度など)を作成し、アクションで図形の編集コマンド(移動やストレッチ、回転など)を登録します。パラメータによって使用できるアクションは決まっており、左はその組み合わせ表です。

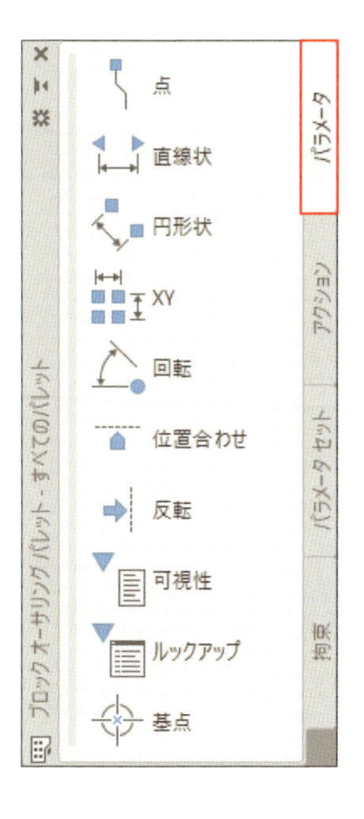

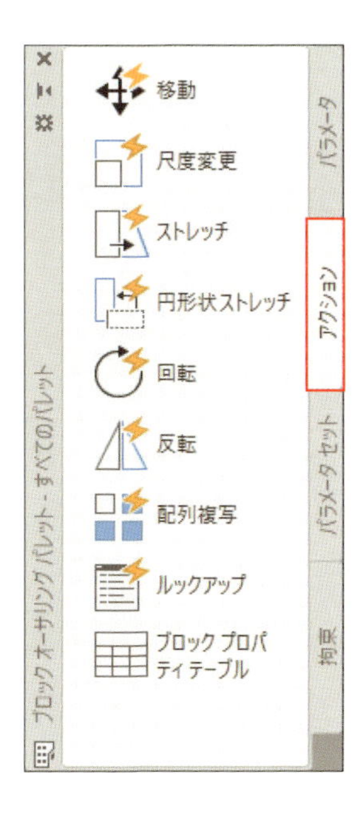

パラメータ

グリップ操作や入力値を作成します(左画面)。グリップが直線状に動くのか、自由に動くのか、座標を入力するのか、距離を入力するのか、目的によってさまざまなパラメータが用意されています。

アクション

パラメータ(入力値)によってどのように図形を変更するのかを作成します(右画面)。ストレッチするのか、尺度を変更するのか、個数を増やすのか、パラメータとアクションの組み合わせにより、さまざまな変形が可能です。

ダイナミックブロックを作成する ～パラメータとアクション

ダイナミックブロックは、ブロックに動きを与えて変形させせることができる機能です。ブロックエディタのオーサリングパレットを使用し、パラメータとアクションを設定します。

サンプルファイル 5-18.dwg　コマンド BEDIT　ショートカットキー BE

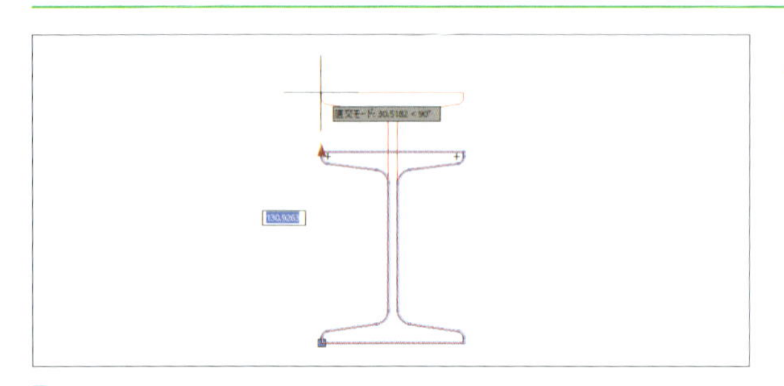

完成図

既存のブロック[I-NNNx75]を編集し、高さを変化できるダイナミックブロックにします。

ブロックエディタでパラメータとアクションを設定する

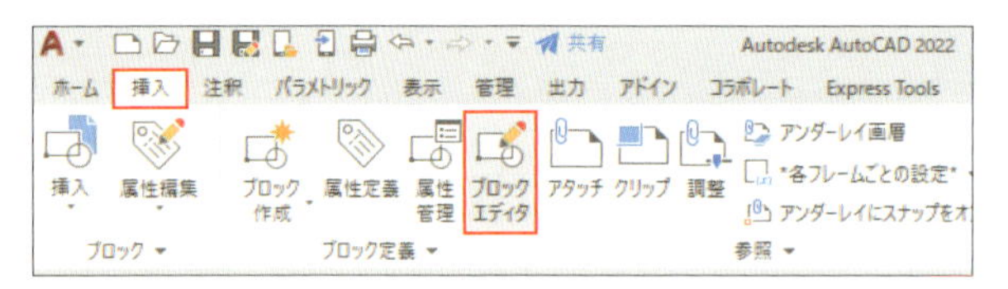

1 ブロックエディタを起動する

[挿入]タブ→[ブロック定義]パネルの[ブロックエディタ]をクリックします。

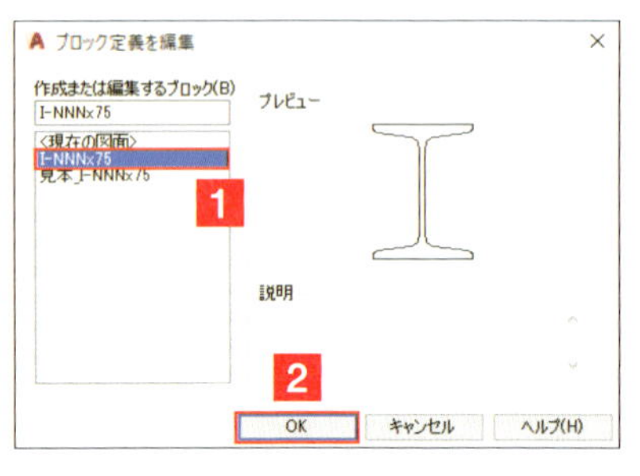

2 ブロックを指定する

既存のブロックから[I-NNNx75]を選択し1、[OK]をクリックします2。

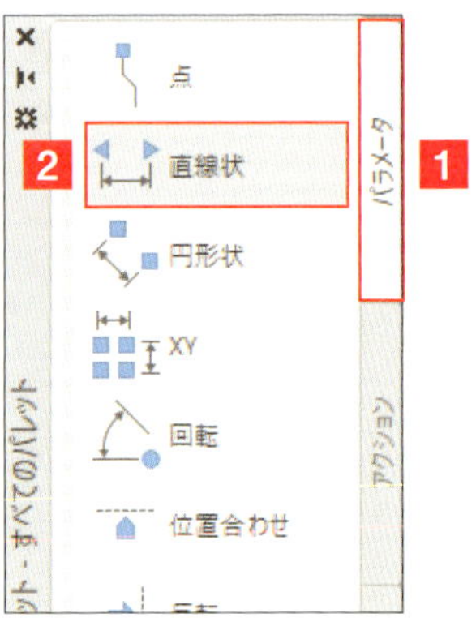

3 パラメータを作成する

ブロックオーサリングパレットの[パラメータ]タブを選択し1、[直線状]をクリックします2。

CHECK

ブロックオーサリングパレットが表示されていない場合は、[ブロックエディタ]タブ→[管理]→[オーサリングパレット]をクリックしてください。

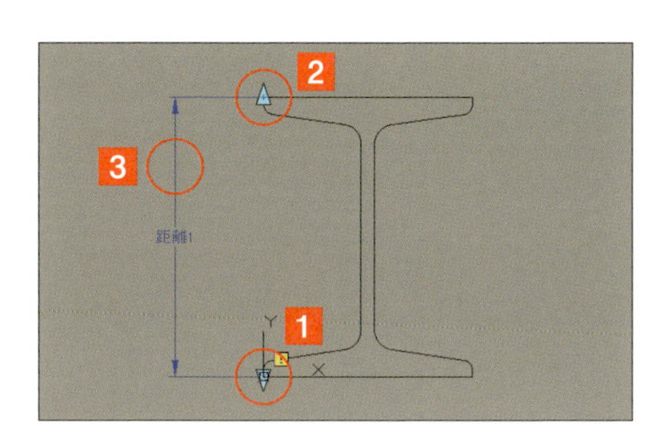

4 直線状パラメータを配置する

パラメータの1点目1、2点目2を指定し、パラメータの配置点は任意点3をクリックします。

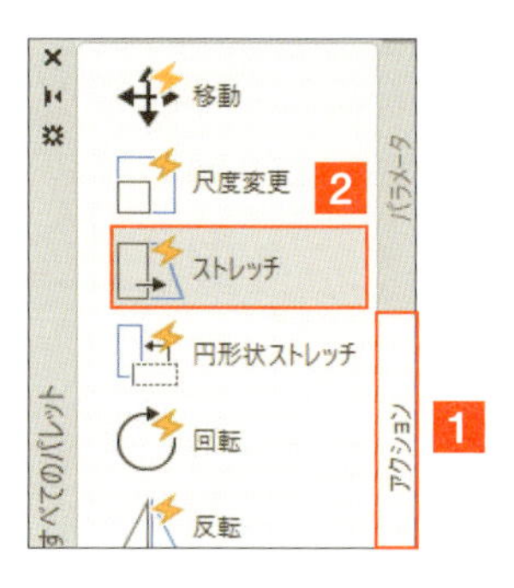

5 ストレッチアクションを作成する

ブロックオーサリングパレットの［アクション］タブを選択し1、［ストレッチ］をクリックします2。

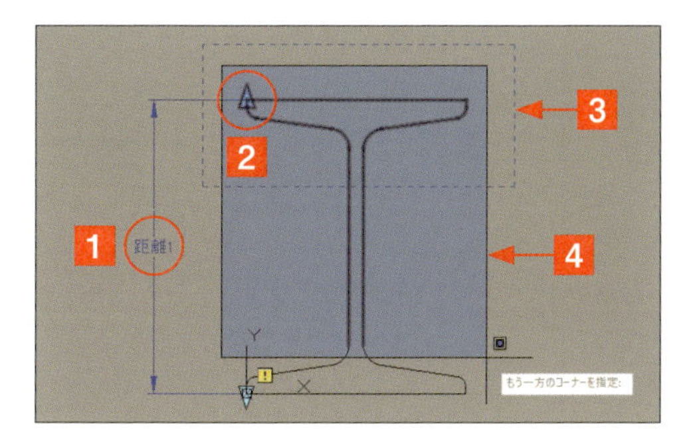

6 ストレッチアクションの指定をする

直線状パラメータを選択し1、パラメータ点は直線状パラメータの2点目をクリックして選択します2。ストレッチ枠として図形上部を範囲選択し3、オブジェクトはストレッチで変更する図形を窓選択などで選択し4、Enterキーを押します。

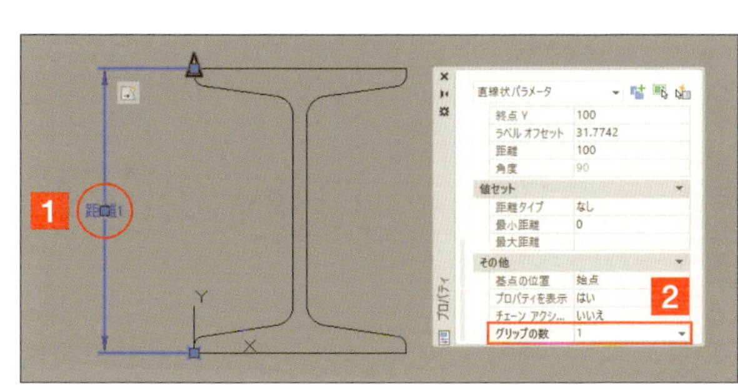

7 直線状パラメータのグリップの数を変更する

［表示］タブ→［パレット］パネルの［オブジェクトプロパティ管理］をクリックして、プロパティパレットを表示します。直線状パラメータを選択し1、［その他］→［グリップの数］で［1］を選択します2。

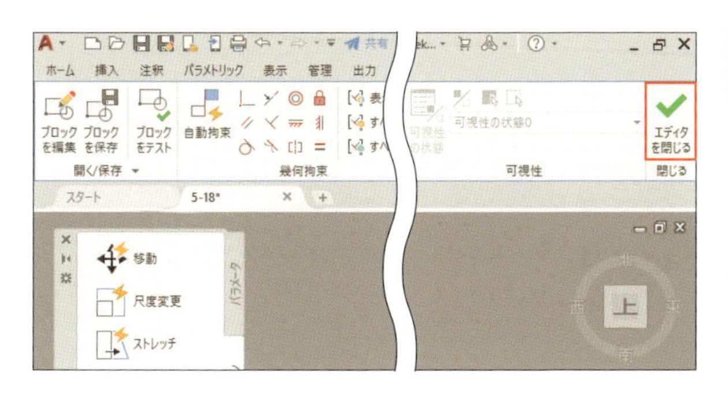

8 ブロックエディタを終了する

［ブロックエディタ］タブ→［閉じる］パネルの［エディタを閉じる］をクリックします。「変更は保存されませんでした。どのようにしますか？」のダイアログでは［変更をI-NNNx75に保存］を選択します。これで、既存ブロックがダイナミックブロックになります。

ダイナミックブロックを作成する ～パラメトリック

パラメトリックを使用すると、水平垂直などの幾何拘束を図形に付与し、長さや半径などの寸法拘束の値を変更して形状を変形させることができます。これを利用すると、より複雑な動きをするダイナミックブロックを作成することが可能です。

サンプルファイル 5-19.dwg　コマンド BEDIT　ショートカットキー BE

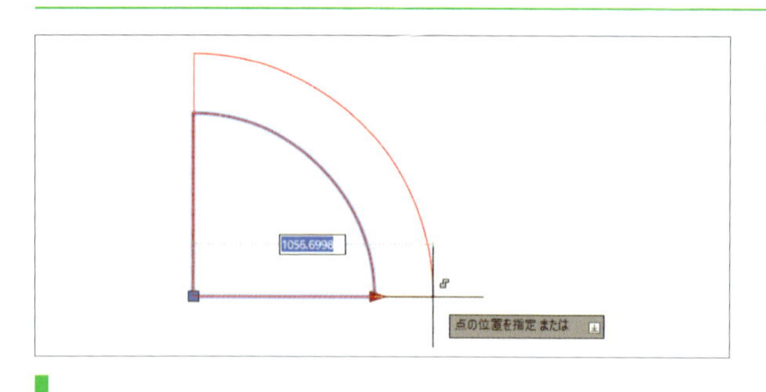

完成図

既存のブロック［ドア］を編集し、パラメトリックを使用して、幅を変更できるダイナミックブロックにします。

ブロックエディタでパラメトリックを利用する

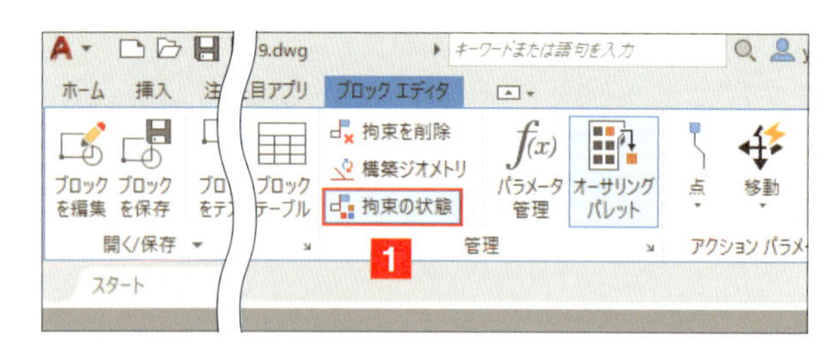

1 ブロックエディタを起動し、拘束の状態をオンにする

P.294の手順2までと同じ操作を行い、ブロックは［ドア］を指定してブロックエディタを起動します。［ブロックエディタ］タブ→［管理］パネルの［拘束の状態］をクリックし1、オンにすると、以降の操作で図形に拘束が付与された場合、オブジェクトの色が変化します。

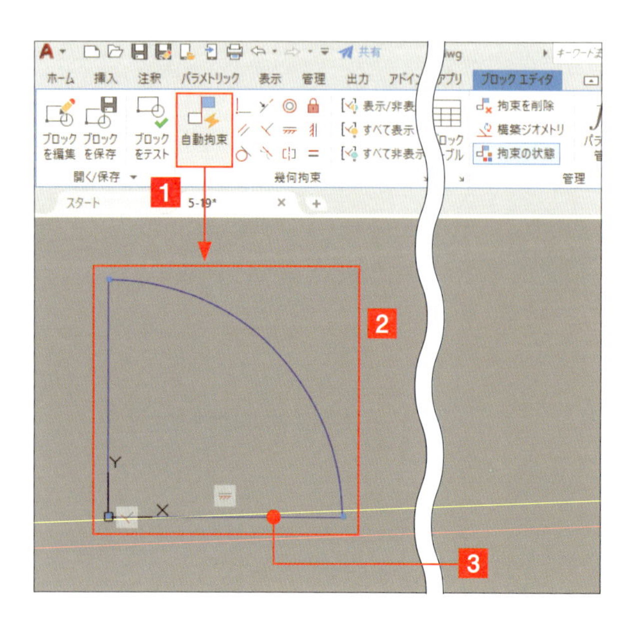

2 自動拘束を付与する

［ブロックエディタ］タブ→［幾何拘束］パネルの［自動拘束］をクリックし1、すべての図形を選択して2、Enterキーを押します。図形から予測される水平や直交の幾何拘束が付与され、図形の表示が青色になります3。

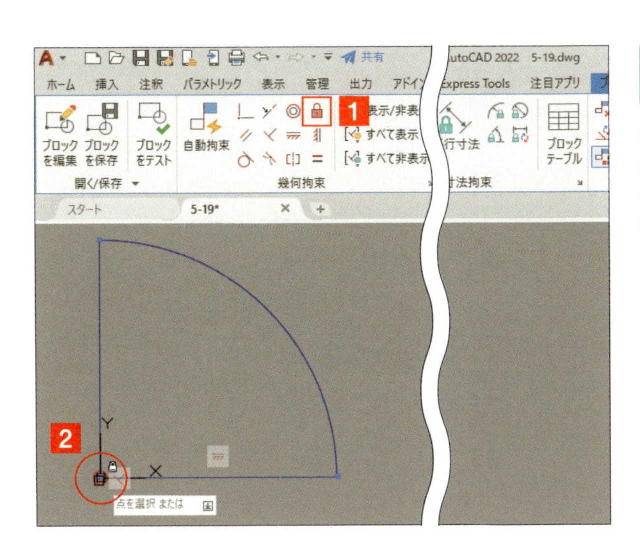

3 固定拘束を付与する

[ブロックエディタ] タブ→ [幾何拘束] パネルの [固定] をクリックし1、線分の端点をクリックします2。ブロックの原点に線分の端点が固定されます。

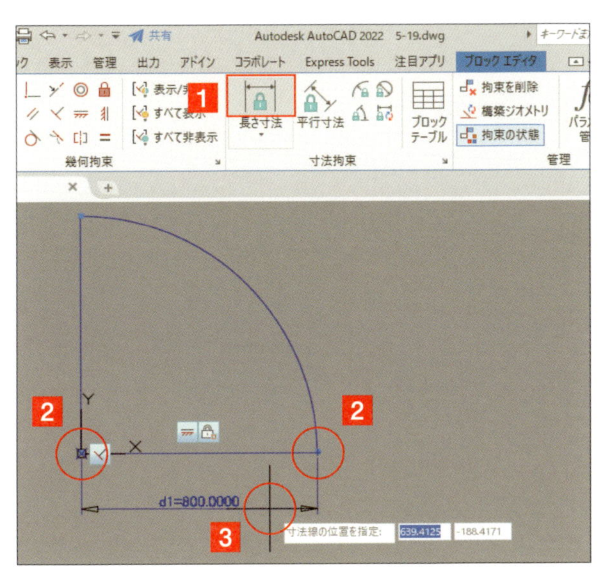

4 寸法拘束を付与する

[ブロックエディタ] タブ→ [寸法拘束] パネルの [長さ寸法] をクリックします1。拘束点として、直線の左端点、右端点をクリックし2、寸法を配置する場所をクリック3、寸法の内容は[Enter]キーを押して既定値を使用します。図形に必要な拘束がすべて付与されたので、図形の表示がピンク色になります。

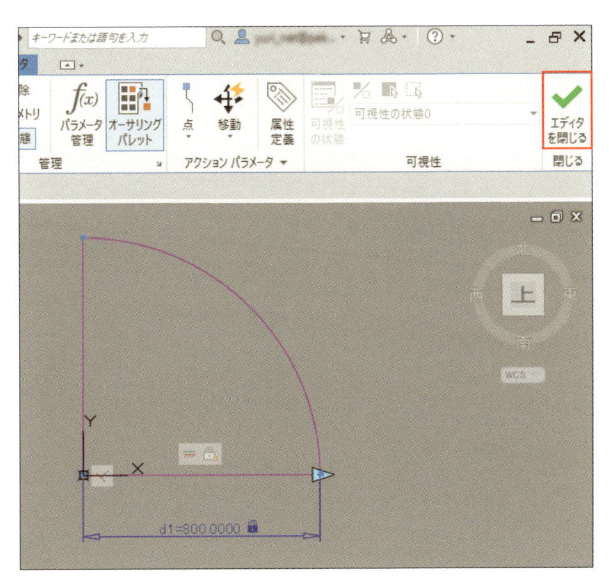

5 ブロックエディタを終了する

[ブロックエディタ]タブ→[閉じる]パネルの[エディタを閉じる] をクリックします。[変更は保存されませんでした。どのようにしますか?] のダイアログでは、[変更をドアに保存] を選択します。これで、既存のブロックがダイナミックブロックになります。

CHECK

AutoCAD LT では、パラメトリック図形を作成することはできません。ただし、AutoCAD で作成したパラメトリック図形の値を変更して形状を変形したり、幾何拘束や寸法拘束を削除したりすることは可能です。

外部参照を理解する

AutoCADでは、DWGファイルをリンクして表示する機能を外部参照と呼びます。基本となる図面を外部参照すると、図面の更新が反映されるので、複数人で作業する場合に効率的です。

外部参照のしくみと種類

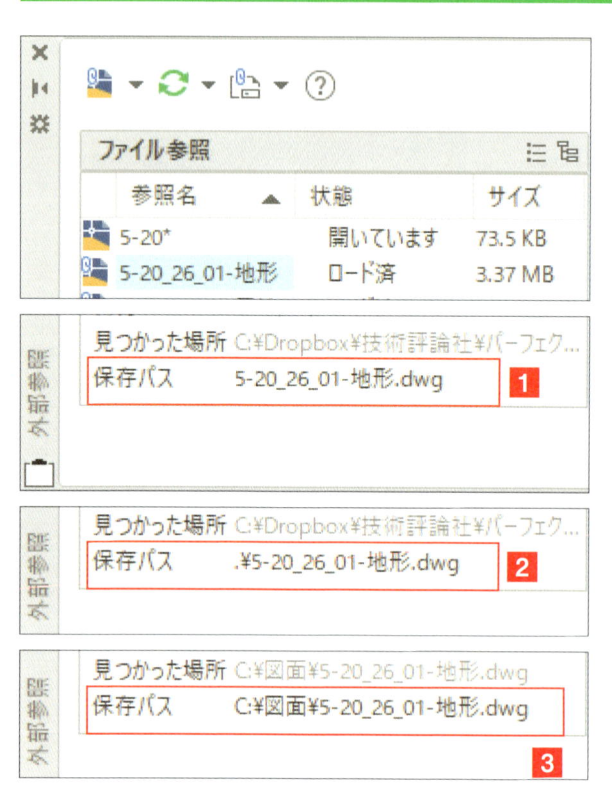

外部参照のしくみ

外部参照は、参照するDWGファイルのパスを保存します。パスが間違っていると図面の読み込みができず、表示されません。

●パスなし1
参照するファイル名のみが保存されます。参照元図面と同じフォルダを検索します。

●相対パス2
参照元図面との相対位置とファイル名が保存されます。

●絶対パス3
ドライブ名からの絶対位置とファイル名が保存されます。

CHECK

[相対パスを割り当てることはできません]と表示される場合は、一度図面を上書き保存し、再度外部参照をアタッチしてください。

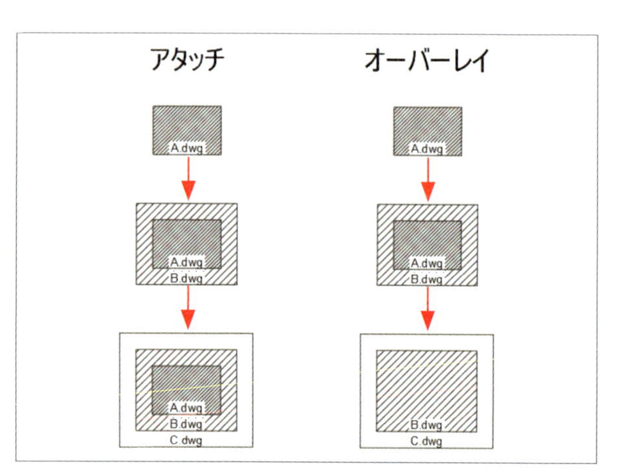

外部参照の種類

外部参照には［アタッチ］と［オーバーレイ］の2種類の参照方法があります。

●アタッチ
外部参照を入れ子にして使用することができます。

●オーバーレイ
外部参照を入れ子にすることはできません。

外部参照の画層表示とバインド

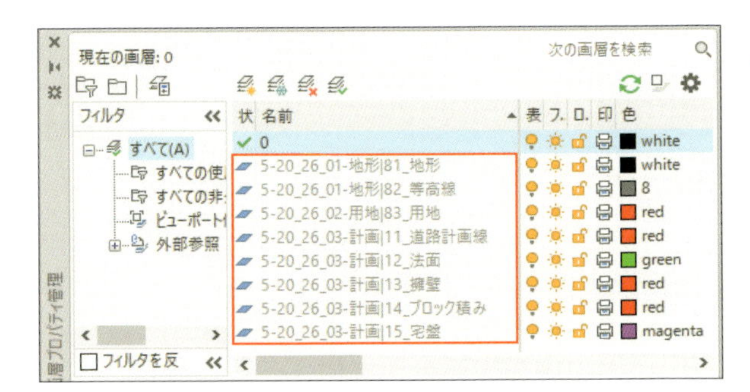

外部参照の画層表示

外部参照の画層は、[参照ファイル名 | 画層名] と表示されます。参照ファイル別に表示/非表示などをコントロールすることが可能です。

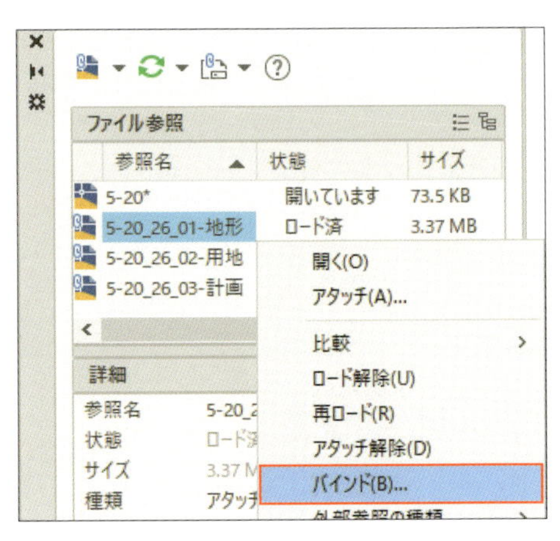

外部参照のバインド

外部参照のリンクを削除してブロックにすることを「バインド」と呼び、外部参照パレットから操作をすることができます。バインドには「個別バインド」と「挿入」の２種類があります。

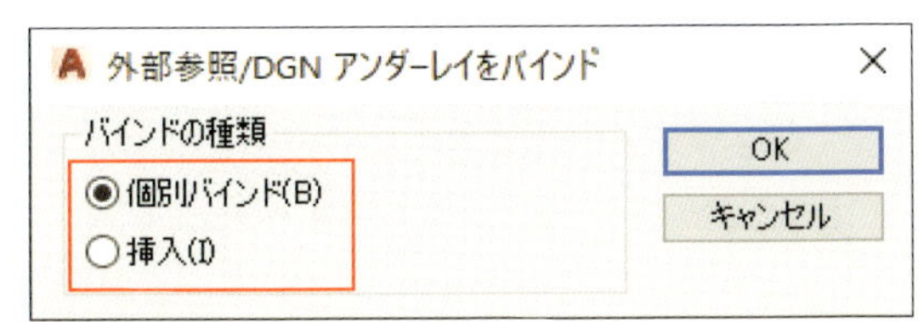

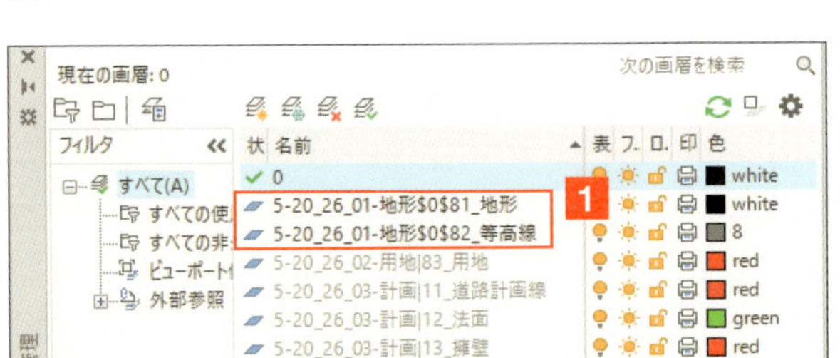

●個別バインド1

個別バインドで読み込んだ図面の画層や文字スタイル、寸法スタイルなどは、[参照ファイル名＄番号＄名前] と表示されます。

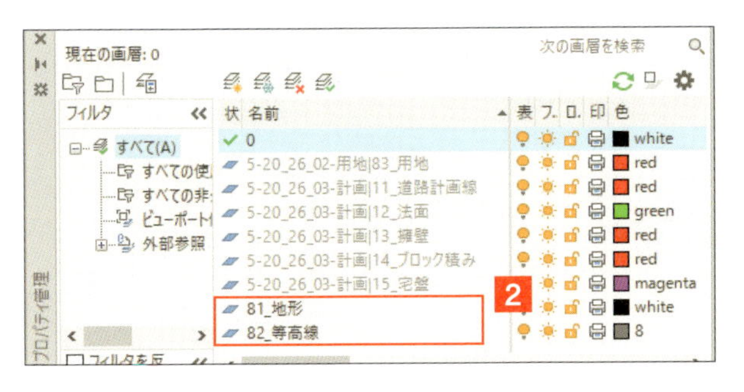

●挿入2

挿入で読み込んだ図面の画層や文字スタイル、寸法スタイルにそのまま挿入されます。そのため、参照元に同じ名前の画層やスタイルがある場合は、その設定に変更されます。同じ名前の画層やスタイルがない場合には、新しく作成されます。

外部参照でアタッチする

AutoCADでは、DWGファイルをリンクして表示する機能を外部参照と呼びます。また、DWGファイルのリンク参照を作成することを「外部参照をアタッチ」と表現します。

サンプルファイル 5-21.dwg　コマンド XREF　ショートカットキー XR

完成図

地形のファイル(5-20_26_01-地形.dwg)を外部参照でアタッチします。

DWGファイルを選択してアタッチの詳細を設定する

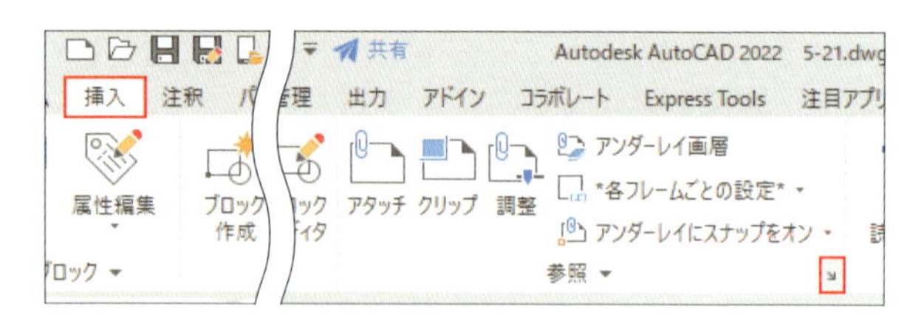

1 外部参照パレットを表示する

[挿入] タブ→ [参照] パネルの [ダイアログボックスランチャー] をクリックします。

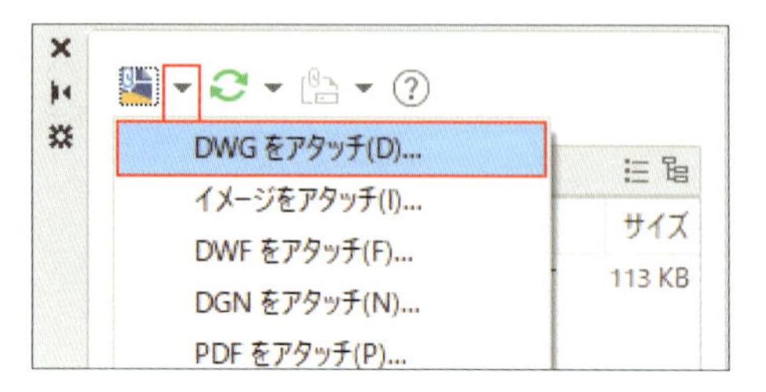

2 DWGをアタッチする

[▼] → [DWGをアタッチ] をクリックすると、[参照ファイルを選択] ダイアログが表示されるので、[5-20_26_01-地形.dwg] を選択して、[開く] をクリックします。

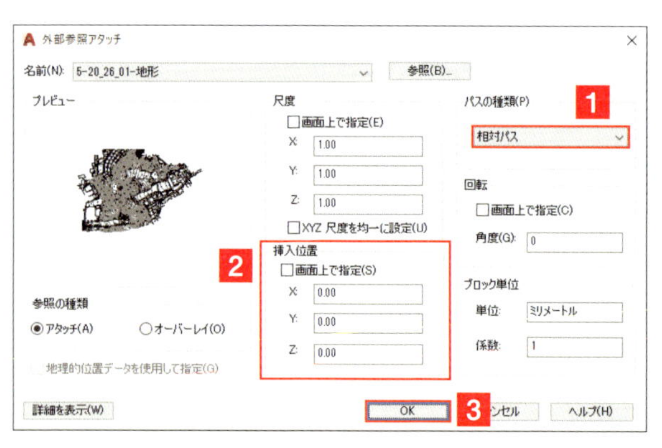

3 アタッチの詳細を設定する

[外部参照アタッチ] ダイアログが表示されます。[パスの種類] に [相対パス] を選択し1、[挿入位置] の [画面上で指定] のチェックを外し、X、Y、Zそれぞれに「0」を入力して2、[OK] をクリックします3。[5-20_26_01-地形.dwg] ファイルが外部参照でアタッチされます。

外部参照をフェード表示する

[外部参照をフェード]をオンにすると、外部参照でアタッチした図面が薄く表示(フェード表示)されます。フェード率(濃淡)はリボンでコントロールすることができます。

サンプルファイル 5-22.dwg システム変数 XDWGFADECTL ショートカットキー なし

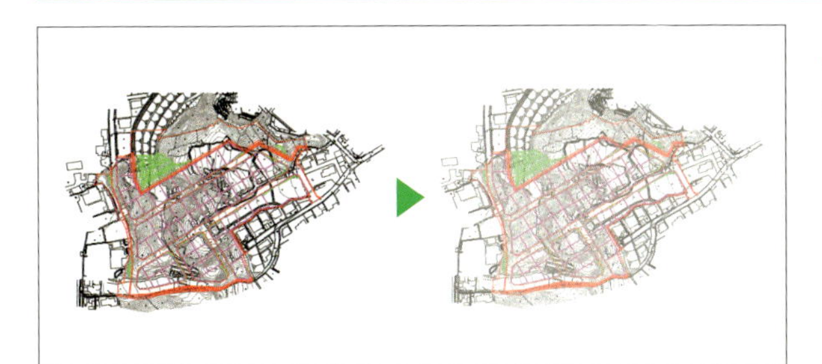

完成図

外部参照でアタッチした図面をフェード表示(薄く表示)します。

[外部参照をフェード]コマンドでフェード率を変更する

1 [外部参照をフェード]コマンドをオンにする

[挿入] タブ→ [参照] パネルの [参照▼] → [外部参照をフェード] をクリックしてオン (青い状態) にします。アタッチされた図面が薄く表示されます。

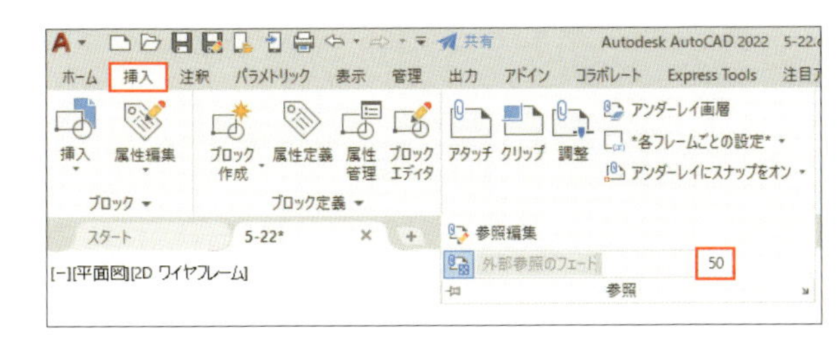

2 フェード率を変更する

[挿入] タブ→ [参照] パネルの [参照▼] → [外部参照をフェード] のフェード率に「50」を入力し、Enterキーを押します。

3 外部参照がフェード表示される

外部参照がフェード表示され、薄く表示されます。

外部参照をクリップして一部だけを表示する

外部参照でアタッチした図面の一部のみを表示させたい場合、クリップ(一部だけを表示)することができます。クリップの形状は矩形やポリゴン(多角形)のほか、既存のポリラインを選択することも可能です。

サンプルファイル 5-23.dwg　コマンド XCLIP　ショートカットキー XC

完成図

アタッチした地形の一部のみを表示します。

[クリップ境界を作成]コマンドでポリラインを選択する

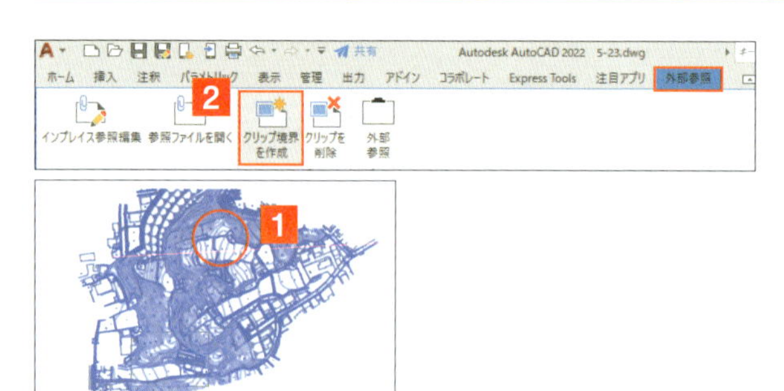

1 [クリップ境界を作成]コマンドを実行する

地形をクリックして外部参照を選択します1。リボンに［外部参照］タブが表示されるので、［クリップ境界を作成］をクリックします2。

2 [ポリラインを選択]をクリックする

作図領域に表示されたオプションから［ポリラインを選択］をクリックします。

3 ポリラインを選択する

ポリラインを選択すると、外部参照がポリラインの範囲内にだけ表示されます。最後にEscキーを押して、選択を解除します。

読み込めない外部参照のパスを変更する

外部参照のパスが変更されていると、図面を読み込むことができません。その場合は、外部参照パレットを使用して、パスを変更する必要があります。

サンプルファイル 5-24.dwg コマンド XREF ショートカットキー XR

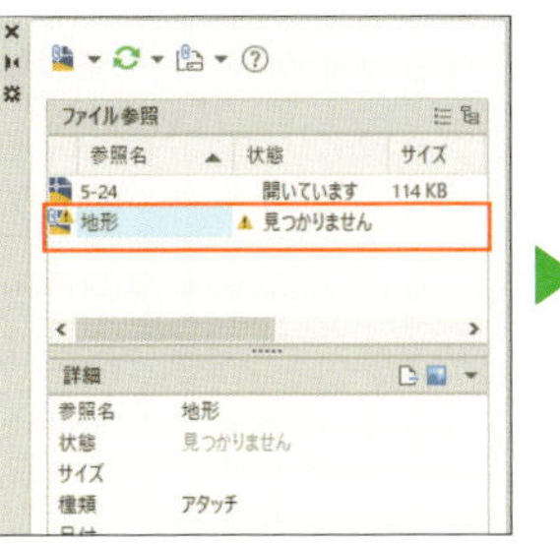

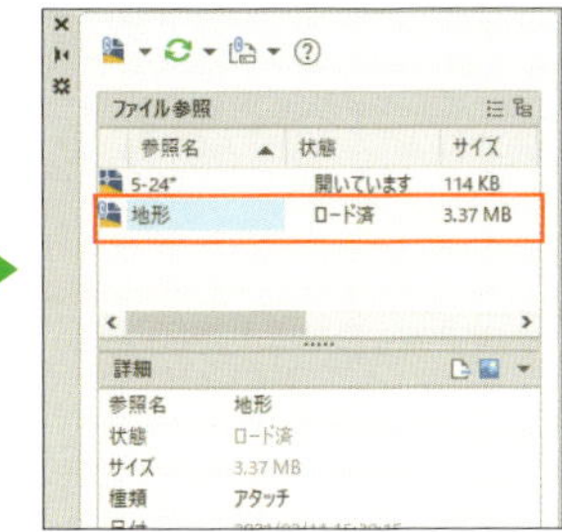

完成図

アタッチした地形のファイルが見つからないので、パスを変更して表示します。

外部参照パレットで保存パスを設定する

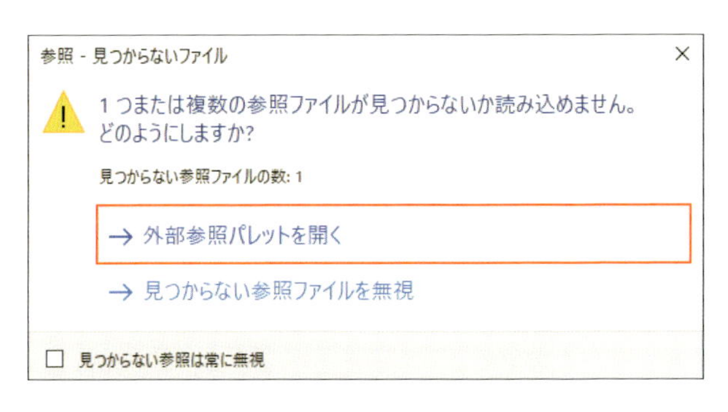

1 外部参照パレットを表示する

ファイルを開くときに左のようなダイアログが表示されたら、[外部参照パレットを開く] を選択します。すでにファイルを開いている場合は、[挿入] タブ→ [参照] パネルの [ダイアログボックスランチャー] をクリックすると、外部参照パレットが表示されます。

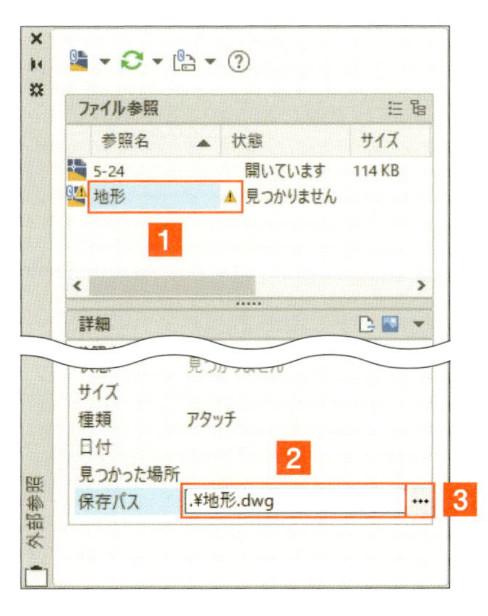

2 保存パスを設定する

[ファイル参照] 欄の [地形] ([状態] が「見つかりません」になっている) をクリックして選択します1。[詳細] 欄に表示された [保存パス] をクリックし2、[…] をクリックします3。[新しいパスを選択] ダイアログが表示されるので、[5-20_26_01-地形.dwg] を選択し、[開く] ボタンをクリックすると、パスが再設定され、アタッチされた [地形] が表示されます。

外部参照を表示／非表示する

外部参照のファイルは、ロード／ロード解除を行って、表示／非表示をコントロールすることができます。完全に削除したい場合は、P.305の「外部参照のアタッチを解除する」を参照してください。

サンプルファイル 5-25.dwg **コマンド** XREF **ショートカットキー** XR

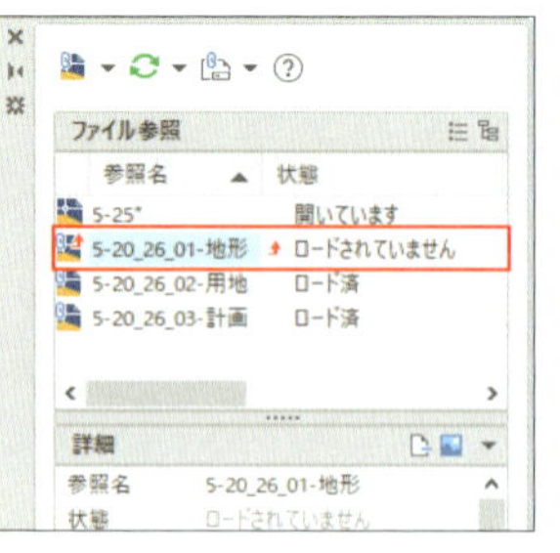

完成図

アタッチした地形をロード解除し、非表示にします。

外部参照パレットでロードを解除する

1 外部参照パレットを表示する

［挿入］タブ→［参照］パネルの［ダイアログボックスランチャー］をクリックします。

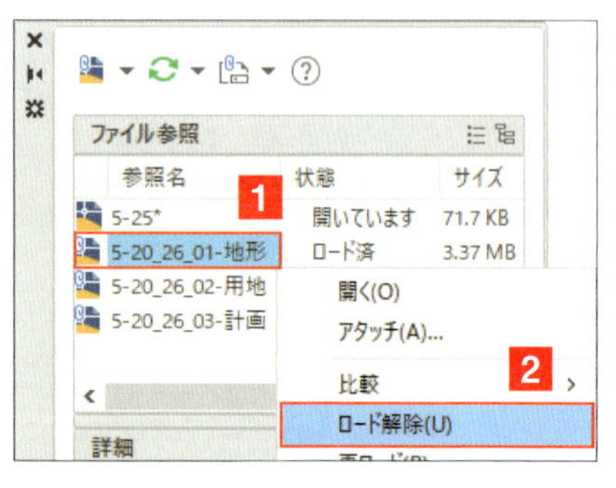

2 ロード解除する

［5-20_26_01-地形］を右クリックし1、［ロード解除］を選択します2。

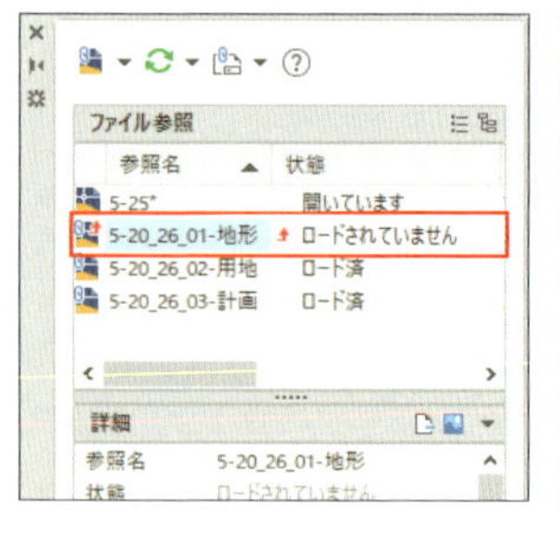

3 ロード解除される

外部参照パレットの［5-20_26_01-地形］の［状態］に［ロードされていません］と表示され、地形が非表示になります。再度手順2の操作を行い、［再ロード］をクリックすると再表示されます。

外部参照のアタッチを解除する

作図領域で外部参照の図面を削除しても、アタッチ情報は削除されずに残ります。ここでは、アタッチ情報も削除する手順を紹介します。

サンプルファイル 5-26.dwg コマンド XREF ショートカットキー XR

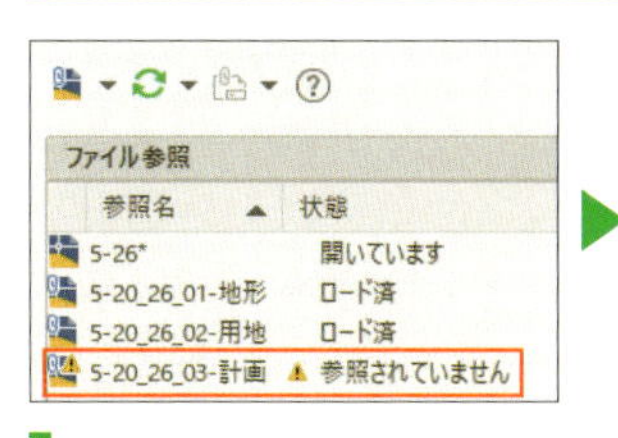

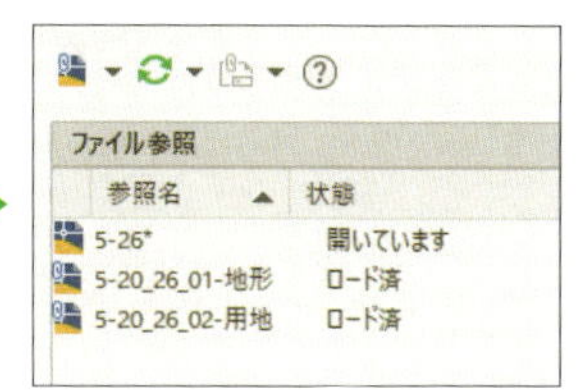

完成図

アタッチした地形とアタッチ情報を解除します。

外部参照パレットでアタッチを解除する

1 外部参照を削除する

地形をクリックして選択し、キーボードの Delete キーを押して削除します。

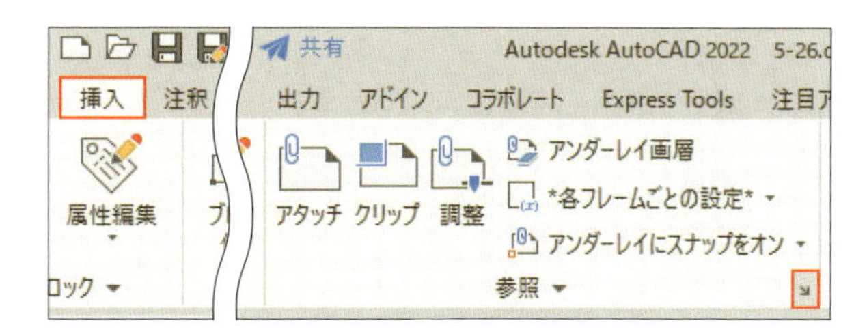

2 外部参照パレットを表示する

［挿入］タブ→［参照］パネルの［ダイアログボックスランチャー］をクリックします。

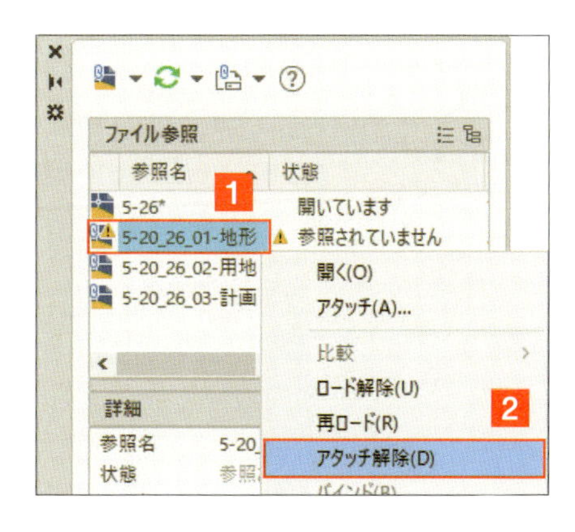

3 アタッチ解除する

削除した［5-20_26_01-地形］の［状態］には［参照されていません］と表示されています。右クリックし1、［アタッチ解除］を選択すると2、外部参照パレットから［5-20_26_01-地形］がなくなり、アタッチ情報が削除されます。

外部参照を修正する

アタッチした外部参照は、開いて修正することが可能です。修正後はアタッチ先のファイルで再ロードをする必要があります。

サンプルファイル 5-27.dwg　コマンド XOPEN　ショートカットキー なし

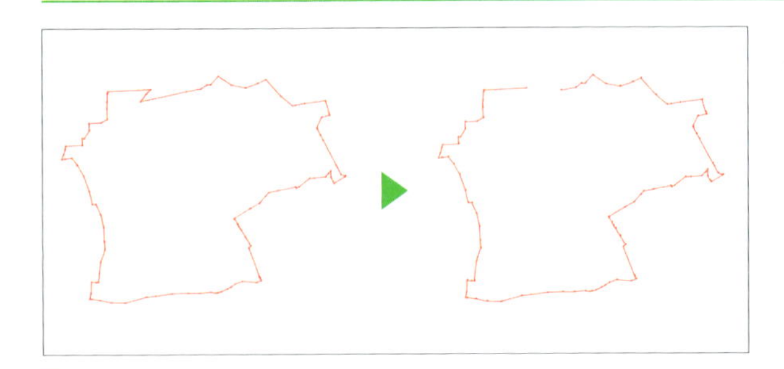

完成図

アタッチした外部参照を開いて、図形を削除します。

説明

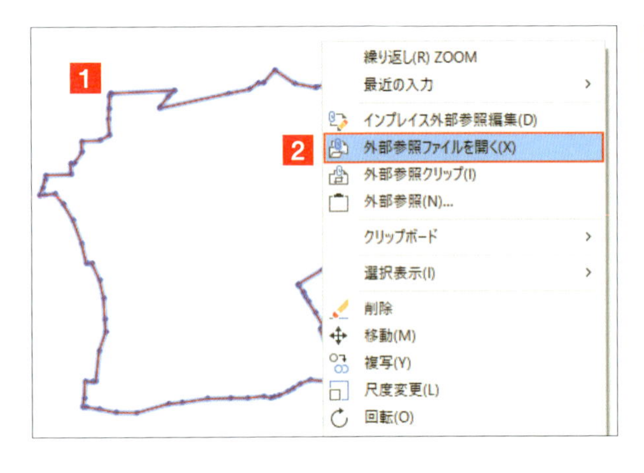

1 外部参照のファイルを開いて修正する

外部参照をクリックして選択し1、右クリック、[外部参照ファイルを開く] を選択すると2、[5-27_用地.dwg] ファイルが開きます。任意の線分や円を削除し、上書き保存をします。

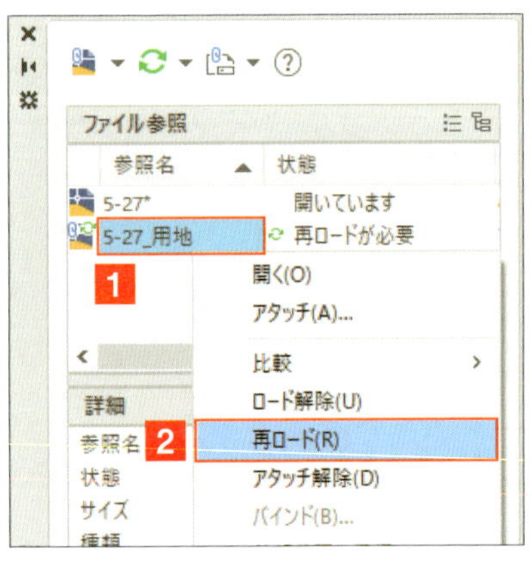

2 外部参照を再ロードする

[5-27.dwg] のファイルタブをクリックし、外部参照パレットを表示します（P.303 参照）。[5-27_用地] を右クリックし1、[再ロード] を選択します2。[参照図面が最近更新されました。違いを比較しますか？]と表示された場合は、[いいえ] を選択します。外部参照が再ロードされるので、線分や円が削除されたことを確認します。

外部参照を比較する

バージョン2021以降では、修正前や修正後の外部参照のファイルを比較し、現在の外部参照にオブジェクトがない場合は赤色、追加されたオブジェクトは緑色で表示、比較をすることができます。

サンプルファイル 5-28.dwg　コマンド XCOMPARE　ショートカットキー なし

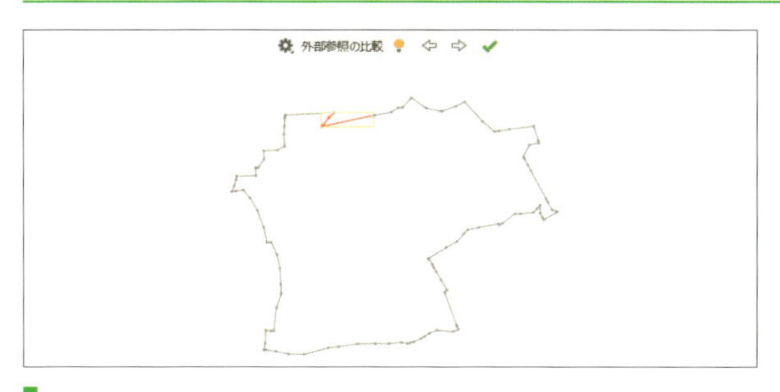

完成図

現在の外部参照にないオブジェクトを赤色で表示します。

外部参照比較を利用する

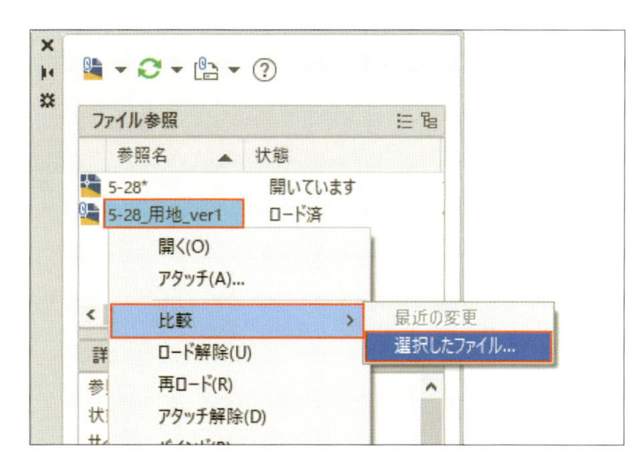

1 外部参照パレットから外部参照比較を実行する

外部参照パレットを表示し、[5-28_用地_ver1]を右クリック、[比較]→[選択したファイル]を選択します。比較する図面は[5-28_用地_ver2.dwg]を選択します。

2 オブジェクトの色を確認する

現在の外部参照にないオブジェクトが赤色で表示されています。確認後、[外部参照比較ツールバーの[比較を終了]をクリックします。

29 画像をアタッチする

写真などの画像ファイルを図面に貼り付けるには、アタッチ(リンク貼り付けの設定)を行います。貼り付け後に画像ファイルの削除や名前の変更、フォルダの移動を行うと画像が表示されなくなるので注意してください。

サンプルファイル 5-29.dwg **コマンド** XREF **ショートカットキー** XR

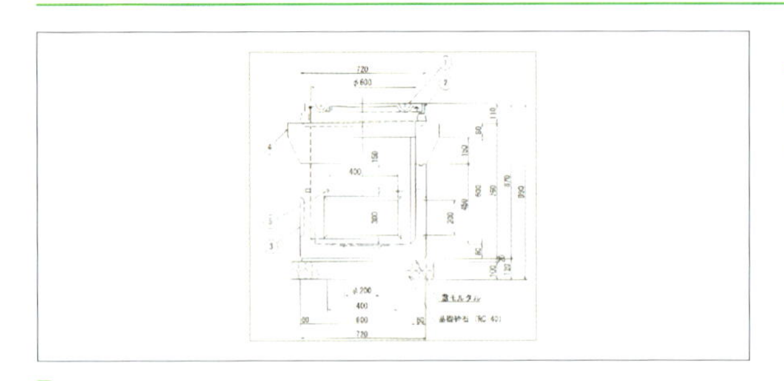

完成図

画像ファイル(5-29_32.png)をリンク貼り付けします。

外部参照パレットでイメージをアタッチする

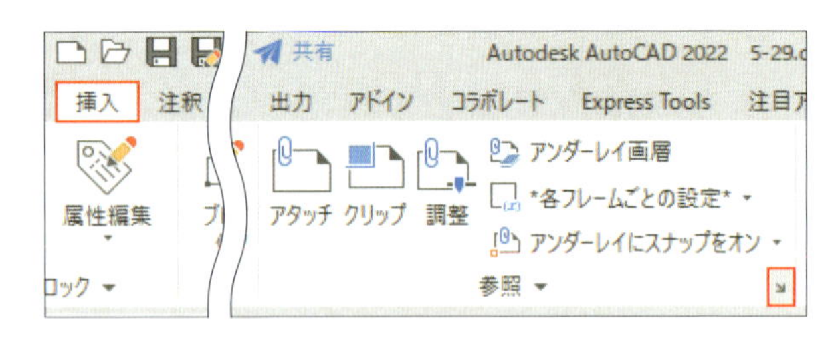

1 外部参照パレットを表示する

[挿入] タブ→ [参照] パネルの [ダイアログボックスランチャー] をクリックします。

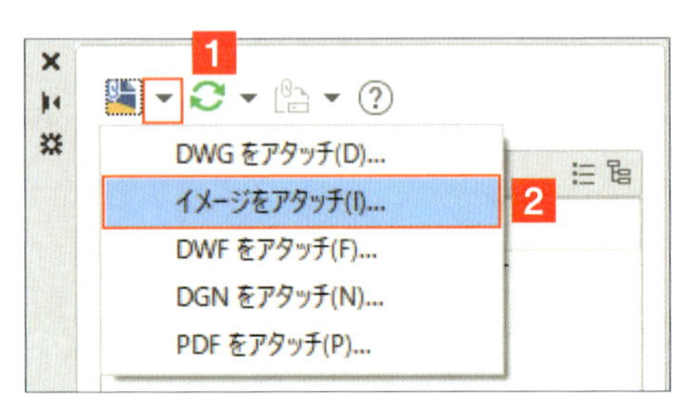

2 イメージをアタッチする

[▼] をクリックし**1**、[イメージをアタッチ] をクリックすると**2**、[参照ファイルを選択] ダイアログが表示されるので、[5-29_32.png] を選択して、[開く] をクリックします。

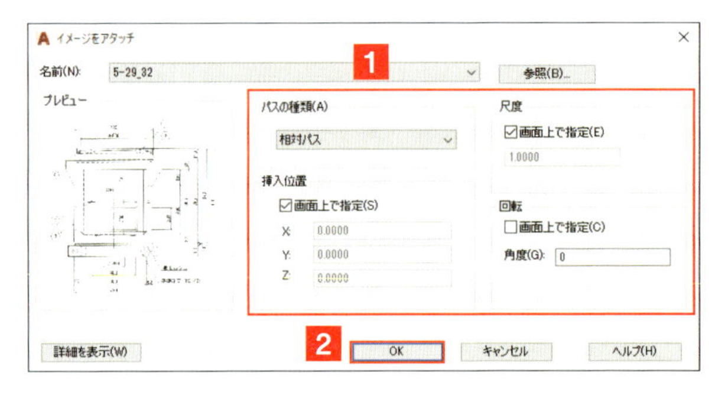

3 アタッチの詳細を設定する

[イメージをアタッチ] ダイアログが表示されます。[パスの種類] に [相対パス] を選択し、[挿入位置] の [画面上で指定] にチェックを入れて、[尺度] の [画面上で指定] のチェックを外します**1**。[OK] をクリックし**2**、作図領域の任意点をクリックすると、[5-29_32.png] ファイルがアタッチされます。

画像をクリップして一部だけを表示する

アタッチした画像の一部のみを表示させたい場合、クリップすることができます。クリップの形状は矩形やポリゴン(多角形)のほか、既存のポリラインを選択することも可能です。

サンプルファイル 5-30.dwg　コマンド IMAGECLIP　ショートカットキー ICL

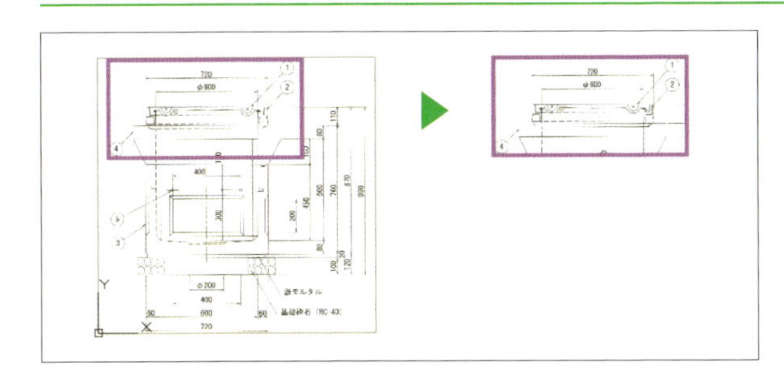

完成図

アタッチした画像の一部のみを表示します。

[クリップ境界を作成]コマンドでポリラインを選択する

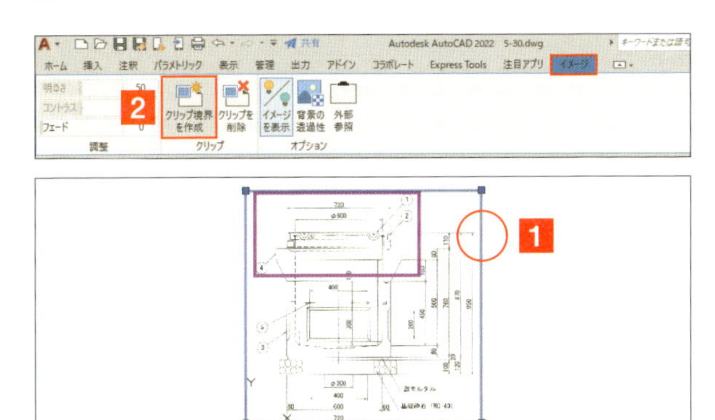

1 [クリップ境界を作成]コマンドを実行する

画像の外枠をクリックして選択します1。リボンに［イメージ］タブが表示されるので、[クリップ境界を作成］をクリックします2。

Enter(E)
キャンセル(C)
ダイナミック入力
ポリラインを選択(S)
ポリゴン(P)

2 [ポリラインを選択]をクリックする

作図領域で右クリックし、メニューから［ポリラインを選択］を選択します。

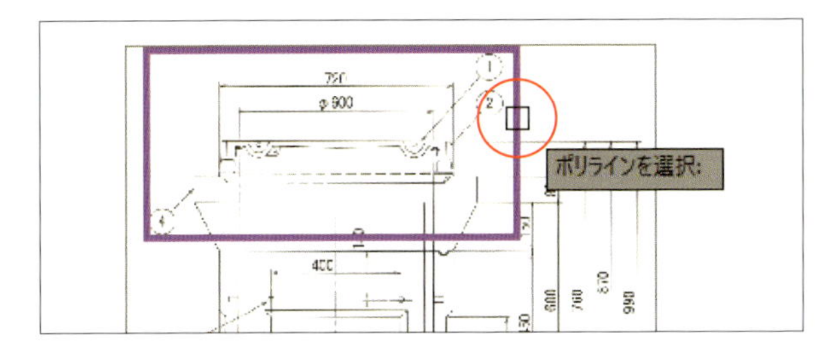

3 ポリラインを選択する

ポリラインをクリックして選択すると、画像がポリラインの範囲内だけに表示されます。

読み込めない画像のパスを変更する

画像ファイルのパスが変更されていると、画像を読み込むことができません。その場合は、外部参照パレットを使用して、パスを変更する必要があります。

サンプルファイル 5-31.dwg　コマンド XREF　ショートカットキー XR

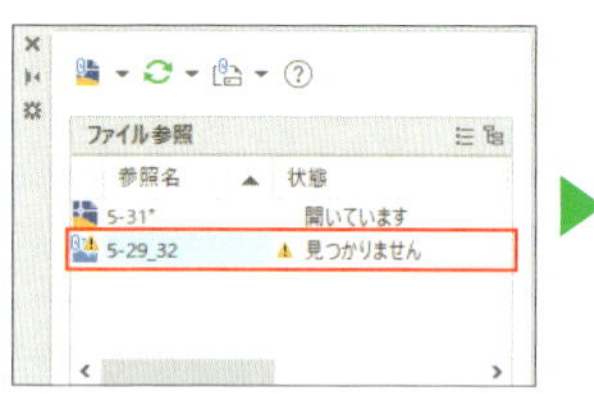

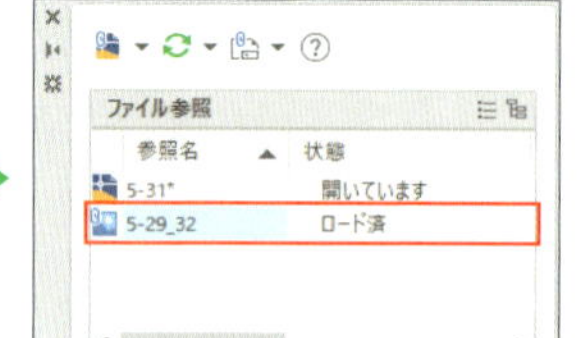

完成図

アタッチした画像ファイルが見つからないので、パスを変更して表示します。

外部参照パレットで保存パスを設定する

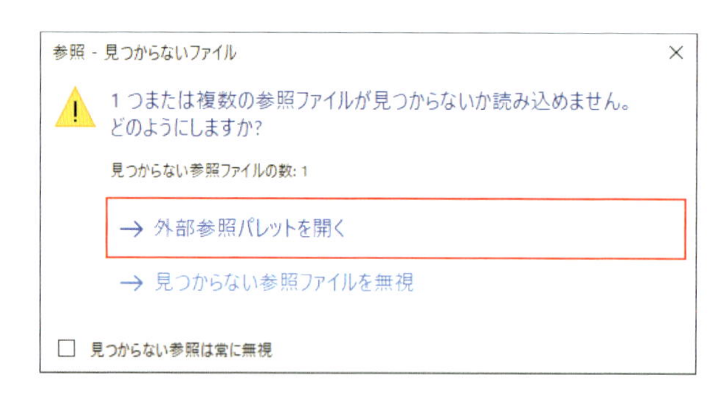

1 外部参照パレットを表示する

ファイルを開くときに左のようなダイアログが表示されたら、[外部参照パレットを開く] を選択します。すでにファイルを開いている場合は、[挿入] タブ→ [参照] パネルの [ダイアログボックスランチャー] をクリックすると、外部参照パレットが表示されます。

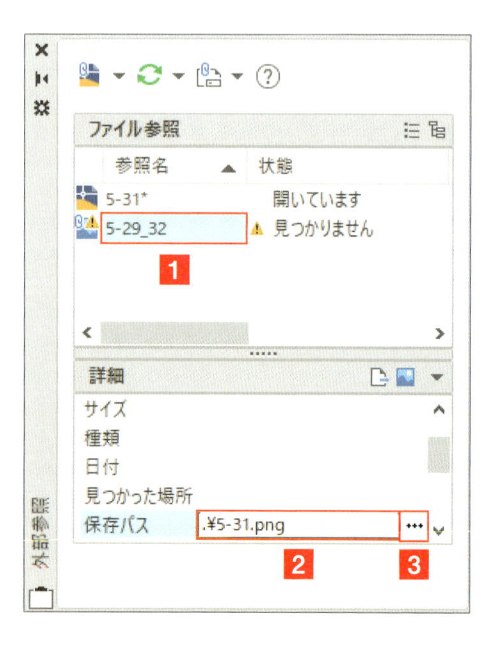

2 保存パスを設定する

[ファイル参照] 欄の [5-29_32] ([状態] が「見つかりません」になっている) をクリックして選択します1。[詳細]欄に表示された[保存パス] をクリックし2、[…] を選択します3。[イメージファイルを選択] ダイアログが表示されるので、[5-29_32.png] を選択し、[開く] ボタンをクリックすると、パスが再設定され、アタッチされた [画像] が表示されます。

画像の尺度と位置合わせをする

アタッチした画像を既存の図形の長さに合わせたい場合、「尺度変更」コマンドを利用することもできますが、尺度変更と回転を同時に行う[位置合わせ]コマンドを利用すると効率的です。

サンプルファイル 5-32.dwg　コマンド ALIGN　ショートカットキー AL

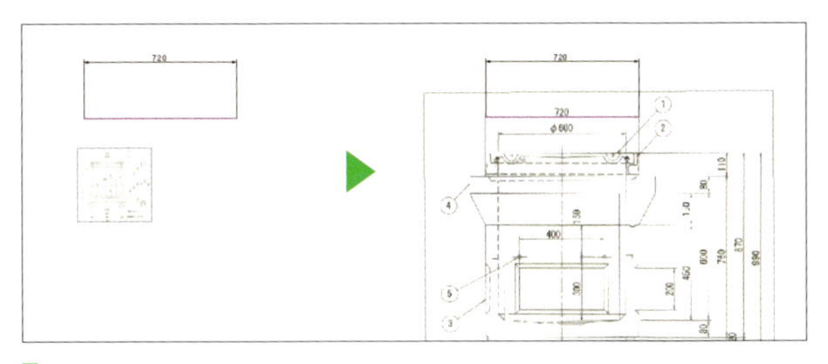

完成図

画像に書かれた「720」の寸法を参照して、実際の長さ（線分の長さ）に合わせます。

[位置合わせ]コマンドで尺度を変更する

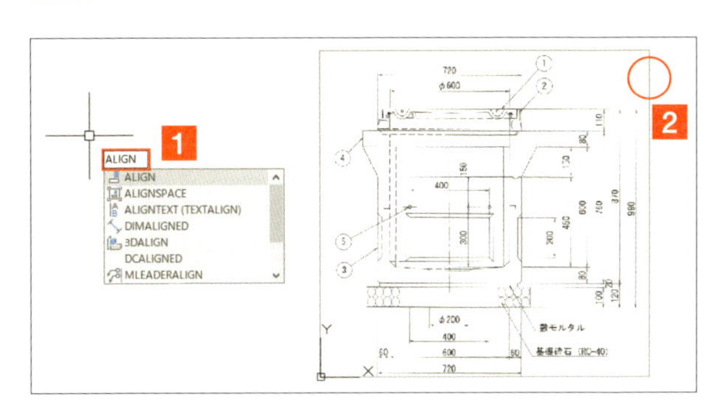

1 [位置合わせ]コマンドを実行し、画像を選択する

「ALIGN」と入力し、Enterキーを押して［位置合わせ］コマンドを実行します1。画像の外枠をクリックして選択し、Enterキーを押して選択を確定します2。

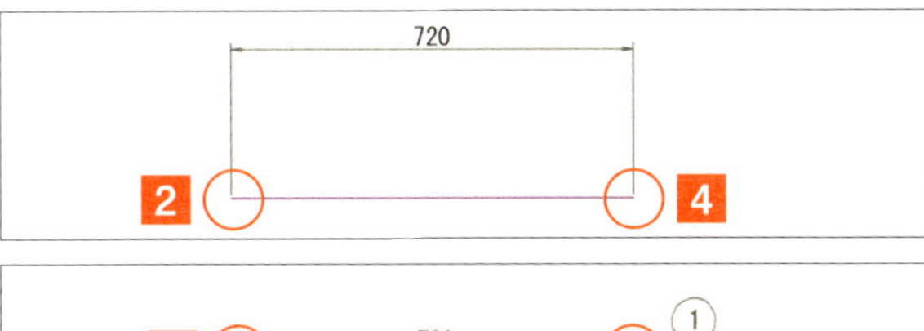

2 第1、2のソース点と目的点を選択する

ソース点（画像の点）と目的点（合わせる線分の点）をクリックします。1～4の順でクリックしてください。第３のソース点はEnterキーを押して［続ける］を選択します。

3 尺度を変更する

尺度変更は「はい」をクリックして選択します。画像が尺度変更されます。

33 PDFをアタッチする

画像ファイルと同様に、PDFファイルを図面に貼り付けるには、アタッチ(リンク貼り付けの設定)を行います。貼り付け後にPDFファイルの削除や名前の変更、移動を行うと表示されなくなるので注意してください。

サンプルファイル 5-33.dwg **コマンド** XREF **ショートカットキー** XR

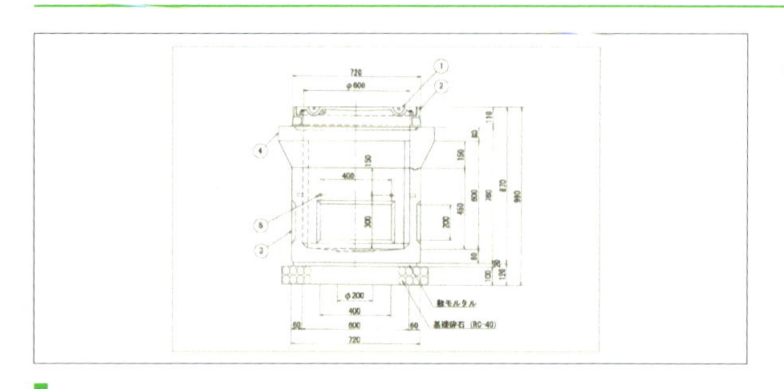

完成図

PDFファイル(5-33.pdf)をリンク貼り付けします。

外部参照パレットでPDFをアタッチする

1 外部参照パレットを表示する

[挿入] タブ→ [参照] パネルの [ダイアログボックスランチャー] をクリックします。

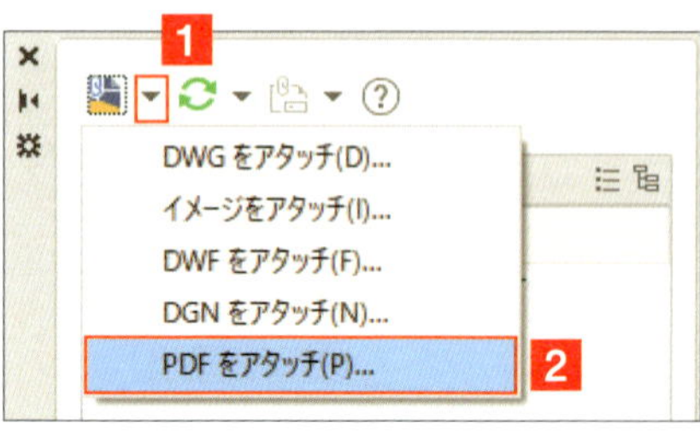

2 PDFをアタッチする

[▼]をクリックし1、[PDF をアタッチ]をクリックします2。[参照ファイルを選択] ダイアログが表示されるので、[5-33.pdf] を選択して、[開く] をクリックします。

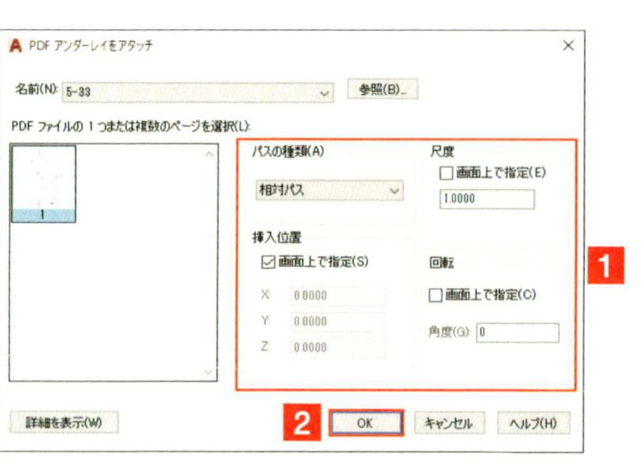

3 アタッチの詳細を設定する

[PDF アンダーレイをアタッチ] ダイアログが表示されます。[パスの種類] に [相対パス] を選択し、[挿入位置] の [画面上で指定] にチェックを入れて、[尺度] の [画面上で指定] のチェックを外します1。[OK] をクリックし2、作図領域の任意点をクリックすると [5-33.pdf] ファイルがアタッチされます。

CHAPTER

06

THE PERFECT GUIDE FOR AUTOCAD

[印刷とレイアウト]

印刷を理解する ～ページ設定と印刷スタイル

印刷にはプリンタや用紙サイズ、印刷範囲や尺度、線の太さや色など、さまざまな設定があります。印刷設定（ページ設定）をきちんと理解することで、効率的な作業が可能になります。

ページ設定とは

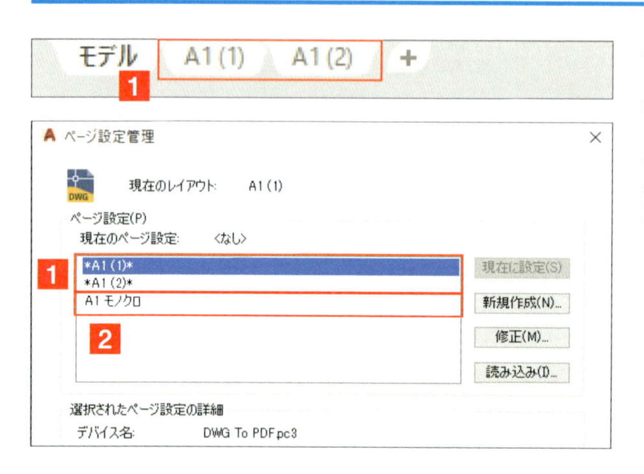

ページ設定には、用紙サイズや、以下で説明する印刷スタイルなどのさまざまな印刷設定を保存することができます。[ページ設定管理] ダイアログには、モデルまたはレイアウトタブの名前**1**とページ設定の名前**2**が表示されています。両者は＊マークの有無で見分けることができます。

＊あり　タブの名前**1**
＊なし　ページ設定の名前**2**

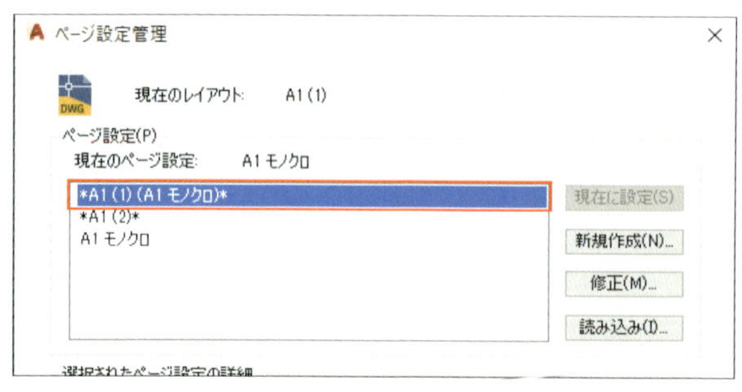

タブにページ設定が適用されている場合は、タブの名前のうしろに、ページ設定の名前がカッコ付きで表示されます。

印刷スタイルとは

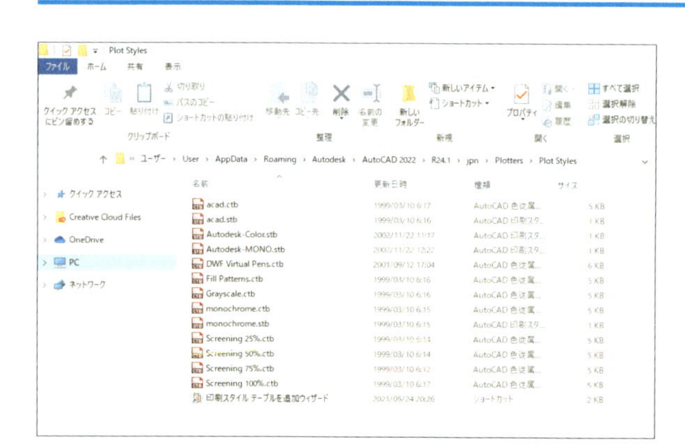

印刷時の線の太さや色は、印刷スタイルファイルで設定します。[アプリケーションメニュー] をクリックし、[印刷] → [印刷スタイル管理] を選択すると、印刷スタイルが保存されているフォルダが表示されます。「色従属印刷スタイル」と「名前の付いた印刷スタイル」があり、これらは図面ファイルごとにどちらの印刷スタイルを使うのかを設定する必要があります。

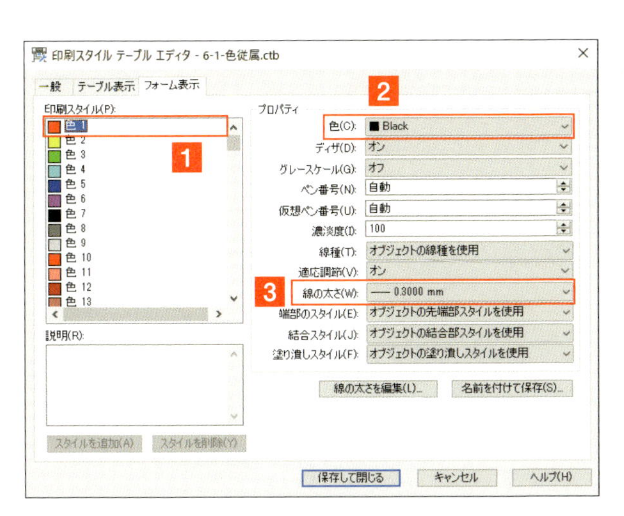

色従属印刷スタイル

「色従属印刷スタイル」は拡張子が ctb のファイルで、図形の色に対して印刷時の色や太さなどを設定します。ただし、インデックスカラーで設定可能な 1 ～ 255 番の色にしか設定することができません。たとえば左図の設定では、色 1（red）1で書かれた図形は、印刷時には黒（Black）の2、0.3mm 3で印刷されます。

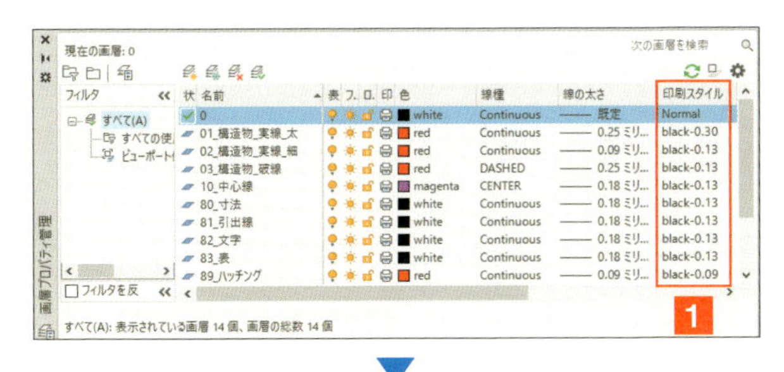

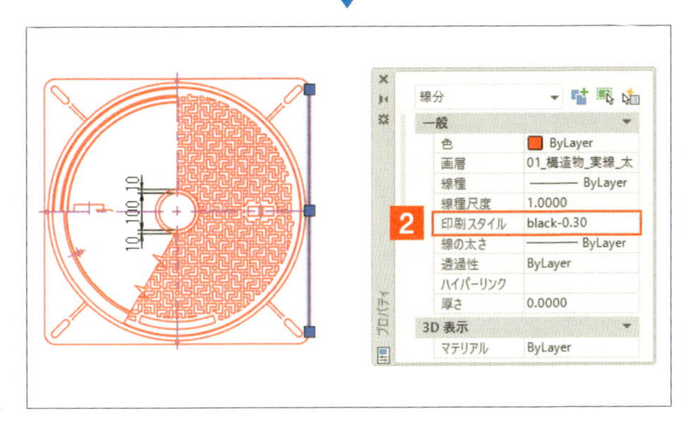

名前の付いた印刷スタイル

「名前の付いた印刷スタイル」は拡張子が stb のファイルで、画層1や個々の図形2に対して印刷時の色や太さなどを設定します。画層プロパティ管理やプロパティパレットの［印刷スタイル］欄は、そのファイルが名前の付いた印刷スタイルを使用するようになっていないと、グレーアウトして選択することはできません。

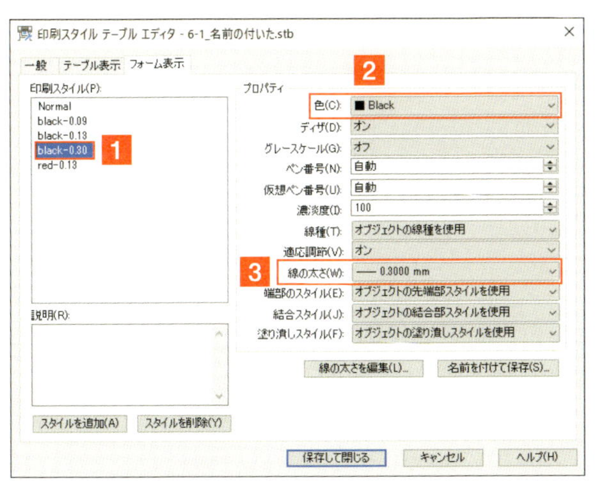

たとえば左図では、「black-0.30」の印刷スタイル1で設定された画層の図形や個々の図形は、黒（Black）の2、0.3mm 3で印刷されます。

ページ設定を作成/保存する ~モデルタブ

ページ設定では、プリンタ/プロッタや用紙サイズ、印刷スタイルなどの設定を行います。また、モデルタブ(P.332参照)では、印刷の尺度に図面の尺度を設定する必要があります。

サンプルファイル 6-2.dwg　コマンド PAGESETUP　ショートカットキー なし

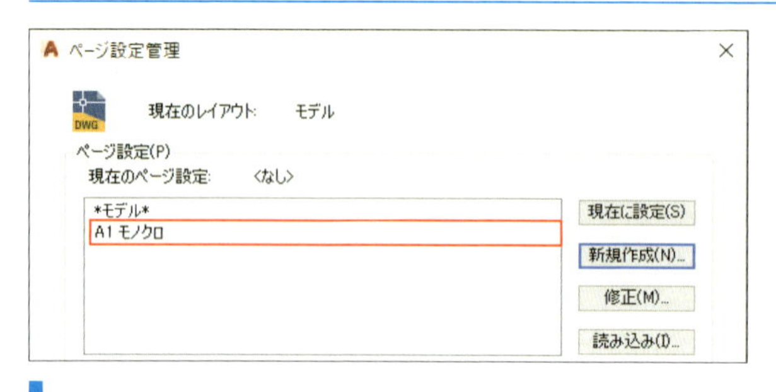

完成図

モデルタブで、A1のPDFを作成するページ設定を行います。PDFに出力するのではなく、プリンタ/プロッタで印刷する場合は、手順2の[プリンタ/プロッタ]で選択してください。尺度は1:10で線の色はすべて黒で印刷します。6-2.dwgファイルの線の太さはすべて画層に設定されています。

[ページ設定管理]コマンドで[尺度]を[1:10]に設定する

1 [ページ設定管理]コマンドを実行し、ページ設定を作成する

[モデル]タブを選択し、[出力]タブ→[印刷]パネルの[ページ設定管理]をクリックして1、[新規作成]をクリックします2。[ページ設定を新規作成]ダイアログが表示されるので、[新しいページ設定名]に「A1 モノクロ」と入力し、[OK]をクリックします。

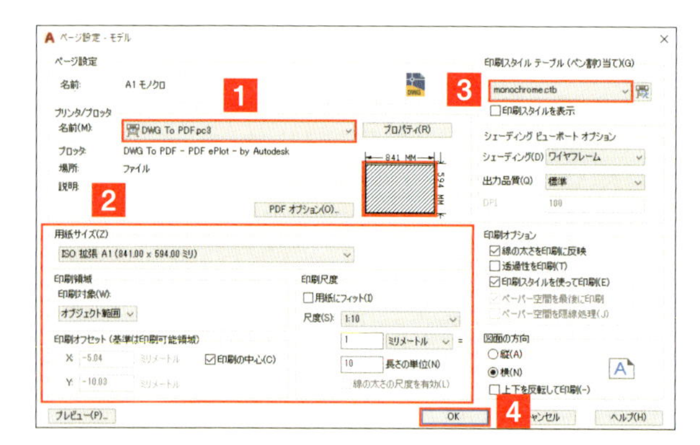

2 ページ設定を行う

[プリンタ/プロッタ]に[DWG To PDF.pc3]1、[用紙サイズ]に[ISO 拡張 A1 (841.00x594.00 ミリ)]、[印刷領域]に[オブジェクト範囲]、[印刷オフセット]の[印刷の中心]にチェックを入れ、[印刷尺度]の[用紙にフィット]のチェックを外して[尺度]を[1:10]に2、[印刷スタイルテーブル]に[monochrome.ctb]を設定します3。[OK]をクリックすると4、ページ設定が作成されます。

ページ設定を作成／保存する～レイアウトタブ

ページ設定では、プリンタ／プロッタや用紙サイズ、印刷スタイルなどの設定を行います。また、レイアウトタブ(P.332参照)では、印刷の尺度を1:1に設定する必要があります。

サンプルファイル 6-3.dwg　**コマンド** PAGESETUP　**ショートカットキー** なし

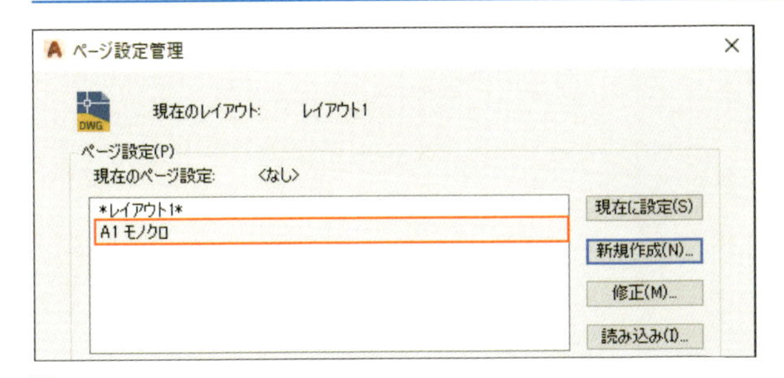

完成図

レイアウトタブで、A1のPDFを作成するページ設定を行います。PDFに出力するのではなく、プリンタ／プロッタで印刷する場合は、手順2の[プリンタ/プロッタ]で選択してください。線の色はすべて黒で印刷します。6-3.dwgファイルの線の太さはすべて画層に設定されています。

▶ [ページ設定管理]コマンドで[尺度]を[1:1]に設定する

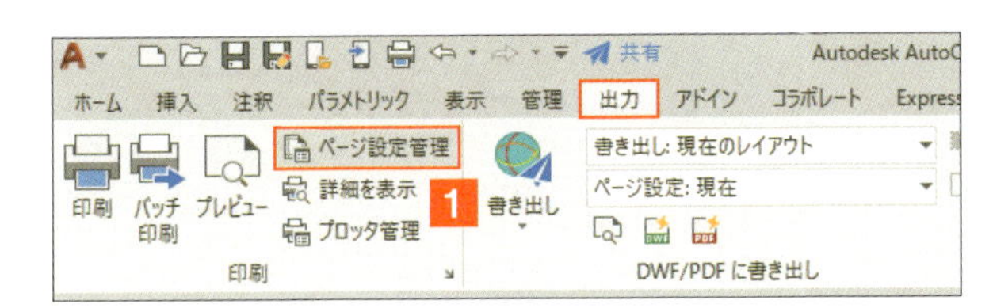

▼

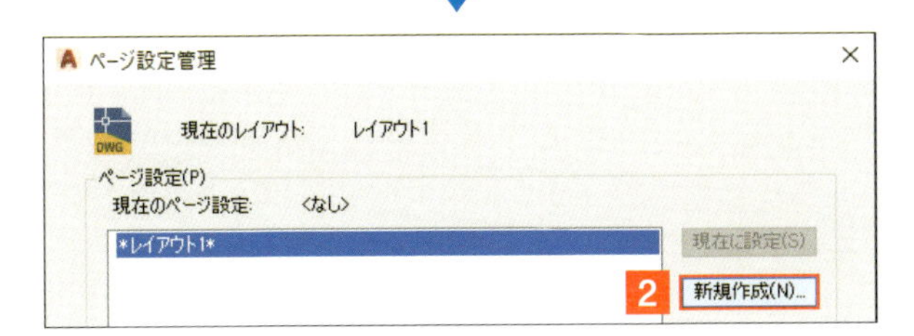

1 [ページ設定管理]コマンドを実行し、ページ設定を作成する

[レイアウト 1] タブを選択し、[出力] タブ→[印刷] パネルの [ページ設定管理] をクリックして1、[新規作成] をクリックします2。[ページ設定を新規作成] ダイアログが表示されるので、[新しいページ設定名] に「A1 モノクロ」と入力し、[OK] をクリックします。

2 ページ設定を行う

[プリンタ / プロッタ]に[DWG To PDF.pc3]1、[用紙サイズ] に [ISO 拡張 A1 (841.00x594.00 ミリ)]、[印刷領域] に [オブジェクト範囲]、[印刷オフセット] の [印刷の中心] にチェックを入れ、[印刷尺度] の [用紙にフィット] のチェックを外して [尺度] を [1:1] に2、[印刷スタイルテーブル] に [monochrome.ctb] を設定します3。[OK] をクリックすると4、ページ設定が作成されます。

ロング版のページ設定を作成する　～レイアウトタブ

ロング版（規格外の用紙サイズ）の印刷を行うには、プリンタ／プロッタのプロパティから印刷のサイズを新規作成します。選択したプリンタやプロッタによってはサイズ変更ができないものもあります。

サンプルファイル 6-4.dwg　コマンド PAGESETUP　ショートカットキー なし

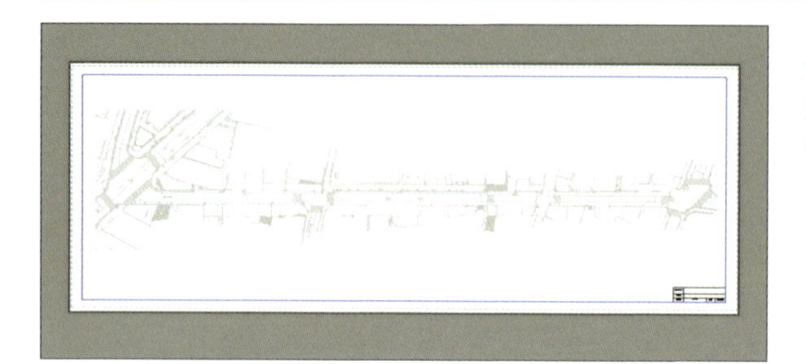

完成図

PDFで1600 x 594 のサイズの印刷設定を行います。

[プロッタ環境設定エディタ]ダイアログから設定する

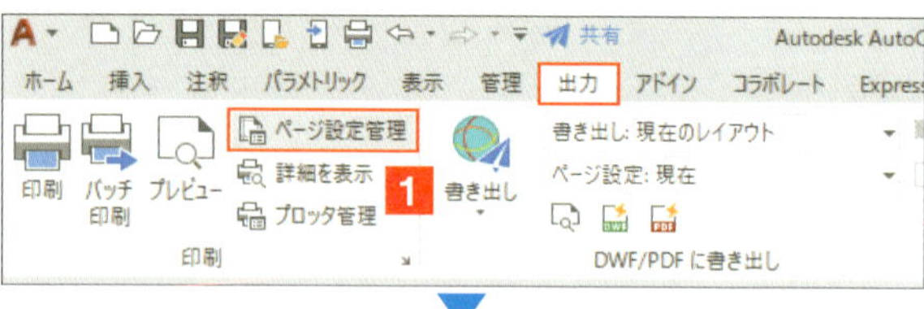

1 [ページ設定管理]コマンドを実行し、ページ設定を作成する

画面左下の［A1 ロング］タブを選択し、［出力］タブ→［印刷］パネルの［ページ設定管理］をクリックして1、［新規作成］をクリックします2。［ページ設定を新規作成］ダイアログが表示されるので、［新しいページ設定名］に「A1 ロング モノクロ」と入力し、［OK］をクリックします。

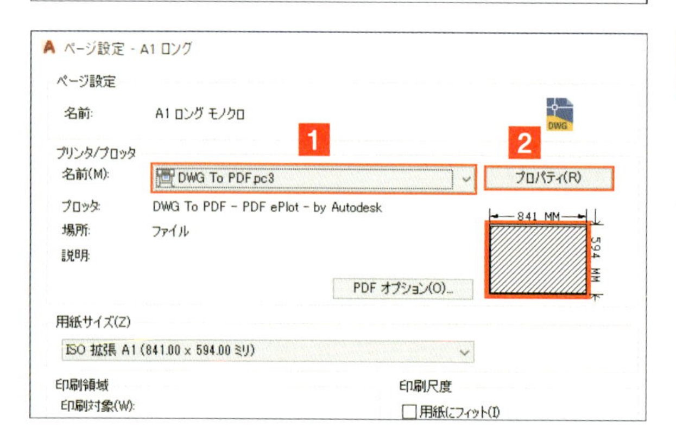

2 プリンタ／プロッタを設定する

［ページ設定］ダイアログが表示されるので、［プリンタ / プロッタ］に［DWG To PDF.pc3］を選択し1、［プロパティ］をクリックします2。

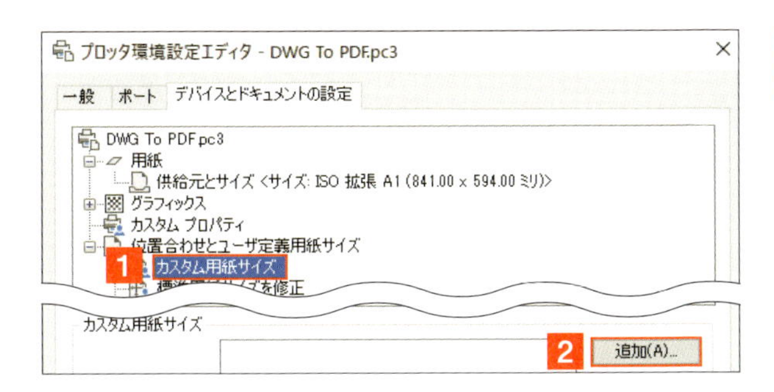

3 用紙サイズを追加する

［プロッタ環境設定エディタ］ダイアログが表示されます。［カスタム用紙サイズ］を選択し1、［追加］をクリックします2。

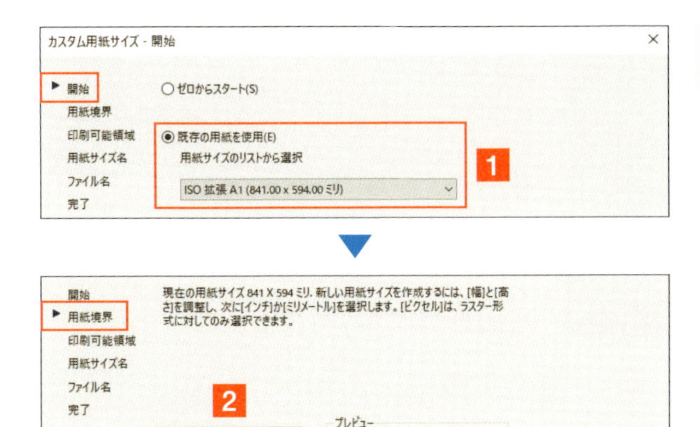

4 用紙サイズを設定する

表示される［カスタム用紙サイズ］ダイアログで次の設定を行います。［開始］では［既存の用紙を使用］を選択し、［ISO 拡張 A1（841.00 x594.00 ミリ）を選択し1、［次へ］をクリックします。［用紙境界］では［幅］に「1600」を入力し2、［印刷可能領域］、［用紙サイズ名］、［ファイル名］はそのままで、［次へ］をクリックし、最後に［完了］をクリックします。

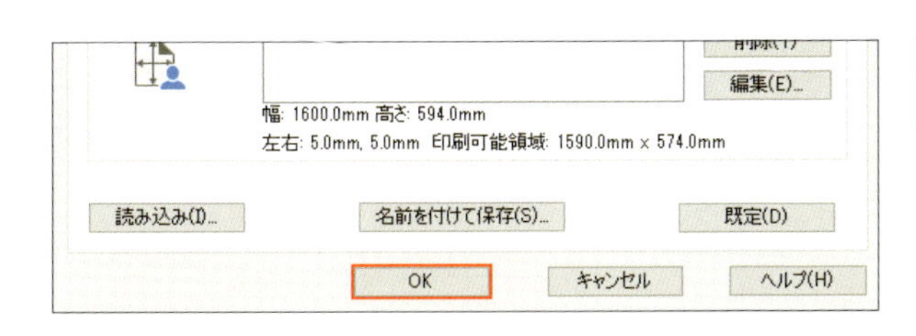

5 プロッタ環境設定エディタを終了する

［プロッタ環境設定エディタ］ダイアログに戻るので［OK］をクリックして閉じます。続いてダイアログが表示された場合は、［OK］をクリックします。

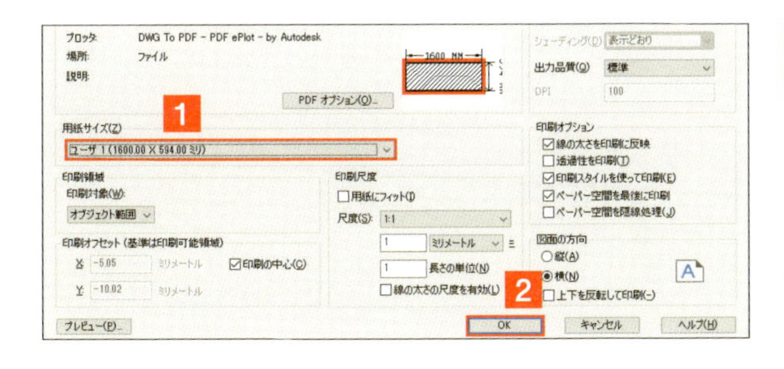

6 用紙サイズなどを設定する

［ページ設定］ダイアログに戻るので、［用紙サイズ］から［ユーザ 1（1600.00x594.00 ミリ）］を選択します1。そのほかの設定はP.317「ページ設定を作成／保存する～レイアウトタブ」を参照し、［OK］をクリックします2。

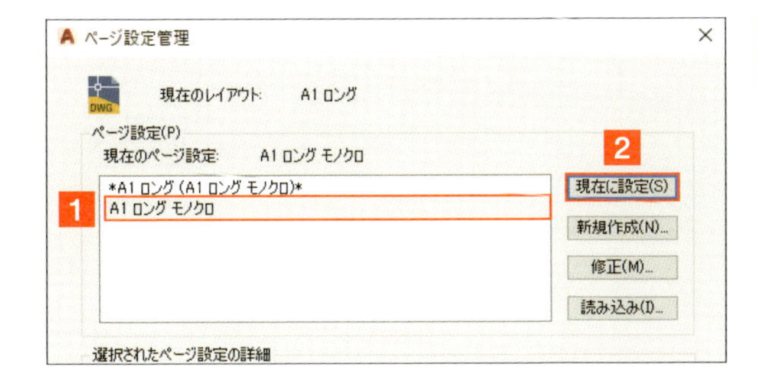

7 ページ設定を適用する

［ページ設定管理］ダイアログに戻るので、［A1 ロング モノクロ］を選択し1、［現在に設定］をクリックすると2、レイアウトにページ設定が適用され、1600x594の印刷範囲が白く表示されます。

印刷を行う

ここでは、既存のページ設定を利用して印刷を行います。ページ設定が作成されていない場合は、P.316〜317「ページ設定を作成／保存する」を参照して作成してください。

サンプルファイル 6-5.dwg　コマンド PLOT　ショートカットキー なし

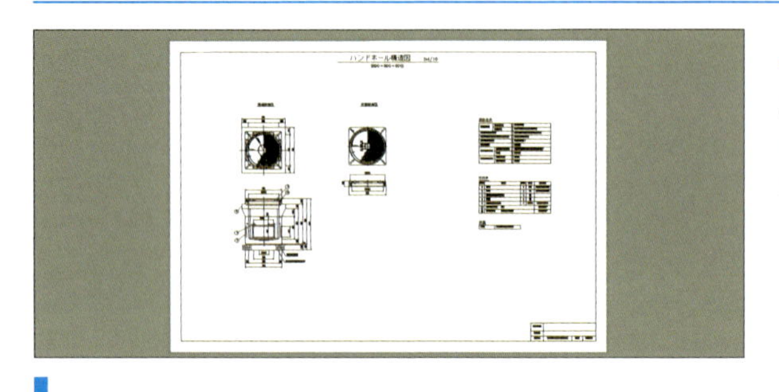

完成図

既存のページ設定[A1 モノクロ]を使用して印刷します。[A1 モノクロ]では、PDFファイルが作成されるように設定されています。

[印刷]コマンドでプレビューを確認してから印刷する

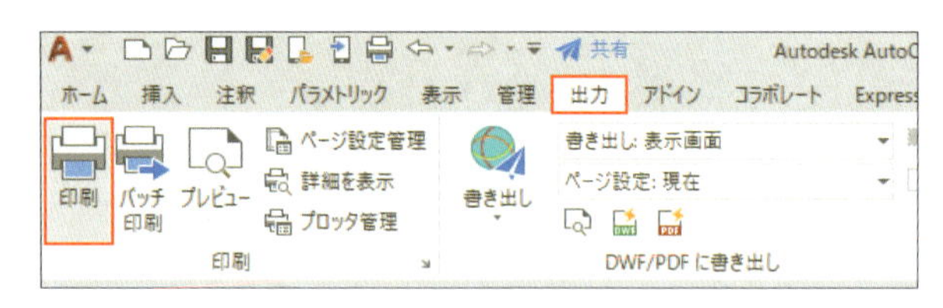

1 [印刷]コマンドを実行する

[出力]タブ→[印刷]パネルの[印刷]をクリックします。

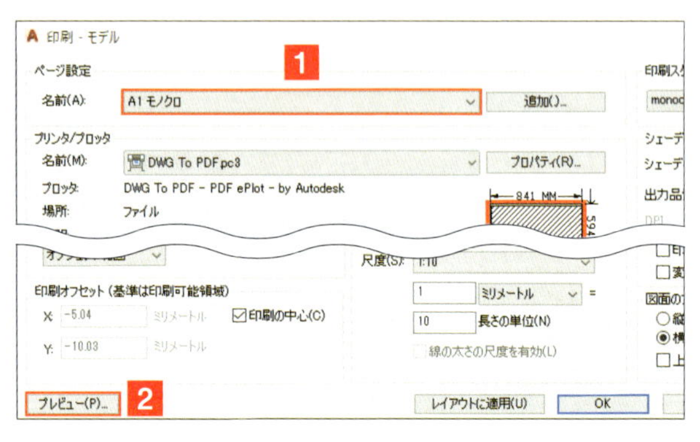

2 プレビューを確認する

ページ設定に[A1 モノクロ]を選択し1、[プレビュー]をクリックします2。

CHECK

ページ設定については P.316 ~ 317「ページ設定を作成／保存する」を参照してください。

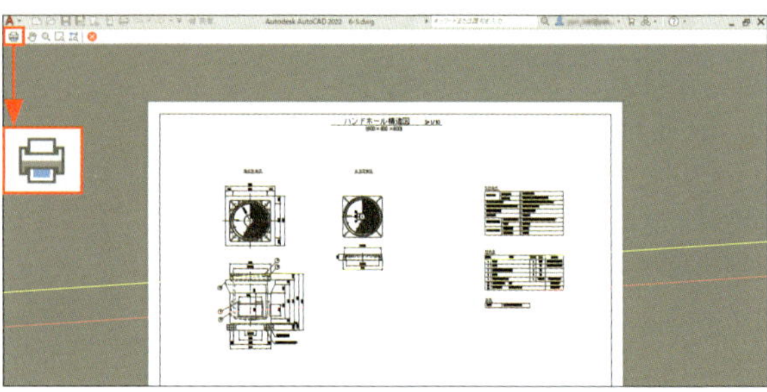

3 印刷する

[印刷]をクリックすると、印刷が開始されます。PDF ファイルを作成するフォルダとファイル名を指定してください。

印刷を利用して画像を作成する

プリンタ/プロッタを選択する際に画像に出力する方法を選ぶと、線の色や太さなどを適用して画像を作成することができます。画像の種類はPNGとJPGを選択できます。

サンプルファイル 6-6.dwg　コマンド PLOT　ショートカットキー なし

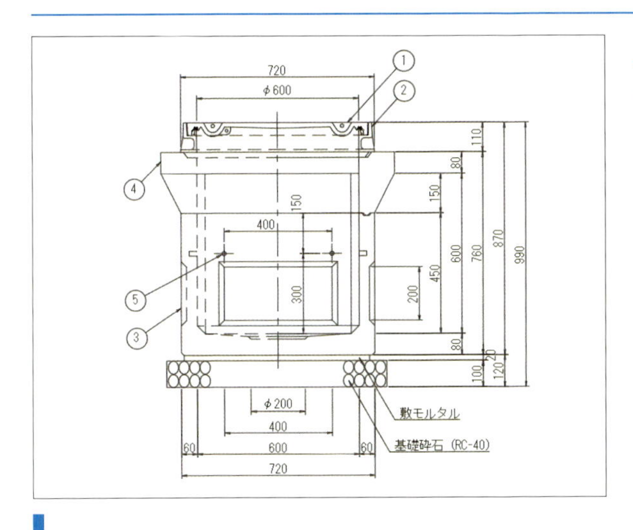

完成図

すべての図形が黒で描かれているPNGファイルを作成します。

▶ [印刷]コマンドでプロッタを[PublishToWeb PNG]に設定する

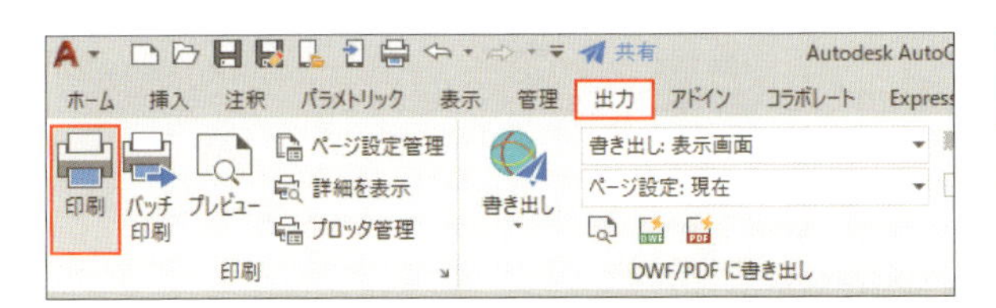

1 [印刷]コマンドを実行する

[出力]タブ→[印刷]パネルの[印刷]をクリックします。

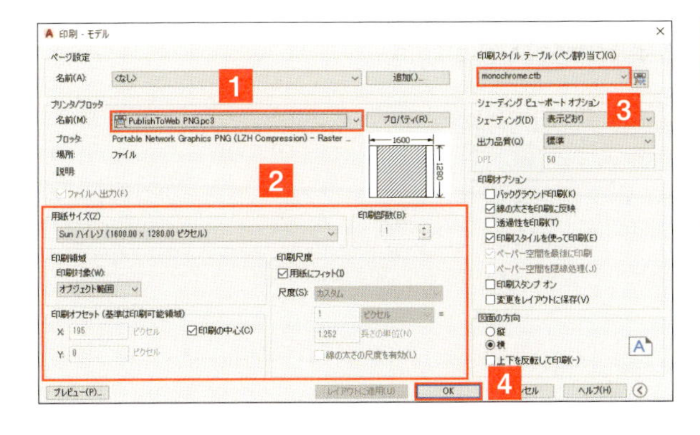

2 印刷設定をする

[プリンタ/プロッタ]に[PublishToWeb PNG.pc3] 1、[用紙サイズ]に[Sun ハイレゾ(1600.00x1280.00 ピクセル)]、[印刷領域]に[オブジェクト範囲]、[印刷オフセット]に[印刷の中心]、[印刷尺度]の[用紙にフィット]にチェックを入れて2、[印刷スタイルテーブル]に[monochrome.ctb]を設定します3。[OK]をクリックし4、PNGファイルを作成するフォルダとファイル名を指定してください。

連続印刷を行う

バッチ印刷では、ページ設定を利用して連続印刷を行うことができます。シート一覧を保存すると、連続印刷の設定を保存することが可能です。

サンプルファイル 6-7.dwg　コマンド PUBLISH　ショートカットキー なし

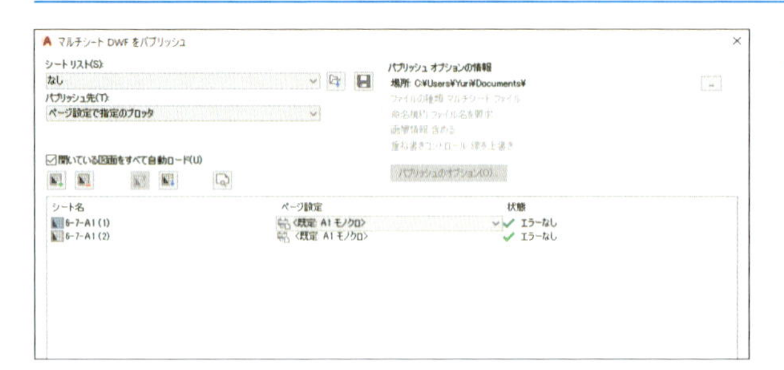

完成図

レイアウトタブの[A1(1)]と[A1(2)]を連続印刷し、複数ページのPDFファイルを作成します。ページ設定[A1モノクロ]はPDFファイルを作成するように設定されているので、PDFに出力するのではなく、プリンタ／プロッタで連続印刷する場合は、ページ設定の[プリンタ/プロッタ]を変更してください。

[バッチ印刷]コマンドで連続印刷を設定する

1 [バッチ印刷]コマンドを実行する

[出力] タブ→ [印刷] パネルの [バッチ印刷] をクリックします。

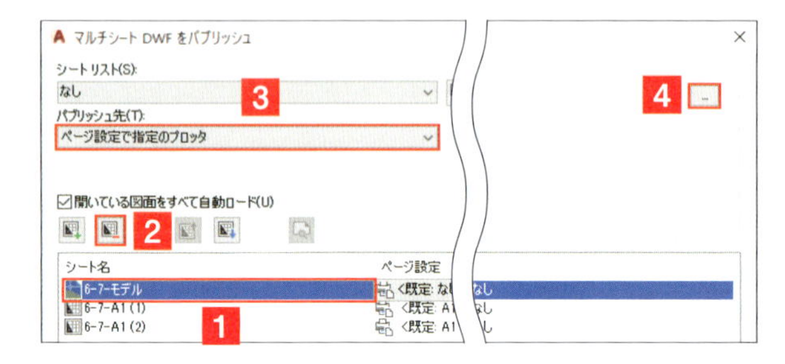

2 シートとファイルの出力先を選択する

[6-7-モデル] をクリックして選択し1、[シートを除去] をクリックします2。[パブリッシュ先] に [ページ設定で指定のプロッタ] を選択し3、[…] をクリックして4、ファイルの保存先を指定してください。

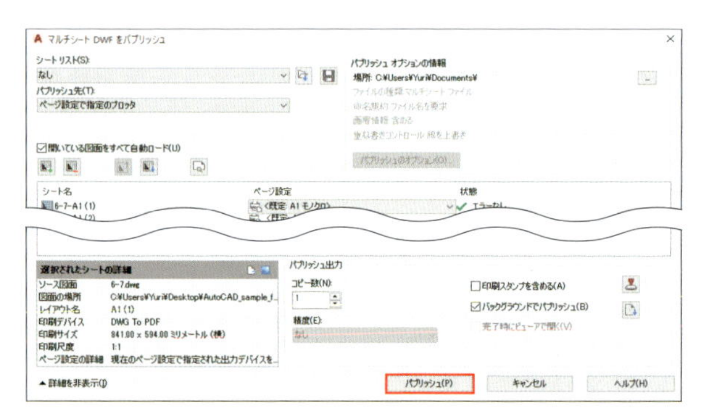

3 印刷する

[パブリッシュ] をクリックし、「現在のシート一覧を保存しますか？」のダイアログでは [いいえ] を選択します。ここでは、指定したフォルダに PDF ファイルが作成されます。

モノクロ印刷を行う

あらかじめ用意されている印刷スタイルのmonochrome.ctb／monochrome.stbを適用すると、黒で印刷することができます(線の太さは図形に設定されているものが適用されます)。

サンプルファイル 6-8.dwg **コマンド** PLOT **ショートカットキー** なし

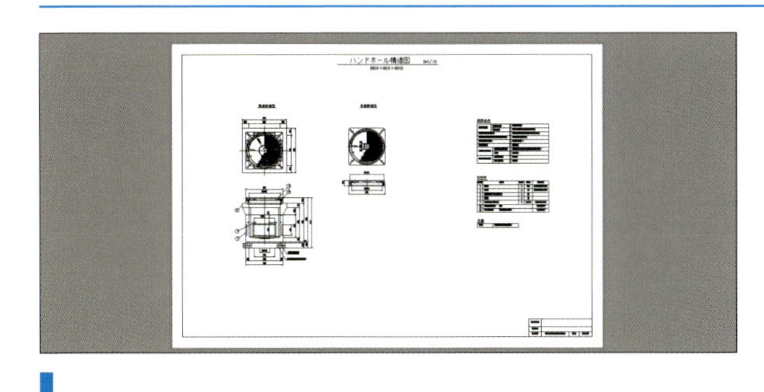

完成図

monochrome.ctbを使用し、すべての図形を黒で印刷します。6-8.dwgファイルは、PDFファイルを作成するように設定されています。

▶ [印刷] コマンドで [monochrome.ctb] を選択する

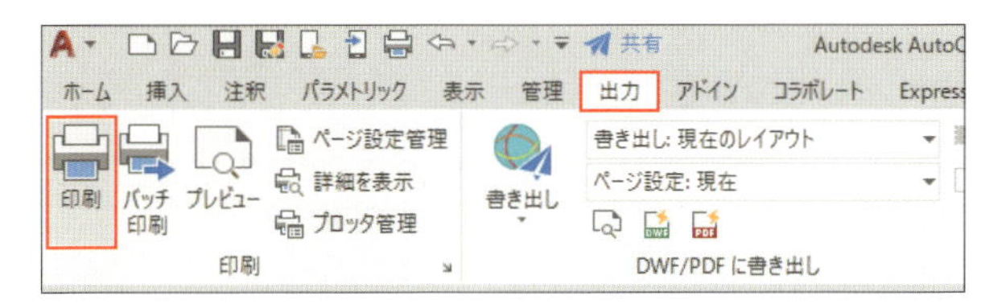

1 [印刷] コマンドを実行する

[レイアウト 1] タブを選択し、[出力] タブ→ [印刷] パネルの [印刷] をクリックします。

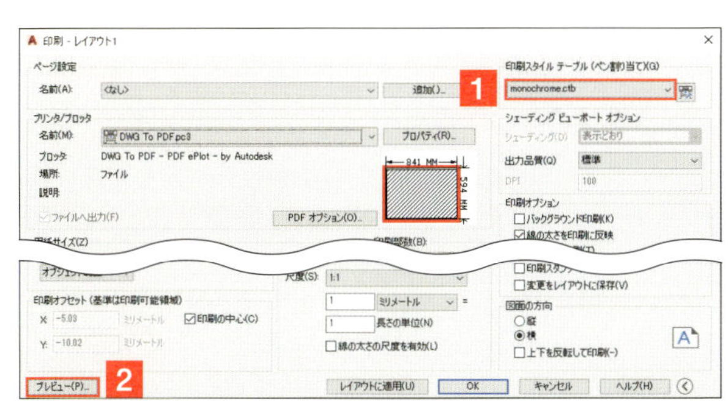

2 印刷スタイルを選択する

[印刷スタイルテーブル] から [monochrome.ctb] を選択し1、[プレビュー] をクリックします2。

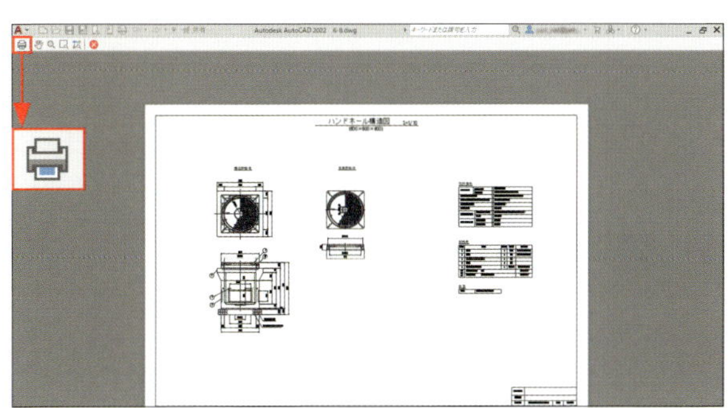

3 プレビューを確認し、印刷する

線の色が黒であることを確認します。[印刷] をクリックすると、印刷が開始されます。PDF ファイルを作成するフォルダとファイル名を指定してください。

SECTION 09 # カラー印刷を行う

あらかじめ用意されている印刷スタイルのacad.ctb／acad.stbを適用すると、図形の色を変えずにそのまま印刷することができます（線の太さは図形に設定されているものが適用されます）。

サンプルファイル 6-9.dwg　**コマンド** PLOT　**ショートカットキー** なし

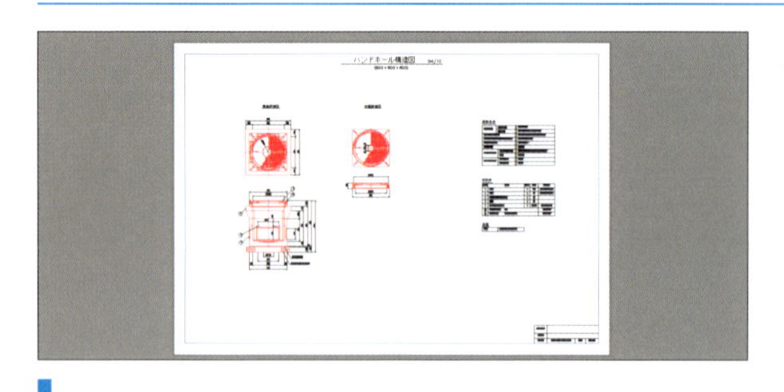

完成図

acad.ctbを利用し、すべての図形をそのままのカラー色で印刷します。6-9.dwgファイルは、PDFファイルを作成するように設定されています。

［印刷］コマンドで［acad.ctb］を選択する

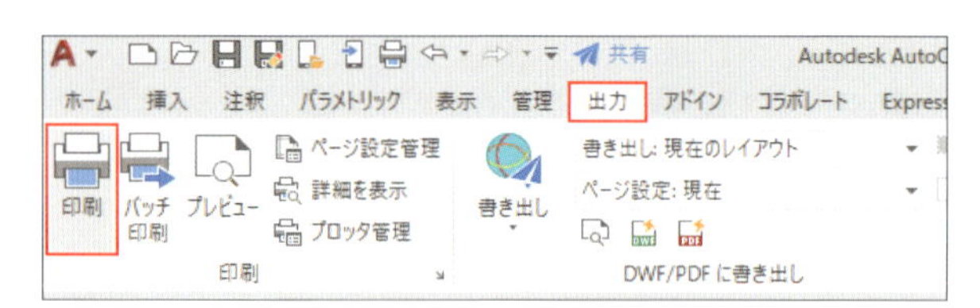

1 ［印刷］コマンドを実行する

［レイアウト 1］タブを選択し、［出力］タブ→［印刷］パネルの［印刷］をクリックします。

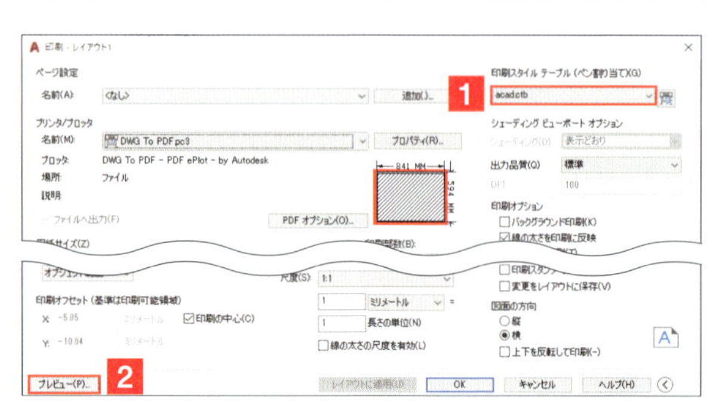

2 印刷スタイルを選択する

［印刷スタイルテーブル］から［acad.ctb］（AutoCAD LTでは［acadlt.ctb］）を選択し1、［プレビュー］をクリックします2。

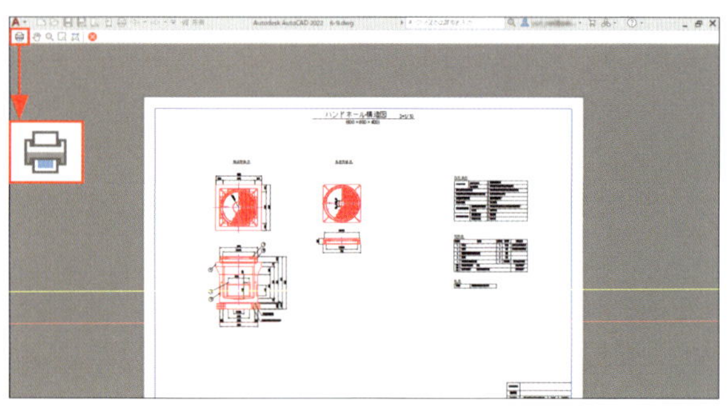

3 プレビューを確認し、印刷する

線の色がカラーであることを確認します。［印刷］をクリックすると、印刷が開始されます。PDFファイルを作成するフォルダとファイル名を指定してください。

STBからCTBに印刷スタイルを変更する

印刷スタイルには「色従属印刷スタイル(CTB)」と「名前の付いた印刷スタイル(STB)」があります(P.315参照)。これらは図面ファイルごとにどちらの印刷スタイルを使うのかが設定されていますが、変更も可能です。

サンプルファイル 6-10.dwg　コマンド CONVERTPSTYLES　ショートカットキー なし

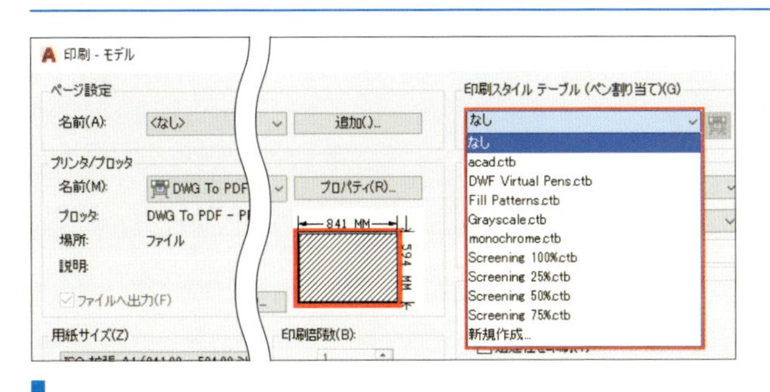

完成図

図面ファイルの印刷スタイルを、「名前の付いた印刷スタイル(STB)」から「色従属印刷スタイル(CTB)」に変更します。

[印刷スタイル変換]コマンドを利用する

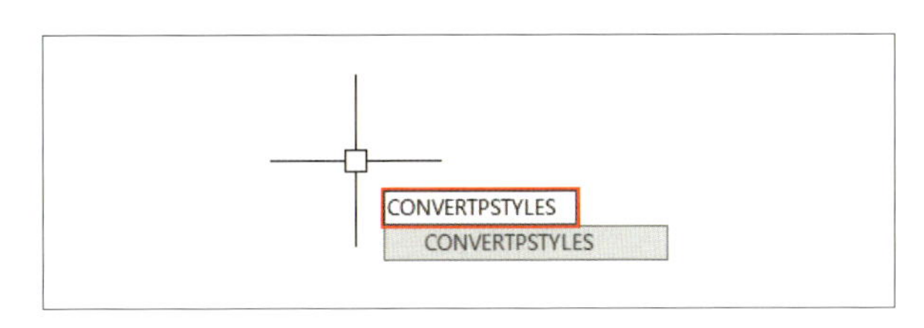

1 [印刷スタイル変換]コマンドを実行する

「CONVERTPSTYLES」と入力し、Enterキーを押して[印刷スタイル変換]を実行します。

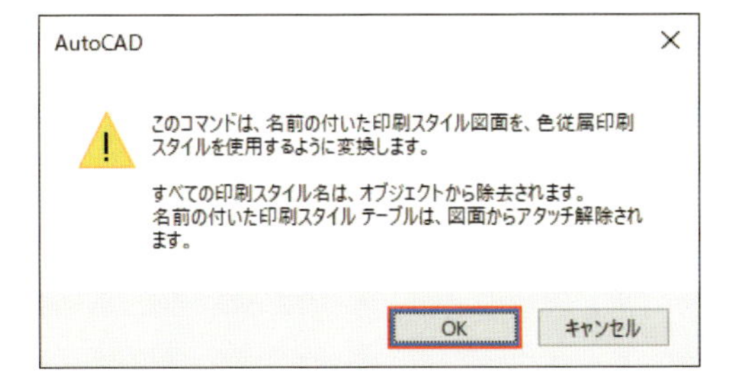

2 「色従属印刷スタイル」に変換する

ダイアログが表示されるので、[OK]をクリックします。

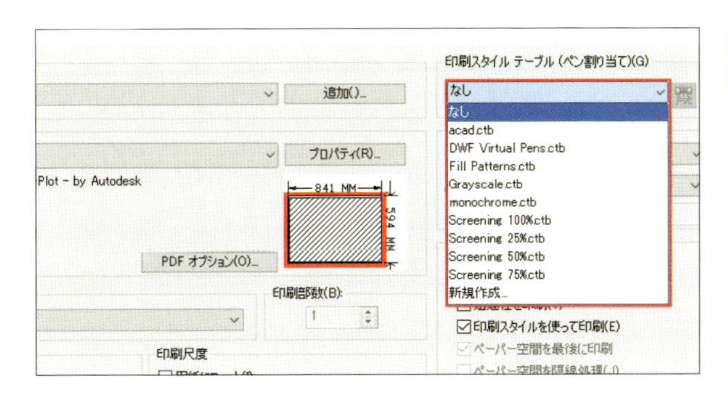

3 「色従属印刷スタイル」に変換された

印刷を実行し、[印刷スタイルテーブル]で選択できるファイルが「色従属印刷スタイル(*.ctb)」になったことを確認します。

CTBからSTBに印刷スタイルを変更する

前ページでは、STBからCTBに印刷スタイルを変更する方法を紹介しましたが、ここでは印刷スタイルをその逆であるCTBからSTBに変更します。変換用ファイルを作成するなど、手順が少し増えます。

サンプルファイル 6-11.dwg　コマンド CONVERTCTB、CONVERTPSTYLES　ショートカットキー なし

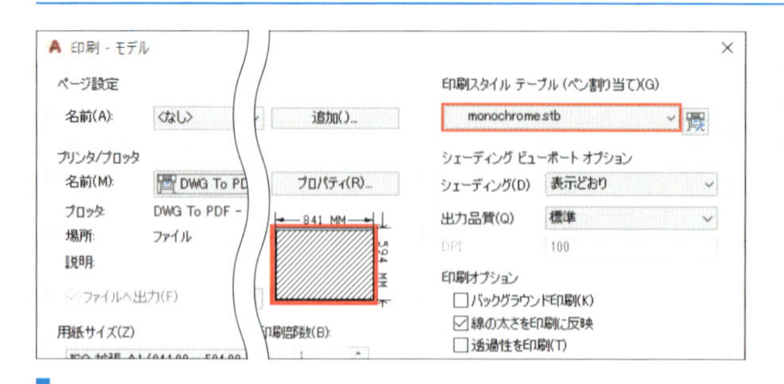

完成図

図面ファイルの印刷スタイルを、「色従属印刷印刷スタイル(CTB)」から「名前の付いたスタイル(STB)」に変更します。

[CTB変換]コマンドで変換用ファイルを作成する

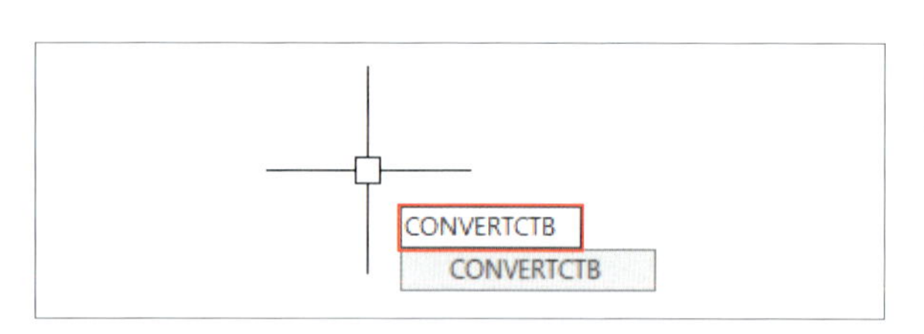

1 [CTB変換]コマンドを実行する

「CONVERTCTB」と入力し、Enterキーを押して[CTB変換]を実行します。

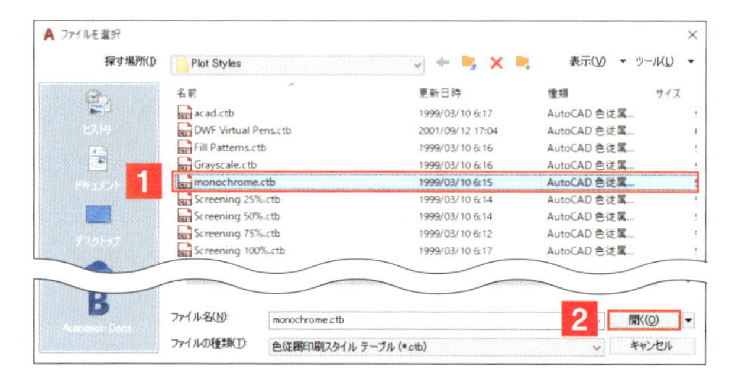

2 変換元のファイルを選択する

変換元のファイル(ここでは[monochrome.ctb])を選択し1、[開く]をクリックします2。

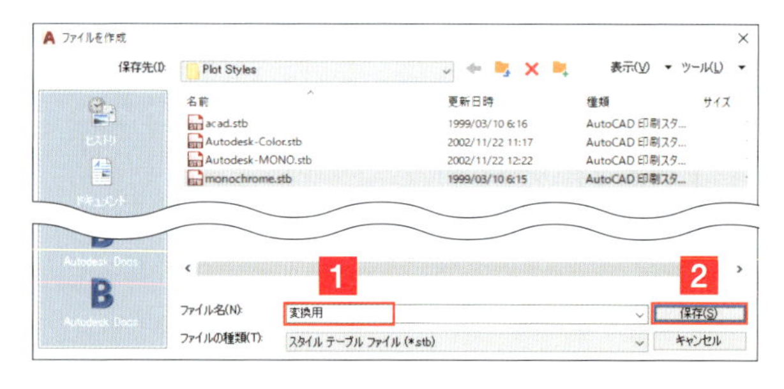

3 変換用のファイルを作成する

ファイル名に「変換用」と入力し1、[保存]をクリックします2。ダイアログが表示されるので、[OK]をクリックします。[monochrome.ctb]から[変換用.stb]が作成されます。

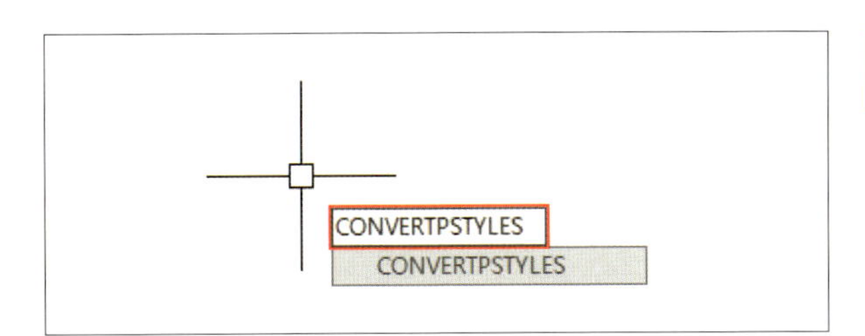

4 印刷スタイル変換を実行する

「CONVERTPSTYLES」と入力し、Enterキーを押して［印刷スタイル変換］を実行します。ダイアログが表示されるので、［OK］をクリックします。

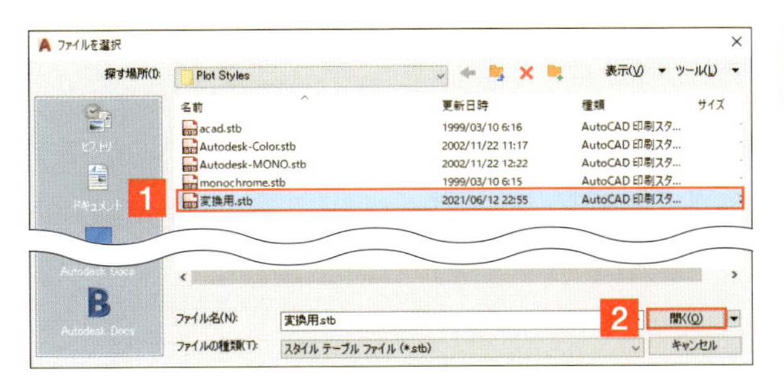

5 変換用のファイルを選択する

作成した［変換用.stb］を選択し1、［開く］をクリックします2。「名前の付いた印刷スタイル」に変換されます。

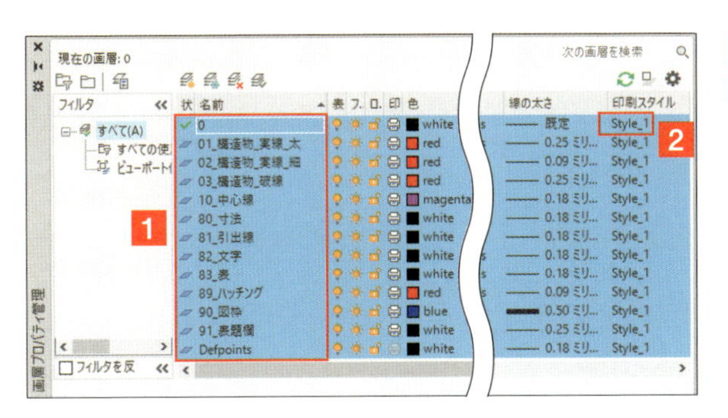

6 画層に印刷スタイルを設定する

［ホーム］タブ→［画層］パネルの［画層プロパティ管理］をクリックし、すべての画層を選択して1、印刷スタイルをクリックします2。

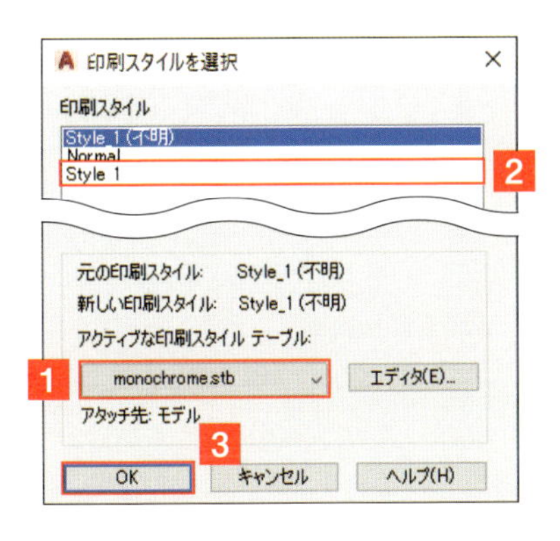

7 印刷スタイルを選択する

［monochrome.stb］を選択し1、［Style_1］を選択して2、［OK］をクリックします3。

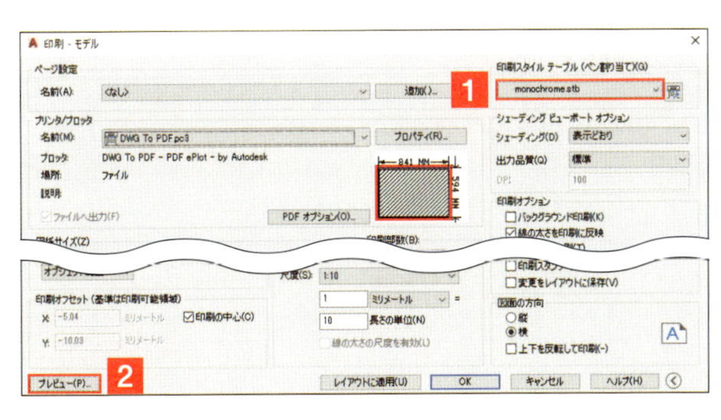

8 印刷スタイルが設定される

［monochrome.stb］の［Style_1］は黒で印刷される印刷スタイルです。印刷を実行し、［印刷スタイルテーブル］に［monochrome.stb］を選択後1、プレビューで確認をしてください2。

印刷スタイルを作成する～CTB

ここでは、1～255番の色に印刷の設定を行う、「色従属印刷スタイル(CTB)」を作成します。図形の色が同じでも、違う印刷設定をしたい場合は、「名前の付いた印刷スタイル(STB)」を利用してください。

サンプルファイル 6-12.dwg コマンド  なし ショートカットキー なし

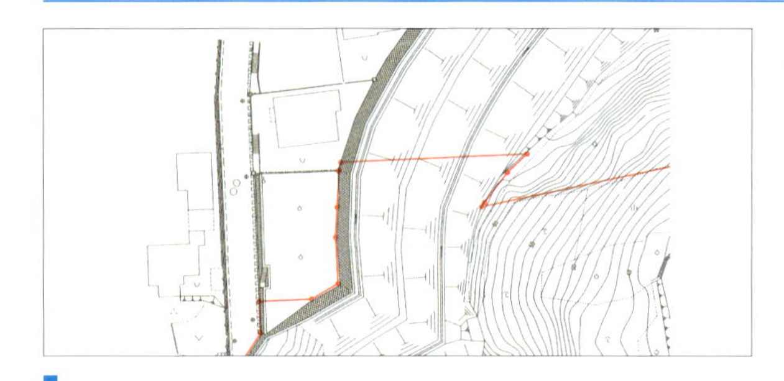

完成図

赤で書かれた図形を、赤の太い線で印刷する「色従属印刷スタイル」を作成します。

既存の印刷スタイルを利用して作成する

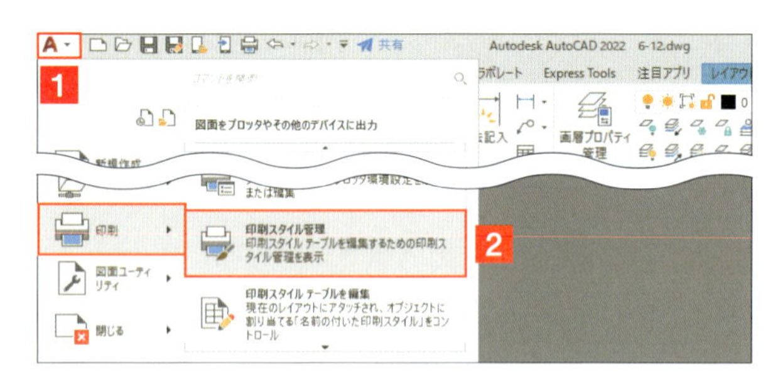

1 印刷スタイル管理を選択する

［アプリケーションメニュー］をクリックし1、［印刷］→［印刷スタイル管理］をクリックします2。

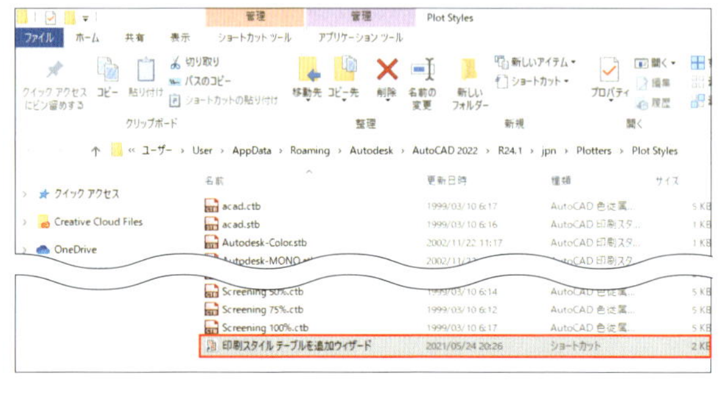

2 印刷スタイルを追加する

［印刷スタイルテーブルを追加ウィザード］をダブルクリックします。ダイアログが表示されるので、［次へ］をクリックします。

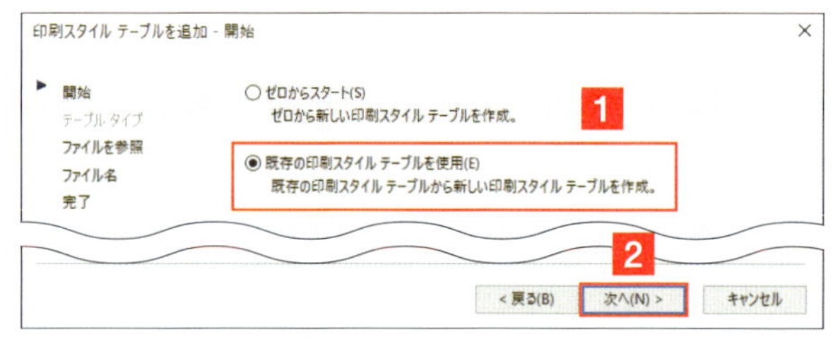

3 既存の印刷スタイルを使用する

［既存の印刷スタイルテーブルを使用］を選択し1、［次へ］をクリックします2。

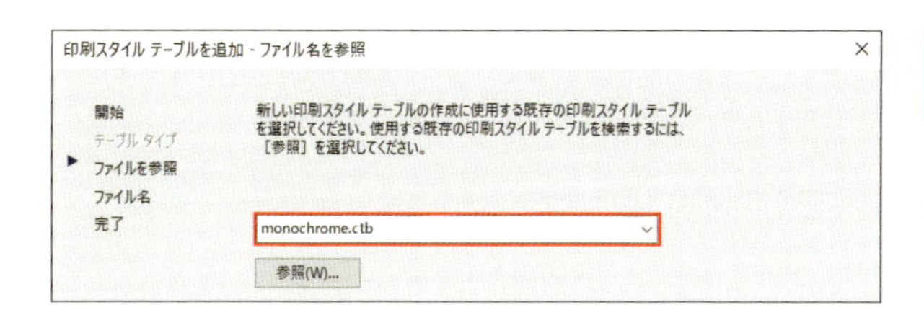

4 既存の印刷スタイルを選択する

既存の印刷スタイル（ここでは［monochrome.ctb］）を選択し、［次へ］をクリックします。

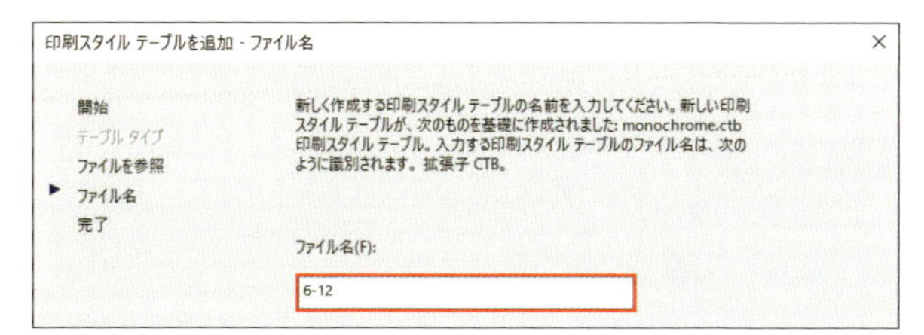

5 ファイル名を入力する

［ファイル名］に「6-12」を入力し、［次へ］をクリックします。

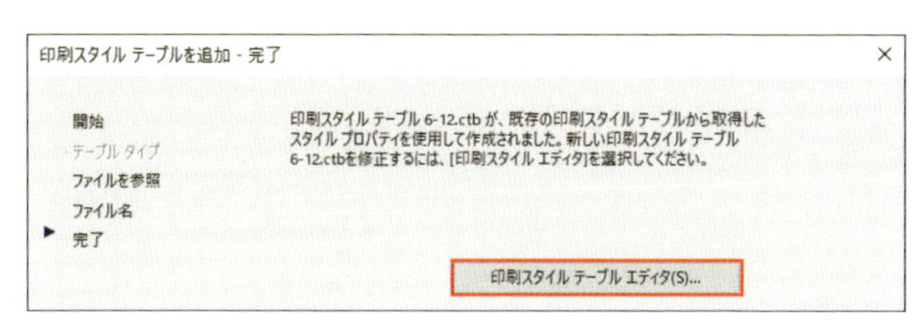

6 印刷スタイルを編集する

［印刷スタイルテーブルエディタ］をクリックします。

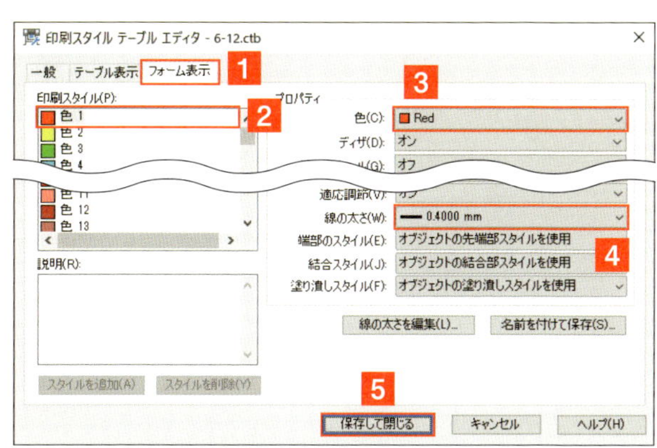

7 色1の印刷を設定する

［フォーム表示］タブを選択し1、［印刷スタイル］から［色 1］を選択します2。［プロパティ］の［色］を［Red］に3、［線の太さ］を［0.4000mm］にします4。最後に［保存して閉じる］をクリックします5。

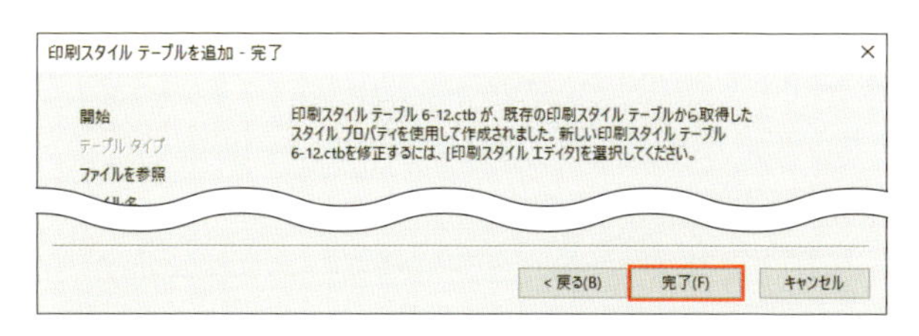

8 印刷スタイルの追加を終了する

［完了］をクリックし、印刷スタイルの追加を終了します。［6-12.ctb］が作成されます。

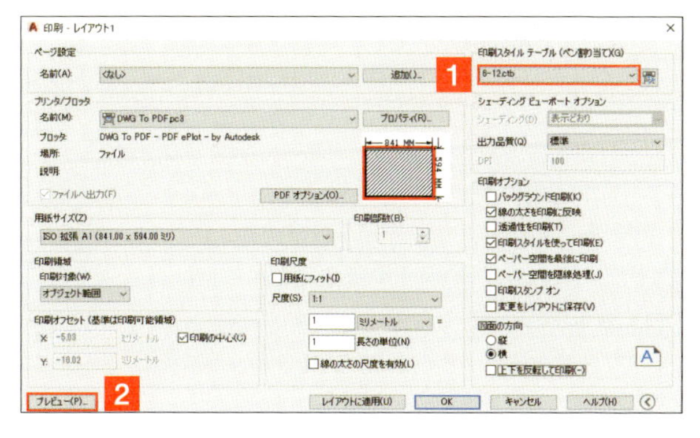

9 印刷スタイルを確認し、印刷する

［レイアウト 1］タブで印刷を実行し、［印刷スタイルテーブル］から［6-12.ctb］を選択し1、プレビューを確認してください2。

CHECK

［6-12.ctb］が選択できない場合は、図面ファイルを上書き保存し、印刷を再度実行してください。

印刷スタイルを作成する ～STB

「名前の付いた印刷スタイル」は、あらかじめ印刷スタイルを作成し、その印刷スタイルを画像や個々の図形に設定します。図形の色が同じでも、違う印刷設定をしたい場合は、「名前の付いた印刷スタイル」を利用してください。

サンプルファイル 6-13.dwg **コマンド** なし **ショートカットキー** なし

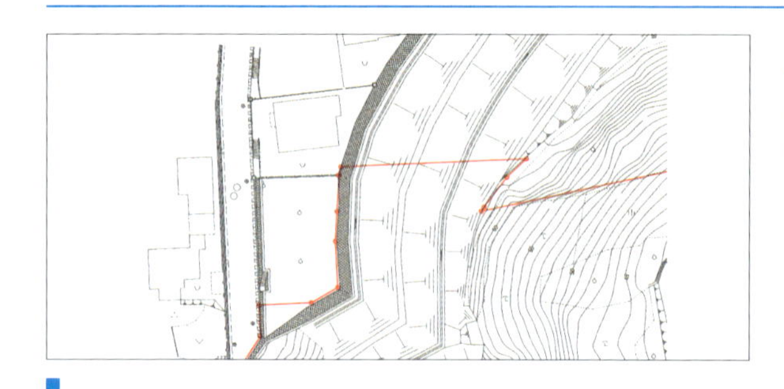

完成図

「名前の付いた印刷スタイル」を作成し、[red]の印刷スタイルは、赤の太い線で印刷します。

印刷スタイルを編集してredの印刷スタイルを追加する

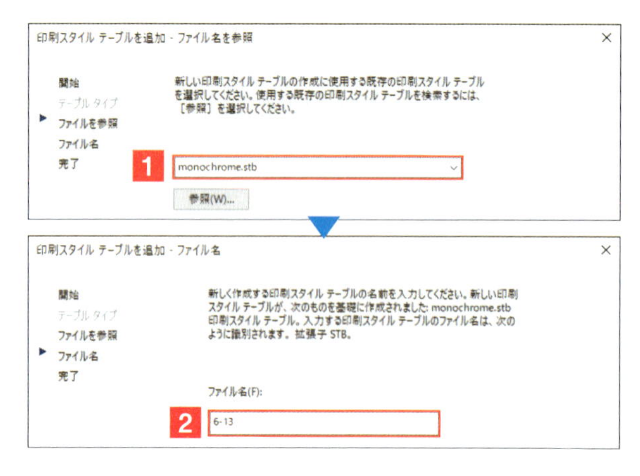

1 印刷スタイルを作成し、編集する

P.328の手順3までと同じ操作を行います。既存の印刷スタイル（ここでは［monochrome.stb］）を選択したら1、［次へ］をクリックし、ファイル名は「6-13」と入力します2。［次へ］→［印刷スタイルテーブルエディタ］をクリックします。

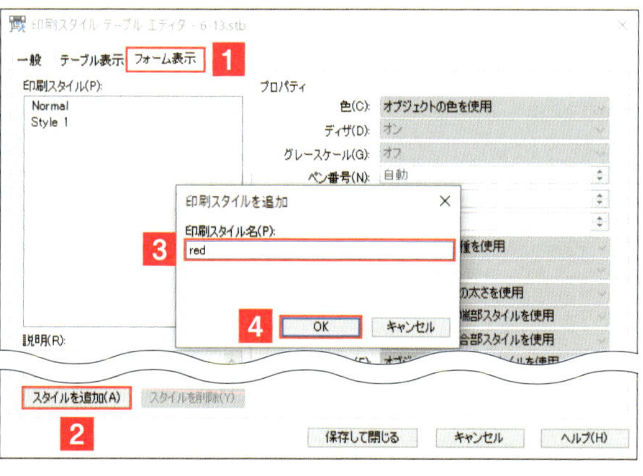

2 redの印刷スタイルを追加する

［フォーム表示］タブを選択し1、［スタイルを追加］をクリックします2。スタイル名に「red」と入力し3、［OK］をクリックします4。

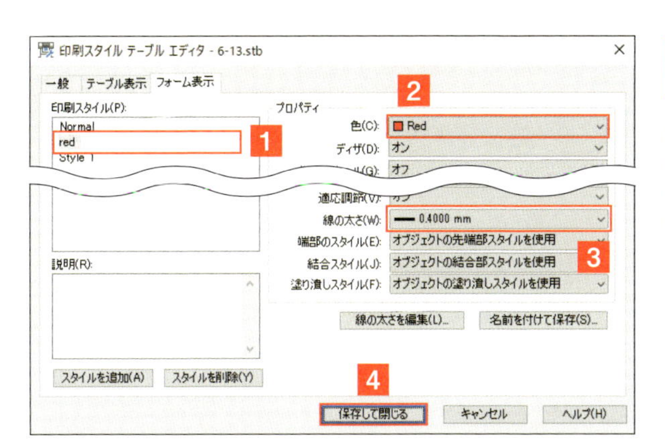

3 redの印刷を設定する

［印刷スタイル］から［red］をクリックして選択し1、［プロパティ］の［色］を［Red］2、［線の太さ］を［0.4000mm］にします3。最後に［保存して閉じる］を選択します4。

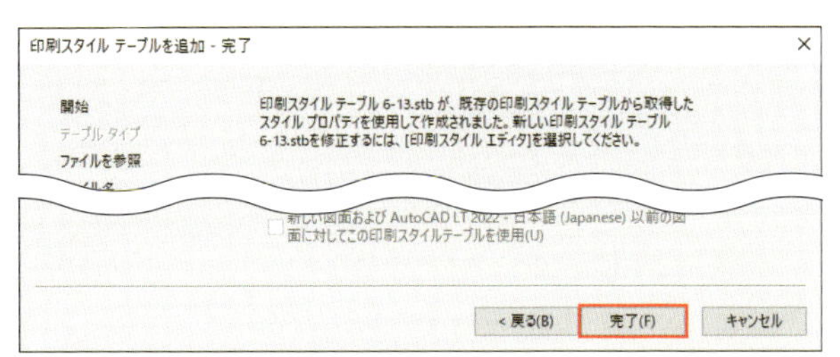

4 印刷スタイルの追加を終了する

［完了］をクリックし、印刷スタイルの追加を終了します。［6-13.stb］が作成されます。

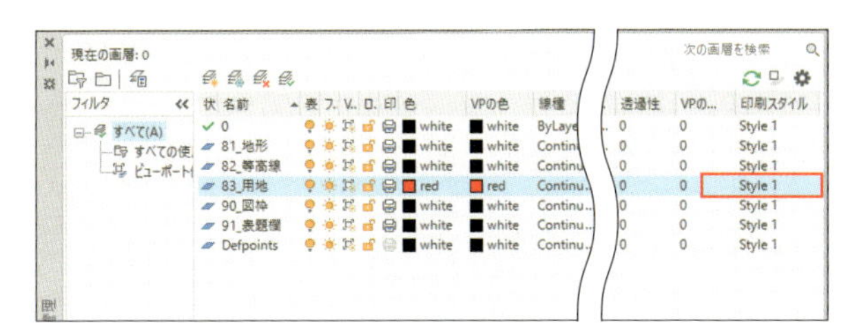

5 画層に印刷スタイルを設定する

［画層プロパティ管理］を実行し、［83_用地］の画層の［印刷スタイル］をクリックします。

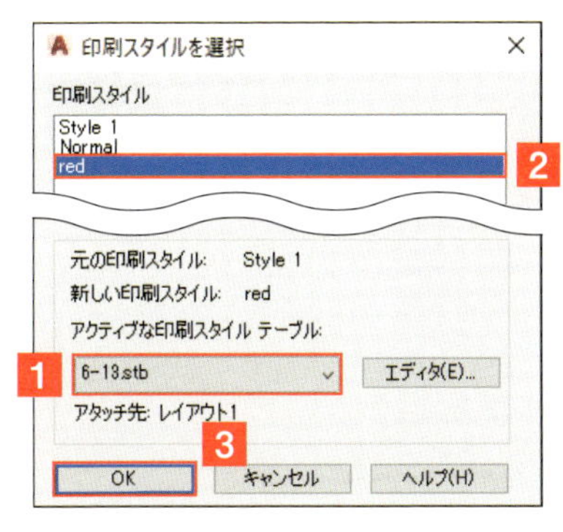

6 印刷スタイルを選択する

［6-13.stb］を選択し1、［red］を選択して2、［OK］をクリックします3。［83_用地］画層に印刷スタイル［6-13.stb］の［red］が適用されます。

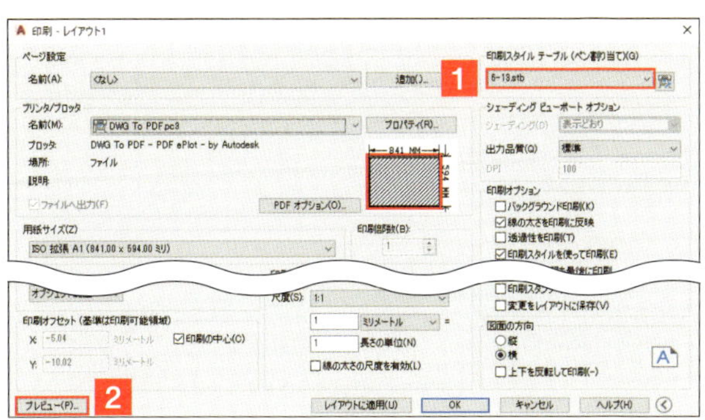

7 印刷スタイルを確認し、印刷する

［レイアウト1］タブで印刷を実行し、［印刷スタイルテーブル］から［6-13.stb］を選択して1、プレビューを確認してください2。

CHECK

［6-13.stb］が選択できない場合は、図面ファイルを上書き保存し、印刷を再度実行してください。

レイアウトを理解する～モデルタブとレイアウトタブ

AutoCADには、作図用の[モデル]タブと印刷設定用の[レイアウト]タブがあります。モデルタブでは作図を行い、印刷などを行う際にレイアウトタブで縮尺を与えます。

モデルタブとレイアウトタブの役割

モデルタブ

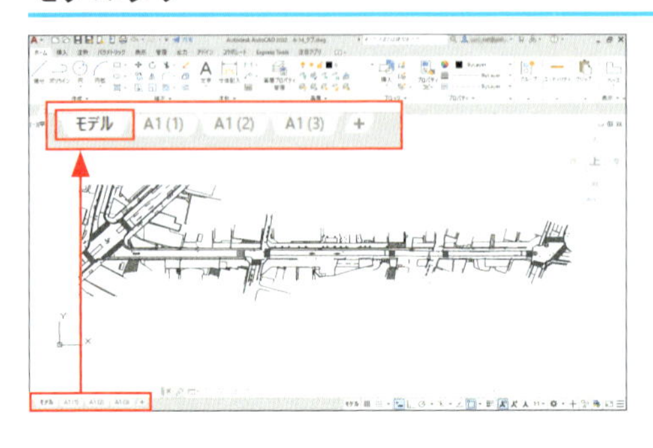

モデルタブでは、実寸で対象物を作図し、図枠や文字、寸法、印刷設定で図面の縮尺を設定することになります。また、モデルタブは1ファイルに1つのみとなり、名前を変更することはできません。

レイアウトタブ

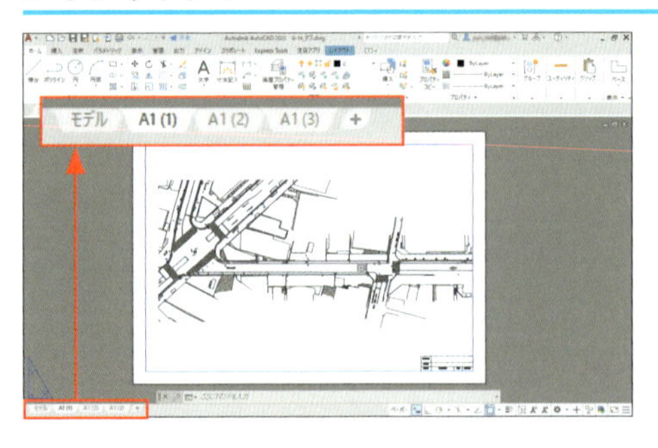

レイアウトタブでは印刷用の図面を準備します。モデルタブを表示するビューポート（表示領域）や図枠を作成し、印刷の縮尺は必ず1:1を設定します。レイアウトタブは複数作成し、名前を変更することができます。

レイアウトタブとページ設定の関係

レイアウトには用紙サイズの範囲が表示されています1。この用紙サイズはレイアウトに適用されたページ設定の用紙サイズとなります2。

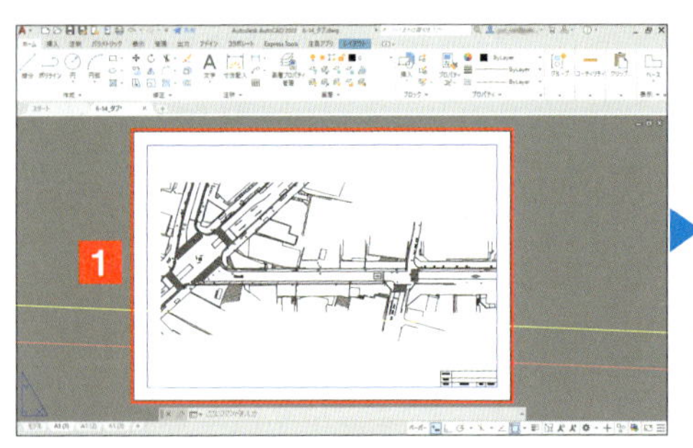

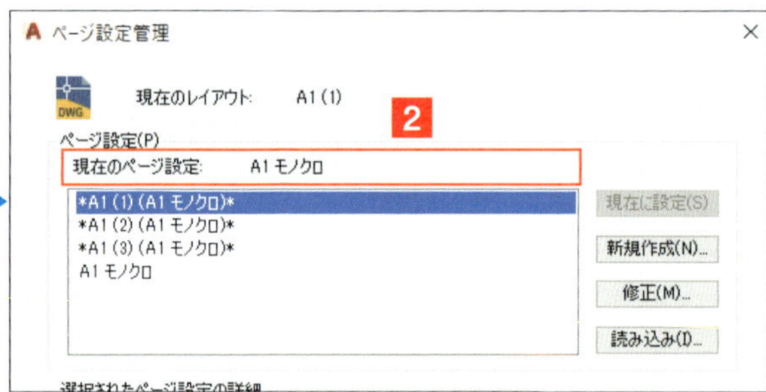

2つの空間とビューポートを理解する

モデル空間／ペーパー空間／ビューポート

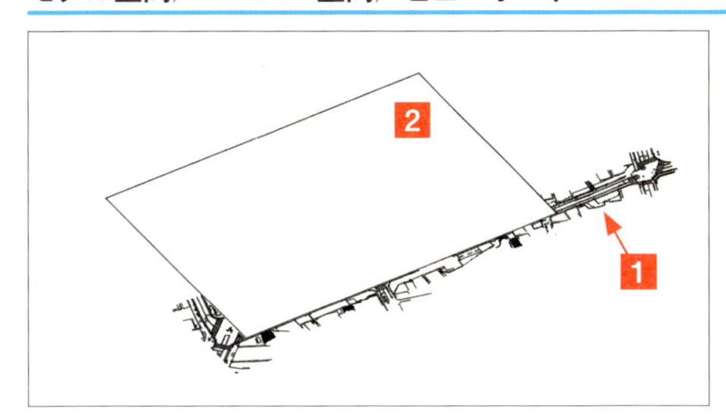

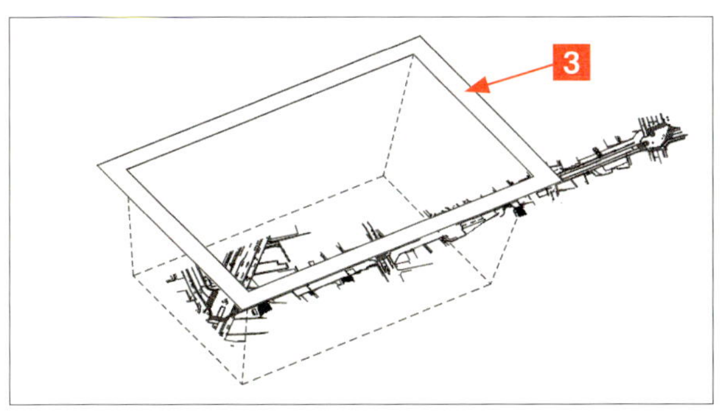

モデルタブはモデル空間、レイアウトタブはペーパー空間とも呼ばれます。モデル空間には対象物を作図1、その上に重ねた用紙がペーパー空間2というイメージです。ペーパー空間にはビューポートを作成し3、モデル空間の対象物を表示します。

ビューポートには縮尺を設定可能

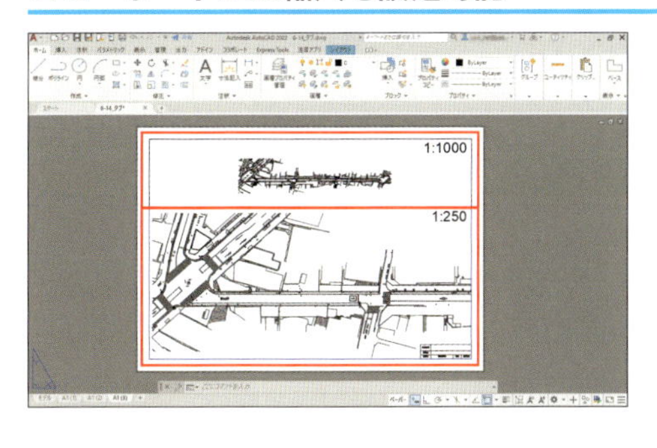

ビューポートには縮尺を設定できます。そのため、レイアウトタブ（ペーパー空間）にビューポートを複数作成することにより、縮尺の異なる図を配置することが可能です。

レイアウトタブの空間は切り替え可能

レイアウトタブでは、ビューポートの内側でダブルクリックするとモデル空間に1、外側でダブルクリックするとペーパー空間に切り替えることができます2。モデル空間に作図したものはモデル空間で、ペーパー空間で作図したものはペーパー空間でないと選択や編集をすることができません。

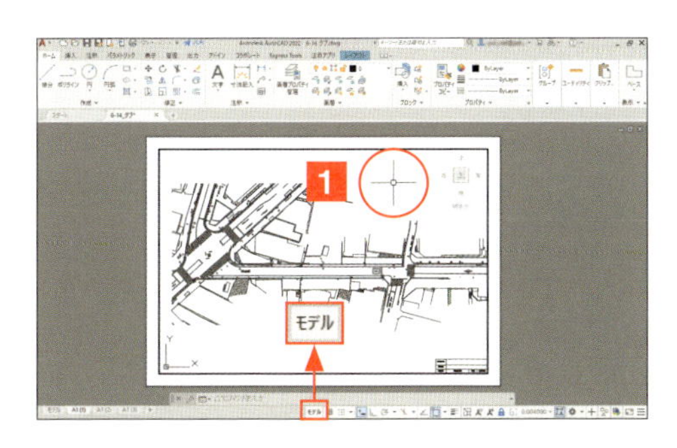

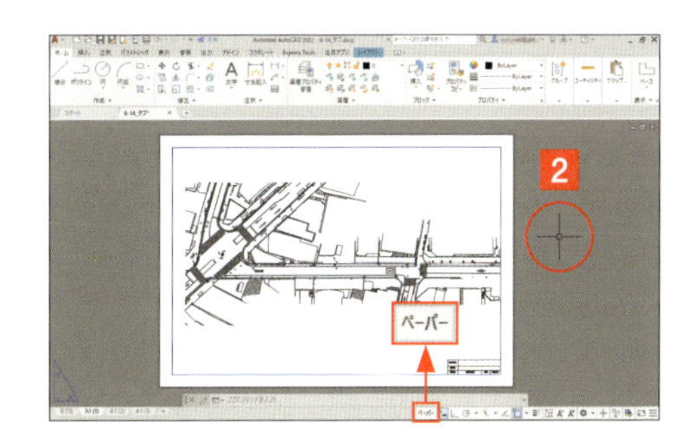

15 レイアウトタブを作成する

レイアウトを作成するには、レイアウトタブの作成とページ設定、そしてビューポートの作成と尺度の設定が必要です。ここでは、レイアウトタブの作成とページ設定を行います。

サンプルファイル 6-15.dwg　コマンド LAYOUT　ショートカットキー LO

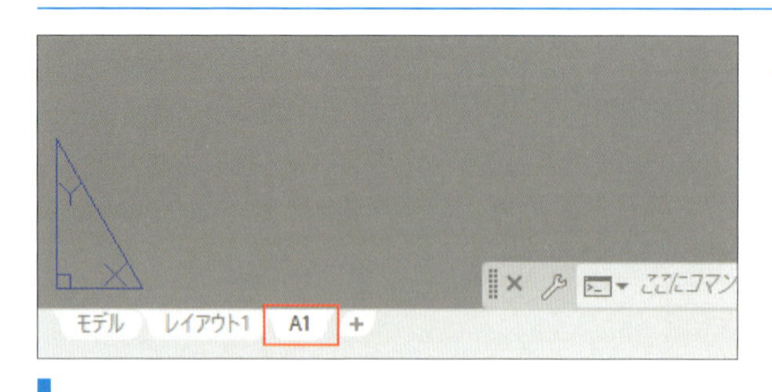

完成図

レイアウトを新規作成し、図枠のブロックを配置後、既存のページ設定［A1モノクロ］を適用します。

レイアウトにページ設定を適用、用紙サイズを表示する

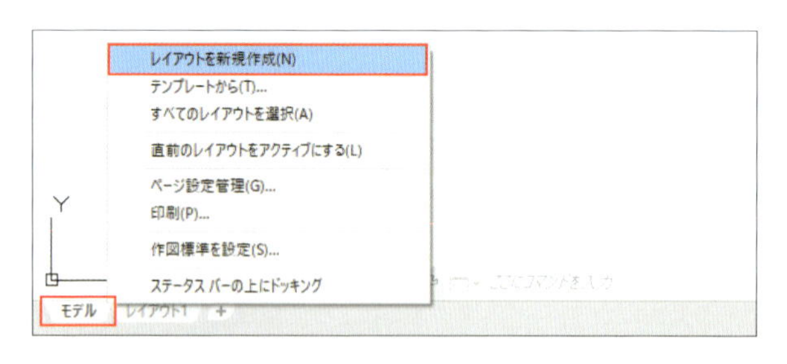

1 レイアウトを新規作成する

［モデル］タブを右クリックし、［レイアウトを新規作成］を選択します。

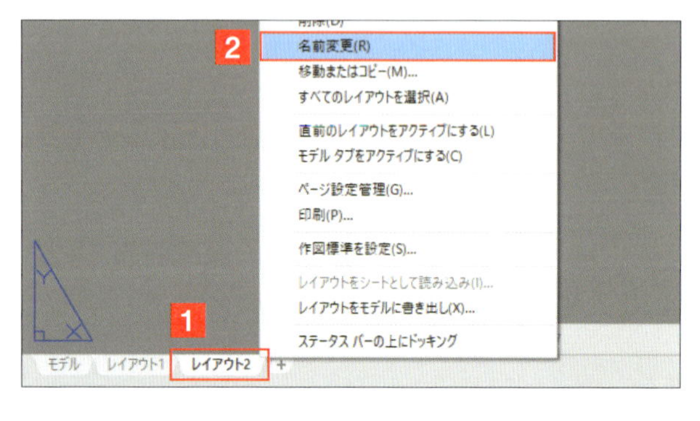

2 レイアウトの名前を変更する

作成された［レイアウト 2］タブを右クリックし1、［名前変更］を選択します2。タブの名前が入力できるので、「A1」と入力し、Enterキーを押します。

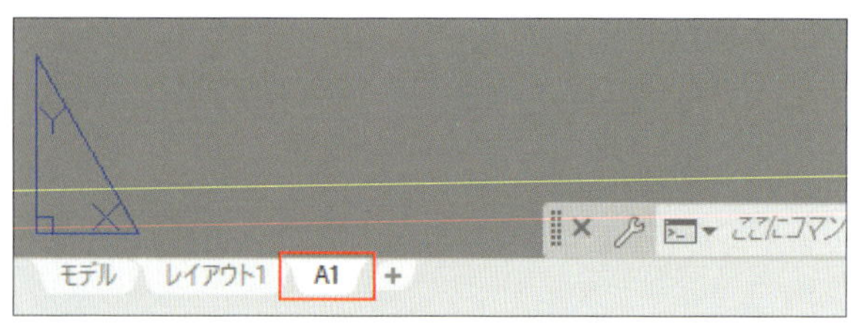

3 レイアウトをアクティブにする

［A1］タブをクリックして選択します。［A1］レイアウトがアクティブになります。

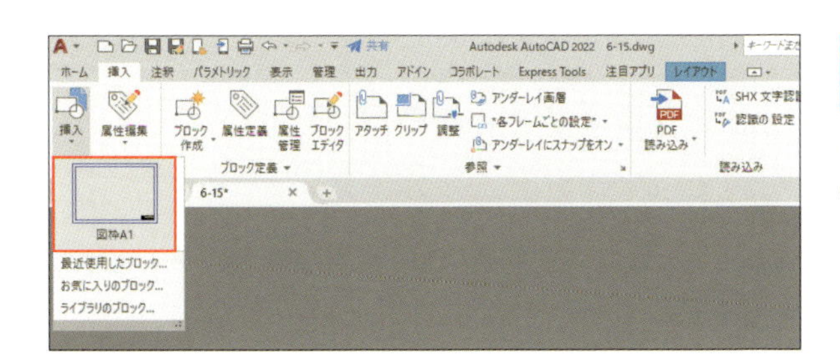

4 図枠のブロックを挿入する

[挿入]タブ→[ブロック]パネルの[挿入▼]→[図枠 A1]をクリックします。挿入位置に「#0,0」を入力すると、図枠が原点に配置されます。

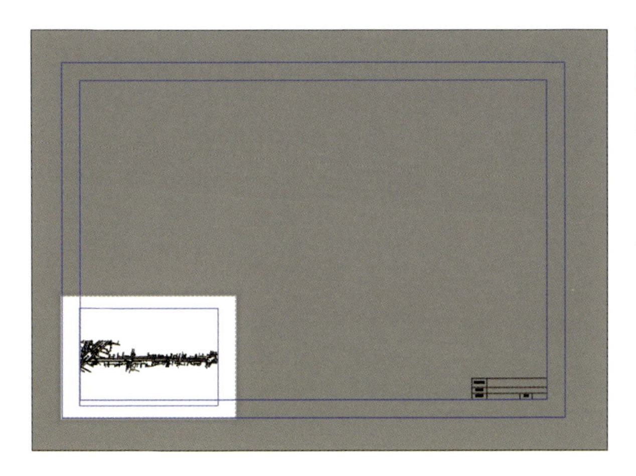

5 図枠が配置される

図枠が配置され、用紙サイズの領域（白い領域）よりも図枠の方が大きいことがわかります。ここでは、用紙サイズがA4、図枠がA1になっているので、レイアウトにページ設定を適用し、用紙サイズを変更します。

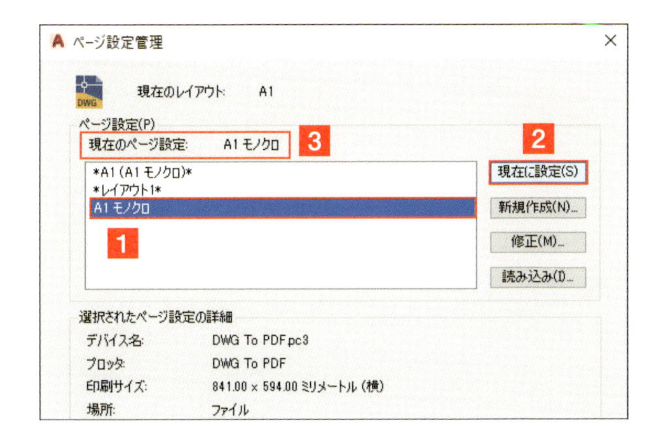

6 ページ設定を適用する

[出力]タブ→[印刷]パネルの[ページ設定管理]をクリックし、[ページ設定管理]ダイアログを表示します。既存の[A1 モノクロ]を選択し1、[現在に設定]をクリックすると2、ページ設定が適用されます3。[閉じる]をクリックして、[ページ設定管理]ダイアログを閉じます。

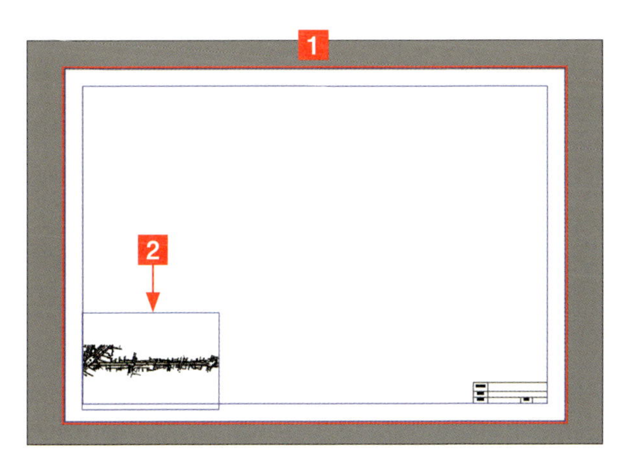

7 ページ設定が適用される

ページ設定が適用され、用紙サイズが変更されたので、用紙サイズの領域（白い領域）と図枠の大きさが一緒になります1。ビューポートは枠を選択し2、Deleteキーを押して削除してください。

CHECK

ビューポートの作成はP.336「ビューポートを作成する」を参照してください。

ビューポートを作成する

前ページでは、レイアウトを作成するためにレイアウトタブの作成とページ設定を行ったので、続いてビューポートを作成します。ビューポートの尺度を設定するには、P.337を参照してください。

サンプルファイル 6-16.dwg **コマンド** VPORTS **ショートカットキー** なし

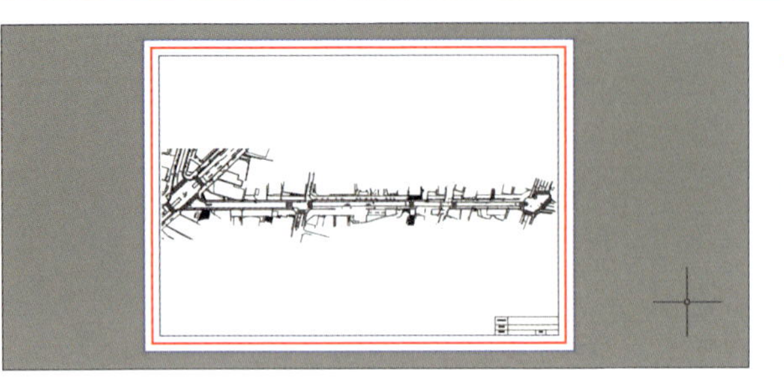

完成図

2点指示でビューポートを作成します。ビューポートは[99_ビューポート]画層に作成し、枠を印刷しないようにします。

ビューポートの［矩形］コマンドで2点を指定する

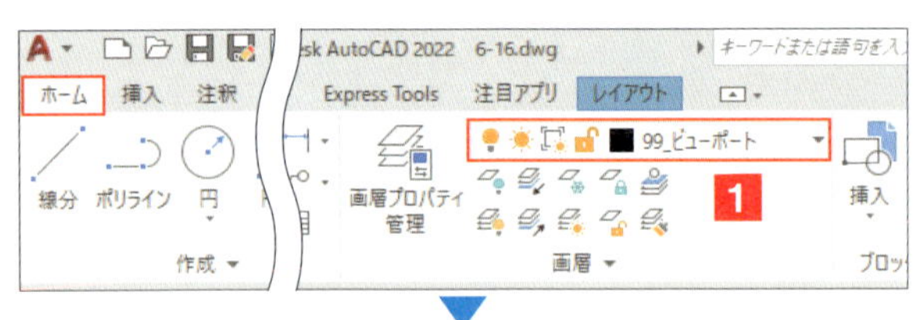

1 画層を確認し、［矩形］コマンドを実行する

現在画層が［99_ビューポート］であることを確認し1、［レイアウト］タブ→［レイアウトビューポート］パネルの［▼］→［矩形］をクリックします2。

CHECK

［99_ビューポート］画層は印刷しない設定になっています（P.249参照）。この画層に作成することにより、ビューポートの枠は印刷されません。

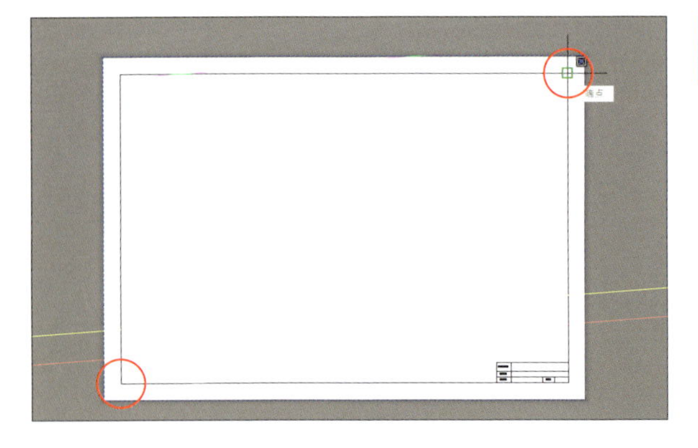

2 2点を指定作成する

オブジェクトスナップを使用し、図枠の内側を2点クリックすると、ビューポートが作成されます。

CHECK

縮尺を設定するにはP.337「ビューポートの尺度を設定する」以降を参照してください。

ビューポートの尺度を設定する

前ページでは、ビューポートを作成しました。このビューポートをより使いやすいものにするため、尺度を設定します。

サンプルファイル 6-17.dwg　コマンド なし　ショートカットキー なし

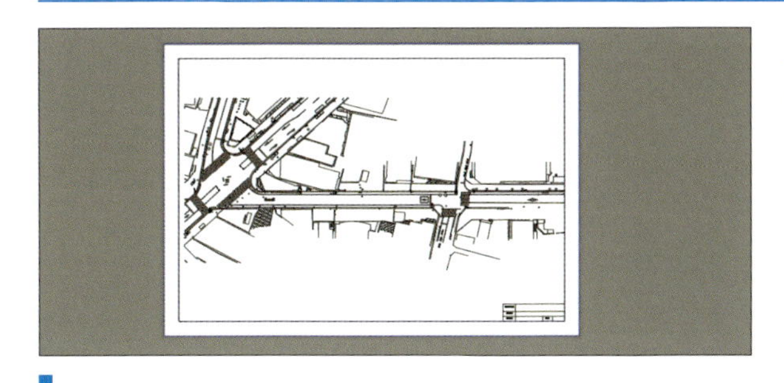

完成図

既存のビューポートの縮尺を1:250に設定し、モデル空間に書かれている図面の左側を表示します。

モデル空間に移動して尺度を設定する

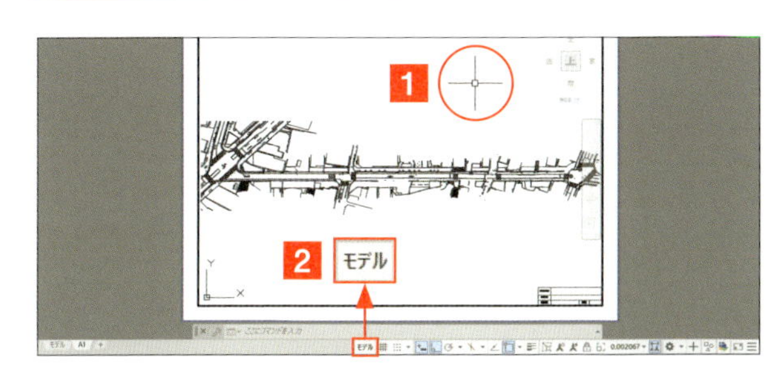

1 モデル空間に移動する

ビューポートの内側をダブルクリックすると1、モデル空間に移動します2。

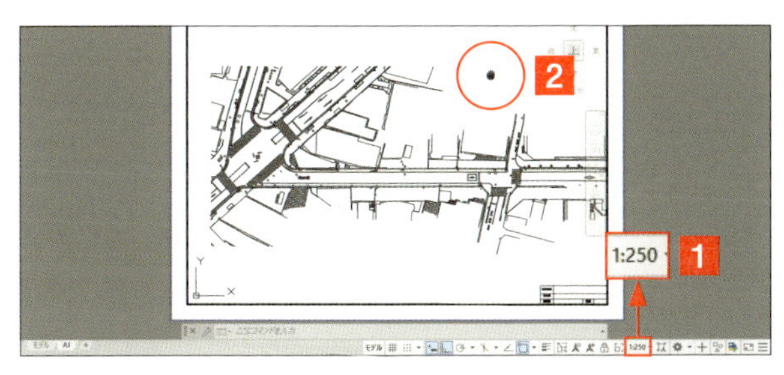

2 縮尺を設定する

ステータスバーの［選択されたビューポートの尺度］から［1:250］を選択します1。図面の左側を表示するため、マウスのスクロールボタンなどでビューポート内を画面移動します2。

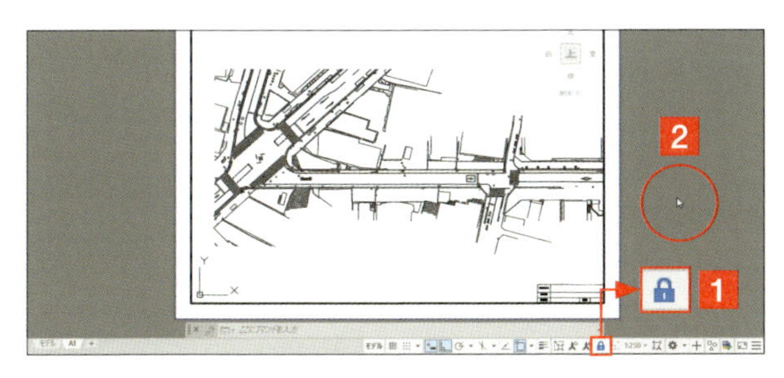

3 ビューポートの表示をロックする

ステータスバーのカギのマークをクリックし、ビューポートをロックします1。最後にビューポートの外側でダブルクリックして2、ペーパー空間に戻ってください。

ビューポートの尺度を図枠に合わせて変更する

ビューポートと同じ比率の長方形を、図面の縮尺に尺度変更してモデルタブに作図することで、それに合わせてビューポートの尺度を変更できます。ここでは、長方形の対角点を指示して、ビューポートの尺度を変更します。

サンプルファイル 6-18.dwg　コマンド ZOOM　ショートカットキー Z

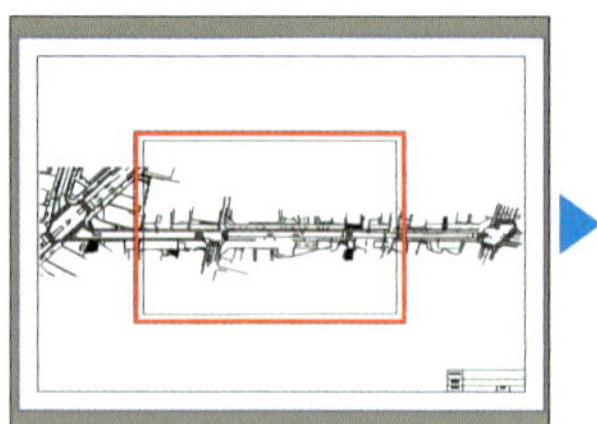

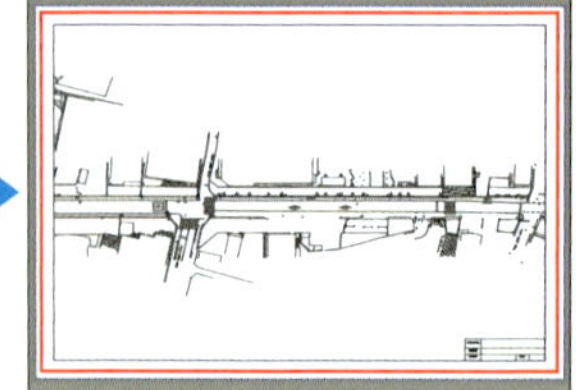

完成図

［窓ズーム］コマンドを実行して、モデルに配置された1:250のA1図枠を、レイアウトのビューポートと合わせます。

［窓ズーム］コマンドで2点を指定する

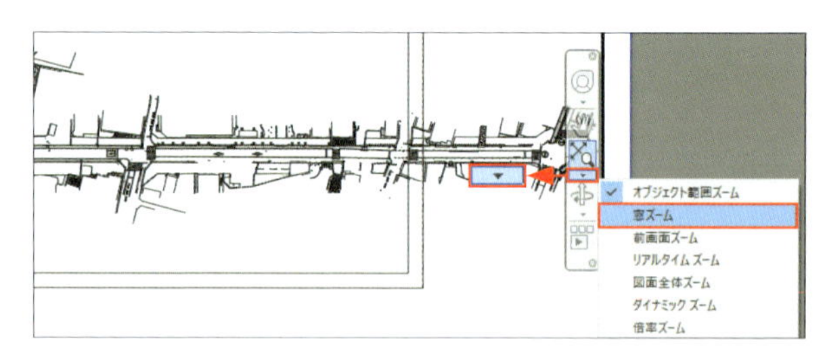

1 モデル空間で窓ズームを実行する

ビューポートの内側をダブルクリックして、モデル空間に移動します。ナビゲーションバーから［▼］→［窓ズーム］をクリックします。

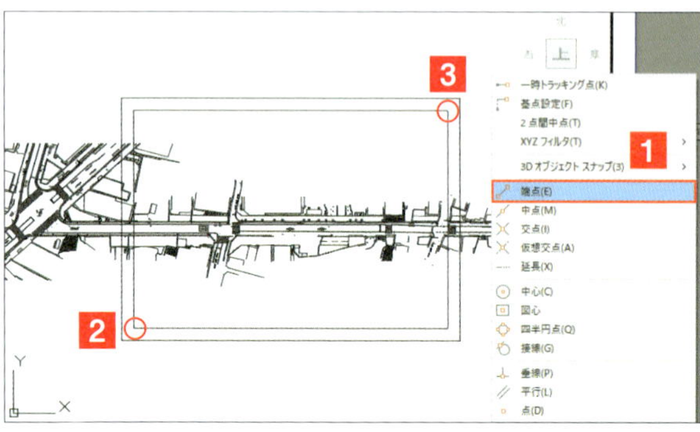

2 窓ズームの範囲1点目を指定する

Shiftキーを押しながら右クリックし、オブジェクトスナップの［端点］を選択して1、図枠内側の端点をクリックします2。同様の操作で、反対側の端点をクリックします3。

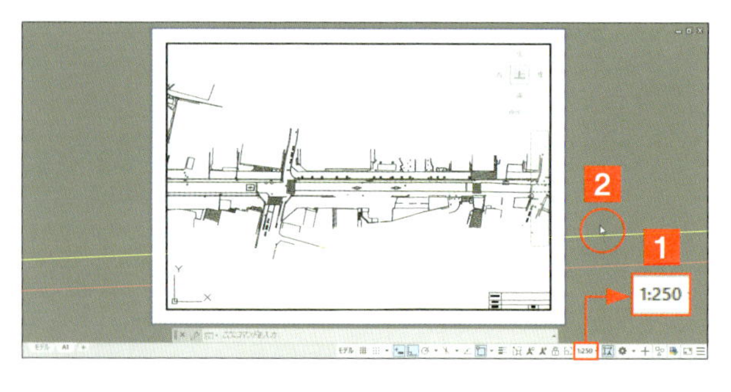

3 窓ズームが実行された

窓ズームが実行され、図枠と同じ大きさになり、縮尺が 1:250 になります1。最後にビューポートの外側でダブルクリックして2、ペーパー空間に戻ってください。

尺度リストを作成する

尺度のリストは図面ファイルごとに保存されます。使用したい尺度がない場合は、追加することが可能です。また、必要のない尺度は削除をして、図面の保存容量を減らすことができます。

サンプルファイル 6-19.dwg コマンド SCALELISTEDIT ショートカットキー なし

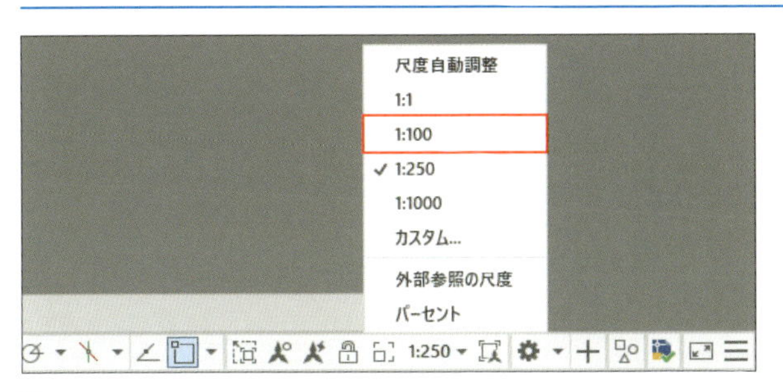

完成図

尺度リストに[1:100]を追加します。

[尺度リスト]コマンドで尺度を追加する

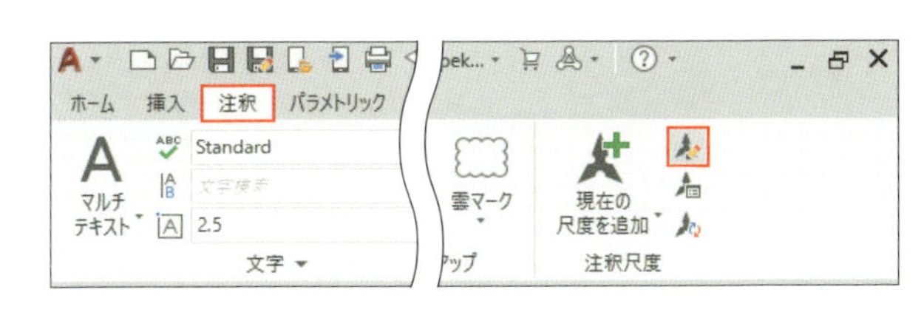

1 [尺度リスト]コマンドを実行する

[注釈] タブ→[注釈尺度] パネルの [尺度リスト] をクリックします。

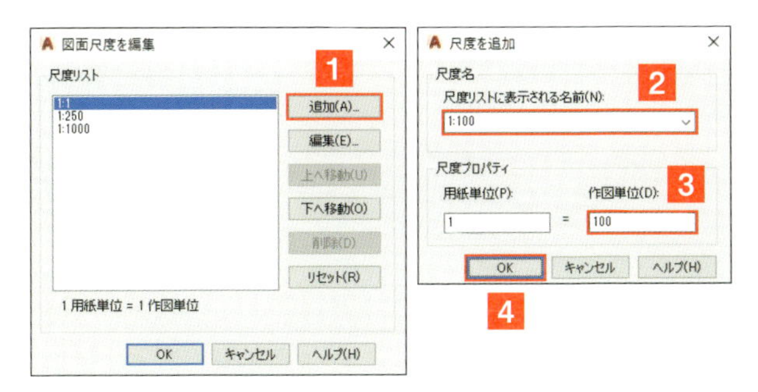

2 尺度を追加する

[追加] をクリックすると1、[尺度を追加] ダイアログが表示されます。[尺度名] に「1:100」を2、[作図単位] に「100」を入力し3、[OK] をクリックして4、ダイアログを閉じます。

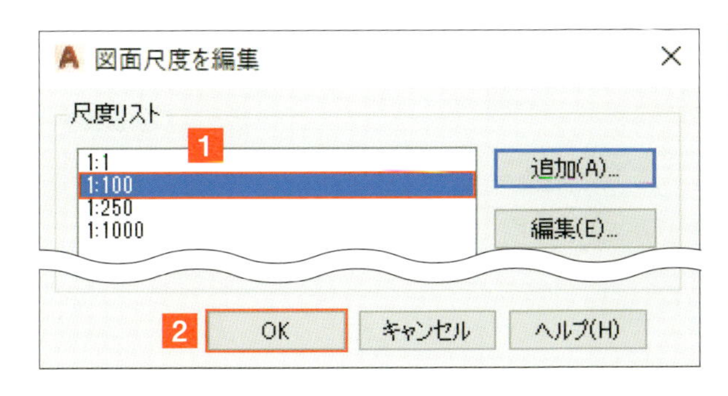

3 尺度が追加される

[1:100] が追加されたことを確認し1、[OK] をクリックして2、[図面尺度を編集] ダイアログを閉じます。ビューポートの内側をダブルクリックしてモデル空間に移動し、ステータスバーの尺度リストに [1:100] が追加されたことを確認してください。

ビューポートをクリップして一部だけを表示する

ビューポートを多角形で作成したい場合、まずはビューポートを矩形で作成し、その後クリップすることでビューポートを見やすくすることができます。クリップする範囲をポリラインで作成しておくと効率的です。

サンプルファイル 6-20.dwg **コマンド** VPCLIP **ショートカットキー** なし

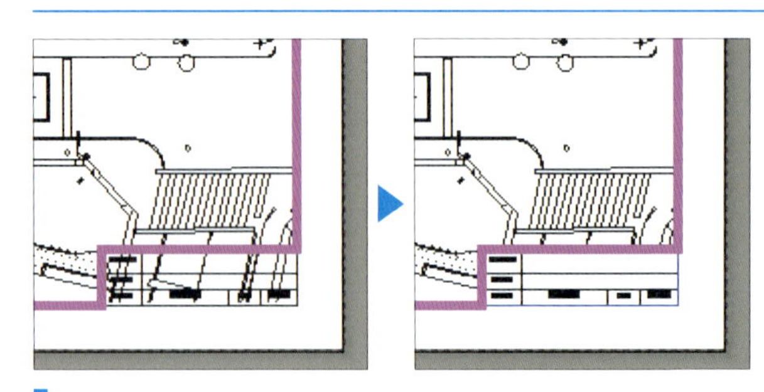

完成図

表題欄とビューポートが重ならないように、ビューポートをクリップします。

[クリップ]コマンドでビューポートを選択する

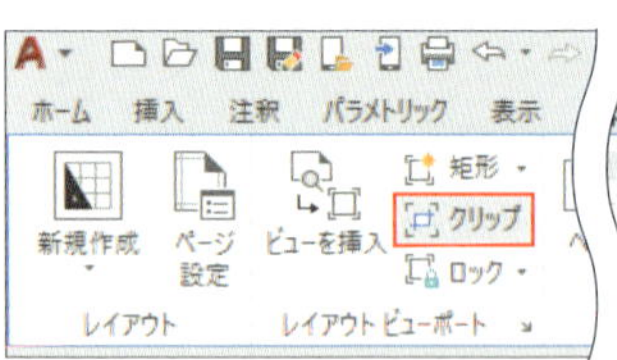

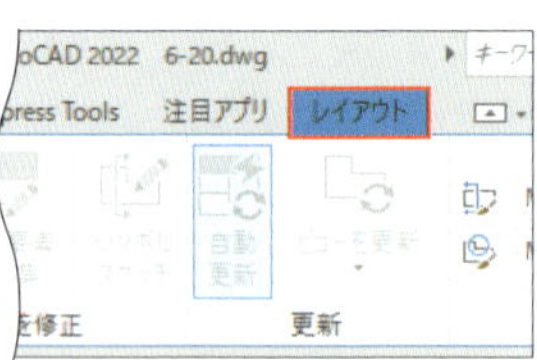

1 [クリップ]コマンドを実行する

[レイアウト] → [レイアウトビューポート] パネルの [クリップ] をクリックします。

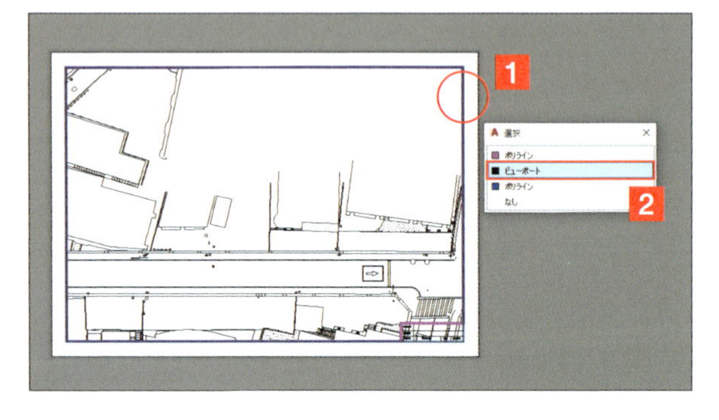

2 ビューポートを選択する

ビューポートをクリックして選択し1、[ビューポート] を選択します2。

CHECK

[選択の循環] がオンになっている必要があります。詳しくは、P.112 を参照してください。

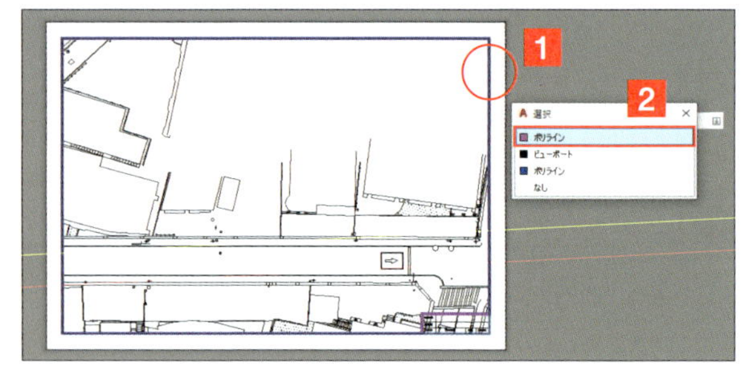

3 ポリラインを選択する

上記手順と同じように、ビューポートをクリックして選択し1、[ポリライン] を選択します2。クリップが実行され、ポリラインの内側のみモデルが表示されるようになります。

ビューポートを最大化して表示する

ビューポートの範囲外の図形を表示したり、編集したりしたい場合は、モデルタブに移動せずに、レイアウトタブ上でビューポートを最大化することができます。

サンプルファイル 6-21.dwg　コマンド VPMAX　ショートカットキー なし

完成図

レイアウトタブでモデル空間を最大化して表示します。

[ビューポートを最大化]をクリックする

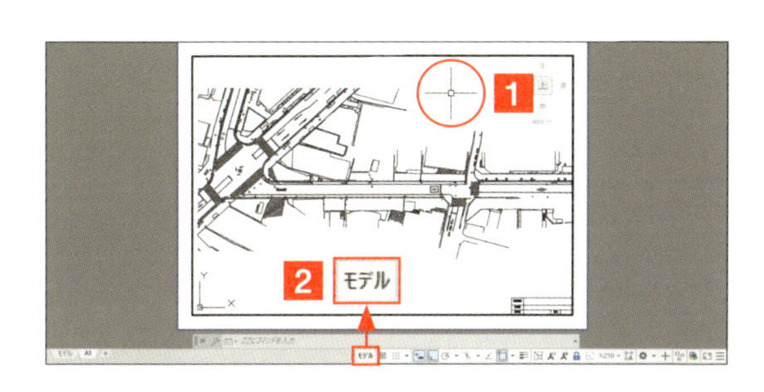

1 モデル空間に移動する

ビューポートの内側をダブルクリックし1、モデル空間に移動します2。

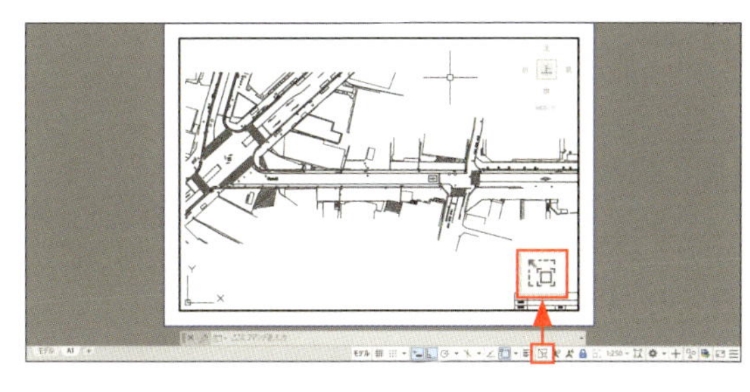

2 ビューポートを最大化する

ステータスバーの[ビューポートを最大化]をクリックします。レイアウトタブでビューポートが最大化されます。

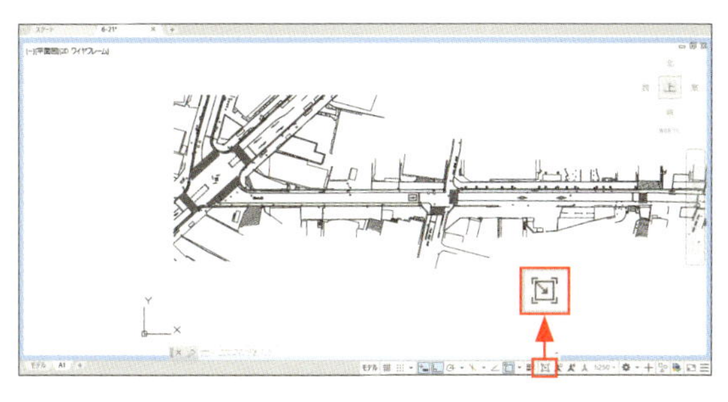

3 ビューポートを最小化する

ステータスバーの[ビューポートを最小化]をクリックすると、ビューポートの表示が元に戻ります。

ビューポートを回転して表示する

レイアウトタブでビューポート内を回転したい場合は、モデル空間の図形を回転するのではなく、UCSを使用して表示のみを回転します。

サンプルファイル 6-22.dwg コマンド UCS、PLAN ショートカットキー なし

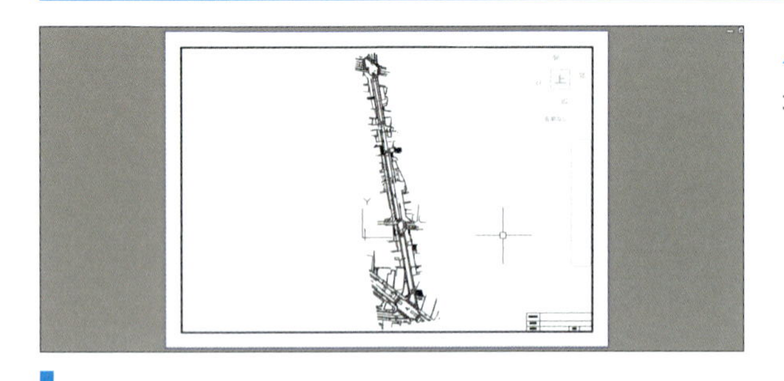

完成図

北が上向きになるように設定します。

UCSを設定して[プランビュー]コマンドを利用する

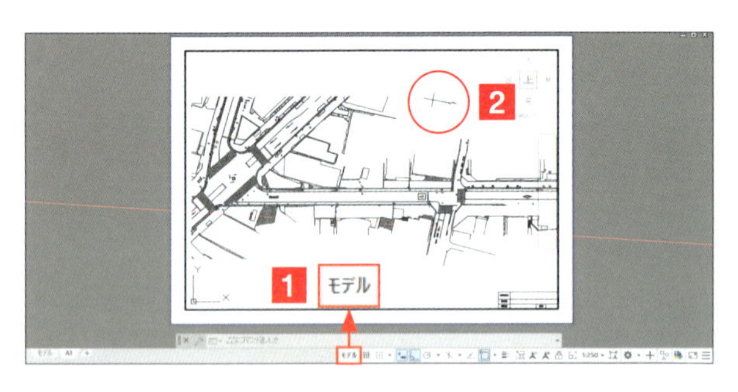

1 モデル空間に移動する

ビューポートの内側をダブルクリックしてモデル空間に移動し1、図面の方位部分の直線が選択しやすいように、拡大表示しておきます2。

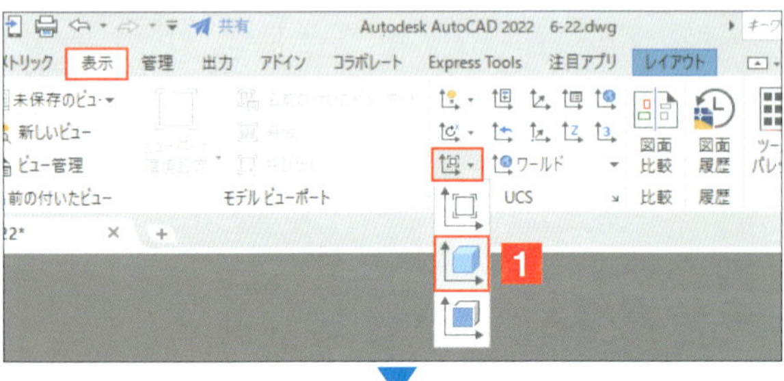

2 UCSを設定する

[表示]タブ→[UCS]パネルの[▼]→[オブジェクト]をクリックし1、X軸方向となる直線を選択します2。

CHECK

UCSについては、P.376以降を参照してください。また、[UCS]パネルが表示されていないときは、P.377の「[UCS]パネルで設定/管理する」を参照してください。

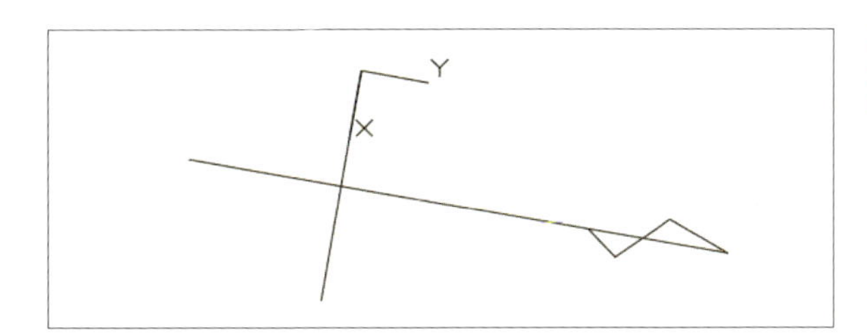

3 UCSが設定された

北がY軸の正方向になるようにUCSが設定されました。

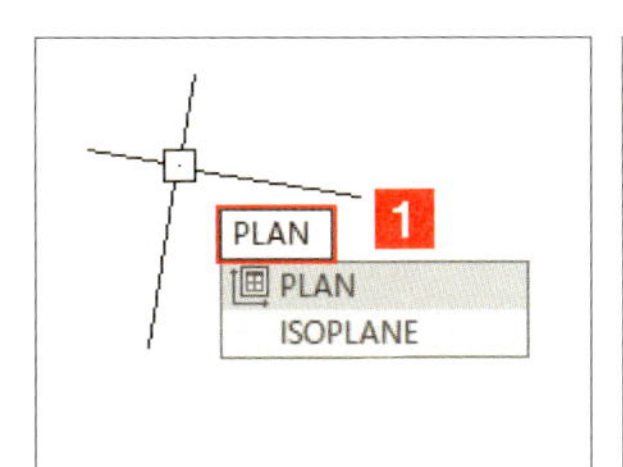

4 ［プランビュー］コマンドを実行する

「PLAN」と入力し、Enterキーを押して［プランビュー］コマンドを実行します1。表示されるオプションから［現在のUCS］をクリックして選択します2。

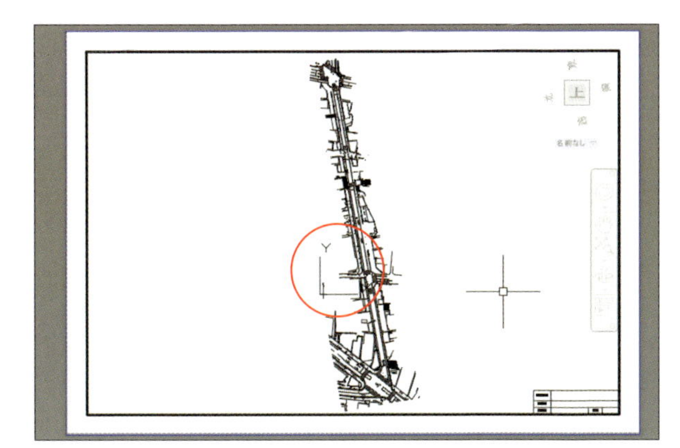

5 ビューポートが回転する

ビューポート内が回転し、X軸が水平、Y軸が垂直に表示されます。

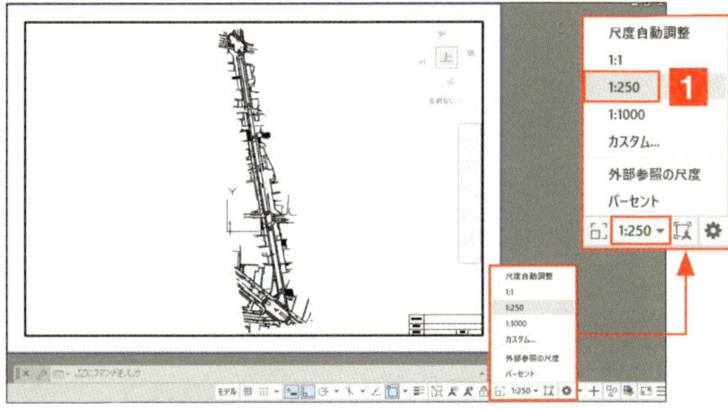

6 縮尺を設定する

ステータスバーの［選択されたビューポートの尺度］をクリックして［1:250］を選択します1。図面の下側を表示するため、マウスのスクロールボタンなどでビューポート内を画面移動します2。最後にビューポートの外側をダブルクリックして、ペーパー空間に戻ってください。

23 レイアウトで線種を表示する

モデルタブで表示されている線種のピッチ間隔が、レイアウトタブでは異なる表示になってしまうことがあります。この場合は、グローバル線種尺度をレイアウトタブに適用します。

サンプルファイル 6-23.dwg **コマンド** LINETYPE、REGENALL **ショートカットキー** LT、REA

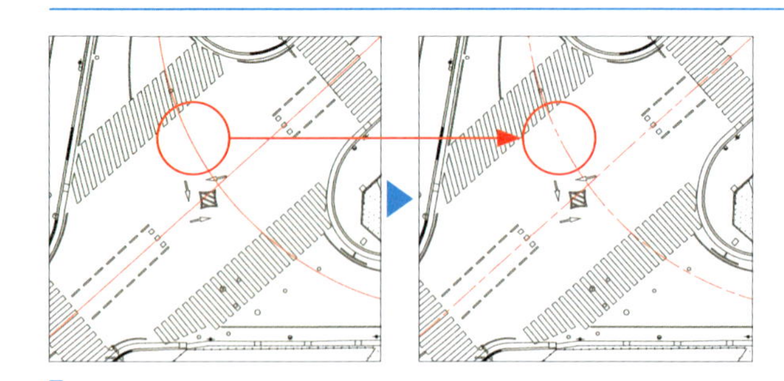

完成図

モデルタブで表示されている線種間隔を、レイアウトタブでも同様に表示します。グローバル線種尺度は250で設定されています。

［線種管理］ダイアログで尺度設定を変更する

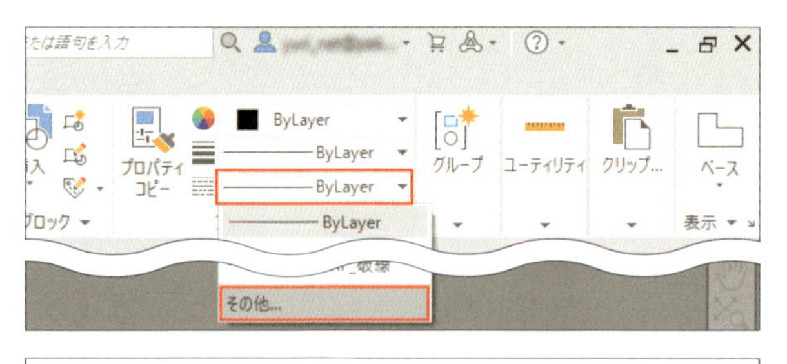

1 ［線種管理］ダイアログを表示する

［ホーム］タブ→［プロパティ］パネルの［線種］→［その他］をクリックし、［線種管理］ダイアログを表示します。

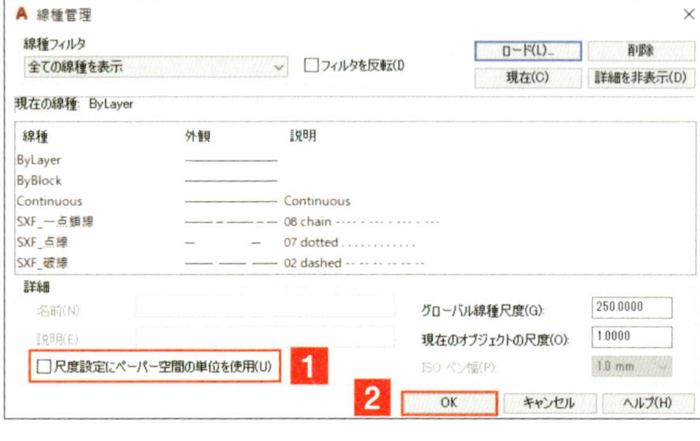

2 尺度設定を変更する

［尺度設定にペーパー空間の単位を使用］のチェックを外し**1**、［OK］をクリックします**2**。

CHECK

ビューポートが複数あり、尺度が違う場合には、［グローバル線種尺度］を1にして、［尺度設定にペーパー空間の単位を使用］のチェックを入れてください。

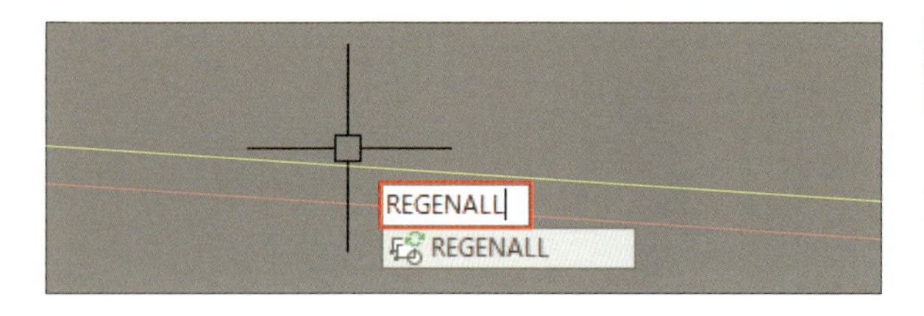

3 全再作図を実行する

「REGENALL」と入力し、Enterキーを押します。画面の再作図が実行され、線種が表示されました。

レイアウトをモデルに変換する

ほかのCADでDWGファイルを開く場合、レイアウトタブが表示できないことは多くあります。そんなときは、レイアウトをモデルに変換してから開きます。

サンプルファイル 6-24.dwg コマンド EXPORTLAYOUT ショートカットキー なし

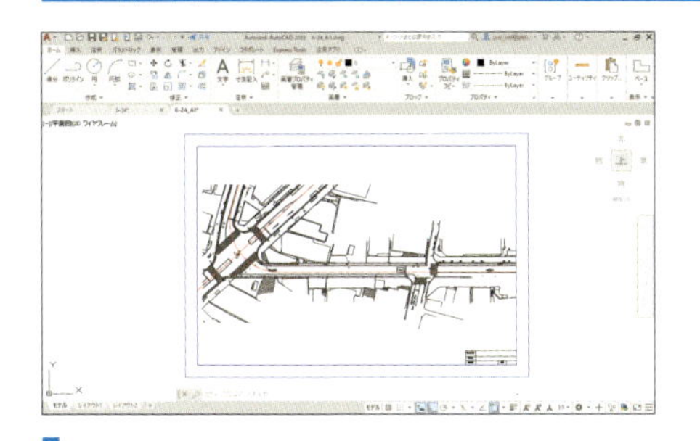

完成図

レイアウトタブをモデルタブに変換したファイルを作成します。

[レイアウトをモデルに書き出し]コマンドを実行する

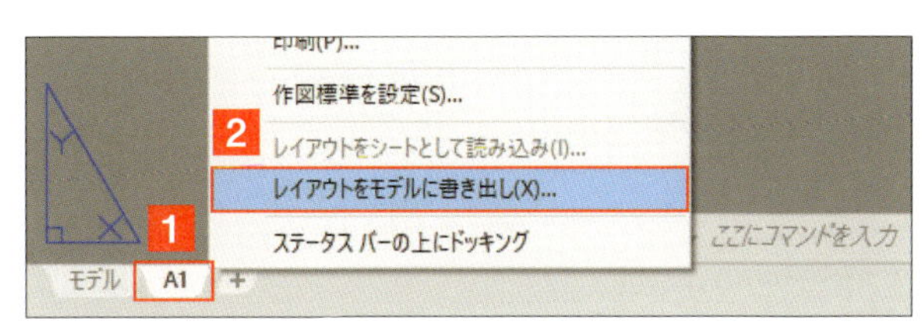

1 [レイアウトをモデルに書き出し]コマンドを実行する

[A1] タブを右クリックし1、[レイアウトをモデルに書き出し] をクリックします2。

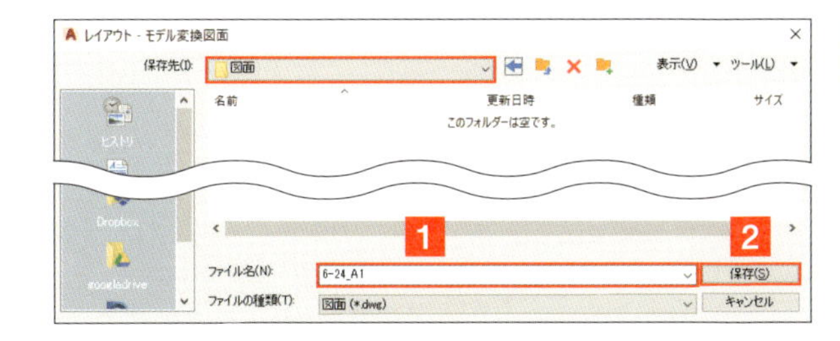

2 フォルダとファイル名を指定する

フォルダとファイル名を指定し1、[保存] をクリックします2。

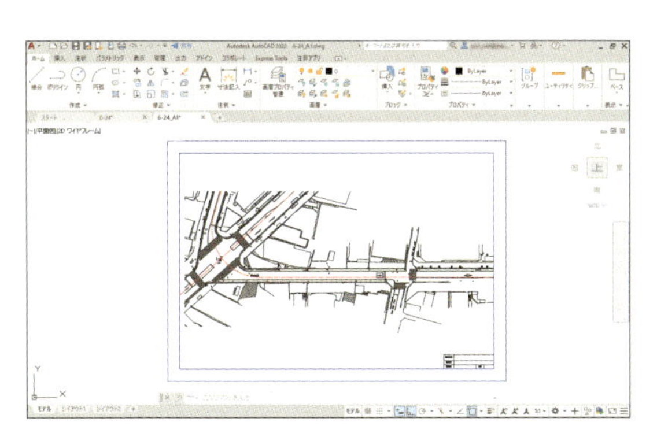

3 ファイルを開く

書き出しが完了すると、「ファイルは正常に作成されました。開きますか?」のダイアログが表示されるので、[開く] をクリックします。保存されたファイルが開き、レイアウトがモデルに変換されました。

図形の空間を変更する

記号や寸法、文字、図枠などはモデル空間でなく、ペーパー空間に作図する方が効率的な場合もあります。すでに作図されているものは、[空間変更]コマンドで空間を移動させることができます。

サンプルファイル 6-25.dwg　コマンド CHSPACE　ショートカットキー なし

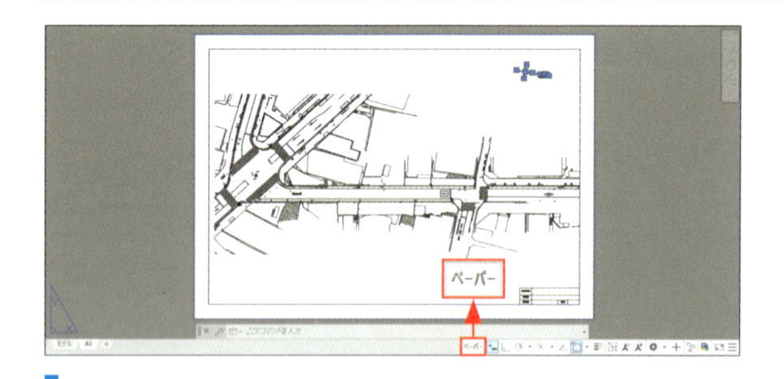

完成図

方位の図形をモデル空間からペーパー空間に移動します。

モデル空間に移動して[空間変更]コマンドを実行する

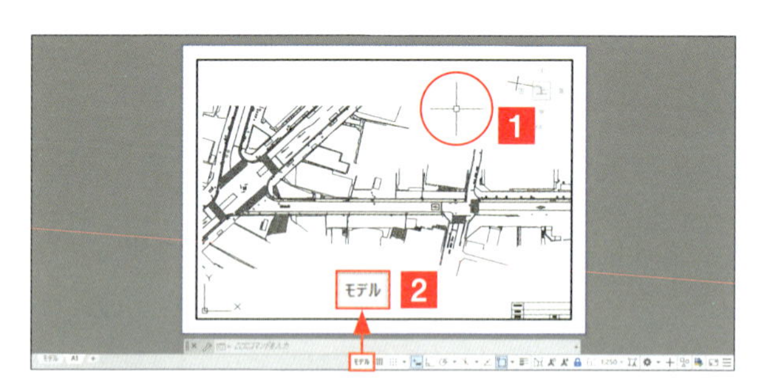

1 モデル空間に移動する

ビューポートの内側をダブルクリックし1、モデル空間に移動します2。

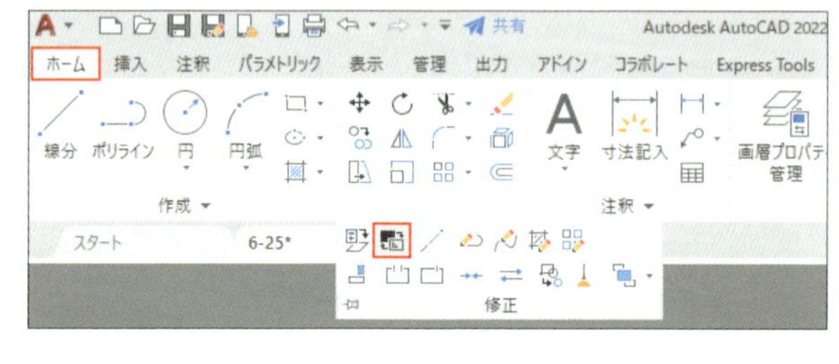

2 [空間変更]コマンドを実行する

[ホーム]タブ→[修正]パネルの[修正▼]→[空間変更]をクリックします。

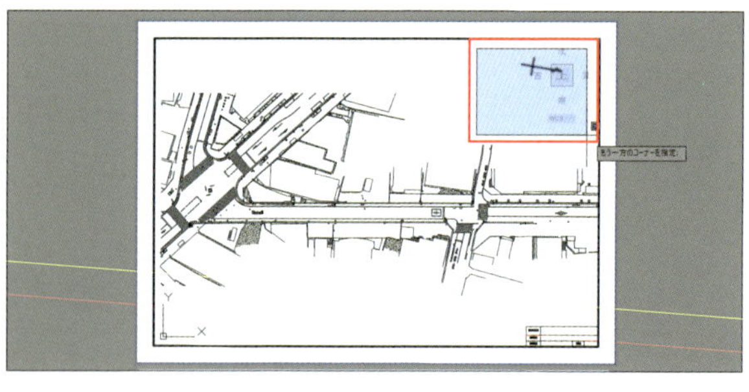

3 図形を選択する

方位の図形を窓選択などで選択し、Enterキーを押して確定します。選択した図形がペーパー空間に移動し、モデル空間に表示されなくなります。

CHAPTER

▼

07

ファイル管理

AutoCADで利用されるファイルを理解する

ここでは、図面ファイル、図面ファイルを新規作成するときに選択するテンプレートファイル、そのほかAutoCADで利用するファイル(線種、ハッチングパターン、SHX、印刷スタイル)について解説します。

DWG／テンプレートファイルの特徴

AutoCAD のバージョン	DWGファイルのバージョン
2022、2021、2020、2019、2018	2018形式DWG
2017、2016、2015、2014、2013	2013形式DWG
2012、2011、2010	2010形式DWG
2009、2008、2007	2007形式DWG
2006、2005、2004	2004形式DWG
2002、2000i、2000	2000形式DWG

DWGファイル

AutoCADの図面ファイルの拡張子はdwgです。ただし、AutoCADのバージョンによってDWGファイルのバージョンも異なります。新しいバージョンのDWGファイルを古いバージョンのAutoCADで開くことはできません。DWGファイルのやり取りをする場合は、左図を参考にバージョンを確認して保存してください。保存方法はP.354「ファイルのバージョンを下げて保存する」を参照してください。

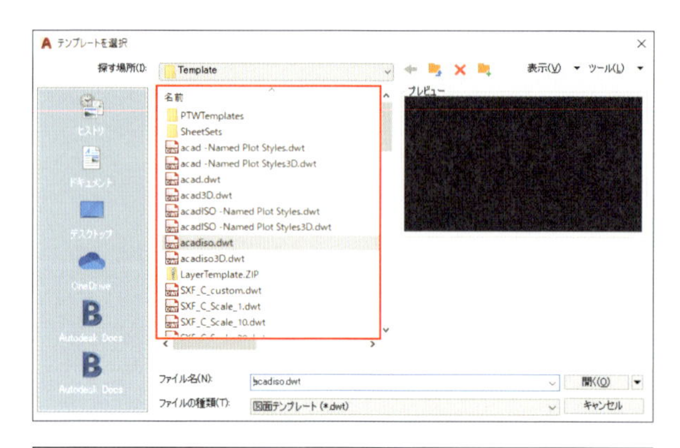

テンプレートファイル

ファイルの新規作成で選択する、ひな形のファイルをテンプレートファイルと呼びます。主に画層、文字／寸法スタイル、線種、図枠などを設定しておきます。左図は、AutoCADに標準で付属しているテンプレートファイルで、ファイルの拡張子はdwtとなります。作成方法はP.424「テンプレートを作成する」を参照してください。

acad.dwt
インチ系、色従属印刷スタイルを使用

acadiso.dwt
メートル系、色従属印刷スタイルを使用

acad -Named Plot Styles.dwt
インチ系、名前の付いた印刷スタイルを使用

acadISO -Named Plot Styles.dwt
メートル系、名前の付いた印刷スタイルを使用

SXF_○_Scale_○○.dwt
「CAD製図基準(案)平成16年6月国土交通省」に準拠した設定のテンプレートファイル

CHECK

本セクションでは、AutoCADに付属するファイル名で解説しています。AutoCAD LTの場合は、例えば「acad.dwt」→「acadlt.dwt」のように、ファイル名に「lt」がつきます。「acad」の文字列があるいくつかのファイルは、「lt」をつけて読み替えてください。

そのほかのファイルについて

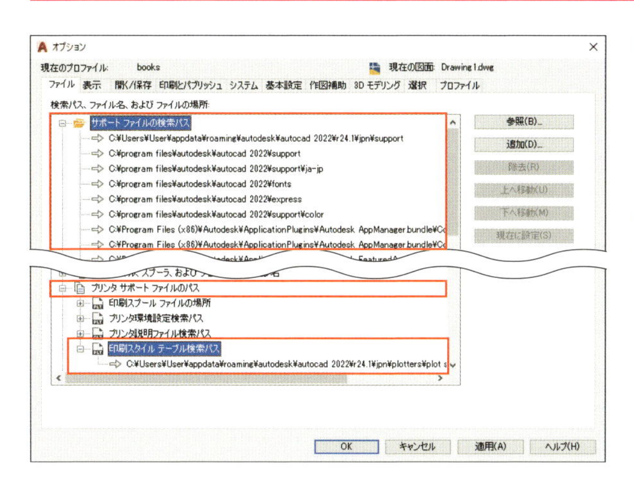

図面ファイル（*.dwg）やテンプレートファイル（*dwt）以外に、AutoCAD ではさまざまなファイルが使われます。線種やハッチングの定義ファイル、印刷スタイルテーブルについてはカスタマイズしたファイルを図面ファイルとともにやり取りすることがあります。これらのファイルは保存場所が設定されています。受け取った場合は、[オプション] ダイアログで保存場所を確認し、指定のフォルダに保存してください。

acad.lin
単位がインチ系の図面用
acadiso.lin
単位がメートル系の図面用
sxf.lin
SXF仕様に準拠

線種ファイル(*.lin)

破線や一点鎖線などの線種が定義され、線種のロードで使用します。テキストエディタで開いてカスタマイズすることが可能です。

acad.pat
単位がインチ系の図面用
acadiso.pat
単位がメートル系の図面用
sxf_hatch_style_7_symbol.pat
sxf_hatch_style_8_symbol.pat
SXF仕様に準拠

ハッチング パターン ファイル(*.pat)

ハッチングパターンが定義され、ハッチング作成でパターンとして表示されます。テキストエディタで開いてカスタマイズすることが可能です。

bigfont.shx
JIS第一水準フォント
extfont.shx
JIS第二水準フォント
extfont2.shx
extfontの改良版
@extfont2.shx
extfont2の縦文字版

コンパイル済みシェイプファイル(*.shx)

SHX フォントは、AutoCAD 専用の文字フォントです。左図は標準で付属している日本語用のフォントです。

monochrome.ctb、monochrome.stb
モノクロ印刷用
acad.ctb、acad.stb
カラー印刷用

印刷スタイルテーブルファイル(*.ctb、*.stb)

印刷時に表現される線の色や太さなどの設定ファイルです。

DXFファイルを開く

ほかのCADやアプリケーションとやり取りする場合によく用いられるDXFファイルを開くには、[ファイルを選択]ダイアログでファイルの種類を指定する必要があります。ここでは、その方法を解説します。

サンプルファイル 7-2.dxf　コマンド OPEN　ショートカットキー なし

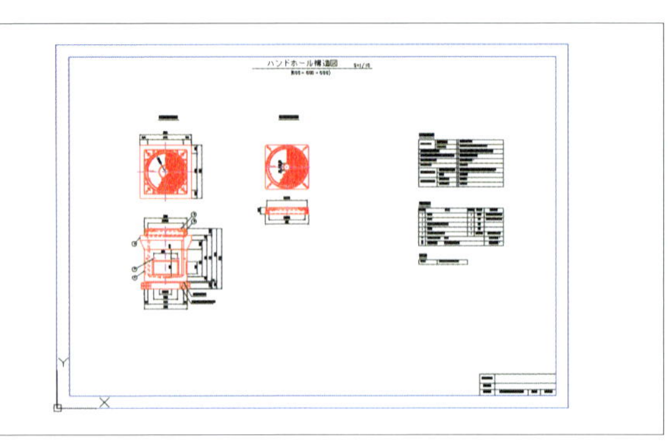

完成図

7-2.dxfファイルを開きます。

[クイックアクセスツールバー]の[開く]からDXFファイルを選択する

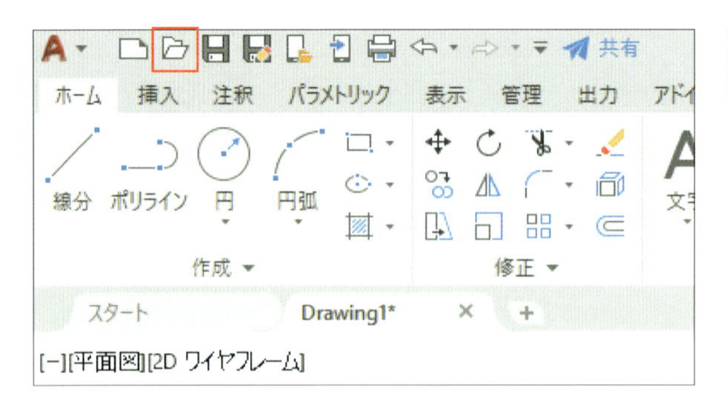

1 ファイルを開く

[クイックアクセスツールバー] の [開く] をクリックします。[ファイルを選択] ダイアログが表示されます。

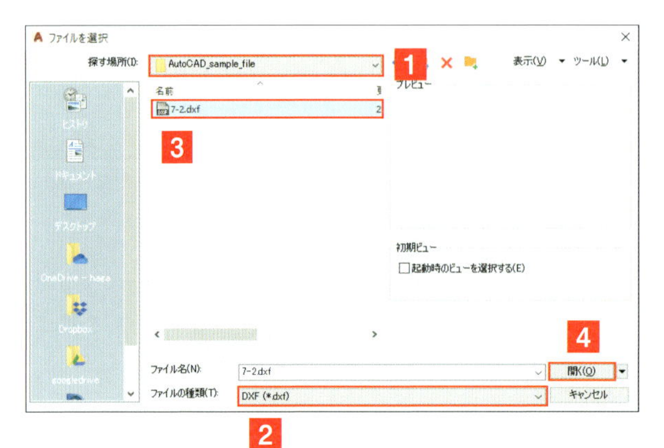

2 ファイルの種類とファイルを選択する

開きたいファイルが入っている場所を選択します1。[ファイルの種類] から [DXF (*.dwf)] を選択し2、ファイルを選択して3、[開く] をクリックします4。DXF ファイルを開くことができます。

CHECK

次に DWG ファイルを開く場合は、ファイルの種類を [図面 (*.dwg)] にしてください。

PDFファイルを読み込む

AutoCADでは、PDFファイルから図形や文字を読み込むことが可能です。ただし、[DWG To PDF.pc3]で作成したPDFファイルなど一部のPDFが対象になります。

サンプルファイル 7-3.pdf コマンド PDFIMPORT ショートカットキー なし

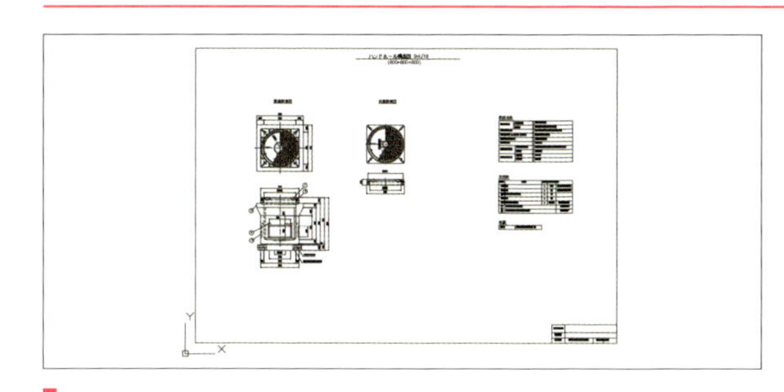

完成図

7-3.pdfファイルを読み込んで、新規ファイルに貼り付けます。これはAutoCAD 2017からの機能です。

[PDF読み込み]コマンドで読み込みのオプションを設定する

1 新規ファイルを作成する

[クイックアクセスツールバー]の[クイック新規作成]をクリックします。[acadiso.dwt](AutoCAD LTでは[acadltiso.dwt])を選択してファイルを新規作成します。

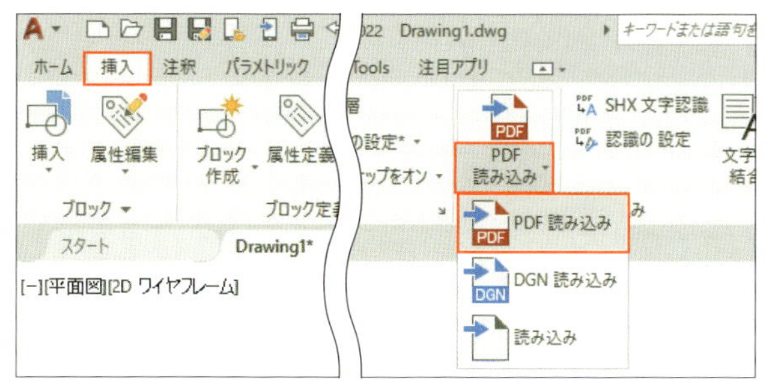

2 [PDF読み込み]コマンドを実行する

[挿入]タブ→[読み込み]パネルの[▼]→[PDF読み込み]をクリックします。P.350の手順2を参考に[7-3.pdf]を選択します。

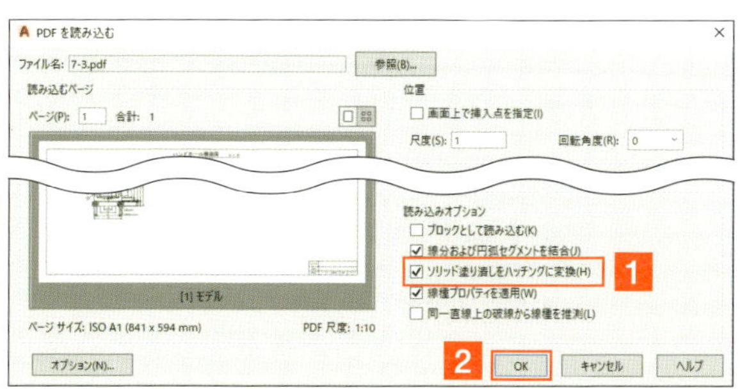

3 読み込みのオプションを設定する

[PDFを読み込む]ダイアログが表示されます。[ソリッド塗りつぶしをハッチングに変換]にチェックを入れ1、[OK]をクリックします2。現在の図面に、PDFファイルを線分などの図形として貼り付けることができます。

他形式のファイルを読み込む

AutoCADでは、PDFファイルのほか、Windowsメタファイル(*.wmf)、MicroStation DGNファイル(*.dgn)を図形として読み込むことが可能です。

サンプルファイル 7-4.wmf　コマンド IMPORT　ショートカットキー IMP

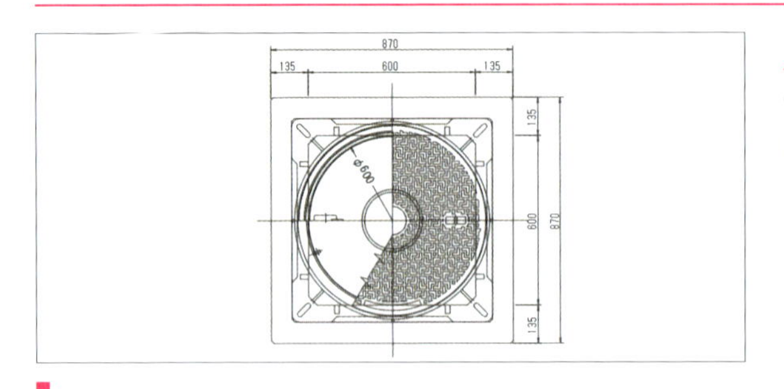

完成図

7-4.wmfファイルを読み込んで、新規ファイルに貼り付けます。

[読み込み]コマンドを利用する

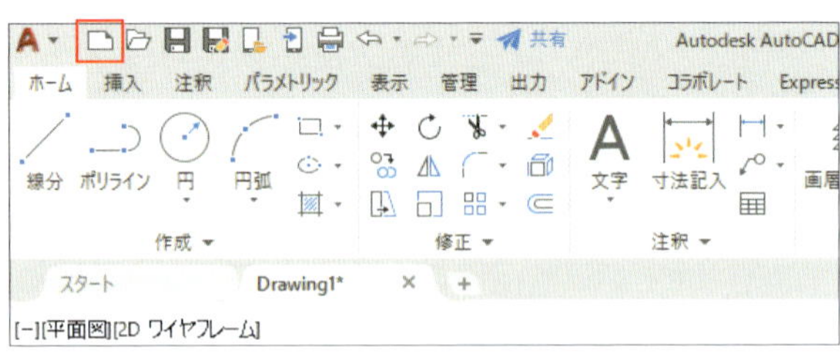

1 新規ファイルを作成する

[クイックアクセスツールバー] の [クイック新規作成] をクリックします。[acadiso.dwt] (AutoCAD LT では [acadltiso.dwt]) を選択してファイルを新規作成します。

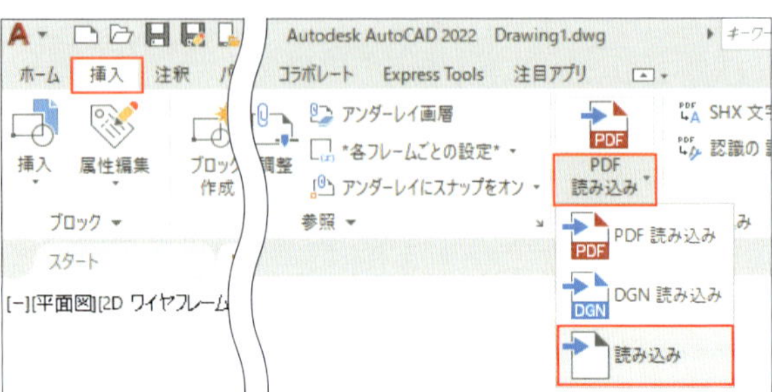

2 [読み込み]コマンドを実行する

[挿入] タブ→ [読み込み] パネルの [▼] → [読み込み] をクリックします。P.350 の手順2を参考に [7-4.wmf] を選択します。

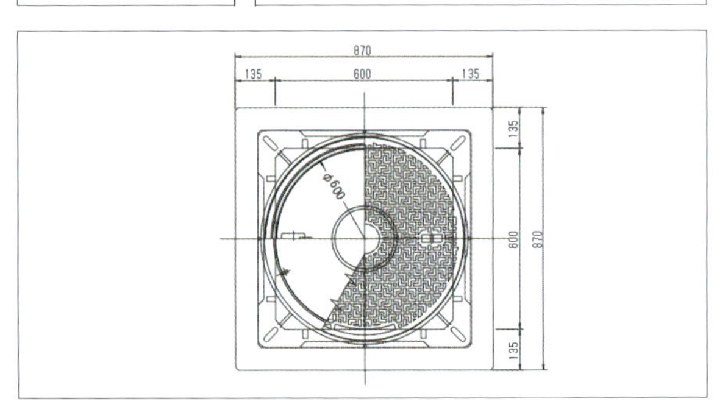

3 wmfファイルが読み込まれる

現在の図面に WMF ファイルがブロック図形として読み込まれます。修正などをする場合は、[分解] コマンドでブロック図形を分解してください。

図面修復管理からファイルを開く

エラーなどで作成している図面が強制終了した場合、強制終了時に保存された修復済みの図面ファイルや、自動保存ファイル、バックアップファイルなどを図面修復管理パレットから開くことができます。

サンプルファイル なし　コマンド DRAWINGRECOVERY　ショートカットキー DRM

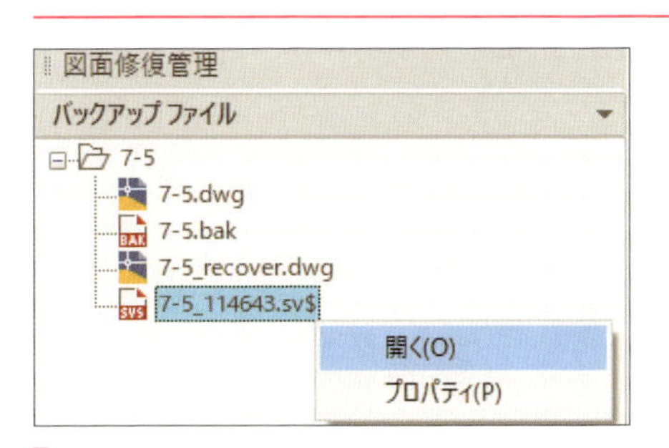

完成図

自動保存ファイルから、図面ファイルを開きます。

図面修復管理パレットから開く

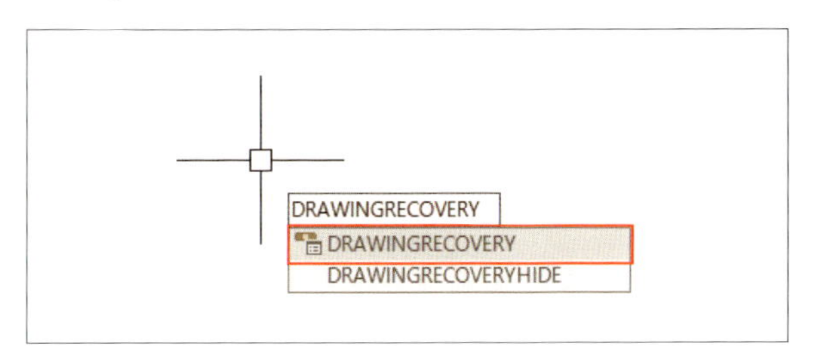

1 図面修復管理パレットを開く

図面修復管理パレットが開いてない場合は、「DRAWINGRECOVERY」と入力し、Enterキーを押します。

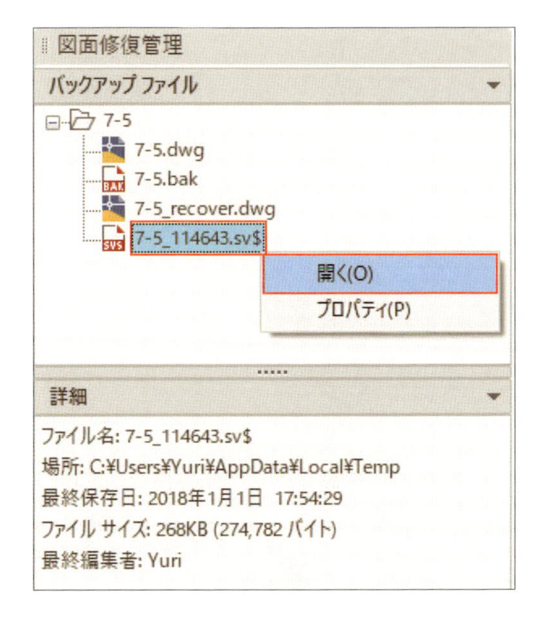

2 ファイルを開く

開くファイルを右クリックし、［開く］を選択すると、ファイルが開きます。開いたあとは、［名前を付けて保存］などで、フォルダとファイル名を指定して保存してください。

CHECK

元のファイル以外に、以下のファイルを開くことができます。

*_revoer.dwg	強制終了時に保存したファイル
*.bak	上書き保存前のバックアップファイル
*.sv$	自動保存ファイル

ファイルのバージョンを下げて保存する

AutoCADのバージョンによって、DWGファイルのバージョンも異なります。なんらかの理由で古いバージョンのAutoCADを利用する場合は、ファイルのバージョンを下げて保存します。

サンプルファイル
7-6.dwg
コマンド
SAVEAS
ショートカットキー
なし

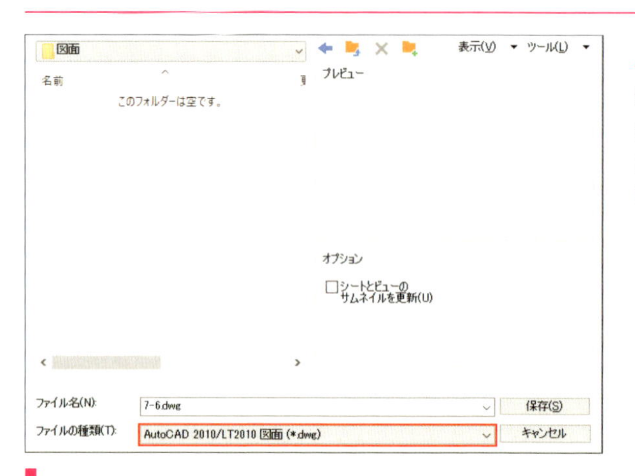

完成図

新しいバージョンのDWGファイルを古いバージョンのAutoCADで開くことはできません。ここでは、DWGファイルのバージョンを2010にして保存します。

[ファイルの種類]を変更して保存する

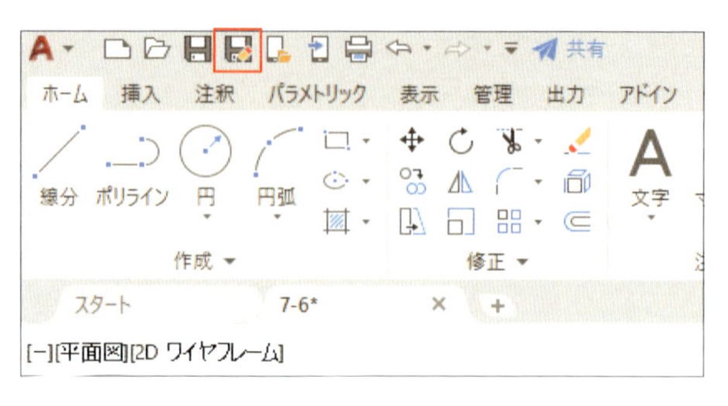

1 [名前を付けて保存]を実行する

[クイックアクセスツールバー] の [名前を付けて保存] をクリックします。

2 ファイルの種類を指定する

[ファイルの種類] から [AutoCAD 2010/LT2010 図面 (*.dwg)] を選択し1、[保存] をクリックします2。ファイルが2010形式DWGファイルで保存されます。

ファイルを常に同じバージョンで保存する

DWGファイルのバージョンを[名前を付けて保存]で毎回変更して保存するのは効率的ではありません。常に同じDWGのバージョンで保存できるように設定しておくと便利です。

サンプルファイル なし　コマンド OPTIONS　ショートカットキー OP

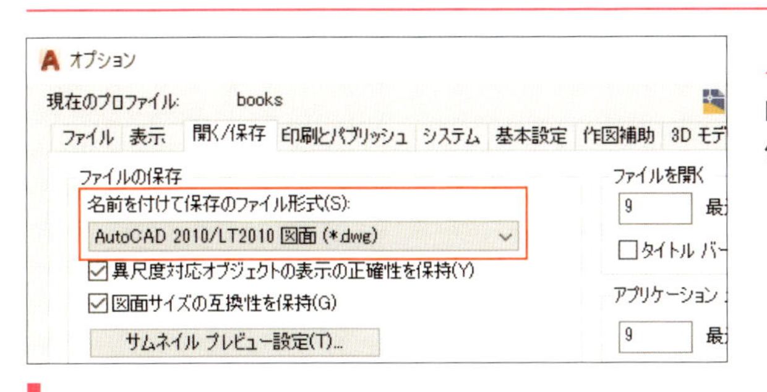

完成図

DWGファイルのバージョンを常に2010にして保存するように設定します。

[名前を付けて保存のファイル形式]で設定する

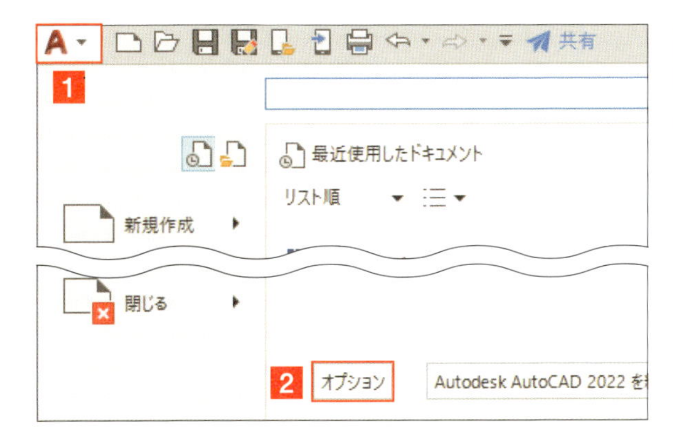

1 [オプション]を実行する

任意のファイルを開いた状態で、[アプリケーションメニュー]をクリックし1、[オプション]をクリックします2。

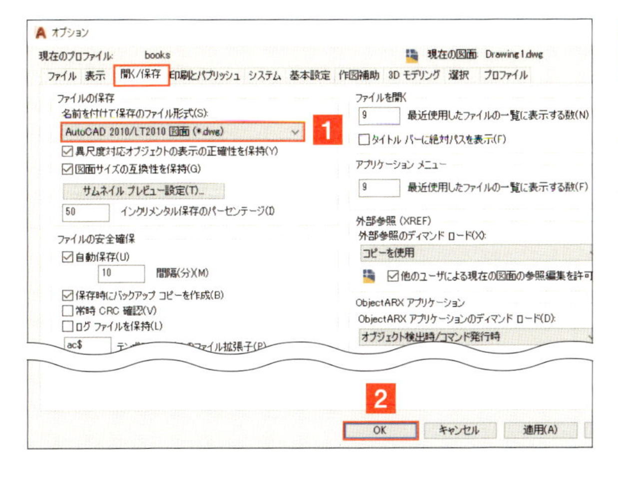

2 ファイルのバージョンを指定する

[開く / 保存] タブの [名前を付けて保存のファイル形式] から [AutoCAD 2010/LT 2010 図面 (*.dwg)] を選択し1、[OK] をクリックします2。設定後は、[上書き保存] を実行すると、DWG ファイルのバージョンが常に 2010 形式になります。

SECTION 08 # DXFファイルで保存する

ほかのCADやアプリケーションとやり取りする場合によく用いられるDXFファイルを保存するには、[図面に名前を付けて保存]ダイアログでファイルの種類を指定する必要があります。

サンプルファイル 7-8.dwg　コマンド SAVEAS　ショートカットキー なし

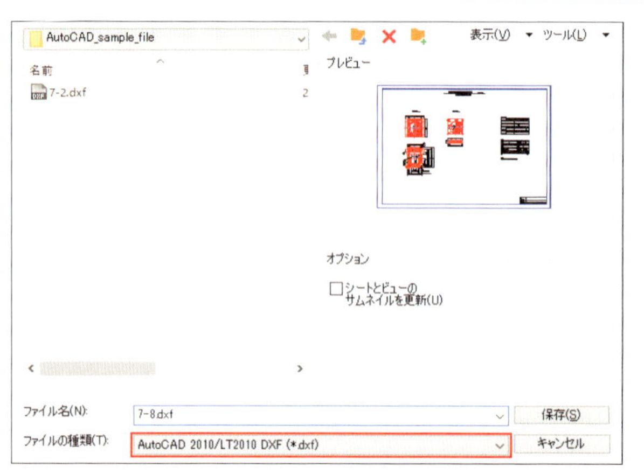

完成図

2010形式のDXFファイルにして保存します。

[ファイルの種類]でDXFを指定する

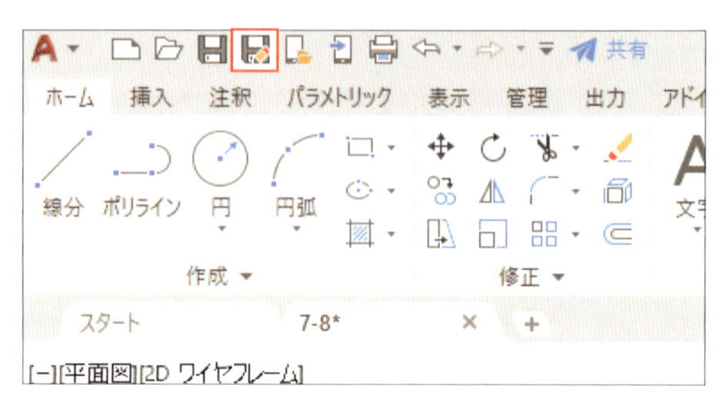

1 [名前を付けて保存]を実行する

[クイックアクセスツールバー]の[名前を付けて保存]をクリックします。

2 ファイルの種類を指定する

[ファイルの種類]から[AutoCAD 2010/LT2010 DXF (*.dxf)]を選択し1、[保存]をクリックします2。ファイルが2010形式DXFファイルで保存されます。

CHECK

アプリケーションによって対応しているDXFのバージョンは違います。

他形式のファイルに保存する

AutoCADでは、Windowsメタファイル(*.wmf)、ビットマップファイル(*.bmp)、MicroStation DGNファイル(*.dgn)などの形式を書き出すことが可能です。

サンプルファイル 7-9.dwg　コマンド EXPORT　ショートカットキー EXP

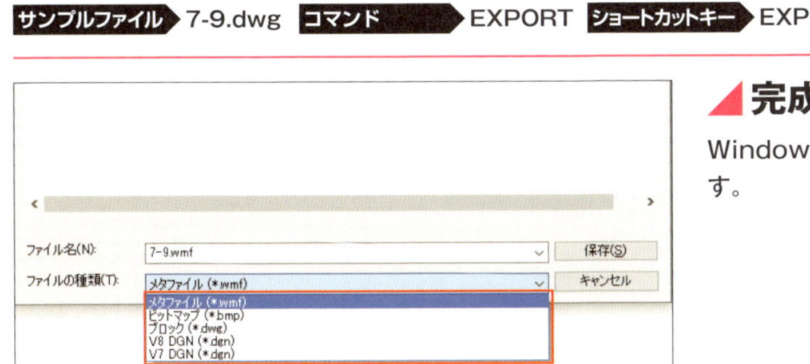

完成図

Windows形式のメタファイルにして保存します。

[ファイルの種類]でWMFを指定する

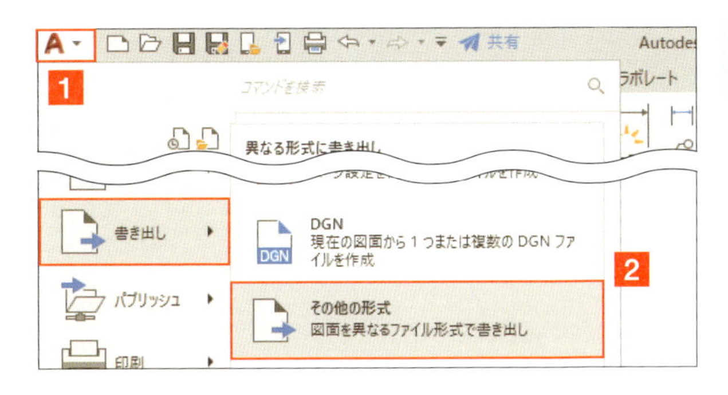

1 [書き出し]を実行する

[アプリケーションメニュー] をクリックし1、[書き出し] → [その他の形式] をクリックします2。

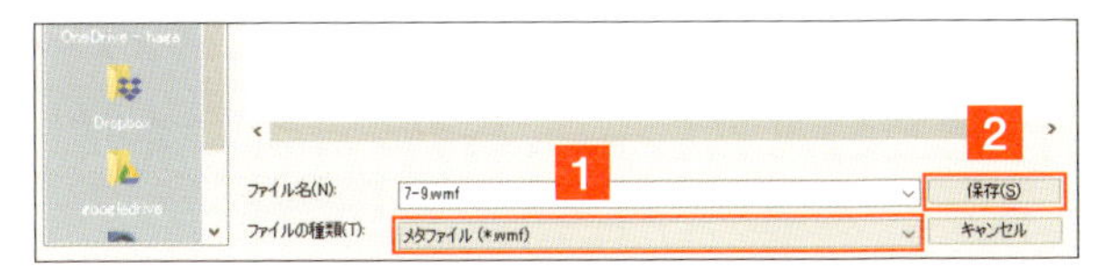

2 ファイルの種類を指定する

[ファイルの種類] から [メタファイル (*.wmf)] を選択し1、[保存] をクリックします2。

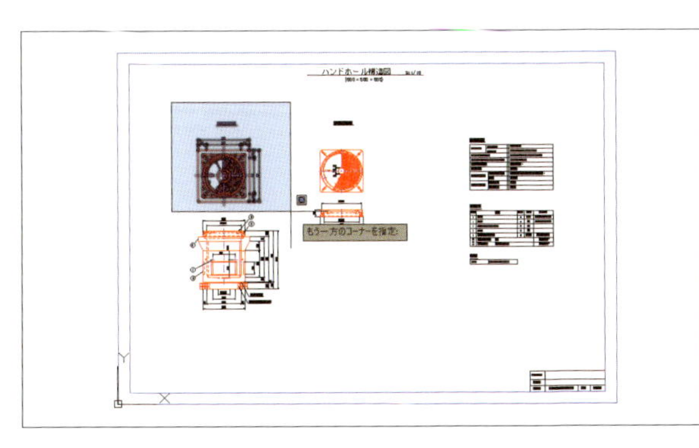

3 図形を選択する

窓選択などで書き出す図形を選択し、Enterキーを押して確定します。WMFファイルが保存されます。

CHECK

作成したWMFファイルを読み込むと、文字などを図形に変換することができます。

自動保存を設定する

AutoCADには、一定時間おきにDWGファイルを自動的に保存する機能があります。エラーなどで強制終了する事態に備えて、自動保存の設定をしておきましょう。

サンプルファイル なし コマンド OPTIONS ショートカットキー OP

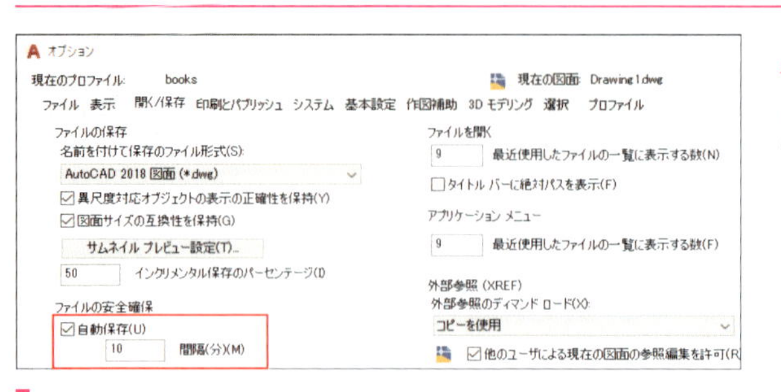

完成図

自動保存の設定を10分間隔にし、保存場所からファイルを検索します。

自動保存を設定してDWGファイルに変更する

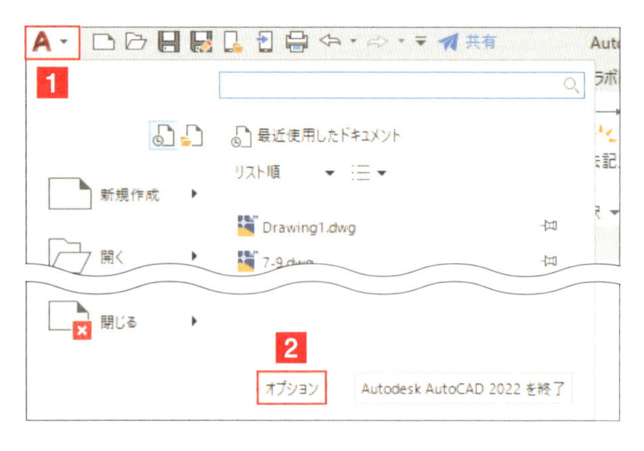

1 ［オプション］を実行する

［アプリケーションメニュー］をクリックし1、［オプション］をクリックします2。

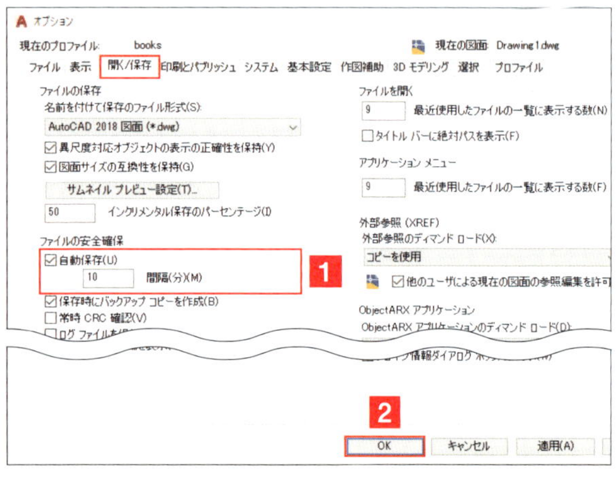

2 自動保存を設定する

［開く / 保存］タブの［自動保存］にチェックを入れ、［間隔（分）］に「10」を入力し1、［OK］をクリックします2。10分間隔ごとに自動保存されるように設定されます。

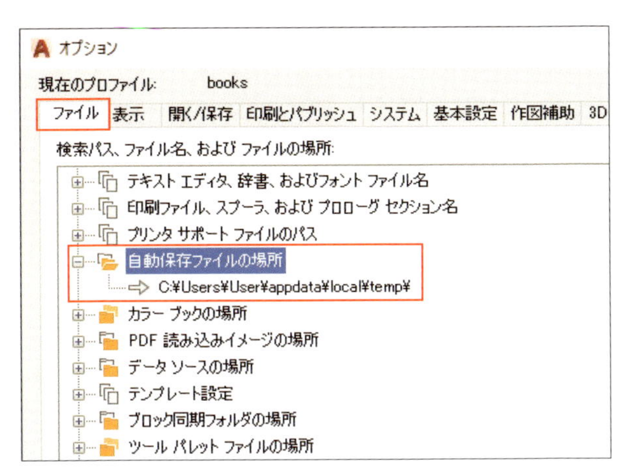

3 自動保存ファイルの場所を確認する

手順1と同様に［オプション］を実行し、［ファイル］タブの［自動保存ファイルの場所］を展開して、自動保存ファイルが保存されているフォルダを確認し、［OK］をクリックします。

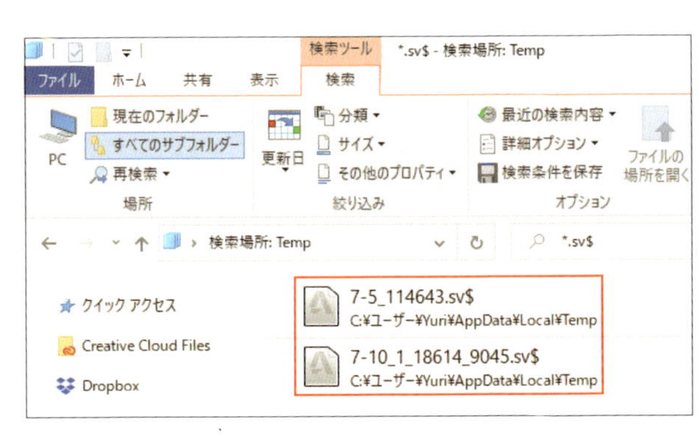

4 自動保存ファイルを検索する

手順3のフォルダを表示し（隠しフォルダになっています）、自動保存のファイルを検索します。自動保存の拡張子（*.sv$）や、保存の日時などから検索すると効率的です。

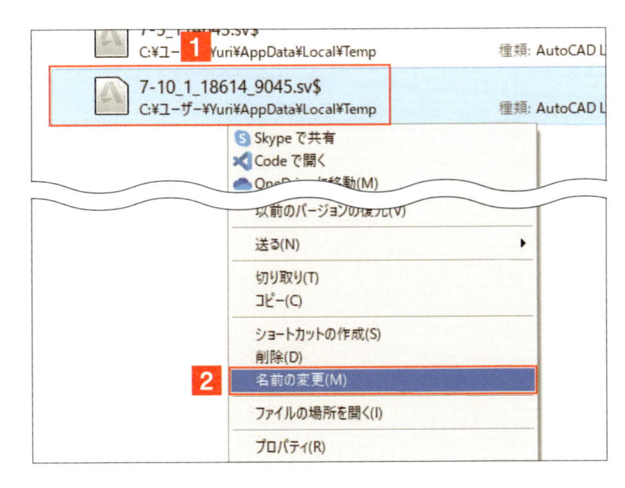

5 自動保存ファイルをDWGファイルに変更する

自動保存ファイルを右クリックし1、［名前の変更］を選択します2。拡張子を「dwg」に変更してください。

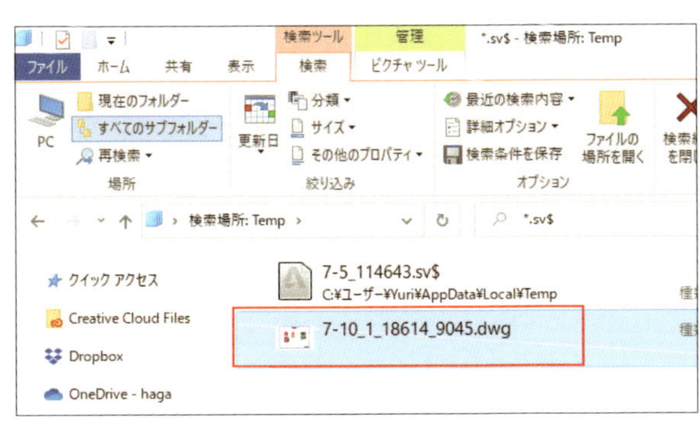

6 DWGファイルに変更された

拡張子を変更することにより、自動保存ファイルがDWGファイルに変更され、AutoCADで開くことができます。

バックアップを保存する

AutoCADでは、上書き保存をするときにバックアップコピー(*.bak)を図面ファイルと同じフォルダに作成します。バックアップファイルは、拡張子をbakからdwgに変更することにより、AutoCADで開くことができます。

サンプルファイル なし　コマンド OPTIONS　ショートカットキー OP

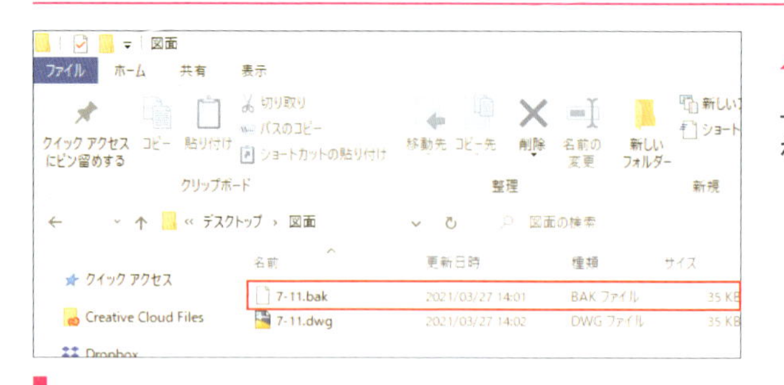

完成図

上書き保存時に、バックアップファイルが作成されるように設定します。

オプションから［保存時にバックアップコピーを作成］にチェックを入れる

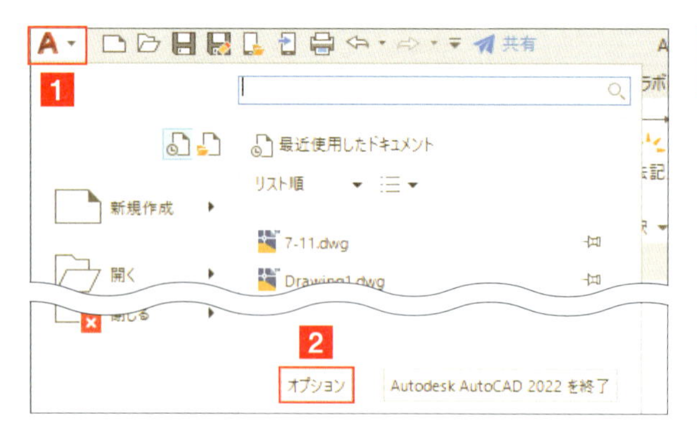

1 ［オプション］を実行する

［アプリケーションメニュー］をクリックし1、［オプション］をクリックします2。

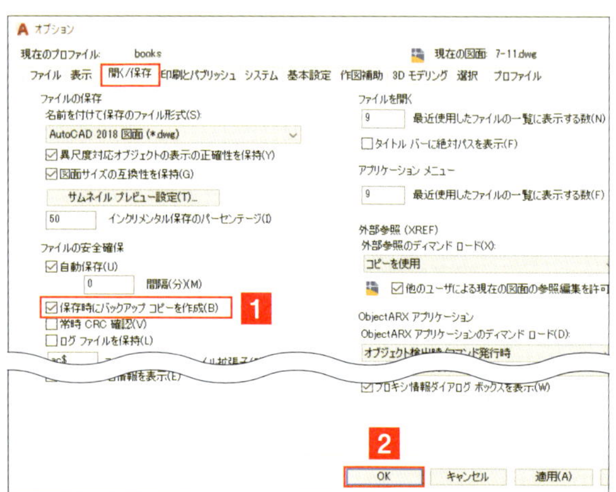

2 バックアップを設定する

［開く / 保存］タブの［保存時にバックアップコピーを作成］にチェックを入れ1、［OK］をクリックします2。上書き保存をすると、バックアップファイルが拡張子bakで保存されるようになります。

CHECK

バックアップをAutoCADで開きたい場合は、Windowsのエクスプローラーなどで、拡張子をbakからdwgに変更してください。

ファイルを選択するダイアログを表示する

[開く]や[名前を付けて保存]を実行したときに、ファイルを選択するダイアログが表示されず、コマンドウィンドウにファイル名を入力するメッセージが表示された場合は、設定を変更してください。

サンプルファイル なし　システム変数 FILEDIA　ショートカットキー なし

完成図

[ファイルを選択]ダイアログを表示します。

[FILEDIA]の値を1に設定する

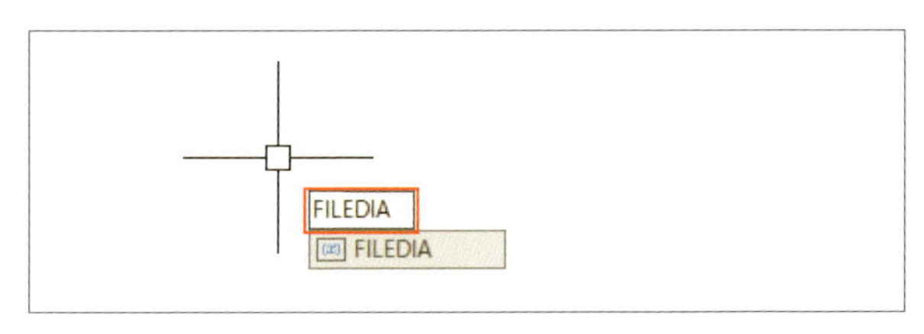

1 システム変数[FILEDIA]を入力する

「FILEDIA」と入力し、Enterキーを押します。「FILEDIA の新しい値を入力」とメッセージが表示されます。

2 [FILEDIA]の値を1にする

「1」と入力し、Enterキーを押します。システム変数[FILEDIA]の値が1に変更されます。

3 [開く]を実行する

[開く]を実行すると、[ファイルを選択]ダイアログが表示されます。

CHECK

システム変数[FILEDIA]が「0」に設定されていると、[ファイルを選択]ダイアログは表示されません。

ファイルを修復する

あるはずの図形が画面表示されない、頻繁に強制終了するなどの問題は、図面ファイルにエラーがある場合があります。ここでは、現在開いているファイルのエラーを修復する方法を紹介します。

サンプルファイル なし　**コマンド** AUDIT　**ショートカットキー** なし

```
画層シンボル テーブルに重複する名前 "D-STR-CCB_I型" があります。
  "AUDIT_D_210327141319-42" に変更されました。
画層シンボル テーブルに重複する名前 "D-STR-CCB_I型" があります。
  "AUDIT_D_210327141319-43" に変更されました。
画層シンボル テーブルに重複する名前 "D-STR-CCB_I型" があります。
  "AUDIT_D_210327141319-44" に変更されました。
パス 2 を監査中 12600   個のオブジェクトが監査されました。
ブロックを監査中
 1       個のブロックが監査されました。
AcDsRecords を監査中
検出エラー総数 45 修復数 45
0 個のオブジェクトが削除されました
```

完成図

検出されたエラーを修復します。

[監査]コマンドでエラーを修正する

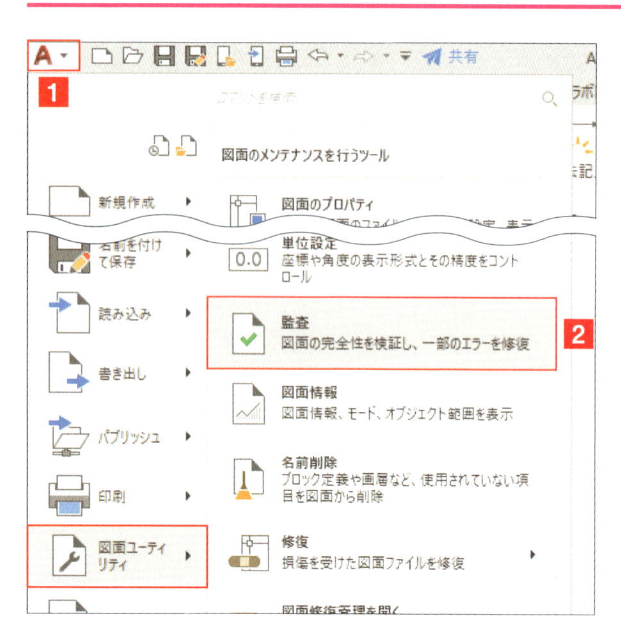

1 [監査]コマンドを実行する

[アプリケーションメニュー] をクリックし**1**、[図面ユーティリティ] → [監査] をクリックします**2**。

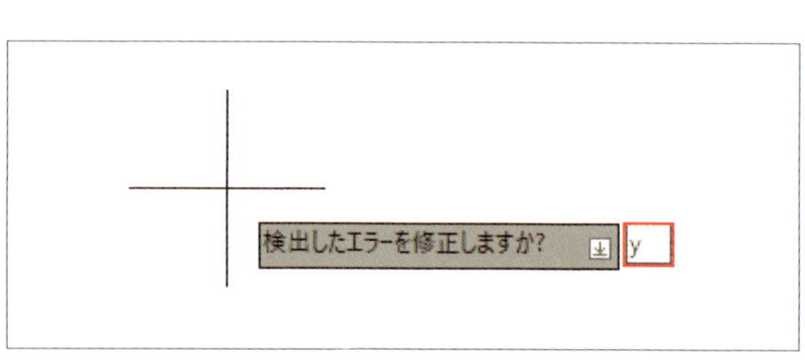

2 エラーを修正する

「検出したエラーを修正しますか？」とメッセージが表示されるので、「y」(Yes の意味) を入力し、Enterキーを押します。エラーが検出された場合、そのエラーが修復されます。

ファイルを修復して開く

AutoCADが強制終了し、作業していたファイルを開こうとすると、エラーで開けなくなる場合があります。その際は、エラーファイルを修復してから開く方法があります。

サンプルファイル なし　コマンド RECOVER　ショートカットキー なし

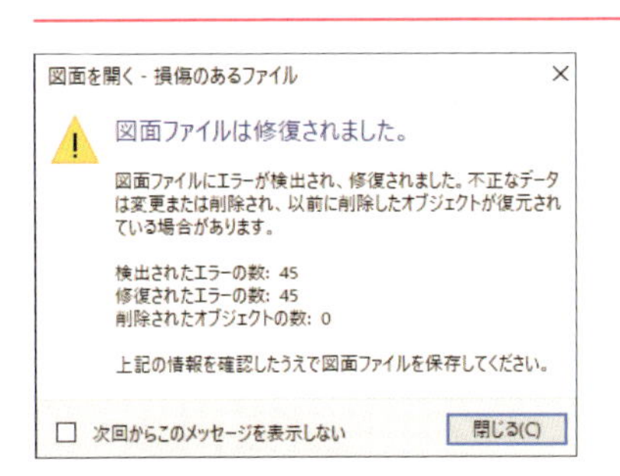

完成図

エラーを修復してからファイルを開きます。

[修復]コマンドでファイルを修復する

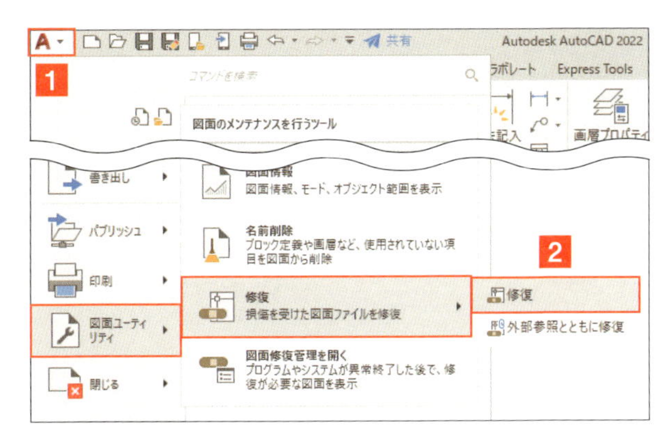

1 [修復]コマンドを実行し、ファイルを選択する

[アプリケーションメニュー] をクリックし1、[図面ユーティリティ] → [修復] → [修復] をクリックして2、エラーファイルを選択します。

図面を開く - 損傷のあるファイル

図面ファイルは修復されました。

図面ファイルにエラーが検出され、修復されました。不正なデータは変更または削除され、以前に削除したオブジェクトが復元されている場合があります。

検出されたエラーの数: 45
修復されたエラーの数: 45
削除されたオブジェクトの数: 0

上記の情報を確認したうえで図面ファイルを保存してください。

次回からこのメッセージを表示しない　閉じる(C)

2 ファイルが修復される

[図面ファイルは修復されました] とダイアログが表示されるので、[閉じる] をクリックします。エラーが修復されたファイルを開くことができます。

CHECK

エラーが修復できず、開くことができないファイルもあります。その場合は、自動保存ファイルやバックアップファイルなどを利用してください。

15 開いているファイルを切り替える　～図面タブ

複数のファイルを開いている場合、ファイルを切り替えるには、[ファイル]タブを表示して、タブをクリックする方法があります。[ファイル]タブが表示されていない場合は、ここでの方法で表示してください。

サンプルファイル なし　コマンド なし　ショートカットキー なし

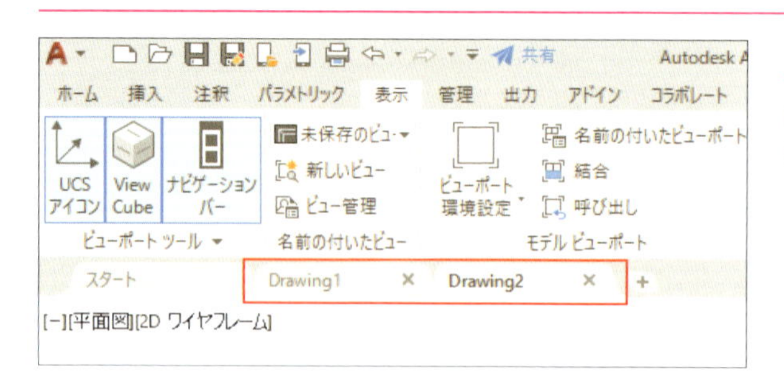

完成図

[ファイル] タブを表示し、タブをクリックして開いているファイルを切り替えます。

[ファイルタブ]をクリックしてオンにする

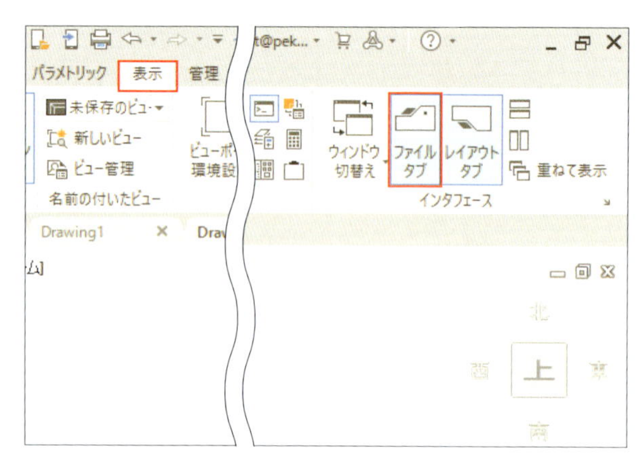

1 [ファイルタブ]をオンにする

[表示] タブ→ [インタフェース] パネルの [ファイルタブ] をクリックしてオンにし、[ファイル] タブを表示します。青く表示されている状態がオンです。

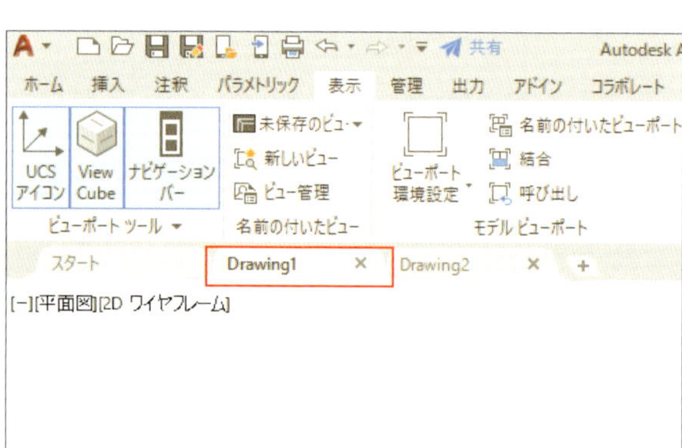

2 [ファイル]タブをクリックする

[ファイル] タブをクリックして、アクティブなファイルを切り替えます。

CHECK

[スタート] タブでは、ファイルの新規作成や、最近使用した図面ファイルの履歴からファイルを開くことができます。

開いているファイルを切り替える　～リボン

前ページでは[ファイル]タブを利用して、開いているファイルの切り替え方法を解説しました。このファイルの切り替えは、リボンの[ウィンドウ切替え]を利用しても行うことができます。

サンプルファイル なし　コマンド なし　ショートカットキー なし

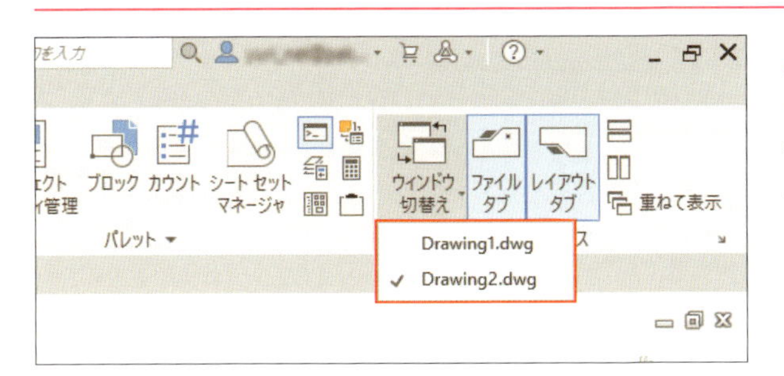

完成図

リボンの［表示］タブから開いているファイルを切り替えます。また、Ctrlキーを押しながらTabキーで切り替えることも可能です。

[ウィンドウ切替え]をクリックする

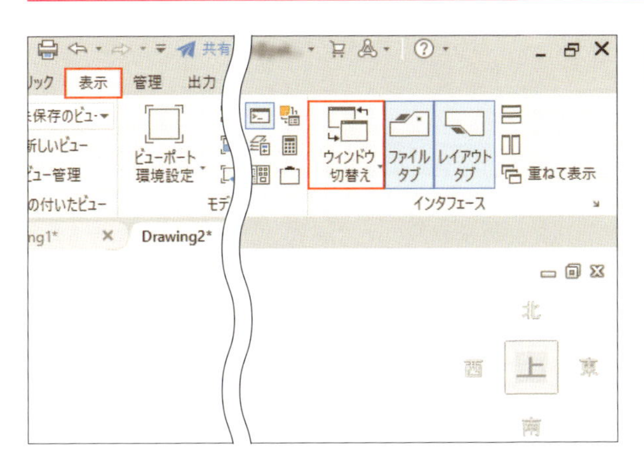

1 [ウィンドウ切替え]をクリックする

［表示］タブ→［インタフェース］パネルの［ウィンドウ切替え▼］をクリックします。

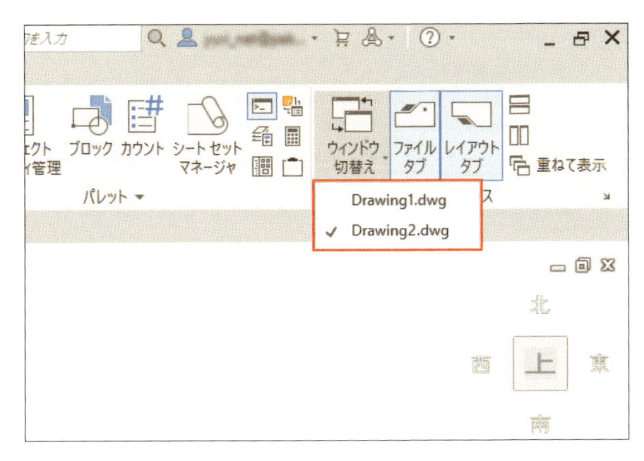

2 ファイルを選択する

表示されたメニューから切り替えるファイルを選択します。

CHECK

リボンの［表示］タブ→［インターフェース］パネルには、［上下に並べて表示］［左右に並べて表示］［重ねて表示］など、さまざまな表示形式が用意されています。状況に応じて利用してみるとよいでしょう。

ファイルサイズを小さくする～名前削除

画層や文字／寸法スタイル、線種、ブロックなどは、図面内で使用していなくても、データとして残っています。残す必要がない場合は、[名前削除]コマンドで使用していないデータを削除することができます。

サンプルファイル 7-17.dwg コマンド PURGE ショートカットキー PU

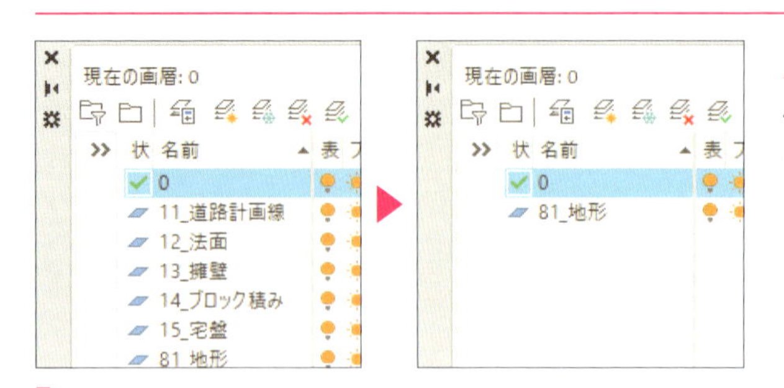

完成図

使用していないブロックや画層、文字スタイルなどのデータを削除します。

[名前削除]コマンドで名前を削除する

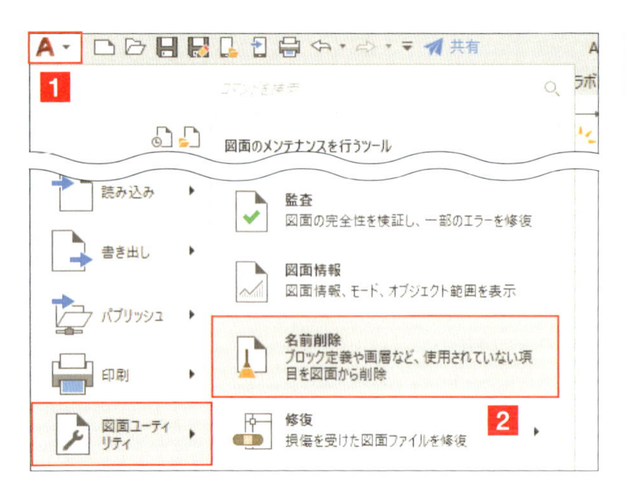

1 [名前削除]コマンドを実行する

[アプリケーションメニュー]をクリックし1、[図面ユーティリティ]→[名前削除]をクリックします2。

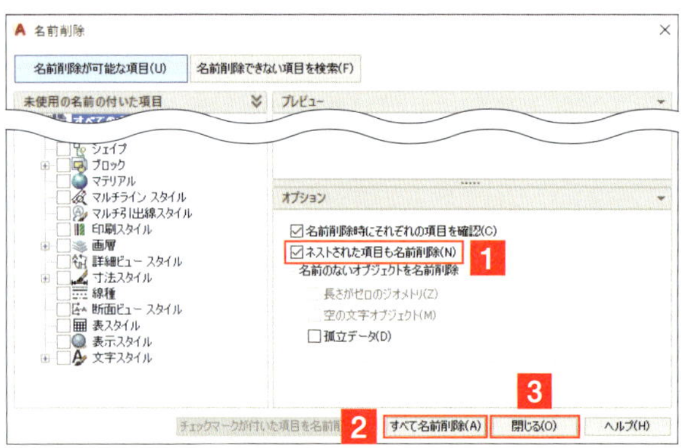

2 すべて名前削除する

[ネストされた項目も名前削除]にチェックを入れ1、[すべて名前削除]をクリックします2。[名前削除 - 名前削除の確認]ダイアログが表示されるので、[チェックマークをつけたすべての項目を名前削除]をクリックすると、使用していないデータが削除されます。最後に[閉じる]をクリックして[名前削除]ダイアログを閉じます3。

ファイルサイズを小さくする ～尺度リスト

ほかの図面からコピー＆ペーストなどを行うと、図面に尺度リストも一緒にコピーされます。必要ない尺度リストは削除するか、リセットすることによって、ファイルサイズを小さくすることができます。

サンプルファイル 7-18.dwg コマンド SCALELISTEDIT ショートカットキー なし

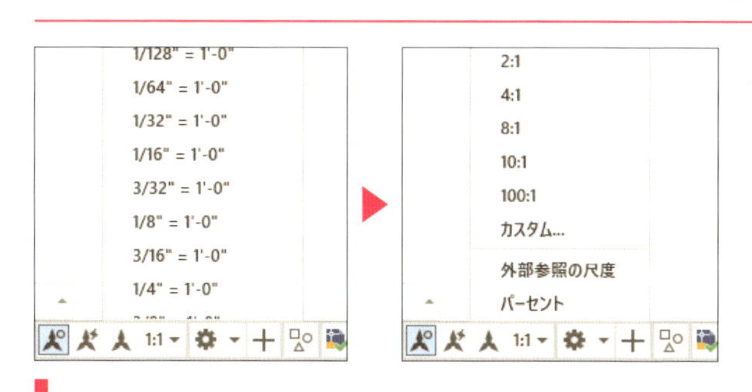

完成図

尺度リストをリセットし、メートル単位の尺度リストにします。

[尺度リスト]コマンドでリセットする

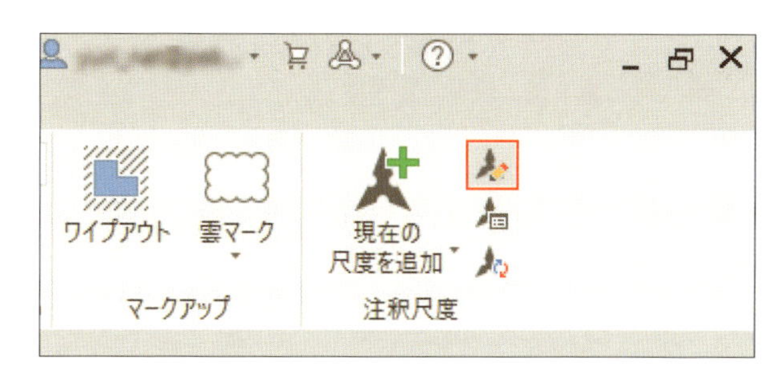

1 [尺度リスト]コマンドを実行する

[注釈]タブ→[注釈尺度]パネルの[尺度リスト]をクリックします。

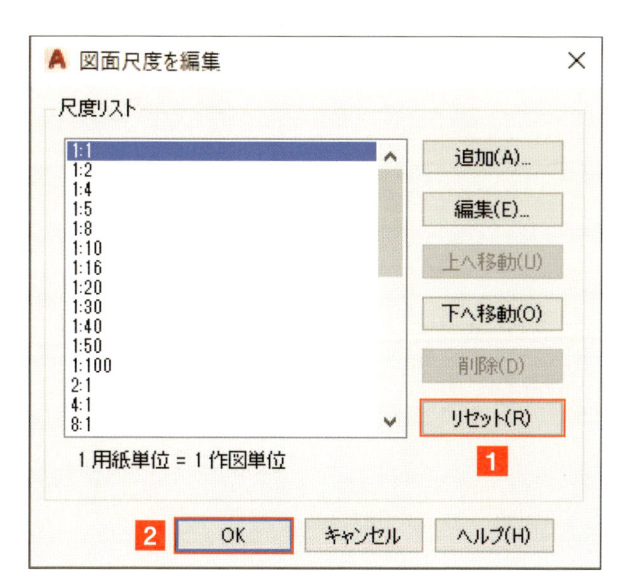

2 尺度リストをメートル単位にリセットする

[リセット]をクリックします1。[尺度リスト - リセット]ダイアログが表示されるので、復元する尺度リストとして[メートル単位]を選択し、尺度リストをリセットします。最後に[OK]をクリックし2、[図面尺度を編集]ダイアログを閉じます。

CHECK

リセットされる尺度リストは、オプションの[基本設定]タブの[既定の尺度リスト]で編集できます。

19 ファイルサイズを小さくする～画層フィルタ

ほかの図面からコピー＆ペーストなどを行うと、前ページの尺度リストの場合と同様、画層フィルタも一緒にコピーされます。必要ない画層フィルタは削除することによって、ファイルサイズを小さくすることができます。

サンプルファイル 7-19.dwg コマンド LAYER ショートカットキー LA

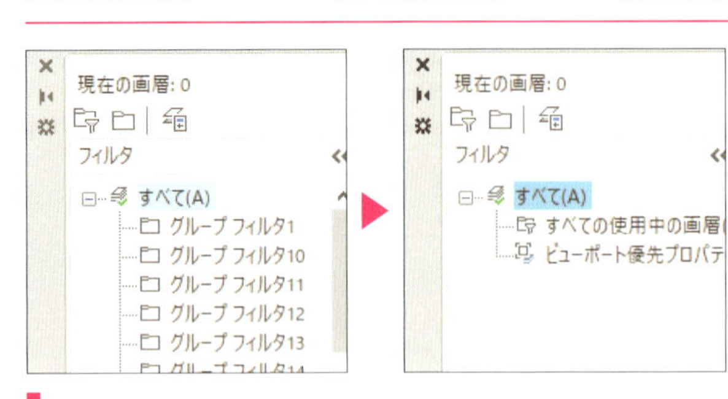

完成図

必要のない画層フィルタを削除します。

[画層プロパティ管理]コマンドで画層フィルタを削除する

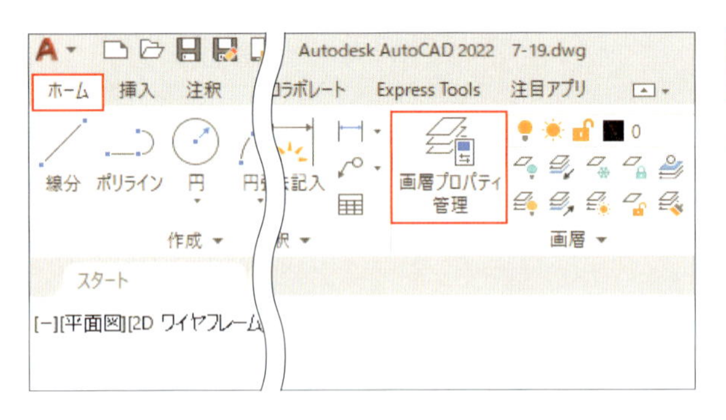

1 [画層プロパティ管理]コマンドを実行する

[ホーム]タブ→[画層]パネルの[画層プロパティ管理]をクリックします。

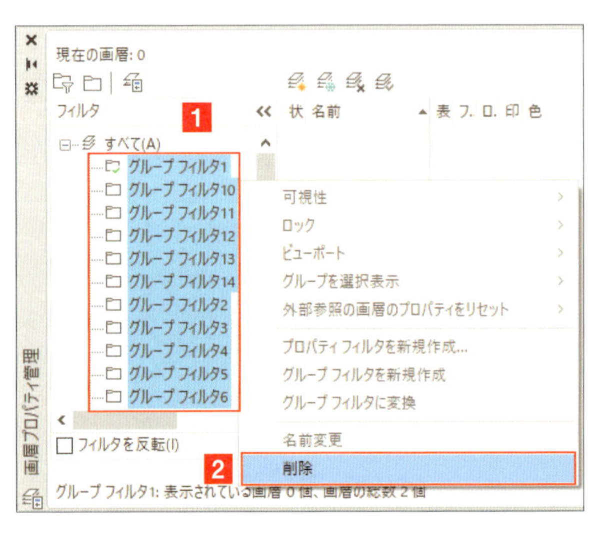

2 画層フィルタを削除する

必要のない画層フィルタをすべて選択し1、右クリックメニューから［削除］を選択します2。選択した画層フィルタが削除されます。

20 ファイルサイズを小さくする～重複した図形を削除

ほかのCADからDWGに出力したデータをAutoCADで開くと、同じ図形がいくつも重なっていることがあります。[重複オブジェクトを削除]コマンドを使用すると、重なった同じ図形を削除できます。

サンプルファイル 7-20.dwg **コマンド** OVERKILL **ショートカットキー** なし

```
コマンド: _overkill
オブジェクトを選択: もう一方のコーナーを指定: 認識された数: 23160
オブジェクトを選択:
11539 個の重複が削除されました
128 個の重なるオブジェクトまたはセグメントが削除されました
```

完成図

重複する図形を削除します。

[重複オブジェクトを削除]コマンドでオプションを選択する

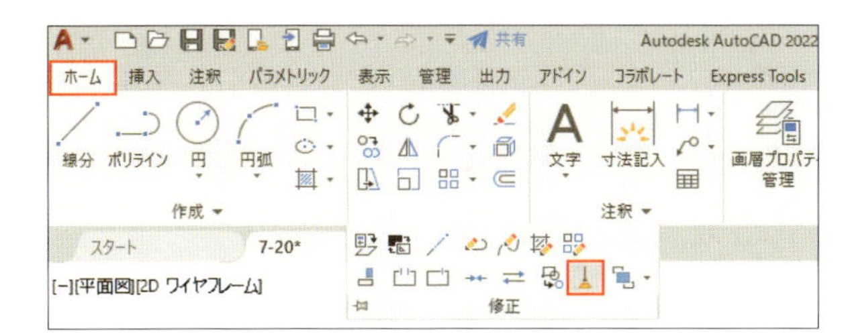

1 [重複オブジェクトを削除]コマンドを実行する

[ホーム] タブ→ [修正] パネルの [修正▼] → [重複オブジェクトを削除] をクリックします。

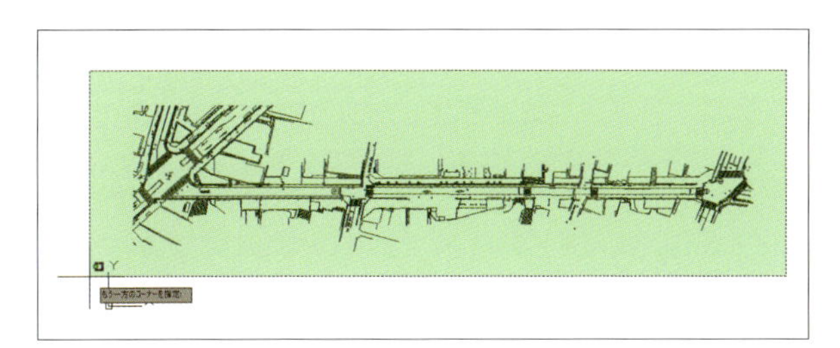

2 図形をすべて選択する

交差選択などを使用し、図形をすべて選択します。Enterキーを押して選択を確定すると、[重複オブジェクトを削除] ダイアログが表示されます。

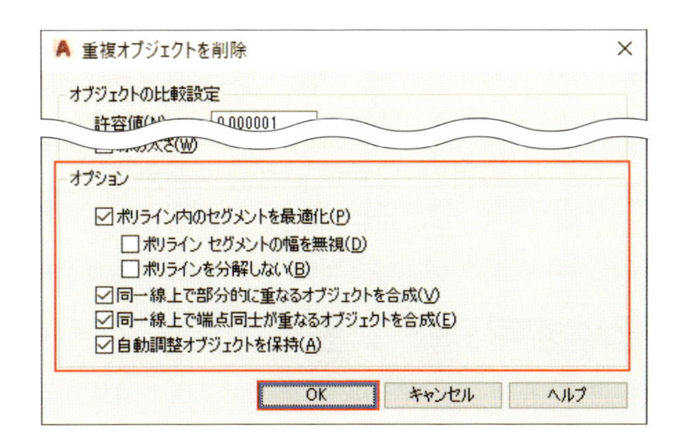

3 オプションを選択する

オプションを選択します。とくに必要のない場合は、既定のままにしてください。[OK]をクリックすると、重複図形が削除されます。

ファイルサイズを小さくする～必要のない図形を削除

ほかの図面からコピー&ペーストを行ったときに、縮尺リストや画層フィルタなどと同様に、必要のない図形も一緒にコピーされている場合があります。[削除]コマンドの選択オプションを切り替えて削除しましょう。

サンプルファイル 7-21.dwg コマンド ERASE ショートカットキー E

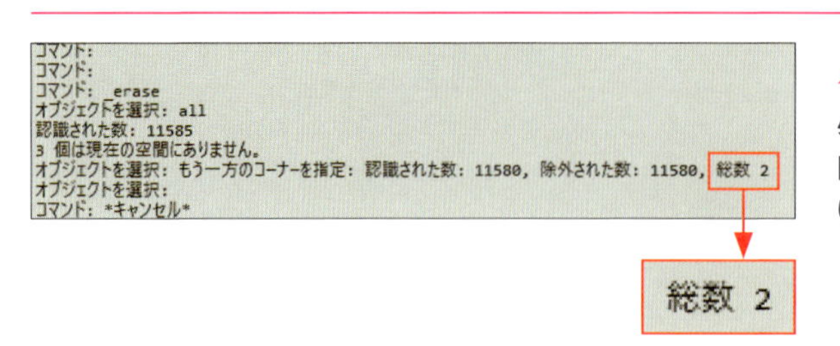

完成図

必要のない図形を削除します。7-21.dwgでは、図面から離れた場所に小さな円が2つ作図されています。

[削除]コマンドで選択解除する

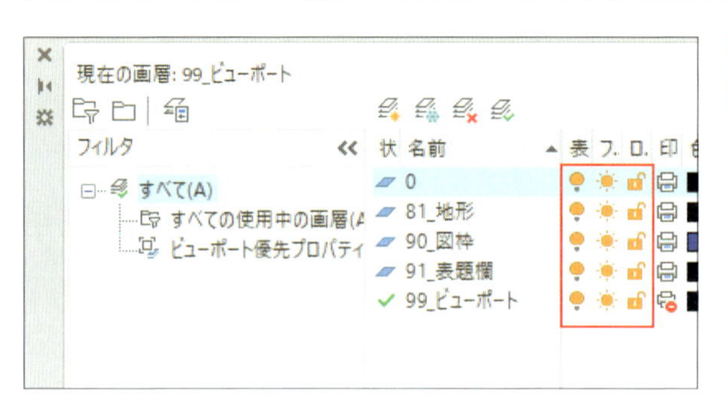

1 画層をすべて表示、フリーズ解除、ロック解除する

[ホーム] タブ→ [画層] パネルの [画層プロパティ管理] を実行し、画層をすべて表示、フリーズ解除、ロック解除します。

2 [削除]コマンドを実行し、すべての図形を選択する

[ホーム] タブ→ [修正] パネルの [削除] をクリックします。「オブジェクトを選択」と表示されるので、「all」と入力し、Enterキーを押します。すべての図形が選択されました。

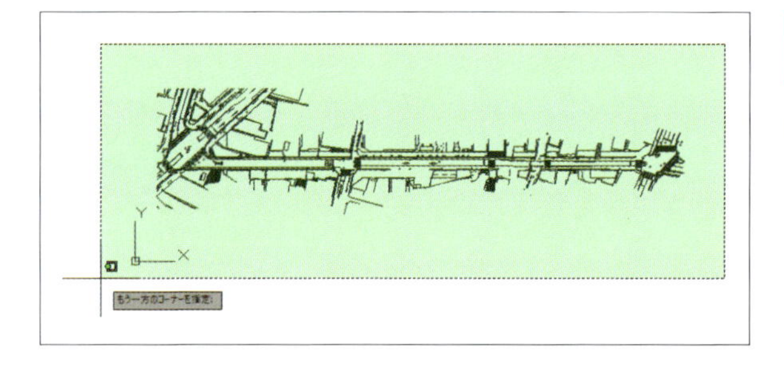

3 必要な図形を選択解除する

Shiftキーを押しながら交差選択などをし、必要な図形を選択解除してから、Enterキーを押します。離れた場所の小さな2円が削除されます。

CHAPTER

▼

08

THE PERFECT GUIDE FOR AUTOCAD

設定

ハッチングのオブジェクトスナップを設定する

ハッチングの線の交点や端点を取りたい場合は、オプションで設定を変更する必要があります。必要ない場合もあるので、普段はオフにしておくことをおすすめします。

サンプルファイル 8-1.dwg　**コマンド** OPTIONS　**ショートカットキー** OP

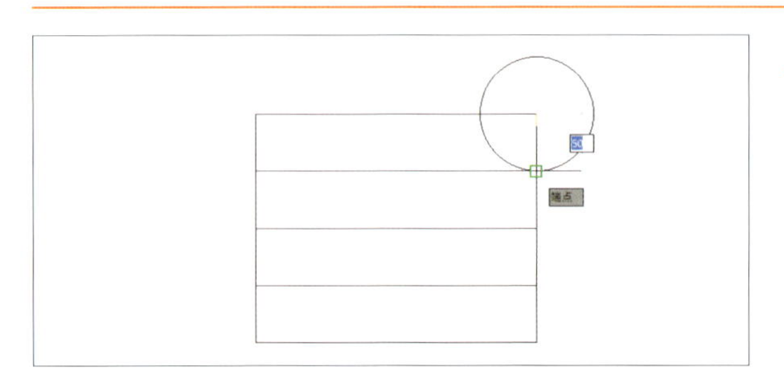

完成図

ハッチングの端点をオブジェクトスナップで取得し、円を作図します。

オプションの［ハッチングオブジェクトを無視］を設定する

1 オプションを実行する

［アプリケーションメニュー］をクリックし1、［オプション］をクリックします2。

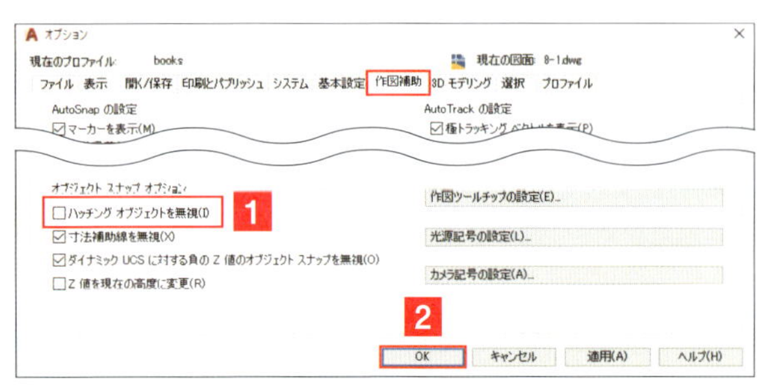

2 ［ハッチングオブジェクトを無視］を設定する

［作図補助］タブの［ハッチングオブジェクトを無視］のチェックを外し1、［OK］をクリックします2。

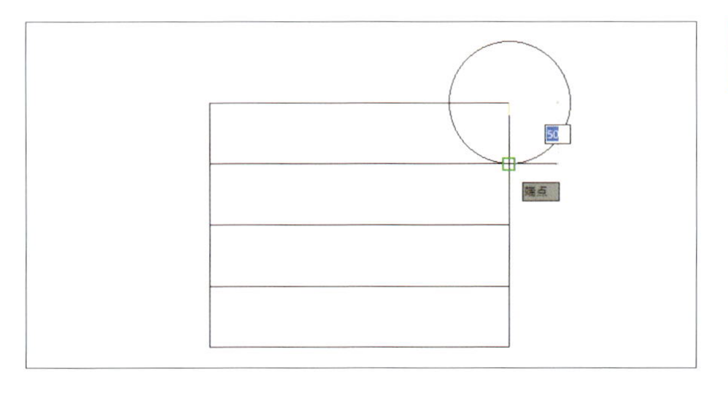

3 円を作図する

［ホーム］タブ→［作成］パネルの［円▼］をクリックして、［中心、半径］を選択し、円を作図します。ハッチングの端点または交点がオブジェクトスナップで取得できます。

オブジェクトスナップトラッキングを設定する

オブジェクトスナップトラッキングをオンにすると、オブジェクトスナップの対象となる点から「位置合わせパス」を表示し、補助線として扱うことができます。

サンプルファイル 8-2.dwg
コマンド なし
ショートカットキー なし

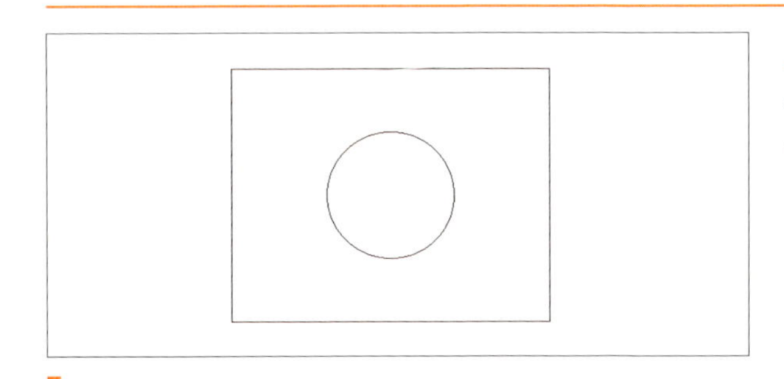

完成図

位置合わせパスの交点を取得し、長方形の中心に半径50の円を作図します。

[オブジェクトスナップトラッキング]をオンにする

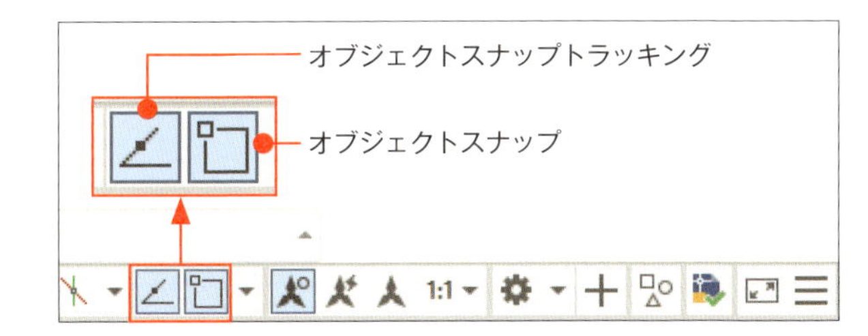

1 設定をオンにする

ステータスバーの[オブジェクトスナップ]と[オブジェクトスナップトラッキング]をオンにします。オブジェクトスナップは、右クリックして[中点]を選択してください。

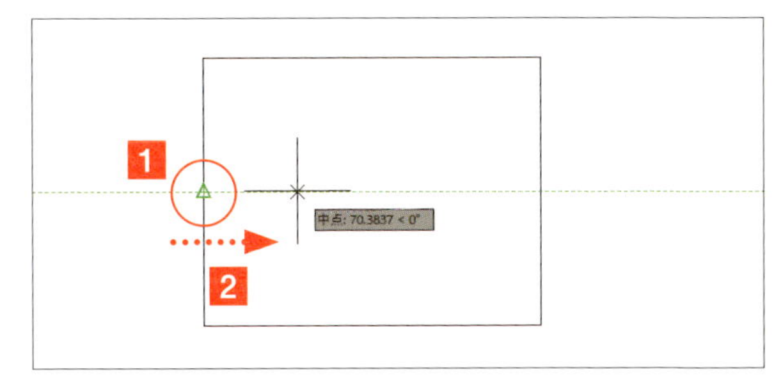

2 位置合わせパスを表示する

[ホーム]タブ→[作成]パネルの[円▼]をクリックして、[中心、半径]を選択します。左辺の中点にマウスカーソルを当て(クリックはしない)1、水平にマウスカーソルを動かして2、位置合わせパスを表示します。

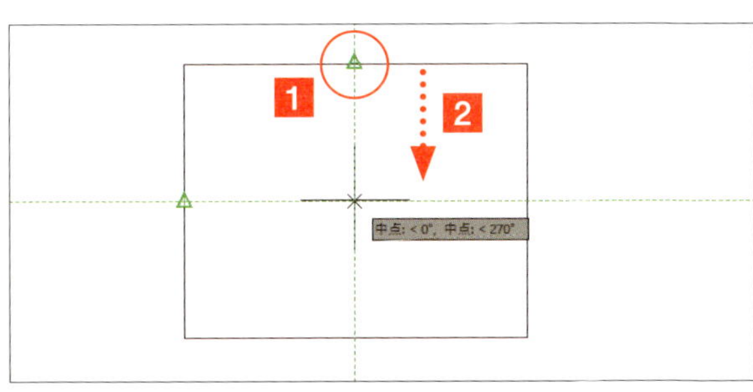

3 もう一方の位置合わせパスを表示する

上辺の中点にマウスカーソルを当て1、垂直にマウスカーソルを動かし2、位置合わせパスを表示します。両方の位置合わせパスの交点を円の中心としてクリックし、半径に「50」と入力して Enter キーを押します。

点を画面に表示する

[点]や[ディバイダ]、[距離]コマンドで作図した点は、形状や大きさを変更することができます。小さくて見えない場合は設定を変更してください。

サンプルファイル
8-3.dwg
コマンド
DDPTYPEまたはPTYPE
ショートカットキー
なし

完成図

点を×で表示し、大きさを20に変更します。

[点スタイル管理]コマンドで設定を変更する

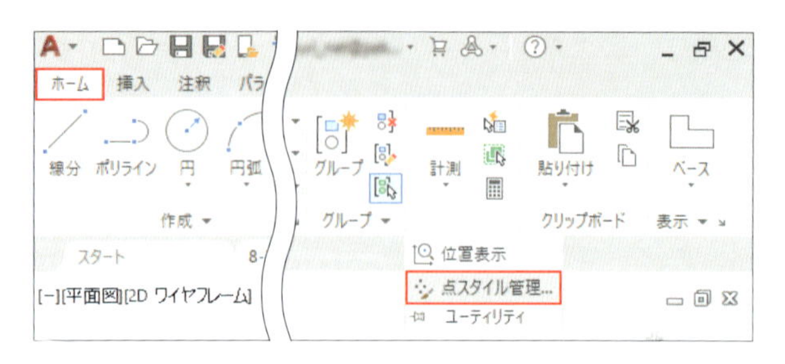

1 [点スタイル管理]コマンドを実行する

[ホーム]タブ→[ユーティリティ]パネルの[ユーティリティ▼]→[点スタイル管理]をクリックします。

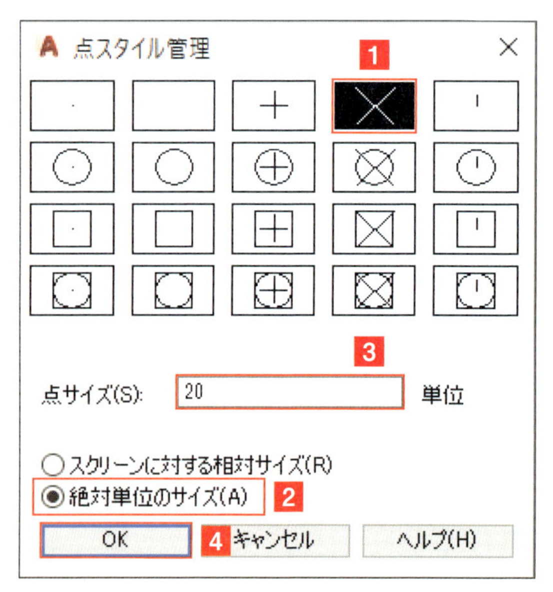

2 設定を変更する

スタイルから[×]を選択し1、[絶対単位のサイズ]を選択します2。[点サイズ]に「20」を入力し3、[OK]をクリックすると4、小さくて表示されていなかった点が、表示されます。

CHECK

[絶対単位のサイズ]を指定した場合は、図面の縮尺を計算して大きさを設定してください。[スクリーンに対する相対サイズ]を選択した場合は、画面の大きさにより点サイズが変更されますが、[再作図]コマンドを実行する必要があります(P.196のCHECK参照)。

図面単位を設定する

ここでは、図面ファイルの単位を設定します。[長さ]や[角度]は、オブジェクトプロパティ管理などで表示される単位の設定です。[挿入尺度]はブロック挿入や外部参照などで図面を挿入するときのブロック単位となります。

サンプルファイル 8-4.dwg
コマンド UNITS
ショートカットキー UN

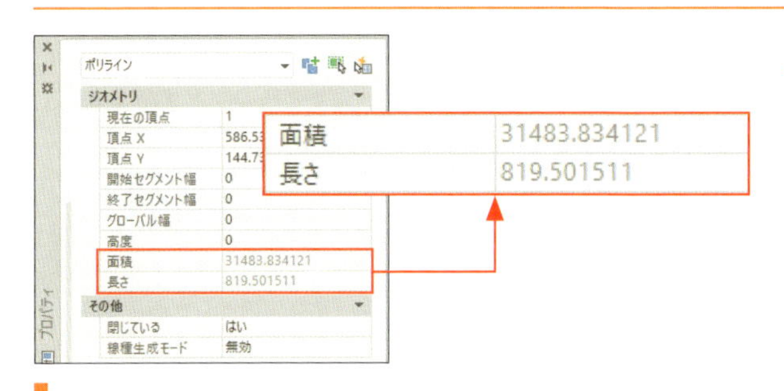

完成図

オブジェクトプロパティ管理パレットで表示される長さや面積の小数点以下の桁数を6桁にします。

[単位設定]コマンドで設定を変更する

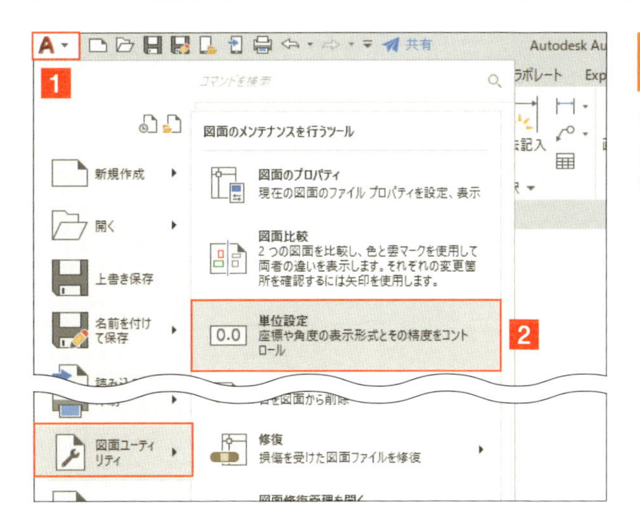

1 [単位設定]コマンドを実行する

[アプリケーションメニュー]をクリックして1、[図面ユーティリティ]→[単位設定]をクリックします2。

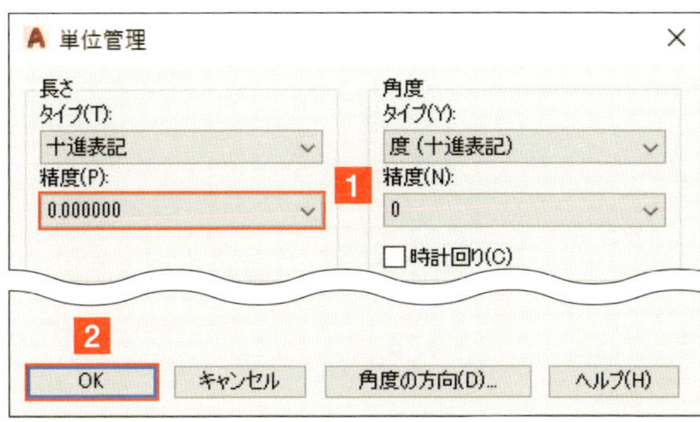

2 設定を変更する

[長さ]欄の[精度]から[0.000000]を選択し1、[OK]をクリックします2。精度が変更されたので、[表示]タブ→[パレット]パネルの[オブジェクトプロパティ管理]などでポリラインの長さや面積を確認すると、小数点以下が6桁になっています。

05 UCSを理解する

原点(X=0、Y=0)の位置やXY軸方向は、絶対座標入力、相対座標入力、直接距離入力など、さまざまな入力に関わります。座標系を利用することにより、効率的に作業ができるので、活用してください。

座標系の表示と種類

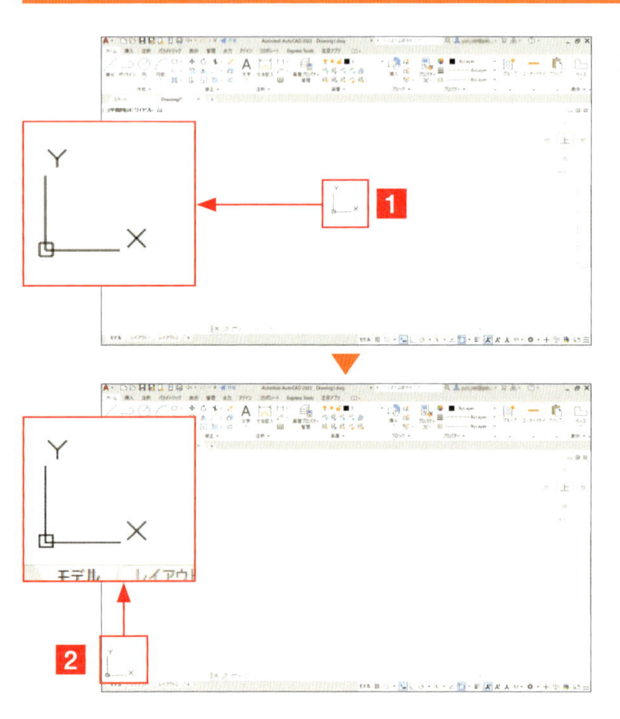

座標系とは

座標系には、基本となる「ワールド座標系(WCS)」と、ユーザが原点位置やXY軸方向を設定できる「ユーザ座標系(UCS)」があります。原点位置とXY軸方向はUCSアイコンで確認することができます。作図領域内に原点が設定されている場合は、UCSアイコンがその位置に固定表示されます1。作図領域外に原点が設定されている場合は、作図領域左下にUCSアイコンが表示されます2。

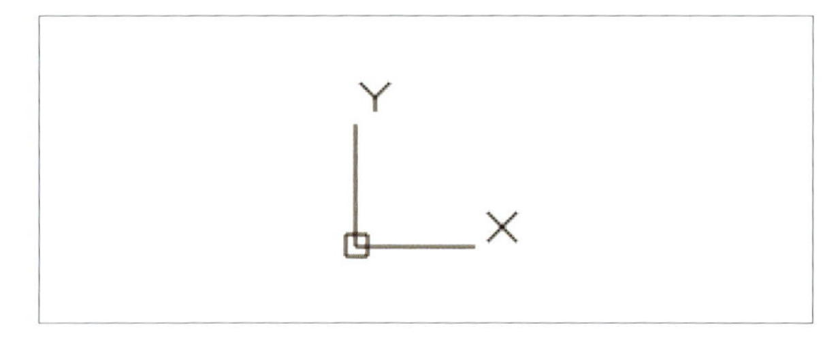

ワールド座標系の表示

標準で設定されている座標系で、WCSとも呼びます。UCSアイコンの角に□マークが表示されます。

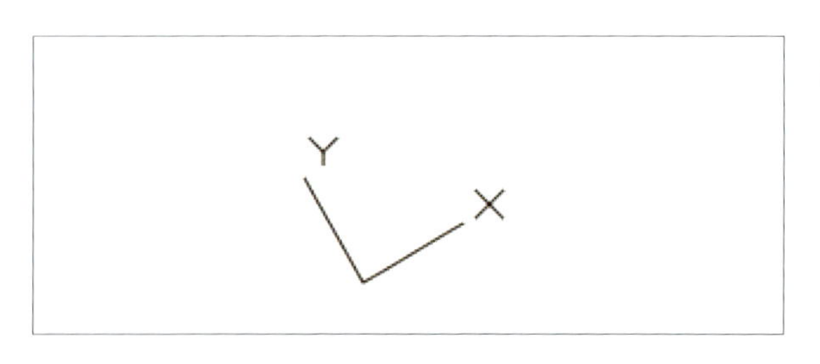

ユーザ座標系の表示

原点を移動させたり、XY軸を回転させたりして、座標系を作図しやすいように編集したものをユーザ座標系、もしくはUCSと呼びます。

座標系を使ってできること

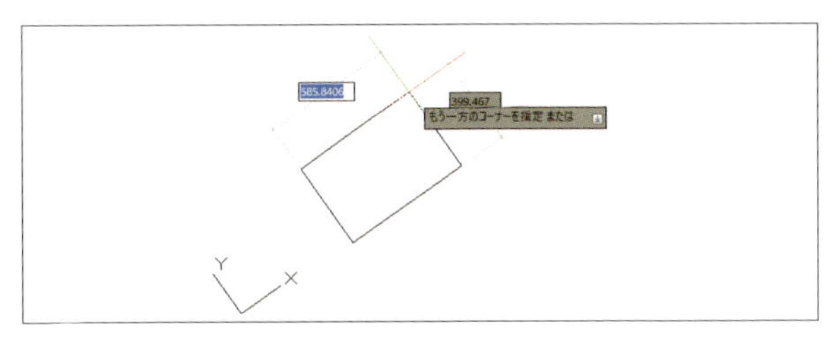

斜めの作図が簡単

ユーザ座標系（UCS）を設定してXY軸を傾けると、角度はX軸方向が0°に設定され、直交モードや極トラッキングも影響を受けます。このため、斜めの線や長方形、文字などを効率的に作図できるようになります。

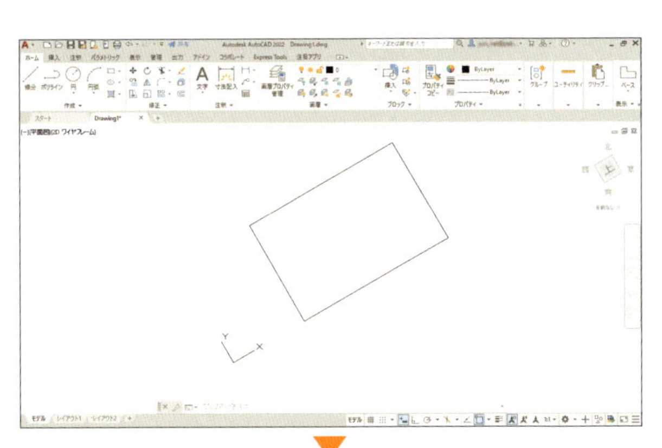

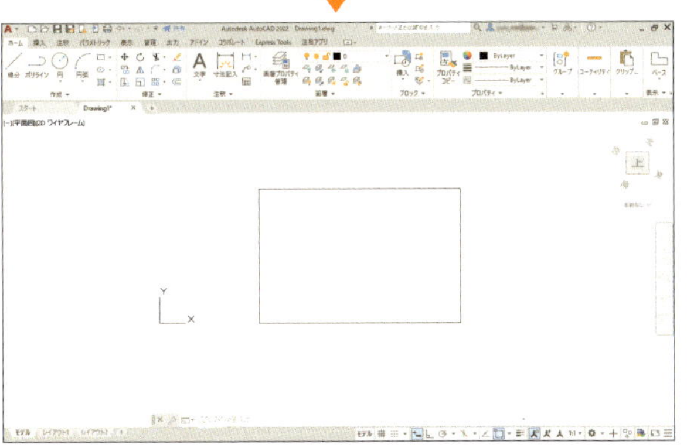

画面の回転が可能

標準では、画面はワールド座標系（WCS）のX軸方向が水平、Y軸方向が垂直方向になるように設定されています。しかし、ユーザ座標系のXY軸方向に画面の水平垂直方向を設定することもできます。詳しくは、P.384「画面を回転する」を参照してください。

[UCS]パネルで設定／管理する

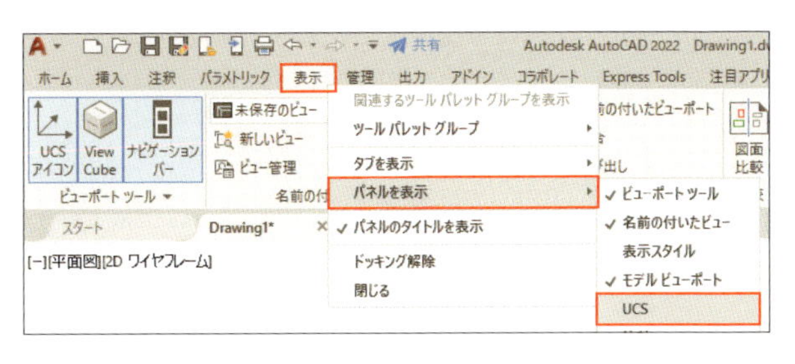

[UCS]パネルの表示方法

UCSを設定するには、リボンの［表示］タブ→［UCS］を使用します。［UCS］パネルが表示されていない場合は、［表示］タブを右クリックして、［パネルを表示］→［UCS］を選択してください。

3点指示でUCSを設定する

ユーザ座標系(UCS)を設定するには、原点とX軸方向、Y軸方向を3点で指示する方法や、X軸を示す図形を選択する方法、画面の水平垂直方向をXY軸にする方法などがあります。ここでは3点指示でUSCを設定します。

サンプルファイル 8-6.dwg　コマンド UCS　ショートカットキー なし

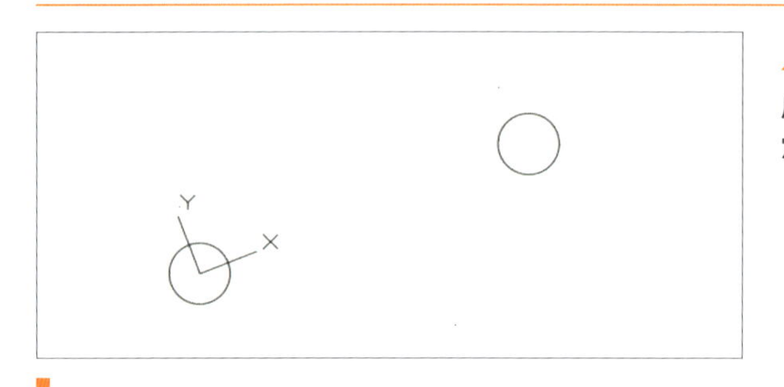

完成図

原点とX軸方向、Y軸方向の3点指示でUCSを設定します。

[3点]コマンドを利用する

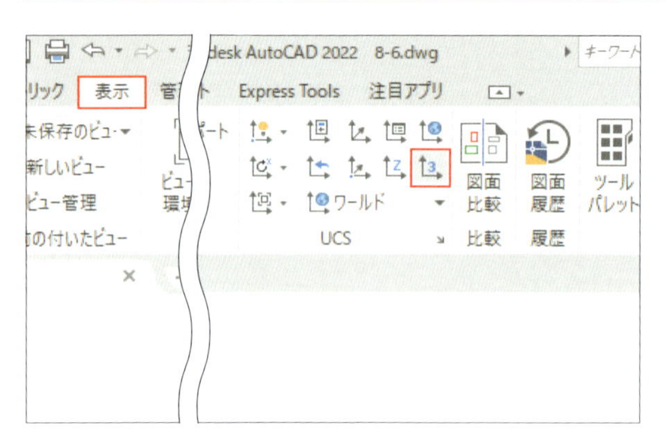

1 [3点]コマンドを実行する

[表示] タブ→ [UCS] パネル (P.377 参照) の [3 点] をクリックします。

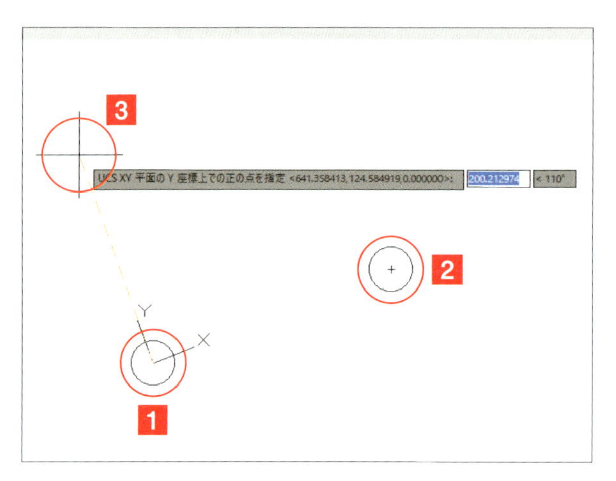

2 3点を指示する

原点**1**、X 軸方向**2**、Y 軸方向**3**をクリックすると、UCS が設定されます。

CHECK

Y 軸方向**3**は、正確な方向の点を指示する必要はありません。表示されている UCS アイコンのプレビューを確認し、Y 軸方向が正しく示されている方向でクリックしてください。

図形指示でUCSを設定する

前ページでは、3点指示でUCSを設定する方法を解説しました。ここでは、X軸を示す図形を選択することでUCSを設定します。

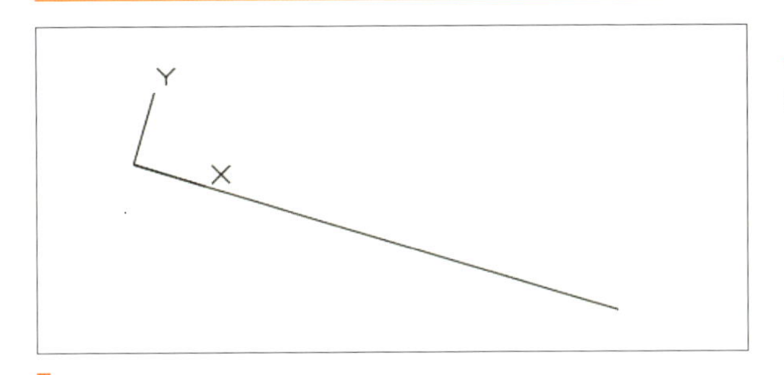

完成図

線分の端点を原点とし、線分の方向をX軸方向とします。

[オブジェクト]コマンドを利用する

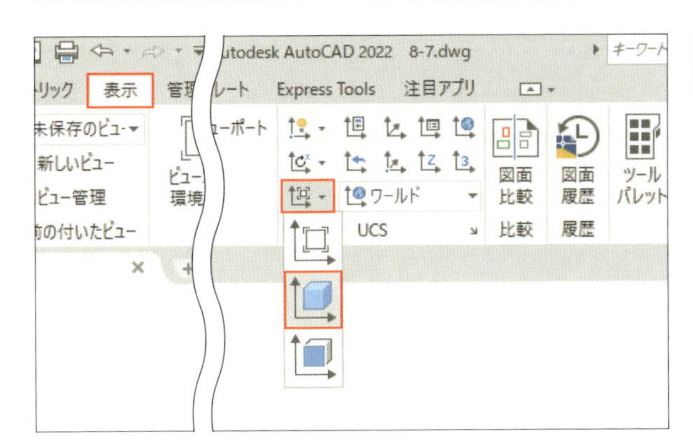

1 [オブジェクト]コマンドを実行する

[表示] タブ→ [UCS] パネル (P.377 参照) の [▼] → [オブジェクト] をクリックします。

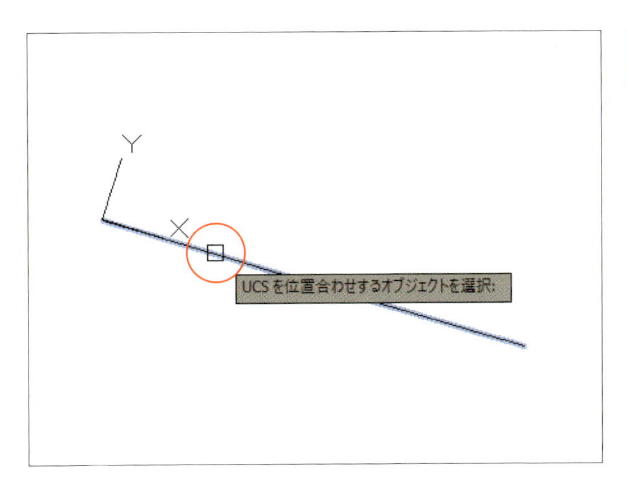

2 線分を選択する

線分を選択すると、UCS が設定されます。

CHECK

線分を選択するときは、原点にしたい線分の端点側をクリックしてください。反対側をクリックして選択すると、原点位置やXY 軸方向が変わります。

SECTION

08 画面に水平垂直なUCSを設定する

ここでは、画面に水平垂直なUCSを設定します。[表示]コマンドをクリックすることで簡単に設定できます。

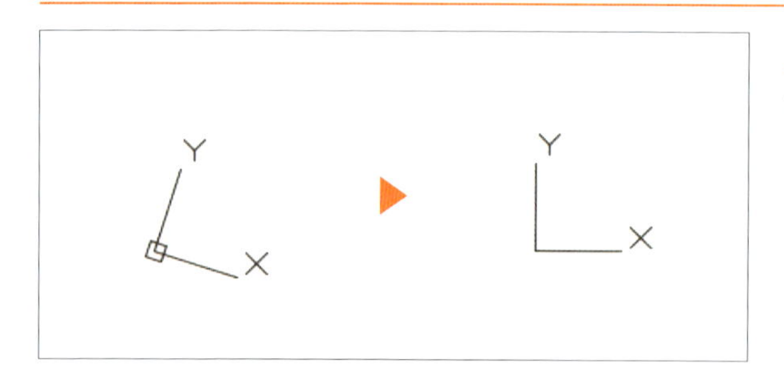

完成図

画面に水平垂直なUCSを設定します。

[表示]コマンドを利用する

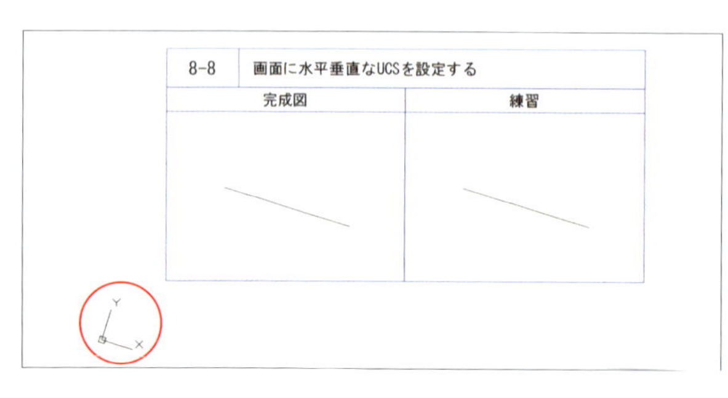

1 UCSアイコンを確認する

UCSアイコンを確認すると、現在はワールド座標系（WCS）であり、画面より傾いていることがわかります。

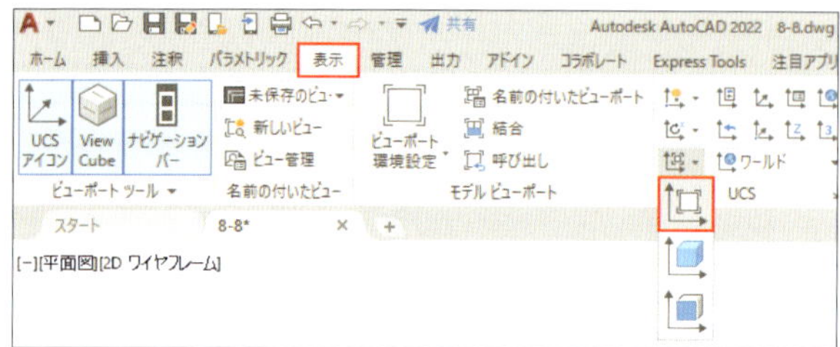

2 [表示]コマンドを実行する

[表示] タブ→ [UCS] パネル（P.377 参照）の[▼] → [表示] をクリックします。

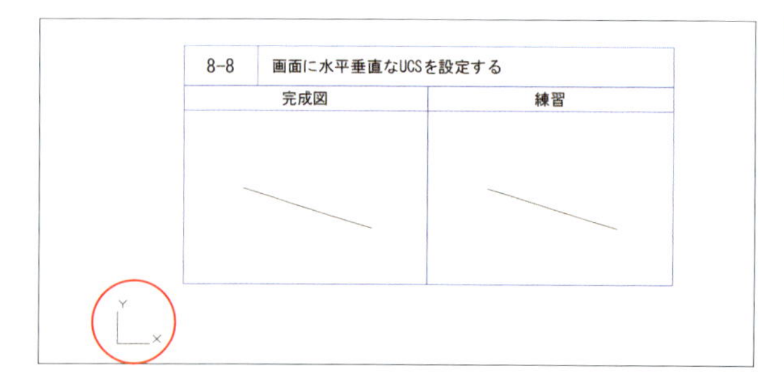

3 UCSが設定される

画面の水平垂直がUCSのXY軸に設定されます。

UCSをWCSに戻す

ユーザ座標系(UCS)を設定して作業を行ったあと、ワールド座標系(WCS)に戻したい場合は、[ワールド]コマンドを実行します。

サンプルファイル ▶ 8-9.dwg　　コマンド ▶ UCS　　ショートカットキー ▶ なし

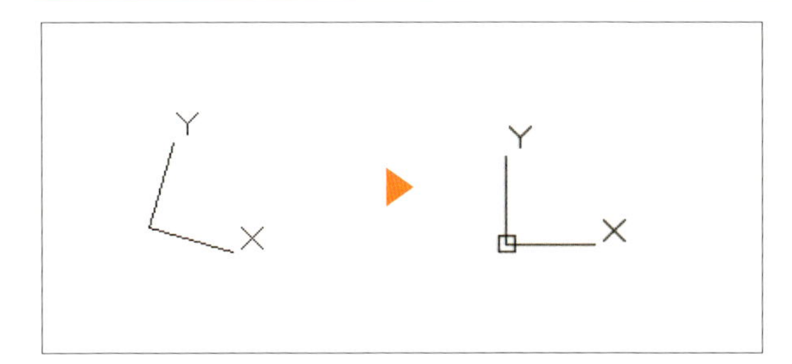

完成図

ユーザ座標系(UCS)をワールド座標系(WCS)に変更します。

[ワールド]コマンドを利用する

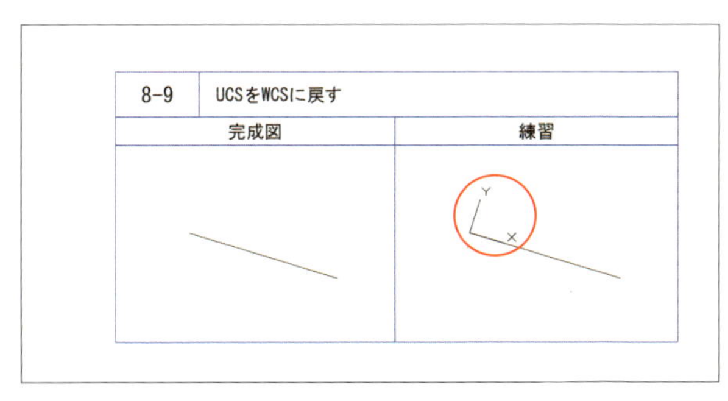

1 UCSアイコンを確認する

UCSアイコンを確認すると、現在はユーザ座標系(UCS)であることがわかります。

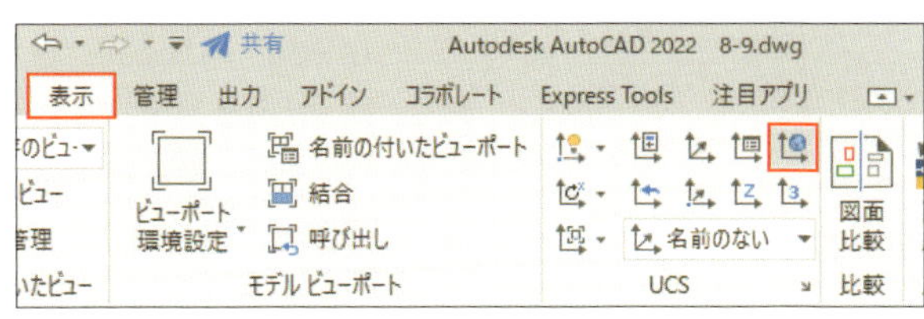

2 [ワールド]コマンドを実行する

[表示]タブ→[UCS]パネル(P.377参照)の[ワールド]をクリックします。

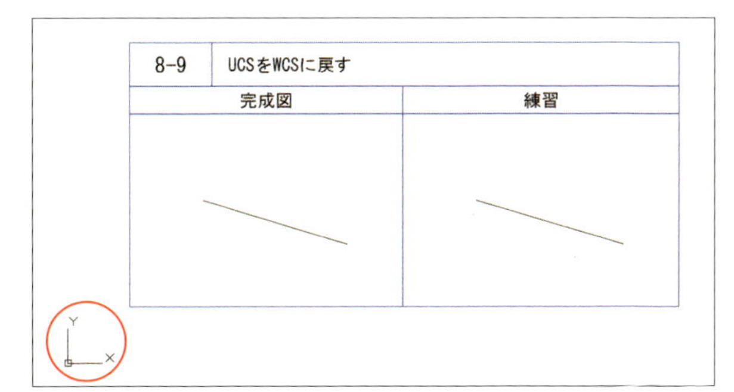

3 WCSが設定される

ワールド座標系(WCS)に設定されます。

10 UCSアイコンを表示する

UCSアイコンの設定は図面ファイルごとに変更することができ、表示／非表示も切り替えることが可能です。ここでは、非表示になっているUCSアイコンを表示します。

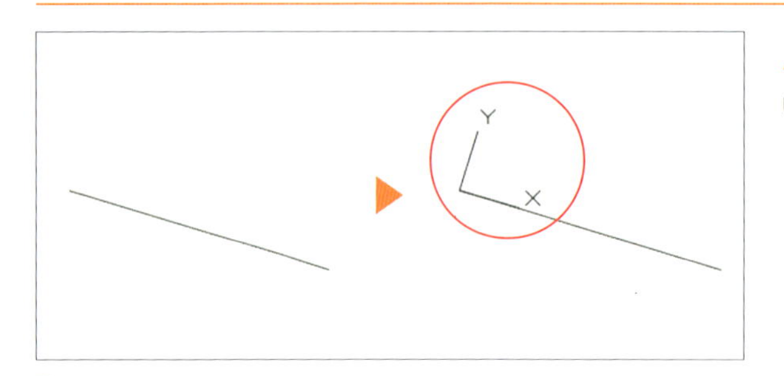

完成図

UCSアイコンを表示します。

▶ ［UCSアイコンの設定］欄の［オン］にチェックを入れる

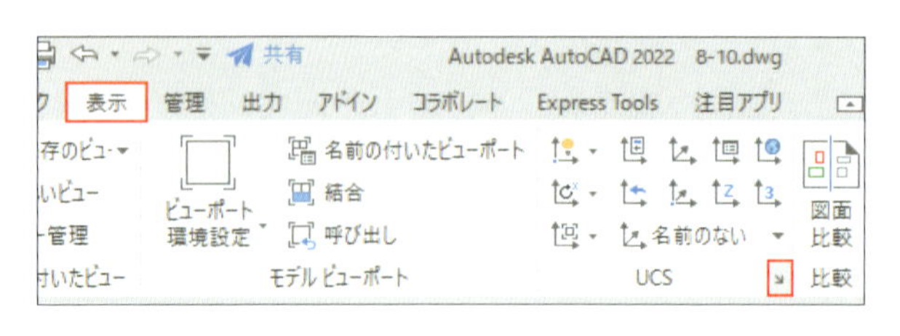

1 ［UCS定義管理］コマンドを実行する

［表示］タブ→［UCS］パネル（P.377参照）の［ダイアログボックスランチャー］をクリックします。

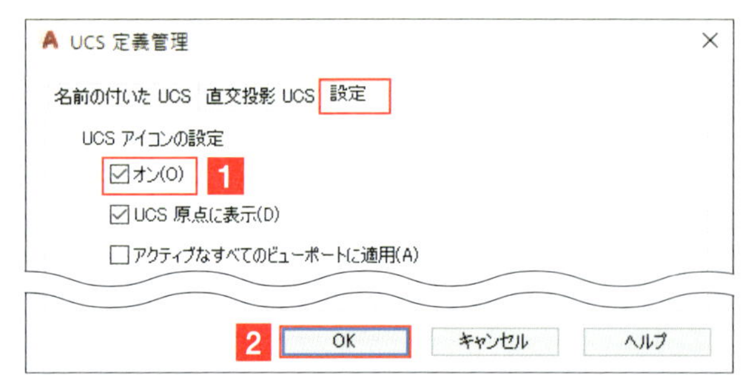

2 設定を変更する

［設定］タブの［UCSアイコンの設定］欄の［オン］にチェックを入れ1、［OK］をクリックします2。

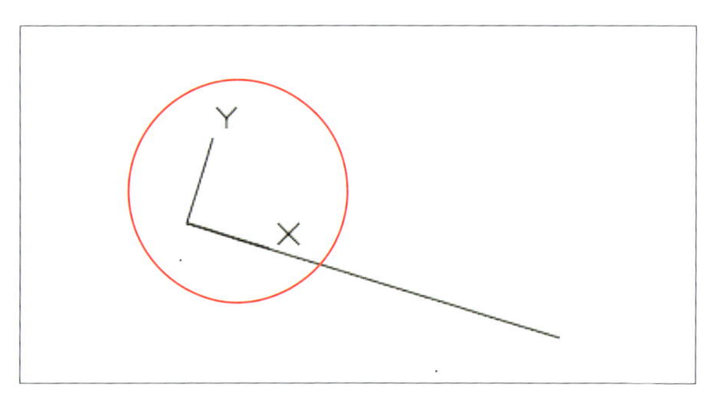

3 UCSアイコンが表示される

UCSアイコンが表示されます。

UCSアイコンを原点に表示する

前ページで解説したとおり、UCSアイコンの設定は図面ファイルごとに変更することができます。ここでは、UCSアイコンを原点に表示します。

サンプルファイル 8-11.dwg コマンド UCSMAN ショートカットキー UC

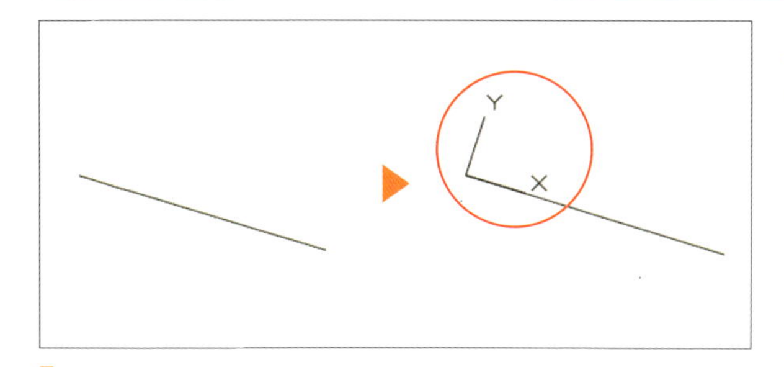

完成図

UCSアイコンを原点である線分の左端点に表示させます。

[UCSアイコンの設定]欄の[オン]にチェックを入れる

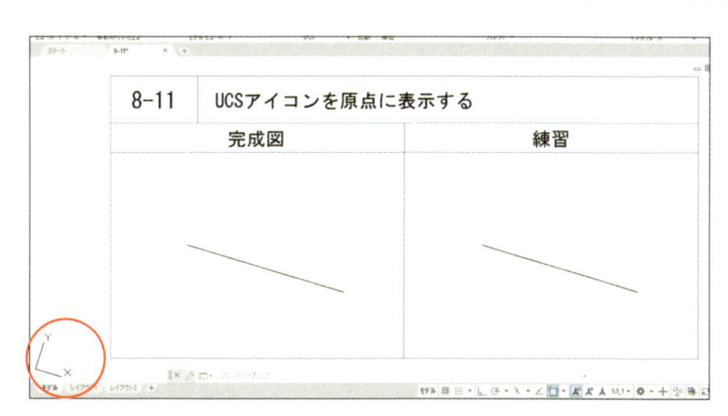

1 UCSアイコンを確認する

UCSアイコンを確認すると、現在は画面左下に表示されていることがわかります。

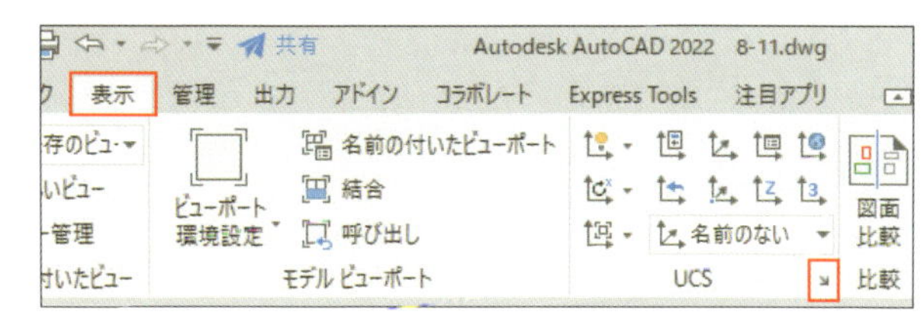

2 [UCS定義管理]コマンドを実行する

[表示] タブ→ [UCS] パネル (P.377参照) の [ダイアログボックスランチャー] をクリックします。

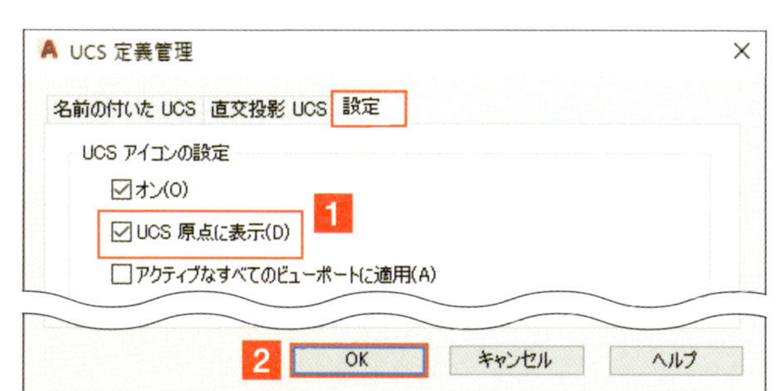

3 設定を変更する

[設定] タブの [UCSアイコンの設定] 欄の [UCS原点に表示] にチェックを入れ1、[OK] をクリックします2。UCSアイコンが原点である線分の左端点に表示されました。

画面を回転する

標準ではワールド座標系(WCS)が画面の水平垂直方向になっていますが、ユーザ座標系(UCS)を画面の水平垂直方向にしたい場合は、[プランビュー]コマンドを利用します。

サンプルファイル 8-12.dwg コマンド PLAN ショートカットキー なし

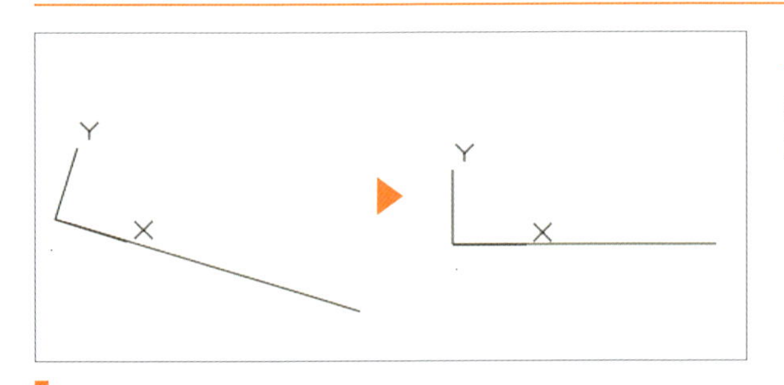

完成図

UCSのXY軸方向が水平垂直方向になるように、画面を回転します。

[プランビュー]コマンドを利用する

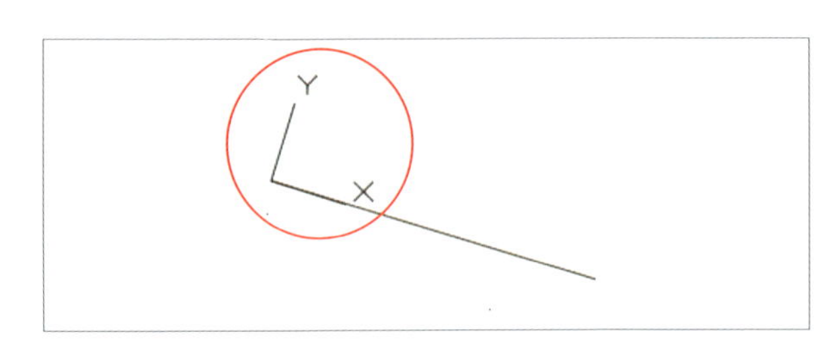

1 UCSアイコンを確認する

UCSアイコンを確認すると、現在は画面に対して UCS が傾いていることがわかります。

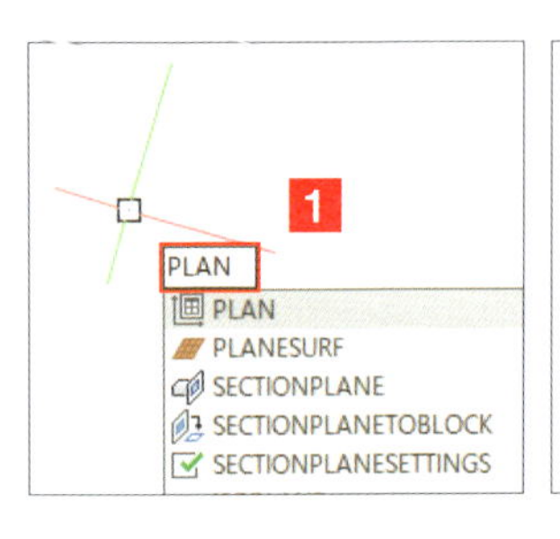

2 [プランビュー]コマンドを実行する

「PLAN」と入力して Enter キーを押し 1 、[現在の UCS] をクリックします 2 。

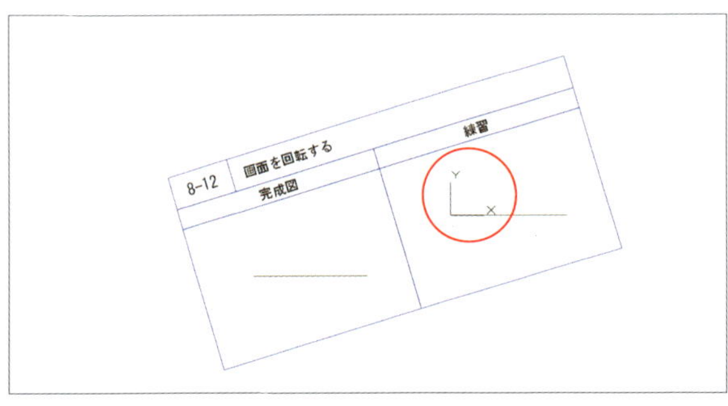

3 [プランビュー]コマンドが実行される

[プランビュー] コマンドが実行され、XY 軸方向が画面の水平垂直方向になります。

13 モデルタブの背景色を変更する

既定では、モデルタブの背景色は黒に近いグレー[33、40、48]に設定されています。背景色は、[オプション]ダイアログから変更することが可能です。

サンプルファイル なし　コマンド OPTIONS　ショートカットキー OP

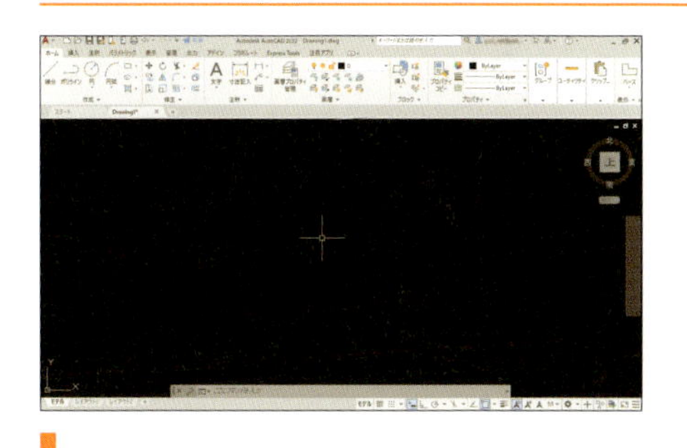

完成図

モデルタブの背景を黒に変更します。

[オプション]ダイアログの[表示]タブで設定する

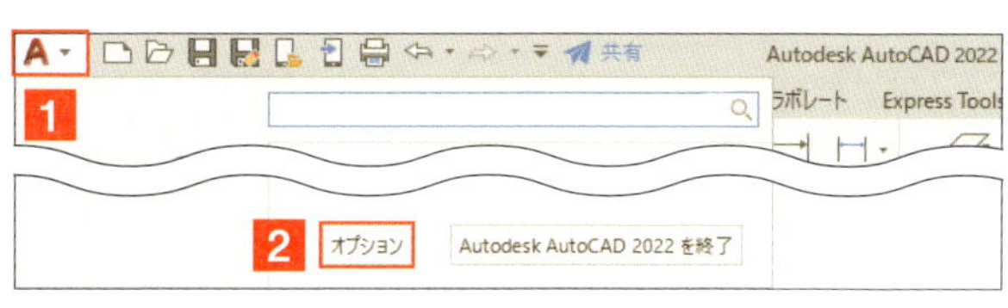

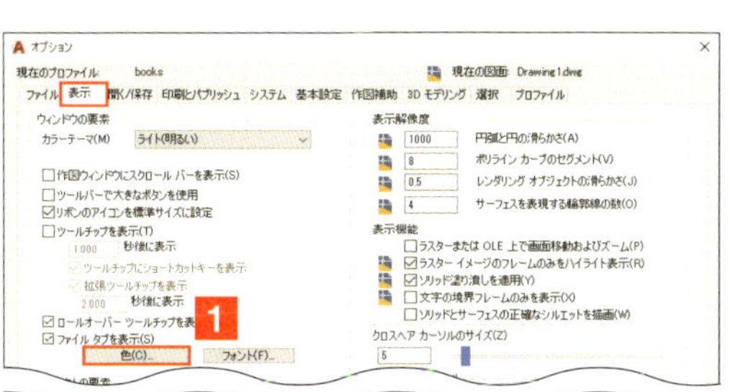

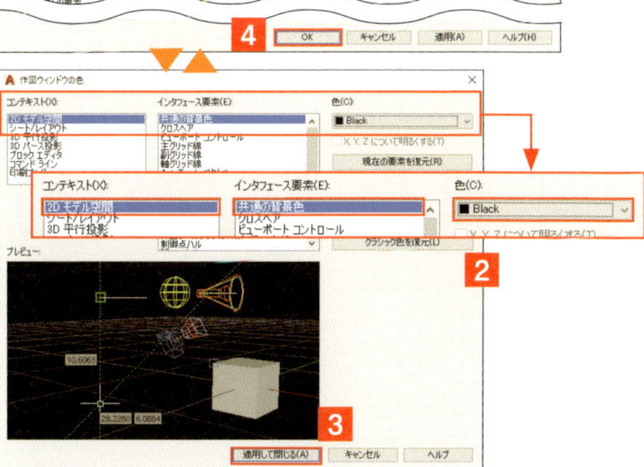

1 オプションを実行する

[アプリケーションメニュー] をクリックし1、[オプション] をクリックします2。

2 背景色を変更する

[表示] タブの [色] をクリックし1、[コンテキスト] に [2D モデル空間]、[インタフェース要素] に [共通の背景色] (AutoCAD LT では [背景])、[色] から [Black] を選択して2、[適用して閉じる] をクリックします3。この時点でモデルタブの背景色が変更されています。最後に [OK] をクリックし4、[オプション] ダイアログを閉じます。

レイアウトタブの背景色を変更する

既定では、レイアウトタブの用紙範囲色は白に設定されています。黒に変更した場合は、[オプション]ダイアログから変更することが可能です。

サンプルファイル なし　コマンド OPTIONS　ショートカットキー OP

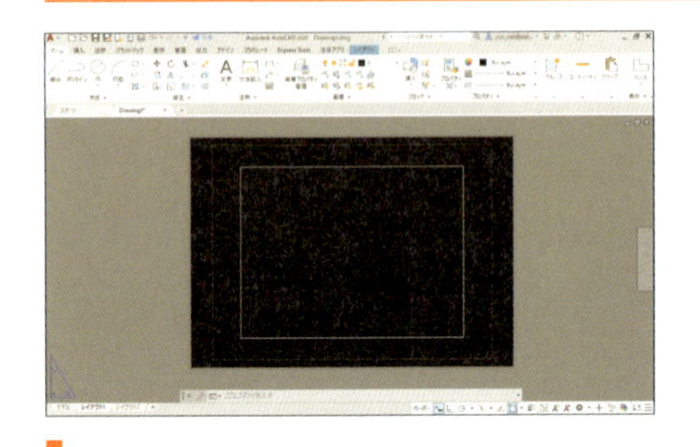

完成図

レイアウトタブの用紙範囲の色を黒に変更します。

[オプション]ダイアログの[表示]タブで設定する

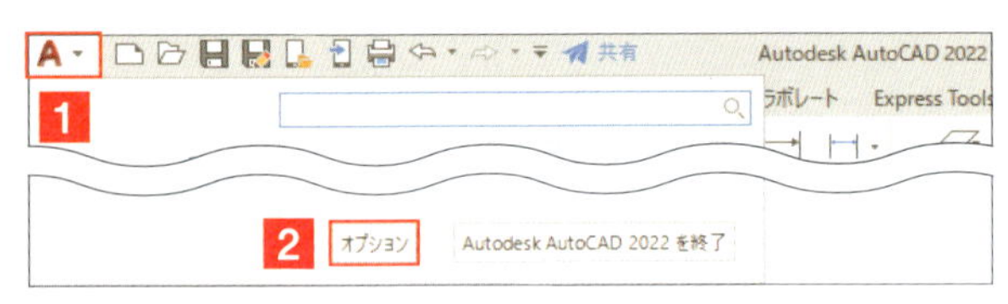

1 オプションを実行する

[アプリケーションメニュー] をクリックし1、[オプション] をクリックします2。

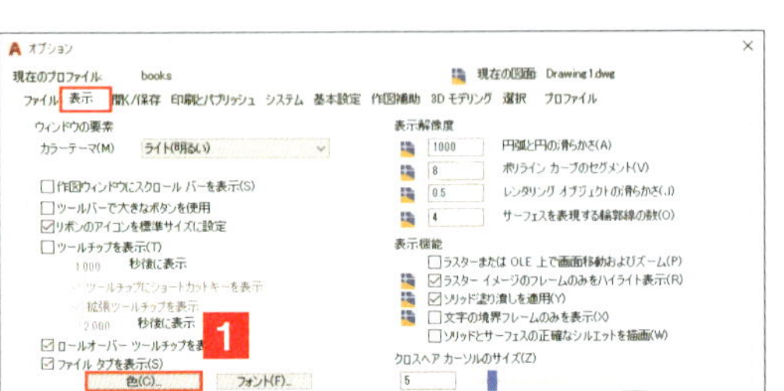

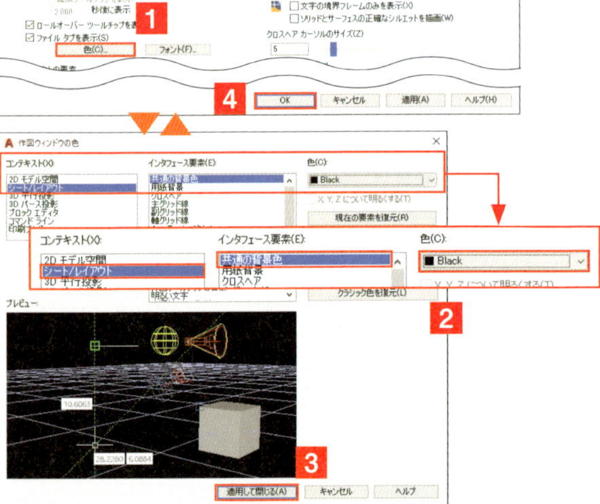

2 背景色を変更する

[表示] タブの [色] をクリックし1、[コンテキスト] に [シート / レイアウト]、[インタフェース要素] に [共通の背景色] (AutoCAD LT では [背景])、[色] から [Black] を選択して2、[適用して閉じる] をクリックします3。この時点でレイアウトタブの用紙範囲の色が変更されています。最後に [OK] をクリックし4、[オプション] ダイアログを閉じます。

パレットの表示位置を設定する

[オブジェクトプロパティ管理]や[画層プロパティ管理]などのパレットは、画面にドッキングさせたり、自動的に隠したりすることができます。

サンプルファイル なし　コマンド なし　ショートカットキー なし

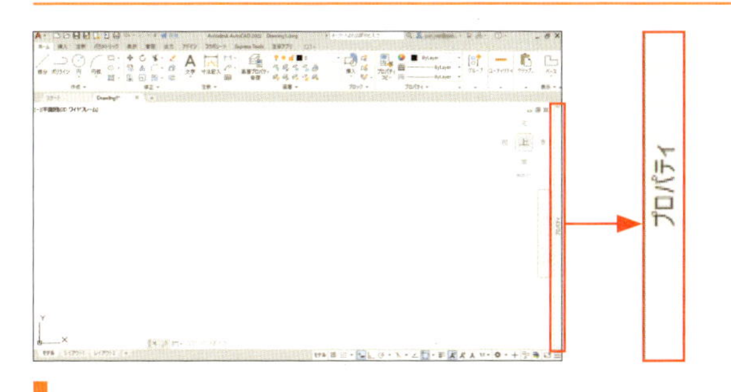

完成図

[オブジェクトプロパティ管理]のプロパティパレットを画面にドッキングさせて、自動的に隠します。

右クリックから設定する

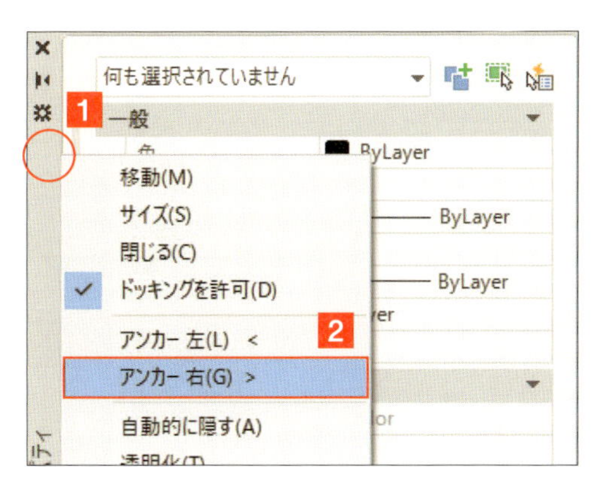

1 アンカー設定をする

[表示] タブ→ [パレット] パネルの [オブジェクトプロパティ管理] をクリックします。プロパティパレットのタイトルバーを右クリックし1、[アンカー右] を選択します2。

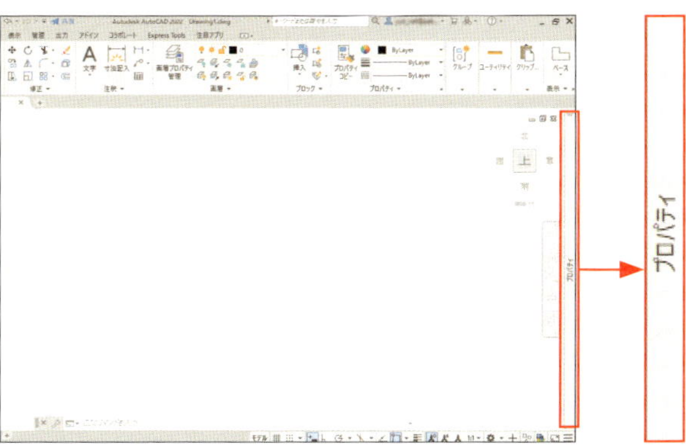

2 パレットがアンカーされた

アンカータブ（タブをドッキングできる領域）の位置にマウスカーソルを移動すると、プロパティパレットが開きます。

CHECK

元に戻すには、以下の操作をします。
1プロパティパレットのタイトルバーをドラッグし、任意の場所に移動
2同じくタイトルバーを右クリックし、「自動的に隠す」を選択し、チェックを外す

コマンドウィンドウの履歴を表示する

コマンドウィンドウには、AutoCADからのメッセージのほか、入力した値なども表示されます。履歴を確認したい場合は、F2キーを押します。

サンプルファイル なし　コマンド なし　ショートカットキー F2

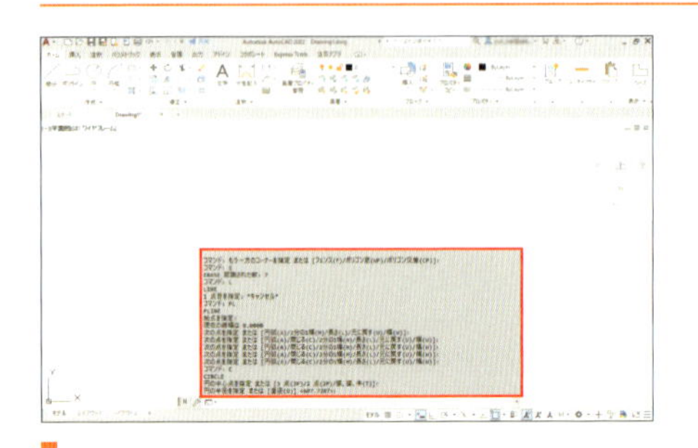

完成図

コマンドウィンドウの履歴を表示します。

F2キーを押す

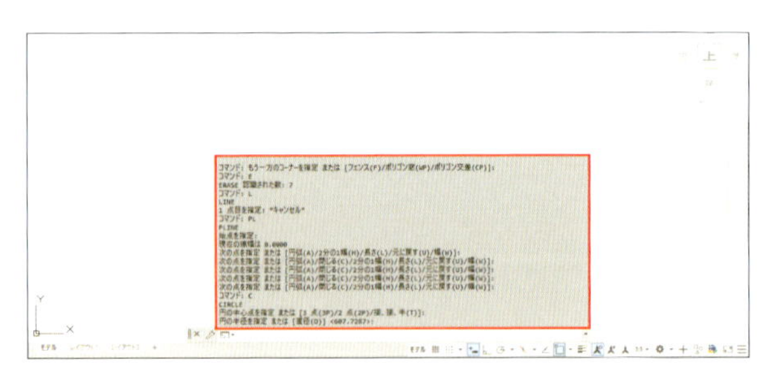

1 コマンドウィンドウの履歴を表示する

キーボードのF2キーを押します。コマンドウィンドウの履歴が表示されました。

2 コマンドウィンドウの履歴を閉じる

再びF2キーを押します。コマンドウィンドウの履歴が閉じます。

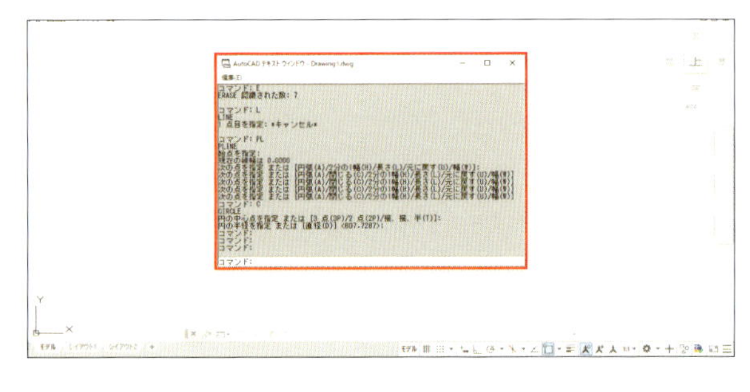

3 テキストウィンドウを表示する

Ctrl + F2キーを押すと、ダイアログで履歴が表示されます。閉じるには、[×] をクリックしてください。

マウスホイールのズーム速度を変更する

マウスのホイールボタンを回すことで画面をズームできますが、システム変数を変更すれば、そのズーム速度(表示倍率)を変えることが可能です。有効な値は3から100の整数値で、数値が大きいほど大きく変化します。

サンプルファイル なし　システム変数 ZOOMFACTOR　ショートカットキー なし

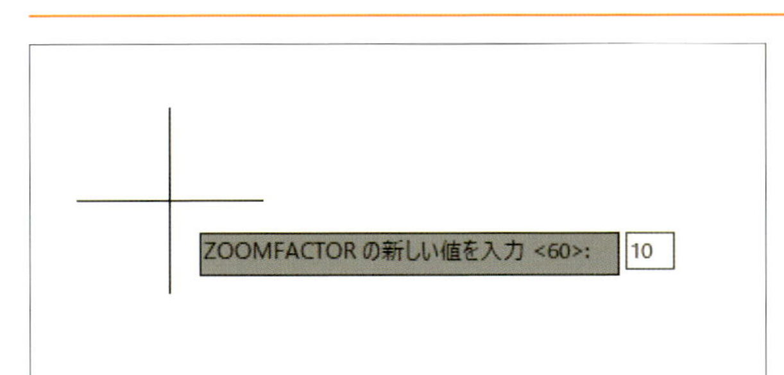

完成図

システム変数ZOOMFACTORの値を「10」に変更し、ズームがゆっくり行われるようにします。

[ZOOMFACTOR]でシステム変数の値を変更する

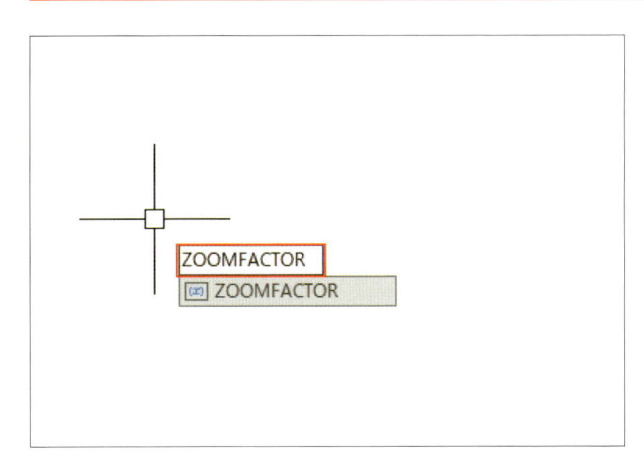

1 [ZOOMFACTOR]を変更する

「ZOOMFACTOR」と入力し、Enterキーを押します。

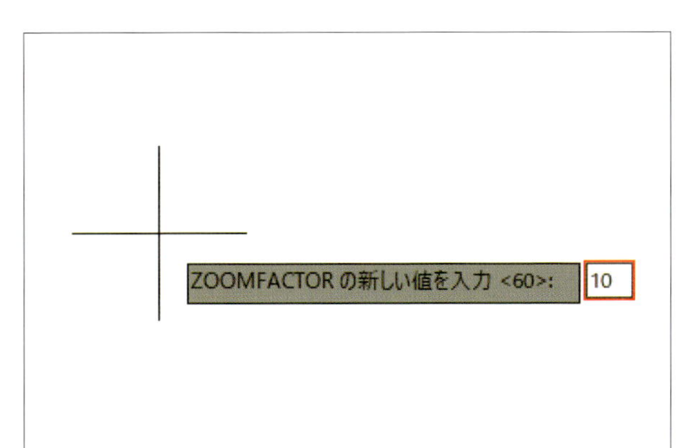

2 システム変数の値を入力する

「ZOOMFACTOR の新しい値を入力」と表示されるので、「10」と入力し、Enterキーを押します。ホイールのスクロールボタンを回し、ズームの速度がゆっくりになったことを確認してください。

CHECK

ズーム速度の既定値は「60」です。

メニューバーを表示する

リボンのボタンで用意されていないコマンドも、メニューバーから実行できる場合があります。メニューバーは[クイックアクセスツールバー]から表示の設定をすることができます。

サンプルファイル なし　コマンド なし　ショートカット なし

完成図

メニューバーを表示します。

[クイックアクセスツールバー]から設定する

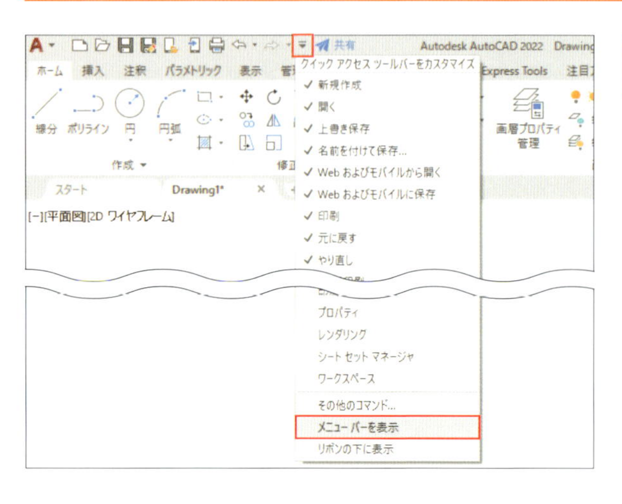

1 メニューバーを表示する

[クイックアクセスツールバー]の[▼]をクリックし、[メニューバーを表示]を選択します。

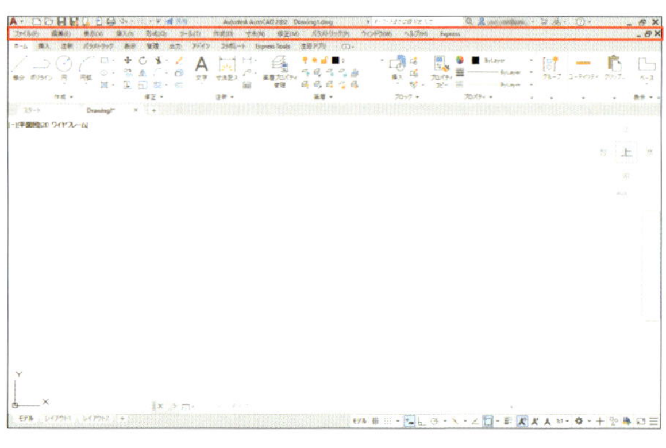

2 メニューバーが表示される

リボンの上にメニューバーが表示されたことを確認します。

19 リボンの色を変更する

リボンの背景色は、既定では[ダーク(暗い)]設定になっています。オプションで[ライト(明るい)]設定に変更することが可能です。

サンプルファイル なし　コマンド OPTIONS　ショートカットキー OP

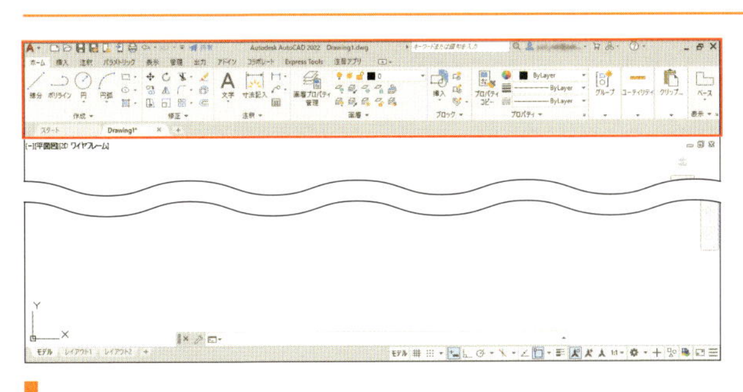

完成図

リボンの配色パターンを[ライト(明るい)]に設定します。

[オプション]ダイアログの[表示]タブで設定する

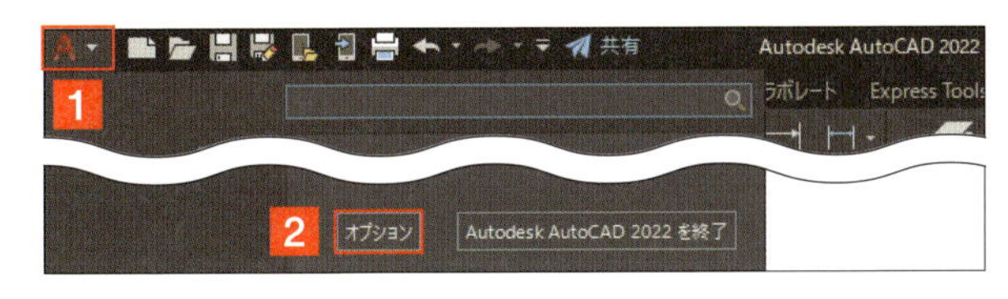

1 オプションを実行する

[アプリケーションメニュー] をクリックし1、[オプション] をクリックします2。

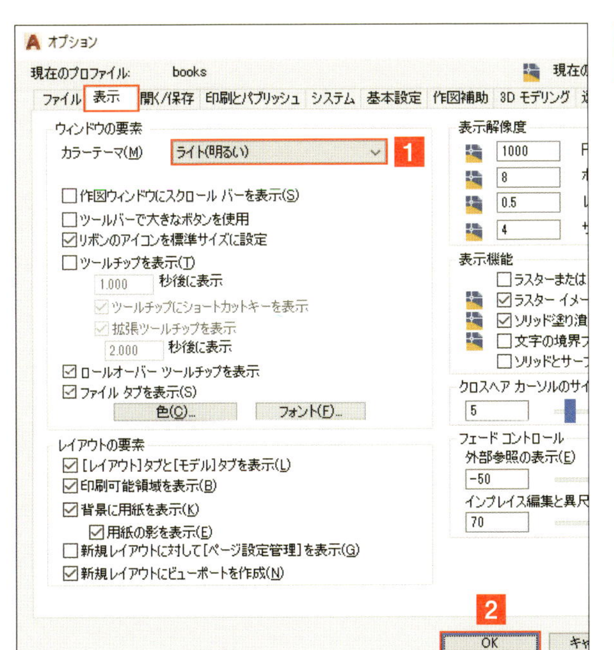

2 リボンの配色パターンを変更する

[表示] タブの [配色パターン] から [ライト (明るい)] を選択し1、[OK] をクリックします2。リボンの背景色が明るい色になります。

ステータスバーのボタンを表示する

[ダイナミック入力]や[線の太さ]、[選択の循環]などをオン/オフにするボタンは、標準ではステータスバーに表示されていません。[カスタマイズ]から表示の設定をしてください。

サンプルファイル なし　コマンド なし　ショートカットキー なし

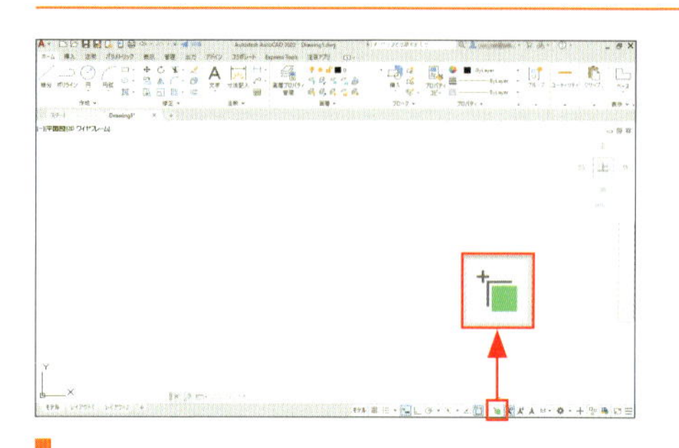

完成図

ステータスバーに[選択の循環]を表示します。

[カスタマイズ]ボタンから設定する

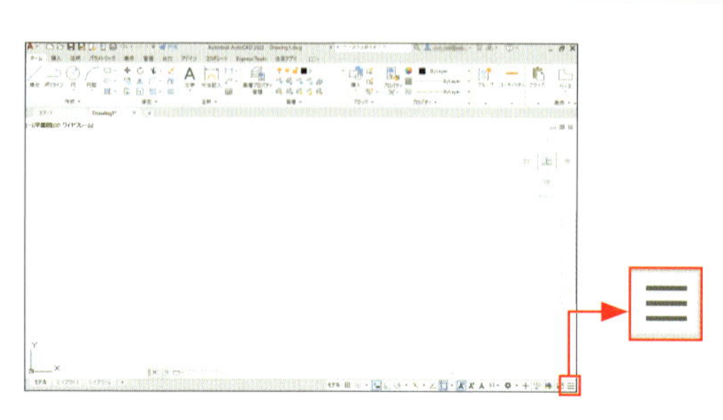

1 メニューを表示する

ステータスバーの一番右の［カスタマイズ］をクリックします。

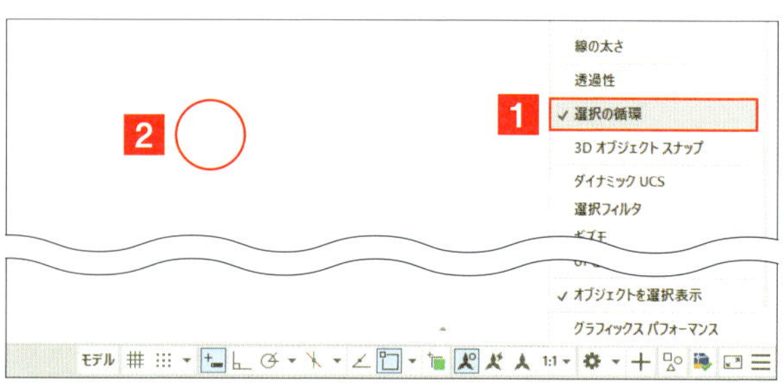

2 [選択の循環]を表示する

表示されたメニューから［選択の循環］をクリックして、チェックを入れたら1、作図領域をクリックして2、メニューを閉じます。

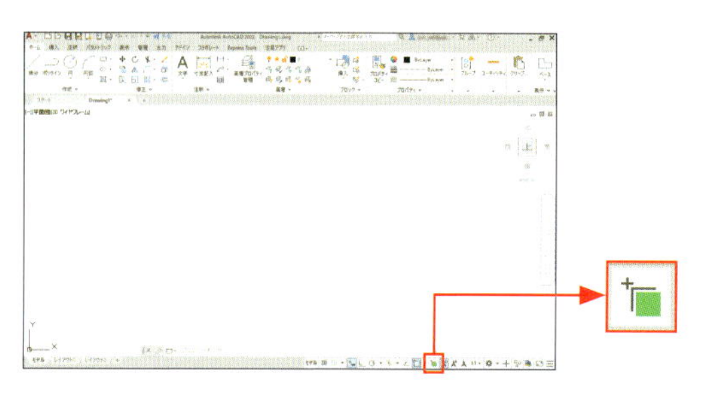

3 [選択の循環]ボタンが表示される

［選択の循環］ボタンが表示されたことを確認してください。

コマンドウィンドウを表示する

誤ってコマンドウィンドウを閉じてしまうこともあるでしょう。そんなときは、Ctrlキーを押しながら9キーを押すと、再び表示させることが可能です。

サンプルファイル なし　コマンド なし　ショートカットキー Ctrl + 9

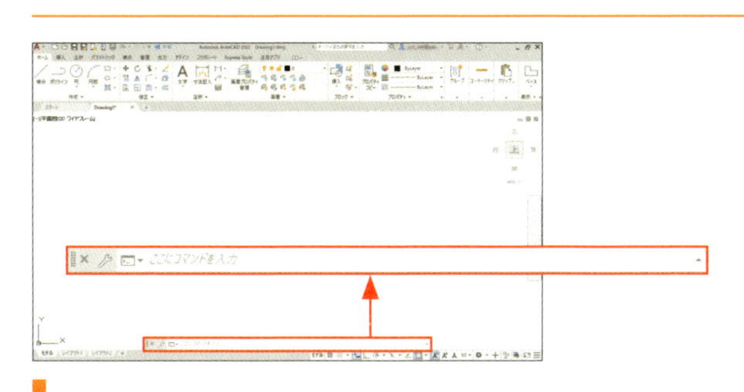

完成図

コマンドウィンドウを表示します。

▶ Ctrlキーを押しながら9キーを押す

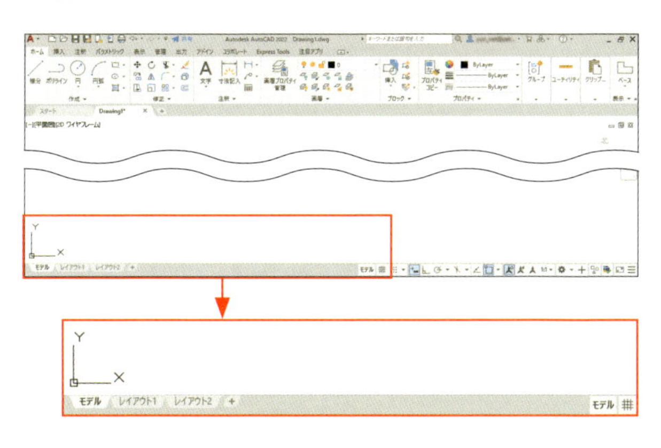

1 コマンドウィンドウを確認する

コマンドウィンドウが画面に表示されていないことを確認します（コマンドウィンドウが表示されている場合、手順2でコマンドウィンドウが閉じます）。

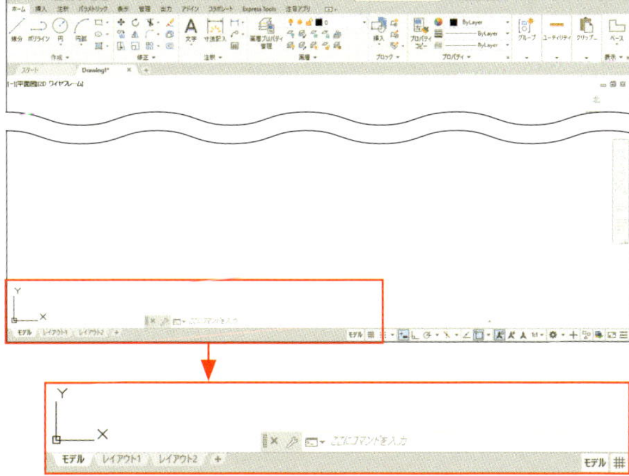

2 コマンドウィンドウを表示する

キーボードのCtrlキーを押しながら9キーを押します。コマンドウィンドウが表示されます。

CHECK

9キーはテンキーの9キーでは反応しません。よキーを押してください。

22 リボンの表示を切り替える

作図画面を大きく表示したい場合は、リボンの表示内容を一部非表示にすることで対処することができます。ここではリボンの表示をタブのみにして、作図領域のスペースを広げます。

サンプルファイル なし　コマンド なし　ショートカット なし

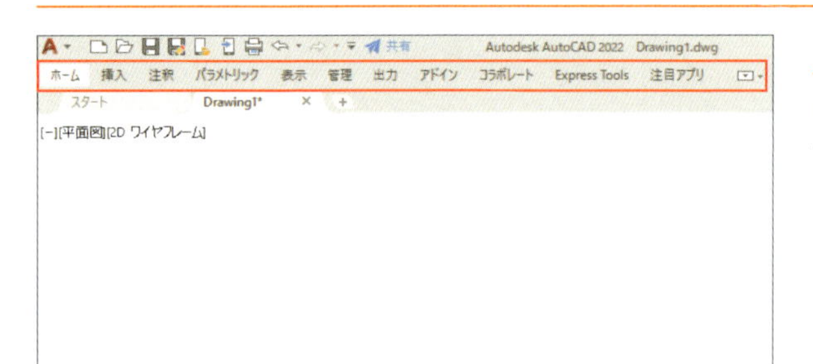

完成図

リボンの表示を［タブのみを表示］に切り替えます。

［タブのみを表示］を選択する

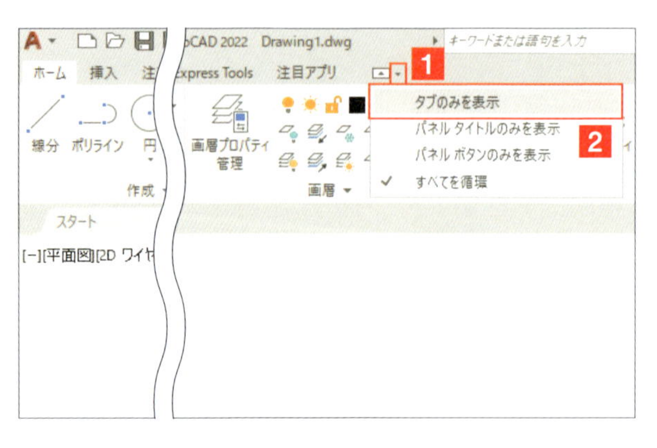

1 ［タブのみを表示］を選択する

リボンタブの一番右の［▼］をクリックし1、表示されたメニューから［タブのみを表示］を選択します2。

CHECK

［パネルタイトルのみを表示］、［パネルボタンのみを表示］を選択すれば、それぞれの表示を切り替えることができます。

2 リボンの表示が変更される

リボンの表示がタブのみの表示になります。

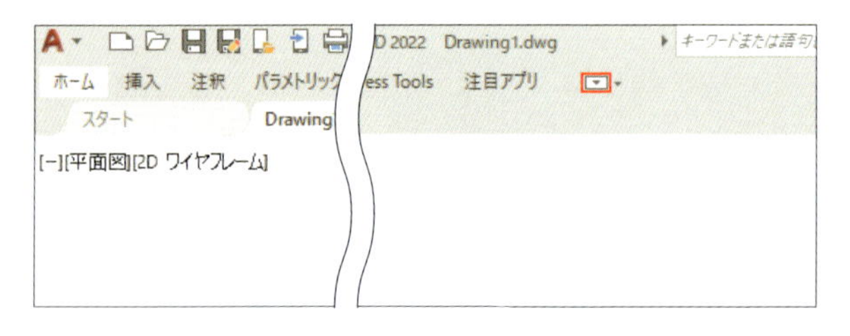

3 リボンの表示を元に戻す

リボンタブの［▼］をクリックすると、リボンの表示が元に戻ります。

SECTION 23 # ピックボックスの大きさを変更する

図形を選択する四角いマウスカーソルを「ピックボックス」と呼びます。図形が選択しにくい場合、ピックボックスを大きくして選択しやすくできます。

サンプルファイル なし　コマンド OPTIONS　ショートカットキー OP

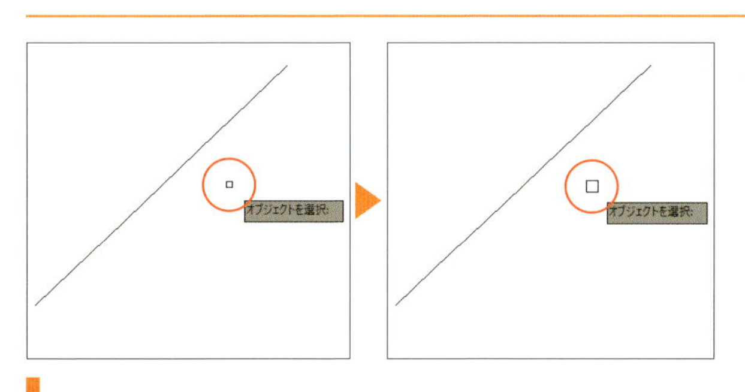

完成図

[削除] コマンドなどの修正したときに表示されるピックボックスのサイズを大きくします。

[オプション] ダイアログでスライドバーを調整する

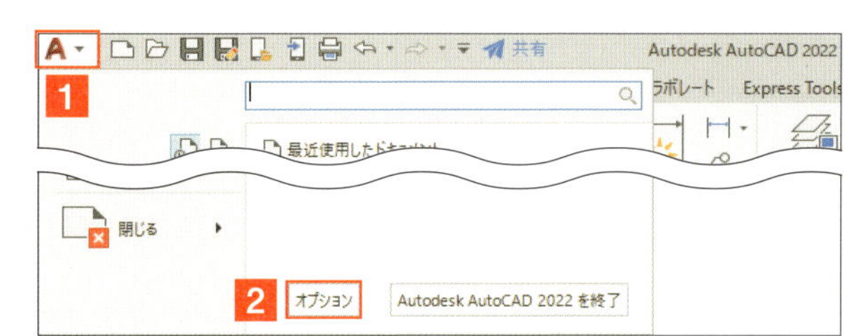

1 オプションを実行する

[アプリケーションメニュー] をクリックし1、[オプション] をクリックします2。

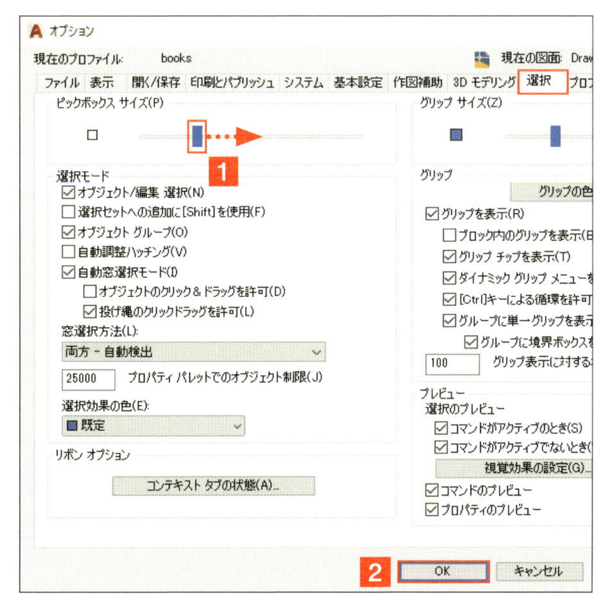

2 ピックボックスの大きさを変更する

[選択] タブの [ピックボックス] のスライドバーを右に少し動かして1、[OK] をクリックします2。[削除] コマンドなどを実行すると、ピックボックスが大きくなっていることが確認できます。

設定を初期状態にする

リボンがなくなった、コマンドウィンドウが表示できないなど、画面周りにトラブルが発生した場合は、AutoCADの設定をインストール直後に戻すことができます。

サンプルファイル なし　コマンド なし　ショートカット なし

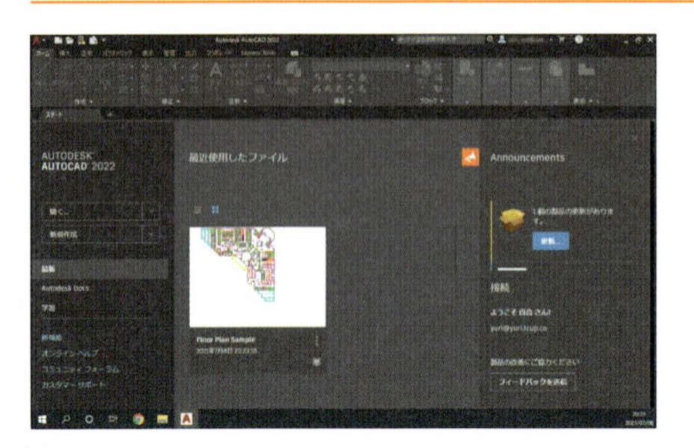

完成図

画面や設定を初期状態に戻します。

バックアップを行ってからリセットする

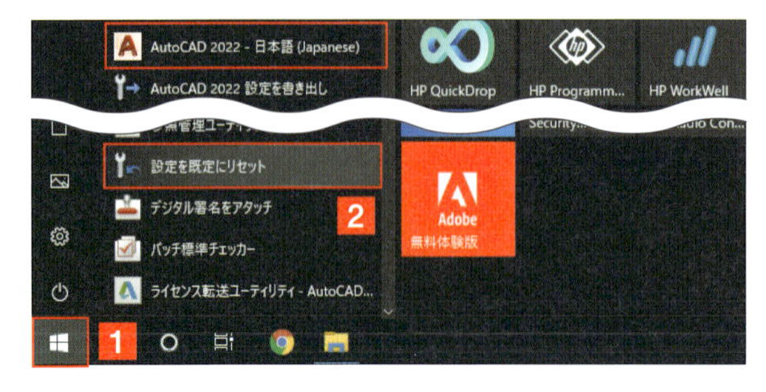

1 リセットを選択する

AutoCAD を終了し、Windows の［スタート］をクリックして1、［AutoCAD 2022 日本語］フォルダの［設定を既定にリセット］を選択します2。

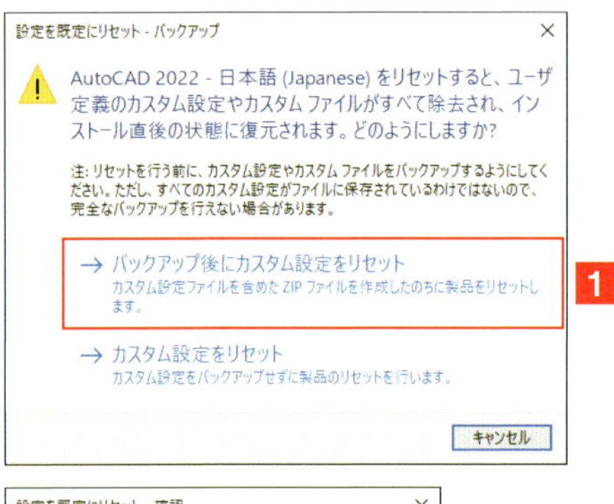

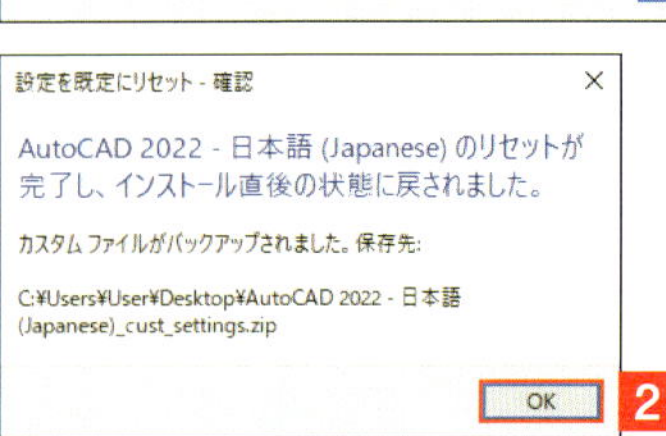

2 バックアップ後にリセットする

［バックアップ後にカスタム設定をリセット］を選択します1。バックアップの保存場所を指定して保存します。バックアップファイル（*.zip）が作成され、AutoCAD の設定がリセットされます。ダイアログが表示されるので、[OK]をクリックすると2、AutoCAD が起動します。

CHECK

バックアップファイルから復元するには、手順1のフォルダから［AutoCAD 2022 設定を読み込み］を選択し、バックアップファイル（*.zip）を選択します。

CHAPTER

09

活用

図形をグループ化する

図形をグループ化すると、移動や複写などの図形選択を効率的に行えます。ブロックとは違い、形状を変更することができます。ただし、ほかの図面にコピーするとグループは解除されます。

サンプルファイル 9-1.dwg　コマンド GROUP　ショートカットキー G

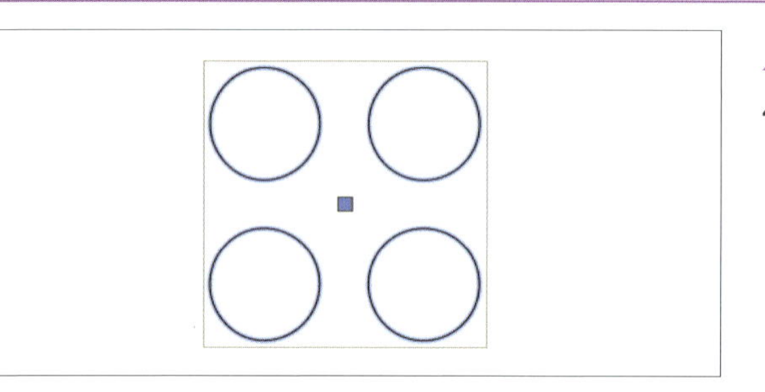

完成図

4つの円をグループ化します。

[グループ]コマンドを利用する

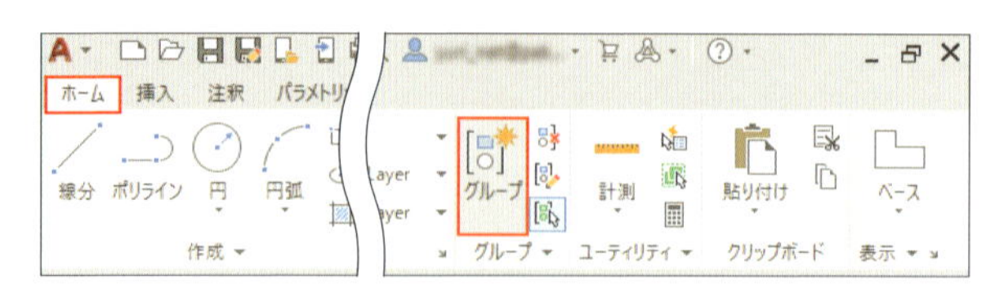

1 [グループ]コマンドを実行する

[ホーム]タブ→[グループ]パネルの[グループ]をクリックします。

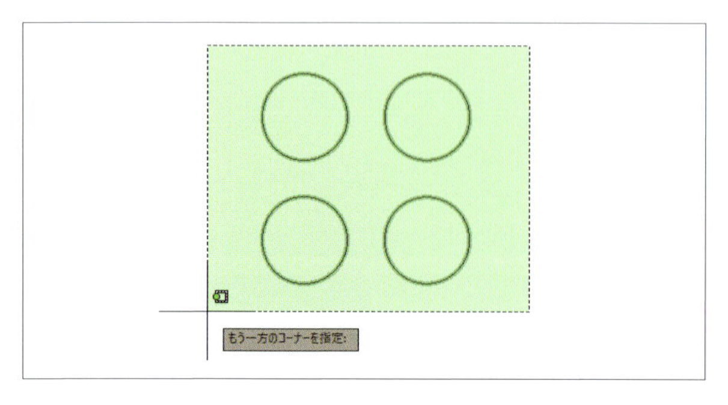

2 図形を選択する

交差選択などで図形を選択し、Enterキーを押して選択を確定します。

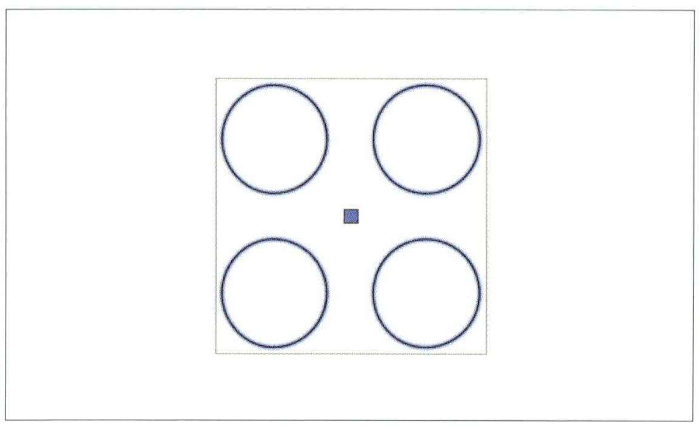

3 グループ化される

図形をクリックして選択すると、グループ化されていることが確認できます。

CHECK

グループ化されていない場合は、P.399の「グループ化された図形の一部を選択する」を参照してください。

グループ化された図形の一部を選択する

グループ化された図形の一部を選択したい場合、グループ機能をオフにすることができます。また、グループ化してもグループ化されていない場合は、グループ機能をオンにしてください。

サンプルファイル 9-2.dwg　システム変数 PICKSTYLE　ショートカットキー Ctrl + H

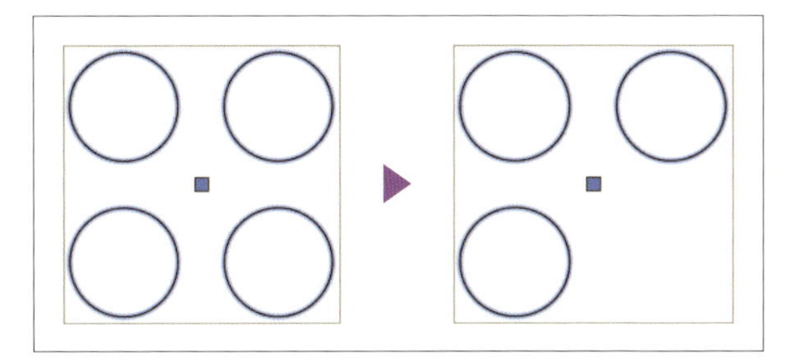

完成図

グループ化されたままの状態で、円を1つ削除します。

[グループ選択オン/オフ]を一時的にオフにする

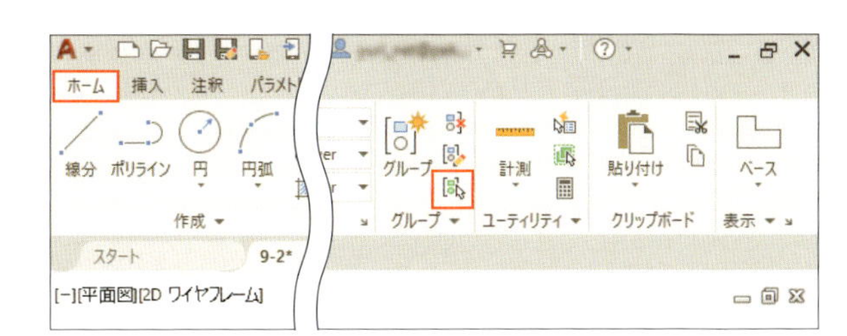

1 グループ選択をオフにする

[ホーム] タブ→ [グループ] パネルの [グループ選択オン / オフ] をクリックし、グループ選択をオフにします（グレーの状態がオフです）。

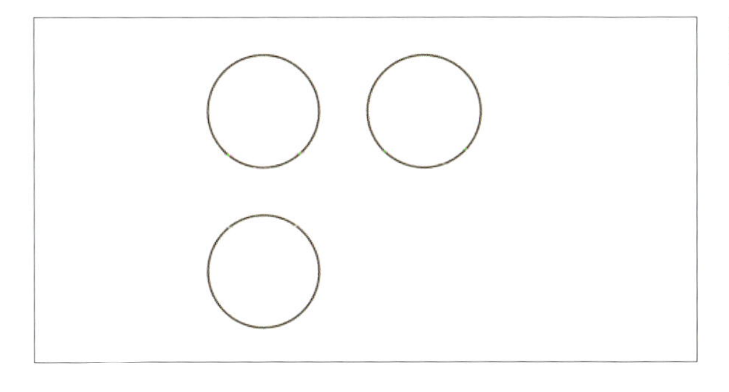

2 円を削除する

[削除] コマンドで円を 1 つ削除します。

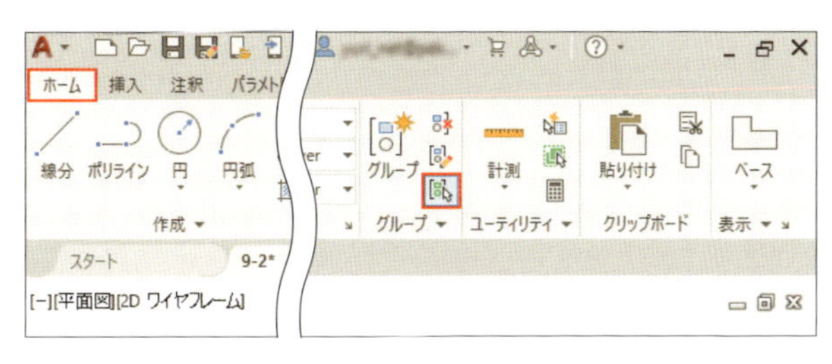

3 グループ選択をオンにする

[ホーム] タブ→ [グループ] パネルの [グループ選択オン / オフ] をクリックし、グループ選択をオンに戻します（青い状態がオンです）。

グループを解除する

作成したグループは解除することができます。一時的に解除する場合には、前ページの「グループ化された図形の一部を選択する」を参照してください。

サンプルファイル 9-3.dwg コマンド UNGROUP ショートカットキー なし

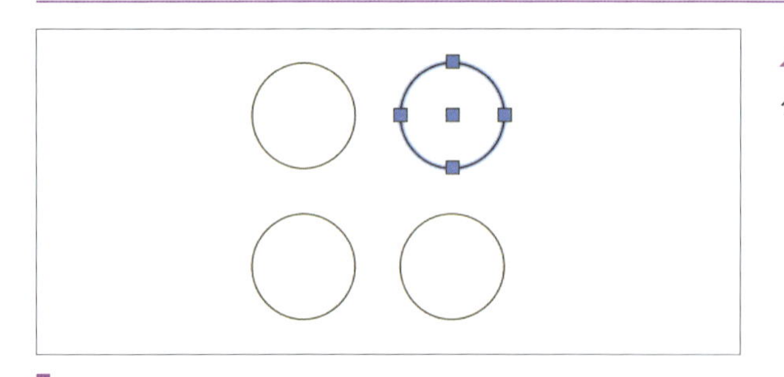

完成図

グループを解除します。

[グループを解除]コマンドを利用する

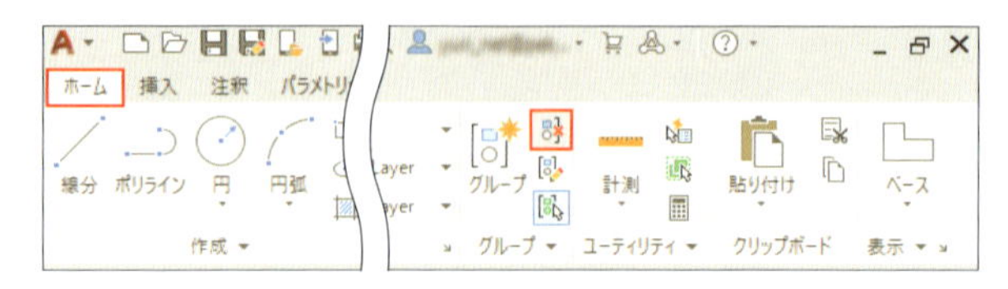

1 [グループを解除]コマンドを実行する

[ホーム]タブ→[グループ]パネルの[グループを解除]をクリックします。

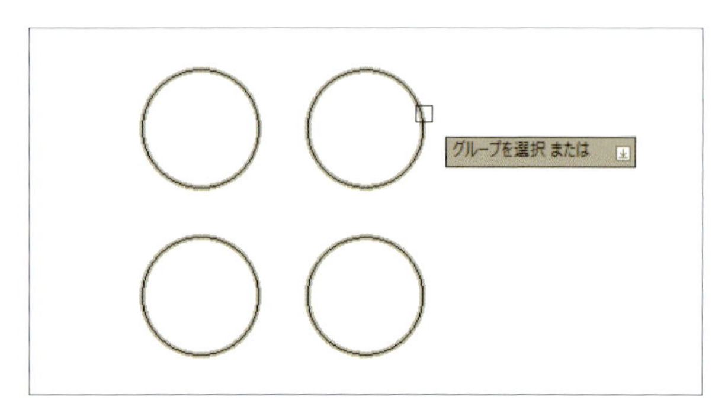

2 図形を選択する

グループをクリックして選択します。

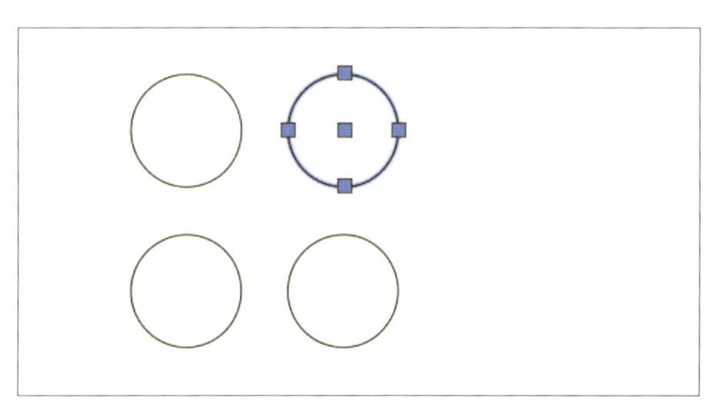

3 グループ解除される

図形をクリックして選択すると、グループが解除されたことを確認できます。

選択した図形を非表示にする

表示／非表示のコントロールは画層単位だけでなく、図形単位で行うことができます。ただし既定では、ファイルを閉じると図形の非表示は解除され、次に開いたときにすべて表示されます。

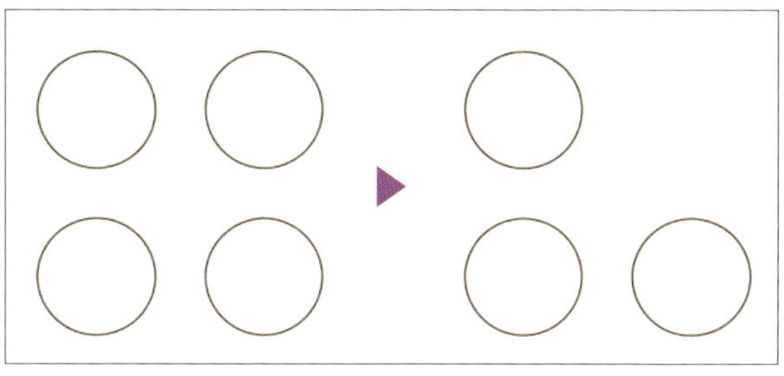

完成図

円を1つ非表示にします。

[オブジェクトを非表示]コマンドを利用する

1 [オブジェクトを非表示]コマンドを実行する

ステータスバーの［オブジェクトを選択表示］をクリックし1、メニューから［オブジェクトを非表示］を選択します2。

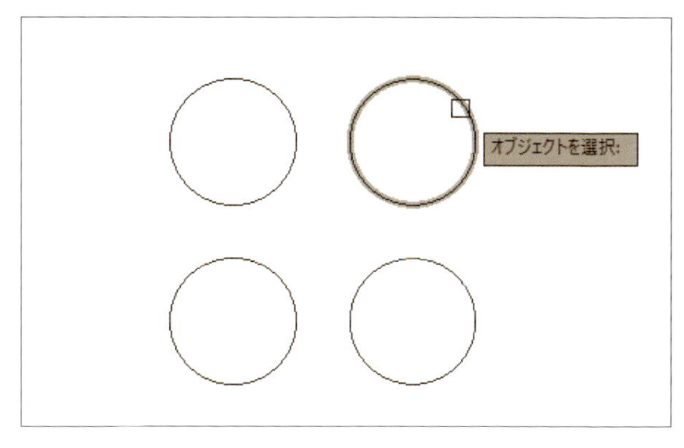

2 図形を選択する

円を１つ選択し、Enterキーを押して選択を確定します。

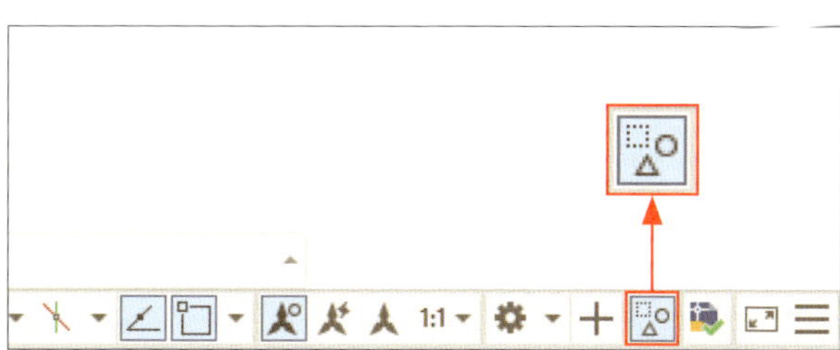

3 図形が非表示になった

円が非表示になりました。ステータスバーのボタンが［オブジェクト選択表示を解除］に変わり、青く表示されています。

選択した図形以外を非表示にする

P.401では、選択した図形を非表示にしましたが、ここでは、複数の図形の中で選択した図形だけを表示します。ファイルを閉じると設定が解除されるのは、P.401と同様です。

サンプルファイル 9-5.dwg　コマンド ISOLATEOBJECTS　ショートカットキー なし

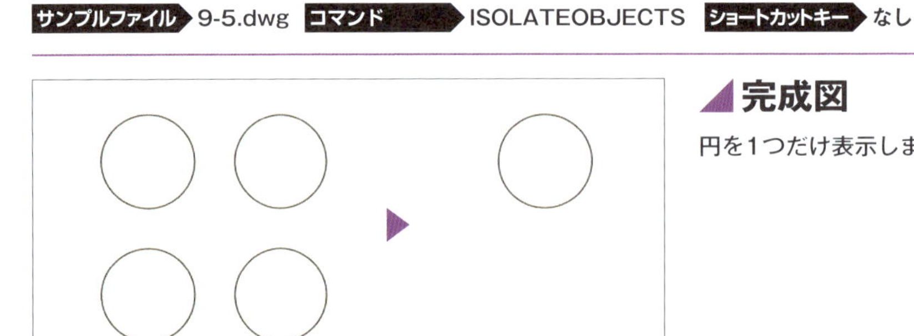

完成図

円を1つだけ表示します。

[オブジェクトを選択表示]コマンドを利用する

1 [オブジェクトを選択表示]コマンドを実行する

ステータスバーの［オブジェクトを選択表示］をクリックし1、メニューから［オブジェクトを選択表示］を選択します2。

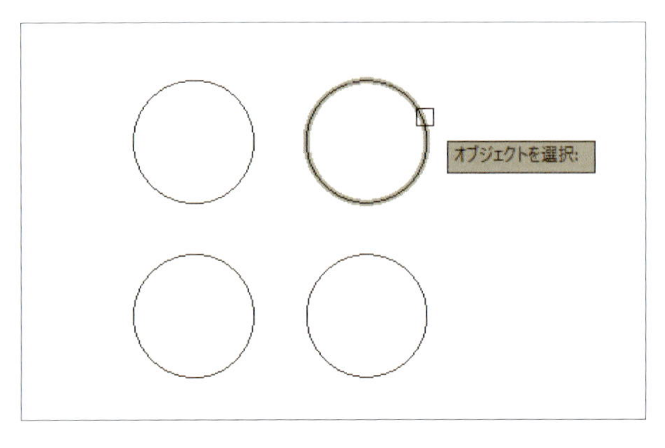

2 図形を選択する

円を 1 つ選択し、Enterキーを押して選択を確定します。

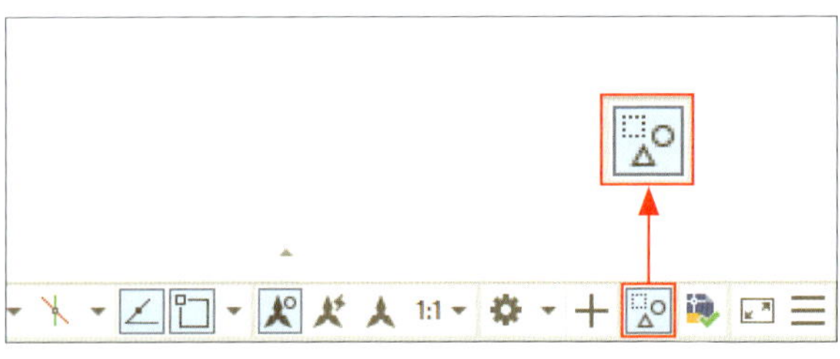

3 図形が非表示になった

選択された円以外が非表示になりました。ステータスバーのボタンが［オブジェクト選択表示を解除］に変わり、青く表示されています。

06 図形の非表示を解除する

複数の図形の中で選択した図形を非表示にした場合、その非表示にした状態を解除する方法も覚えておきましょう。ここでは、P.401で非表示にした図形を表示します。

サンプルファイル 9-6.dwg　コマンド UNISOLATEOBJECTS　ショートカットキー なし

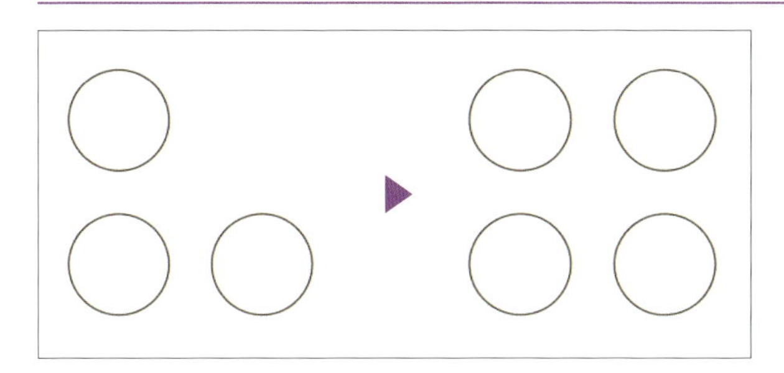

完成図

非表示の円を表示します。

[オブジェクトの選択表示を終了]コマンドを利用する

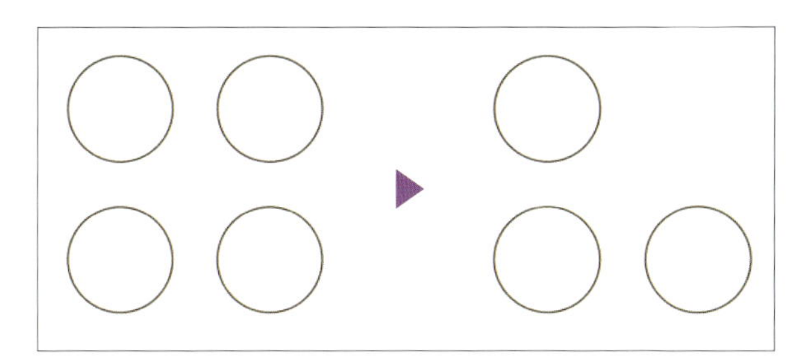

1 図形を非表示にする

P.401「選択した図形を非表示にする」を参照し、図形を非表示にします。

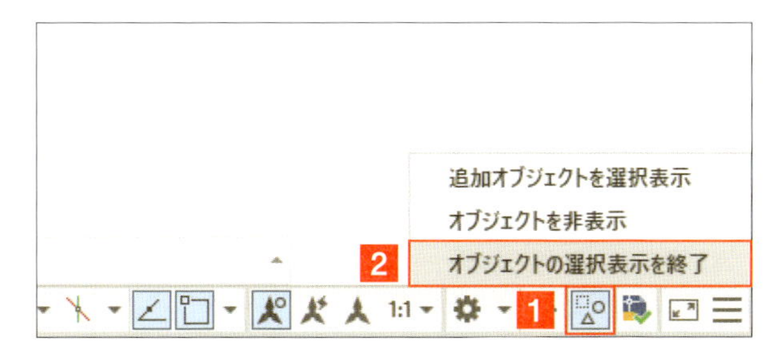

2 [オブジェクトの選択表示を終了]コマンドを実行する

ステータスバーの［オブジェクト選択表示を解除］をクリックし1、メニューから［オブジェクトの選択表示を終了］を選択します2。

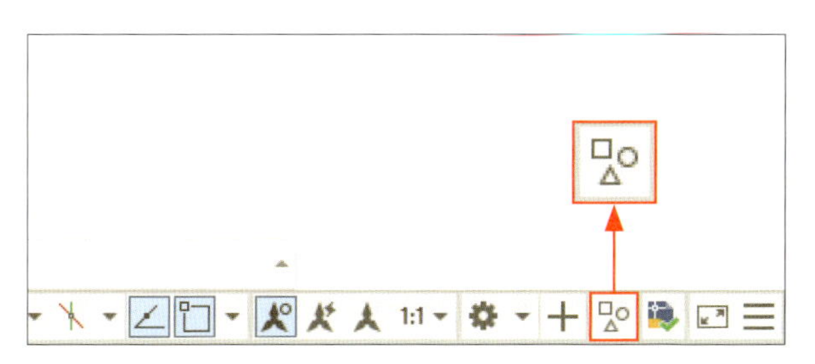

3 図形が表示される

図形がすべて表示されます。ステータスバーのボタンが［オブジェクトを選択表示］に変わり、青い表示が解除されます。

注釈尺度を理解する

AutoCADでは、実寸で対象物を作図し、図面の尺度によって文字高や寸法の大きさをコントロールします。ここでは、[注釈尺度]を使用し、文字高や寸法の大きさをコントロールする方法を紹介します。

注釈尺度の設定の基本

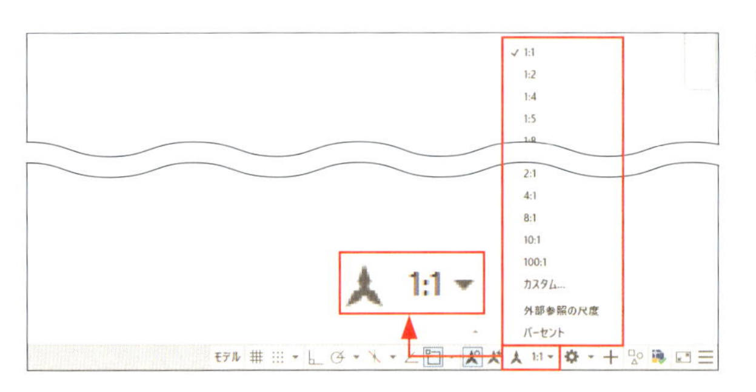

ステータスバーの［現在のビューの注釈尺度］をクリックし、図面の縮尺を設定します。

CHECK

既定で設定されている尺度以外を利用するには、尺度を追加します。P.339「尺度リストを作成する」を参照してください。

文字／寸法／引出線の異尺度対応の設定

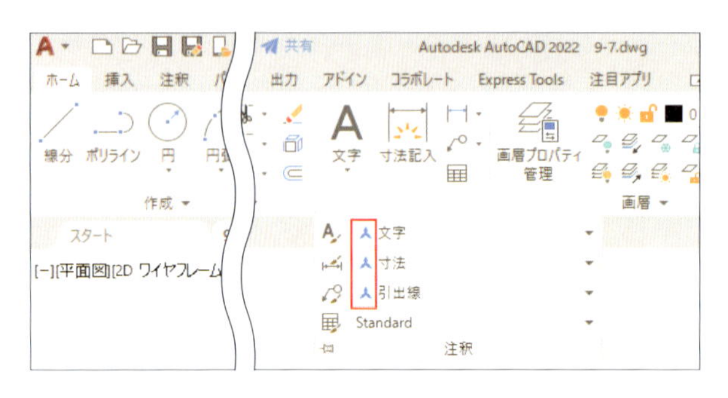

文字／寸法／引出線を、［注釈尺度］を反映した大きさにするには、［異尺度対応］に設定されている文字／寸法／引出線スタイルで作図します。異尺度対応に設定されたスタイルは、スタイル名に三角スケールのマークが付きます（[ホーム]タブ→［注釈］パネル→［注釈▼］で確認可能）。

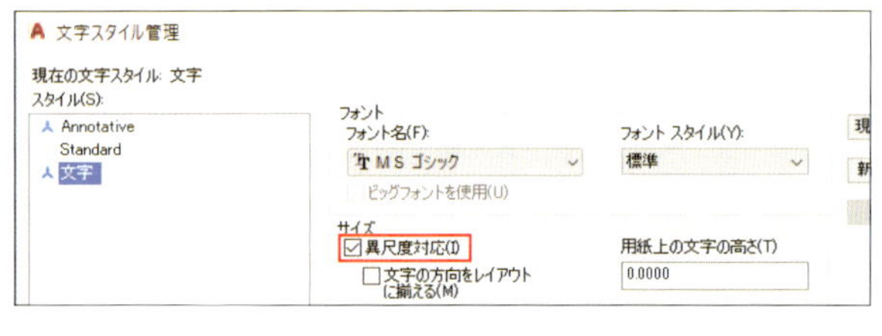

文字スタイルの異尺度対応設定

［文字スタイル管理］コマンドを実行し（P.194参照）、［異尺度対応］にチェックを入れます。

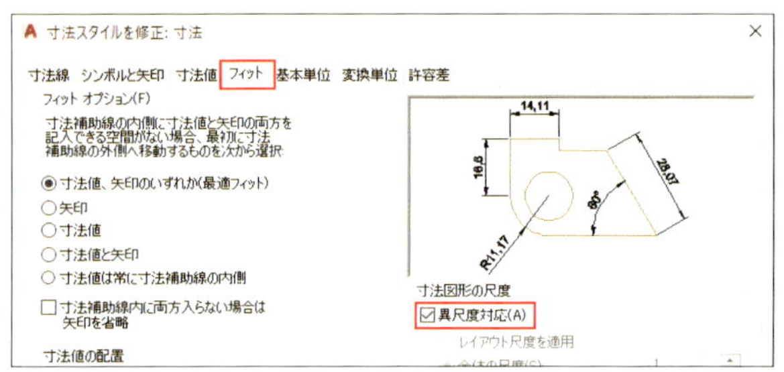

寸法スタイルの異尺度対応設定

［寸法スタイル管理］コマンドを実行し（P.211参照）、［フィット］タブの［異尺度対応］にチェックを入れます。

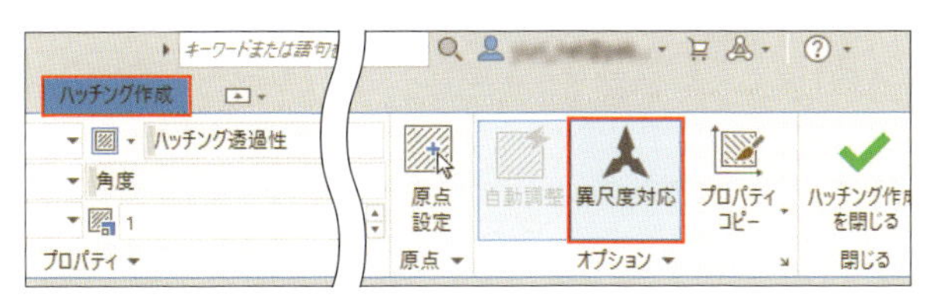

ハッチングの異尺度対応設定

[ハッチング作成] タブ→ [オプション] パネルの [異尺度対応] をクリックしてオンにし、ハッチングを作図します。

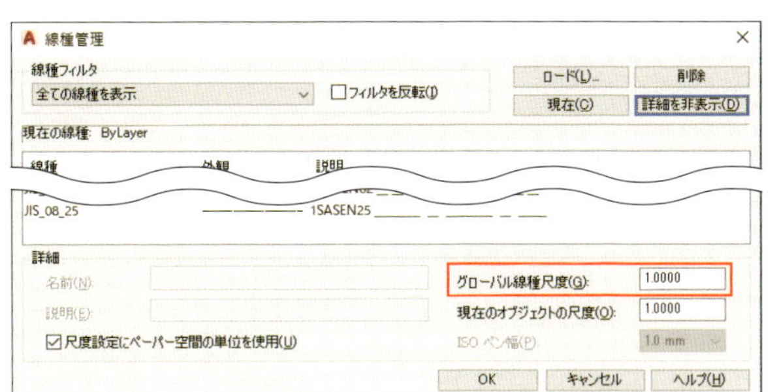

線種の異尺度対応設定

グローバル線種尺度は、[線種管理] ダイアログ(P.261 参照)で「1」に設定します。[注釈尺度] を変更し、再作図 (REGEN) コマンドを実行すると、画面の線種尺度が変更されます。

注釈尺度の表示と便利設定

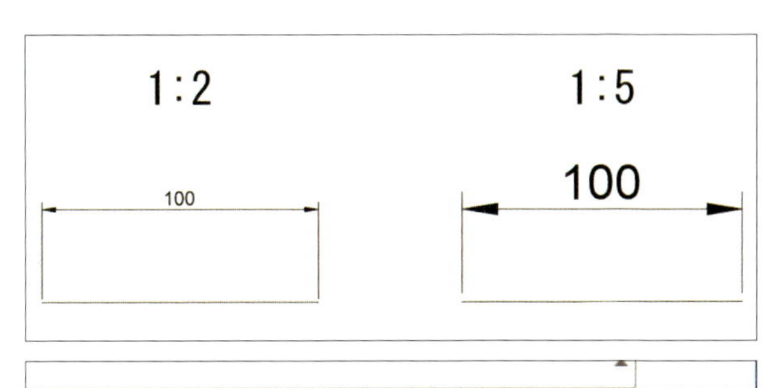

注釈オブジェクトの表示切り替え

ステータスバーの [注釈オブジェクトを表示] がオンになっていると、現在の [注釈尺度] 以外の文字や寸法も表示されます。

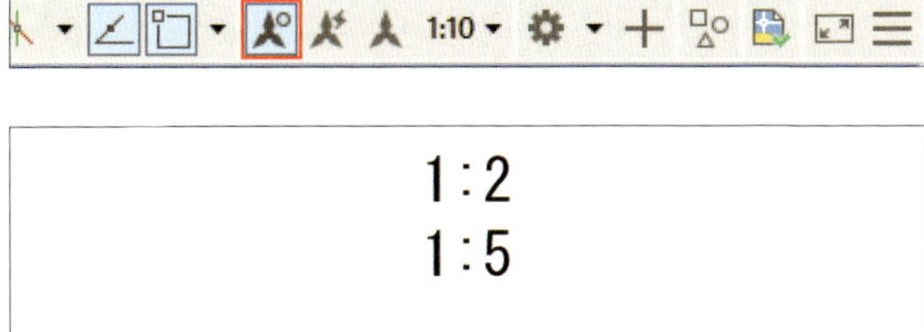

注釈尺度の変更時に尺度を追加する設定

ステータスバーの [注釈尺度を変更したときに異尺度対応オブジェクトに尺度を追加] がオンになっていると、[注釈尺度] を変更したときに、既存の文字や寸法に尺度が追加されていきます(左図では 1 つの寸法に 1:2 と 1:5 の注釈尺度が設定されています)。

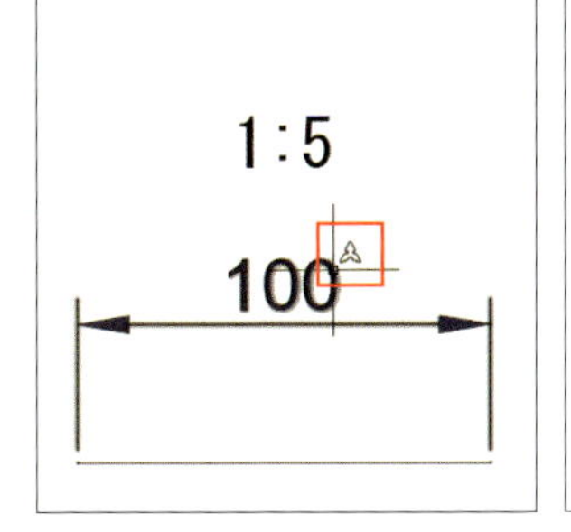

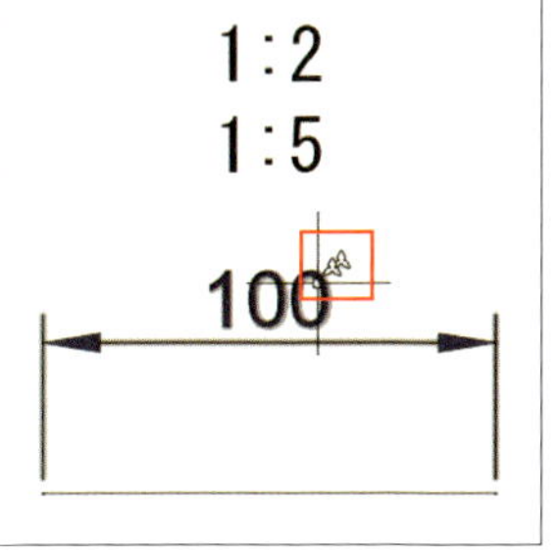

異尺度対応の図形の確認

マウスカーソルを近付けたときに三角スケールのマークが表示される文字や寸法は、[注釈尺度] が設定されている寸法です。三角スケールのマークが 2 つ表示される場合は、[注釈尺度] が 2 つ以上設定されていることを示しています。

注釈尺度を利用した文字を作図する

注釈尺度を利用した文字の作図は、図面の縮尺から計算して文字高さを入力するのではなく、まず[注釈尺度]を設定します。設定後は、印刷時の文字の高さをそのまま入力します。

サンプルファイル 9-8.dwg コマンド なし ショートカットキー なし

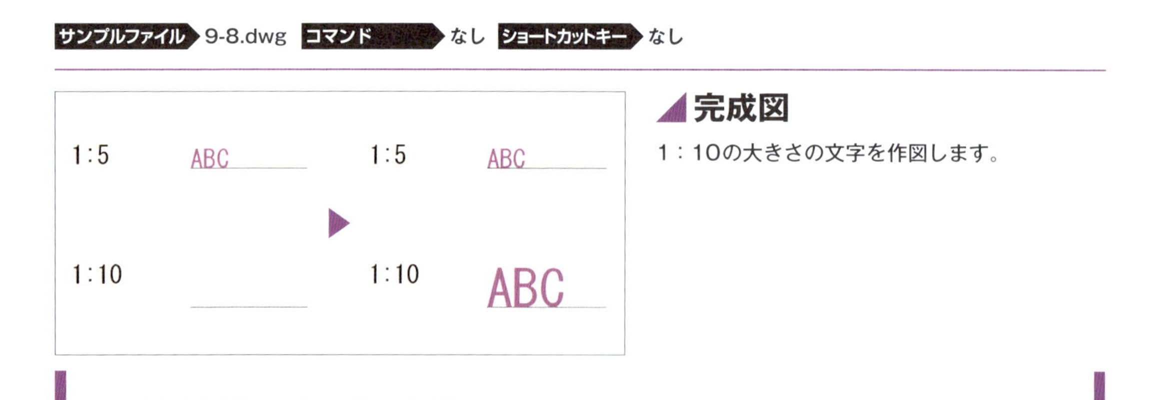

完成図

1：10の大きさの文字を作図します。

注釈尺度を設定して文字を作図する

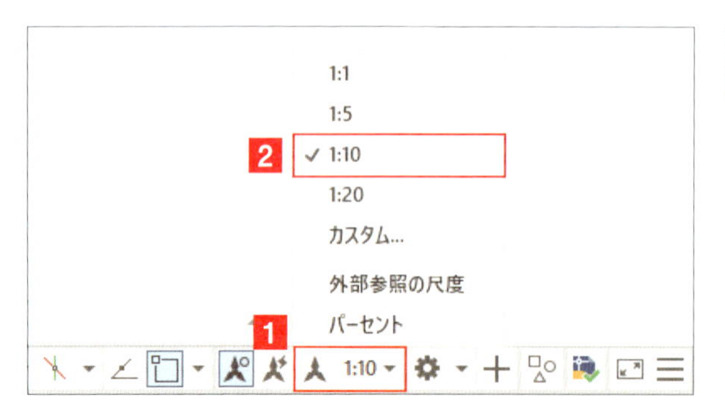

1 注釈尺度を設定する

ステータスバーの［現在のビューの注釈尺度］をクリックし1、［1:10］を選択します2。

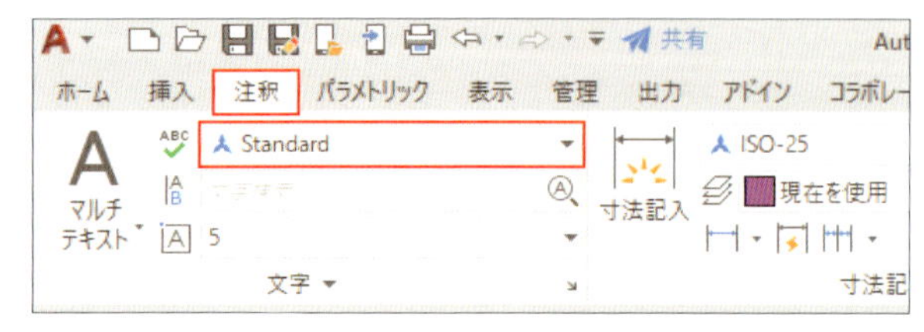

2 文字スタイルを設定する

［注釈］タブ→［文字］パネルの［文字スタイル］から［Standard］を選択します。

3 文字を作図する

［注釈］タブ→［文字］パネルの［▼］→［文字記入］をクリックし、オブジェクトスナップで線分の左端点を始点として選択します。用紙上の文字の高さが「5」の文字を作図します。

注釈尺度を利用した寸法を作図する

注釈尺度を利用した寸法の作図は、[注釈尺度]を設定して寸法の大きさをコントロールします。寸法スタイルの[フィット]タブの[尺度]に縮尺の逆数を入力して作図するといった方法は採りません。

サンプルファイル 9-9.dwg　コマンド なし　ショートカットキー なし

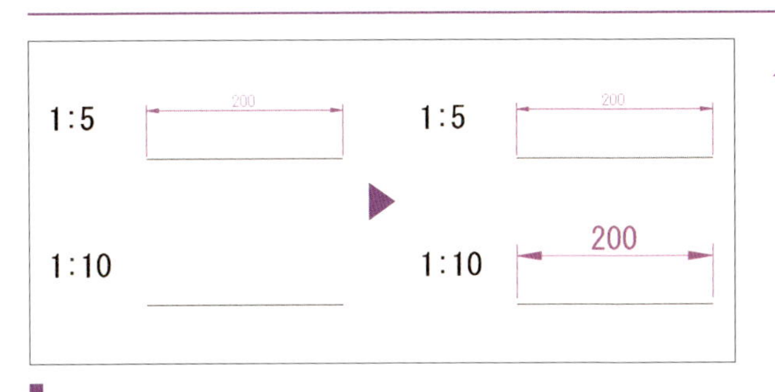

完成図

1：10の大きさの寸法を作図します。

注釈尺度を設定して寸法を作図する

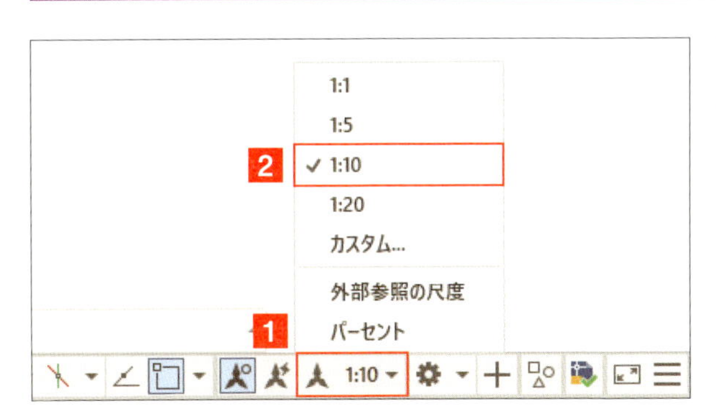

1 注釈尺度を設定する

ステータスバーの［現在のビューの注釈尺度］をクリックし1、［1:10］を選択します2。

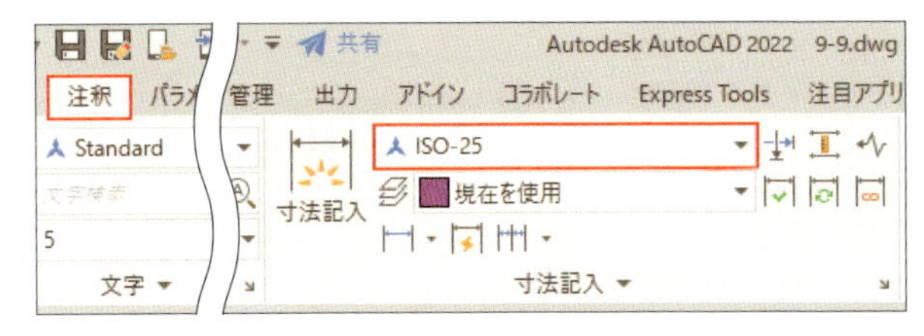

2 寸法スタイルを設定する

［注釈］タブ→［寸法記入］パネルの［寸法スタイル］から［ISO-25］を選択します。

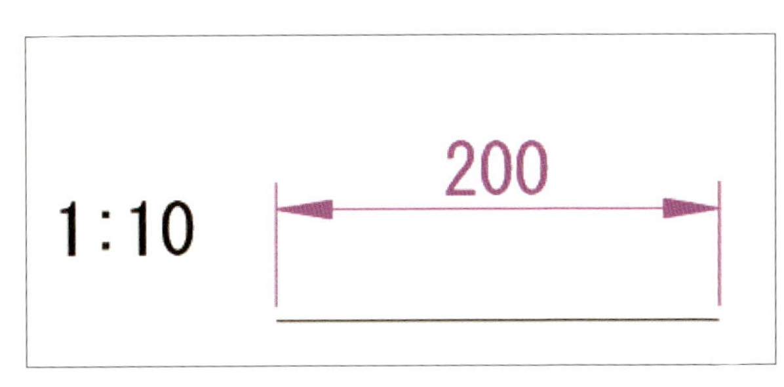

3 寸法を作図する

［注釈］タブ→［寸法記入］パネルの［▼］→［長さ寸法］をクリックし、オブジェクトスナップで線分の端点２つを起点として選択して、寸法を作図します。

図面ファイルを比較する

修正前や修正後のファイルを選択し、現在の図面にオブジェクトがない場合は赤色、追加されたオブジェクトは緑色で表示、比較をすることができます。また、比較した状態を書き出すことが可能です。

サンプルファイル 9-10.dwg　コマンド COMPARE　ショートカットキー なし

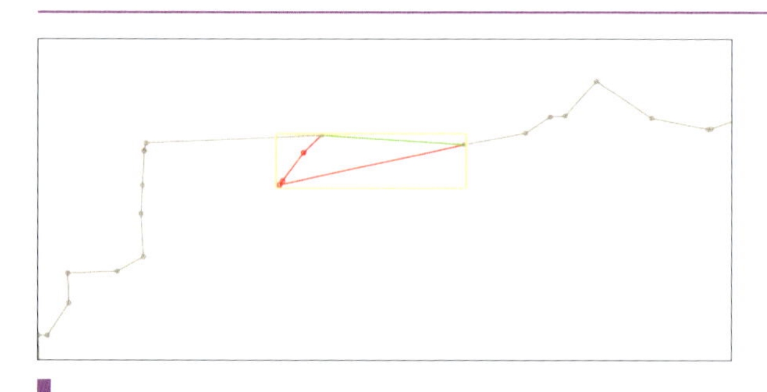

完成図

現在の図面にオブジェクトがない場合は赤色、追加されたオブジェクトは緑色で表示した図面を作成します。

図面比較を利用する

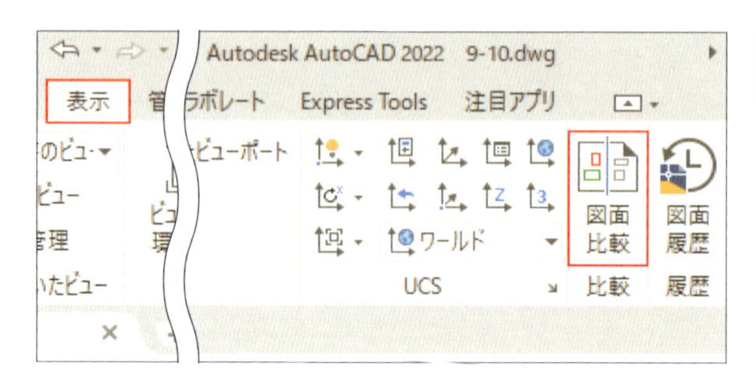

1 [図面比較]コマンドを実行する

[表示] タブ→ [比較] パネルの [図面比較] をクリックします（2019 バージョンでは [コラボレート] - [比較] - [図面比較]）。

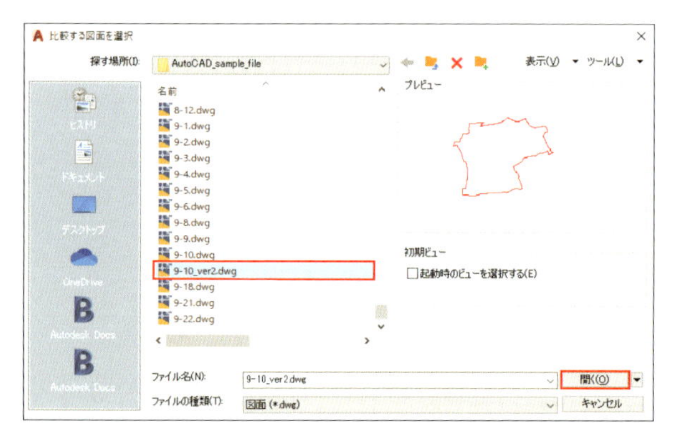

2 比較するファイルを選択する

[比較する図面を選択] ダイアログが表示されるので、[9-10_ver2.dwg] を選択して、[開く] をクリックします。

CHECK

2019 バージョンでは [図面比較] ダイアログが表示されるので、[DWG2] の [･･･] をクリックして、[9-10_ver2.dwg] を選択し、[比較] をクリックすると、比較図面が作成されます。

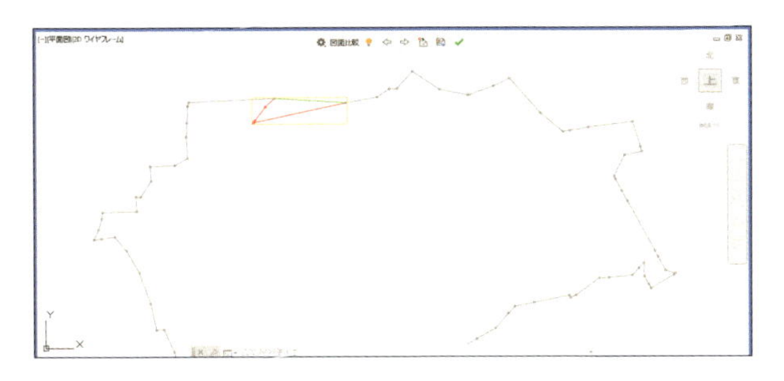

3 図面が比較される

図面が比較され、現在の図面にないオブジェクトは赤色、追加されたオブジェクトは緑色で表示されます。

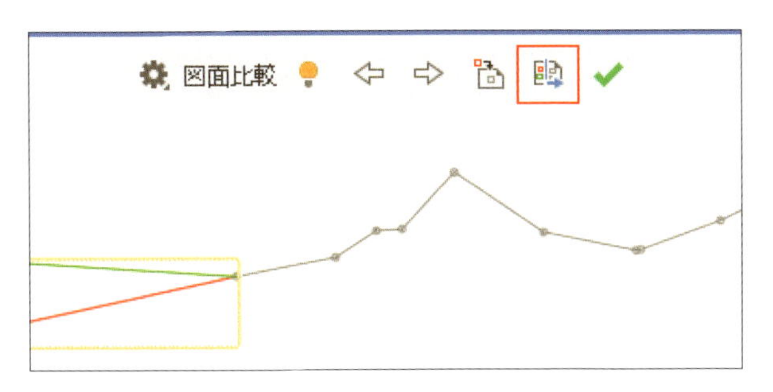

4 ［スナップショットを書き出す］を実行する

ツールバーの［スナップショットを書き出す］をクリックします（2019バージョンにはありません）。［図面に名前を付けて保存］ダイアログが表示されるので、フォルダとファイル名を指定し、［保存］をクリックします。

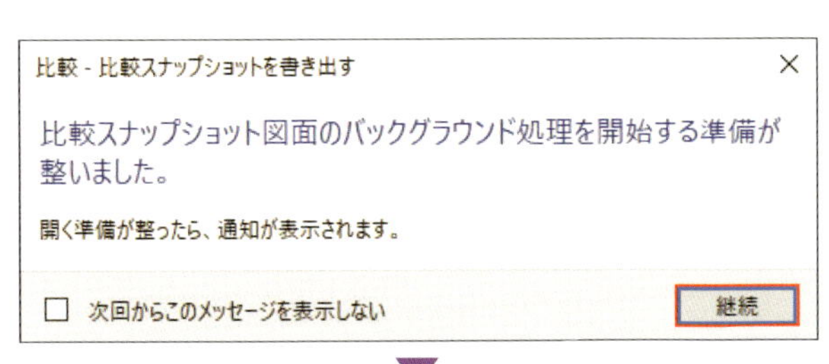

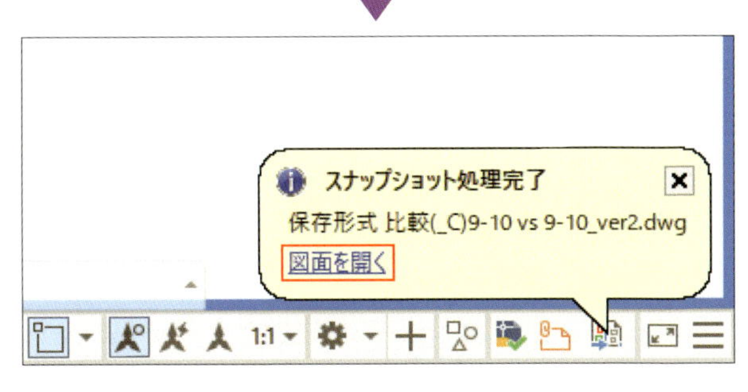

5 保存ファイルを開く

［比較 – スナップショットを書き出す］のメッセージでは［継続］をクリックします。しばらく待つと、画面の右下に［スナップショット処理完了］のメッセージが表示されるので、［図面を開く］をクリックします。

6 比較図面が作成される

手順5で指定したフォルダに作成された図面が開きます。

CHECK

それぞれの図面はブロック参照になっており、分解すると比較の表示がなくなります。

CHAPTER 09 活用

図面ファイルの過去履歴から比較する

OneDrive、Dropbox、Boxなどのクラウドサービスに保存した図面は過去履歴があります。2021バージョンから、その過去履歴と比較することができるようになりました。

サンプルファイル なし　コマンド DWGHISTORY　ショートカットキー なし

完成図

クラウドサービスに保存しているファイルの過去履歴と比較して表示します。

説明

1 クラウドサービスからファイルを開く

クイックアクセスツールバーから［開く］を選択し、OneDriveなどのクラウドサービスからDWGファイルを開きます。

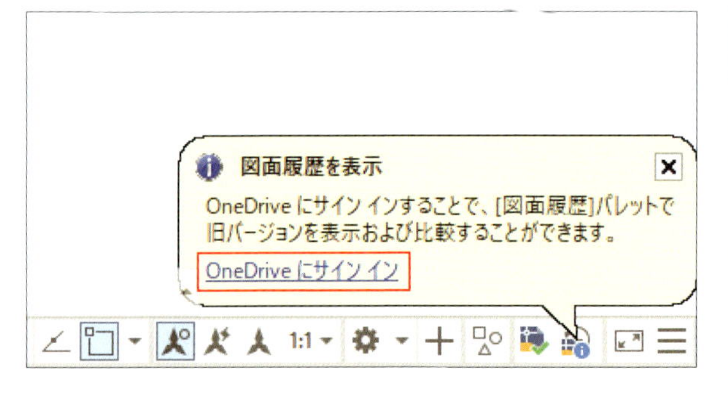

2 クラウドサービスにサインインする

画面右下にメッセージが表示された場合は、［OneDriveにサインイン］をクリックします。サインイン画面が表示されるので、アカウントやパスワードなどを入力し、クラウドサービスにサインインします。

CHECK

一度サインインすると、次回からは必要ありません。

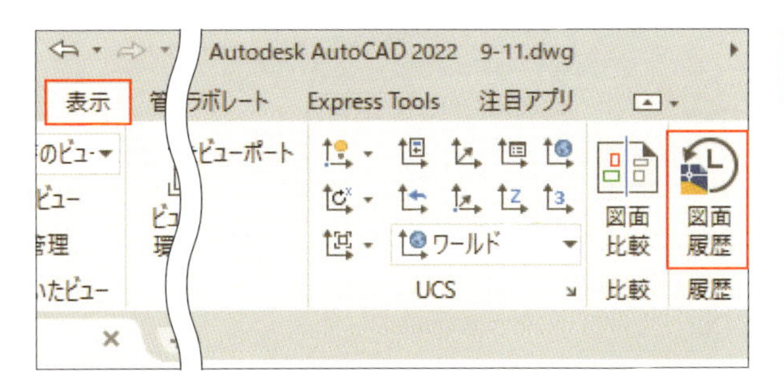

3 図面履歴を表示する

［表示］タブ→［履歴］パネルの［図面履歴］をクリックします。

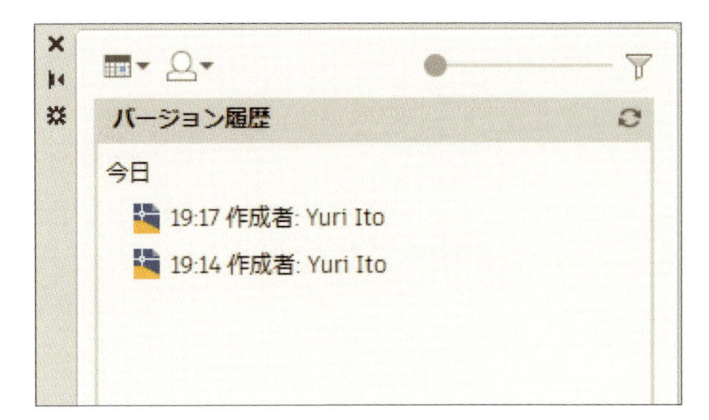

4 ［図面履歴］パレットが表示される

［図面履歴］パレットが表示され、バージョン履歴の一覧が表示されます。

CHECK

それまでに編集の履歴がない場合は、［図面のバージョンがありません］と表示されます。

5 過去履歴と比較する

［図面履歴］パレットの履歴にカーソルを移動すると表示される［比較］ボタンをクリックします。

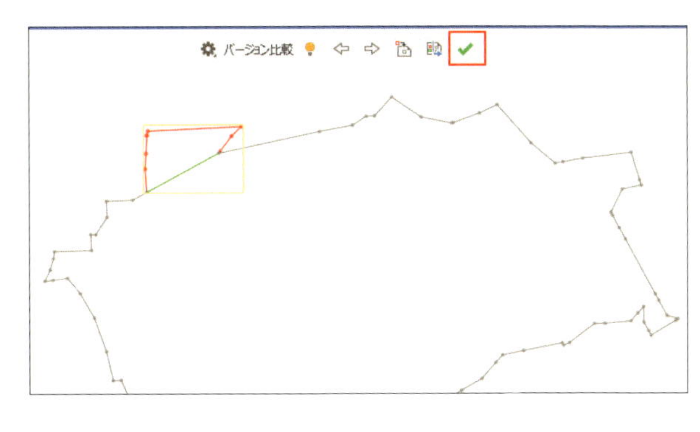

6 過去履歴と比較される

履歴と比較され、現在の図面にないオブジェクトは赤色、追加されたオブジェクトは緑色で表示されます。終了するには、ツールバーの［比較の終了］をクリックします。

CHECK

現在の図面にないオブジェクトをコピーしたい場合は、ツールバーの［選択したオブジェクトを読み込む］をクリックします。

バージョン比較   

CHAPTER 09 活用

クラウドにDWGファイルを保存する

クラウド上にファイル(図面)を保存すると、ほかのパソコンやモバイル端末などでもファイルを開くことが可能です。インターネットのセキュリティ環境によっては接続できない場合もあります。

完成図

クラウドの設定を行い、ファイルをクラウド上に保存します(AutoCAD 2019からの機能です)。なお、事前にオートデスクアカウントを取得しておく必要があります。

クラウドにアクセスしてファイルを保存する

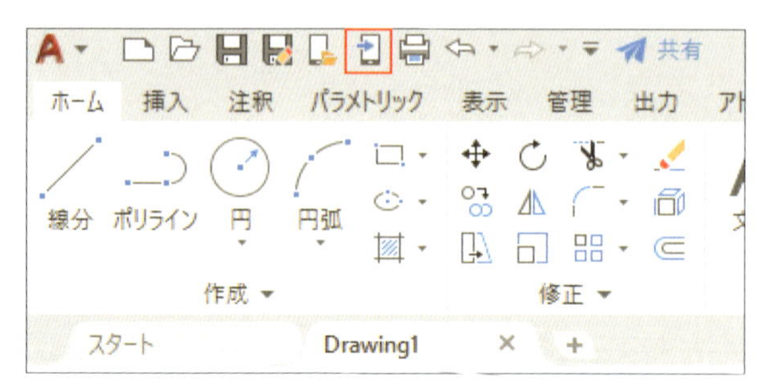

1 WebおよびモバイルIに保存を実行する

クイックアクセスツールバーの［Webおよびモバイルに保存］をクリックします。プラグインについてメッセージが出た場合は、画面に従ってインストールしてください。また、オートデスクアカウントのサインイン画面が表示された場合、電子メールやパスワードを入力してください。

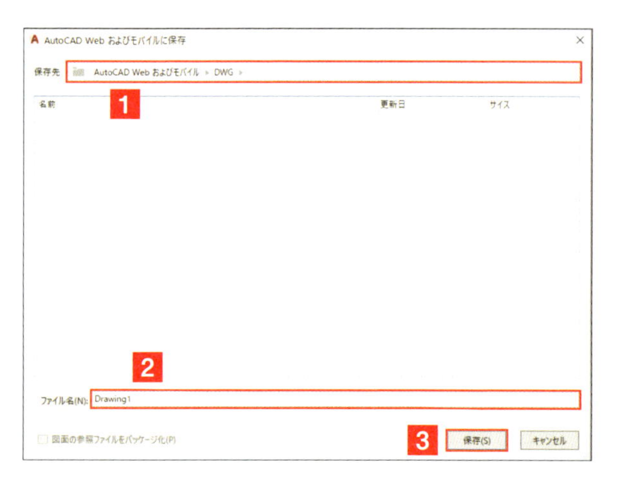

2 図面をクラウドに保存する

［AutoCAD Webおよびモバイルクラウドファイルに保存］ダイアログで保存先と1、ファイル名を指定し2、［保存］をクリックします3。

クラウドからDWGファイルを開く

ここでは、クラウド上に保存したファイルを、ほかのパソコンなどで開く方法を解説します。ソフトウェアは事前にインストールしておきます。モバイル端末については、下記CHECKを参照してください。

サンプルファイル なし　コマンド OPENFROMWEBMOBILE　ショートカットキー なし

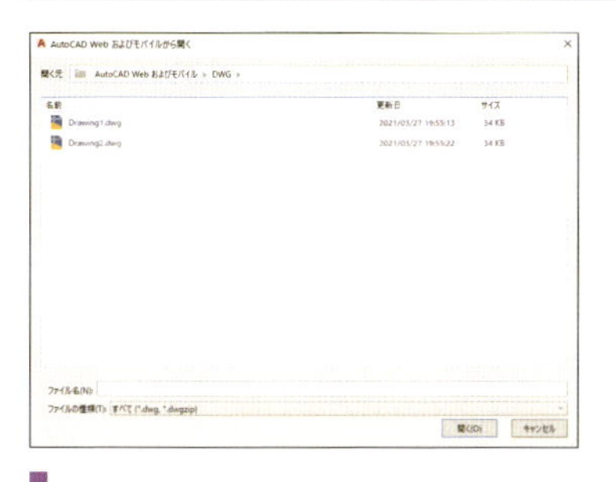

完成図

クラウドに保存されたファイルを開きます（AutoCAD 2019からの機能です）。

クラウドにアクセスしてファイルを指定する

1 WebおよびモバイルからI開くを実行する

クイックアクセスツールバーの［Webおよびモバイルから開く］をクリックします。

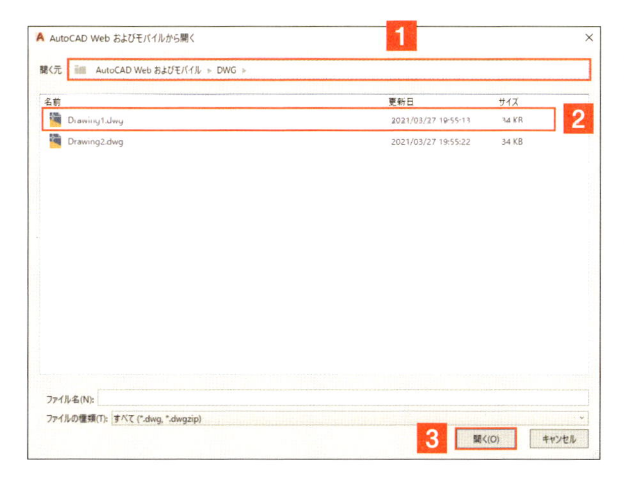

2 図面をクラウドから開く

［AutoCAD Web およびモバイルクラウドファイルから開く］ダイアログで保存先と1、ファイル名を指定し2、［開く］をクリックします3。

CHECK

ブラウザで開くにはAutoCAD Webアプリ（https://web.autocad.com/）にアクセスします（サインインが必要）。モバイル端末から開くには、AutoCADモバイルアプリ（https://www.autodesk.co.jp/products/autocad-mobile/overview）をインストールしてください（無償体験版有り：iOS／Android）。

ファイルの共有を理解する

AutoCADには、社外と図面のやりとりを行う方法として、「ファイルを転送する」「Webアプリで共有する」「Webビューワーで共有する」の3つの方法があります。

ファイルを転送する

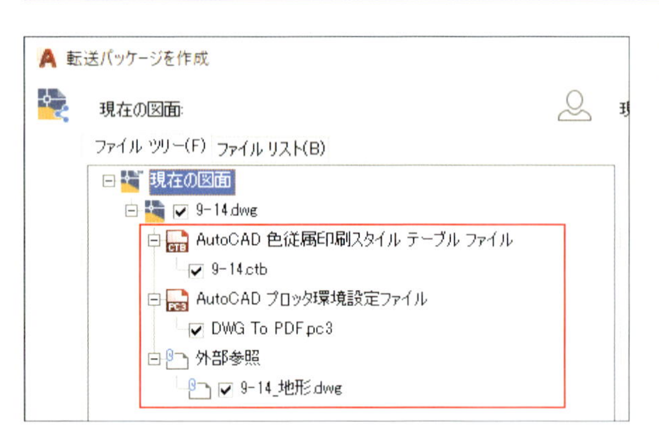

図面を送付する場合、対象のDWGファイルを送るだけでは完結しないことがあります。たとえば、外部参照を使用しているなら、アタッチした図面も一緒に送る必要があります。送付先で図面を印刷する場合は、印刷スタイルスタイルのファイルが必要です。

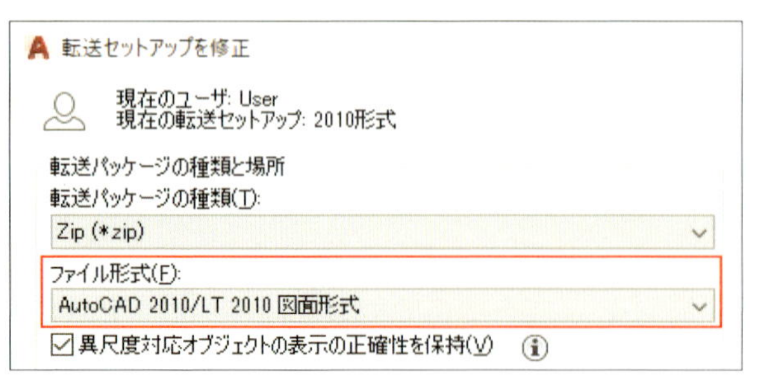

[e-トランスミット]を使用すると、それらを自動でまとめてZIPファイルにすることができます。また、ファイルのバージョンを指定する、[名前削除]を実行するなど、さまざまなオプションを指定することも可能です。

Webアプリで共有する

AutoCAD Webアプリでファイルを閲覧したり、編集したりすることが可能なURL(リンク)を作成します。ただし、閲覧や編集にはAutodeskアカウントが必要です。また、リンクは7日間で期限切れとなります。

CHECK

Autodeskアカウントは、無償で作成することができます。

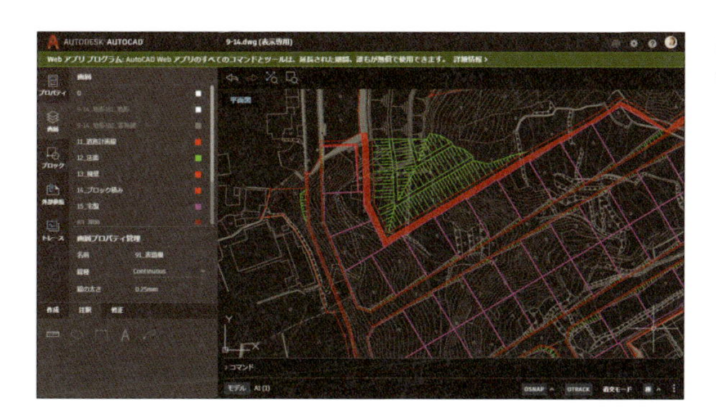

表示専用のリンクを作成した場合には、画層の表示／非表示や、距離の測定などを行うことができます。

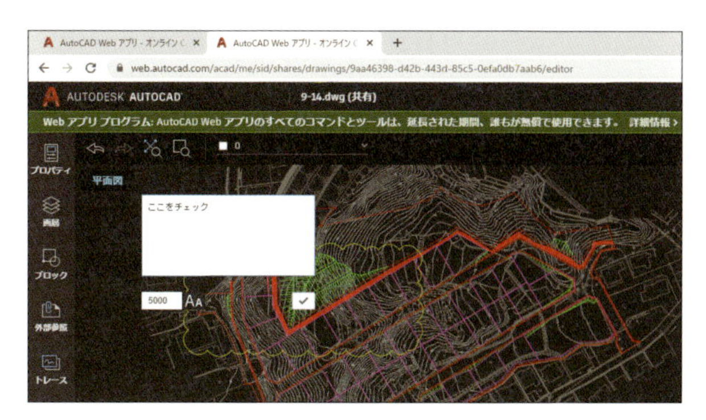

編集することのできるリンクを作成すると、AutoCAD と同様の操作で図面内にオブジェクトの作図をすることが可能です。

Webビューワーで共有する

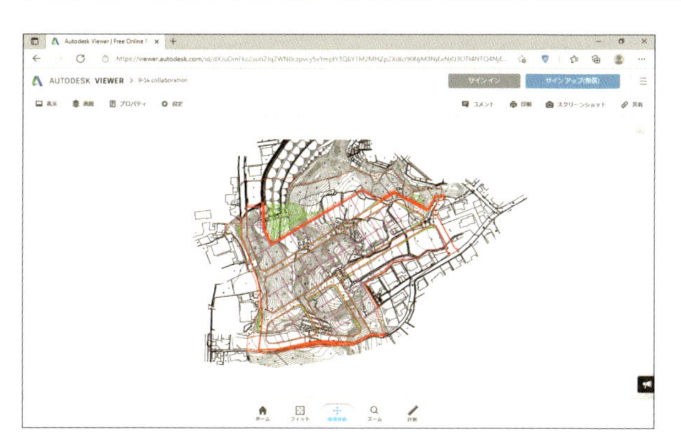

Autodesk VIEWER でファイルを閲覧したり、コメントを記入したりすることが可能な URL(リンク）を作成します。ただし、コメントを記入する場合は Autodesk アカウントが必要です。

CHECK

Autodesk アカウントは、無償で作成することができます。

リンクは 30 日間で期限切れとなりますが、延長することも可能です。

ファイルを転送する

外部参照や印刷スタイルをまとめてZIPファイルを作成します。[転送セットアップ]を作成すると、ファイルのバージョンを下げて保存することも可能です。

サンプルファイル なし　コマンド ETRANSMIT　ショートカットキー なし

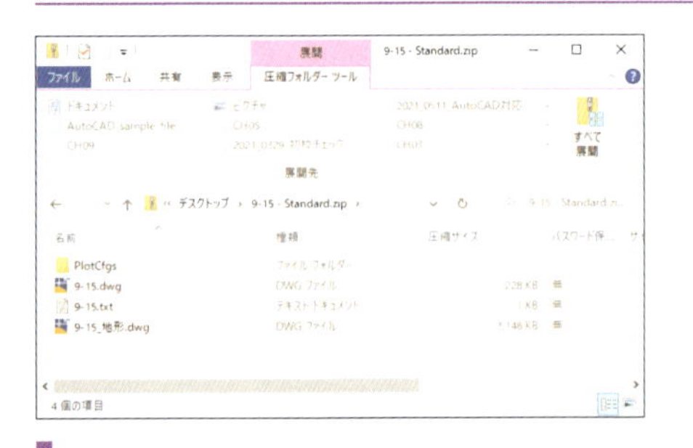

完成図

図面に関連するファイルをまとめたZipファイルを作成します。

[e-トランスミット] コマンドを利用する

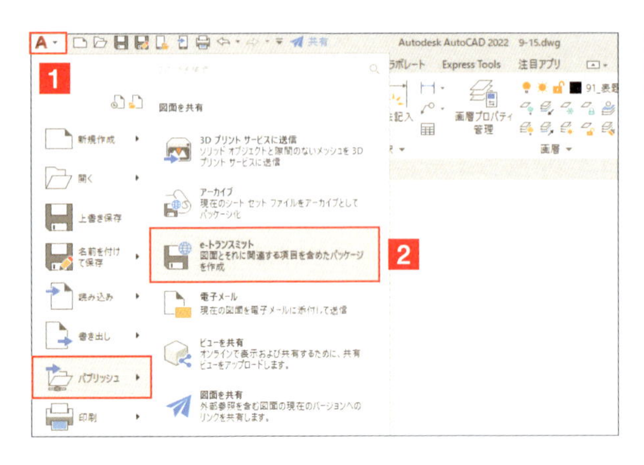

1 [e-トランスミット] コマンドを実行する

送付する図面を開いた状態で、[アプリケーションメニュー] をクリックし1、[パブリッシュ]→[e-トランスミット] をクリックします2。[e-トランスミット - 変更の保存] ダイアログが表示された場合は、[はい] を選択します。

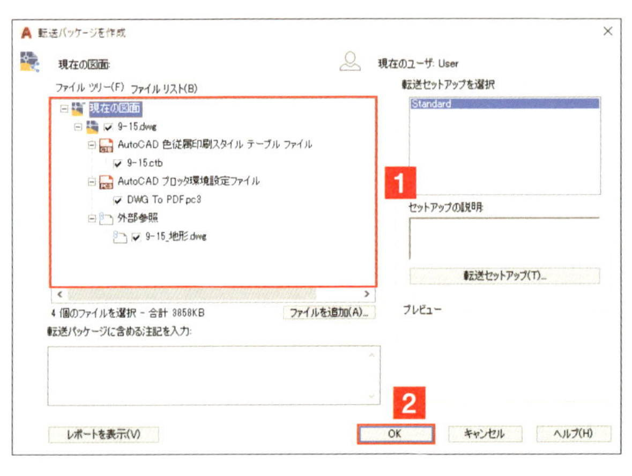

2 転送パッケージを作成する

[転送パッケージを作成] ダイアログの [ファイルツリー] を確認し1、[OK] ボタンをクリックします2。[ZIP ファイルを指定] ダイアログが開くので、フォルダやファイル名を指定し、[保存] をクリックすると、ZIP ファイルが作成されます。

Webアプリで共有する

2022バージョンでは、AutoCADアプリケーションがインストールされていないPCでも、ブラウザでDWGファイルの閲覧/編集できるURL(リンク)を作成することができます。

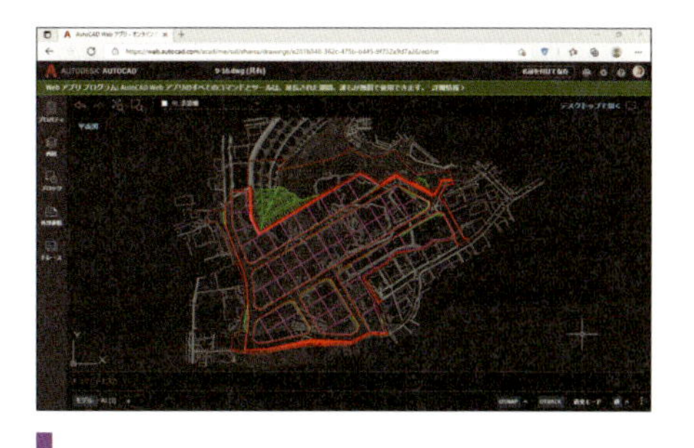

完成図

AutoCAD Webアプリでファイルを閲覧/編集できるURL(リンク)を作成します。

[図面を共有]コマンドを利用する

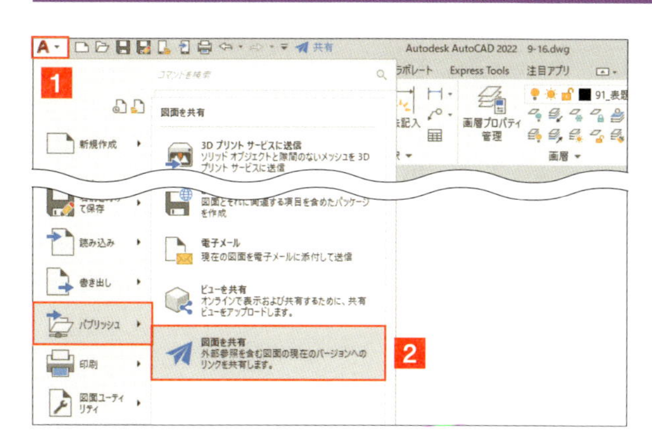

1 [図面を共有]コマンドを実行する

[アプリケーションメニュー]をクリックし1、[パブリッシュ]→[図面を共有]をクリックします2。

2 リンクを作成する

[この図面へのリンクを共有]ダイアログが表示されるので、[表示のみ]または[コピーを編集して保存]を選択し1、[リンクをコピー]を選択すると2、リンク(URL)がクリップボードにコピーされます。

CHECK

リンク(URL)はメールの文章中に貼り付けることができます。ただし、閲覧/編集にはAutodeskアカウントが必要です。

Webビューワーで共有する

AutoCADアプリケーションがインストールされていないPCでも、ブラウザでDWGファイルの閲覧ができるURL(リンク)を作成することができます。

サンプルファイル なし コマンド SHAREDVIEWS ショートカットキー なし

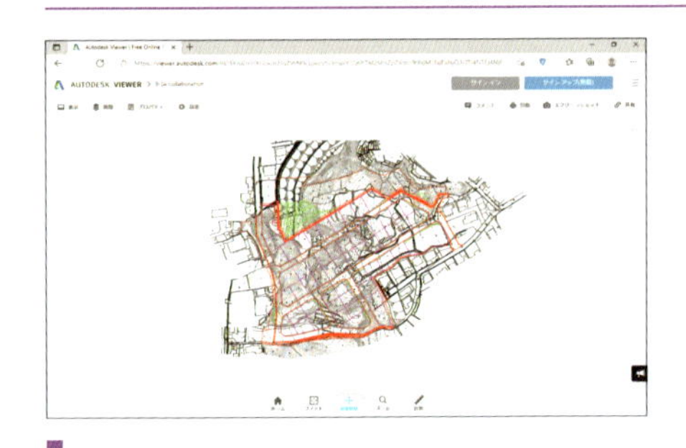

完成図

AutoCAD VIEWERでファイルを閲覧できるURL(リンク)を作成します。

[ビューを共有]コマンドを利用する

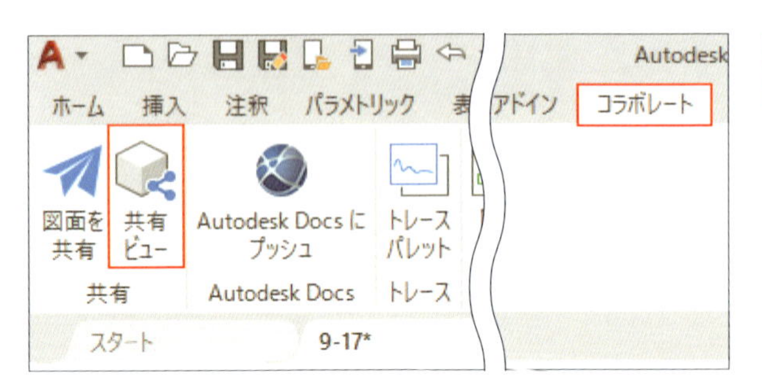

1 [共有ビュー]パレットを表示する

[コラボレート]タブ→[共有]パネルの[共有ビュー]をクリックすると、[共有ビュー]パレットが表示されます。

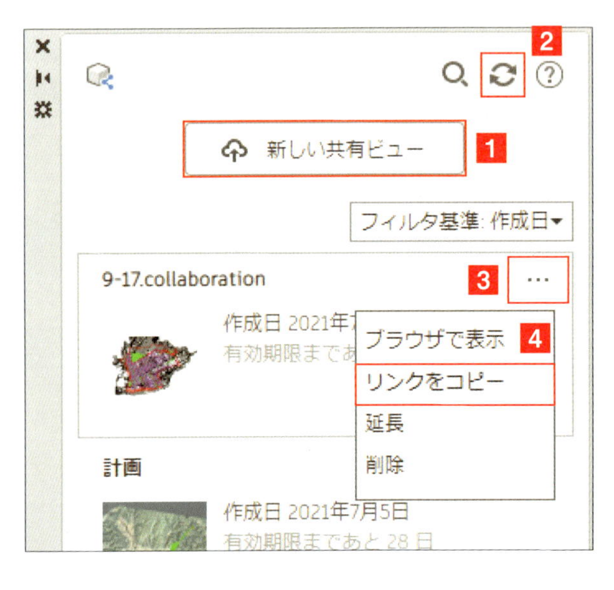

2 共有ビューを作成し、リンクをコピーする

[新しい共有ビュー]をクリックし1、[ビューを共有]ダイアログで[共有]をクリックします。しばらくすると「共有ビューのアップロード完了」とメッセージが表示されるので ⟳ を押します2。共有ビューが作成されるので、[...]をクリックし3、[リンクをコピー]を選択すると4、リンク(URL)がクリップボードにコピーされます。

CHECK

URLをメールの文章中に貼り付けることができます。

SECTION 18

長さや面積を計測する

[ジオメトリ計測]コマンドを使用すると、2点間の距離やXY要素の距離、ポリラインの面積、周長を計測することができます。

サンプルファイル 9-18.dwg **コマンド** MEASUREGEOM **ショートカットキー** MEA

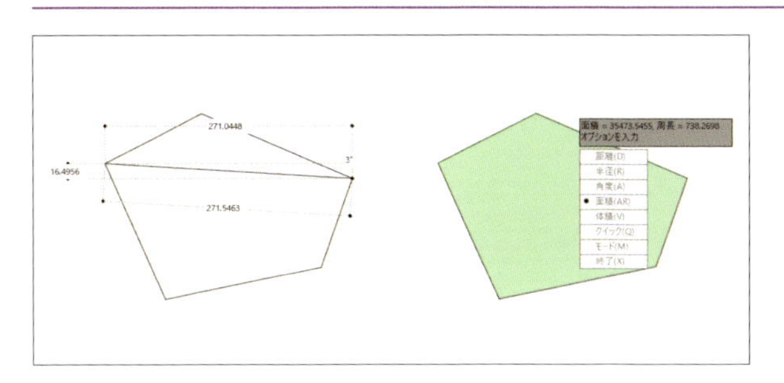

完成図

2点間の距離とポリラインの周長を計測します。

[ジオメトリ計測]コマンドを利用する

1 [ジオメトリ計測]コマンドを実行する

[ホーム] タブ→ [ユーティリティ] パネルの [計測▼] → [距離] をクリックします。

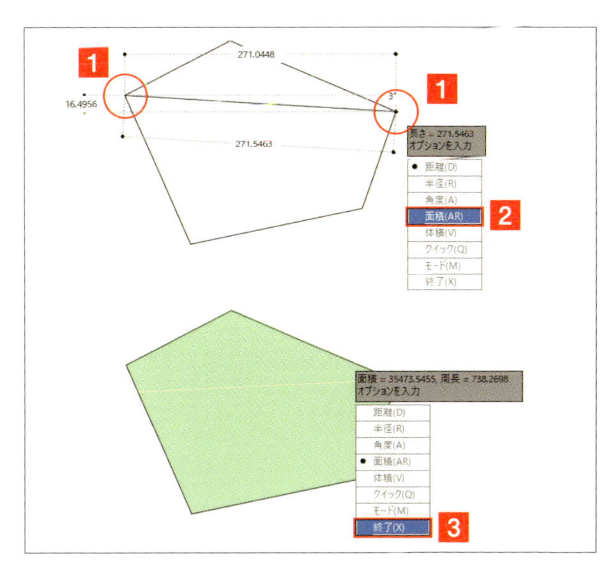

2 距離と面積を測る

端点を2点クリックすると1、2点間の距離が表示されます。オプションから [面積] をクリックし2、右クリックメニューから [オブジェクト] を選択します。ポリラインを選択すると面積が表示されるので、[終了] をクリックして3、コマンドを終了します。

作図領域を分割して表示する

1つの図面ファイルの作図領域を2～4分割して表示することができます。分割場所をドラッグで移動することも可能です。

サンプルファイル なし **コマンド** VPORTS **ショートカットキー** なし

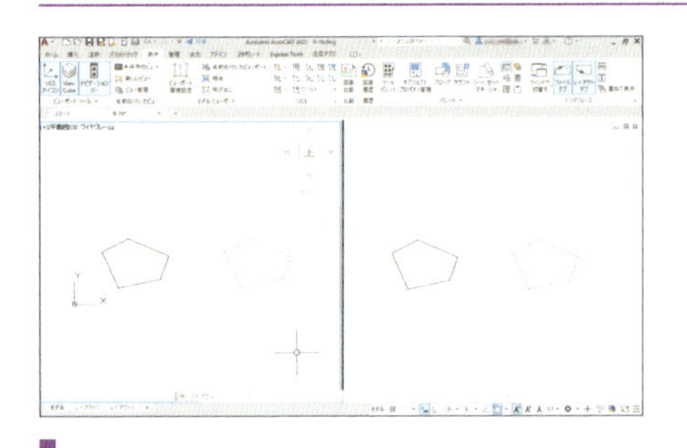

完成図

作図領域を縦に2分割して表示します。

[ビューポート環境設定]を利用する

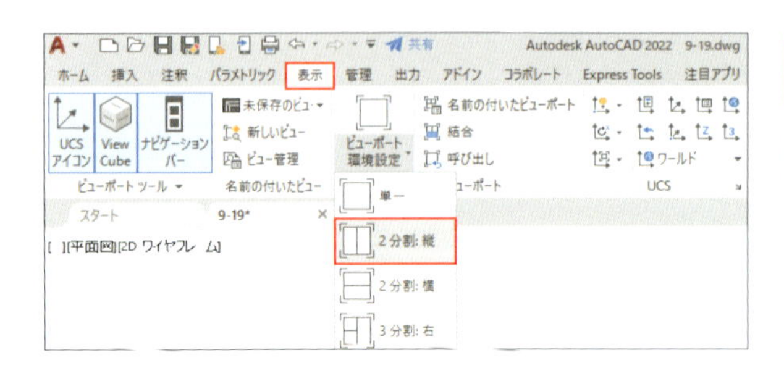

1 [2分割:縦]を選択する

[表示] タブ→ [モデル ビューポート] パネルの [ビューポート環境設定▼] → [2 分割 : 縦] をクリックします。

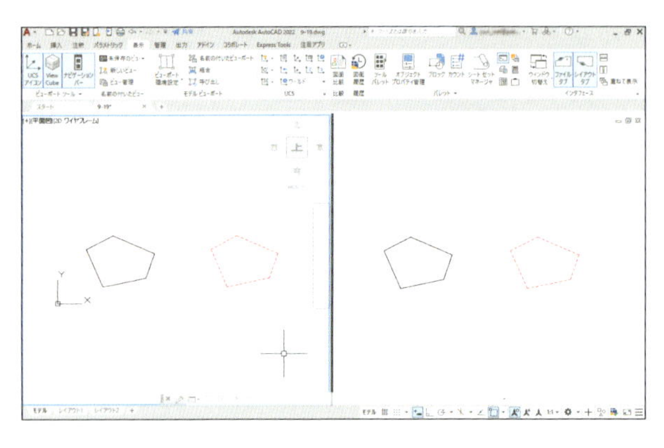

2 作業画面が2分割される

作業画面が 2 分割されます。

CHECK

元に戻す場合は、[表示] タブ→ [モデル ビューポート] パネルの [ビューポート環境設定▼] → [単一] をクリックしてください。

作図ウィンドウを分離する

2022バージョンでは、AutoCADウィンドウの外に不動ウィンドウとして図面ファイルを表示することができるようになりました。

サンプルファイル なし　システム変数 SYSFLOATING　ショートカットキー なし

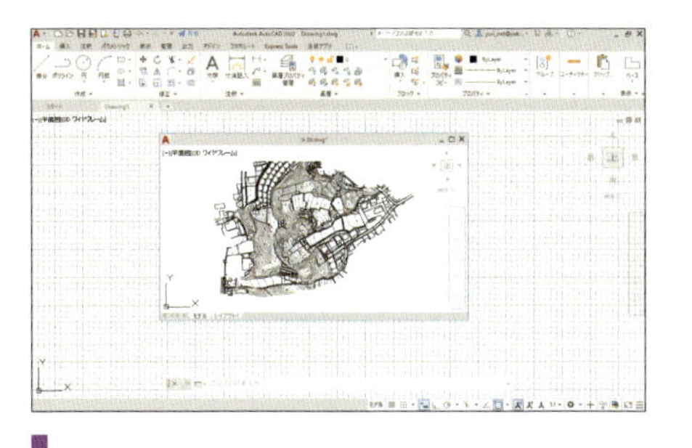

完成図

AutoCADウィンドウの外に図面ファイルを表示します。

図面を不動ウィンドウにする

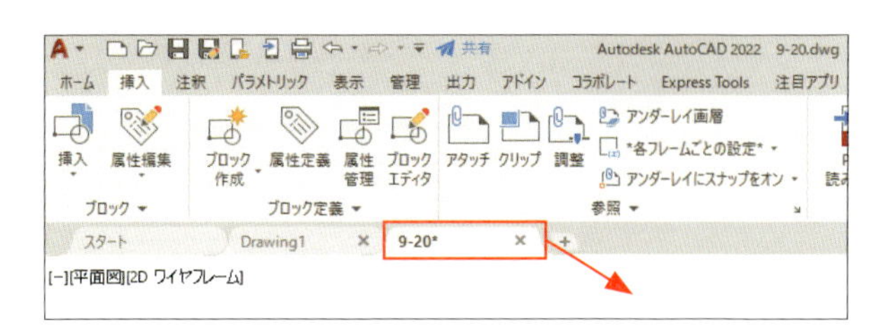

1 ファイルタブをドラッグする

ウィンドウを表示する場所に、ファイルタブをドラッグします。

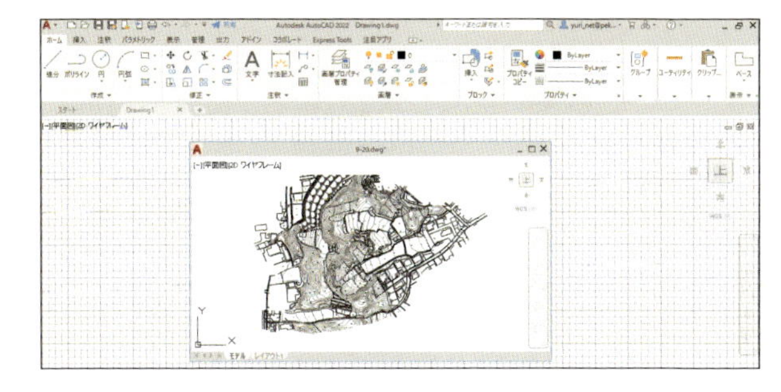

2 不動ウィンドウが表示される

図面ファイルが不動ウィンドウに表示されます。

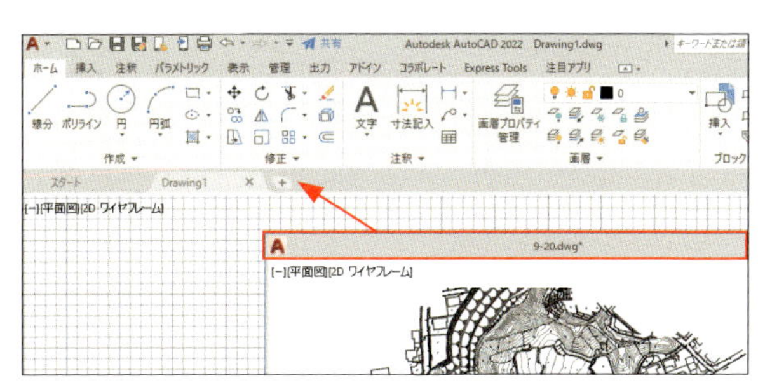

3 不動ウィンドウを解除する

ファイルタブに、不動ウィンドウのタイトルバーをドラッグします。不動ウィンドウが解除されます。

3D表示を2D表示にする

AutoCADでは、Shiftキーを押しながらマウスのスクロールボタンでドラッグすると、3Dの回転表示となります。これを元どおりにするためには、[プランビュー]コマンドを使用します。

サンプルファイル 9-21.dwg　コマンド PLAN　ショートカットキー なし

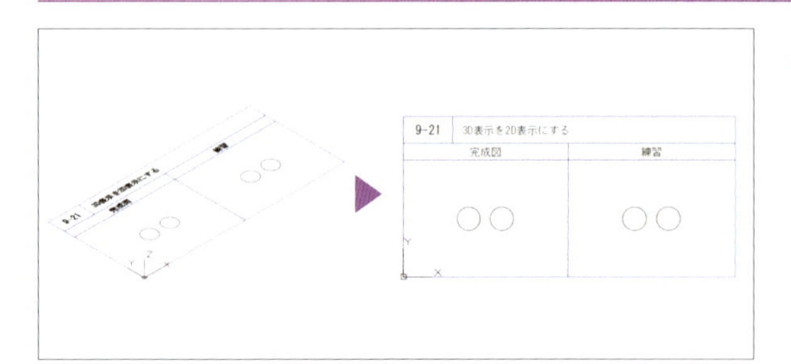

完成図

3D表示になってしまった図面の表示を元に戻し、XY軸を水平垂直方向にします。

[プランビュー]コマンドを利用する

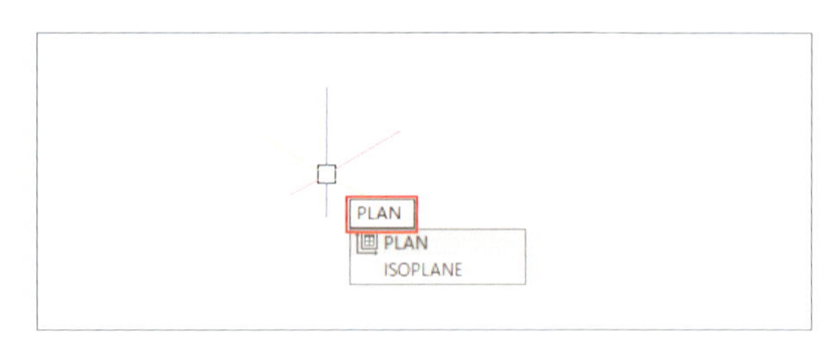

1 [プランビュー]コマンドを実行する

「PLAN」と入力し、Enterキーを押して［プランビュー］コマンドを実行します。

2 オプションを選択する

表示されたオプションから［現在の UCS］をクリックして選択します。

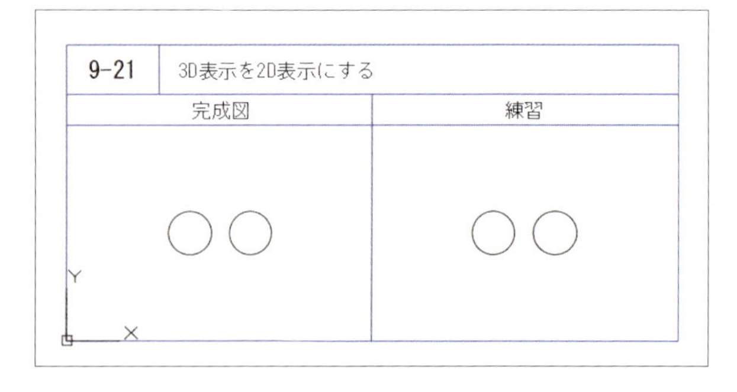

3 ビューが回転する

ビューが回転し、X 軸が水平、Y 軸が垂直に表示されます。

22 ズームで図形がなくなった場合に対処する

他図面からのコピー＆ペーストによって、遠い場所に不要な図形が作図されることがあります。そんな状態でオブジェクト範囲ズームを行うと、何も表示されていない画面に見えてしまいます。不用な図形は削除します。

サンプルファイル 9-22.dwg　コマンド ZOOM、ERASE　ショートカットキー Z、E

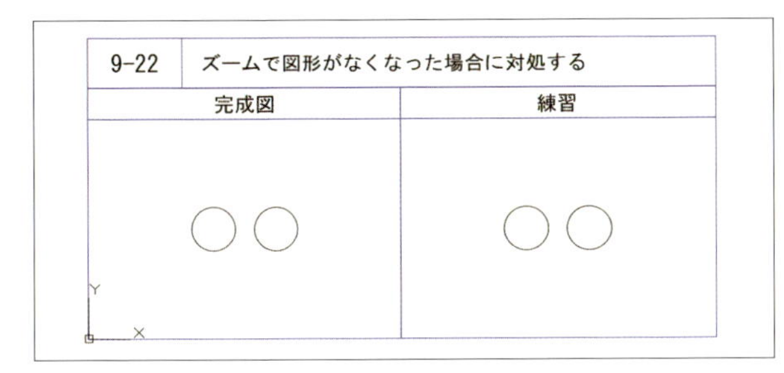

完成図

図面から遠い場所にある必要のない図形を削除し、オブジェクト範囲ズームで図面が表示されるようにします。

残したい図面のみを表示してそのほかの図面を削除する

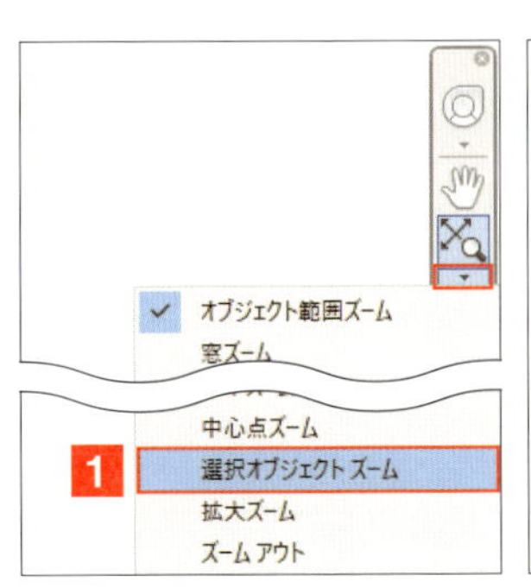

1 ズームを実行する

ナビゲーションバーの［▼］から［選択オブジェクトズーム］を選択し1、「L」と入力して2、Enterキーを2回押します。最後に作図された図形が拡大表示されるので、マウスホイールで画面を縮小し、残したい図面のみを表示しておきます。

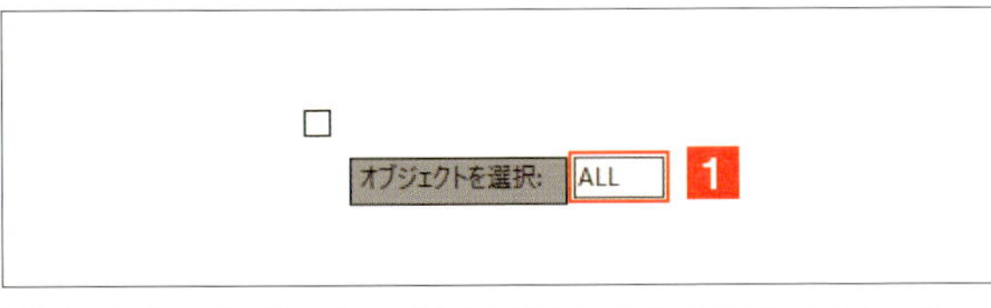

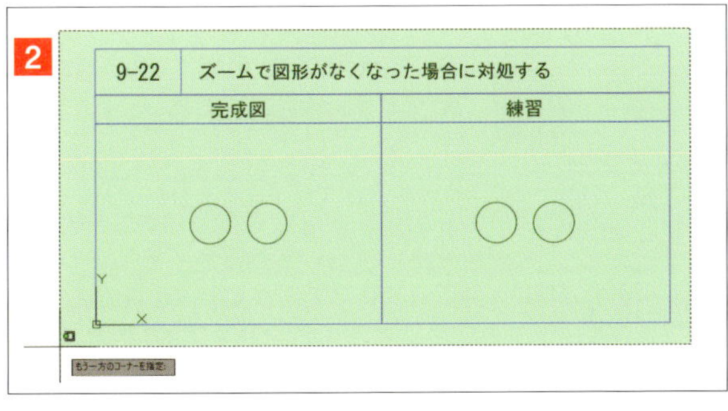

2 図面以外を削除する

［ホーム］タブ→［修正］パネルの［削除］をクリックし、「ALL」と入力してEnterキーを押し1、すべての図形を選択します（画面外の不要な図形も選択されます）。残したい図面をShiftキーを押しながら選択して解除します2。Enterキーを押すと、必要のない図形が削除されます。ナビゲーションバーで［オブジェクト範囲ズーム］を選択すると、図面のみが表示されます。

テンプレートを作成する

文字／寸法／マルチ引出線スタイル、線種、画層を設定し、図枠を作成後、テンプレートとして保存しておくと、あとから活用できるため便利です。図面の縮尺についてはP.172「図面の縮尺を理解する」を参照してください。

サンプルファイル なし　コマンド +SAVEAS　ショートカットキー なし

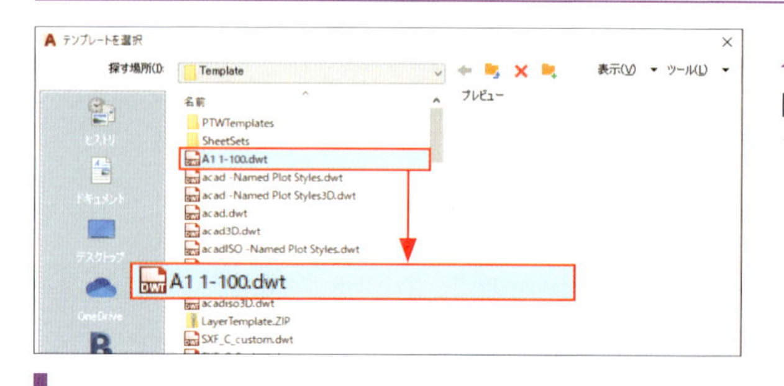

完成図

「色従属印刷スタイル」でA1サイズ、縮尺が1:100のテンプレートを作成します。

各種設定を行ったのち、画層と図枠を作成する

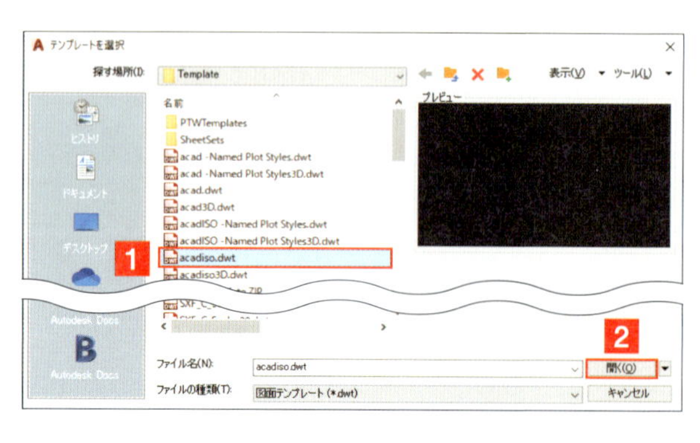

1 ファイルを新規作成する

[アプリケーションメニュー] → [新規作成] をクリックします。[acadiso.dwt] (AutoCAD LTでは [acadltiso.dwt]) を選択し**1**、[開く] をクリックします**2**。

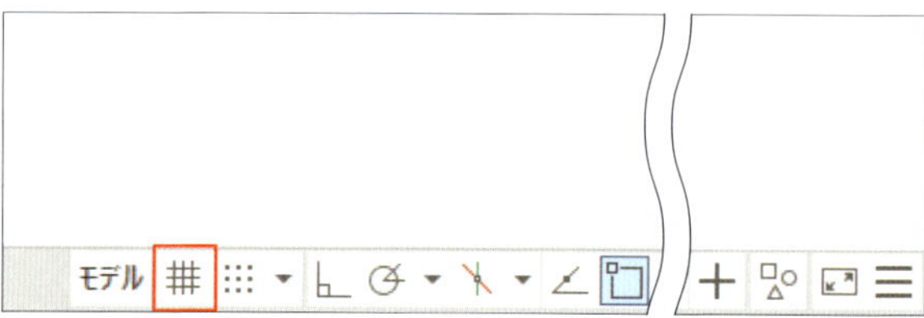

2 グリッド表示をオフにする

ステータスバーの [グリッド表示] をクリックしてオフにします。作図領域に表示されていた格子状のグリッドが非表示になります。

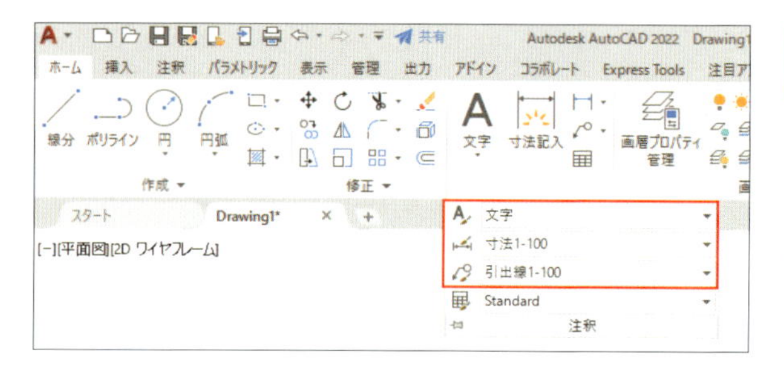

3 スタイルを設定する

P.194「文字スタイルを作成する」、P.211「寸法スタイルを作成する」、P.218「マルチ引出線スタイルを作成する」を参照し、各スタイルを作成します。寸法スタイルとマルチ引出線スタイルの尺度は「100」に設定します。

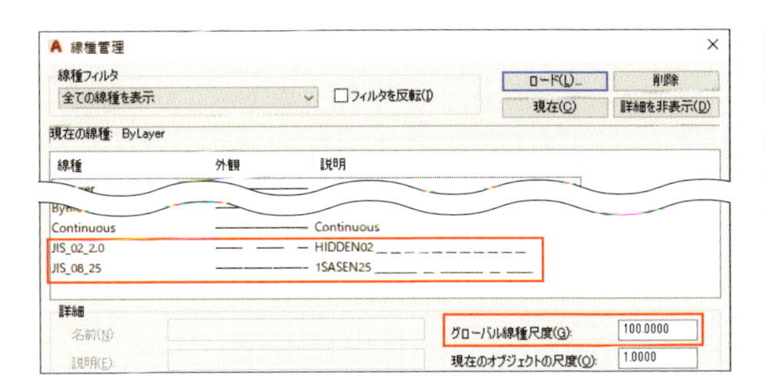

4 線種と線種尺度を設定する

P.260「線種をロードする」、P.261「図面全体の線種尺度を設定する」を参照し、線種のロードと線種尺度を設定します。

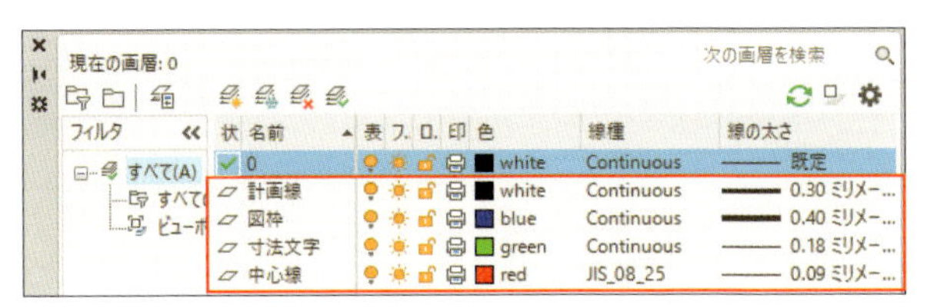

5 画層を作成する

P.232「画層を作成する」を参照し、画層を作成します。

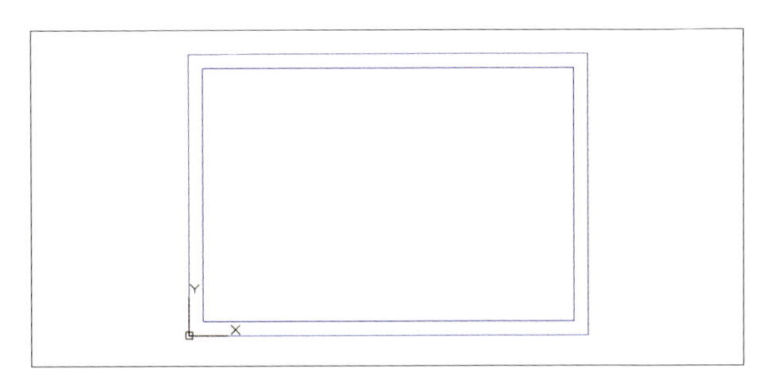

6 図枠を作成する

P.172「図面の縮尺を理解する」を参照し、A1サイズで 1:100 の図枠を作成します。

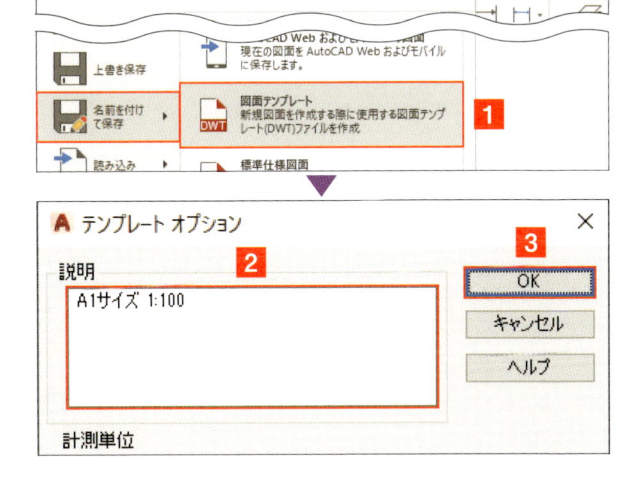

7 テンプレートとして保存する

[アプリケーションメニュー] → [名前を付けて保存] → [図面テンプレート] をクリックします1。ファイル名を「A1 1-100」とし、[保存] をクリックします。テンプレートオプションダイアログで [説明] に「A1 サイズ 1:100」と入力し2、[OK] をクリックすると3、テンプレートとして保存されます。

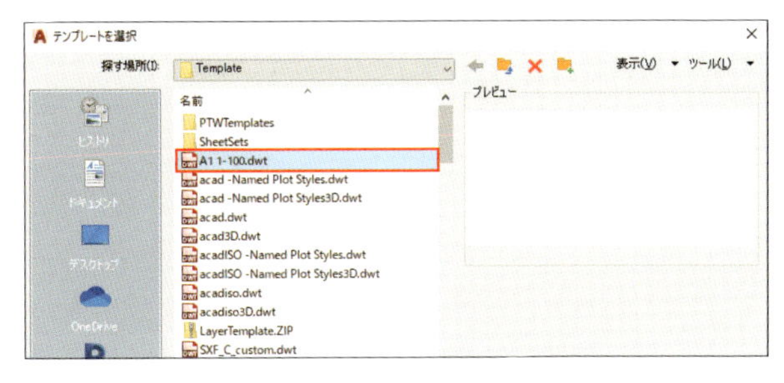

8 作成したテンプレートを使用する

[アプリケーションメニュー] → [新規作成] をクリックすると、作成した [A1 1-100.dwt] を選択することができます。[開く] をクリックすると、手順2〜6で各種設定した状態から作図を開始できます。

ショートカットキー一覧

スクリーン

ショートカットキー	操作内容
Ctrl + 0	フルスクリーン
Ctrl + 1	プロパティパレット
Ctrl + 2	DesignCenterパレット
Ctrl + 3	ツール パレット
Ctrl + 4	シートセットマネージャパレット
Ctrl + 7	マークアップセット管理パレット
Ctrl + 8	クイック計算
Ctrl + 9	コマンドウィンドウ

図面

ショートカットキー	操作内容
Ctrl + S	上書き保存
Ctrl + O	図面を開く
Ctrl + P	印刷

作図補助

ショートカットキー	操作内容
F1	ヘルプを表示
F2	コマンドウィンドウを表示
F3	定常オブジェクトスナップをオン／オフ
F8	直交モードをオン／オフ
F10	極スナップをオン／オフ
F11	オブジェクトスナップトラッキングをオン／オフ
F12	ダイナミック入力をオン／オフ
Ctrl + F2	テキストウィンドウを表示
Ctrl + H	グループ選択をオン／オフ

作図

ショートカットキー	操作内容
Ctrl + C	コピー
Ctrl + X	切り取り
Ctrl + V	貼り付け
Ctrl + Shift + C	基点を指定してオブジェクトをコピー
Ctrl + Shift + V	データをブロックとして貼り付け
Ctrl + Z	直前の操作を元に戻す
Ctrl + Y	直前の操作をやり直す
Esc	キャンセル

コマンド(作図)

ショートカットキー	操作内容
L	線分
PL	ポリライン
C	円
A	円弧
REC	長方形
POL	ポリゴン
XL	構築線
H	ハッチング
BO	境界作成
PO	点
DIV	ディバイダ
ME	計測(メジャー)
REG	リージョン

コマンド(修正)

ショートカットキー	操作内容
M	移動
CO	複写
S	ストレッチ
RO	回転
MI	鏡像
SC	尺度変更
TR	トリム
EX	延長
F	フィレット
CHA	面取り
AR	配列複写
E	削除
X	分解
O	オフセット
LEN	長さ変更
PE	ポリライン編集
BR	部分削除
J	結合
DR	表示順序

コマンド(注釈)

ショートカットキー	操作内容
DT	文字
MT	マルチテキスト
ST	文字スタイル管理
DLI	長さ寸法
DAL	平行寸法
DRA	半径寸法
DDI	直径寸法
DCO	直列寸法記入
DBA	並列寸法記入
D	寸法スタイル管理
MLD	マルチ引出線
MLS	マルチ引出線スタイル管理

コマンド(その他)

ショートカットキー	操作内容
B	ブロック定義
G	グループ
LA	画層プロパティ管理パレット
RE	再作図
Z	ズーム
OP	オプション
OS	オブジェクトスナップ設定
DI	2点間の距離を計測

INDEX【索引】

記号・数字

英字

あ行

か行

さ行

た行

な行

は行

ま行

や行

ら行

わ行

■著者略歴

芳賀百合(はが ゆり)

元は土木設計事務所のCADオペレーターで、AutoCAD暦は15年以上。現在は、初心者にはわかりやすく指導し、上級者には1ランク上の使いこなし方を教えるインストラクターとして活動中。ブログ(https://blog.ybizeff.com/)でAutoCADのカスタマイズや3DCADなどに関する情報を公開。

本文デザイン
吉田進一(ライラック)

カバーデザイン
田邉恵里香

DTP
オンサイト、中村知子

編集
オンサイト、原田崇靖

■お問い合わせについて

本書の内容に関するご質問は、下記の宛先までFAXまたは書面にてお送りください。なお電話によるご質問、および本書に記載されている内容以外の事柄に関するご質問にはお答えできかねます。あらかじめご了承ください。

〒162-0846
新宿区市谷左内町21-13
株式会社技術評論社　書籍編集部
「AutoCAD　パーフェクトガイド　[改訂2版]」質問係

FAX番号　03-3513-6167
技術評論社ホームページ　https://book.gihyo.jp/116

なお、ご質問の際に記載いただいた個人情報は、ご質問の返答以外の目的には使用いたしません。また、ご質問の返答後は速やかに破棄させていただきます。

AutoCAD　パーフェクトガイド　[改訂2版]

2018年7月17日　初版　第1刷発行
2021年11月9日　第2版　第1刷発行
2024年4月17日　第2版　第2刷発行

著者　芳賀　百合
発行者　片岡　巌
発行所　株式会社技術評論社
東京都新宿区市谷左内町21-13
電話　03-3513-6150　販売促進部
03-3513-6160　書籍編集部
印刷／製本　株式会社加藤文明社

定価はカバーに表示してあります。

造本には細心の注意を払っておりますが、万一、乱丁(ページの乱れ)や落丁(ページの抜け)がございましたら、小社販売促進部までお送りください。送料小社負担にてお取り替えいたします。

ISBN978-4-297-12355-0 C3055
Printed in Japan